世界文学名著名译典藏

全译插图本

童年·在人间·我的大学

〔苏〕高尔基◎著　　汝龙　郭家申◎译

ДЕТСТВО · В ЛЮДЯХ · МОИ УНИВЕРСИТЕТЫ

长江出版传媒｜长江文艺出版社

图书在版编目（ＣＩＰ）数据

童年·在人间·我的大学 / （苏）高尔基著；汝龙，
郭家申译. -- 武汉 ：长江文艺出版社， 2018.6
　（世界文学名著名译典藏）
　ISBN 978-7-5702-0294-2

　Ⅰ. ①童… Ⅱ. ①高… ②汝… ③郭… Ⅲ. ①长篇小
说—小说集—苏联 Ⅳ. ①I512.45

中国版本图书馆 CIP 数据核字(2018)第 062093 号

责任编辑：梅若冰　　　　　　　　　　责任校对：陈　琪
封面设计：格林图书　　　　　　　　　责任印制：邱　莉　　王光兴

出版：长江出版传媒｜长江文艺出版社

地址：武汉市雄楚大街 268 号　　　　邮编：430070
发行：长江文艺出版社
电话：027—87679360
http://www.cjlap.com
印刷：湖北恒泰印务有限公司

开本：880 毫米×1230 毫米　　1/32　　印张：22　　插页：4 页
版次：2018 年 6 月第 1 版　　　　2018 年 6 月第 1 次印刷
字数：646 千字

定价：49.00 元

译 序

一

　　高尔基（1868—1936）的自传三部曲《童年》①《在人间》②《我的大学》③，可以说是俄国文学史上一部难能可贵的纪实性系列小说，它真实详尽地记述了作者二十岁以前的坎坷经历，点点滴滴，连缀成篇，读来朴实无华，感人至深。但就三部曲所蕴含的丰富思想和广阔艺术视野而言，它又不是一般传统意义上的自传体作品所涵盖得了的。作者在描述自己生活的同时，鲜明地描绘出了俄国人民生活中整个一个时代和这个时代人的生活特点。

　　这种体裁的作品在俄国文学中并不鲜见，C.T. 阿克萨科夫、Л.H. 托尔斯泰等先辈作家都曾经写过。但一般来说，他们的作品社会视野都比较狭窄，叙事往往只围绕主人公一个人展开，而且描写

① 最初在 1913—1914 年的《俄罗斯言论报》（该报因从事反革命宣传于 1917 年 11 月被苏维埃政权查封）上发表，1914 年柏林出版了第一个单行本，署名 M. 高尔基。《童年》的手稿没有保留下来。1929 年有人问及此事时，高尔基回答说，手稿"好像被烧掉了，也许是在芬兰，在穆斯塔米亚基"（《高尔基档案》第 11 卷，第 198 页）。

② 最初在 1915 年的《俄国言论报》上发表一些章节，全文是在 1916 年的《年鉴》月刊上发表的。第一个单行本于 1917 年出版，柏林，署名 M. 高尔基。

③ 最初在 1923 年的《红色处女地》上连载，同年作为一部独立的作品，结集出版，署名 M. 高尔基。据克鲁普斯卡娅回忆，在列宁最后的日子里，他常请她朗读《我的大学》给他听。

的对象也大都限于贵族。

高尔基的着眼点则不同，他几乎包揽了旧俄国的各个阶层，尤其是他所熟悉的"底层"人民。首先是写他自己，写他在各方面都格格不入的外公家的生活，继而写他离家出走，在外面流浪、打工，与人们的种种磕碰与切身感受。

阿列克谢的童年生活是短暂的。母亲死后，破了产的外公将他逐出家门。他投身社会，来到所谓"人间"。作家详细而生动地向我们勾勒出还是个孩子的阿列克谢的生活历程：先是在鞋店里"打杂"，后来又在亲戚家的制图作坊里当"学徒"，在轮船上帮厨，再后来又开始"攻读"自己的所谓"大学"——参加喀山地下革命小组活动，阅读地下读物，和所谓"生活导师们"交往，甚至还认识了俄国早期马克思主义者费多谢耶夫。"人间"的生活让阿列克谢从一个稚气未消的孩子慢慢成熟起来，逐渐形成了自己的世界观。

界定和分析一部自传体作品，恐怕首先应该着眼于两个方面：一是要看作品的基本生活素材来源；二是要看作者本人写作的主观思想出发点和作品所达到的客观效果。

阿克萨科夫生长在俄国农奴制下的贵族世家，他笔下的童年生活脱不开他的历史环境，他的记述充满着对贵族生活的留恋与痴迷，他对自己童年时仆人们如何侍候他、呵护他，讲起来津津乐道，不厌其烦，字里行间无不透出对一去不复返的往昔的怀念。

列夫·托尔斯泰写自传三部曲的时候，正是 19 世纪 50 年代，当时他已经是二十多岁的人了，思想已经成熟。他对自己因出身贵族而在社会中所享有的特权地位已经相当不满，而且在自传三部曲中对一切妨碍个性发展和精神自由的贵族旧礼教已多有批判。但他也只是批判批判而已。毕竟他和阿克萨科夫都出身贵族，其立场虽有明显的不同，但这种不同也只是相对而言。他们回想起"幸福的童年"时心里仍不免乐滋滋的。虽然托尔斯泰后来对贵族阶级的态度有了很大的变化，19 世纪末他甚至说："我现在感到极大的痛苦，因为我想起了我过去过的卑鄙的生活，这些回忆使我于心不安，使我很难再这样生活下去。"毋庸讳言，托尔斯泰也说过自己的童年是"美好的"，那只不过是和他后来涉足贵族生活圈子后的"放荡生活"相比较而言，他对自己过去的贵族生活方式，应该说，还是持严厉批判态度的。

高尔基的情况就完全不同了，他的童年是不堪回首的。童年在他的记忆中只是"野蛮的俄国生活中的种种劣迹"。因此，他写三部曲时的思想起点就比较高，他是把自己对过去的回忆当作劳苦大众在争取自由幸福生活的斗争时的切身体会和教训来写的。他想表明，他之所以反对沙皇统治，反对地主资产阶级及俄国的社会、经济、道德制度，完全是现实生活本身所提出的要求，是历史发展之必然。他来自社会底层，生活在他们中间，长期和人民同生活、共呼吸。这也正是劳动者一直视高尔基为自己人、一直喜爱他的根本原因所在。

高尔基生活和成长的年代，正是俄国思想活跃、群英荟萃的时代。各种思想家、理论家层出不穷，都在磨砺以须，为当时的俄国把脉、开药方，有甚嚣尘上的斯拉夫派理论和咄咄逼人的西欧派观点，也有边宣传边实践的民粹主义和已经在迅速传播的马克思主义。1861 年，沙皇政府为了缓和社会矛盾，继续维持其反动统治，被迫宣布放弃农奴制，实行改革，名义上给农民以"自由"，实际上从他们身上搜刮了巨额的"赎金"，同时抢走了他们原先耕作的大批良田，使他们的生活愈加贫困。而资本主义在俄国的迅速发展、资本家的压榨剥削，进一步激起了劳动者的反抗，农民起义，工人罢工，社会矛盾激化，沙皇政府加强了镇压。民粹派动员农民对抗沙皇统治，发起"到民间去"的活动。随着资本主义在俄国的发展，工人阶级日益壮大，马克思主义在俄国传播，19 世纪 70 年代俄国就出现了一些"工人协会"。1883 年普列汉诺夫在国外组建了俄国第一个社会民主党组织"劳动解放社"，宣传马克思主义，反对民粹主义。高尔基在《我的大学》中生动描写了1888年大伙在秘密阅读普列汉诺夫于1884年发表的《我们的意见分歧》一书的情形。

其实，高尔基自传三部曲的基本思路，也正是在于表现作者的思想成长乃至最后走上革命道路的心路历程。这也就不难理解为什么高尔基在三部曲中要打破一般自传体作品的传统概念，不把人物描写局限在某一个特定的社会阶层，而是在不同程度上着眼于俄国社会的各个层面了。在世界文学发展史上，应该说，高尔基的自传三部曲翻开了崭新的一页。实际上，它不仅是作者二十岁前的生活传记，也是俄罗斯人民在一定历史发展条件下的生活纪实，其意义绝对非同寻常。

二

高尔基是在1893年萌发写作自传三部曲的构思的，当时起的名字是《使我心灵蒙受创伤的事实和思绪》，但也许由于其他事情的耽误，或者因为考虑得还不够成熟，写了几个片断便搁下了。十多年后，当高尔基重又构思这部作品的时候，物换星移，时过境迁，情况已经完全不同了。

1907年，高尔基去伦敦参加俄国社会民主工党第五次代表大会时，又见到了列宁。两年未见，这次相遇双方分外高兴，无奈会议日程太紧，无暇坐下来长谈。列宁答应高尔基，等大会结束后，他一定去卡普里①看望他。

列宁兑现了自己的承诺。他们一起出海钓鱼，参观博物馆，两人海阔天空，无所不谈。高尔基回忆起自己的童年，父亲、外公、外婆，伏尔加河和自己的流浪生活……列宁兴致勃勃地听着，末了对高尔基说："您应该把这些全写下来，老朋友，应该写！这一切

---

① 意大利第勒尼安海一岛屿，疗养胜地，1906年至1913年高尔基在此居住。列宁1908年和1910年两度来此探望高尔基。

都是非常有益的，非常有益……"高尔基回答说："我一定写……总有一天会写的。"①

可是，当这一天终于到来的时候，高尔基已经是欧洲著名的无产阶级作家了，二十年的文学实践与革命活动，特别是与列宁的交往和所受的影响，在三部曲的创作中都有不同侧面和不同程度的反映。

《童年》是1913年创作的，于同年下半年和1914年初在《俄罗斯言论报》上发表。尽管它的宣传意味很重，但它还是非常真实地描绘了十九世纪三四十年代所发生的事情，时代性很强。《童年》中有这样一段话："一想到野蛮的俄国生活中这些令人感到压抑的种种劣迹，有时我会反问自己：这种事值得去谈吗？但每次我都满怀信心地对自己回答说：值得！因为这就是活生生的丑恶的现实，至今也还没有消亡。这种现实必须从根本上加以认识，以便把它从人们的记忆和心灵中，从我们整个痛苦与可耻的生活中连根拔除。……尽管这种丑行令人反感，使我们备感压抑，使许许多多心灵美好的人感到难以生活下去，但俄罗斯人的心灵毕竟还是健康和年轻的，他们正在消除，而且将来一定能够消除这种丑恶行径。……一种光明的、健康的、富有创造性的力量，正在顺利地成长起来，人们善良的本性在增长，它唤起了我们恢复人类美好生活的永不泯灭的希望。"（《童年》）

这里谈到了旧俄国现实的两个方面：一是同什么进行斗争，而且要战胜它；二是在斗争中依靠什么。整个作品都建立在新旧两种事物的相互对比和矛盾冲突上。19世纪70年代，俄国落后的旧势力还是非常强大的，而代表新生力量的城市下层的小私有者还只是处在萌发阶段。但难能可贵的是，高尔基敏锐地看到了他们，并描写了他们跟旧势力艰苦的、但是大有希望的斗争。这也是高尔基不

① 列宁：《论文学与艺术》（二），人民文学出版社，1960年，第904页。

同于许多同时代作家的高明之处。

在高尔基童年的生活中，呈现在他面前的现实生活是截然不同的两副面孔——在父母身边的生活和在外公家的生活。后来，这种分裂的生活现实在高尔基的心目中变得越来越强烈、越发不相容，其中最典型的代表人物莫过于外公和外婆两个人了。

高尔基刚到外公家的时候就说："无论大人还是小孩——我都不喜欢，我觉得我走在他们中间是个局外人，不知为什么，甚至连外婆也失去了光彩，跟我疏远了。我特别不喜欢的是外公，从他身上我一下子就感觉到了敌意，于是我格外地注意他，有一种畏惧的好奇心。"（《童年》）的确，是外公第一个鞭打小阿廖沙的，而且打后还说这都是为了他好，还说他自己挨过的打比他多多了，没有那些打骂就不会有他今天事业的成就。苦难的生活磨炼了他。三十年的时间使外公"媳妇熬成婆"，他练就了一副六亲不认的铁石心肠，认为人生在世，无时不在四面受敌，人与人只能以邻为壑，党同伐异，不可能成为真正的朋友。这就是外公的人生哲学。但外婆在阿廖沙的眼中就不同了。他说："我一想到外婆，一切苦恼与委屈都离我而去，化为乌有，一切都变得比较有趣、比较愉快了，人们也变得更加可亲、可爱了……"（《在人间》）

外公和外婆性格迥异，他们各自的上帝也大相径庭。在外婆心目中，上帝是大慈大悲、通情达理、宽以待人、和蔼可亲的，她视上帝为知己，有什么心事都向他倾诉。实际上，这个上帝的原型就是她自己——真诚老实、仁爱慈祥。高尔基将人民身上的一切优秀品德都体现在她身上了。而外公心目中的上帝就不同了，他凶狠残酷、心胸狭窄，有强烈的报复心，显然带有外公自身的一些特点。"外公跟我讲上帝的威力无所不在时，他总是而且首先是，强调这种威力的严酷性：比如，有些人造了孽——后来被洪水淹死了，又有些人造了孽——后来活活被烧死了，他们的城市也被毁于一旦。还有，上帝常用饥荒和瘟疫来惩戒世人，他历来都是悬挂在大地上方的一把宝剑,是惩罚罪人的鞭子。"(《童年》)他认为,既然上帝都是这样,为了发财致富,刻毒残暴一点也就算不了什么了。他连对几十年患难与共的结发妻子都毫不讲情义,老了竟狠心将她一脚踢开。这种丧心病狂的自私和吝啬,完全是他作为小私有主的贪婪心理的真实写照。一旦遭到破产的厄运,他会变得六亲不认,因为他自己就有过这种受人盘剥与被看不起的惨痛经历。世道如此,理所当然,要怪只能怪上帝了。可上帝又错在哪里呢?是人剥削人的社会制度使然。但是宗教毕竟还是有它自己的作用。在童年高尔基的心目中,外婆与外公是善与恶的两个象征,小茨冈在内心素质上更接近于外婆,但他时时处处受制于外公,而这一点最后终于毁了他,被活活砸死在沉重的十字架下。

除外公一家人外,童年的高尔基还认识许多在外面过流浪生活的人,其中就有长期为外公卖命、最后因双目失明被踢出门外、只能沿街乞讨的格里戈里师傅。在幼小的高尔基看来,外面的日子比家里更加贫困和严酷。但是他们家的房客"好事儿"却有些与众不同,家里人都视他为"异类",认为他是个"怪人",不喜欢他,担心他把高尔基带坏了,因此决心把他赶走。事实证明,他对高尔基确实产生了一定的影响,书中有一句话正说明了这一点:"您瞧,我形单影只,孤身一人,没有任何亲友!"(《童年》)"好事儿"的这句话,深深打动了年幼的高尔基,使他产生了共鸣。

阿廖沙·彼什科夫一踏进外公的家,就感到和他们格格不入,这种感觉与日俱增,最后忍无可忍,只能一走了之,去寻找另外的世界。

三

1916年,高尔基将《在人间》全文发表在《编年史》杂志上,故事从1878年末一直写到1884年,正是作者十到十六岁青春年少的时候。但这时高尔基面对的却不是学习和憧憬,他必须想尽办法，自谋生路，应付命运的挑战。为了填饱肚子，他不得不出去找活干，与各种各样的人打交道，这使他有机会近距离地接触他们，了解和体验他们的生活。所以，《在人间》向我们揭示的不光是作者新的所见所闻，而且还告诉我们他这个涉世未深的小伙子的所思所想与切身感受。这个时段他所接触的人大致还是他外公家的家人，但他已经能够分辨出他们每个人的特性和共同点了。首先是外公和几个舅舅，然后是他们家的亲戚。他们一个个都极端的自私，心胸狭窄，无事生非，互相没有一点亲情可言，成天像冤家对头一样，不停地吵闹打斗。不知情者还以为他们间有什么大不了的事情似的，其实都是一些鸡毛蒜皮的生活琐事，皆因为他们饱食终日，无所事事，日子过得太无聊了，好像不闹点纠纷，时间就没法儿打发。在高尔基的笔下，这种现象已经成为一种社会常态，是小市民生活的应有之义，他写道："东家一家人生活在一个怪圈内，一天到晚就是做饭、吃饭、生病、睡觉，周而复始，没完没了。他们谈论罪恶和死亡，非常怕死。他们像磨盘上的谷粒，挤来滚去，随时都准备着被碾得粉碎。"（《在人间》）他感觉到生活之无聊，而且也感到很不耐烦，但他们的"反抗"充其量也只是小市民式的，闹点家庭纠纷，宣泄一下而已。因为在他们的心目中，家庭就是一切。外面的世界，包括他们的亲戚朋友，和他们都格格不入。高尔基写道："要是有一位圣者来到这里——东家一家人也会想方设法地教训他，按照自己的方式改造他。他们这样做，完全是因为他们闲得发慌，寂寞难耐。如果他们不对别人指手画脚，大喊大叫，讽刺挖苦，那么他们就变成哑巴或瞎子，不再会说话，连自己都看不见自己了。为了体现自身的存在，不管怎么着，必须得对别人有一个态度。东家一家人对身边的人，除了教训与指责，不会有别的态度，即使你按照他们的样子去生活、思考和感觉，他们也同样会把你说得你一无是处。他们就是这样的人。"（《在人间》）他们无时无刻不在尔虞我诈，算计别人，编造流言，散布不和："我知道，他们这样做并不是出于恶意，而是由于寂寞难耐，但这并不能使我感到好受一些。为编造这些污言秽语，他们像猪一样在垃圾堆里乱拱一气，同时心满意足地哼哼着，把他们认为那些与己无关的、不可理解的、滑稽可笑的美好的东西，使劲抹黑，将其弄得污秽不堪。"（《在人间》）再不就是牢骚满腹，怨天尤人，抱怨自己生不逢时，英雄无用武之地，而从不在自己身上找找自己生活边缘化的真正原因——自私、懦弱、缺乏自尊。他们只关心自己鼻尖下的一点利益，认为那就是自己生活的最高理想，因而他们的生活无异于原地踏步，日复一日，总是老样子。"我记得，生活终究还是变得越来越乏味和严酷了，正如我天天看到的，无论是生活方式，还是各种关系，永远都是不可动摇、一成不变的。眼前除了每天不可避免要出现的一切，根本想象不到会有什么改善。"（《在人间》）

阿廖沙讨厌这种生活，而且千方百计地加以反抗，但当时他还是个孩子，力量有限，方法也不多，只觉得老板家的规矩"十分可恶"，能够"破一破才好"。随着年龄的增长，他的这种感觉越来越强烈，而这时俄国社会的政治生态已发生了变化，马克思主义的影响已经超过民粹主义的思想，《在人间》描写的正是1879年到1884年这五年时间的生活。这期间高尔基对书发生了浓厚的兴趣，他如饥似渴地阅读一切能够找到的书籍，《在人间》里有大量篇幅都是描写读书的感受的。作者想从书中寻找对生活的答案。但是，他没有找到，许多问题仍不甚了了。"好事儿"虽好，但他孤军奋战，与别人格格不入，必然成不了大器，终致失败。高尔基写道："书向我展示一种不同的生活——一种充满强烈情感和欲望的生活，它能激发人们去建功立业，也能驱使他们去作奸犯科。我发现，我周围的那些人们——他们既没有能力去建功立业，也没有能力去作奸犯科。他们袖手一旁，他们的生活和书中所描写的生活保持着距离，而且令人难以理解的是，他们生活的志趣究竟何在？我不愿意过这样的日子……这一点我很清楚——我不愿意……"（《在人间》）

阿廖沙找不到和自己志同道合的人。不过书毕竟还是给他带来了莫大的安慰和鼓励，特别是俄国作家的书。他说："我已经读过阿克萨科夫的《家庭纪事》和杰出的俄罗斯叙事诗《林中》，读过不同凡响的《猎人笔记》和格列比奥恩卡和索洛古勃的几本书，还有韦涅维季诺夫、奥陀耶夫斯基和丘特切夫的诗歌。这些作品洗涤了我的心灵，驱散了贫苦现实笼罩在我心头的阴影。我感受到了什么叫作好书，也懂得了它们对我的必要性。这些书在我心中牢牢树立起一种坚定的信念：我在世界上并不孤单，因此我是不会完蛋的！"（《在人间》）他在圣像作坊里仿佛看到了他想寻找的人，因为他们既有自己的信念，也有自己的行事原则，"我读过的书教导我要尊重那些为达到自己目标而顽强奋斗的人们，要珍视那种坚韧不拔、不屈不挠的精神。"（《在人间》）但是他错了，错就错在他只是根据书上的抽象概念来判断他们。而现实生活表明，这些人的信仰和原则早已陈旧过时，他把他们当作自己追求"不同生活"道路上的知音，完全是一种历史的误会，因为"他们靠着对昔日的回忆和自己对痛苦与压迫的病态的挚爱，抱残守缺，死死固守在已经僵化了的真理的墓地旁边。但是，如果有人夺去他们经受苦难的权利，他们就会感到非常空虚，他们会像风和日丽天的浮云一样，消失得无影无踪"。（《在人间》）不过要真的明白这一点，还需要现实生活的实践和磨炼，还需要更多的时间检验，而且读的书是否有益，还要看它们是不是言之有理，是否符合俄国的国情。这并不是说读书无用，相反，它能够发人深思，开阔视野，帮助你探讨生活的意义，反对不合理的生活秩序。轮船上的厨师斯穆雷就是一个很喜欢读书的人，他总想从书中寻求人生的答案。他对高尔基的影响很大，养成了后者毕生酷爱读书的习惯。但高尔基和他不同，高尔基注意到了书和现实的联系。他发现当时有人酷爱读书，而有的人根本不感兴趣，甚至一看见书，就噤若寒蝉，避之唯恐不及。这使高尔基明白了书的巨大威力，不然神甫怎么一再盘问他读过禁书没有呢？他很想知道究竟什么是禁书，最后他终于弄明白了——原来是莱蒙托夫的长诗《恶魔》。这说明，一切对现存制度表示不满的书都是禁书。现实生活告诉高尔基，社会中有两种人：一种人崇尚美好，向往未来；另一种人则饱食终日，安于现状，生怕有人打乱他们舒适安逸的日子。他认为好书是争取美好未来的强大思想武器。人们一旦接受它，就会将它付诸实践，变为物质力量。他发现身边许多人对自己的生活境遇感到不满都是一致的。比如，圣像作坊里的工人，他们确实对现实不满，也向往美好的未来，但是他们不知道何时以及用什么方法才能够达到这美好的一天。他们不明白"未来"就是"当前"的发展，因而对当下现实很少关心。"对于他们来说，彼尔姆就在西伯利亚，他们不相信西伯利亚是在乌拉尔以东。"（《在人间》）

在高尔基的思想成长过程中，最关键、也是最困难的一点，就是如何处理好理想和现实的关系。因为高尔基从小就崇尚理想，外婆给他讲过的故事，以及他后来遇到的诸如"好事儿"和玛尔戈王后等，他们身上那种卓尔不群的风范气质，都使他感到肃然起敬，心驰神往，但实际又如何呢？不过想想而已，说到底，是一种自我蒙骗。阿廖沙觉得彼尔姆轮船上那个司炉工雅科夫虽然没有"好事儿"那么优秀，但他讲的故事却使阿廖沙想起了善良的外婆。雅科夫究竟好在什么地方？不好在什么地方？好的地方是他富有个性，见多识广，爱劳动，不贪婪，心地善良，有自信心；不好的地方是他对人对事特别冷漠，对一切都无所谓。书中是这样描写的："他讲了很多故事，我认真仔细地听，都好好记住，但我不记得有哪一个是令人高兴的故事。他讲的比书里写的显得更平静——在书中，我常能感受到作家的情感，他的愤怒、喜悦、忧伤和嘲讽。司炉师傅则不然，他不嘲笑，不谴责，对什么都不生气，也不流露出明显的高兴。他说话时就像一个面对法官的无动于衷的证人，就像一个对被告、原告、法官一样漠不关心的陌生人……他这种冷漠的态度

使我越来越感到反感，激起了我对雅科夫的愤懑之情。"（《在人间》）

高尔基对圣像作坊的工人师傅们也很不满意，说他们"想过好日子的愿望，不起任何作用，作坊里的生活、画工师傅们相互之间的关系，毫无改变，依然如故"。（《在人间》）对于这些工人，《在人间》里有这样一段描述："当我把自己的所见所闻讲给他们听时，他们都不大相信我的话，但他们却喜欢听那些吓人的童话和情节曲折的故事，就连那些上了岁数的人，也觉得编的故事比真人真事听起来还过瘾。我看得很清楚，故事越离奇，越不可思议，幻想、虚构成分越多，人们就越爱听。一般来说，他们对现实的生活不感兴趣，大家都在幻想未来，不愿正视眼前的贫困和丑恶现象。"（《在人间》）甚至对外婆的看法和以前也不同了，说她"在谈到灵魂——爱情、美丽、喜悦的秘密所在——时，总是非常小心谨慎……雅科夫·舒莫夫谈起灵魂时也跟外婆一样，非常小心谨慎，三言两语，而且不太愿意谈"。（《在人间》）他对外婆那种逆来顺受、只知道忍耐的态度感到愤愤不平。他说："每次见到外婆，我在思想上对她的心灵越来越感到钦佩，但是——我已经感觉到，她的美好的心灵已经被各种童话故事遮住了，她无法看到、也不能理解严酷现实的诸多现象和我的种种忧患，她根本不理解我的种种忧虑和不安。"（《在人间》）

这时（19世纪80年代初），高尔基的思想带有某种双重性：一方面，他比只知道抽象向往过好日子的落后群众的思想要高出一头；另外一方面，他自己的认识还不够深入。但是他从小就善于观察生活，能够明辨是非，分得出善恶与好坏。这也是他和那些看不到一点光明的愚昧群众的不同之处，但这点区别还不足以克服在他思想成长过程中出现的历史和社会障碍。他认为，"只有一个人的忍耐和其对外部环境力量的逆来顺受，才是对他的最严重的摧残"。（《在人间》）

这种矛盾的心理正是反映了年轻高尔基所处时代的矛盾。当时俄国资本主义正在迅速发展，工人阶级的力量也正在形成之中。俄国社会思想界，通过"劳动解放社"①，特别是普列汉诺夫的著作，对马克思主义理论的认识有了明显的提高，但缺憾是尚未和俄国工人运动结合起来，是列宁后来完成了将二者结合起来的伟大使命。不过这已经是19世纪90年代中期的事了，比《在人间》足足迟了十年。

高尔基的思想在发展，面对复杂的社会问题，他必须作出回答，但是他一时还做不到。他苦恼、彷徨。他觉得："我身上其实有两个人：一个，由于知道的乌七八糟的事情太多，因此变得有些胆小怕事，畏首畏尾。生活中一些可怕的事情使他的心情受到很大的压抑，他对生活、对人们的态度开始失去信任，变得疑虑重重。对所有的人，包括他自己，都持一种无可奈何的同情态度。这个人向往过一种宁静、孤独的生活，终日与书为伴，离群索居，一心只想着修道院、护林人和铁路上的小岗亭，惦记着波斯和城郊某个地方守夜人的职位。但愿身边的人能够少一些，离他们远一些……

"另一个则深受圣贤之书的高尚精神的熏陶，但眼见生活中种种可怕力量的嚣张气焰，深知这种力量能够轻而易举地拧下他的脑袋，用肮脏的脚掌践踏他的心灵。于是，他咬紧牙关，攥紧拳头，聚精会神地进行自我防卫，生怕受到伤害，随时准备应对各种争吵与打斗。此人敢爱敢恨，富于同情心，就像法国小说里描写的勇敢的主人公那样，话不投机便拔刀相向，摆出战斗的架势。"（《在人间》）

高尔基心情阴郁，怅然若失，但又不想就此"完蛋"。他要去

---

① 1883年在日内瓦成立的第一个俄国社会民主党组织，以传播马克思主义为己任，与民粹派、伯恩施坦派、"经济派"作斗争，翻译介绍马克思、恩格斯的著作，为俄国社会民主党的成立奠定了基础。普列汉诺夫是该组织的主要负责人之一。

喀山上大学，想靠知识和科学来摆脱困境。他相信知识和知识分子的力量。高尔基在《在人间》的最后一章里写道："这时，我真想对整个大地，对我自己，狠狠地踹上一脚，使人世间的万物——包括我自己在内——在欢乐的旋风、人们节日舞蹈的带动下，快速旋转起来。他们彼此相爱，同时也爱这种为另一种生活已经开始了的美好、蓬勃、诚信的生活……

"我在想：'必须得干点什么，不然我就完了……'"（《在人间》）

这些话带有浓重的宣传鼓动意味，不难想象，它们在十月革命前的 1916 年听起来给人一种什么样的感觉和启迪。

四

《我的大学》是十月革命胜利后的 1922 年完成的，次年发表在《红色处女地》杂志上。它描述的是高尔基 1884 年夏到 1888 年秋的生活。但当时写作的历史环境和政治生态已经完全变了。作品主要是写 19 世纪 80 年代俄国知识分子的，和三部曲的前两部一样，《我的大学》描述的重点，仍然是作者内心思想发展的过程以及他对当时迫切需要解决的重大问题的态度。

革命胜利后，党所面临的一个重要任务，就是对部分旧资产阶级知识分子的错误思想进行斗争，批判他们脱离人民、散布种种诋毁革命的悲观主义谬论。高尔基以前在喀山和这类旧知识分子有过接触。三十多年过去了，类似的奇谈怪论在彼得堡沉渣泛起，它们和当年有人在喀山宣扬的人生如梦、为未来奋斗毫无意义的论调非常相似。请听高尔基在喀山街头遇到的一个冻得半死的历史教师是怎么说的："进步——这是人们为安慰自己而杜撰出来的说辞！生活是非理性的，毫无意义。没有奴役便没有进步，没有多数人服从少数人——人类在自己的道路上便会停滞不前。我们希望减轻我们的生活负担，减轻我们的劳动，结果只能使我们的生活变得更加复杂，使我们的劳动更加繁重。工厂和机器为的是要不断生产更多的机器，这是非常愚蠢的！工人越来越多，可是社会需要的只是农民——生产粮食的人。粮食就是一切，它是需要用劳动向大自然索取的。一个人需要的东西越少，他就越幸福，他的愿望越多，他的自由就越少。"（《我的大学》）"人们寻求的是遗忘和安慰，而不是知识！"（《我的大学》）

这位历史教师的想法使高尔基大为惊讶，因为它和高尔基的追求大相径庭，高尔基追求的是知识，绝不是"遗忘和安慰"。

他写道："后来我再也没有遇见过那位历史教师，我也不想再见到他了。但我却不止一次地听到人们说生活没有意义，劳动没有用处的话——说这种话的人，有大字不识一个的云游派教徒，有无家可归的流浪汉，有'托尔斯泰主义者'和文化素质很高的人。此外，还有东正教的修士司祭、神学硕士、制造炸药的化学家、新活力论生物学家等许多人。

"有一次，我跟这个工人老朋友'谈心'，他苦笑着称自己是'政治油子'。他用那种好像只有俄国人才有的襟怀坦荡的态度对我说：

"'阿列克谢·马克西梅奇，亲爱的，我什么都不需要，什么学院、科学、飞机，统统都没用——完全多余！我只需要一个安静的角落，还有一个娘儿们，想亲的时候就亲她一下，而她对于我，应该忠贞不渝，全身心地回报我——这就可以了！您——按照知识分子的方式考虑问题，和我们毕竟不一样，您是中了毒的人，对于您来说，思想比人更重要，您考虑问题时是不是跟犹太人一样，即人是为安息日而设立的呢？'"（《我的大学》）

这两段话的意思非常明显，旨在谴责那种小资产阶级极端个人主义的思想倾向，凸显《我的大学》和当时革命活动的千丝万缕的联系。

高尔基对那种认为劳动群众不会为大家的幸福去奋斗，他们只关心自己鼻尖下的一点个人利益的有害理论大加抨击，充分肯定人类劳动的伟大意义和他们追求自由、知识、幸福的强大思想动力。一个真正的人就应该是天生的斗士。他说："千百万俄国人为革命历尽千辛万苦，难道心灵深处真的只是为了摆脱劳动吗？最少的劳动——最大的享受，这是很有诱惑力的，它像一切难以实现的乌托邦幻想一样，非常吸引人。"（《我的大学》）一个人一定要战胜周围的环境，这样才能够实现自身的价值，完成自己的使命，否则就是浪费光阴，虚度人生。

高尔基自己就是在和周围环境的斗争中成长壮大的。他从小反抗外公家的陈规陋习，给老板干活时不遵守老板的清规戒律，和知识分子在一起时又常批判他们的错误思想和种种歪理。高尔基在《我的大学》中实际上触及了19世纪80年代俄国激烈动荡的社会政治生活，这一点连根本不关心时局变化的面包师卢托宁都注意到了，他总看见有些身份不明的人带些书到面包房里来，有时候在杰连科夫家里聚会。他们在一起读书，讨论各种问题，有时候还发生争论，其中朗读普列汉诺夫的《我们的意见分歧》的场面和高尔基与马克思主义者费多谢耶夫的交往，描写得尤为生动。当时，代表沙皇政府的反动势力还相当强大，小说对这方面的代表人物——警察尼基福雷奇——的描写相当精彩。

尼基福雷奇明白得很：当警察绝不能心慈手软，对沙皇政府心怀不满的人很多，要镇压住他们，必须得有一个强大的、运转灵活的警察机构。它就像是一张看不见的蜘蛛网。对此，高尔基是有切身体验的。

知识分子中有许多自认为"目标明确"且"深谙生活之道"的人，其实他们在生活中并不懂得审时度势，不知道应该如何行事。他们有的思想陈旧，有的过于年轻，而且往往脱离生活，书生气十足，只会在自己的小圈子里坐而论道、夸夸其谈，张口闭口人民长、人民短的，但就是不见具体行动。他们的所作所为，说明他们只不过是一些毫无用处的空谈家。这是马克思主义者费多谢耶夫亲口对高尔基说的话。可是，要战胜沙皇羽翼下大大小小的"尼基福雷奇"们，没有人民群众的积极参与，仅靠一些思想混乱的知识分子在下面瞎嚷嚷，那是绝对成不了气候的。正如读者所看到的，《我的大学》在人民和知识分子关系的问题上花了不少的笔墨。诚然，高尔基描写的基本上都是以不同方式曾经投身过社会主义运动，而且是在 19 世纪 80 年代发生过思想危机的那部分知识分子。这些人对沙皇专制制度不满，想寻求出路，但他们对科学社会主义还缺乏了解，对人民群众的力量还认识不足，往往孤军奋战，成效甚微。这是俄国知识分子所经历的最困难的时期之一。但就在这个时候，以普列汉诺夫为首的俄国知识分子的优秀代表们正在觉醒起来。他们逐渐认识到劳动群众的巨大力量和历史使命，他们深入到民间，积极宣传马克思主义的思想纲领，把许多向往革命的青年争取到自己这方面来。而 19 世纪 80 年代的高尔基，亲眼看见并感受到了俄国知识分子所经历的那场思想危机，痛切感到，为了把革命运动推向前进，就必须把思想与事业、理论和实践紧密结合起来，所以他刻意描写了当时俄国先进阶层的生活及精神世界。当然，这不过是暴风雨来临前的一种预感，还不能说是他的清醒认识，因为后来他对这一斗争的前景的认识还产生过动摇，思想出现过反复，甚至一度认为要改变不合理的社会现状是非人力所能够达到的，失去了信心。1888 年夏，高尔基离开喀山，和一个叫罗马斯的民粹主义者来到伏尔加河畔一个叫克拉斯托维多沃的村子。农村的现实生活，农民的贫困、愚昧、野蛮、保守排外心理，使他很难接受，或不闻不问、置之度外。他感到非常苦恼，根本看不到使农民摆脱这种状态的出路和前景，不过他的这种消极悲观的情绪仅仅是他当时的一种思想冲动。随着他对现实生活了解得越多，就越相信未来美好的生活一定能够到来。对农民生活的进一步了解使他产生一种非常复杂的感情，他喜欢他们，发现他们身上有许多良好的品质——热爱劳动，淳朴善良，对未来怀有美好的理想。他在《我的大学》里写道："我看得出，这些农民，就单个而言，他们每个人身上并没有那么多的怨恨，而且常常压根儿就没有什么怨恨。实际上，他们只是一些很善良的原始村民——要让他们任何一个人露出孩子般的笑容并不难，任何一个人都会像孩子一样充满信任地听你讲关于寻找智慧和幸福的故事，听你讲有关英雄人物的丰功伟绩。""凡是能够激发人们去幻想——可以按照自己的意愿过上好日子——的一切故事，他们都会听得有滋有味。""但是，当这些人在村会上或者岸边小酒店里一窝蜂似的凑在一块儿时，他们把自己身上一切好的东西不知藏到哪儿去了，就跟神甫披上虚假与伪善的长袍一样，对有钱有势的人，像狗一样地摇头摆尾，百般逢迎——那种样子看着都叫人恶心。有时候，他们又会突然变得像狼一样地凶狠，毛发倒立，龇牙咧嘴，野蛮地互相吼叫，甚至不惜大打出手——而且是真打——起因不过是一些鸡毛蒜皮的小事。在这种时刻，他们变得非常可怕，甚至会捣毁他们昨晚还像绵羊回到羊圈时那样老实出入的教堂。"（《我的大学》）"我无法跟这些人在一起，也不可能生活在他们中间。"（《我的大学》）

总之，高尔基认为，农民在各方面比起工人素质要差多了。农民的贪婪、自私他就很不喜欢。农民的小私有者的心理使他们很难团结成一个集体。罗马斯千辛万苦地想在农民中间开展宣传工作，为他们办好事，但最后也是一场空。有钱人挤对他不说，连穷苦农民也不支持他。最后他的房子也被人一把火烧了。高尔基离开克拉斯诺维多沃村后跟民粹派再没有发生过什么来往。

高尔基在《我的大学》中描写了知识分子、农民和工人的生活。我们从中可以明显地感觉得出，这时候的高尔基已经开始隐隐约约认识到，在未来的社会变革中工人阶级将会发挥决定性的作用。我们从小说里高尔基跟费多谢耶夫和老纺织工人尼基塔·鲁布佐夫的谈话中足可以看出来。

1888 年秋，高尔基离开了克拉斯诺维多沃村，三部曲到此告一段落。这时高尔基只有二十岁，四年后他开始了文学创作活动。多年的耳闻目睹、亲身感受，极大地丰富了他的阅历，这对他后来成为俄国乃至世界文坛上一名杰出作家，不能不说是打下了坚实的基础。

<h1 align="center">五</h1>

三部曲以自传的形式展示了作者童年和青少年的生活和思想成长历程。我们眼见他对小市民和小私有者的作派是多么的深恶痛绝，看到他逐步地认识到必须要推翻沙皇封建专制制度，也看到他对那些脱离群众、只会空谈的所谓"革命"知识分子的怀疑态度。高尔基是在外公家长大的，后来到了"人间"，过的也是在城镇打工或四处流浪的生活，很少接触农村的现实，但底层生活的经历使他后来对自己所看到的农村状况最终也能够作出冷静的实事求是的分析。农村中的负面消极现象和农民们的落后意识并没有使他完全感到灰心丧气，而是更加坚定了他的斗争决心，因为他相信劳动人民，而且只寄希望于他们。现实的困难和挫折不表明群众中没有改天换地的革命积极性，它恰恰说明需要革命者脚踏实地地到群众中去把这种蕴藏的革命积极性给挖掘出来。只要追求革命真理的决心不动摇，终究会成为一个革命者，高尔基做到了这一点。实际上，高尔基在自传三部曲中真实地表现了俄国革命者整整一代人怎样从最底层一步一步踏上革命道路的艰辛历程。这也是三部曲的巨大历史意义和艺术价值之所在。不仅如此，高尔基在描写自己亲身经历的同时，也在履行他认为自己责无旁贷的一项革命职责，即批判俄国和欧美文学中无视人类的真正思想与感情，践踏自由、民主理想的颓废、反动的文艺思潮。因为就在高尔基着手创作三部曲的那几年，革命的文艺工作者们正在有针对性地为现实主义的文艺在进行斗争，批判形形色色颓废的文艺思想和创作倾向，高尔基当时就旗帜鲜明地站在这一斗争的前列。他不只是简单地在维护已有的现实主义，而是希望在原来现实主义的基础上前进一步，增加一些新的社会主义新人的因素，即后来称为社会主义现实主义原则的东西。他在后来文学创作中有意识地深化这些因素和原则，努力发掘和揭示正在觉醒的劳动者和他们所身处的资本

主义险恶环境之间的关系，即无产阶级革命取得胜利后苏维埃文学所面临的如何塑造新人形象的迫切问题。因为他们虽然从资本主义制度下摆脱了出来，也具有一定的阶级觉悟，但他们身上不同程度地还背着旧世界遗产的沉重包袱。如何用发展的眼光，历史地、实事求是地写出这些人的发展与变化，高尔基，特别是他的自传三部曲，为年轻的苏维埃文学做出了光辉的榜样。

《我的大学》的基本意涵在于回应时代，弘扬革命思想。当时，诸如《毁灭》《恰巴耶夫》《铁流》等塑造新人的苏联早期革命文学作品还未出现，毫无疑问，高尔基丰富的创作经验为它们的诞生作了及时的文学铺垫，在描写新思想的产生，特别是在对旧思想的批判和扬弃方面提供了有益的借鉴。比如在《我的大学》中对形形色色小资产阶级思想——知识分子的消极悲观、极端个人主义思想，乃至农民小私有者心理这些与社会主义革命原则格格不入的思想，都有鞭辟入里、耐人寻味的批判。这也是高尔基三部曲的深刻认识意义、教育作用和重大影响之所在，这也完全符合作家本人所说的话：一个革命作家应该正确而深刻地认识过去、现在和未来的现实。高尔基的创作实践就印证了他的这番话，他的三部曲不仅描写了苦难的过去和现在，而且点出了希望在即的光明未来。高尔基深信革命一定会胜利，因为他的这一信念是建立在对现实的正确的马克思主义的认识之上的。①

郭家申

2009 年 12 月

---

① 全书注释，除个别注明者外均为译者所加。

目录

Contents

Part One

童年

献给我的儿子

郭家申 译

一

在昏暗狭小的房间内，我父亲躺在窗前的地板上，全身素白，显得身子特别长。他光着双脚，脚趾头怪模怪样地向外翻着，一双亲切的手平静地放在胸前，手指头也是弯曲的。他双目紧闭，可以看见铜钱在上面留下的黑色圆圈①；和善的面孔乌青发黑，龇牙咧嘴，挺吓人的。

母亲半光着上身，穿一条红裙子，跪在地上，正在用那把我常用来锯西瓜皮的小黑梳子，将父亲那又长又软的头发从前额向脑后梳去。母亲一直在诉说着什么，声音嘶哑而低沉，她那双浅灰色的眼睛已经浮肿，仿佛融化了似的，眼泪大滴大滴地直往下落。

外婆拽着我的手，她长得圆滚滚的，大脑袋、大眼睛和一只滑稽可笑的松弛的鼻子。她穿一身黑衣服，身上软乎乎的，特别好玩。她也在哭，但哭得有些特别，和母亲的哭声交相呼应。她全身都在颤抖，而且老是把我往父亲跟前推。我扭动身子，直往她身后躲，我感到害怕，浑身不自在。

我还从没有见过大人们哭，而且不明白外婆老说的那些话的意思：

"跟你爹告个别吧，以后你再也看不到他啦，他死了，乖孩子，还不到年纪，不是时候啊……"

我得过一场大病②，这时刚刚能下地。生病期间——这一点我记得很清楚——父亲照看我时显得很高兴，后来他突然就不见了，换成了外婆这个怪里怪气的人。

"你从哪儿走过来的？"我问她。

她回答说：

"由上头，从下——下诺夫戈罗德③过来的，不过不是走过来的，是坐船来的。水上是不能步行的，小傻瓜！"

这话听起来很好笑，叫人感到莫名其妙：屋内楼上住着几个染了

---

① 俄民间旧习俗：人死后在其眼睛上放置两枚铜钱。

② 1871 年夏天，三岁的高尔基（即阿廖沙·彼什科夫）在阿斯特拉罕得了霍乱。父亲在照料他时不幸被感染，不治身亡。喀山教堂的登记册上记载的日期是 1871 年 7 月 29 日，31 岁。7 月 30 日在一个公墓里安葬（见《关于高尔基父亲的新的材料》，苏联《文学报》1951 年 9 月 6 日）。

③ 1932 年改为高尔基市，苏联解体后名字又改了回去。高尔基的外婆是 1871 年夏天从下诺夫戈罗德来到阿斯特拉罕女儿家的。

发的大胡子波斯人，地下室里住着一个做羊皮生意的黄种人——一个卡尔梅克族老头。从这儿可以骑着栏杆沿楼梯顺势而下，不过一旦摔下来，便一溜跟斗地往下滚——这事儿我最清楚不过了。这和水有什么关系呢？真是乱弹琴，实在可笑。

"干吗说我是小傻瓜？"

"因为你的话太多了。"外婆说着，也在笑。

外婆说话亲切、快乐、有条不紊、顺理成章。从见面头一天起，我就跟她好上了，现在我只想让她赶快带我离开这个房间。

母亲使我的心情感到压抑。她的眼泪和哭号使我心里有一种新的惶惑不安的感觉。我头一次看见她这副样子——她一向很严厉，很少说话；她清洁、整齐、人高马大、身体结实强壮、两只手非常有力。可是不知怎么搞的，现在她整个人好像都浮肿了，头发披散着，衣服凌乱不堪；平时端端正正盘在头上，像戴了一顶漂亮大帽子似的满头秀发，如今却披散在裸露的肩头，遮住了面孔，而她的另一半头发则编成了辫子，在父亲沉睡的脸前一直摇来摆去。我在屋子里已经站了很长时间，但母亲甚至一次都没有看我——她一直在给父亲梳头，边梳边哭，泣不成声。

几个粗壮的农民和一名巡警在向门内张望。巡警气鼓鼓地嚷道：

"赶紧抬走！"

窗上挂着一块深颜色的披肩，被风一吹，很像是一面扬起的风帆。有一次，父亲带我去划一条带帆的船。忽然一声雷响，父亲笑了，他用腿紧紧地把我夹住，喊道：

"没关系，洋葱头，不用怕！"

这时母亲忽然从地上艰难地站起来，但立马又一屁股坐了下去，仰面朝天地倒下，头发披散在地板上。她双目紧闭，煞白的面孔开始变青，而且像父亲那样龇着牙，用可怕的声音说：

"把门关上……让阿列克谢——走开！"

外婆一把将我推开，直奔到门口，喊道：

"乡亲们，不用害怕，看在基督的份上，不要瞎动！这不是霍乱，是要生孩子了①，乡亲们，你们请便吧！"

我躲进一个黑暗的角落，藏在柜子后面，只见母亲一面在地上打

---

① 瓦尔瓦拉·瓦西利耶维奇·彼什科娃是在 1871 年 7 月 29 日丈夫马克西姆死去的那天生下儿子的，喀山教堂的登记册里是这样记载的。

滚，一面叫个不停，牙齿咬得嘎嘎响，而外婆则围着她爬来爬去，亲切、高兴地对她说：

"为了圣父和圣子！瓦留莎①，你忍一忍！……圣母会保佑的……"

我非常害怕。她们在父亲身边的地上忙个不停，把她拖来拖去，一面唉声叹气，大呼小叫，可父亲躺在那里一动不动，好像还在笑呢。这样过了很长时间——一直在地上忙活。母亲不止一次地站起来，又倒下去；外婆像一只又大又黑的软皮球，从屋子里滚了出来，随后从黑暗中突然传出了婴儿的哭声。

"托上帝的福！"外婆说，"是个男孩！"

于是她点上了蜡烛。

我大概在屋角睡着了——后来我什么都不记得了。

我记忆中的第二个印象是一个阴雨天，在一个墓地的荒凉的角落，我站在打滑的黏土堆上，望着放置父亲棺木的墓穴。墓穴底部有许多水，还有几只青蛙——有两只已经爬到发黄的棺木顶上了。

坟墓旁有我、外婆、一名浑身湿透的巡警和两个沉着脸、手持铁锹的农民。温暖的雨点像细小的珠子洒落在每个人的身上。

"埋吧。"巡警说着，开始离去。

外婆哭了起来，用头巾的一角捂着脸。两个农民弯着腰，急忙往墓坑里填土，墓坑里的积水被土块砸得啪啪作响。两只青蛙从棺材上跳下来，刚要往墓穴壁上爬，马上便被土掩埋在底下了。

"离远点儿，廖尼亚②。"外婆说着，一把抓住我的肩膀。我从她手里挣脱出来，不想离开。

"天哪，你这孩子。"外婆抱怨说，不知是在抱怨我，还是在抱怨上帝。她低着头，一声不响地站了很久。墓坑已经填平，可她仍旧站在那里。

两个农民用铁锹轻轻拍打着坟地的泥土。这时候起风了，接着雨也被吹没了。外婆拉起我一只手，领我去远处的一座教堂，那里有许多颜色发黑的十字架。

"你怎么不哭呢？"一走出墓地围栏，她就问我，"应该哭啊！"

"不想哭。"我说。

---

① 瓦尔瓦拉的爱称。
② 阿列克谢的爱称。

"喏，不想哭，不想哭就别哭。"她小声说了一句。

事情说来也怪：平时我很少哭，哭也是因为受了委屈，从未因为疼痛哭过。父亲总笑我爱抹眼泪，而母亲则大声叫嚷：

"不许哭！"

后来我们坐车沿着一条宽阔但非常脏的大街疾驰而去，从许多暗红色的房子中间穿过。我问外婆：

"那几只青蛙爬不出来了吗?"

"没错儿，爬不出来了，"她回答说，"愿上帝保佑它们！"

无论是父亲，还是母亲，都没有如此亲切地经常把上帝的名字挂在嘴边。

几天后，我同外婆和母亲登上轮船，坐在一间小舱里。我的新出生的弟弟马克西姆死了①，就躺在船舱角落的桌子上，身上裹着白布，外面扎了条红带子。

我在众多包袱和箱子中间找了个地方，向窗外张望。窗口朝外凸出，圆鼓鼓的，很像马的眼睛；浑浊的、泛着泡沫的河水在湿润的玻璃窗外没完没了地流过。河水不时地溅起浪花，舔着窗上的玻璃。我不由地跳了下来。

"别怕。"外婆说，她用柔软的双手轻轻把我托起，又放回到行李上。

河面上一片灰蒙蒙的雾气，远处呈现出黑压压的陆地，随后，陆地在大雾和河水中重又消失了。周围的一切都在颤动，只有母亲双手放在脑后，背贴墙壁，牢牢地站在那里，一动不动。她的脸色阴暗、冷峻、木然，双目紧闭，始终一言不发，她整个变成了另外一个人，一个新人，甚至她身上的衣服，从前我都没有看见过。

外婆不止一次地小声跟她说：

"瓦里娅②，你吃点东西吧，少吃点，啊?"

她一声不吭，纹丝不动。

外婆跟我说话的声音很小，跟母亲说话声音要大一些，但不知为什么，总是小心翼翼，怯声怯气，而且话语很少。我觉得，她害怕我母亲。这一点我心里明白，这使我和外婆的关系更加亲近了。

---

① 写高尔基传记的人尚未找到马克西姆的死亡登记，因此很难确定彼什科夫一家人从阿斯特拉罕到下诺夫戈罗德的确切日期。

② 瓦尔瓦拉的小名。

　　"萨拉托夫①，"母亲冷不丁地大声说道，而且显得很生气，"水手到哪儿去了？"

　　她的话简直莫名其妙，让人摸不着头脑：萨拉托夫，水手。

　　一个肩膀宽宽、头发花白的男人走了进来。他穿一件蓝衣服，带来一只小木匣子。外婆接过匣子，开始将弟弟的尸体往木匣子里装，装殓完毕，她便张开双臂，捧着木匣子，向舱门口走去。但外婆的身体太胖了，要通过狭小的舱门，她只能将身子侧过来，因而在舱门口前，她一时不知如何是好，看上去非常可笑。

　　"哎呀，妈妈。"母亲喊了一声，从外婆手里接过小棺材，两人一块儿便不见了。我一个人留在舱内，打量着那位穿蓝衣服的男人。

　　"怎么，是小弟弟死了吗？"他俯身对我说。

　　"你是谁？"

　　"水手。"

　　"那萨拉托夫——是谁？"

　　"是一座城市。你往窗外看，那就是萨拉托夫！"

　　窗外是一片移动着的土地，黑压压的一片，有许多悬崖陡壁，上面雾气腾腾，像是刚从大圆面包上切下来似的。

　　"我外婆去哪儿了？"

　　"掩埋外孙子去了。"

　　"要埋到地下吗？"

　　"还能怎么样？会掩埋的。"

　　我告诉水手，埋葬我父亲的时候，有几只活的青蛙也被埋进去了。他将我抱起来，紧紧把我搂到胸前，吻了吻我。

　　"唉，小老弟，你现在还不懂事，"他说，"那些青蛙用不着可怜，上帝会保佑它们的，该可怜的是你母亲——瞧她那伤心的样子！"

　　我们头顶上的汽笛响了，发出一阵阵的长鸣。我已经知道这就是轮船，所以并不感到害怕，可是水手急忙将我放到地板上，边跑边说：

　　"我得赶紧跑！"

　　我也想往外跑。我走出舱门，幽暗狭窄的过道里空无一人。距舱门不远处，舷梯上镶嵌的铜踏板闪闪发光。往上一瞧，只见有许多人

――――――――――――――

　　①　俄伏尔加河下游一港口城市，铁路枢纽，1780 年设市，现为萨拉托夫州的首府。

手里拿着大包小包的。显然，大家在等着下船了——这就是说，我也该下船啦。

但当我和一群男人刚走到轮船码头上岸踏板旁边时，大家冲我直嚷嚷：

"这是谁家的孩子？你是谁的孩子？"

"我不知道。"

人们好一通地推我，抚摸我。最后，那位头发花白的水手来了，他一把抓住我，解释说：

"他由阿斯特拉罕①来，从船舱里跑了出来……"

他抱起我，跑回船舱，把我往行李上一放便走了，走时还伸出一个指头威胁我说：

"当心我收拾你！"

上面的嘈杂声逐渐平静下来，船体已不再颤动，也不再发出拍击河水的声音了。船舱窗口被一堵潮湿的墙面挡住了。舱内黑暗、闷气，行李仿佛都膨胀了起来，一直在挤压着我，一切都叫人感到难受。说不定我就这样永远被单独留在这空空荡荡的轮船上了。

我来到舱门口。舱门打不开，门上的铜把手怎么也拧不动。我拿起一瓶牛奶，使劲朝门把手砸去。奶瓶碎了，牛奶溅了我满腿，顺势流进了我的靴子。

因失败而苦恼的我，躺在行李上小声哭了起来，后来哭着哭着便睡着了。

醒来后，轮船重又响起拍打水面的声音，船体也颤动起来，船舱的窗子明亮得像一轮红日。外婆坐在我的身边，一面梳头，一面皱着眉头小声在说些什么。她的头发多得出奇，密密麻麻地盖住了她的双肩、胸口和双膝，一直拖到地面，乌黑乌黑的，透着蓝光。她用一只手将头发从地面上托起，使劲将一把稀齿的木梳梳进浓密的发绺里。她撇着嘴唇，两只黑眼睛气鼓鼓的，闪闪发光，而她那张脸，在浓密头发的衬托下显得既小巧，又滑稽可笑。

今天她的样子看上去很凶，但当我问她为什么她有这么长的头发时，她用昨天那样温暖柔和的声音对我说：

"显然是上帝要惩罚我——让她梳去吧，这该死的头发！年轻时我

---

① 俄国城市，阿斯特拉罕州行政中心，位于伏尔加河三角洲，通向里海。

为这满头秀发着实骄傲过，现在老了，我要诅咒它！睡你的觉！时间还早着呢——太阳经过一夜，刚刚露头……"

"我已经不想再睡了。"

"喏，不想睡就别睡啦，"她当即表示同意，同时一面编着辫子，一面朝沙发看了一眼，母亲正直挺挺地仰面躺在上面，"你昨天是怎么把牛奶瓶摔碎的？悄悄跟我说。"

外婆说的话，不知怎么的，就跟唱出来似的，特别好听，而且一下子就牢牢记住了。她说的话像盛开的鲜花，是那样的亲切、鲜艳、生动活泼。她微笑时，一对黑眸子睁得大大的，像两颗樱桃似的，闪耀着难以形容的愉快的光芒。她的微笑使她高兴地露出坚固洁白的牙齿，尽管她双颊的皮肤有些灰暗，脸上已有不少的皱纹，但她的整个面孔，仍然显得非常年轻，神采飞扬。可惜她那松软的鼻子、张大的鼻孔和红红的鼻头颇有些煞风景。她用一只黑色镶银的鼻烟壶嗅鼻烟，全身都着黑装，但是她的内心里却在光芒四射——透过一双眼睛——放射出永不熄灭的、欢快、温暖的光芒。她有点驼背，几乎成了罗锅，人又非常胖，可是活动起来倒轻便灵活，像一只大灵猫——加上她又是那么轻柔温和，太像这种可爱的动物了。

外婆来之前，我好像一直在睡觉，躲进黑暗之中；但是她来到后，唤醒了我，将我引向光明。她把周围的一切连接成一根没完没了的长线，把它编成一条五彩缤纷的花边。她一下子变成了我毕生的朋友，成了我最贴心、最理解和最珍爱的人——她这种对世界的无私的爱，丰富了我的心灵，使我在面对艰难的人生时充满了毅力。

四十年前，轮船航行得很慢；我们到下诺夫戈罗德要走很长时间，我清楚记得头几天沿途所看到的绮丽景色。

天气很晴朗，我和外婆从早到晚一直都待在甲板上，头上是明朗的天空，金秋时分，伏尔加河两岸仿佛全都铺上了丝绸锦缎。一艘黄色的轮船逆流而上，船两侧的轮桨叶片轻轻地拍打着蓝灰色的河水，不慌不忙，一副懒洋洋的样子；船尾有一条长长的缆绳，拖着一艘驳船。驳船呈蓝灰色，看上去很像一条潮虫。太阳在伏尔加河上空悄悄地移动着，周围的一切每时每刻都在发生变化，令人耳目一新。绿色的群山，宛如大地盛装上的华丽的褶皱。两岸的城市和村落，远远望去，仿佛是一块块的甜食点心。金色的秋叶在河面上顺流漂动。

"瞧，多漂亮呀！"外婆不停地说着。她兴奋地在甲板上来回走动，兴高采烈地瞪大了眼睛。

她常常只顾自己往岸上看了，把我给忘得一干二净。她伫立在甲板一侧，双手抱胸，面带微笑，默默无语，但两眼却饱含泪水。我拽了拽她那条深色的印花裙子。

"干什么呀？"她不觉一愣，"刚才我好像打了个盹，还做梦来着。"

"那你哭什么呀？"

"亲爱的，那是因为我高兴，也是因为我年纪大了，"她微笑着说，"要知道，我已经老了，我已经活了六十个春秋了。"

她嗅过鼻烟，开始给我讲些稀奇古怪的故事，有绿林好汉，有先贤圣徒，还有各种猛禽走兽和妖魔鬼怪。

她讲故事时声音不高，样子很神秘，紧贴着我的脸，眼珠子瞪得老大，直盯着我的两眼，仿佛要往我心里灌输一种蓬勃向上的力量。她说起话来就像唱歌，越说越带劲，出口成章，头头是道。听她讲故事令人有一种说不出的愉快。我一面听，一面求她：

"再讲一个！"

"喏！那就再讲一个：一位家神爷①坐在灶台下面，被面条烫伤了脚，他一瘸一拐的，叫个不停：'哎哟哟，小耗子们，疼死我啦，哎哟哟，小耗子们，我受不了啦！'"

外婆抬起一只脚，双手抱定，左右摇来晃去，滑稽地皱起眉头，好像她真的感到很疼似的。

周围站着许多水手——有的留着大胡子，有的和蔼可亲——他们一边听、一边笑，直夸外婆讲得好，他们也求她说：

"老婆婆，再给讲一个吧！"

后来，他们说：

"干脆跟我们一起吃晚饭吧！"

吃饭时他们招待外婆喝伏特加酒，给我吃的是西瓜和黄瓜。这都是背地里干的，因为船上有一个人禁止吃瓜果，他会把这类东西抓起来扔进河里。他的穿着很像一名巡警——衣服上钉着铜纽扣——总是醉醺醺的。人们都躲着他。②

母亲很少到甲板上去，总是离我们远远的。她一直不说话。她修

---

① 家神爷，类似我国以前民间供奉的灶王爷。

② 这项禁令与当时的霍乱流行有关，疫情从伏尔加河港口城市雷宾斯克开始，逐渐蔓延到整个伏尔加流域。1871 年疫情传到了阿斯特拉罕，从 7 月到 9 月一直在该地区肆虐。

长匀称的身材、阴郁冷峻的面孔，还有她那将一头靓发梳成发辫后盘成的庄重的王冠——整个她，看上去既威严，又刚强。回想起来，总觉得她和我好像是隔着一层迷雾或者是薄薄的云层。她那双和外婆一样的浅灰色的大眼睛总是从远处在冷冷地打量着什么。

有一次，她疾言厉色地说：

"人家在笑您呢，妈妈！"

"随他们的便！"外婆毫不在乎地回答说，"让他们去笑好了，只要他们开心就好！"

我记得外婆一看见下诺夫戈罗德市就高兴得像小孩子的样子。她拽住我的手，把我拉到船舷边上，嚷着说：

"瞧呀，瞧呀，多么漂亮！我的天，这就是下诺夫戈罗德市呀！瞧它有多棒，简直是神仙居住的地方！你瞧瞧那些教堂，好像都在飞起来似的。"

于是，她呼喊着母亲，几乎哭出声来：

"瓦留莎，你快来看呀，啊？快，难道你都忘了，应该高兴才是！"

母亲沉着脸，露出一丝微笑。

轮船在一座漂亮城市的对面停下了，河面上的船只摩肩接踵，千百支桅杆直插云天。一条满载乘客的大木船慢慢地靠近了轮船，有人用一根带钩子的长竿将放下的舷梯钩了过来，人们从木船上一个接一个地沿着舷梯登上了轮船的甲板。飞步走在最前面的是一个干瘪的小老头，他穿一件黑色的长袍，留着金黄色的小胡子，长着一个鹰钩鼻和两只绿色的小眼睛。

"爸爸！"母亲深沉而响亮地喊道，一头便扑到他身上，他则一下子抱住她的脑袋，用他那发红的双手忙忙抚摸着她的脸颊，尖声叫道：

"傻孩子，是你呀？啊！这就好……我说，你们呀……"

不知为什么，外婆忙得像陀螺似的，一直转个不停，转眼工夫，她把所有的人都拥抱和亲吻个遍。她把我推到大家面前，忙不迭地说：

"喏，快过来！这是你米哈伊洛①舅舅，这是雅科夫……纳塔利娅舅妈，这两个，是你的表哥，都叫萨沙，这是你表姐卡捷琳娜，他们全是我们一家子，瞧，一共有多少人！"②

① 即米哈伊尔，外婆总习惯叫他米哈伊洛。
② 米哈伊尔·卡希林（1832—1909）和雅科夫·卡希林（1839—1903）是高尔基（阿列克谢·彼什科夫）母亲的两个亲兄弟，卡捷琳娜（1863—1938）系米哈伊尔·卡希林和第一个老婆所生。

外公对她说：

"身体好吗，老婆子？"

他们相互吻了三下。

外公把我从人群里拉出来，摸着我的头，问道：

"你是谁家的孩子呀？"

"阿斯特拉罕的，从船舱里出来的……"

"他说什么来着？"外公对母亲说，没等母亲回话，他便把我推向一边，说：

"颧骨长得跟他父亲一模一样……到木船上去吧！"

我们乘船上了岸，一群人沿着山坡往上走。路上铺满了巨大的鹅卵石，两边高坡上覆盖着东倒西歪的枯叶败草。

外公和母亲走在大伙的前面。他的个子只有母亲肩头那么高，一直迈着快速的小碎步。母亲看他时居高临下，好像从空中向下俯视似的。两个舅舅一声不吭地跟随着他们：米哈伊洛满头黑发，梳得很光溜，跟外公一样的干瘪；雅科夫一头浅黄色的鬈发，还有几个身着鲜艳连衣裙的胖女人和五六个孩子，他们都比我大，都很安静。我跟外婆和小舅妈纳塔利娅一块儿走。小舅妈脸色苍白，一双蓝眼睛，挺着个大肚子，她不时地停下来，喘着粗气，小声说：

"哎呀，我不行了！"

"他们干吗要叫你来呢？"外婆生气地抱怨道，"真是一帮蠢货！"

无论大人还是小孩——我都不喜欢，我觉得我走在他们中间是个局外人，不知为什么，甚至连外婆也失去了光彩，跟我疏远了。

我特别不喜欢的是外公，从他身上我一下子就感觉到了敌意，于是我格外地注意他，有一种畏惧的好奇心。

我们到了山坡的最高处。紧贴右边的山坡是一条街的起点，这里有一座低矮的单层房屋，外面刷了粉红色的油漆，已经显得有些陈旧，房子屋顶很矮，窗子向外突出。① 从外面看，我觉得这座房子还挺大，但是里面的房间却很小，光线昏暗，显得很拥挤，像在靠码头之前的

---

① 房子坐落在下诺夫戈罗德市的老城区，这里地势倾斜，往上是该市的上面部分，往下则是它的集贸市场和沿河的轮船码头。房子是 18~19 世纪的建筑，原为 B. B. 卡希林的同胞姊妹的产业，1852 年卡希林花 428 卢布将整座房子及院落买了下来（见《西伯利亚之火》1968 年第 3 期第 148 页）。1936 年房屋进行了修复，1938 年这里以"卡希林之家"的名义建立了高尔基童年生活纪念馆。

轮船上一样，到处都是焦急、忙乱的人们。小孩子们像一群偷吃东西的麻雀，四处乱窜，周围有一种陌生的、刺鼻的气味。

我来到院子里。院子也叫人不喜欢：满院子晾晒的都是大块大块的湿布，摆放着许多大缸，缸里的水稠乎乎的，各种颜色都有。缸内浸泡的也是布匹。院子角落有一间很矮的、快塌了的厢房，里面生着炉子，木柴烧得正旺，炉子上在煮什么东西，咕嘟咕嘟的。一个看不见的人在大声说一些莫名其妙的词汇：

"紫檀——洋红——明矾……"

二

一种重彩浓抹、光怪陆离的生活开始了。它离奇得难以言表，而且以惊人的速度向前发展着。在我的记忆中，这段生活像一个严酷、动听的童话故事，它出自一位善良的、难得真诚的天才人物之口。如今，回首往事，我自己有时都很难相信，事情真的就是那样，有很多事情我都想要辩解，想要否认——因为在"那帮蠢货们"过的暗无天日的日子中，残酷的事例实在太多了。

但真实是高于怜悯之心的，何况我讲的并不是我自己，而是关于那个令人窒息、阴森可怕的狭小天地里的情形，普通的俄罗斯人至今仍然生活在那里。

外公一家人互相充满了敌意，他们之间弥漫着一种炽烈的气氛。这种敌意在毒害着大人，甚至孩子们也都积极参与其中了。后来我从外婆的话里得知，母亲回来时正好碰上她弟弟们在跟父亲闹分家。母亲的突然归来更激化和加剧了他们分家的愿望。他们害怕我母亲要求她应该得到的那份被外公扣着没给的嫁妆，因为母亲出嫁时是"私订终身"①，违背了外公的意志。舅舅们认为，这份嫁妆应当由他们两个平分。他们还为了谁进城去开染坊，谁去奥卡河对岸的库纳维诺镇②，

① 关于"私订终身"的事在第十章里有详尽的描写。然而文献资料并没有证实这一点。高尔基的父母是1863年10月27日在下诺夫戈罗德乌斯宾斯基教堂举行的婚礼。高尔基的外公是同意他父母的婚事的。（见《高尔基资料汇编》，1968年，第352页）
② 该镇坐落于奥卡河左岸，高尔基幼年在此度过很长一段时间。从19世纪20年代起这里成了国内外客商云集的重镇，特别是每年的6月至9月，这里的经贸活动非常活跃。

　　紧贴右边的山坡是一条街的起点，这里有一座低矮的单层房屋，外面刷了粉红色的油漆，已经显得有些陈旧，房子屋顶很矮，窗子向外突出。

——《童年》

彼此早已争吵得不可开交了。

在我们刚到不久，大家在厨房吃午饭的时候就爆发了争吵。两个舅舅突然跳起来，隔着饭桌，冲着外公大喊大叫，像狗一样地龇牙咧嘴，气得浑身直打哆嗦。而外公则用勺子敲打着饭桌，脸涨得通红，像公鸡打鸣似的大声吼叫道：

"你们给我滚出去！"

外婆痛心之极，脸都气歪了，她说：

"都给他们得了，老头子——这样你也落得个安静，给他们吧！"

"住嘴，都是你惯出来的！"外公喊道，两眼闪闪发光。说来也怪，别看外公个子矮小，喊起来嗓门可够大的。

母亲从桌旁站起身，不慌不忙地走到窗前，转身背对着大家。

突然，米哈伊尔舅舅对准他弟弟的脸挥手就是一拳，对方大吼一声，立刻和他厮打起来，两人在地上滚作一团，只听见他们的喘气声、吼叫声和谩骂声。

孩子们哭了起来，怀了孕的纳塔利娅舅妈死命地喊叫；我母亲赶紧抱住她，把她拖到别的地方；生性快乐、满脸雀斑的保姆叶夫根尼娅①把孩子们从厨房里往外轰；满地倒的都是椅子；宽肩膀的年轻帮工"小茨冈"骑在米哈伊尔舅舅的背上；而格里戈里·伊万诺维奇师傅——一个戴着墨镜、秃头、满脸大胡子的人——正在慢条斯理地用毛巾捆扎米哈伊尔舅舅的双手。

米哈伊尔舅舅伸长脖子，稀稀拉拉的黑胡子蹭在地面上，大口大口地喘着粗气，外公急得围着桌子团团转，气急败坏地叫道：

"同胞兄弟，啊！骨肉亲情！你们就这样，哎呀呀……"

由于害怕，吵架一开始，我便爬到灶台上去了。从那里，我吃惊地看到外婆用铜盆里的水在擦洗雅科夫舅舅脸上被打出的血。雅科夫放声大哭，捶胸顿足，而外婆则沉痛地说：

"该死的东西，亡命之徒，也该懂事了！"

外公将撕破的衬衫搭在肩上，冲她喊道：

---

① 高尔基在《论童话》一文中写到，小时候有两个人常给他讲民间故事听，那就是外婆和保姆叶夫根尼娅。"叶夫根尼娅在外公家至少生活了 25 年，照看过外婆的许多孩子，他们死后她为他们安葬，为他们伤心落泪，而且培养教育了他们的下一代——外婆的孙子们。在我的心目中，她们的关系不是女主人和女佣，而是知心朋友。"（见《高尔基文集》第 27 卷，第 392 页）

"老妖婆，这不都是你生的两个畜生吗？"

雅科夫舅舅走后，外婆躲在屋角，鬼哭狼嚎地一通喊叫：

"至高无上的圣母啊，让我的孩子们脑子开开窍吧！"

外公站起来，侧过身来对着她，看着餐桌上一片狼藉的样子，小声说：

"你呀，老婆子，看着他们点儿，当心他们会欺负瓦尔瓦拉，说不定……"

"得啦，你算了吧！把衬衫脱下来，我给你缝缝……"

她双手抱着外公的头，在他脑门上吻了一下，而他呢——因为个头比外婆矮——便把脸贴在她的肩头。

"看来，是得分家了，老婆子……"

"应该分，老头子，应该分！"

他们谈了很长时间。开头两个谈得很好，后来外公像一只好斗的公鸡，一只脚开始踹地板，伸出一个指头威胁外婆，大声唠叨说：

"我还不知道你，你最疼爱他们了！可你的米什卡①是个伪君子，而雅什卡②则是个共济会分子③！而且他们尽挥霍我的家产，整日花天酒地……"

我在灶台上扭动一下身子，不小心把熨斗给碰倒了，于是它顺着阶梯滚了下去，扑通一声，掉进一个大脏水盆里了。外公跳上梯子，一把将我拖了下来，仔细地端详着我的脸，好像头一次看见我似的。

"是谁让你爬到灶台上去的？是你母亲吗？"

"是我自己爬上去的。"

"你撒谎。"

"不，是我自己爬上去的，我吓坏了。"

他推开我，用手轻轻在我额头上拍了一下。

"跟他父亲一个样！滚开……"

我高兴地跑出了厨房。

---

① 米哈伊尔的爱称。

② 雅科夫的爱称。

③ 共济会是世界上最大的秘密团体之一，起源于中世纪宗教建筑工匠行会，由于英帝国的对外扩张而广为传播，带有浓厚的宗教色彩。他们相信上帝和灵魂不灭，在拉丁语系的国家中深受自由主义者、虚无主义者和反对教权主义者的欢迎。共济会成员一般分为三个等级，即学徒、师兄和师傅，帮会色彩很重。这里说的"共济会分子"是个贬义词，意思是"缺德的家伙"。

我看得很清楚，外公那双聪明敏锐的绿眼睛一直都在盯着我，所以我很怕他，我总想躲开他那双火辣辣的眼睛。我觉得外公这个人非常凶狠，他跟所有的人说话总是冷嘲热讽，嘴巴不饶人，摆出一副好斗的架势，直到把对方惹急了才算罢休。

"唉，你们——这帮人啊！"他常常这样感叹地说，总是把"这帮人"几个字的声音拉得很长，我一听就觉得很烦，身上直起鸡皮疙瘩。

休息的时候，喝晚茶期间，外公、两个舅舅和伙计们，从作坊里来到厨房。他们一个个累得精疲力竭，两只手都染成了紫檀色，全被明矾给蜇伤了。他们的头发都用带子扎着，看上去个个活像是厨房角落供奉的黑乎乎的圣像——在这种危险的时刻，外公总是坐在我的对面，这让他的其他孙子们感到非常羡慕，因为相比较而言，外公跟我说话的机会要多一些。外公的身材非常匀称，人很瘦削，很精明。他那件丝线包边的圆领缎子坎肩已经很破旧了，印花衬衫也已经皱皱巴巴，裤子膝盖上有两块大补丁，可是和身穿夹克、戴着衬领、脖子上系着丝质三角巾的两个儿子相比，外公的穿戴毕竟比他儿子们要整洁和好看一些。

我们到了几天后，他就一定让我学做祷告。别的孩子都比我大，已经在跟着圣母安息教堂的执事学习认字了。从家里的窗口就能够看见教堂金色的圆顶。

教我学祷告的是纳塔利娅舅母，她这个人既文静，又胆小，长有一张娃娃脸，眼睛清澈明亮。我觉得透过这双眼睛能够觉察出她脑海深处的一切。

我喜欢长久凝视着她的眼睛，眼睛一眨也不眨。她眯起眼睛，摇晃着脑袋，几乎耳语般地小声让我跟着她学：

"喏，你跟着我说：'我们在天之父①……'"

要是我问："'雅科热'② 是什么意思呢？"

她会惶恐不安地向周围看看，劝我说：

"快别问了，这样会更糟！你只用跟着我说：'我们在天之父……'

---

① 基督教主祷文的第一句，据说这段祷文是耶稣口授的（见《新约全书·马太福音》第6章第9~13节）。

② 雅科热，古斯拉夫语，有"就像""如同"的意思。这里说的还是《马太福音》第6章第9~13节中的一句祷文，即"免我们的债，如同我们免了人的债"。

懂吗？"

我很纳闷：为什么问一下就会更糟呢？"雅科热"这个词显然含有弦外之意，所以我千方百计故意加以歪曲——

把"雅科热"念成"雅夫科热"①……

但是，脸色发白、仿佛全身都瘫软了的纳塔利娅舅妈一直耐着性子在纠正我，她的声音听来有些断断续续：

"不，你只用说'雅科热'……"

但无论是她本人，还是她说的话，都不那么简单易懂。这使我感到非常恼火，妨碍我熟记祷文。

有一次，外公问道：

"喂，阿廖什卡②，你今天干什么了？都玩了吧！我看见你额头上鼓起一个包。弄出个鼓包可算不上有多大本事！'我们在天之父'，背会了吗？"

舅妈小声说：

"他的记性不好。"

外公嘿嘿一笑，棕红色眉毛欢快地扬了起来。

"要是这样，就得用鞭子抽！"

接着，他又问我：

"你父亲抽过你吗？"

由于不明白他的话的意思，我没有吭声，母亲说：

"没有，马克西姆从没有打过他，而且也不许我打他。"

"那是为什么？"

"他说：靠打是教不好孩子的。"

"那他——这个马克西姆，就是个十足的傻瓜，不过他已经死了。求上帝原谅他！"外公气鼓鼓地说，吐字非常清楚。

他的话使我感到非常生气。他看出了这一点。

"你干吗噘着嘴？你呀你……"

然后，他摸摸头上发白的棕红色头发，补充说：

"顶针的事，瞧，看我星期六怎么收拾萨什卡③吧。"

"怎么个收拾法？"我问道。

---

① 雅夫科热（Я в коже）意思成了"我在皮中"了。
② 阿列克谢的小名。
③ 萨沙的小名。

大家都笑了，可外公说：

"你等着瞧吧……"

我静下心来一想：收拾——无非是把送来染色的衣服抖搂开，捶打一番。看来，收拾和捶打是同一回事。有打马、打狗、打猫的。在阿斯特拉罕，巡警打波斯人——这我看见过。但我从没有看见过这样打小孩的，尽管这里的舅舅们对自己的孩子时不时地就用指头弹他们的脑门或后脑勺——不过孩子们对此已经司空见惯，不当一回事，只是用手揉揉被弹过的地方也就算了。我不止一次地问过他们：

"疼吗？"

他们总是勇敢地回答说：

"不疼，一点儿都不疼！"

顶针的事我是知道的。每天下午，从喝茶到吃晚饭这段时间内，舅舅们和格里戈里师傅把各块染好的布料缝成为"一件"，然后在上面缝上个标签。米哈伊尔舅舅想跟眼睛半瞎的格里戈里师傅开个玩笑，便让九岁的侄子把格里戈里师傅的顶针在点燃的蜡烛上烧热。萨沙用剪烛芯的镊子夹起顶针，在火上将它烧得滚烫，然后悄悄地放在格里戈里师傅的手边，自己则藏到炉子后面去了。这时正巧外公走了过来，坐下来想干点活，便把手指头伸进那只灼热的顶针里了。

记得当我闻声跑进厨房的时候，外公正一面用被烧伤的手指抓挠着耳朵，一面滑稽地一蹦一跳的，并且大声喊叫着：

"这是谁干的事？真够缺德的！"

米哈伊尔舅舅弯着腰，用指头在桌子上拨弄着那只顶针，对它不停地吹气。格里戈里师傅平心静气地在缝他手中的活儿，烛影在他巨大的秃顶上跳跃着；雅科夫舅舅从藏身的炉子后面跑出来，暗自发笑；外婆正在用擦子擦新鲜的土豆。

"这是雅科夫的儿子萨什卡①干的！"米哈伊尔舅舅突然说。

"你胡说！"雅科夫从炉子后面蹿了过来，大声叫道。

他的儿子在屋角里边哭边嚷：

"爸爸，别信他的话。是他教我干的！"

两个舅舅相互吵骂起来。这时外公一下子变得没脾气了，往手指上敷了些生土豆沫，拉着我的手，一声不吭地走了。

---

① 高尔基的表兄亚·雅·卡希林（1865—1910）。

大家都说这事应该怪米哈伊尔舅舅。自然，喝茶的时候我曾问过外公——会不会狠狠收拾他一顿？

"应该好好地收拾他。"外公嘟哝一句，斜眼看了我一下。米哈伊尔将桌子一拍，冲母亲嚷道：

"瓦尔瓦拉，管好你的小崽子，不然我会把他脑袋揪下来的！"母亲说："你试试看，只要你敢动他一下……"

这时大家都不作声了。

母亲能说会道，三言两语就能够把人给噎回去，好像一下子就堵住了别人的嘴，拒人于千里之外，使他们感到自己完全是在自讨没趣。

我知道，大家都害怕我母亲，连我外公跟我母亲说话时都轻声细语，不像跟别人说话时那样粗声大气。这使我感到很高兴，所以我常在表哥们面前骄傲地夸耀说：

"我母亲最厉害了！"

他们没有表示反对。

但是星期六发生的事，改变了我对母亲的态度。

星期六之前，我也做了件错事。

我感到非常好奇：大人们是如何巧妙地改变布的颜色的？他们把黄颜色的布料浸入黑颜色的水中，布料一下子变成深蓝色——他们称之为"宝蓝"；把灰颜色的布在棕红色的水里一泡，马上就变成了浅红色——他们称为"殷红"。事情很简单，可我却不明白。

我很想亲自染点什么东西，于是我把这一想法跟雅科夫的儿子萨沙说了，他是个很严肃认真的小伙子。他经常在大人们身边转悠，跟所有人的关系都很好，随时准备帮助大家，什么活都肯干。大人们都夸奖他听话，人又聪明，但是外公总是斜着眼睛看他，说：

"整个一个马屁精！"

雅科夫的这位萨沙又黑又瘦，两只螃蟹眼向外突出着，说话慌里慌张，声音很轻，好像想说的话被卡在喉咙里似的，而且总是神秘兮兮地往四下打量，仿佛随时都打算逃跑，找个地方躲起来。他的栗色的瞳孔一动不动，但是情绪一激动，两个瞳孔和眼白便一起颤动起来。

我不喜欢他。相比之下，我更喜欢米哈伊尔舅舅的儿子萨沙①，这

---

① 即高尔基的表兄亚·米·卡希林（1909 年去世）。高尔基认为他人很好，但是生性懒惰，到处流浪。

小伙子非常安静，不爱张扬，行动有点笨拙，长有一双忧郁的眼睛，笑起来样子很好看，很像他温顺贤良的母亲。他的牙齿很难看，全都伸到嘴唇外面来了，因为他的上颚长了两排牙齿。这使他觉得很有意思。他经常把手指头伸进嘴里，摇晃它们，想把里面的那排牙齿拔掉，而且谁要是想摸一摸他的牙齿，他都老实巴交地让人去摸。但我从他身上没有发现任何其他更有趣的地方。家里的人员很多，但他却独来独往，喜欢一个人坐在昏暗的角落里，晚上就坐在窗口。和他默默地待在一起也很有意思——坐在窗边，紧靠着他，整整一个小时谁都不说话，只是仰望着天空红色的晚霞，观看成群的乌鸦围绕着圣母安息大教堂金色的圆顶来回盘旋，上下翻飞，它们有时飞得很高，有时飞得很低。突然，它们像一张黑色的大网，遮天蔽日，挡住了落日的余晖，然后便在我们眼前消失了，留下一片虚无的空间。面对此情此景，这时什么话你都不想说，一丝甜蜜的惆怅在胸中油然而生。

雅科夫舅舅的儿子萨沙无论什么事都能说上一通，而且口若悬河，头头是道，像大人似的。当他听说我想学染匠的手艺后，便建议我把柜子里一块节日用的白桌布拿出来染成蓝颜色。

"白的最容易染，这我清楚！"他一本正经地说。

我拖着沉甸甸的桌布，跑到院子里。但是，当我把桌布的一角刚要放进"宝蓝"的染缸时，"小茨冈"不知从哪儿向我飞奔过来，一把将桌布夺过去，而且用他的一双大手拧了又拧，冲站在过道里看我怎样染桌布的表哥喊道：

"快去喊你奶奶来！"

他知道事情不妙，摇着一头乱蓬蓬的黑发，对我说：

"瞧吧，这件事会让你倒大霉的！"

外婆跑了过来，她惊叫一声，甚至哭了起来，并且连声地骂我，显得很滑稽可笑：

"哎呀，你这个彼尔米亚克人，该死的冒失鬼！真想一下子把你摔死！"

然后，她开始劝说"小茨冈"：

"瓦尼亚，你可别告诉他外公！事情由我来兜着，没准儿能瞒过去……"

瓦尼卡①一面在花围裙上擦着一双湿手，一面忧心忡忡地说：

①　瓦尼亚的小名。

"关我什么事？我不会说的。要看好萨舒特卡①，别让他乱说!"

"我会给他两个戈比的。"外婆说着，把我领回到屋里。

星期六晚祷之前，有人把我领到厨房。厨房内光线很暗，非常安静。记得通往过道和其他房间的门都关得严严实实，窗外是秋日的黄昏，细雨蒙蒙，天空一片灰暗。"小茨冈"坐在黑乎乎的炉口前面，在一张宽大的长椅上，一脸怒气，人都变了样。外公站在屋角的一只大木盆旁，正在从盛满水的木桶里选取细长的枝条，打量着它们的长度，将它们一条条地码放好，而且拿起来在空中挥舞几下，发出嗖嗖的响声。外婆站在旁边一个不显眼的地方，使劲地嗅着鼻烟，嘴里嘟哝着说：

"这回可高兴了……净折磨人……"

雅科夫的儿子萨沙坐在厨房中间的椅子上，用两只拳头揉着眼睛，吓得连声音都变了，像一名老叫花子似的，拉长声调说：

"看在耶稣的份上，饶了我吧……"

米哈伊尔舅舅的孩子们——我的表哥和表姐——肩并肩地站在那里，跟木头人一样。

"抽过后——再饶你吧，"外公说着，拿过一根湿漉漉的枝条在手中捋了捋，"喏，快把裤子脱下来！……"

外公说话时非常平静，无论是他说话的声音，还是萨沙这孩子在吱吱作响的椅子上的挣扎，以及外婆的两只脚在地板上的摩擦声——都未能打破在被熏黑的低垂的天花板下昏暗厨房里令人难忘的寂静。

萨沙站起身，解开裤子，用两只手提着，一直褪到膝盖处。他弯着腰，跌跌撞撞地向长板凳走去。看他走路的样子，真让人难受，我的双腿也不禁打起颤来。

但当他老老实实地脸冲下趴在长凳子上，瓦尼卡用一条很宽的手巾，把他从胳肢窝下和脖子处都绑在凳子上，然后弯下身子，用黑乎乎的双手按住他脚脖子的时候，情况就更糟了。

"列克谢②，"外公叫道，"靠近一点儿！……喂，我在跟谁说话？……好好看看什么叫挨抽……一下！……"

他的手扬得并不高，对准萨沙的光身子就是一树枝。萨沙发出一

---

① 萨沙的昵称。

② 高尔基的名字叫阿列克谢，这里显然是简化了。

声尖叫。

"装出来的，"外公说，"这一下并不疼！现在这样抽才有点疼！"

于是，他一树枝抽下去，萨沙的身子立刻像被火烧了一样，当即就起了一道红印，表哥扯着嗓子，发出一声号叫。

"不好受吧?"外公问道，同时他的手在有节奏地一起一落，"不喜欢，是不是? 这一下，是为了顶针儿的事!"

他的手往上一扬，我的心也跟着被提了起来，他的手一落，我整个人也好像跌落了下来。

萨沙的号叫声非常尖厉，听着令人厌恶：

"我再也不敢了……桌布的事，我不是说了吗……是我主动说出来的呀……"

外公平静地、像读圣诗似的说：

"告密——也不能为自己开脱！告密者首先得挨上一鞭子。现在，为桌布的事，该轮到你了!"

外婆立刻向我奔来，一把搂住我，喊道：

"不许你打列克谢！就是不许，你这个恶魔!"

她开始用脚踹门，一面大声喊叫：

"瓦里娅，瓦尔瓦拉! ……"

外公向她扑过去，将她推倒在地，一把抓住我，就往凳子边拖。我在他手中拼命地挣扎，揪他的红胡子，咬他的手指头。他暴跳如雷，紧紧地夹着我，最后终于把我往长凳上一甩，我的脸被碰破了。只记得他疯狂地大喊大叫：

"把他捆起来！非打死他不可! ……"

我清楚记得母亲煞白的面孔和她那双大眼睛。她沿着长凳跑过来，声音嘶哑地喊道：

"爸爸，不要打了! ……饶了他吧……"

外公一直把我打得失去了知觉，之后我一连病了几天。在一间只有一个窗户的小屋里，我背朝上趴在一张又宽又热的床上，屋角有一个神龛，里面供奉着许多圣像，神龛前点着一盏红色的长明灯。

对于我来说，生病的几天，是我一生中意义非常重大的日子。应该说，这期间我长大了许多，有一种特殊的感受。从那时起，我对人有一种诚惶诚恐的感觉，时时留意着身边的人们，我的心仿佛被揭掉了一层皮，对于一切屈辱与伤痛，不管是自己的，还是别人的，都再也无法忍受了。

　　首先，令我大为惊讶的是，外婆和我母亲发生了争吵。在拥挤不堪的小屋里，身体胖大、黑衣黑裙的外婆向母亲冲过去，把她一直推到屋角，推到圣像面前，然后压低嗓音埋怨说：

　　"你为什么不把他抢过来，啊？"

　　"我给吓呆了。"

　　"亏你还长得人高马大的！你就不嫌害臊吗，瓦尔瓦拉！我一个老婆子，都不害怕！真不嫌害臊！……"

　　"别说了吧，妈妈，我直觉得恶心……"

　　"不对，你不爱他，你不可怜他这个孤儿！"

　　母亲沉痛地，而且大声地说：

　　"我自己这辈子就是个孤儿！"

　　后来，他们俩坐在屋角箱子上哭了很久，最后我母亲说：

　　"要不是阿列克谢，我早就走了，远走高飞了！我没法在这人间地狱里待下去，实在没法，妈妈！实在待不下去……"

　　"你是我身上掉下的肉，是我的心肝宝贝，"外婆轻声细语地说。

　　我明白了：母亲并不是一位强者，她和其他人一样，也害怕外公。我妨碍她离开这个她无法待下去的家。这太叫人伤心了。不久，母亲真的从这个家里消失了。她到什么地方做客去了。

　　突然，好像从天花板上跳下来似的，外公来了，他坐在床上，伸出一只冰冷的手，抚摸着我的脑袋：

　　"你好啊，先生……你倒是回个话呀，别生气了！……喏，怎么样？……"

　　我真想狠狠地踢他一脚，但是身子一动就疼。外公的头发比以前更红了，他忐忑不安地摇晃着脑袋，两只闪亮的眼睛在墙上搜寻着什么。他从口袋里掏出一块山羊形状的动物饼干，两块犄角糖，一个苹果和一些紫葡萄干，他把所有这些东西放在枕头上靠近我鼻子的地方。

　　"瞧，我给你带来的礼物！"

　　他弯下腰，吻一下我的额头，然后用一只瘦小僵硬的手轻轻抚摸着我的脑袋。他的手被染成了黄色，尤其是他那弯得跟鸟爪子似的指甲显得更黄一些，他说：

　　"当时我对你是有些过分，小家伙。我正在气头上，你咬我，抓我，喏，我的气也就来了！不过话又说回来，你吃点苦头也不是坏事——今后对你会有好处！要知道：自己人、亲人打你，这不是屈辱，而是教诲；外人打就不行，自家人打两下没关系。你以为我没有挨过打吗？我挨的那个打呀，阿廖沙①，那才叫狠呢，你做噩梦都不曾梦见过。我受的那份委屈呀，恐怕上帝见了也会流泪的！可结果怎么样呢？我，一个孤儿，讨饭婆的儿子，终于达到了自己的目的——当上了行会的会长，出人头地了。"

他那干瘦匀称的身躯使劲贴着我，开始讲述自己童年所度过的日子。他用的词汇艰涩难懂，但他把它们搭配得非常巧妙，听起来毫不吃力。

他那双绿色的眼睛闪闪发光，金色的头发欢快地竖了起来，他把自己的尖嗓门压低一些，对着我的脸，一通瞎吹：

"你这次是坐轮船来的，是蒸汽把你送过来的，可我年轻的时候，全凭自己的力气，在伏尔加河上给驳船拉纤，逆流而上。船在水中行，我在岸上走，光着双脚，踩着尖利的顽石和滑落下来的石头碎片，一天到晚，没日没夜地干！太阳晒着后脑勺，火辣辣的，脑袋就像熔化了的生铁，灼热难当，可是还得弯腰弓背地一个劲儿地往前拉——浑身的骨头都嘎嘎作响——而且看不见脚下的道路，两眼完全被汗水蒙住了，心里那个难受就别提了，眼泪哗哗直流——唉呀，阿廖沙，真是有苦没处说啊！只好往前拉呀，拉呀，有时候纤绳忽然滑脱了，人一头栽倒在地——也算是因祸得福吧，因为这时人一点气力都没有了，跌倒了，至少可以休息一会儿，喘口气！瞧，人们在上帝的眼皮底下，在仁慈的耶稣我主面前过的什么日子！……就这样，这条伏尔加母亲河，我走了三趟：从辛比尔斯克②到雷宾斯克③，从萨拉托夫一路过来，又从阿斯特拉罕到马卡里耶夫④，到马卡里耶夫集市⑤——这其间

---

① 阿列克谢的爱称。

② 俄国古城，建于1648年，1870年乌里扬诺夫（列宁）诞生于此。为纪念列宁，1924年改为乌里扬诺夫斯克市，如今是乌里扬诺夫斯克州的行政中心。

③ 伏尔加河上游的港口城市，位于俄罗斯雅罗斯拉夫尔州。

④ 俄罗斯科斯特罗马州一城市，位于温扎河畔，1778年设市。

⑤ 这是一个历史悠久的集市，从16世纪中期到19世纪初每年7月都有活动，地点在伏尔加河左侧，马卡里耶夫修道院附近，即现在的高尔基州雷斯科沃区马卡里耶夫镇。这里云集着俄国境内外的商人，集市规模宏大，1817年后集市逐渐移到下诺夫戈罗德市。

有好几千俄里①呢！而到第四个年头上，我已经当上驳船的工长了——我向老板展示了自己的聪明才智！② ……"

他讲着讲着，我仿佛觉得他在我面前变成了一块彩云，而且在迅速地变大，从一个瘦小的干瘪老头，变成了一个具有神奇力量的巨人——他独自一人，拉着一艘巨大的灰色驳船，逆流而上……

有时候，他从床上跳下来，摆动着胳膊，让我看纤夫们拉着纤绳走路的样子，看他们怎样从舱里往外排水；他还用男低音唱着什么歌曲，然后又像年轻人似的跳回到床上——一切都是那么令人惊奇——说话的声音也更加深沉、凝重了：

"喏，不过，阿廖沙，到了夏天的傍晚，该歇歇脚、休息一下的时候，在日古里③丘陵地一带随便找一个山青草绿的地方，点起篝火，熬上稀粥，一肚子苦水的纤夫们唱起了心爱的歌曲。只要有人开个头，所有的人便都跟着嚎叫起来——听起来令人不寒而栗，好像整个伏尔加河的流速都加快了——这么说吧，像野马奔腾，直冲云天！于是，所有的痛苦，像万里尘埃，都随风而去了。人们唱得如醉如痴，有时锅里的粥溢出来了都不知道。这时必须得用木勺子敲打熬粥人的脑袋：玩归玩，但不能忘了正事儿！"

有好几次，有人朝门里直张望，叫外公出去，但我总是求他：

"别走！"

他嘿嘿一笑，对来人摆摆手：

"先等一会儿……"

他一直讲到晚上，而且走的时候，跟我亲切地道了别。我知道外公并非那么凶，而且也并不可怕。但我一想起他曾那么残忍地毒打过

---

① 1俄里约等于1.06公里。

② 1807年1月17日，B. B. 卡希林（外公）生于伏尔加河沿岸一座码头城市巴拉赫纳，家境贫寒。老爷子B. B. 卡希林作为"逃兵"1804年曾经被抓住，遣送回原籍，打算1806年再次应征，以抵偿债务。母亲怀着身孕，身边带着两个女儿。1813年卡希林开始上小学，14岁当纤夫，几年后在船上当上了工长。1841年他来到下诺夫戈罗德时已经是一名染匠师傅，被推举为行会的会长。1861—1863年当上了市杜马议员，成为全市手工业者唯一的代表。（见《高尔基及其时代》，第550—551页）

③ 位于伏尔加河右岸，为伏尔加河湾（萨马拉河湾）所环绕，此处林木茂盛，景色秀丽，是休闲的好去处。

我，我就忍不住直掉眼泪，这件事我总也无法忘掉。

外公来看我，给所有来探望我的人敞开了大门，从早到晚，我的床边总是有人来坐，他们千方百计地逗我开心。我记得，他们这样做并不总是能让我高兴。来我这里次数最多的要算外婆了，连睡觉她也跟我躺在一张床上。但这些天给我印象最深的要数"小茨冈"了。他人长得敦敦实实，宽胸脯，一头鬈发。他傍晚的时候来看我，穿得像过节似的：金黄色的丝绸衬衫，绒布裤子，带皱褶的、嘎吱嘎吱作响的靴子。他的头发油光锃亮，两道浓眉下一双快活的外斜视眼和小黑胡子下面洁白的牙齿，闪闪发光，他的衬衫在长明灯红色烛光柔和的映照下像着了火似的。

"你看看，"他说着，一面卷起袖子，给我看胳膊肘以下露出来的红色伤疤，"瞧，肿成什么样子了！原先肿得还更厉害，现在好多了。你知道不，老爷子当时被气疯了，我一看他要把你往死里打，我就赶紧把这只胳膊伸过去挡一下，我本想这样一挡，树枝会折断的，等你外公再去换另一根树枝的时候，你外婆或者你母亲，准会把你拖走！唉，谁知道树枝没有被折断，非常有韧性，是在水里浸泡过的呀！但你毕竟少挨了几下子——瞧，少挨多少下？我呀，小老弟，还是很机灵的！……"

他笑了，笑得像绸子那么柔和、亲切，这时，他又看了看他那红肿的胳膊，笑道：

"我真觉得你很可怜，喉咙都哽住了，我预感到了，大事不好！而他死命地打……"

他像马那样打着响鼻，摇晃着脑袋，还讲了些染坊里的事。我立刻感到他这个人非常亲切，像孩子一样的单纯。

我跟他说，我很爱他。他的回答非常朴实，令人难忘：

"要知道，我也同样爱你啊……别的什么人我管过吗？我才不管呢……"

后来，他老是朝门口张望，悄悄地跟我说：

"下次再打你的时候，一定要记住，别老是缩着，可不能紧缩着身子——感觉出来了吗？紧缩身子会加倍地疼。你要把身子放松，顺其自然，让身子软绵绵地趴在那里——像果冻似的。而且不要憋住气，要深呼吸，要拼命地喊叫——你一定要记住这些，很有用的！"

我问：

"难道还会打我吗？"

"怎么不会？""小茨冈"若无其事地说，"当然会的！没准儿会经常找你的碴儿……"

"为什么呢?"

"老爷子会找出理由的……"

然后又非常关心地教我:

"要是他由上往下打,树枝直接落下来——这时你就安安静静地躺在那里,全身放松。要是他断断续续地打——抽下去马上就往回拉,那就是要叫你皮开肉绽——这样你一定要把身子向他那个方向翻滚,顺着树条子转动,懂吗?这样会好受一些!"

他挤弄着一双黑色的外斜眼,说:

"这方面我比警察局长还精明!小兄弟,我的皮简直可以拿去做手套了!"

望着他那张兴冲冲的脸,我回想起外婆讲的关于伊万王子和傻瓜伊万①的童话故事。

三

我康复后才开始明白"小茨冈"在这个家里所占的特殊地位。外公对他的呵斥并不像对儿子们那么经常,也不那么动气,背后谈起他时,总是眯缝起眼睛,摇晃着脑袋说:

"小伊万②这鬼东西可有一双金不换的手啊!你记住我说的话:他将来可是个人物!"

舅舅们对"小茨冈"也很友好,亲如家人,从不像对格里戈里师傅那样对他搞"恶作剧"。对格里戈里师傅,他们几乎天天晚上都搞些名堂,欺负他,给他使坏:有时将剪刀用火烧热,有时往他椅子座上钉钉子,或者把不同颜色的布料放在这个眼睛半瞎的师傅手边——让他随手把它们缝成"一块",为此外公会大骂他一通的。

有一次,午饭后他在厨房的吊床上睡觉,有人把他的脸涂上些红颜料,他就带着这张脸来来去去走了好长时间,因为从花白胡子中隐隐约约显露出两块圆圆的眼镜片,很像舌头的红色长鼻子无精打采地向下耷拉着,看上去既可笑,又怪吓人的。

他们没完没了地搞这种恶作剧,但格里戈里师傅都默默地忍受了,只是在他接触熨斗、剪刀、镊子或顶针之前,总是轻轻地呵呵嘴,在

---

① 俄国民间故事中两个家喻户晓的人物。

② "小茨冈"的名字叫伊万。

指头上多吐点唾沫就是了。这已成了他的一种习惯，甚至午饭用刀叉时他也先要在指头上蘸些唾沫，逗得孩子们都笑他。当他被烫疼的时候，他的宽脸膛上便现出一道道皱纹，皱纹奇怪地滑向前额，托起双眉，最后消失在光光的秃顶上。

不记得外公是怎样看待儿子们这些恶作剧的了，但外婆总是握紧拳头，吓唬他们，骂道：

"不要脸的东西，一帮坏蛋！"

不过舅舅们背后议论起"小茨冈"时心里也有气，冷嘲热讽，说他干活不行，骂他是小偷和懒汉。

我问外婆，这是为什么？

像往常一样，外婆很乐意回答，给我解释得清清楚楚：

"你想嘛，他们俩一旦自己开染坊，都想把万纽什卡①拉过去，所以他们尽量在对方的面前贬损他，说他干活不行。他们这是在胡说，在耍花招。他们还担心万纽什卡不到他们那里去，留下来跟着你外公干呢。而你外公这个人的脾气很怪，说不定真会跟'小茨冈'伊万开办第三家染坊——这样对你两个舅舅就不利了，懂吗？"

外婆轻声笑了：

"他们净耍滑头，简直是笑话！喏，你外公看破了他们的这些花招，故意拿雅沙和米沙②开涮，说：'我要掏钱给伊万办个免役证，使他不至于被征兵——我需要他这个人！'可他们一听就很不高兴，他们不愿意这样做，而且又舍不得花钱——办一个免役证贵着呢！"

现在我又和外婆住在一起了，就跟在轮船上似的。每天晚上入睡前，她总是给我讲故事听，或者给我讲她自己的生活往事，跟童话故事差不多。一讲到家务事——孩子们分家、老爷子购置新房产——她话里总带有一种嘲笑的意味，态度非常冷漠，不知为什么，好像距离自己很远，是邻居家的事，而不是这个家的第二把手的事。

我听外婆说，"小茨冈"是捡来的孩子。一个早春的日子，是个下雨的夜里，人们在大门旁的长凳上捡到了他。

"他躺在那里，身上裹了条皮围裙，"外婆若有所思地、神秘兮兮地叙述道，"勉强还会哭，已经被冻僵了。"

———————————

① 伊万的爱称。

② 雅沙是雅科夫的小名；米沙是米哈伊尔的小名。

“为什么要把孩子给扔了呢？”

“母亲没有奶，没有东西喂。于是她就打听谁家刚生的孩子死了，便把自己的送过来。”

外婆沉默片刻，理了理头发，长叹一声，眼睛望着天花板，接着往下说：

“都是因为穷啊，阿廖沙。有时候穷得简直没法说！加上人们认为没出嫁的姑娘是不能生孩子的——太丢人啊！你外公本想把万纽什卡往警察局里送，后来是我劝住了他。我说咱们收养了吧，这是上帝给我们送来的，上帝清楚谁家死了孩子。要知道，我生了十八个孩子，要是全都活下来——能占满整个一条街，十八家人哪！因为我十四岁上就嫁人了，十五岁已经生孩子了。可是上帝喜欢上了我的亲骨肉，把我的孩子一个个地都召去当天使了。我真是又心疼，又高兴啊！”

她穿一件长衬衫，坐在床边上，一头黑发披散着。庞大的身躯、披头散发的样子，使她很像不久前从谢尔加奇①来的那个林区大胡子农民牵到院子里来的大狗熊。她一面在白净的胸脯上画着十字，一面轻声地笑着，整个身躯不停地摇来晃去：

“好的被上帝召去了，差的给我留下了。我很喜欢小伊万——非常非常喜欢你们这样的小孩子！于是，我便收养了他，给他行了洗礼，他就这么活了下来了，挺好的。开头我管他叫茹克②——因为有时候他喜欢发出一种特殊的嗡嗡声——很像一个甲壳虫，边爬边叫，满屋子爬来爬去。一定要关爱他——他人朴实，心眼好！”

我也很喜欢伊万，他常常使我惊讶得连话都说不出来。

每逢星期六，等外公把一周来作恶多端的孩子们收拾个够，自己做祷告去了，这时厨房里的娱乐活动便开始了，简直没法形容：“小茨冈”从炉灶下面逮来几只乌黑的蟑螂，然后用细线绳很快做一副马具，又用纸剪裁一辆雪橇，然后套上四只黑蟑螂，让它们拉着雪橇，在刨得非常光滑的黄色桌面上一通奔跑，而伊万则用一根细松针驱赶着它们，兴奋地喊着：

“接大主教去喽！”

---

① 俄罗斯城市，位于高尔基州的皮亚纳河畔。距谢尔加奇市 11 俄里处有一个泉水村，村民们喜欢驯养熊，他们常常把自己驯养的熊牵到附近城市去进行表演。

② 茹克（Жук），即甲壳虫的意思。

他在一只蟑螂的背上贴了一张小纸片，赶着它，让它跟在雪橇后面奔跑，并且解释说：

"忘记带口袋啦。这位修士背着口袋追上来了！"

他用一根线拴住蟑螂的腿，这小虫子往前爬的时候头一低一低的，这时小伊万便拍手大叫：

"教堂执事从小酒馆里出来，正急着去做晚祷告呢！"

他拿出几只小老鼠，它们在他的指挥下能够直立起来，还会行走，拖着一条长长的尾巴，两只小眼睛像黑珠子似的滴溜溜地直转，煞是可笑。他对小老鼠们非常爱护，把它们揣在怀里，嘴对嘴地喂它们糖吃，亲吻它们，还振振有词地说：

"老鼠这玩意儿可聪明啦，非常可爱，家神爷都非常喜欢它们！谁喂养老鼠，家神爷就会保佑他平安……"

他会用纸牌和钱币变戏法，跟孩子们一起玩时，他喊叫的声音比他们还高，简直跟他们一点区别都没有。有一次，孩子们跟他玩牌，一连几次被孩子们抓了"傻瓜"① ——弄得他非常泄气，气得嘴噘得老高，扔下牌不玩了。他后来气鼓鼓地向我抱怨说：

"我知道，他们事先都串通好了！他们互相递眼色，在桌子底下偷偷换牌。哪有这种玩法？我自己也会作弊，不比他们差……"

当时他十九岁，比我们四个人加起来的岁数还要大。

但令我特别难忘的是节日的那些夜晚：外公和米哈伊尔做客去了，雅科夫舅舅披着一头乱糟糟的鬈发，带着吉他来到了厨房；外婆备好了丰盛的茶点、小吃和伏特加酒，绿色的玻璃酒瓶底上带有人工镌刻的红花；一身节日打扮的"小茨冈"像陀螺似的忙得团团转；格里戈里师傅不声不响、侧着身子走进来，他的两只黑色的眼镜片闪闪发光；一脸雀斑的保姆叶夫根尼娅也来了，她脸色红红的，胖得像一只大坛子，长着一对狡猾的眼睛，说话瓮声瓮气的。有时，来人中还有圣母安息教堂那位毛发旺盛的执事和一些像狗鱼、江鳕一样面色阴郁、来去匆匆的不速之客。

大家敞开肚皮地一通吃喝，呼哧呼哧地喘着粗气，给孩子们分发了糖果，每人一杯甜果子酒，然后，一场热闹非凡但有点怪异的狂欢活动就开始了。

――――――

① 纸牌的一种玩法，也有叫"抽王八"或"拱猪"的。

雅科夫舅舅细心地调着吉他，调好之后，总要老生常谈地说一句："好啦，现在我就开始演奏……"

他晃了晃满头的鬈发，躬身抱着吉他，像公鹅一样向前伸着脖子。他那圆圆的、无忧无虑的面孔变得昏昏欲睡，两只动人的、难以捉摸的眼睛在油雾弥漫中黯然失色了。他轻轻地拨动琴弦，弹了一支激动人心的曲子，使你情不自禁地手舞足蹈起来。

他的演奏需要集中注意力，保持安静。乐曲像一条湍急的溪流，从某个远处奔腾而来，浸润着室内的地板和墙壁，激荡着人心，诱发人们产生一种莫名其妙的感觉，一种令人愁肠百结、骚动不安的感觉。听着这样的音乐，一种怜悯之心——既怜悯他人，也怜悯自己——油然而生。大人们也变得像小孩子似的，大家一动不动地坐在那里，默默无语，陷入一片沉思。

米哈伊尔舅舅的儿子萨沙听得特别入迷。他的身子一直朝着雅科夫舅舅，张大嘴巴，眼睛盯着吉他，口水不断从嘴里流下来。有时他听得太痴迷了，从椅子上跌下来，双手撑着地板。即便是这样，他也会就势往地板上一坐，瞪着两只直勾勾的眼睛。

大家听得都很着迷，如醉如痴，只有茶炊在低声歌唱，但它无碍于人们倾听那如怨如诉的吉他声。两个方形小窗口的外面是秋夜漆黑的天空，时而有人轻轻敲打这两扇窗户。桌上两支蜡烛的黄色火焰摇曳不定，尖尖的，宛如两支长矛。

雅科夫舅舅演奏得越发投入了，他似乎在酣睡，牙齿紧紧闭着，只有他的两只手在分别活动着：右手弯曲的手指在深颜色的吉他腹板孔上飞快地弹奏着，仿佛鸟儿在拍打着翅膀，拼命地挣扎；左手的手指在琴弦上来回移动，速度快得让人难以分辨。

几杯酒下肚后，他几乎总是要用他那从牙缝里挤出来的声音唱那首没完没了的歌——真是难听极了：

> 如果雅科夫是条狗，
> 从早到晚叫个不休：
> 哎哟哟，我好寂寞啊！
> 哎哟哟，我多么忧愁！
>
> 一个小尼姑在街上行走；
> 一只乌鸦落在墙头。

哎哟哟，我好寂寞啊！

蟋蟀在灶台后叫个不停，
成群的蟑螂折腾个没够。
哎哟哟，我好寂寞啊！

一个叫花子晾晒包脚布，
另一个叫花子将它偷走！
哎哟哟，我好寂寞啊！
唉，确实叫人发愁！

这首歌听得我真是受不了，雅科夫舅舅一唱到那两个叫花子，我就忍不住难过得放声大哭起来。

"小茨冈"和大家一样，听得也很专心，他把手指头插进自己乱蓬蓬的头发里，眼睛望着墙角，一副昏昏欲睡的样子。有时候他突然惋惜地冒出一句：

"嘿，要是上帝给我一副好嗓子——我也能唱！"

外婆叹了口气，说：

"行啦，雅沙①，你把人的心都唱碎了！你呀，瓦尼亚特卡②，还是给大家跳个舞吧……"

外婆的要求，他们也不总是有求必应，立即兑现的，但这时乐师往往突然用手掌往琴弦上一按，停那么一刹那，然后紧握拳头，仿佛把一个看不见、摸不着、听不到的东西从自己身上使劲往地板上一甩，煞有介事地喊道：

"把忧愁和烦恼抛开吧！瓦尼卡③，上场！"

"小茨冈"理了理蓬乱的头发，抻了抻黄色的衬衫，像踩在钉子上似的，小心翼翼地走到厨房中央。他黝黑的脸膛泛起了红晕，然后不好意思地微笑着，请求道：

"请把节奏加快一些，雅科夫·瓦西里耶维奇！"

于是吉他像发疯似的弹了起来，靴后跟在地板上噼里啪啦地跳起

---

① 雅科夫的小名。
② "小茨冈"的昵称。
③ "小茨冈"伊万的小名。

来，桌子上和厨柜里的餐具震得哗哗直响。"小茨冈"在厨房里像一团燃烧着的烈火，他张开双臂，宛如雄鹰展翅，两条腿悄无声息地在飞快移动。一声尖叫，只见他身子往地面一蹲，像一只金色的雨燕，穿梭飞舞，橘黄色的绸衬衫使周围的一切都显得光彩夺目；它在颤抖，在流动，又仿佛在燃烧，在熔化。

"小茨冈"不知疲倦地跳着，他是那样地忘我和投入，似乎只要敞开大门，让他尽情去跳的话，他肯定会跑到街上，然后满城跑着跳，走到哪里跳到那里……

"来个串场!"雅科夫舅舅喊道，脚下一面踏着拍子。

他尖厉地吹了一声口哨，接着用颤抖的嗓音喊了几句俏皮话：

> 哎哟哟! 若不是我心疼草编的鞋子，我早已远走高飞，撇下老婆和孩子!

桌边的人们全身也跟着抖动起来，他们时而高喊，时而尖叫，好像被火烧着了似的。大胡子师傅用手在自己的秃顶上一拍，嘴里嘟囔了句什么。有一回，他朝我弯下身来，毛茸茸的大胡子完全盖住了我的一个肩膀，他像对待大人似的，直接凑到我耳边说：

"列克谢·马克西莫维奇①，要是你父亲能在这儿，他肯定会掀起另一个热潮! 他是个乐观的男人，能给人带来欢乐。你还记得他吗?"

"不记得。"

"是吗? 有时候他和你外婆……等会儿，你等一下!"

这时他站了起来，高高的个子，样子很疲惫，跟圣像差不多。他向我外婆鞠了一躬，用异常庄重的口气，邀请她跳个舞。

"阿库林娜·伊万诺夫娜，请赏个光，跳一个吧! 就像过去跟马克西姆·萨瓦捷耶夫②跳那样。助个兴，让大伙开开心!"

"你说什么呀，亲爱的，你这是怎么了，格里戈里·伊万内奇先生?"外婆笑着说，一面将身子往回缩，"我哪会跳舞呀，只能逗人发笑……"

但是众人一致请求她。于是，她像年轻人似的，霍地一下站起身，

---

① 一般对大人才叫名字和父称，以表示尊重。

② 指高尔基的父亲。后面提到他时又称他为马克西姆·萨瓦捷伊奇。

理了理裙子，挺直身板，昂起沉重的脑袋，接着便在厨房里跳起来，同时喊道：

"大家笑吧，开心地笑吧！我说，雅沙①，换一支曲子！"

雅科夫舅舅噌地一下站了起来，他把身子一挺，眼睛一眯缝，立即弹得慢了一些。"小茨冈"停了片刻，然后跳到外婆面前，开始蹲下身子围着她跳起来。而外婆则舒展双臂，扬起眉毛，两只乌黑的眼睛凝视着远方，在地板上无声地缓缓滑动，就跟在空中飘荡一样。我觉得她的样子非常可乐，便扑哧一声笑了；格里戈里师傅马上伸出一个手指严厉地警告我，而且所有的大人们都朝我这边看，表示很不以为然。

"别跳了，伊万！"格里戈里师傅说，然后嘿嘿一笑。"小茨冈"听话地跳到旁边，坐在门槛上，这时保姆叶夫根尼娅悦耳的嗓音小声唱了起来：

> 每周从早到晚，
> 姑娘忙着织花边，
> 累得她精疲力竭——
> 唉，只有一口气在喘！

外婆不是在跳舞，而仿佛是在诉说着什么。瞧，她在缓缓地移动脚步，一副若有所思的样子，她的身子摇摇摆摆，时而手搭凉棚，四下打量。庞大的身躯一摇三晃，欲行又止，两只脚小心翼翼试探着道路。忽然，她被什么东西吓了一跳，停住脚步，脸上不觉一怔，皱起了眉头，但立刻又露出善良的、和蔼可亲的微笑。为了给什么人让路，她闪身一旁，伸出一只手，指了指方向；她低着头，屏息静听，脸上的笑容越发灿烂了——这时候，她忽然跃身而起，身子像旋风似的转动起来，整个人的体态显得更加端庄匀称，个子也更高了，让人简直无法把目光从她身上移开，因为此时此刻，她变得是那么美丽动人，奇迹般地恢复了青春！

保姆叶夫根尼娅放声唱道：

----

① 雅科夫的小名，爱称。

礼拜天午祷后，

一直跳到深夜。

她最后一个离开广场，

可惜啊，节日的美景不长！

跳完后，外婆坐回到自己靠近茶炊的地方。大家对她赞不绝口，都夸她舞跳得好，而她则一面整理头发，一面说：

"你们得了吧！你们是没见过真正会跳舞的人。我们巴拉赫内①从前就有一个姑娘——我不记得是谁家的了，叫什么名字——这么说吧，有人看她跳舞，高兴得竟然哭了起来！有时你只要看她一眼——那就跟过节一样，别的什么都不需要了。我真羡慕她呀，实在是罪过！"

"会唱歌、跳舞的人是世界上最棒的人。"保姆叶夫根尼娅一本正经地说。这时她开始唱一支关于大卫王②的什么歌，而雅科夫舅舅拥抱着"小茨冈"，对他说：

"你要是到酒吧去跳——准能让人们发疯！……"

"我真想有一副好嗓子！""小茨冈"不无惋惜地说，"如果上帝能给我一副好嗓子，我就先唱他十年，然后——哪怕出家都行！"

大家都喝了伏特加酒，要数格里戈里喝得最多。大家一杯接一杯地向他敬酒，外婆警告他说：

"当心啊，格里沙③，眼睛会完全喝瞎的！"

他大大方方地回答说：

"瞎就瞎吧！眼睛对我已经没有用了——我什么都见识过了……"

他没有喝醉，但话却越来越多，几乎总跟我提起我父亲的事：

"马克西姆·萨瓦捷伊奇跟我是朋友，是条心地宽广的汉子……"

外婆叹了口气，接上去说：

"是啊，是上帝的孩子……"

一切都非常有趣，一切都使我感到紧张与兴奋，它在我心里唤起一种淡淡的无尽的忧伤。无论是忧伤，还是欢乐，它们都同时存在于人们的身上，相辅相成，几乎无法分开；它们相互交替，变幻无常，令人难以捉摸。

---

① 俄罗斯一古老码头城市，位于高尔基州，紧靠伏尔加河。

② 这里指公元前11世纪末至公元前约950年的以色列犹太国国王。

③ 格里戈里的小名。

有一次，雅科夫舅舅并没有太喝醉，但他开始撕自己身上的衬衫，拼命地揪自己的头发和稀稀拉拉的白胡子，拧自己的鼻子和往下耷拉的嘴唇。

"这算怎么回事呢，啊？"他放声大哭，泪如雨下，"为什么要这样呢？"

他一再扇自己的耳光，拍打自己的脑门和胸膛，哭喊着说：

"混蛋，王八蛋，不要脸的东西！"

格里戈里吼叫道：

"太对了！一点没错儿！……"

外婆也有几分醉意，拉着儿子的手，劝道：

"够了，雅沙，上帝知道该怎么做什么！"

几杯酒下肚，她变得更好看了：一双乌黑的眼睛，满脸堆笑，向大家传送着温暖人心的目光；她挥着头巾，在自己发烫的脸前不停地扇动，像歌唱地说道：

"上帝啊，上帝！这一切是多么好啊！是的，您好好瞧瞧，这一切是多么的美好！"

这是她发自内心的呼喊，是她毕生的座右铭。

雅科夫舅舅一向无忧无虑，这次他的眼泪和喊叫使我大为惊讶。我问外婆：雅科夫舅舅为什么痛哭流涕，为什么大骂自己，扇自己的耳光？

"什么你都想知道！"她一反常态，很不情愿地说，"等等吧，你打听这些事还太早了点……"

她的话更加激起了我的好奇心。我来到作坊，缠着伊万不放，但他也不愿意回答我的问题，只是偷偷地发笑，眼睛老往格里戈里师傅那里瞥。后来他把我从作坊里拽出来，喊道：

"别老缠着我了，走吧！不然我可要把你扔进染锅里，把你也给染了！"

格里戈里师傅站在不高但很宽大的灶台前面，灶台上安放着三口大锅，他用一根黑色的长木棍在锅里进行搅拌，不时地把木棍拿出来看看，看木棍下端滴下的颜料水怎么样。炉火烧得很旺，火光映照在他那很像神甫长袍的五彩缤纷的围裙上。几口大锅里，颜料水煮得咝咝作响，刺鼻的水蒸气像团团浓雾向门口慢慢散去，院子里飘落着干雪花。

格里戈里师傅用他那浑浊、血红的眼睛，透过镜片，看了我一眼，粗鲁地对伊万说：

"你没长眼睛？抱木柴去！"

"小茨冈"去院里抱木柴的时候，格里戈里在紫檀色颜料袋上坐了下来，他向我招招手：

"过来！"

他抱起我，让我坐在他膝盖上，用他那柔软的、湿乎乎的大胡子贴着我的脸，语重心长地跟我说：

"你舅舅把老婆往死里打①，百般折磨，现在他感到后悔了，良心受到了谴责——你明白吗？所有的事情你都应该了解，要不你会吃亏的！"

跟格里戈里在一起非常随便，就跟和外婆在一起一样，只是觉得有点吓人，好像他从眼镜后面能看透一切似的。

"怎么往死里打？"他不慌不忙地说，"就这样——跟老婆一块睡觉的时候，用被子把她的头一蒙，使劲按着打。为什么？他自己恐怕也不知道。"

这时，伊万从外面抱着木柴进来了，正蹲在炉子前烤火取暖，格里戈里师傅未加理会，一个劲儿地接着往下说：

"他打老婆，也许是因为老婆比他好，他感至嫉妒。小老弟，卡希林父子可不喜欢好人，他们嫉妒好人，容不下他们，非除掉不可！你可以去问问你外婆：他们是怎样把你父亲从这个世界上撵走的。她会都告诉你的——她不喜欢撒谎，也不会撒谎。虽然她又喝酒，又嗅鼻烟，但她纯洁得像个圣徒。看上去有点傻气，你一定要好好跟着她……"

他推开了我，于是我向院子里走去，心情非常糟糕，也感到害怕。瓦纽舍奇卡②在过道里追上了我，一把抱住我的头，小声跟我说：

"你不要怕他，他是个心地善良的人。你要直接看着他的眼睛，他喜欢这样。"

这里的一切都很奇怪，使人忐忑不安。我不了解别的生活，但我模糊地记得，我父亲和母亲的生活就不是这样：他们的言谈话语不同，娱乐方式也不同。他们无论是外出，还是在家里待着，总是成双成对，

---

① 指雅科夫的第一个妻子 O. A. 卡希林娜（出嫁前姓米特罗凡诺娃），死于 1869 年 12 月 26 日。

② "小茨冈"伊万的昵称。

非常亲热。他们晚上久久地坐在窗前，有说有笑，大声地唱着歌，街上的人们看着他们。他们仰着脸往上面瞧，样子非常滑稽，使我想起了午饭后的一张张脏碟子。这里人们很少发笑，而且往往不清楚他们在笑什么。他们经常互相喊叫，相互威胁，躲在没人的地方，喊喊喳喳地议论着什么。孩子们都不声不响，很少被人注意，他们像是被雨水冲到地上的尘土。我感到自己在这个家里完全是个外人，而且，这里的整个生活，使人感到荆棘丛生，到处暗藏着杀机。它使我遇事多疑，对身边的一切不得不瞪大眼睛，处处小心，事事留意。

外婆从早到晚忙于家务，我几乎整天围着"小茨冈"转，我和伊万的友谊越来越深。和往常一样，外公一打我，他就把自己的手伸过去，挡着树枝，第二天给我看他被打肿的手指头，向我抱怨说：

"不行，总这样挡也不是个办法！你并没有少挨打，可我呢——瞧，成了什么样子！下次我不想再挡了，你自己瞧着办吧！"

可是到了下一次，他又承受着这不必要的皮肉之苦。

"你不是说不想再挡了吗？"

"说是不想，可到时候手就伸过去了……"

没过多久，我打听到关于"小茨冈"的一件事，这件事更加激发起我对他的兴趣和我对他的喜爱。

每逢礼拜五，"小茨冈"便套上那匹叫沙拉普的枣红色的骟马，拉着大雪橇去集市上采购吃的。沙拉普很受外婆的宠爱，这畜生既滑头，又调皮，而且嘴馋，爱吃甜食。"小茨冈"穿一件到膝盖长的短皮大衣，戴一顶沉甸甸的帽子，腰里紧紧扎一条绿颜色的宽腰带。有时候已经很晚了他还没有回来，全家人都非常着急，不时地走到窗子跟前，用嘴里哈出的热气把玻璃上的冰化开，向外面张望。

"还没回来？"

"没有！"

最担心的人是外婆。

"哎呀，"她对两个舅舅和外公说，"连人带马，都让你们给毁啦，全毁啦！你们怎么这样不知羞耻，没有良心呢？家里的东西还少吗？唉，简直是一群废物，贪得无厌的东西——上帝会惩罚你们的！"

外公耷拉着脸，嘟囔说：

"算啦，别说了，这是最后一次——"

有时候"小茨冈"一直到晌午才回来，两个舅舅和外公急忙跑到院子里，外婆像一头大狗熊似的紧紧跟在他们身后，拼命地嗅着鼻烟。

不知为什么，每到这个时候，她总是显得特别笨拙。孩子们跑了出来，他们从雪橇上兴高采烈地把东西卸下来。雪橇上满载着小猪崽、宰杀好的家禽、鲜鱼、肉类，品种齐全，应有尽有。

"该买的都买了？"外公问道，一面用敏锐的目光打量着拉回来的东西。

"该买的全都买了。"伊万高兴地应答着，一面不停地拍打着手套，满院子地又蹦又跳，想借此暖和暖和身子。

"别拍了，手套都是花钱买的，"外公厉声叫道，"找回零钱了没有？"

"没有。"

外公围着雪橇慢慢地转了一圈，声音不高地说：

"你又拉回来这么多东西。该不是买东西不要钱吧？我可没有说要买这些东西。"

说罢，他皱着眉头，迅速走开了。

舅舅们高兴地冲到雪橇前，拿起鸡鸭、鲜鱼、鹅内脏、小牛腿、大块的鲜肉，在手里掂量着，一面吹着口哨，一面赞许地嚷嚷道：

"好，你真会挑选！"

米哈伊尔舅舅特别兴奋：他围着雪橇又蹦又跳，伸着他那啄木鸟似的尖鼻子闻来闻去，垂涎三尺地直咂巴嘴唇，一双从不安分的眼睛美滋滋地眯成了一条线。他长得像外公一样的干瘦，但个子比外公高一些，黑黑的头发像一把烧焦了的木柴。他把冻僵了的双手笼在衣袖内，开始盘问起"小茨冈"来了：

"我父亲给了你多少钱？"

"五个卢布。'

"可这些东西值十五个卢布。你到底花了多少钱？"

"四卢布十个戈比。"

"这么说，有九十个戈比落进了你的腰包。瞧见了吗，雅科夫，钱究竟是怎么攒起来的？"

雅科夫舅舅穿一件衬衫，站在寒风里，望着凛冽的蓝天直眨巴眼睛，他轻声笑道：

"万尼卡①，你给我们俩来半瓶伏特加酒吧。"他懒洋洋地说。

---

① 伊万的爱称。

外婆在卸马。

"说什么呀，孩子们？什么，小猫们？是不是想玩呀？好，那就好好玩吧，上帝是允许的！"

高大的沙拉普抖动浓密的鬃毛，用洁白的牙齿轻轻地蹭着外婆的肩头，扯下她头上的丝巾，两只欢快的眼睛看着外婆的脸，忽闪忽闪地将凝结在睫毛上的白霜抖落一空，它发出轻微的嘶鸣声。

"想吃面包吗？"

她把一大块咸面包塞进它嘴里，一面将围裙伸到马头下面接着，现出一副若有所思的样子，看着它怎么个吃法。

"小茨冈"像一匹小马驹似的，也欢蹦乱跳地跳到外婆跟前。

"我说，奶奶，这骟马真叫棒，非常聪明……"

"一边待着去，少跟我耍滑头！"外婆跺了跺脚，冲他喊道。"知道吗，今天我不喜欢你。"

她跟我解释说，"小茨冈"在集市上与其说是买东西，还不如说是在偷盗。

"你外公给他五个卢布，他用三个卢布买东西，另外十个卢布的东西都是他偷来的，"外婆闷闷不乐地说，"他喜欢偷东西，都是给惯出来的！头一回试着偷一下——得手了，家里人都笑了，还夸他干得很麻利，这样他就养成了偷盗的习惯。你外公打小受穷，吃了不少苦——老了老了，变得贪心了，把钱看得比亲生儿女还金贵，爱占个便宜，喜欢白拿人家的东西。而米哈伊尔和雅科夫……"

她挥了挥手，没有再说下去。过了一会儿，她看了看打开的鼻烟壶，唠唠叨叨地又补充说：

"这里，廖尼亚，都是些花边活计，而编花边的人是一个瞎眼老婆子，我们哪懂得那上面的花纹！一旦伊万卡①偷东西时被逮住了——人们会往死里打的……"

她停了片刻，又低声说：

"唉——唉！我们有许多规矩，可真理却没有……"

第二天，我求"小茨冈"以后不要再偷了。

"不然人家会把你打死的……"

"他们逮不着我——我会及时脱身的，我手脚麻利，是一匹快马！"

---

① 即"小茨冈"伊万的爱称。

他说着，嘿嘿一笑，但他立刻又皱起眉头，一脸的忧愁。"我当然知道：偷东西不好，也很危险。我这样做是出于无聊。我又攒不着钱，你的两个舅舅不出一个礼拜就能把我的钱全都骗走。我不感到心疼，拿去就拿去吧！我能吃饱饭就行。"

他突然把我举起来，轻轻地摇晃着。

"你身子很轻，很单薄，可是骨头很硬，你会成为大力士的。听我一句：你一定要学会弹吉他，求雅科夫舅舅教教你，真的！你还小，容易学。你人不大，可气性不小，是不是不喜欢你外公，啊？"

"不知道。"

"可是除了你外婆，卡希林一家人我都不喜欢，让恶魔喜欢他们去吧！"

"包括我吗？"

"你不是卡希林家的人，你是彼什科夫家的，血统不一样，另一个家族……"

突然，他紧紧把我抱住，几乎是在呻吟，说：

"唉，要是我能有一副好嗓子，上帝啊！你瞧，我准能让人们听得热血沸腾……走吧，小兄弟，该干活去了……"

他把我放在地上，往嘴里塞一些小钉子，然后把一幅湿的黑布料抻平，钉在一块方方正正的大木板上。

没过多久他便死了。

事情是这样的：院子大门旁紧靠围墙的地方，停放着一个很大的橡木十字架，主干很粗，下面有许多枝杈。它在那里停放很久了。我到这个家的最初几天就看见它在那里放着——当时它还比较新，也比较黄，但是经过一个秋天，风吹雨淋，颜色已经变得黑多了，而且散发出一种被雨水浸泡过的橡木的苦涩气味。而且，在这个狭小脏乱的院子里，它在这里显得完全有些多余。

雅科夫舅舅买下这个十字架，是想把它竖立在自己妻子的墓前，而且他曾经许下诺言，说等她去世一周年时他将亲自把十字架扛到墓地里去。

这天是个礼拜六，初冬时分，天寒地冻，还刮着风，房上的积雪被吹得纷纷扬扬，到处都是。大家都从屋子里出来，到了院子里，外公和外婆领着三个孙子，提前去墓地准备祭典的事了。我因为犯了什么错误被留在家里，以示惩戒。

两个舅舅身穿着同样的黑色短皮袄，将十字架从地上扶起来，自己则站在十字架的左右两翼下面。格里戈里和另外一个什么人费了很大劲才把十字架沉重的底部搭在"小茨冈"宽阔的肩膀上;"小茨冈"的身子摇晃一下,两腿叉开,站住了。

"受得了吗?"格里戈里问道。

"不知道。好像挺沉的……"

米哈伊尔舅舅吼叫道:

"把大门打开呀,你这瞎鬼!"

雅科夫舅舅则说:

"你好意思说吗,瓦尼卡,我们俩加起来也没你的身体结实!"

不过格里戈里打开大门时严肃地嘱咐伊万说:

"当心,别压坏身子! 上帝保佑你!"

"这个头上不长毛的蠢货!"米哈伊尔舅舅从外面喊了一嗓子。

院里的人都笑起来,开始大声地议论,好像大家都很乐意把十字架从这儿搬走。

格里戈里·伊万诺维奇拉着我的手,领我去了作坊,他说:

"兴许今天外公不会打你了,他的样子看起来很和善……"

在作坊里,他让我坐在一堆待染的毛线上,细心地用毛线围好我的肩部。他闻了闻染锅里冒出来的蒸汽,若有所思地说:

"我呀,亲爱的,认识你外公已经有三十七年了,他干这一行,前前后后我全清楚。我和他以前是朋友关系,我们共同策划,创立了这个染坊。你外公这个人很聪明,所以就当了老板,我不行。然而上帝比我们大家都更聪明,他只用微微一笑,即使最聪明的人也会变成傻瓜。你现在还不明白人们言谈话语的意思,也不知道他们要干什么,可是这一切你都应该了解。孤儿的生活是很艰难的。你父亲马克西姆·萨瓦捷伊奇仪表堂堂,是个人才,他什么事都明白——所以你外公才不喜欢他,不承认他……"

听这些良言佳话是很愉快的。我一面听,一面观看红色和金色的火焰如何在炉膛内嬉戏玩耍。染锅里升起一团团乳白色的蒸汽,飘过屋顶的斜坡,在倾斜着的木板上留下一层瓦灰色的霜迹——透过许多参差不齐的缝隙,条条蓝天尽收眼底。风减弱了,太阳不知从哪儿照了进来,整个院子像撒满了一层玻璃粉末,到处都在闪闪发光。外面传来雪橇行进时滑板发出的刺耳的响声。缕缕青烟从屋顶的烟囱中袅袅升起,一道道隐约可见的影子随之便滑落在皑皑的白雪上,它们仿佛也在诉说着什么。

个子高高、骨瘦如柴的格里戈里，一脸大胡子，两只大耳朵，没戴帽子，活像一位善良的魔法师。他一面搅拌着煮开的颜料水，一面开导我说：

"要敢于正视所有人的眼睛，就是一条狗向你扑来，也要敢于正视——这样它就会停下来……"

沉重的眼镜压在他的鼻梁上，和外婆一样，他鼻梁下凝积着发紫的血斑。

"等一等，怎么了?"他突然说，一面仔细地倾听外面的动静，然后他用一只脚关上炉门，迅速跑到院子里。我也跟着他冲了出去。

"小茨冈"仰面躺在厨房的地上。从窗子里射入的两束阳光，一束照在他的脑袋和胸上，另一束照在他的腿上。他的额头奇怪地发亮；两道眉毛向上扬起，那双斜视的眼睛直盯着漆黑的天花板；发紫的嘴唇一直在抽动，不停地向外吐着粉红色的泡沫；鲜血从嘴角里流出来了，顺着面颊流向脖子和地板；浓浓的血的溪流正从他的背后向外流出。伊万的两条腿僵直地伸着，看得出，肥大的裤腿已经湿透，紧紧贴在地板上。地板已经用粗沙子清理过，非常干净；在阳光的照射下闪闪发光。血的小溪经过太阳照射在地板上的光带，向门口缓缓地流去，颜色显得非常鲜艳。

"小茨冈"一动不动，只有放在身边的两只手的手指还稍微有点儿动，不时地在地板上抓挠几下；他的染了色的指甲在阳光的照耀下非常醒目。

保姆叶夫根尼娅蹲下身子，把一根细蜡烛往伊万的手里塞。伊万攥不住，蜡烛掉了下来，烛芯杵到了血泊里。保姆捡起蜡烛，用围裙角擦了擦，又试着在他颤动的手指头间把蜡烛塞好。厨房里一片喊喊喳喳，有人在窃窃私语。这声音像一阵风，把我从门口向前推去，但是我紧紧地抓住门把手不动。

"他脚底绊了一下。"雅科夫舅舅说，声音有些无精打采，而且一个劲地直摇晃脑袋。他整个人都显得蔫头耷脑，萎靡不振，两只眼睛黯然失神，而且不时地眨巴着。

"他摔倒了，于是被压到了下面——砸在背上了。我们一看不妙，赶紧撂下十字架，不然我们也会被砸着的。"

"是你们把他砸死的。"格里戈里闷声闷气地说。

"是的——有什么办法……"

"你们啊!"

血一直在流，门口流了一大摊，颜色已经发黑，好像都鼓了起来。"小茨冈"口吐血沫，像在梦中似的一直在哼哼。他整个人都瘫软了，身子越来越往下塌，紧紧贴着地板，好像要陷进去似的。

"米哈伊尔骑马请教堂神甫去了，"雅科夫舅舅小声说，"我把他往马车上一放就赶紧回来了……好在当时我不在十字架底下，不然我也会被……"

保姆叶夫根尼娅又在把蜡烛往"小茨冈"手里塞，烛泪和眼泪一起落在"小茨冈"的手掌上。

格里戈里粗声粗气地说：

"把蜡烛一头粘在地板上呀，笨蛋！"

"那倒是。"

"把他的帽子摘下来！"

保姆从伊万的头上把帽子拽了下来，他的后脑勺在地板上着着实实地被磕了一下。现在他的头歪向一边，流出来的血更多了，但只从一边的嘴角里流出。这种状态延续的时间非常长。起初，我期待着"小茨冈"休息一会儿便会起来，坐在地板上，吐一口唾沫说：

"呸，真热呀……"

他每个礼拜天午睡醒来后总是这样说。但这次他再也没有起来，一直瘫躺在那里。阳光已经照射不着他了，明亮的光束渐渐变短了，后来只能照到窗台上。他整个人都发青了，手指头已经不再动弹，嘴角的血沫也没有了。他的头顶和左右两个耳朵旁边竖着三支蜡烛，金黄色的烛焰来回摇晃，映照着他那蓬乱乌黑的头发。颜色发黄的一个个光点在他那发黑的脸上不停地抖动，尖尖的鼻子和红红的嘴唇在光照下闪闪发亮。

保姆叶夫根尼娅跪在地上一边哭，一边小声地诉说：

"你是我的心肝宝贝，我的快乐的小鹰……"

我感到毛骨悚然，全身发冷。我钻到桌子底下，藏了起来。后来，外公和外婆风风火火地闯进了厨房。外公穿一件貂皮大衣，外婆穿一件带尾领的斗篷式的女外套，此外还有米哈伊尔舅舅、几个孩子和许多不相识的人。

外公脱下皮大衣，往地上一扔，叫道：

"混账东西！一个多好的小伙子，让你们白白给毁了！要知道，再过四十五年他可是个无价之宝啊……"

地板上堆放的衣服挡住了我的视线，我看不见伊万，于是我从桌子底下爬出来，刚好爬到外公的脚边。他一脚把我踢开，举起红彤彤的小拳头，冲舅舅们恶狠狠地骂道：

"狼心狗肺的东西！"

然后他坐在长凳上，双手撑着凳面，干号了几声，真是欲哭无泪，于是用嘶哑的声音说：

"我知道，他是你们的眼中钉、肉中刺……唉，瓦纽舍奇卡……一个小傻瓜！现在可怎么办，啊？我是说，该怎么办呢？别人的马——缰绳易断啊。孩子他妈，这些年上帝老跟我们过不去，是不是？你说呀，孩子他妈？"

外婆趴在地板上，伸手抚摸着伊万的脸、头和胸部，她对着他的两只眼睛直呼气，抓着他的手，又搓又揉，把蜡烛全都给弄倒了。后来，她好不容易地站了起来，黑色的连衣裙闪闪发光。她铁青着脸，眼睛瞪得老大，声音不大地说：

"滚，你们这些该死的东西！"

除了外公，所有的人都跑出了厨房。

……"小茨冈"被不声不响地埋葬了，没有任何悼念。

四

我躺在一张很宽的床上，身上裹着叠成四折的厚毛毯，听见外婆在向上帝做祷告。她跪在地上，一只手按住胸前，另一只手不时地画着十字，动作从容不迫。

外面寒气袭人。浅绿色的月光，透过窗户玻璃上的冰花，清楚地照见外婆那张慈善的、鼻梁高高的面孔，使她那双乌黑的大眼睛闪闪发光，像燃烧的磷火。外婆用来包扎头发的丝巾光彩夺目，像精心锻造出来的一样①。她身上的黑色连衣裙在微微地颤动，从肩头飘然下垂，拖落在地板上。

祷告完毕，外婆默默地脱去衣服，精心把它叠好，放在屋角的柜子上，然后走到床前，而我则假装已经睡着了。

"我知道你在装睡，捣蛋鬼，没睡着吧？"她轻声地说，"看来还没睡着，在装蒜，是不是？喂，把毯子给我！"

---

① 这种丝巾通常为已婚妇女所系戴。高尔基在《论童话》（1930年）一文中写到的外婆就系着这样的丝巾。（见《高尔基文集》第27卷，第392页）

我早知道她会这样，所以忍不住就笑了。于是她冲我大叫：

"好哇，你竟然拿老外婆开起玩笑来了！"

她抓住毯子边，使劲往回一揪，动作非常麻利，于是，我便被悬空抛了起来，打了几个转身，落在柔软的羽绒垫子上，而她却哈哈大笑说：

"怎么样，小萝卜头？吃亏了吧？"

不过有时候她会祷告很久，我真的睡着了，不知道她是怎么睡下的。

一般总是在有了烦恼、吵架、打架之后的日子里，外婆才会做很长的祷告。听她祷告非常有意思，外婆总是把家里发生的一切事情，详详细细地告诉上帝。她跪在那里，臃肿庞大，像一座山丘。起初她嘟嘟哝哝，说得很快，听不清楚，后来就大声抱怨起来：

"上帝啊，你明明知道——谁都希望日子过得好一些。米哈伊尔是老大，原本该留在城里，让他到河那边去住，他感到冤屈得慌。再说，那是个新地方，没人住过，到底怎么样还很难说。而老爷子——他更喜欢雅科夫。对孩子们有亲有疏——难道这样好吗？老爷子死心眼，固执得很——上帝啊，但愿你能够开导开导他。"

她用一双明亮的大眼睛望着黑乎乎的圣像，向上帝进言道：

"上帝啊，你能不能好好给他托个梦，让他明白应该怎样把孩子们分开！"

她又是画十字，又是趴在地上磕头，宽大的前额，在地板上磕得直响，然后，她再次把身子伸直，认真严肃地说：

"你能不能对瓦尔瓦拉露出点儿笑脸，让她也有点高兴事儿！她什么地方惹你老生气了，什么地方比别人的罪孽更重？这到底是怎么了？一个年轻女子，身强力壮，可整天生活在愁苦之中。上帝啊，请关心关心格里戈里吧——他的眼睛越来越不行了。一旦两只眼瞎了，流浪街头，这有多不好！他给老爷子干了一辈子，真是力气使尽，可老爷子难道帮助过他吗？……唉，上帝呀，上帝……"

她半天不说话，恭顺地低着头，耷拉着双手，好像睡着了或冻僵了似的。

"还有什么呢？"她微微皱起眉头，大声回忆道，"救救所有的东正教徒吧。请宽恕我这个该死的蠢人吧——要知道，我犯的罪过都不是出于恶意，而是因为头脑愚蠢。"

她深深地叹了一口气，然后态度亲切、非常满意地说：

"亲爱的主啊，你明察秋毫，无所不知。"

我非常喜欢外婆的这个上帝，他和她是那样的亲近，我常常请求外婆：

"讲讲上帝的事吧！"

她讲起上帝时有其独到之处：声音很低，莫名其妙地把语调拉得很长，双目微合，而且一定要坐着。先是稍微欠欠身，然后再坐下，理理头发，系好头巾，一讲，时间就很长，直到你睡着为止：

"上帝就住在山丘上，周围绿野芳草，景色宜人，他端坐在银色椴树下镶有蓝宝石的宝座上，这种树四季常青，花香不断。天堂里既没有寒冬，也没有深秋，因此那里鲜花似锦，永不凋谢，专门愉悦各位神灵。而上帝身边，天使们成群结队地飞来飞去，他们像飘舞的雪花，成群的蜜蜂，又像一群群白鸽，一会儿飞临人间，一会儿又飞回天上，将我们人间的万事万物一一禀告给上帝。这里你、我、外公——每个人都有一位自己的天使，上帝对大家一视同仁。比如，你的天使就会向上帝禀告说：'列克谢咬了外公！'而上帝则吩咐说：'嗜，让老头子抽他一顿吧！'就这样，上帝对所有的人都就事论事，赏罚分明。而且上帝这样做一直都很好，天使们兴高采烈地扇动着翅膀，不停地对上帝唱道：'上帝啊，光荣属于你，光荣属于你！'而他，亲爱的，只对他们微笑，意思是说：得了吧！"

外婆也露出了笑容，频频地直摇头。

"这你都看见过？"

"没看见过，但是我知道。"她若有所思地回答说。

她一谈起上帝、天堂和天使们，马上就变得像小孩子似的，人变得温顺了，脸也变得年轻了，两只水汪汪的眼睛流露出特别温柔的目光。我攥着她那像丝绸一样沉甸甸的发辫，把它绕在自己的脖子上，一动不动地倾听她那没完没了的、永远也听不够的故事。

"凡人是无法看见上帝的———一看见了眼睛就会瞎。只有圣徒睁大眼睛才能够看见。不过我看见过天使，当人们心灵纯洁、排除杂念的时候，他们就会出现。一次，我在教堂里做早祷，就看见祭坛上有两位天使，他们像云雾一般，全身透明，透过他们什么都能够看见，一切都那么清澈明亮，毫发可鉴。他们的翅膀一直垂落到地面，像镂空的花边，又像轻薄的绸缎。他们穿梭于祭坛宝座的周围，帮助年迈的伊利亚神甫：当他举起衰弱无力的双臂向上帝祈祷的时候，天使们便往上托着他的肘腕。伊利亚神甫已经是老态龙钟，双目失明，走路跌跌撞撞，后来很快就离开了人世。当时，我一看见天使便高兴得愣住了，心里怦怦直跳，眼泪哗哗地直往下流——啊，真是美妙极了！哎呀，廖尼卡①，我的宝贝，无论是在天上，还是在人间，上帝身边的一切都是美好的，真是妙极了……"

"我们这里不是也很好吗?"

外婆在自己胸前画了个十字，回答说：

"托圣母的福——一切都很好!"

这下我可就纳闷了：很难说这个家里一切都很好，我觉得这里的生活越来越糟。

有一次，我从米哈伊尔舅舅门口经过，看见纳塔利娅舅妈穿一身白衣服，双手抱着胸口，满屋子乱滚，喊叫的声音不大，但是非常可怕：

"上帝啊，把我招去吧，带我走吧……"

我明白她这话的意思，我也懂得格里戈里抱怨的含义，他说：

"一旦我眼睛瞎了，我就满世界去流浪，那也比在这儿好……"

我希望他快点瞎——这样我就可以要求给他带路，我们一块儿出去，浪迹天涯。这话我已经跟他说了，格里戈里师傅噘起大胡子嘿嘿一笑，回答说：

"那好啊，咱们一起走! 到时候，我就满大街地喊着：'这位是行会会长瓦西里·卡希林的外孙子!'那才叫有意思呢……"

我不止一次看见纳塔利娅舅妈两眼发呆，眼眶下有肿起来的瘀斑，蜡黄的脸上——嘴唇肿着。

我问外婆：

"舅舅在打她吗?"

她叹了口气，回答说：

"他悄悄地打她，这个挨千刀的畜牲! 你外公说了：不许打她，可是他夜间打。他这个人非常歹毒，而她——又太软弱……"她说着说着便激动起来：

"毕竟他现在不像以前那样打她了。嗒，他朝她嘴上打、耳朵上打，偶尔还揪她的辫子，而以前他能一连几个小时地折磨她! 你外公有一次打我，从复活节头一天的午祷开始，一直打到傍晚。打累了，休息一会儿再打。连绳子什么的都用上了。"

---

① 阿列克谢的小名，昵称。

"因为什么事？"

"已经不记得了。有一次，他把我打得死去活来，五天五夜不给我吃东西——当时勉强活了下来，要不他还要……"

这事太让我吃惊了：外婆的体格比外公大两倍，因此很难相信他能够打得过她。

"难道他比你的力气大吗？"

"力气不比我大，可是年龄比我大呀！再说了，他是我丈夫！上帝让他来管我的，我注定只能忍耐……"

看着她把圣像上的灰尘拂去，把神袍擦拭干净，我觉得很有意思，也感到很愉快。那些圣像都很珍贵，他们一个个都披金戴银，浑身珠光宝气。外婆麻利地捧起一尊圣像，满面笑容地仔细端详着，而且很动情地说：

"多慈爱的面孔啊！……"

她一面画着十字，一面吻了吻圣像。

"上面落满了灰尘，烟熏火燎的。你啊，万能的圣母，你是永远伴随着我的欢乐！瞧呀，廖尼亚，乖孩子，这笔画画得多细腻啊，圣像上的人物这么小，可是个个显得活灵活现，出神入化。这是十二节①，中间是费奥多罗夫斯卡娅圣母②，大慈大悲，乐善好施。这个是在说，圣母啊，不要看见我躺在棺材里就痛哭流涕……③"

有时候我觉得，外婆侍弄这些圣像态度十分虔诚，非常投入，就跟我表姐卡捷琳娜受委屈时摆弄木偶玩具一样。

外婆时常看见鬼，有成群结队的，也有单个的。

"有一次，在大斋④期间的夜里，我从鲁道夫家门口经过。当时明

---

① 指东正教复活节后的十二个节日，其中纪念耶稣的有八个，纪念圣母的有四个。它们是：圣母圣诞节、圣母进堂节、圣母领报节、基督圣诞节、主进堂节、主领洗节、主易圣容节、主进圣城节、耶稣升天节、圣灵降临节、圣母升天节和举荣圣架节，统称为"十二节"。

② 俄国东正教著名的圣徒，这里所指的显然是她的画像的仿制品，真品从 14 世纪一直保存在科斯特罗马伊帕季耶夫圣三一修道院。

③ 这里是指一幅著名的圣像画《勿哭我，圣母》，源于东正教教会赞美歌第 9 歌《大礼拜六》的首句，描绘圣母站在耶稣棺材旁哭泣的情景。

④ 基督教规定的斋期，即在复活节前七个礼拜内不许吃荤，禁止娱乐，不许结婚等。

月当空，天气很冷，我忽然看见屋顶烟囱旁边有一个黑乎乎的东西，头上长着犄角，正低着头，在烟囱上闻来闻去，还打着响鼻。这东西个头很大，身上毛茸茸的。它一边闻，一边甩尾巴，把屋顶扫得沙沙作响。我冲它画了个十字，嘴里念道：'愿上帝兴起，使他的仇敌四散。'① 这时只听见它低声尖叫一下，叽哩咕噜地从屋顶滚到院子里——转眼间便消失了！兴许那天鲁道夫家在炖肉，让小鬼儿给闻见了，一高兴……"

一想到小鬼儿从房顶上滚了下来，我不禁笑了，外婆也笑了，她说：

"这些鬼非常喜欢恶作剧，完全跟小孩子们一样。比如，有一次，我在浴室里洗衣服，已经是半夜了。这时，壁炉的火门突然大开！成群的小鬼儿从里面纷纷跳出来，一个比一个小，红的、绿的、黑的全有，跟蟑螂似的。我赶紧往门口跑，但已经无路可走。我被小鬼们团团围住，整个浴室都被它们挤满了，我被挤得无法动弹，想转身都不可能。它们在我脚下到处乱钻，又扯又拽，搞得我连画个十字的工夫都没有！它们一身茸毛，软绵绵、热乎乎的，很像小猫，只不过它们个个都能直立行走。它们围着你转呀，闹呀，龇着像老鼠一般细小的牙齿，小小的眼睛闪着绿光，头上的犄角刚露出一点，鼓起一个个小圆包，尾巴很像小猪的尾巴——哎呀，我的主啊！我一下子便晕过去了！等我醒过来时——蜡烛已经快熄灭了，洗衣盆里的水也凉了，洗过的衣服被扔得满地皆是。哎呀，我说你们这帮小鬼，真应该把你们统统轰走！"

我闭上眼睛，就看见那些五颜六色的毛茸茸的小东西从炉口和炉壁灰色的圆石头上蜂拥而出，把小小的浴室挤得水泄不通。它们乱吹蜡烛，伸出故意捉弄人的粉红色的小舌头。这的确很逗，但却很烦人。外婆摇了摇头，停了片刻，突然来了劲头，好像整个人都兴奋起来了：

"此外，我还看见过恶鬼，这事也是发生在夜里。冬天，暴风雪天气，我正穿过久科夫峡谷，还记得吗？以前我说过这个地方，就是雅科夫和米哈伊尔要把你父亲淹死在池塘冰窟窿的那个地方。喏，当时我正在往前走，走着走着，忽然摔了个跟头，顺小路滚了下去，一直滚到谷底。这时峡谷里传出一片口哨声和喊叫声！我一看，一辆由三

---

① 见《旧约全书·诗篇》第 68 篇第 1 节。

匹马拉着的雪橇正在向我奔来，驾驭雪橇的是一个戴红色尖顶帽子的大个子鬼。他站在驾驭的位置上，像一根木头桩子，两只手向前伸着，紧紧拉着用铁链子做的缰绳。可是峡谷中无法行驶，雪橇直奔被白雪覆盖着的池塘而去。雪橇上坐的也全是厉鬼。它们吹着口哨，喊叫着，挥动着帽子——身后还有七辆三匹马拉的雪橇紧跟着。它们像消防车似的疾驰而过，拉雪橇的马清一色全是黑的，而且所有这些马都是人变的，全是遭父母诅咒而被逐出家门的人。这些人现在专门供群鬼取乐，给它们拉雪橇，每夜被驱赶着，送厉鬼们参加各种节庆活动。这次我看见的这些鬼，大概正要去参加一个鬼的婚礼……"

很难不相信外婆说的话，她讲得是那么实在，那么令人信服。

不过外婆念起诗来特别好听，诗中讲述圣母如何察访人间疾苦①，如何规劝女强盗"公爵夫人"安加雷切娃不要打骂和抢劫俄罗斯人；还有讲述神人阿列克谢②和勇士伊万③的诗；关于绝顶聪明的瓦西里萨④的故事；关于波佩科焦尔⑤和上帝的教子⑥的故事；关于玛尔法夫人⑦、强盗首领女强人乌斯塔⑧、埃及女罪人玛丽娅⑨，以及强盗母亲的诸多苦衷等可怕故事。她知道的故事、传说和诗歌不计其数。

---

① 主要讲她在天使长和米哈伊尔的陪同下，亲临地狱，明察暗访，祈求上帝能为罪孽深重者减轻一些痛苦。

② 俄国宗教诗中的传奇人物，说他离家出走后，一直漂泊他乡，最后沦为乞丐。回到家里后，家里人已经认不出他了，因而受了许多委屈。

③ 尤里安（背教者）时代著名的基督徒。尤里安（331—363），信奉基督教，361年成为罗马皇帝后，便一反常态，改信多神教，在新柏拉图主义的基础上对多神教进行改革，并颁布法令，反对基督教。因而基督教宣布他为"背教者"。

④ 俄国民间故事中的女主人公。她聪明过人，容貌出众，意志坚定，且富有正义感。

⑤ 波佩科焦尔（Попекозёл），意思是"公羊神甫"。

⑥ 教子，指在教堂已接受洗礼的人。

⑦ 15世纪下半期俄罗斯诺夫戈罗德市行政长官博列茨基的遗孀，曾领导诺夫戈罗德的贵族反对莫斯科将其土地划归莫斯科管辖。1478年沙皇伊万三世把诺夫戈罗德并入莫斯科大公国后，玛尔法夫人被监禁。

⑧ 传说中伏尔加河流域一带的女强人。俄国作家叶·安·萨利阿斯（1840—1908）根据她的故事写过一部小说，题名叫《头领乌斯塔》。

⑨ 传说中埃及6世纪的一名荡妇改邪归正的故事。

无论什么人，包括外公和各种妖魔鬼怪，外婆都不害怕，但是对黑黢黢的蟑螂却怕得要命，离得很远她都能感觉到它们的存在。有时候她半夜里把我叫醒，小声跟我说：

"阿廖沙，亲爱的，有个蟑螂在爬动，看在上帝的份上，快去把它打死！"

我睡眼惺忪地点着蜡烛，趴在地板上来回寻找敌人，要知道并不是一下子就能够发现蟑螂在哪里的。

"哪儿也没有。"我说。可是，别看外婆躺在那里不动，用毯子蒙着脑袋，她却用勉强听得见的声音要求我：

"哎呀，有的！你再找找，求求你了！我知道它还在那儿爬……"

她从来没有说错过——我在离床很远的一个地方，果然发现了蟑螂。

"打死了吗？好，感谢上帝！也谢谢你……"

于是她掀去头上蒙的毯子，松了一口气，露出了笑容。

要是我找不到这个小虫子，她便无法入睡。我感觉得到，在悄无声息的深夜，只要有一点点动静，她就会浑身打哆嗦，而且我听见她连大气都不敢出，小声跟我说：

"它就在门槛附近……在柜子下面爬……"

"你干吗害怕蟑螂呢？"

她理直气壮地回答说：

"因为我不知道它们要干什么，爬来爬去，黑黢黢的。上帝给每个小生命都分派有任务：潮虫表明家里太潮湿；臭虫——说明墙壁太脏；虱子咬人——说明这个人健康有问题。这都能够理解。可是这些蟑螂——谁知道它们有什么用处，派它们来做什么呢？"

有一次，外婆正跪在地上跟上帝推心置腹地进行交谈，外公突然推门进来，声音嘶哑地说：

"喂，老婆子，上帝光顾我们了——失火啦！"

"你说什么呀！"外婆喊道，赶紧从地上站起身来，两人捶胸顿足地向黑洞洞的正堂屋奔去。

"叶夫根尼娅，快把圣像取下来！纳塔利娅，赶快给孩子们穿好衣服！"外婆严厉地、语气坚定地在进行指挥，而外公却在那里低声哭泣：

"哎哟——哟——哟……"

我跑进厨房，冲院子的窗户被火光照得一片金光灿灿，地板上有许多黄色的斑点在不停地晃动。光着脚的雅科夫舅舅一面在穿靴子，一面在黄色的斑点上蹦来蹦去，仿佛他的脚底被烫着了似的。这时他大声喊道：

"这是米什卡①放的火，他放完火便跑了，没错！"

"呸！狗东西。"外婆说着，使劲把他朝门口推了一把，差点把他给推倒了。

透过玻璃窗上的冰花，可以看见染坊屋顶的熊熊大火，火舌借着风势，打着旋从门里一个劲儿地往外蹿。在寂静的夜里，红色的火焰看不见浓烟，只见高空处有一块灰蒙蒙的浮云在飘动，不过仍能够看见乳白色的银河。积雪被映红了，建筑物的墙壁在颤抖，在摇晃，好像争着想要到院中火势烧得最欢的炽热角落里去，染坊墙壁上宽大的裂缝被烧得通红，墙缝里露出许多被烧烤得扭曲了的钉子。房顶上干燥发黑的木板很快被大火包围了，金黄色的火舌蜿蜒而上，细长的陶制烟囱刺目地伫立在那里，冒着浓烟；窗户上的玻璃不时发出轻微的破裂声和窸窸窣窣的响声。火势越来越猛，整个作坊被火光映照得光怪陆离，蔚为壮观，很像教堂中珍藏圣像的殿堂，强烈地吸引着人们离它近一些，再近一些。

我把挺沉的一件短皮袄往头上一蒙，把一双不知是谁的皮靴往脚上一套，便跌跌撞撞地跑进过道。来到台阶上一看，顿时就被吓傻了：冲天大火照得人们睁不开眼睛；外公、格里戈里和雅科夫舅舅的喊叫声和大火发出的噼噼啪啪的响声，震耳欲聋。外婆的举动简直把我给吓坏了：

她把一条空麻袋往头上一顶，把一块被子往身上一裹，一边喊叫，一边向大火直冲过去：

"硫酸盐，这些蠢货！硫酸盐会爆炸的……"

"格里戈里，拉住她！"外公绝望地喊道，"哎呀，这下她完了……"

但这时外婆已经从大火中钻了出来，她浑身冒着烟，摇着头，弯着腰，双手抱着一个水桶般大小的硫酸盐瓶子。

"老爷子，快把马牵出去！"她咳嗽着，声音嘶哑地喊道，"赶快把被子从我肩头拽下来呀——没看见我身上在着火吗？……"

格里戈里把烧煳了的被子从她身上拽下来，一撕两半，然后开始

---

① 米哈伊尔的小名。

用铁锹大铲大铲地往染坊门里扔雪。雅科夫舅舅手里拿一把斧头，在他身边跳来跳去。外公围着外婆跑前跑后，一直在往她身上撒雪。外婆将硫酸盐瓶子埋进雪堆里，跑到大门口，把门打开，向跑过来的众人鞠了一躬，说：

"库房，街坊们呀，赶紧去抢救库房！大火会烧到库房的，会烧到干草棚——等我们家的东西烧光后，也会烧到你们家的！快把房顶给掀了，干草——扔到园子里去！格里戈里，往房上扔呀，你怎么老往地下扔啊！雅科夫，别光跑来跳去，把斧子拿给大家，还有铁锹！街坊乡亲们呀，一起动手干吧——上帝会保佑你们的！"

外婆像大火一样灿烂夺目，光彩照人——火光仿佛一直都在紧跟着她。她身上的黑衣服被照得通明锃亮，她满院子忙个不停，哪里需要她就出现在哪里，指挥着人们的行动，一切都躲不过她的眼睛。

那匹骟马沙拉普跑到院子里，它的后腿忽然直立起来，把外公掀到一边，两只大眼睛被火光照得通红，闪闪发亮。它打着响鼻，两只前蹄高高扬起。外公松开了手里的缰绳，闪到了一边，大声喊道：

"老婆子，快笼住它！"

她跑过去，站在直立起来的沙拉普的面前，伸展开双臂，像一尊十字架。沙拉普不耐烦地嘶叫着，慢慢地向她走去，眼睛不时斜视一下大火。

"你不用害怕！"外婆低声说，拍了拍马的脖子，拉住了缰绳。"我能丢下你不管，让你担惊受怕吗？哎哟，你呀，我的小耗子……"

个头儿比她大三倍的"小耗子"老老实实地跟着她向大门口走去，一面望着她那通红的面孔，不时地打着响鼻。

叶夫根尼娅保姆从屋里领出来几个穿得严严实实、哇哇直哭的孩子，她喊道：

"瓦西里·瓦西里奇，没看见列克谢……"

"走吧，赶快走吧！"外公答道，一面挥着手。为了不让保姆把我也带走，我躲藏在台阶下面。

染坊的屋顶已经坍塌，细小的房架椽木冒着浓烟，指向天空，燃烧着的火炭还在发着亮光。只听见染坊内一片噼噼啪啪的响声，一团团绿色、蓝色、红色的火焰借着风势，直接向院里和人们身上扑去。大家面对这一大型篝火，纷纷用铁锹向火中抛撒积雪。染坊里的几口黑色大染锅早已经沸腾，蒸汽和浓烟形成了团团云雾，院子里弥漫着一种古怪的气味，呛得人们直流眼泪。我从台阶下钻出来，正好来到外婆腿边。

"走开!"她喊道,"会砸着你的,快走开……"

这时一个骑马的人闯进了院子,他头戴铜盔,铜盔上有一个像鸡冠似的东西。他座下的枣红马嘴里吐着白沫,骑马人高高扬起手中的鞭子,样子很凶地喊道:

"都快闪开!"

铃声急促而欢快地响了起来,一切都像过节一样,煞是好看。外婆把我往台阶上一推,说:

"没听见我的话吗?快走开!"

此时此刻,不听她的话是不行的。我走进厨房,重又贴紧窗户往外看,但隔着黑乎乎的人群已经看不见火光了——只能看见一些铜盔在许多黑色棉帽间闪闪发亮。

火势很快被扑了下去,浇灭了,被踩实了。警察驱散了众人,最后外婆来到了厨房。

"这是谁呀?是——你?你没有睡,害怕吗?别怕,一切都过去了……"

她在我身边坐下来,一声不响地摇晃着身子。多么好啊,寂静、黑暗的夜晚重新又恢复了常态,只可惜不见了大火。

外公走进来,站在门口,问道:

"是老婆子吗?"

"怎么啦?"

"烧伤了吗?"

"没事儿。"

他划着了一根火柴,蓝色的火苗,照亮了他那张沾满烟尘的黄鼠狼脸。他看清楚了桌上的蜡烛,然后慢吞吞地坐在外婆身边。

"洗把脸去。"她说,其实她自己也是一脸烟黑,身上有一股刺鼻的烟熏味。

外公叹了口气,说:

"上帝对你总是宠爱有加,赋予你过人的胆识……"

然后,他抚摸着她的肩膀,咧嘴嘿嘿一笑,又来了一句:

"时间虽短,只一个小时,可是真有你的!……"

外婆同样嘿嘿一笑,想说点什么,但外公忽然拉下脸来,说:

"应该找格里戈里算账——是他没有尽到责任!这个乡巴佬是干够

了，活得不耐烦了！雅什卡①正坐在台阶上哭呢，蠢东西……你去看看他……"

外婆站起身出去了。她把一只手举到脸前，对着手指头直吹气，外公则看看我，小声问道：

"大火你都看见了吧，一开始就看见了？你外婆怎么样，啊？一个老太婆……一辈子吃苦受累，体弱多病……尽管这样……可是你们这些人啊……"

他弯下腰，半天没说话，然后直起身，用手指头掐去烛花，又问道：

"你害怕吗？"

"不怕。"

"是没什么好怕的……"

他气鼓鼓地脱下衬衣，走到屋角洗手池前。那里一片漆黑，他跺着一只脚，大声说：

"这场火灾真是愚蠢透顶！应该把遭灾者拉到广场上抽一顿鞭子，因为他不是傻瓜，便是小偷！就应该这么办，这样以后就不会有火灾了！……去吧，去睡吧。干吗老坐着？"

我去睡了，但这夜我怎么都睡不着：我刚躺到床上———声非人的吼叫把我从床上惊了起来。我赶紧跑到厨房，这时外公正站在厨房中间，没有穿衬衫，手里拿着一根蜡烛。蜡烛一直在抖动，他两只脚在地上蹭来蹭去，始终不离开那个地方，他声音嘶哑地说：

"老婆子，雅科夫，这是怎么回事？"

我跳到壁炉上，躲进一个角落，家里人忽然又忙乱起来，跟失火时差不多。有节奏的、声嘶力竭的喊叫声越来越大，像波浪似的冲击着天花板和四周的墙壁。外公和雅科夫舅舅急得跑来跑去，外婆大声喊叫着，把他们往外赶。格里戈里将劈柴扑通一声放在地上，拿起来便往炉膛里塞，然后又往大铁锅里添水，在厨房里忙个不停，脑袋一摇一晃的，像一头阿斯特拉罕大骆驼。

"你还是先把炉灶生起来！"外婆吩咐道。

格里戈里急忙去找引火用的松明子，一下子摸着了我的脚，惊叫道：

---

① 雅科夫的小名。

"谁在这儿？呸，吓我一大跳……哪儿不该去，哪里准少不了你……"

"你这是要干什么？"

"你舅妈纳塔利娅要生孩子了。"他冷冷地说了一句，从壁炉灶台上跳了下来。

我记得母亲生孩子的时候并没有这样大喊大叫。

格里戈里把铁锅放到火上，又爬到壁炉灶台上面来找我。他从口袋中掏出一个陶制的烟斗给我看。

"为了眼睛，我开始抽烟了。你外婆劝我闻鼻烟，可我认为抽烟更好一些……"

他坐在灶台边上，两条腿耷拉着，眼睛向下看着微弱的烛光。他的一只耳朵和一边脸已经被烟熏黑了，衬衫的一侧也破了，我看见他那宽宽的像桶箍似的一根根肋骨。他的眼镜有一块镜片被打碎了，眼镜框里几乎没有了镜片，透过这个空眼镜框能够看见他的眼睛：湿乎乎、红彤彤的，像个伤口。他一面往烟斗里装烟叶，一面倾听着产妇的呻吟。他像喝醉了酒似的嘴里嘟嘟哝哝，前言不搭后语：

"你外婆嘛，毕竟手被烧伤了。她怎么能接生呢？听你舅母叫得多么痛苦！大家简直把她给忘了。她还是在刚失火时开始阵痛的——是吓着了……瞧，生孩子有多么的不容易，可是人们还不尊重妇女！你可要记住：应该尊重妇女，也就是说，要尊重母亲……"

我直打瞌睡，但是嘈杂的说话声，咣里咣当的关门声和醉醺醺的米哈伊尔舅舅的喊叫声，吵得我根本无法入睡。一句很奇怪的话传进了我的耳朵：

"赶紧把圣像壁中门打开……"①

"用长明灯里的油，掺上点罗姆酒和烟灰给她喝——半杯油、半杯罗姆酒，再加一汤勺烟灰……"

米哈伊尔舅舅死乞白赖地要求：

"让我进去看看吧……"

他坐在地板上，两腿叉开，一面往自己面前吐口水，一面用两只

---

① 圣像壁是东正教教堂中特意建造的一种隔墙，墙内供有圣像，并有雕刻精美的小门，它将祭坛和教堂的其他部分分开。中间的两扇门即圣像壁中门，连接祭坛和其他的殿堂。据说危难之时，只要神甫能打开圣像壁中门，一切都可化险为夷，遇难呈祥。

手拍打着地板。炉灶上热得实在让人受不了，于是我爬了下来，但我刚爬到米哈伊尔舅舅旁边，他一把抓住我一条腿，往回一拽，我就倒了下来，后脑勺被狠狠地磕了一下。

"混蛋。"我冲他说。

他一下子跳了起来，伸手又抓住我，怒不可遏地使劲把我一抢：

"我在炉灶上摔死你……"

我醒来时是在一间正堂屋的一个角落，上面有许多圣像，我躺在外公的腿上。外公望着天花板，一面摇晃着我，一面轻轻地说：

"我们都脱不了干系，谁也不行……"

长明灯在他头顶上大放光明，屋子中间的桌子上点燃着一支蜡烛，然而窗外已经是冬日朦胧的早晨了。

外公弯下身子问我：

"哪儿疼？"

我浑身都疼，头上湿漉漉的，身子沉甸甸的，但我不想说这些——当时周围的情况非常奇怪：屋里几乎所有的椅子上坐的都是外边的人——有穿着紫袍子的神甫，戴着眼镜、穿着军服的白胡子老头，还有其他许多人。他们坐在那里一动不动，跟木头人似的，在等待着什么，一面听着附近什么地方哗哗的流水声。雅科夫舅舅站在门框边，挺直身子，两只手藏在背后，外公对他说：

"喏，带他去睡觉……"

雅科夫舅舅用指头做个手势，让我过去，然后小心翼翼地向外婆房间的门口走去。我上床的时候他小声说：

"你纳塔利娅舅妈死了①……"

这并没有使我感到惊讶——我已经很久没有看见她了，家里跟没有她这个人似的，既不见她下厨房，也不见她出来吃饭。

"那外婆在哪儿呢？"

"那边。"舅舅回答说，挥了挥手，然后便走了，仍是光着脚，踮着脚尖走的。

我躺在床上，四下打量，只见有许多人的脸紧贴在窗户的玻璃上。

① 小说中纳塔利娅是米哈伊尔舅舅的妻子，实际上米哈伊尔的第一个老婆不叫纳塔利娅，而叫玛丽娅·基里洛夫娜（出嫁前姓哈尔拉莫娃），1869 年她死于难产。同年，雅科夫的第一个妻子也死了，身后留下两个孩子：亚历山大和卡捷琳娜。

他们的头发全白了，披头散发，双目失明。屋角柜子上挂着外婆的衣服——这我知道——但现在那里好像藏着一个大活人，正在等待着什么。我把枕头往头上一蒙，露一只眼看着门口。我恨不得从床上跳下来，跑出去。我感到很热，有一种很重的、难闻的气味让人透不过气来，令人不禁想起"小茨冈"死的时候血流满地的情形。我只觉得头脑发胀，心里堵得慌，我在这里所看到的一切，正在慢慢向我压来，它像冬天街上络绎不绝的载重马车一样，一路轧过去，把一切都碾得粉碎……

门轻轻地被推开了，外婆用肩膀顶开门，蹑手蹑脚地挤进来，背靠在门上，然后向长明灯蓝色的火苗伸出双手，小声地、像孩子似的抱怨说：

"我的手啊，我的手好疼啊……"

五

开春前，两个舅舅分开过了。雅科夫舅舅留在城内，米哈伊尔舅舅搬到河对岸去了。外公在波列瓦雅大街①购置了一幢很有意思的住宅：房子很大，底下一层是石头建筑；有一间小酒馆，阁楼上有一个很舒适的小房间；另外还有一个花园，走下去是一条沟壑，里面生长许多小柳树，看上去尽是些光秃秃的枝条②。

"树枝真不少啊！"外公说着，高兴地冲我挤了挤眼睛。察看花园时，我和他沿着冰雪消融的松软小路缓缓而行，"很快我就要教你学认字了，所以，这些树枝还是用得着的……"

整座住宅住满了房客。外公只在楼上为自己留了一个大房间，同时用来接待客人。外婆和我住在阁楼上。阁楼的窗户面对大街，每逢晚上和节假日，将身子探出窗外，可以看见东倒西歪的醉鬼们从酒馆里出来，在街头上大呼小叫、跌跌撞撞。有时他们被推出酒馆，像麻袋似的被抛在路边，但他们爬起来，仍一个劲儿地往酒馆门里挤。门

---

① 又译田园大街，即现在的高尔基大街。

② 根据下诺夫戈罗德市保存下来的档案资料，米哈伊尔实际上在1867年已经开始通过老婆把他岳父身后留下的遗产往河对岸搬了。同年，雅科夫得到了城里的家产，住了十年，然后他把全部家产变卖抵债。至于波列瓦雅大街的住宅，高尔基的外公一直住到1872年才被迫变卖。所有的过户手续，高尔基博物馆里均有保存。（见《高尔基资料汇编》，1968年，第396—398页）

被敲得砰砰直响，玻璃都快震碎了，门框发出咯吱咯吱的声音，接着便是一番打斗——这一切，从上面往下看，非常有意思。外公一大早就去儿子们的染坊，帮助他们料理事务。晚上回来又累又窝火，总是气不打一处来。

外婆做饭、缝衣服、侍弄菜园子和花园，整天忙个不停，像一个大陀螺，被一条无形的鞭子，抽得团团转。她不时地闻着鼻烟，然后痛快地打上几个喷嚏，擦着满脸的汗水说：

"常言道，吉人自有天相，好人一生平安！可不是吗，阿廖沙，我的心肝宝贝，我们可是过上安静的日子了！托上天圣母的福，一切都会好起来的！"

可我并不觉得我们生活有多么安静，房客们一天从早到晚总是在院子和房间里进进出出，忙个不停。有时候来一些女邻居，她们好像急着要到什么地方去，总是因为时间来不及而唉声叹气。她们打算要做一件什么事，总在喊我外婆的名字：

"阿库林娜·伊万诺夫娜！"

阿库林娜·伊万诺夫娜对所有的人都笑脸相迎，亲切友好，而且关怀备至。她用大拇指将烟草塞入鼻孔，用一块红方格子手帕仔细擦了擦鼻子和指头，说：

"亲爱的夫人，要想不长虱子，就应该勤洗澡，洗薄荷蒸汽浴；如果长了疥疮，就用一汤勺鹅油——要非常干净的，一茶匙氯化汞，三滴沉甸甸的水银，把所有这些东西放在盘子里，用一块陶瓷片研磨七遍，然后抹在患处就可以啦！要是用木勺或骨勺来研磨，水银就会跑掉，绝不能用铜器和银器研磨——对人体有害！"

有时候，她若有所思地向别人建议说：

"大婶，您到佩乔雷修道院①去问问苦行僧阿萨夫吧——我解答不了您的问题。"

她给别人接生，调解家庭纠纷，为孩子们治病，《圣母梦》②讲得滚瓜烂熟——女人们学会它能"交好运"；她还能在操持家务方面给人出主意想办法：

---

① 佩乔雷修道院建于1328—1330年间，坐落在下诺夫戈罗德市郊外，高高耸立在伏尔加河岸边。1597年因山体滑坡被毁。新建的修道院距市区更近了。1794年在原修道院的旧址上修建了一座教堂。

② 一首宗教叙事诗，讲圣母梦见耶稣遇难，最后被钉在十字架上的故事。

"黄瓜自己会告诉你什么时候该腌制了，如果它不再有土腥味或别的什么怪味，那您就可以动手腌制了。格瓦斯①必须发酵，才能够芳香扑鼻、产生泡沫。格瓦斯不能太甜，放点葡萄干就可以了，要不放点砂糖也行，不过每桶只能放一点点。酸奶的做法有各种各样：有多瑙河口味的和西班牙口味的，此外，还有高加索口味的……"

我整天跟着她在花园和院子里转悠，有时到女邻居家去坐坐。她一坐就是几个小时，喝茶、聊天，不停地讲各种各样的故事。在这段日子里，我似乎成了她的一个组成部分，除了这位忙里忙外、慈眉善目的老太太外，我不记得还有别的什么事情。

有时候我母亲不知从哪儿回来待上一会儿。她显得很高傲，态度严厉，一双冷漠的灰眼睛，像冬季的太阳，对周围一切进行观察，然后很快便消失了，没有给我留下任何可回忆的印象。

有一次，我问外婆：

"你是女巫师吗？"

"嗐，亏你想得出！"外婆嘿嘿一笑，但立刻又若有所思地补充说，"我哪儿行呀，巫术是一门科学，可难学了。而我又没有什么文化——大字不识一个。你外公才是有文化的人，圣母没让我的脑子开窍啊。"

接着她又向我吐露一段她的生活往事：

"要知道，我打小长大，也是个孤儿。我妈两手空空，一无所有，还落个残疾，那还是她当姑娘时被老爷吓坏的。她夜里受了惊吓，从窗户里跳下去，把腰给摔坏了，肩膀也摔伤了。打那时候起，她的右手——最最紧要的右手——开始肌肉萎缩，而我妈原先可是一位织花边的高手。嗐，这样一来，老爷们就不需要她了，他们给了她自由——自己爱怎么过就怎么过，可是缺一只手日子怎么过呀？于是她便四处流浪，乞讨为生，而当时人们的日子比现在过得富裕，人也比现在善良——巴拉赫纳②的木工和织花边的女工们心肠都非常好——他们都是些与人为善的人。我们娘俩经常不分冬秋地外出乞讨，加百列③

---

① 一种俄国的清凉饮料，酸中带甜。

② 伏尔加河码头城市，位于高尔基州。

③ 耶稣教神话中的大天使，他慰劳人类、同情人类，曾向希伯来人的先知但以理解释异象，向另一位希伯来先知——《圣经·旧约》中十二小先知的第 11 名——撒迦利亚预言其妻将生施洗约翰，向未婚的圣母玛利亚预言其子耶稣的降生。3 月 26 日为加百列大天使日，是冬季结束的日子。

大天使将宝剑一挥，把冬天给赶走了，春天拥抱了大地——这时我们就往远处走，走到哪儿算哪儿。我们到过穆罗姆市①，到过尤里耶韦茨市②，沿伏尔加河往上走过，也曾沿着静静的奥卡河两岸乞讨过。春天，还有夏天，在野外行走是很惬意的，春暖大地，草木葱葱，圣母玛利亚把鲜花撒向田野，此时此刻，不禁令人欢欣鼓舞，心旷神怡！而我妈则往往微微闭上蓝色的眼睛，引吭高歌起来。她的嗓音并不怎么好，但是非常响亮——周围的一切似乎已如醉如痴，一动不动地在倾听她的歌声。向基督保证，这种日子确实很不错！可是我九岁一过，母亲觉得，再领着我到处讨饭，面子上不好看，挺难为情的，于是就在巴拉赫纳住了下来。她一个人沿街挨家挨户地乞讨，节假日时就到教堂门口接受大家的施舍。我就坐在家里，学习织花边，我拼命学习，想尽快地能够帮助母亲。有时候织坏了——急得我直掉眼泪。瞧，花两年多一点的时间，我学会了这个手艺，而且在城里还小有名气：只要有谁需要高质量的花边，马上就会来找我们，说：'阿库利娅③，帮帮忙，给织一件吧！'对此我非常高兴，我正求之不得呢！当然，这并不是因为我的手艺高超，而是因为有妈妈的指点。虽然她只有一只手，自己不能干活，但她能指导我怎么做。一个好的指导比十个学徒更为可贵。喏，这时我骄傲了起来，我说：'妈妈，你不要再出去讨饭了，现在我能够独自养活你了！'可是她却对我说：'你给我闭嘴，知道吗，我这是在给你积攒嫁妆。'后来，没不久，你外公出现了，他是一个很出色的小伙子：二十二岁已经当上了驳船上的工长！他母亲来相了我一次④，看到我会干活，是穷人家的女儿，就是说，老实听话，又很本分，于是……她是个卖面包的商贩，是个歹毒的女人，不说她的事了……唉，我们何必提这种歹人呢？上帝自己是能够看见他们的。上

---

① 位于俄中部弗拉基米尔州，奥卡河一码头城市，12—15 世纪曾是穆罗姆国的都城。

② 俄伊万诺沃州城市，伏尔加河（高尔基水库）港口，1778 年设市。

③ 阿库林娜的爱称。

④ 高尔基的外公瓦西里·卡希林的父亲早年当兵，母亲是一位遗孀。1831 年 1 月 18 日外公瓦西里和外婆阿库林娜在巴拉赫纳市母亲家里结的婚。婚后头十年外公和外婆一直就住在这里。（见《高尔基资料汇编》，1968 年，第 344 页）

帝看见他们，魔鬼喜欢他们。"①

这时，她发自内心地笑了，她的鼻子不住地颤动，样子挺逗人的，而她的一双眼睛，在沉思中闪闪发光，使我感到非常亲切。它们所表达的一切情意，要比言词更加明白。

记得是一个宁静的傍晚，我和外婆在外公的屋子里喝茶。外公身体不舒服，坐在床上，没有穿衬衫，肩上披一条大浴巾。他呼吸急促，声音嘶哑，一刻不停地擦拭着满身的大汗。他的两只绿眼睛变黯淡了，面部浮肿，颜色紫里透红，两只小耳朵红得尤为明显。他伸手接茶杯的时候，手哆嗦得很厉害，真是可怜。他变得很温顺，和以往的他已大不相同。

"为什么不给我放白糖？"他像一个被娇纵的孩子，用任性的口吻质问外婆。外婆态度和蔼但语气坚定地回答说：

"和蜂蜜一块儿喝，对你身体更好一些！"

他上气不接下气地啊啊两声，迅速喝下热茶，然后说：

"你瞧着点儿，别让我死了。"

"别怕，我瞧着呢。"

"这就好，要是现在我死了——那我就跟没活过一样——一切都完啦！"

"别说话，好好躺着。"

他闭上眼睛，沉默片刻，同时咂巴着发黑的嘴唇，随后，他突然像被针扎了似的，全身颤动，自说自话起来：

"要尽快地给雅什卡和米什卡成个家，兴许老婆和新出生的孩子能够使他们的精神振作起来，是不是？"

接着他便历数起城里谁谁家有合适的姑娘。外婆一声不吭，只是一杯接一杯地喝茶。我坐在窗前，望着城市上空升起的红色晚霞，房子窗户的玻璃被映照得一片通红——我是因为犯了什么错误外公才不许我到院子里和花园里玩的。

花园里，一些甲壳虫围绕着白桦树飞来飞去，发出嗡嗡的叫声；桶匠在隔壁邻居家的院子里打制木桶；附近什么地方有人在磨刀；许多孩子在花园外的峡谷里嬉戏打闹，在浓密的灌木丛中胡乱奔跑。我

---

① 据1968年的《高尔基资料汇编》记载，高尔基外婆的爷爷死后家境就一贫如洗了，奶奶带着几个孩子到处流浪，在下诺夫戈罗德以乞讨为生，风餐露宿，居无定所。后来外婆阿库林娜家的情况也是如此，日子过得非常艰难。

非常想出去尽情地玩耍，傍晚常有的忧伤情绪不禁在心中油然而生。

突然，不知外公从哪儿摸出一本崭新的小书，在手掌上啪地一声拍了一下，兴致勃勃叫我过去：

"喂，你这个小调皮、捣蛋鬼，快过来！坐下，你这个长着卡尔梅克人①高颧骨的家伙。看见这个字母了吗？这个念：阿斯。你念：阿斯！布基！维迪！② 这个是什么？"

"布基。"

"念对了！这个呢？"

"维迪。"

"胡说，是阿斯！你仔细瞧：格拉戈尔，多布罗，叶斯季。③ 这个是什么？"

"多布罗。"

"对啦！这个呢？"

"格拉戈尔。"

"没错儿！那么这个呢？"

"阿斯。"

外婆插话了：

"老头子，你还是老老实实地躺着吧……"

"拉倒吧，你给我闭嘴！这样对我正好，反正脑子也闲不住。接着念，列克谢！"

他用一只滚烫的、汗津津的胳膊从后面搂着我的脖子，隔着我的肩膀指着摊在我面前的书上的字母。他身上散发出的那种热烘烘的汗酸味和烧洋葱味，熏得我几乎透不过气来，可是他却来了劲头，哑着嗓子在我耳边大喊：

"泽姆利亚！柳季！"④

这些词我都认识，但斯拉夫语字母的写法和发音并不一致："泽姆

---

① 俄国少数民族，主要居住在卡尔梅克自治共和国，首府埃利斯塔市，语言属蒙古语系。

② 这是古教会斯拉夫语中字母名称的读音，是用俄语字母拼写的。

③ 这三个译音词分别为"глагол""добро""есть"，即动词、善良、是或吃的意思。

④ 这两个词的原文是"земля"和"люди"，意思分别是：土地、人们。

利亚"像"蚯蚓"的发音①，"格拉戈尔"则像弯腰弓背的"格里戈里"的发音，"亚"② ——像外婆和我，外公身上则具有某种和字母表上所有字母共同的东西。他督促我把字母表念了很久，正着念念，倒着念念。他的满腔热情感染了我，我也念得满头大汗，放开喉咙大声地念。这下可把他给逗乐了，他捂着胸口，不住地咳嗽，把书都给弄皱了。他声音嘶哑地说：

"你瞧呀，老婆子，你看他念得有多带劲儿，啊？哎呀，你这个阿斯特拉罕的学习狂，你喊什么呀？有什么好喊的？"

"是您在喊……"

我看着他和外婆，感到非常开心。她用胳膊肘撑着桌子，一只手托着脸，望着我们，声音不高地笑着说：

"你们别再扯着嗓子喊了！……"

外公友好地对我解释说：

"我大声喊，是因为我有病，可你喊什么呢？"

然后，他晃着满头大汗的脑袋对外婆说：

"已故纳塔利娅说他的记忆力很差，她这话不对。他的记忆力，托上帝的福，像马的记忆力一样好！往下念，翘鼻子！"

最后，他开玩笑地把我推下了床。

"行了，拿好书。明天你给我把字母表整个念一遍，不许有错。念对了，我给你五个戈比……"

当我伸手去接书的时候，他又把我拉到自己身边，神情忧郁地说：

"小家伙，你妈呀，把你扔在这个世上……"

外婆不禁一愣，说：

"哎，我说老头子，你说这干吗呀？……"

"是不应该说——可我心里难受呀……哎，好好一个姑娘家，净犯糊涂……"

他使劲推了我一下。

"去吧，玩去吧！不许到外面去，只能在院子里，在花园里玩……"

正好我也只想到花园里去玩，因为我在花园的小山上一露面，峡谷里的孩子们便开始向我扔石子，而我则可以痛痛快快地回击他们。

---

① "蚯蚓"——"земляной червяк"，俄语译音为"泽姆利亚诺依 契尔维亚克"。
② "我"的意思。

"贝里来了。"他们一看见我就这样喊，并且赶紧做好战斗准备，大叫"用石头砸他"！

我不知道"贝里①"是什么意思，因此我对这个绰号并不感到生气，不过我一个人能够抵挡他们许多人，我还是很高兴的。看见我砸出去的石子准确无误地击中敌手，迫使他们狼狈逃窜，纷纷躲进灌木丛中，心里非常得意。这种战斗没有什么恶意，最后双方几乎都没有伤感情。

学习认字对我毫不费力，外公对我越来越关心了，打我的次数也少了。尽管在我看来，他应该比以前更经常地打我，因为随着年龄的增长，我的胆子变得越来越大，违反外公清规戒律的次数也多了，但他只不过是责骂几句，顶多拍打我几下也就完了。

我想，以前他打我也许都是冤枉的，有一次，我把这个想法跟他说了。

他轻轻地托起我的下巴，使我的脑袋向上扬起，然后眼睛一眨一眨的，拉长声调说：

"你说——什么？"

于是，他嘿嘿一笑，说道：

"我说你呀，这个邪教徒！你怎么知道应该打你多少次？这事除了我，还有谁能知道？走吧，赶快走吧！"

可他立刻又抓住我的肩膀，再次盯着我的眼睛，问道：

"你说：你是个狡猾的人，还是个老实的人？"

"不知道……"

"不知道？那么我来告诉你吧：还是狡猾一点好，老实——就是愚蠢，懂吗？绵羊老实。要好好记住！去吧，玩儿去吧……"

不久，我已经能够按照拼音朗读圣诗了。通常我都是在喝完晚茶之后进行朗读，而且每次都由我来读赞美诗。

"布吉—柳季—阿斯—拉—布拉；日维—捷—伊热—布拉热；纳舍尔—布拉任。"我指着圣诗的章节念完后，觉得非常无聊，于是我问道：

---

① 绰号，公火鸡的意思，因人们呼唤火鸡的时候嘴里发出"贝里——贝里"的叫声，故得名。(见《高尔基自传三部曲词典》第1卷，第173页)

"布拉任—穆日①，是指雅科夫舅舅吗？"

"我这就照你的后脑勺上来一巴掌，好叫你明白谁是幸福的人！"外公气鼓鼓地说，但我感到他这种生气只不过是出于习惯，装装样子而已。

而且我几乎从未猜错——过了一会儿，外公看来已经忘记了我刚才的问话，嘟囔着说：

"是啊，在唱歌和娱乐方面，他称得上是大卫王②，可做起事来则像押沙龙③一样狠毒！他能编能唱，能说会道，幽默诙谐……哎，我说你们这些人啊！'用你们轻快的双腿尽情地跳吧。'可是能跳出个什么名堂呢？我是说——能长久跳下去吗？"

听他这么一说，我就停下来，不接着往下读了。我望着他那阴沉沉的、心事重重的面孔。他眯缝起眼睛，越过我，向什么地方看去，眼睛里流露出忧伤、温暖的感情。于是我明白了：此时此刻，外公平常的严厉在他身上已经冰消雪融、荡然无存。他用干瘪的手指有节奏地敲击着桌子，染了色的指甲在闪闪发光，金黄色的眉毛在微微地颤动。

"外公！"

"嗯？"

"给讲点什么吧。"

"你往下念啊，懒家伙！"他抱怨地说，好像他刚睡醒似的，还用手指头擦了擦眼睛。"爱听故事，不爱念圣诗……"

但我猜想他自己也是喜欢故事甚于喜欢圣诗，不过他几乎能够从头到尾把圣诗背下来，他发誓每晚入睡前一定要大声朗读一段赞美诗，

---

① 布拉任—穆日，意思是有福之人。源自《旧约全书·诗篇》第1篇。原话为："不从恶人的计谋，不站罪人的道路，不坐亵慢人的座位，唯喜爱耶和华的律法，昼夜思想，这人便为有福。"

② 以色列犹太国国王（公元前11世纪末—前约950年）。

③ 大卫王的第三个儿子，很受父亲宠爱，活动时期约在公元前1020年前后。他容貌俊美，不守法度，刚愎自用。他因胞妹他玛被自己同父异母的哥哥暗嫩奸污而杀死暗嫩，为胞妹雪耻，因此被放逐。但因大卫的侄子约押从中斡旋而重又得宠。后因王位继承问题他发动叛乱，曾迫使大卫及其臣仆逃过约旦河，但叛乱终于失败，在今约旦西部以法莲树林中全军覆没，押沙龙骑马逃跑时头发刚好被树枝缠住了，约押不听大卫的命令，趁机杀死了押沙龙，大卫闻听，痛哭不止，临终前命所罗门杀死约押。

就跟教堂的执事朗读日课经一样。

我诚心诚意地求他，老头子的心渐渐变软了，向我作了让步。

"那么，好吧，《圣诗集》你可以永远保留在你身边，我很快就要去见上帝了，去接受审判……"

他往一把老式安乐椅上一坐，仰靠在绣花靠垫上，身子缩成一团，仰头看着天花板，小声地、若有所思地开始讲一些陈年往事，讲自己父亲的故事。

"有一次，一伙强盗到巴拉赫纳来抢劫商人札耶夫，我爷爷的父亲赶紧跑向钟楼去敲钟，可是强盗们追上了他，用马刀将他劈死，抛到钟下。

"当时我年纪还很小，这件事没有亲眼见到，根本不记得。我开始记事，是因为法国人的原因，那是 1812 年，我刚好满十二岁。当时有三十多个法国俘虏被押解到我们巴拉赫纳来了。他们长得全都又瘦又小，穿得五花八门、破烂不堪，连叫花子都不如。一个个冻得浑身发抖，有几个甚至都冻僵了，连站都站不住。有几个农民想要打死他们，可是押解人员不让打，后来地方驻军来了，才把农民们驱散。① 日后大家习惯了，相处得还算可以。这些法国人都很机灵能干，甚至相当乐观——有时候还唱歌。从下诺夫戈罗德来了几位老爷，他们坐着三驾马车来看这些法国俘虏。他们来后，有的破口大骂，伸出拳头威胁这些法国人，甚至还打了他们；有的和他们用法语交谈，态度和蔼，给他们钱和各种御寒物品。有一位上了岁数的老爷双手捂着脸哭了起来，说拿破仑到头来把法国人给害苦了！瞧，俄国人怎么样，连一位贵族老爷的心肠都这么好：对外国人也不乏怜悯之心……"

他沉默片刻，闭上眼睛，用手掌抚摸一下头发，仔细地回忆着往事，继续说道：

"冬天，外面狂风大作，寒气一个劲儿地往屋里钻，可他们这些法国人常常跑到我们窗前，又是敲玻璃，又是喊叫，跳来跳去，求我母亲——她是卖烤面包的——给他们块热面包吃。我母亲不放他们进屋

---

① 1812 年 6 月，拿破仑为夺取欧洲霸权，率领五十万大军，入侵俄国。战争初期，俄军处于劣势，8 月，库图佐夫任俄军总司令，与法军血战，堵截法军前进。为保存俄军有生力量，库图佐夫下令撤出莫斯科，并放火烧之。法军入城后，四面受敌，弹尽粮绝，无奈于 10 月撤退，俄军和游击队则乘胜追击，大败法军。12 月拿破仑逃回巴黎，残部所剩无几。这里讲的显然就是法军惨遭失败的情形。

来，只是把面包递到窗外。法国人抓过面包就揣进怀里，趁着热乎劲儿，把它直接贴在身上、贴在心窝里。他们怎么能受得了这份苦——我真不理解！有许多人被冻死了，他们是温带人，不习惯这种严寒天气。我们园子里有间浴室，里面住着两个人：一位军官和他的勤务兵米朗。这位军官个子很高，瘦得皮包骨，穿一件女人的外套，因此只到膝盖长。他人非常和气，酗酒。我母亲私下自酿自卖啤酒，他买回去一喝醉便开始唱歌。他学会了说我们的话，时常抱怨说：你们这边没有白的天，天总是黑乎乎的，很恶劣！他的俄语讲得很糟，但是可以听懂，而且他的话说得也对——我们伏尔加河上游这一带气候确实很不招人喜欢，下游的气候要暖和一些，而一过里海，根本就见不到雪。这话确实不假——无论是《福音书》里、《使徒传》里，还是《圣诗集》里，都不曾提到过雪，连冬天也没有提到过，而耶稣生活的地方就在那边……等读完《圣诗集》，我们就开始读《福音书》。"

他又沉默不语了，好像要睡着的样子。他在思考着什么，斜着眼睛向窗外望去，整个人显得既瘦小，又精明。

"往下讲啊。"我小声提醒他。

"好，我这就讲，"外公不觉一怔，然后开始说，"就是说，法国人，法国人也是人，一点也不比我们这些戴罪之人差。有时他们冲我母亲高喊：玛达姆、玛达姆①——这就等于是在喊太太、贵妇人——可面包店的贵妇人能够扛五普特②重一口袋的面粉。她力气大得简直不像个女人，我二十岁之前，她能够轻而易举地揪着我的头发摇来晃去，其实我二十岁时身体已经很不错了。而那个叫米朗的勤务兵非常喜欢马。他在院子里转来转去，用各种手势表示：能不能让他来给马洗澡。起初人们担心，怕他使坏，毕竟是敌人嘛。后来农民们开始主动喊他：米朗，快过来呀！他总是嘿嘿一笑，低着头，老老实实地走过来。他有一头棕色的头发——甚至有些发红，大鼻头，厚嘴唇。他很会养马，还是一位给马看病的高手。后来，他就在下诺夫戈罗德这个地方凑合着当起了兽医。但他最后得了疯病，被消防队给打死了。那个法国军官开春前就病倒了，尼古拉节③那天也不声不响地死了——他坐在浴室窗前想什么心事，想着想着就死了，脑袋还伸在窗外呢。我觉得他很

①　法语：夫人、太太的意思。
②　又译俄担，俄国重量单位，一普特相当于16.38公斤。
③　俄国东正教会纪念尼古拉显灵的节日（旧历5月9日）。

可怜，甚至还为他悄悄流过泪。他性情非常和蔼，常摸着我的耳朵，亲热地用法语自说自话一通。虽然我听不懂，但觉得他这个人挺好的。人的情义在市场上是买不来的。他本想教我学他的语言，但母亲不允许，甚至把我领到神甫那里，神甫让人把我打了一顿，对法国军官也颇有微词。当时啊，小伙子，人们对生活的管理很严，这你没有体验过，是别人替你吃了这份苦，受了这份罪，这一点，你可要牢牢记住！就说我吧，这种事我可经历过……"

天黑了下来。在黑暗中，不知为什么，外公的形象变得高大起来，他的眼睛像猫的眼睛一样闪闪发光。讲别的事情时，他的声音不高，谨小慎微，深思熟虑，可是一讲到他自己——他的热情便高涨起来，滔滔不绝，而且有些自我夸耀。我不喜欢听他讲自己的事，也不喜欢他总是在命令人：

"要记住！这一点你一定得记住！"

他讲的事情，有许多我都不愿意去记，但这些不愿意记的事，即使没有外公的命令，也能使我牢记不忘，刻骨铭心。他从来不讲童话故事，只讲发生过的真事，而且我发现他不喜欢别人提问题，所以我一定要缠着他问个究竟：

"到底谁更好一些，法国人，还是俄国人？"

"喏，这怎么好说呢？我又没看见过法国人在自己家里是怎样过日子的，"他气鼓鼓地嘟哝着说，然后又补上一句：

"黄鼠狼在自己的洞穴里也是好样的……"

"那俄国人是好样的吗？"

"什么样的人都有。地主时代人要好一些，因为人们事事都被束缚着。现在，大家都自由了——面包没有了，盐也没有了。当然，地主老爷的心肠没那么仁慈，可他们的脑子更聪明一些。不是说所有的老爷都这样，不过要是碰上个好的老爷，那也是一种福分。有时候遇上个草包老爷，傻瓜蛋一个——你说什么就是什么。我们有许多虚有其表的东西，看上去是个人，但仔细一瞧——肚子里没有东西，整个一个饭桶。应该让大家受教育，智慧是磨炼出来的，可真正的磨刀石又没有……"

"俄国人的力气大吗？"

"有大力士，但问题不在于力气大小，要看是否机灵。你力气再大，总大不过马吧。"

"那法国人为什么要攻打我们呢？"

"喏，战争是沙皇的事，这种事我们是搞不清楚的。"

但当我问他拿破仑是怎样一个人时，外公的回答给我留下了很深的印象：

"他是个勇猛彪悍的人，想征服整个世界，让大家过同样的生活，什么老爷、官吏统统不要，而是简简单单——过不分等级的日子。① 大家只是名字不同，权利上一律平等。信仰也只有一个。当然，这样想很愚蠢，只有虾才无法区分，鱼就各种各样，彼此不同——鲟鱼和鲶鱼就不是同类，鲟鱼和青鱼也很难为伍。这种拿破仑式的人物我国也有过几位——斯杰潘·季莫菲耶夫·拉辛②、普加奇·叶米里扬·伊万诺夫③。他们的事，我以后再跟你讲……"

有时候他一声不响，眼睛睁得老大，长时间地望着我，好像头一次看见我似的。他这样叫人很不舒服。

他从未跟我讲起过我父母的事。

我和外公谈话的时候，外婆也时常过来，悄悄地往屋角一坐，很长时间一声不吭，一点也不惹人注意，但她偶尔也会突然问上一句，声音柔和亲切得好像要把你搂在怀里似的：

"老头子，还记得我们俩到穆罗姆④朝圣的事吗？多么好啊！这是哪年的事了？……"

外公想了想，郑重其事地回答说：

"确切的年份说不准了，不过是在霍乱大流行⑤之前，记得那年森林里到处在缉拿奥洛涅茨人⑥。"

---

① 1812年拿破仑入侵俄国，他本想借俄国农奴对沙皇制度的不满情绪为其所用，在法军占领的地方革除农奴制，谁知9—10月间他攻下莫斯科后不仅没有颁布解放农奴的法令，反而残酷地镇压了当时外省的一些农民起义。

② 斯杰潘·季莫菲耶夫·拉辛（约1630—1671），农民战争领袖，顿河哥萨克，很有军事和组织才能，因被人出卖，沙皇政府在莫斯科将其杀害。

③ 指另一位农民战争领袖、顿河哥萨克普加乔夫（1740—1775），参加过七年战争和俄土战争，1773年8月他发动起义，次年被阴谋分子出卖给沙皇政府，在莫斯科沼泽广场被处死。

④ 位于俄罗斯弗拉基米尔州，奥卡河上一码头城市。12—15世纪是穆罗姆公国的都城，有著名的科西玛和达米安教堂、圣三一修道院。

⑤ 1848年下诺夫戈罗德市曾经流行霍乱，而且疫情很严重。

⑥ 指居住在俄西北部的卡累利河自治共和国内的居民。他们因不愿进工厂做工而纷纷逃进森林，官方曾进行过大规模的搜捕行动。

"对了！我们还怕他们……"

"没错儿。"

我问道："奥洛涅茨人是些什么人，他们为什么要逃进森林?"外公不大乐意地解释说：

"奥洛涅茨人——不过是些普通农民，因为不愿受官府管制，不愿到工厂做工才逃出来的。"

"怎样抓捕他们呢?"

"怎样抓捕？跟小孩子玩游戏一样——一些人跑，另外一些人搜寻、抓捕。逮住了，就用鞭子、树条对他们一顿猛抽。也有把鼻孔刺穿的，在额头上烙上印记的，以示惩戒。"

"因为什么?"

"因为需要。这事很难说清楚究竟是谁的错——是逃跑的人呢，还是追捕的人——我们弄不明白……"

"你记得吗，老头子，"外婆又说，"那次大火之后……"

凡事喜欢一丝不苟的外公严厉地反问：

"哪次大火?"

他们一心在回忆往事，把我给忘了。他们说话的声音不大，聊得非常投机，有时让人感到他们好像是在唱歌，是在唱一支关于疾病、火灾和遭受鞭打的悲歌，一支关于意外死亡、营私舞弊的歌，一支关于——看在耶稣基督的份上——痴呆者和满腔怒火的老爷的歌。

"活得越久，见识就越广!"外公小声嘟哝道。

"难道我们的日子过得不好吗?"外婆说，"你想想，我生完瓦里娅①后，那年春天的日子过得多好啊!"

"那是——1848 年，镇压匈牙利②那年的事。洗礼过后第二天，她的教父吉洪就被拉去当兵了……"

"从此便没了消息。"外婆叹了口气。

"没错，杳无音讯!从那年起，上帝的恩赐，像流水载着木筏似的向我们家滚滚而来。唉，瓦尔瓦拉呀……"

---

① 瓦尔瓦拉的小名。

② 尼古拉一世（1796—1855），1825 年起为俄国皇帝。他对内镇压十二月党人起义，建立"第三厅"，镇压革命运动，迫害普希金、莱蒙托夫、赫尔岑等自由思想家；对外镇压 1830—1831 年的波兰起义，1848 年又派兵镇压1848—1849 年的匈牙利革命，积极扮演了"欧洲宪兵"的角色。

"你算了吧，老头子……"

外公生气地皱起了眉头。

"什么叫算了吧？无论从哪方面讲，你看看这些孩子，他们没有一个成器的。我们花的心血都到哪儿去了？我和你一心一意想把他们往花篮里放，可上帝递到我们手上的却是一只破筛子……"

他大喊大叫，像被火烧着了似的，满屋子乱跑，痛苦得直哼哼，破口大骂孩子，伸出干瘪的小拳头威胁外婆说：

"都是你把他们给娇惯坏的。这帮强盗，你总是护着他们！都怪你，老妖婆！"

他悲痛地喊叫着，声泪俱下地跑到屋角，面对着圣像，抡起拳头，在自己干瘪的胸口上捶打起来：

"上帝啊，难道我比别人的罪孽大吗？为什么呀？"

这时他浑身都在颤抖，满含泪水的眼睛，露出委屈、凶狠的目光。

外婆坐在暗处，默默地画着十字，然后小心翼翼地走到外公身边，劝说道：

"唉，你何必这样自寻烦恼呢？上帝知道自己应该做什么。比咱们孩子好的能有几家？老头子，家家都一样——吵吵嚷嚷，骂骂咧咧，没完没了。所有做父母的都得用自己的眼泪来赎自己的罪孽，不光是你一个人……"

有时候这些话对他能起到些安慰作用，他默默地、无精打采地在床上躺了下来。这时我和外婆便悄悄地离开，回到自己的阁楼上。

但是，有一次，当她走到外公身边好言相劝的时候，他却突然转过身来，挥拳朝她的脸上"啪"地就是一下。外婆身子摇晃一下，一只手捂住嘴唇，站稳脚跟，平心静气地低声说：

"唉，傻瓜……"

然后在他脚前吐了一口带血的吐沫，而他却一而再地挥动双拳，大声吼叫着：

"走开！不然我打死你！"

"傻瓜。"外婆向门口走去时又说了一遍，这时外公向她猛扑过去，但她不慌不忙地跨过门槛，将门一带，正好把外公挡住了。

"老东西！"外公气呼呼地骂道，脸涨得像火炭一样通红。他抓着门框，乱挠一通。

我坐在暖炕上，吓得半死，简直不敢相信眼前所发生的事。外公头一回当着我的面殴打外婆，这实在让人无法容忍，令人厌恶。它暴露出外公身上某种新的、我难以忍受的品性，使我感到非常压抑。然而外公却一直站在那里，抓着门框，好像身上蒙了一层尘土，灰头土脑的，紧缩着身子。突然，他走到屋子中间，双膝跪下，因没有跪稳，身子向前倾斜下去。他急忙伸出一只手撑着地板，身子马上就跪直了，然后两只手在自己胸口上捶打起来：

"哎呀，上帝啊……"

我从暖炕上像滑冰似的溜了下来，一溜烟地跑了出去。楼上，外婆在房间里走来走去，一直在漱口。

"你痛吗？"

她走到屋角，朝污水桶里吐一口水，平静地回答说：

"不碍事，牙齿没伤着，只伤了点嘴唇。"

"他为什么打你？"

她望着窗外的大街，说道：

"他心里有气，年纪大了，日子艰难，事情不顺心……你好好躺下睡吧，别操这份心……"

我又问了她点儿什么，但她一反常态地厉声喝道：

"你没听见我说让你躺下睡觉吗？怎么这样不听话……"

她坐在窗口，不时地吸吮着嘴唇，老是在往手绢里吐口水。我脱衣服时看了看她：透过她黑色头影上方蓝色的窗框，可以望见闪烁的群星。外面悄无声息，屋内———一片漆黑。

我躺下后，她走了过来，轻轻地抚摸着我的脑袋，说：

"好好睡吧，我下楼到他那儿去看看……你不要太为我难过，亲爱的，因为我自己也有不对的地方……睡吧！"

她吻过我后便下楼走了。当时我心里难受极了，我从宽大、柔软、暖和的床上跳下来，走到窗口，望着下面空荡荡的大街，沉浸在难以忍受的苦闷之中。

六

又一件可怕的事接踵而至。一天晚上，喝过了茶，我和外公一起坐下读圣诗，外婆开始收拾餐具。这时雅科夫舅舅忽然闯进屋来，像往常一样，头发乱得像一把破笤帚。他跟大家连招呼也不打，把帽子往屋角一扔，激动得浑身直发抖，挥舞着双手，急不可待地讲起来：

"爸爸，米什卡①闹得太不像话啦！他在我那儿吃午饭，酒喝多了，便胡闹起来，简直是在发疯。他把餐具打得粉碎，把一件染好的毛料衣服撕成了碎片，窗户也打破了，还把我和格里戈里臭骂了一顿。现在他正在往这里来，还大喊大叫地威胁说：'要把老爷子的胡子揪下来，非打死他不可！'您可要当心……"

外公两只手按着桌子，慢慢站起身来。他紧绷着脸，肌肉向鼻子收缩，看上去怪吓人的，像一把斧头。

"听见没有，老婆子？"他吼叫道，"怎么样，啊？要打死自己老子了，你听听，这是亲生儿子呀！到时候啦！孩子们，到时候啦……"

他伸展着双肩，在屋内走了一圈，然后走到门口，猛然把门上的挂钩扣上，转身对雅科夫说：

"你们不是一直想把瓦尔瓦拉的嫁妆据为己有吗？喏，给你！"

他紧握拳头，做出一个轻蔑的手势②，伸到雅科夫舅舅的鼻尖下。雅科夫舅舅恼怒地赶紧闪到了一边。

"爸爸，这跟我有什么关系？"

"跟你有什么关系？我还不了解你！"

外婆一声不吭，急忙把茶具收拾好，放进橱柜里。

"我是来保护您老人家的呀……"

"是吗？"外公冷笑道，"那好哇！谢谢你了，儿子！老婆子，给这只狐狸一件什么东西——火钩子什么的，要不铁熨斗也行！而你，雅科夫·瓦西里耶维奇，只要你哥哥一闯进来，你就替我照他脑袋上狠狠地打！……"

雅科夫舅舅把两只手往口袋里一插，退到屋角去了。

"要是您不相信我……"

"相信你？"外公跺着脚叫道，"不，什么动物我都相信——狗呀、刺猬呀，可是对于你，我得等着瞧！我知道：是你把他灌醉的，是你教唆的！来吧，现在你就打吧！由你选择：是打他，还是打我……"

外婆悄悄跟我说：

"快到上面去，从窗口向外盯着，只要米哈伊尔舅舅在外面一出现，你就赶紧跑过来说一声！快去吧……"

---

① 米哈伊尔的小名。

② 俄国人表示嘲弄或蔑视对方的一种表示，即握紧拳头，将大拇指从食指与中指间伸出来。这是一种严重失礼的侮辱性手势。

我呀，对于狂暴的米哈伊尔舅舅威胁要打外公的事，是有些害怕，但是对于我所肩负的任务，我又感到很自豪。我站在窗口，注视着外面的大街。街道很宽，蒙着一层厚厚的尘土，一个个大鹅卵石，像突起的肿块，从尘土下面显露出来。大街向左延伸很远，穿过一道峡谷，通往监狱广场，一座古老的监狱就牢牢伫立在这片黏土地上。这是一幢灰色的建筑，四角各有一座瞭望塔，看起来庄严威武，有一种忧郁的美。从我们家往右过三幢房子就是干草广场，广场占地面积很大，两边是犯人连队的黄色楼房和灰色的消防瞭望塔。一个值勤的消防队员围绕着瞭望塔的瞭望孔来回不停地走动，像一只用链子拴住的狗。整个广场被峡谷分割成数块，其中一块谷底有一个浅绿色的池塘。靠右一点，是一个臭气熏天的久科夫大水塘，据外婆讲，我两个舅舅冬天就是在这里把我父亲扔进冰窟窿的。差不多正对着窗户，是一条胡同，胡同里净是些五花八门的小木屋，胡同尽头是矮墩墩的三圣教堂。放眼望去，能够看见教堂的屋顶，它像一只小船，倒扣在花园绿色的波浪中。

漫长冬季的风雪侵蚀，连绵不断的秋雨冲刷，我们这条街上的房屋已经是面目全非，满目疮痍了。它们相互拥挤在一起，像教堂门前乞求施舍的乞丐。各个窗口也和我一样，瞪大怀疑的眼睛，在期待着什么人的到来。街上行人不多，他们不慌不忙地走着，好像炉灶前小平台上爬行的蟑螂。我感到身上一阵阵的闷热，同时闻到一股我讨厌的大葱胡萝卜馅饼的浓重气味。这种气味总是让我感到非常沮丧。

苦闷。不知为什么感到特别的苦闷，简直难以忍受。我胸中灌满了热乎乎的铅水，这铅水由里向外，一个劲儿地鼓胀，眼看就要把我的胸腔和两肋给溢满了。我觉得我像一个气囊似的自我膨胀起来，在这小小的斗室里，在这棺材似的天花板下面，我感到憋得发慌。

是他，米哈伊尔舅舅果然来了。他出现在胡同一幢灰色楼房的拐角处，他把帽子往下拉得很低，以致两个耳朵都被压得向外支棱着。他穿一件棕红色的夹克，一双沾满灰尘的长筒皮靴。他一只手插在方格子布的裤兜里，另一只手摸着胡子。我看不清楚他的脸，但他站立的那个架势，仿佛打算纵身跃过大街，用他那双毛茸茸的黑手紧紧抓住外公家的房子。必须跑下楼去告诉一声，就说他来了，但是我无法离开窗口，我眼见米哈伊尔舅舅蹑手蹑脚地穿过大街，好像直怕把他的灰色皮靴弄脏似的。我听见他推开小酒店的门——门吱呀一声，门上的玻璃哗哗直响。

我跑到楼下，敲响外公房间的门。

"谁呀？"外公没有开门，粗暴地问道，"是你？什么事？进小酒店啦？好，你去吧！"

"我怕在那儿……"

"再坚持一会儿！"

我又守候在窗口。天黑了下来，街上尘土飞扬，显得更浑浊、更黑暗了。各家的窗户内透出黄色的烛光，像融化中的点点油脂。对面房子里传出了乐声，众多琴弦的演奏，听上去既忧郁，又动听。小酒店里人们在演唱。店门一开，一个疲惫、沙哑的声音便传了出来。我知道，这是独眼乞丐尼基图什卡的声音。这个大胡子老头的右眼红得像一块火炭，左眼紧紧地闭着。到酒店关门时，他的歌声就像被斧子砍断了似的，戛然而止。

外婆很羡慕这个乞丐，她听着他唱歌，叹息道：

"真是个有福之人，能记住这么好的诗句，真是幸运！"

有时外婆把他叫到院子里，他坐在台阶上，扶着拐杖，唱一会儿，说一会儿。外婆就坐在他身旁，边听边问。

"停一下，难道圣母也到过梁赞①这个地方吗？"

独眼乞丐用低沉的声音信心十足地说：

"圣母无处不在，各个州都去……"

睡意与困倦无形地在大街上流动，它挤压着我的心房和眼睛。要是外婆能来这里该有多好啊！就是外公来也行啊。我父亲究竟是怎样一个人，为什么外公和两个舅舅都不喜欢他，可外婆、格里戈里和保姆叶夫根尼娅谈起他时都认为他很好呢？我母亲究竟到什么地方去了？

我越来越经常想到母亲，把她当作外婆所讲的故事和传说中的核心人物。母亲不愿住在自己家里，这愈加抬高了她在我心目中的地位。我觉得，她下榻在交通要道旁边的大客栈里，与绿林强盗们为伍。他们抢劫过往富人，把劫来的财物分给穷人。也许她生活在森林和山洞里，当然，也是跟好心的强盗们在一起，给他们做饭，看守劫来的金银财宝。也许她跟"女公爵"安加雷切娃②一样，带着圣母像，云游

---

① 城市名，今俄罗斯梁赞州的行政中心，奥卡河码头，铁路枢纽。有著名的圣母升天大教堂、救主修道院等古代建筑。

② 著名女强盗，外号"女公爵"。据称，东正教会不接受东西教会分裂后所制定的信条，包括教徒可以用不义之财为自己赎罪等。

　　我呀，对于狂暴的米哈伊尔舅舅威胁要打外公的事，是有些害怕，但是对于我所肩负的任务，我又感到很自豪。我站在窗口，注视着外面的大街……

——《童年》

四方，圣母也会像规劝"女公爵"那样，劝说我的母亲：

> 贪得无厌的奴隶啊，
> 你收不尽天下的金银财宝；
> 欲壑难填的灵魂啊，
> 世间一切财富也遮不住你裸露之身……

然后，母亲用强盗"女公爵"的话回应圣母道：

> 宽恕我吧，至高无上的圣母，
> 可怜可怜我有罪的灵魂，
> 我打劫不是为了我自己，
> 只为独生儿子能够长大成人！……

于是，圣母像慈善的外婆，宽恕了我母亲，她说：

> 你呀，你，玛留什卡——
> 你这个鞑靼人的血亲，
> 怎么竟成了基督眼中之钉！
> 去吧，走你自己的道——
> 路任你挑，泪任你流！
> 林中去抢莫尔德瓦人，
> 草原去劫卡尔梅克人①，
> 但是对俄罗斯的百姓，
> 千万不要伤损！

　　回忆着这些童话故事，我仿佛置身在梦中。楼下过道和院子里的脚步声、吵闹声和吼叫声把我从梦境中惊醒过来。我探头窗外，看见外公、雅科夫舅舅和酒店跑堂的——一个滑稽可笑的切列米斯人②——麦里扬，他们使劲将米哈伊尔舅舅从侧门里往外推；米哈伊尔舅舅死

① 莫尔德瓦人、卡尔梅克人均为居住在俄罗斯平原中部的少数民族。
② 居住在伏尔加河中游地区的少数民族，1918 年后叫马里人。

活不肯走开，于是他们便朝他手上、背上、脖子上一通乱打，用脚踢他。最后他只好溜之大吉，逃进街上的尘雾之中。侧门被关上了，传来了锁门的声音，一顶皱巴巴的帽子被扔出了大门。一切又恢复了平静。

米哈伊尔舅舅在地上躺了一会儿，慢慢站起身来，他身上的衣服全被撕破了，一头乱发。他随手捡起一块石头，照准大门扔了过去，只听扑通一声，像砸在桶底上似的。酒店里蹿出几个黑乎乎的人影，他们挥舞着拳头，大喊大叫。各家窗口的人们探出头来——街面上活泛了，有了生气，笑的笑，叫的叫。这一切也是一种童话故事，令人好奇，但让人不愉快，使人感到心惊肉跳。

转眼间，一切都消失了，沉寂了，踪影全无。

……外婆弯着腰，坐在门槛旁的箱子上，屏住呼吸，一动不动。我站在她面前，抚摸着她那温暖、柔软、湿润的面颊，但她似乎并未感觉到我的触摸，她神情忧郁地嘟哝说：

"上帝啊，你的关怀难道就不能施给我和我的孩子们一些吗？上帝啊，请发发慈悲吧……"

我觉得，外公在波列瓦雅大街这幢房子里住了不到一年——从春天到秋天，但就在这段时间里，这个地方已经是名声大噪了，孩子们几乎每个礼拜天都要跑到我家大门口来看热闹，高兴地满大街直嚷嚷：

"卡希林家又打起来啦！"

通常，米哈伊尔舅舅总是晚上过来，在周围转悠，弄得全家整夜不得安宁，人心惶惶。有时他带两三个帮手，都是些社会上的混混儿，库纳维诺当地的无赖。他们从峡谷里悄悄潜入花园，趁着酒力，大发酒疯，把成片的马林浆果和醋栗统统拔掉。有一次他们把浴室也给拆了，里面的东西能毁的全都毁掉——浴架、长椅、锅炉等，炉灶被捣毁了，几块地板也给拆了，门窗被砸坏了。

外公站在窗口，黑丧着脸，一声不吭，听着他们在毁坏他的家产；外婆在院子里跑来跑去，因为天黑也看不见她人影，只听见她在求告他们：

"米沙①，你这是干什么呀，米沙！"

花园里回答她的是俄国不堪入耳的辱骂声，这些乌七八糟的骂人

---

① 米哈伊尔的小名。

话的含义，也许连这些骂人的畜牲们在理智和感情上也无法理解。

这种时候，根本找不着外婆，可是没有她，我又感到害怕。于是只好下楼去外公的房间，但他迎面冲我大声吼叫：

"滚开，该死的东西！"

我转身又跑回阁楼，通过气窗望着黑洞洞的花园和院内，眼睛紧盯着外婆，只怕她被人打死了。我大声呼唤着她，但是她没有上楼来。喝醉酒的米哈伊尔舅舅听到我的呼唤声，开始对我母亲破口大骂，言语之污秽，令人发指。

有一次，也是这样一个晚上，外公身体不舒服，躺在床上，头上包一块毛巾，在枕头上翻来覆去的折腾，唠唠叨叨，抱怨个没完：

"这算怎么回事儿，活了一辈子，吃苦受累，积下家产，为了什么！要不是嫌丢人现眼，真该去叫警察了。明天我就去找省长……真丢人啊！哪有父母向警察局告自己儿女这样的事呢？"

他突然将腿伸下床，摇摇晃晃地向窗口走去，外婆急忙抓住他的胳膊，说：

"你要到哪儿去，到哪儿去？"

"把灯点着！"他吩咐道，一面呼哧呼哧地直喘气。

外婆点着蜡烛后，他接过烛台，像战士拿枪似的把它端在胸前，然后对着窗口，用嘲弄的口气大声喊道：

"喂，米什卡，你这个夜行窃贼，一条发疯的癞皮狗！"

话音未落，哗啦一声，窗户上面的一块玻璃被打碎了。外婆身边的桌子上掉下了半截砖头。

"没有砸着！"外公吼叫道，一面在笑，也许是在哭。

外婆像对我那样，一把将外公揪过去，放到床上，惊魂未定地说：

"你怎么样，你怎么样，耶稣保佑你！他这样闹可是会被送到西伯利亚去的。① 他正在气头上，难道他知道什么叫去西伯利亚吗！……"

外公两条腿拼命地乱蹬，一个劲儿地扯着嗓子干嚎：

"让他把我砸死好了……"

窗外，咆哮声、跺脚声、撞墙声不绝于耳。我抓起桌子上的砖头，跑到窗口。外婆一把揪住我，将我推到屋角，咬牙切齿地低声说：

"我说你呀，不要命啦……"

---

① 指被判流放到西伯利亚服役。

　　另外有一次，米哈伊尔舅舅拿着一根大木棍，从院里闯进了过道，他站在黑乎乎的台阶上拼命地砸门。外公拿着木棍，两位房客手提大棒，人高马大的酒店老板娘手持擀面杖在门里边等着他。外婆在他们身后急得团团转，一个劲儿地央求他们：

　　"你们让我去见见他！我去跟他说……"

　　外公站在那里，像《猎熊图》上手持钢叉的勇士那样，一条腿向前跨出一步。当外婆跑到他跟前时，他一句话不说，用胳膊肘和一条腿把她挡到了一边。四个人站在那里，严阵以待；高处墙上挂着一盏灯，灯光闪烁不定，影影绰绰地照着他们的脑袋。这些我都是从阁楼的楼梯上看见的，我很想把外婆拉到楼上来。

　　米哈伊尔舅舅拼命地砸门，而且他得逞了。门轴松动了，上面的轴孔眼看就要掉下来——下面的已经脱开了，而且发出刺耳的声音。外公也用他那刺耳的声音对自己的战友们说：

　　"你们给我往他的胳膊和腿上打，不要打脑袋……"

　　门边墙上有一个小窗口——只能伸进一个脑袋。米哈伊尔舅舅已经把小窗的玻璃打碎了，因此，这个残留着玻璃碎渣的小窗口，看上去黑洞洞的，很像是一只被挖掉眼珠的眼睛。

　　外婆直奔小窗口，把手伸到院子里，一面挥手，一面喊道：

　　"米沙，看在耶稣的份上，你快走吧！他们会把你打成残疾的，快走吧！"

　　米哈伊尔舅舅对准她的胳膊就是一棍子，眼瞅见一根很粗的东西在窗口一闪，着实打在她胳膊上。紧接着，外婆一屁股跌坐在地上，仰面倒了下去，嘴里还在喊着：

　　"米——沙，快跑……"

　　"啊，老婆子？"外公惊恐地大叫一声。

　　门被打开了，米哈伊尔舅舅闯进了这黑乎乎的门洞，但立刻他便像垃圾一样，被从台阶上铲了出去。

　　酒店老板娘把外婆扶到外公的房间里，外公很快就过来了，他神情忧郁地走到外婆跟前。

　　"骨头没伤着吧？"

　　"哎哟，看来骨头是断了，"外婆说着，眼睛并没有睁开，"你们把他怎么样了，把他怎么了？"

　　"拉倒吧，你！"外公严厉地说，"怎么，难道我是头野兽不成？捆起来了，在草棚子里躺着呢。我往他身上浇了点冷水……喏，真够恶的！这一点也不知道像谁？"

外婆呻吟起来。

"我已经叫人去请正骨大夫了——你先忍一下。"外公说着，挨着她坐到床边，"老婆子，他们能把你我都折磨死，早早就折磨死！"

"你把东西都给他们吧……"

"那瓦尔瓦拉呢？"

他们谈了很久，外婆轻声细语，如怨如诉，外公则大呼小叫，怒气冲冲。

后来，来了一个小老太婆，驼背，嘴巴很大，嘴角一咧能咧到耳根。她的下巴直哆嗦，嘴巴像鱼似的，老是张着。她的鹰钩鼻子越过上唇，直往口腔里张望。看不见她的眼睛，她用拐棍在地上探路，勉强移动着双脚，手里拿着一个叮当作响的小包。

我觉得这是外婆的死神来了，我跑到她面前，使尽全身力气，大吼一声：

"滚开！"

外公一把抓住我，不容分说地把我拖上了阁楼。

七

我很早就知道，外公有一个上帝，外婆另有一个上帝。

有时候，外婆醒来，长时间地坐在床上，她用梳子梳着自己非常靓丽的头发。她歪着脑袋，咬紧牙关，一把一把地梳理那一绺绺又黑又长的秀发，因为怕把我吵醒，嘴里一直在小声地责骂：

"哎呀，真是讨厌！这该死的头发……"

最后，头发总算梳顺了，她很快就把头发编成粗粗的辫子，然后赶紧去洗脸，大声地哼哧着鼻子。还没等从她那张睡得满是褶皱的大脸上把怒气洗掉，她已经站到了圣像的面前——只有这个时候，一种真正意义上的晨祷才算开始，她整个人立马来了精神劲儿。

她挺直腰板，昂起头，亲切地仰望着喀山圣母圆圆的脸庞。① 她庄重而虔诚地在胸前画着十字，满怀激情地低声祷告道：

"至高无上的圣母，求你大发慈悲，保佑未来平安吧，圣母啊！"

———————

① 一幅奇妙无比、活灵活现的半身圣母像，她左臂抱着幼子，右手向前伸出，做祝福状。

她深深地鞠了一躬，脑袋都快要碰到地面了，然后慢慢地挺起身，重又小声祷告起来，语气更热烈，也更令人感动：

"圣洁美丽的圣母啊，你是快乐的源泉，你是鲜花盛开的苹果树！……"

她差不多每天早晨都能想出些新的溢美之词，而这一点总使我不能不全神贯注地倾听她的祷告词。

"我的纯洁之心，上天之灵啊！你是我的保护神，我的庇护者，我的金色的太阳，圣母啊，祈求你能够为我们消灾祛邪，保一方平安，让任何人都不要受欺侮，也不要让我无端受气！"

她乌黑的眼睛里含着微笑，仿佛一下子变得更年轻了。她再一次抬起沉重的右手，动作缓慢地在胸前画了个十字。

"求上帝之子，耶稣基督，看在圣母的份上，能够施恩于我这个有罪之人……"

她的祷告从来都是一片赞美，至诚至信，发自肺腑。

早晨她祷告的时间不长——她必须得把茶炊的火生着，因为外公已经不雇用人了。如果外婆茶水准备得晚了，过了外公规定的时间，那么他就会非常生气，大骂不止。

有时候，他醒得比外婆早，便会走上阁楼，看见外婆在做祷告，口中念念有词，他会听上一会儿，轻蔑地撇了撇两片发青的薄嘴唇，等喝茶的时候便会唠叨说：

"怎样进行祷告，你这个橡木脑袋，我都教过你多少次了，可是你仍然在坚持你自己那一套，整个一个异教徒！也不知道上帝怎么竟容忍了你！"

"他会明白的，"外婆有把握地说，"不管跟他说什么，他都能听清楚……"

"该死的楚瓦什①女人！唉，你们这些人呀……"

外婆的上帝整天和她形影不离，她甚至跟动物们也谈论上帝。我非常清楚，无论是人、狗、鸟、蜜蜂、花草，都非常乐意听命于这位上帝的安排。对于世间万物，这位上帝一视同仁，亲近而友善。

酒店老板娘养了一只郎猫，娇惯得不得了，这猫非常狡猾，爱吃

---

① 俄罗斯的少数民族，分布在伏尔加河流域，建有楚瓦什自治共和国，首府切博克雷萨，人口不到百万。

甜食，很会讨人喜欢。它长着一身烟色茸毛，两只金黄眼睛，全院的人没有不喜欢它的。有一次，它从花园里叼来一只椋鸟①，外婆急忙把那只被折磨得半死不活的鸟夺下来，开始数落那只猫：

"你就不怕上帝惩罚吗，你这个无赖！"

酒店老板娘和看院子的人听见她这样说都笑了，但外婆生气地斥责他们说：

"你们以为动物不理解上帝，是不是？其实任何动物都理解，而且不比你们差，这些冷酷无情的家伙……"

她在给那匹体态肥胖、萎靡不振的骟马沙拉普上套时总要和它唠叨几句：

"你这上帝的奴仆，为什么总这样愁眉苦脸，啊？你已经老了……"

沙拉普喘着粗气，摇了摇脑袋。

不管怎么说，上帝的名字在外婆那里，并不像外公那样，经常挂在嘴上。外婆的上帝我能够理解，而且不觉得有什么可怕，不过在她的上帝面前不能够撒谎——也羞于撒谎。他在我心目中激起一种不可战胜的羞耻感，所以我从不对外婆撒谎。对这位善良的上帝，简直无法对他隐瞒什么，甚至压根儿就没有要隐瞒的想法。

有一次，酒店老板娘和我外公发生了口角，她把没有参与争吵的外婆也一起给骂了，而且骂得很难听，甚至还往她身上扔胡萝卜。

"嗳，我的老板娘，这就是你的不对了。"外婆心平气和地跟她说，但我却被这女人气得够呛，决心要报复一下这个泼妇。

我琢磨了很久，考虑用什么方法狠狠惩治她一下，让这个双下巴、红头发、眯眯眼的胖女人尝尝厉害。

根据我的观察，邻里间发生口角，他们相互进行报复的方法，不外乎是将对方的猫尾巴剁掉，把他们家的狗毒死、鸡打死，或者夜里钻进对方的地窖，往腌白菜和腌黄瓜的桶里倒上汽油，把桶里装的格瓦斯饮料放掉等——但这些办法我都不喜欢，必须得想出个更激烈、更可怕的办法。

我想出来了：趁酒店老板娘进入地窖时，我把地窖盖给合上了，还上了锁，还在上面跳了个复仇舞，然后，把钥匙往房顶上一扔，一

---

① 鸟类的一科，雀形目，长 18—43 厘米，分布在东半球的热带和亚热带，喜群飞，吃樱桃、葡萄和昆虫，会模仿别的鸟叫，如八哥、欧椋鸟等。

溜烟地跑进了厨房——外婆正在那里做饭。她最初没有在意我扬扬得意的神情，可是当她明白是怎么回事后，立刻给了我两个巴掌，而且把我拽到院子里，让我到房顶上把钥匙捡回来。她对这事的态度使我感到非常惊讶，我一声不吭地把钥匙捡了回来，跑到院子的一个角落，看外婆怎样将我俘获的老板娘给放出来，看她们俩如何谈笑风生、亲切友好地在院里走着。

"看我怎么收拾你。"老板娘握紧胖乎乎的拳头吓唬我说，但她那看不见眼睛的脸上露出的却是宽厚的微笑。而外婆则揪住我的衣服领子，把我拉到厨房，问道：

"你为什么要这么干？"

"因为她用胡萝卜砸你……"

"你这是因为我呀？明白了！我这就把你这个没用的东西塞到炉灶底下喂老鼠去，这样你才会清醒过来！你算什么保护人，整个一个肥皂泡——不攻自破！要是我告诉你外公，他不扒了你的皮才怪呢！快到阁楼上念书去……"

整整一天，她都不理我。晚上，做祷告之前，她坐在床上，语重心长地对我说了一番话，令我永志不忘：

"听着，廖尼卡，我的心肝宝贝，一定要记住：不要管大人们的事！大人们都变坏了，上帝正在考验他们，可你还没有变坏——因此，你要保持自己的一颗童心。等上帝要启发你的心智，他会指点你该做什么，该走什么样的道路。明白吗？至于什么人犯了什么错误——这不关你的事。上帝会评判和惩戒的。这是他的事，我们管不着！"

她停了一会儿，闻了闻鼻烟，然后眯缝起右眼，补充说：

"是啊，有时连上帝自己也搞不清楚谁对谁错。"

"上帝难道不是能够洞察一切的吗？"我惊讶地问道。外婆伤心地低声回答说：

"要是他能够洞察一切，那么好多事情人们便不会去干了。他老人家从天上俯视人间，看着我们大家，有时候也止不住落泪，甚至失声痛哭，说：'人们啊，我亲爱的子民！唉，我真为你们感到难过！'"

外婆自己也哭了起来，她没有擦拭脸上的泪水，到屋角祷告去了。

打那以后，我感到外婆的上帝变得更加亲近、更易于理解了。

外公教导我的时候也说上帝是无处不在、无所不能、无所不知。上帝在各种事情上都帮助大家，与人为善，但外公做祷告时却和外婆不一样。

早上，在他面对屋角的圣像祷告之前，光洗脸就要洗很长时间。然后要穿得整整齐齐，将棕红色的头发仔细地梳理好，修整完胡子，接着再照一照镜子，把衬衫拉拉平，将一条黑色的三角巾塞入马甲内。之后，这才小心翼翼地、好像偷偷摸摸地来到圣像前。他总是站在同一个地方，那里地板上有一个像马眼似的节疤。他低着头，像军人那样双臂贴身，默默地站上一会儿。然后他才挺直瘦小的身子，郑重其事地祷告说：

"以圣父圣子圣灵的名义！"

我好像觉得，这句话说过之后，屋里变得特别肃静——甚至苍蝇嗡嗡叫的声音都变小了。

外公站在那里，昂着头，扬起双眉，头发竖着，金黄的胡子平直地向前撅着。他做祷告时像是在课堂上回答问题，声音清晰，严肃认真。

"审判官不期而至，每个人的所作所为都暴露无遗……"

他用拳头不太使劲地捶打着自己的胸口，一再恳求道：

"我的罪孽只有你知道——请你背过脸去，不要盯住我的罪行……"

他一字一板地念着《祷告词》，右腿一颠一颠的，仿佛在悄悄地为他的祷告词踏着拍子。他全身心地向圣像倾斜着身子，他的个子好像长高了，人也更瘦了，更干瘪了。整个人显得是那样整洁，那样一丝不苟：

"有了医生，我内心多年的欲念给治愈了！我打内心里一再向你呼唤：降福于我吧，主宰一切的圣母！"

这时，他的绿眼睛里饱含着泪水，大声喊叫着：

"信仰对于我绝对重于事业，我的上帝，请绝不要用事业为我洗刷罪孽！"

这时他的手哆嗦着，连连在胸前画十字，不住地点头，像要用脑袋顶人似的。他的声音又尖又细，还夹杂着抽泣。后来，我多次去过犹太教堂，才明白外公是在按犹太人的方式做祷告。

桌上的茶炊早已煮开了，热腾腾的奶渣燕麦饼满屋飘香——让人食欲大增！外婆的两眼望着地板，神情忧郁地靠在门框上连连叹气。太阳欢快地从花园那边向窗内窥视，树上的晨露像颗颗珍珠在闪烁发光。早晨的空气散发着莳萝、醋栗和成熟中的苹果的芳香，而外公依然在做他的祷告，摇晃着身子，尖声尖气地念叨着：

"请扑灭我这个乞丐和恶人心中的欲火吧！"

所有晨祷和睡前的祷告词我全都铭记在心——我不光是记住,而且还聚精会神地进行跟踪监督:听外公会不会念错,哪怕是漏掉一个字。

念错或念漏的情况很少发生,一旦发生,总使我有一种幸灾乐祸的感觉。

做完祷告,外公对我和外婆说:

"你们好!"

我们向他躬身还礼,然后大家在桌旁就座。这时我对外公说:

"你今天把'理应'两个字给念漏了。

"你在瞎说吧?"外公有些不安和疑惑地问道。

"就是念漏了!你应该说:'但我的信仰理应高于一切。'可是你漏念了'理应'两个字。"

"原来是这样!"他惊叫道,一面抱歉地眨巴眨巴眼睛。

以后他肯定会因为我指出他的纰漏找碴儿狠狠地报复我,但当时我看见他尴尬的样子觉得很开心。

有一次,外婆开玩笑地说:

"老头子,上帝听你做祷告,大概会觉得非常乏味,因为你总是唠叨同样一些话。"

"你这是哪里话?"他恶狠狠地拉长声调说,"你胡扯些什么呀?"

"我是说,我听了多少遍了,你从来没有对上帝说过掏心窝子的话,一句也没有!"

他气得满脸通红、浑身哆嗦,然后从椅子上一跃而起,抄起碟子便向外婆头上扔去,边扔边大声尖叫,就像锯子锯到木节疤一样:

"滚出去,你这老妖婆!"

外公跟我讲上帝的威力无所不在时,他总是,而且首先是,强调这种威力的严酷性:比如,有些人造了孽——后来被洪水淹死了,又有些人造了孽——后来活活被烧死了①,他们的城市也被毁于一旦;还有,上帝常用饥荒和瘟疫来惩戒世人,他历来都是悬挂在大地上方的一把宝剑,是惩罚罪人的鞭子。

"不管什么人,谁违反上帝的戒律,他就会受到苦难与死亡的惩

---

① 据《圣经》故事讲,上帝为惩罚人们所犯的罪行,决心要将世界一举毁灭,使天下洪水泛滥,涤荡众生,将生活在所多玛和蛾摩拉这两个城市的荒淫无度的居民用天火统统烧死。

罚!"他用瘦骨嶙峋的手指敲着桌子,语重心长地说。

我很难相信上帝会这样残酷。我怀疑这是外公有意编造出来吓唬我的,目的不是要我惧怕上帝,而是惧怕他。于是,我开门见山地问他:

"你讲这些话的目的是要我听你的话,是不是?"

他同样直截了当地回答说:

"那当然了!你还敢不听话吗?!"

"那外婆会怎么说呢?"

"你不要信她的话,她老糊涂了!"他严厉地教训我说,"她打小就很笨,既没有文化,脑子又不好使。我这就吩咐她,不让她跟你谈论这种大事情!我问你:天使分多少等级①,知道吗?"

我作了回答,并反问道:

"他们都是什么官衔?"

"看你扯到哪里去了!"他嘿嘿一笑,眯缝起双眼,嚅动着嘴唇,不太情愿地解释说:

"这跟上帝没关系。官员是人间的事,官员是吃法律的人②,他们把法律都吃下去了。"

"什么样的法律?"

"法律?法律就是习惯,"老人说,他忽然来了兴致,也愿意说话了,两只聪明、讥讽的眼睛炯炯发光,"人们活着,活着就得商量着办事:这是为人处事的最好办法,我们把这称为习惯,定出规矩,奉为法律。打个比方:一群小孩子在一起玩,说好怎么个玩法,什么规则。喏,这种约定的规则就是法律!"

"那官员们呢?"

"官员就好比调皮捣蛋的孩子,他一来,所有的法律全都被他破坏了。"

"为什么呢?"

"喏,这你就不懂了吧!"他严厉地皱着眉头说,而且再次语重心长地言道:

---

① 据说基督教神话中天使分为六翼天使、带翅膀的智慧天使、大天使等九个等级。

② 吃法律的人(законоед)和研究法律的人(законовед)俄语中只相差一个字母,这里老人显然是用错了字。

"人们的一切事，应由上帝来主宰！人们希望这样，而上帝希望那样。人间的事都是靠不住的。上帝只用吹一口气———一切都化为灰烬，变为尘土！"

有许多原因使我对官员们发生了兴趣，于是我刨根问底地说：

"可是雅科夫舅舅是这样唱的：

上帝的官员是光明的天使

世上的官员是魔鬼的走狗！"

外公用手托起胡子，把它塞进嘴里，双目紧闭。他脸上的肌肉在颤动。我明白了：他在偷偷地乐。

"真该把你和雅什卡的腿捆起来扔进河里去！"他说，"这些歌他不应该唱，你也不应该听。这是库鲁古尔们①耍的把戏，是异教徒们用来搞分裂的。"

这时，外公陷入了沉思，他将目光投向我身后的某个地方，声音很低地拉长音调说：

"唉，你们这些人啊……"

不过，虽然他认为上帝很厉害，而且高高在上，但他也和外婆一样，事无巨细，都要把上帝拉扯进来——不光是上帝，还有他的难以计数的众多圣徒②。外婆除知道尼古拉、尤里、弗罗尔和拉夫尔这几位圣徒外，别的圣徒似乎一概不知，尽管他们也非常善良，对人们也非常亲切：他们走遍乡村和城市，关心人们的生活，具有他们的一切品性。而外公的圣徒差不多都是受难者，他们不承认偶像，同罗马教皇争论，为此，他们被拷打、被烧死、被剥皮。

有时外公也有幻想：

"要是上帝能帮我把这幢房子卖掉就好了，哪怕能赚上五百卢布也行——我一定会为圣徒尼古拉做一次祷告！"

外婆觉得好笑，对我说：

"要是圣徒尼古拉果真帮这个老糊涂卖起房子来，那就说明尼古拉这位老爷子手头实在没什么更好的事情可做了！"

---

① 17世纪发生的反官方教会的运动，参加该运动的教徒被视为分裂派，"库鲁古尔"是对分裂派教徒及古老信徒派教徒的蔑称。

② 圣徒一般是对基督教或其他宗教中已去世的冠有"虔诚""遵守教规""顺从神旨"的教士和信徒们的尊称，他们被认为是神与人之间的神话人物，很受一般信徒们的崇拜。

外公的教历①上有他亲自做的各种各样的批注，它在我身边保存了很久。比如，教历上的约雅敬节和亚拿②节那一页的背面就有用棕红色墨水写下的字："恩人使我摆脱一场灾难。"

我记得这场"灾难"：为帮助两个不争气的孩子，外公开始放高利贷，暗中收受别人典当的东西。有人告发了他。一天夜里，警察突然来进行搜查。一通乱翻，最后平安无事。外公一直祷告到日出，一大早当着我的面在教历上写下了上面那句话。

晚饭前，他和我一块儿读圣诗、日课经或叶夫列姆·西林③那本非常难懂的书，饭后他又去做祷告。在宁静的夜色中，可以长时间听到他那单调乏味的忏悔声：

"大慈大悲、永世不朽的上帝啊，我该怎样酬谢或报答你的恩情……请你保佑我们不要受各种幻想的诱惑……上帝啊，保佑我不要受某些人的气……请发发慈悲，不要忘掉我……"

而外婆则常说：

"哎呀，我今天可累坏啦！看来，躺下前做不成祷告了……"

外公常带我到教堂去：每逢礼拜六，我们通宵达旦地祷告，遇上节日——我们只做晚弥撒。我在教堂里也能够分辨出人们什么时候对什么样的上帝做祷告：凡是神甫和执事念的祷告词，都是念给外公的上帝听的；而唱诗班唱的祷告词，从来都是给外婆的上帝听的。

当然，我的分辨只是一个孩子对不同上帝的粗略划分。我记得这种划分曾使我感到很苦恼，在我心里造成很大矛盾。但外公的上帝令我感到恐惧，产生恶感，因为他不爱任何人，只是严厉地盯住大家。他在人们身上寻找和看到的首先是丑恶、凶狠、犯罪的一面。他不相信人，总是等着人们去忏悔，喜欢惩罚他们。

---

① 一种教堂日历，上面有圣徒的名字和各种宗教节日，十二圣徒像按月份排列其中。

② 据基督教传说，约雅敬和亚拿是圣母玛利亚的生身父母，但正典《圣经》中未记载这方面的任何事迹，有关传说仅见于古代的"旁经"或"外典"之中，据称约雅敬来自拿撒勒，亚拿来自伯利恒，二人因无子女，虔诚求告上帝，乃于老年蒙赐而生玛利亚。作为圣徒，纪念他们的宗教节日定在旧历每年的9月9日。

③ 公元4世纪的一位教堂神甫，写过许多祷告词和颂诗，他的诗情调低沉，禁欲主义色彩很重。

那些天，对上帝的思考与感悟，是我主要的精神食粮，是我生活中最美好的经历——而其他各种印象都使我感到非常窝火，因为它们太残酷、太肮脏了，只能让人产生反感和憎恶。在我的周围，上帝是万事万物中最美好、最光明的化身了——外婆的上帝是一切生灵的最亲密的朋友。当然，有个问题不能不使我感到烦恼：为什么外公竟看不到这样一个仁慈善良的上帝呢？

家里不让我出去玩，由于外面对我太有吸引力了，外面给我的印象让我如醉如痴，因此差不多每次出去都要闯祸，惹是生非。我没有伙伴，邻居家的孩子们对我都抱有敌意。我不喜欢他们叫我卡希林家的人，这一点他们知道，可是他们一看见我反而叫得更欢。

"快来看呀，抠门儿瘦老头卡希林的小外孙出来啦！"

"收拾他！"

于是便打了起来。

我年纪不大，但力气不小，打起架来动作也很机敏——这一点我的对手们自己也承认，他们对付我的办法总是合着伙一哄而上。因此，经常是满大街的孩子打我一个，所以通常我回家时总是被打得鼻青眼肿，脸上青一块紫一块的，衣服被撕破，浑身是土。外婆看见我，大吃一惊，心疼地说：

"怎么，小萝卜头，又打架啦？这算怎么回事儿呢，啊！我简直想伸手给你两巴掌……"

她给我洗了洗脸，在青肿的地方敷上些海绵，上面压块铜钱，再不就是抹上些铅水洗剂，然后对我劝说道：

"唉，你怎么老是打架呢？在家里老老实实的，怎么一出去就变了呢！真不害臊。我这就告诉你外公，让他别放你出去……"

外公看见我脸上的紫块，但他从来不骂我，只是咂吧咂吧嘴，嘟哝着道：

"又挂彩啦？你这位阿尼卡武士①，以后别再往外跑啦，听见没有？"

要是街上没什么动静，我也不急着往外跑，但是，当我听见孩子们嬉笑打闹的声音，我就顾不上外公的禁令，从院子里跑了出去。被打得鼻青眼肿、伤痕累累，我都不生气。但最让我气不过的，是那些

---

① 俄国古代民歌中的英雄人物，自恃武艺高强、所向无敌，结果因向死神挑战，自取灭亡。

极其残忍的恶作剧——这种残忍，我太熟悉了，简直达到疯狂的地步。孩子们唆使狗跟狗咬架，或者公鸡斗架；他们虐待小猫，驱赶犹太人家的山羊，侮辱喝醉酒的乞丐，耍弄绰号"短命鬼"的傻子伊戈沙——这种事我实在忍受不了。

伊戈沙个子高高的，人很干瘪，像被烟熏过似的。他身上穿一件厚厚的羊皮袄，面容消瘦、焦黄，一脸胡子拉碴。他在街上走起路来弯腰弓背，身子莫名其妙地东摇西晃，而且不哼不哈，一门心思地只盯着自己的脚下。他那张铁青脸上长着一双忧郁的小眼睛，这使我有一种敬畏的感觉——心想，此人正在从事一件大事，他这是正在寻找什么东西，不应当打扰他。

小孩子们跟在他背后追着跑，直朝他的驼背上投掷石子。有很长时间，他好像根本没发现有人在用石子砸他，也不觉得有什么疼痛，但是，他走着走着，忽然停了下来，抬起戴着皮帽子的头，伸出哆哆嗦嗦的手，扶了扶帽子，回头看了看，好像刚才睡醒似的。

"短命鬼伊戈沙①！你要到哪儿去？要当心——那死鬼可就在你口袋里啦！"孩子们喊道。

他用手捂住口袋，然后迅速弯下腰，从地上捡起石头、碎木块或土坷垃之类的东西，笨拙地挥动长胳膊，嘴里嘟嘟囔囔地骂着。他骂人时用的总是那么两三个脏字——在这方面孩子们的用词儿可就比他多多了。有时候他一瘸一拐地跑着追赶他们，长羊皮袄在脚下一绊便摔倒在地上。他只好用干瘪得像枯树枝一样的两只黑手撑着地面，两条腿跪在地上。这时候孩子们便向他的腰部和背上扔石块，胆子大的径直跑到他跟前，朝他头上撒一把土便迅速逃之夭夭。

另外，格里戈里·伊万诺维奇师傅在大街上的境况叫人看着就更加难受了。他的眼睛已经完全瞎了，靠沿街乞讨为生。他个子高高，仪表堂堂，像哑巴似的一声不吭。一个头发灰白的小老太婆拉着他的手，来到人家窗下，她的眼睛总是朝旁边看着，尖着嗓子喊道：

"行行好吧，看在上帝的份上，可怜可怜这瞎了眼的穷苦人吧……"

格里戈里·伊万诺维奇默不作声。他戴着墨镜直勾勾地看着房屋

---

① 关于传说中的短命鬼伊戈沙，高尔基在后来写的文章中还曾经提起过，说："他的眼睛有些发直，怪吓人的，特别是他的两只手，总是不停地东摸摸，西摸摸，仿佛想确认一下他摸的这些东西到底是真的还是假的，伊戈沙这种感受世界的做法，我觉得很有意思。"（见《高尔基文集》第25卷，第294页）

的墙壁、窗户和迎面过来的行人的面孔。他的被颜料浸泡过的一只手轻轻地抚摸着他的大胡子，两片嘴唇紧紧地闭着。我常常看见他，但从来没有从他那双唇紧闭的嘴里听到任何声音。老人的沉默，使我产生一种痛苦的压抑感。我没有走近过他，从来没有，相反，我一看见他就赶紧往家里跑，告诉外婆说：

"格里戈里在大街上讨饭呢！"

"是吗？"外婆不安地叫道，很是同情，"拿着，快给他送去！"

说什么我都不肯去，而且态度非常坚决。于是外婆只好亲自走出大门，跟格里戈里在人行道上谈了很长时间。他嘿嘿地笑着，胡子一直在抖动，但他自己很少说话，只不过只言片语。

有时外婆把他叫到厨房里，让他喝茶，吃东西。有一次，格里戈里问我在哪儿？外婆就喊我，但我跑出去躲在柴火垛里。我不能去见他——在他面前，我感到羞愧难当。我知道外婆也非常尴尬。只有一次，我跟外婆谈到了格里戈里——她把格里戈里送出大门后，默默地低着头，在院子里，边走边哭。我走到她身边，拉着她的手。

"你为什么跑出去，躲着不见他呢？"外婆小声问我，"他很喜欢你，他可是个好人……"

"为什么外公不养活他呢？"我问。

"你外公？"

她停住脚步，紧紧搂着我，用几乎是耳语的声音预言道：

"记住我的话：因为你外公这个人，上帝会狠狠惩罚我们的！肯定会惩罚的……"

她没有说错：十年之后，当时外婆已经长眠于地下，外公自己果然也沦为乞丐，流浪街头，变得疯疯癫癫的，在别人的窗下哀声乞讨①：

"好心的厨师们呀，给块馅饼吃吧，请给我一个馅饼吧！唉，你们

---

① 外婆死前和外公是分开过的，住在沃斯克列先斯基教堂辖区内。1968年的《高尔基资料汇编》第348页上关于她的死有如下的记载："下诺夫戈罗德女市民阿库林娜·伊万诺夫娜·卡希林娜因年老体弱，死于1887年2月16日，18日安葬，享年70岁。"

从1886年末起，外公卡希林就住在下诺夫戈罗德市奥卡河对岸的车站大街4号。年老后患痴呆症。外婆死后两个多月——1887年5月1日——外公去世，享年80岁。5月8日葬于库纳维诺弗拉季米尔教堂公墓。（见《高尔基及其时代》第551页）

这些人啊……"

从他过去生活中留下来的也只有这一句痛苦、持久、动人心魄的话了：

"唉，你们这些人啊……"

除伊戈沙和格里戈里·伊万诺维奇外，使我感到心情压抑，一看见就想从街上躲开的人，就是那个行为放荡的女人沃罗尼哈了。她身材高大，头发蓬乱，经常醉醺醺的，每逢节日总少不了她。她走路的样子非常特别，好像不是迈动双脚在地上走，而像腾云驾雾似的，脚不着地地向前飘动，而且嘴里唱一些淫秽的歌曲。所有遇见她的人都急忙回避，拐进别人家的大门，躲进墙角和小店里——她简直将大街上的行人一扫而光。她的脸几乎呈铁青色，肿得像个气囊，一双灰色的大眼睛瞪得溜圆，看上去既吓人，又带些嘲弄人的意味。不过有时候她边喊边哭：

"我的孩子们，你们在哪里呀？"

我问外婆："这是怎么回事儿？"

"这种事你不应该知道！"外婆忧郁地回答说，但她还是简要地讲了一些：这个女人原来有丈夫，姓沃罗诺夫，是一名小官员，他想另谋高就，就把老婆出卖给了自己的顶头上司，而那位上司把她不知带到什么地方去了，有两年时间她没有着家。她回来时，两个孩子——一男一女——已经死了。丈夫因为赌输了公款，被关进了大牢。经受了这样的打击，她便开始喝酒，放荡不羁，胡作非为起来。每到节假日的晚上，她便被警察收容管制起来……

的确，在家里要比在外面好，特别是午饭后，那时外公到雅科夫舅舅的染坊去了，外婆坐在窗前给我讲非常好听的童话、故事，讲我父亲的事情。

外婆从猫嘴里救出的那只椋鸟，翅膀被咬断了，她把它剪了去，而在被咬伤的那条腿上精心地绑上了一根小木棍。小鸟被医治好后，她便开始教它说话。有时，她靠在窗口，对着鸟笼，一站就是整整一个小时，像一头体格庞大、性情温和的野兽，用低沉的声音，教那只黑得像煤块似的、爱学舌的小鸟一遍一遍地说话。

"喂，说一个：给小椋鸟喂食啦！"

小椋鸟歪着脑袋，用活泼的圆眼睛看着她，显得非常滑稽。它用腿上绑的小木棍敲击着薄薄的笼底，伸长脖子，学习黄莺的啼鸣，滑稽地模仿着松鸦和布谷鸟的叫声，还一再学猫的咪咪叫声和狗的狂吠声，但学人说话总是不像。

"你不要调皮！"外婆严肃地对它说，"你快说：'给小椋鸟喂食啦！'"

这个长着羽毛的猴崽子大叫一声，听上去很有点像外婆说过的话——老太太开心地笑了起来，赶紧用指头粘些玉米粥喂喂它，并且说：

"我知道你在耍滑头，故意装蒜——其实你都能模仿，什么都会说！"

后来她确实教会这只小椋鸟说话了：没过多长时间，它会相当清楚地向人要粥吃，一看见外婆，就扯着嗓子叫："你好哇……"

起初，小椋鸟挂在外公的房间，但很快外公就把它送到我们阁楼上来了，因为它老是学外公说话。外公一字一板地做祷告，小椋鸟把它的小黄嘴伸到笼子外面，唧唧喳喳地乱叫：

"啾啾啾，咿咿咿；啾咿，啾咿！"

外公感到有些不耐烦了，有一次，他把祷告停下来，跺着脚，大声吼道：

"把它拿开，这鬼东西，非打死它不可！"

这个家里有许多有意思和令人开心的事，不过有时我又感到一种难以摆脱的苦闷，我好像被什么东西重重地压住了；又好像掉进了黑暗的深渊，在里面待了很久，看不见，听不见，没有任何感觉，又聋又瞎，半死不活……

八

我外公出人意料地将房子卖给了酒店老板，在卡纳特大街购置了另外一处住宅。[①] 这条街的路面未铺过石子，杂草丛生，但却清洁、安静。街道直接通往田野，两旁都是漆得五颜六色的小房子。

新住宅比原先的住宅要漂亮一些，可爱一些。房子正面油漆成温暖、安详的暗红色，上面开了三个窗子，三个窗子的护板都是浅蓝色，顶楼上窗子装的是单扇网状护栏，看上去非常招眼；左边的屋顶被榆树和椴树的浓荫遮掩，显得非常好看。院内和花园里有许多舒适幽静

① 卡希林一家在这里住了两年（1875—1876），这条街如今叫柯罗连科大街。

的去处，仿佛是专门为玩捉迷藏游戏设置的。这里的花园尤其漂亮，园子不大，但花木繁茂，纵横交错，景色宜人。花园的一角有一间浴室，小巧玲珑，看上去像是个玩具；花园的另一角有一个相当深的大坑，里面杂草丛生，草丛里杵着几根烧焦了的粗大木头，它们是以前被烧浴室的残留物。花园左边隔墙是奥夫相尼科夫上校的马厩，右边是贝特连格家的房子，园子深处紧靠着卖牛奶的女人彼得罗夫娜家的宅院。彼得罗夫娜体态肥胖，面色红润，说起话来哇啦哇啦，像一只响铃。她的房子很矮，紧贴着地面，而且又黑又旧，上面长了一层很厚的青苔，两个窗户像眼睛一样温厚地眺望着沟壑纵横的田野，远处的森林则像一块沉重的乌云。田野里整天有士兵们在跑步和操练，刺刀在秋天阳光斜晖下的映照下银光闪闪，发出耀眼的光芒。

整座房子住满了我从未见过的人：前院住着一名鞑靼军人，他的妻子又矮又胖，像个圆球。她从早到晚都在大呼小叫，嘻嘻哈哈，在装饰豪华的吉他的伴奏下引吭高歌，大多是唱一些挑逗性的歌曲：

> 爱一个姑娘不算快活，
> 你必须再找一个！
> 大胆地去寻找吧，
> 只要你方法得当，
> 肯定能得心应手，如愿以偿！
> 噢，等待你的将是：
> 甜甜蜜蜜，逍遥舒畅！

那位军人也胖得圆鼓鼓的，像只气球。他坐在窗口，绷着他那张铁青脸，两只红棕色的眼睛，明显地往外凸着。他不停地抽着烟斗，咳嗽起来声音非常奇怪，像狗叫似的：

"呜汪，呜汪，呜……"

地窖和马厩上面有一间暖和的小屋，里面住着两个拉货的车夫——小个子、灰头发的彼得伯伯和他的哑巴侄子斯捷帕。斯捷帕长得敦敦实实，体格健壮，脸庞像一只红铜托盘。这里还住着一位个子高高、愁眉苦脸的鞑靼人，他是个勤务兵，叫瓦列伊。这几个人对于我都是新面孔，许多情况我都不了解。

但特别使我感兴趣，而且使我不能不接近的人，是一个叫"好事儿"的包伙的房客。他在住宅的后半部租了一间房子，紧邻着厨房，房子很长，有两扇窗户——一扇对着花园，另一扇对着院子。

此人面目清瘦，驼背，白白的面孔留着两绺黑胡子。他的目光和善，戴一副眼镜。他寡言少语，也不引人注意。每当我们请他吃午饭或者喝茶时，他总是回答说：

"好事儿。"

于是，无论当面还是背后，外婆就这样叫他"好事儿"了。

"廖尼卡，喊'好事儿'来喝茶！"

"您呀，'好事儿'，怎么吃得这么少呢？"

他的房间里堆满了各种各样的箱子和许多大厚本的书，这些书上印刷的是社会上通用的字形，我都不认识。① 屋里放了许多盛着各色液体的瓶子、铜片、铁片和铅条。从早到晚，他都穿一件棕红色的皮夹克，一条灰色的格子布裤，身上沾满了各种涂料，有一种很难闻的气味。他头发蓬乱，笨手笨脚地在熔化铅水，焊接什么铜件，在很小的天平上给什么东西称着重量，嘴里还不停地哼哼着，偶尔烫了手指头，就赶紧吹一吹。有时他跌跌撞撞地走到挂在墙上的图纸前，擦了擦眼镜，他那白得出奇的尖细、端正的鼻子，仿佛在闻什么似的，几乎就挨到了图纸。有时候，他在屋内或窗前，突然驻足不动，一站就是很长时间。这时他两眼紧闭，仰着脸，一言不发，泥塑木雕一般。

我爬到草棚顶上，隔着院子，通过敞开的窗口，观察着他的动静，看见桌上冒着蓝火的酒精灯和他的黑暗的身影；看见他在一个破笔记本上写着什么，他的眼镜像冰一样泛出冷冷的蓝光。这个人的魔术师般的工作，深深地吸引了我，使我在草棚顶上一连待了几个小时，它极大地诱发了我的好奇心。

有时候，他站在窗口，仿佛镶在镜框里似的，背抄着手，眼睛直望着棚顶。但他好像并没有看见我，这使我大为扫兴。突然，他急急忙忙跑到桌子前，使劲弯下腰，在桌子上一门心思地寻找着什么。

我想，如果他是个有钱人，穿得很阔气，兴许我会怕他，但是他这个人很穷：他的夹克领口露出来的衬衫领子又皱又脏，裤子上污迹斑斑，打着补丁，脚上是一双破便鞋，而且还没穿袜子。穷人并不可怕，也不危险，这是我从外婆对他们的同情和外公对他们的蔑视态度

① 作者初学的识字课本是用教会使用的斯拉夫文编写的，跟社会上通用的俄文字母有所不同。

中不知不觉悟出的道理。

住在这里的人没有谁喜欢"好事儿"。大家都用嘲笑的口气谈论他。那个爱嘻嘻哈哈的军官太太叫他"白灰鼻子",彼得伯伯叫他药剂师和魔术师,外公则称他为巫师、共济会会员①。

"他是干什么的?"我问外婆。她很严厉地回了一句:

"不关你的事。记住,少多嘴……"

有一次,我大着胆子,走到他窗子跟前,强压着内心的激动,问道:

"你在做什么呀?"

他被吓了一跳,从眼镜片上方打量我好一阵子,然后向我伸出一只他那被烧得满是溃疡和疤痕的手,说:

"从窗口爬进来吧……"

他没让我从门口进去,而是让我从窗口爬进去,这更加提高了他在我心目中的地位。他坐在一只木箱子上,让我站在他的对面,一会儿把我推远点,一会儿又把我拉近点,反复地一再打量,最后他低声问道:

"你是从哪儿来的?"

这就怪了:一天四次②在厨房里吃饭、喝茶,我都坐在他身边啊!我回答说:

"我是房东的外孙……"

"啊,没错儿。"他说。他看了看自己的手指,便没有再说什么。

当时我寻思,我得向他解释清楚:

"我不姓卡希林,而姓彼什科夫……"

"彼什科夫?"他疑惑地重复说,"好事儿。"

他把我推向一边,站起身,走到桌前说:

"喏,坐在那儿不要动……"

我坐了很长时间,看他在干什么。只见他用锉刀在虎钳上夹的一块铜片上打磨,金黄色的铜末纷纷落在虎钳下的硬纸板上。他把这些铜末收集起来,装在一个粗杯子里,又从一个小罐子里倒入一些像盐一样的白色粉末,再从一个深色的瓶子里倒进一点什么。于是,粗杯

---

① 这里是指自由思想分子、无政府主义者、江湖骗子等。
② 除一日三餐外,下午三四点钟还有一次茶点。

子里就发出咝咝的声响，开始冒烟，一股呛人的气味扑面而来。我连声咳嗽，直摇晃脑袋，而他，这位魔法师却得意扬扬地问道：

"气味不好闻吧？"

"没错儿！"

"这就对了！小老弟，这就太好了！"

我寻思："这有什么可炫耀的！"于是我冷冷地说：

"既然不好闻，那就说明不好……"

"什么？"他眨巴着眼睛，惊问道，"小老弟，这可不一定！你玩羊拐不玩？"

"是羊拐吗？"

"对，是羊拐，玩不玩？"

"玩。"

"想不想要我给你做一个灌铅的羊拐？打起来可好使了！"

"想。"

"拿好了，我现在就给你做一个。"

他又走到我跟前，手里拿着正在冒烟的杯子，一只眼睛往里面瞧着，说：

"我给你做一个灌铅的羊拐，而你以后就不要再到我这儿来了。好吗？"

这使我大为恼火。

"你做不做我以后永远都不会再来了……"

我气鼓鼓地去了花园。外公正在那里忙着给苹果树的根部施粪肥，已经是秋天啦，树叶早已开始脱落了。

"拿着，给马林果树打打枝。"外公说着，递给我一把剪刀。

我问外公：

"'好事儿'在搞什么名堂？"

"他把房子都给住坏了，"外公生气地回答道，"地板被烧坏了，糊墙纸也给弄脏了，有的地方给撕掉了。我这就要通知他——让他搬走！"

"就应该这样。"我表示同意，接着我就动手修剪马林果树的枯枝了。

但我的表态有点儿操之过急了。

每逢晚上下雨，只要外公不在家，外婆就在厨房里举办非常有意思的聚会，请各位房客前来喝茶——有车夫、勤务兵，性格开朗的彼得罗夫娜也常来凑热闹，有时连喜欢说笑的军官太太也到场助兴。"好事儿"总是站在屋角灶台旁边，一动不动，一言不发。哑巴斯捷帕跟那个鞑靼人在玩牌，瓦列伊抓过纸牌，拍了拍哑巴的大鼻子，说：

"这个恶魔！"

彼得伯伯带来一大块白面包和一大罐马林果酱，他把面包切成薄片，分别抹了好多果酱，然后捧在手里，躬身施礼，把这一片片美味可口的马林果酱面包分送给大家。

"请赏光，尝一尝！"他亲切地请求道。当对方从他手里接过面包后，他总是很仔细地察看一下自己那黑乎乎的手掌，一旦发现手上沾有果酱，便立刻用舌头把它给舔了。

彼得罗夫娜带来一瓶樱桃酒，那位快乐的军官太太带的是花生和糖果。外婆最喜爱的盛大宴会就这样开始了。

就在那次"好事儿"向我行贿、叫我以后不要再到他那儿去之后不久，外婆举办了这样一次晚会。秋雨连绵，金风凄凄，树枝划在墙壁上发出沙沙的响声。厨房里温暖如春，十分惬意。大家挤坐在一起，不知为什么，显得特别亲切、安详，外婆很少像今晚这样慷慨大方，故事接连不断地讲，而且一个比一个精彩。

她坐在炕沿上，两脚踩着炕前的踏板，身子略微前倾，正好面对着被小马灯照亮的几个听众，每次都是这样：只要她来了精神劲儿，她一定会坐到炕上去，而且还解释说：

"我要坐在高处讲——从高处讲效果会好一些！"

我坐在宽宽的踏板上，偎依在外婆的腿边，几乎就在"好事儿"的头顶上方。外婆讲的是关于武士伊万和隐士米隆的美丽故事①，美妙动人、字字珠玑的诗句从外婆的嘴里脱口而出，娓娓道来：

> 有个将军叫戈尔季昂，
> 心狠手辣、灵魂肮脏，
> 他像树洞里的恶枭，坏事做绝，
> 欺压群众，丧心病狂。

---

① 关于武士伊万和隐士米隆的故事，1929 年 2 月 15 日高尔基曾写道："90 年代我写过几十首歌谣，毫无疑问，都是民间故事性质。但非常可惜，未能保存下来。只在《童年》中有一首《关于武士伊万和隐士米隆的故事》，它是我从外婆那里听来的。"（《高尔基资料汇编》第 193 页）

戈尔季昂最恨的是哪一个？
就是那隐姓埋名的老米隆，
老米隆无私无畏讲实话，不声不响把名扬。
将军开口把武士叫，勇敢的伊万你听端详：
"你赶快去除掉老米隆，
这家伙为人太张狂！
你把他的首级割下来
抓紧他的胡子手别放，
提着他脑袋来见我，
我要叫几条恶狗来品尝！"
伊万闻听不敢怠慢，
边走、边想、边思量：
"我的命怎么这么苦，
将军的命令怎敢违抗！

伊万把利剑衣内藏，
上前向隐士道吉祥：
"你老贵体可安好？
上帝可保你安然无恙？"

隐士当时嘿嘿一笑，
心里早明白伊万之所想，
于是机智地对他讲：
"伊万你不必把真相瞒，
上帝对一切都了如指掌，
是善是恶他自有公断！
为何你来找我，
我心里明镜一样！"

面对隐士的一席话，
伊万虽然羞愧万分，
但却不敢把军令违抗。
他从皮鞘里抽出宝剑，

在宽大的衣襟上挡了又挡。
"米隆，我本想一剑杀了你，
让你根本看不见宝剑相向。
现在你可以向上帝祈祷了，
这是你祷告的最后时光，
为你自己，为了我，也为了全人类，
然后我再取你的首级也无妨！……"
老米隆双膝着地，
默默跪在小橡树旁，
小橡树连忙向他还礼相让。
老米隆面带微笑开言道：
"哎呀，伊万，你听我讲：
这样你等的时间会很长！
为全人类进行祈祷，
这件事可非同凡响！
还不如你干脆一剑将我刺死，
也免得劳驾你再等一场！"
伊万闻听心中不悦，
眉头一皱，大言不惭地开了腔：
"君子一言，驷马难追！
你祈祷吧，我等一辈子也无话可讲！"

老隐士祈祷到傍晚，
又从傍晚到天亮，
再从早晨到深夜，
又从盛夏直祈祷到满院春光。
老米隆年复一年地在祈祷，
小橡树直插云天，一直往上长，
橡树林已是黑压压一片，
可神圣的祈祷声还在回响！

这祈祷至今一直在继续，
老隐士对上帝仍在诉说衷肠：
他祈求上帝能够降福人间，

祈求圣母赐给人们希望。

伊万武士伫立在一边，
他的宝剑早已化成了灰烬，
铁盔铁甲也已被锈蚀殆尽，
华贵服饰已面目全非，朽败不堪。
严冬盛夏，伊万全然不为所动，
烈日暴晒，晒不干他的躯体，
蚊虫叮咬，吸不尽他身上的汗血，
风雪严寒，奈何他不得，
豺狼熊豹，看见他便逃之夭夭，
但他自己，手举不起来，话说不出来，想动也动弹不得。
瞧，他遭受的惩罚有多么惨厉，
他不该助纣为虐，为虎作伥！
也不该以恶人马首是瞻。
老隐士一直在为我们有罪之人进行祈祷，
他的祷告声，
像清澈的河水，流向大海，
直到现在，一直未间断！

外婆的故事刚开始讲，我就发现"好事儿"有点不对劲儿：他的两只手莫名其妙地直哆嗦，一会儿把眼镜摘下来，一会儿又戴上，随着外婆优美动听地叙述，他的手来回摆动，频频点头，不时地摸摸眼睛，使劲地揉一揉，好像用手掌在迅速抹去额头和脸上的汗水似的。要是听众中有人动一下，咳嗽几声，或是脚下有声音出来，这位房客便会严厉地发出"嘘"声：

"嘘——嘘！"

当外婆一讲完故事，他马上一跃而起，手舞足蹈，很不自然地转着圈子，嘴里嘟哝道：

"简直太好听了，应该把它记录下来，一定要记下来！故事太真实动人了，它是我们的……"

这时明显可以看出：他哭了——两眼满含泪水，泪水正在由上往下移动，整个眼睛都浸润在泪水中。这简直太奇怪了，令人非常感动。他在厨房里跑来跑去，笨手笨脚地又蹦又跳，手里拿着眼镜，在鼻梁前挥来舞去，想戴上，可眼镜腿就是挂不到耳朵上。彼得伯伯看着他，嘿嘿直笑，大家都沉默不语，感到很尴尬，这时外婆赶忙说：

"那就记下来吧，这事儿没什么坏处，这种故事我还多着呢……"

"不，就记录这一个！这是地道俄罗斯的东西。"这位房客兴奋地喊道。这时，他在厨房正中间忽然停下来，一动不动，开始高谈阔论，右手在空中不住地挥舞，左手里的眼镜在不停地抖动。他讲了很久，情绪非常激动，声嘶力竭，捶胸顿足，他总是重复着这样一句话：

"不能只听别人的，对，太对了！"

然后他好像嗓子坏了似的，忽然不说话了。他看了看大家，随后悄悄地、像做错了什么事似的低着头走了。大家面面相觑，嘿嘿一笑，颇有些尴尬。外婆在炉炕上往后面挪了挪，坐在黑影里，然后深深叹了口气。

彼得罗夫娜用手掌擦了擦鲜红的厚嘴唇，问道：

"他是不是生气了？"

"不，"彼得伯伯回答说，"他就是这个样子……"

外婆从炉炕上下来，一声不吭地把茶炊点着，而彼得伯伯则不慌不忙地说：

"老爷们都是这个样子——非常任性！"

瓦列伊愁眉苦脸地嘟哝道：

"单身汉向来都很固执。"

大家都笑了，彼得伯伯慢条斯理地说：

"眼泪都流出来了。显然，以前连狗鱼都上钩，如今鳊鱼也未必来了……"

我感到很没意思，觉得心里有一种说不出的难受。"好事儿"的表现让我非常惊讶，我觉得他很可怜——他那双泪汪汪的眼睛，我一直记得很清楚。

那天夜里他没有回来，次日午饭后他才回来，不声不响，衣服皱皱巴巴的，明显感到很不好意思。

"昨天我失礼了，"他抱歉地对外婆说，像小孩子似的，"您没生气吧？"

"有什么好生气的？"

"我是说，是不是我不该插嘴，乱说话？"

"您并没有伤害着谁……"

我觉得外婆有点怕他，不敢直接看着他的脸，说话也有些不一样——声音特低。

他走到外婆跟前，极其坦诚地说：

"您瞧，我形单影只，孤身一人，没有任何亲友。整天闷声不响，一句话不说——可是，突然间，我的心沸腾了，冲出来了……我要说话，哪怕是跟石头、对树木……"

外婆从他身边退后一步，说：

"您可以结婚嘛……"

"唉!"他皱着眉头叹息道，然后挥挥手便走开了。

外婆闷闷不乐地望着他的背影，闻了一下鼻烟，然后严厉地对我说：

"你给我听着，不要跟他太接近了。天晓得他是怎样一个人……"

可是我对他又发生了兴趣。

我发现，当他说"我形单影只，孤身一人"时，他的脸一下子全变了，变得鼻子不是鼻子，眼睛不是眼睛。他这些话里有某种我能够理解而且令我感动的东西，于是我便找他去了。

从院子里透过窗户往他屋子里看，屋内空空荡荡的，像个贮藏室，里面胡乱堆放一些杂七杂八的废旧物品。这些东西跟它们的主人一样怪里怪气。我走进花园，在那里，在一个土坑里，我看见了他。他弯着腰，双手抱着脑袋，胳膊肘顶着膝盖，非常不舒服地坐在一根烧焦了的木头的一端。木头的一头埋在土里，另一头露在外面，伫立在艾蒿、荨麻、牛蒡的枯枝败叶丛中，木头尽端烧焦的地方还有点光泽。他这种很不舒服的坐姿，更使人对他产生一种好感。

有很长时间他都没有发现我，他那双像猫头鹰似的灰眼睛一直在向远处什么地方望去，后来，他好像有点儿不高兴似的，忽然问道：

"是找我的吗?"

"不是。"

"那你来干什么?"

"不干什么。'

他摘下眼镜，用一块有红黑斑点的手绢擦了擦，说：

"喂，你过来吧!"

当我和他并排坐在一起的时候，他使劲搂着我的肩膀。

"坐好，我们就这样，坐着，别说话。好不好? 就这样……你脾气挺拗的吧?"

"没错。"

"好事儿。"

我们沉默了很久。这是个寂静而温馨的傍晚，是秋高气爽时节人们常有的多愁善感的黄昏。身边的花木依然繁茂，但不知不觉间已渐渐失去光泽，每时每刻都在萧疏、败落。大地那沁人肺腑的芳香已经消耗殆尽，如今只散发着寒冷的潮气。空气显得格外清澈透明，寒鸦在殷红的天空中匆匆掠过。此番情景，令人愁肠百结，黯然神伤。周围一切都静悄悄的，万籁俱寂；每一种声音——小鸟的喊喊，落叶的沙沙——听起来都很大，能把人吓一激灵，但是激灵过后，一切又沉浸在寂静之中——它拥抱着整个大地，填满了人们的心胸。

在这种时刻，常常会萌生出一些特别清新轻快的想法，不过这些想法非常精细，像蜘蛛网一样清澈透明，很难用言语来表达。它们像天上的流星，转瞬即逝；它们会勾起内心的某种忧思，然后给予慰藉或平添烦恼，于是你的内心便沸腾起来，熔化、形成你自己一种终生的模式。这样，一个人的心灵面貌就产生了。

我紧贴在这位房客温暖的身旁，和他一起，透过苹果树黑压压的枝权，望着红彤彤的天空，注视着不断飞翔的朱顶雀。只见几只金翅雀在干枯的牛蒡子上拍打着翅膀，啄食它们那酸涩难吃的果实；朵朵白云参差不齐地呈现在大地的远方，周围环绕着一道殷红的边缘；白云下面，几只乌鸦吃力地向墓地上的鸟巢飞去。这一切是那么美好，那么别有情趣，不像通常感觉的那样——简单明白，亲切自然。

有时，他这个人会长长地叹一口气，问道：

"这里不错吧，小老弟？确实挺好！是不是有点潮湿，冷吗？"

当天色渐渐暗下来之后，周围的一切仿佛都膨胀起来，完全笼罩在湿气很重的暮色之中了。这时他说：

"喏，好啦！我们走……"

在花园门口，他停下来，小声说：

"你外婆这个人真好——啊，多么好的土地呀！"

他闭上眼睛，露出笑容，一字一板地低声念道：

> 这是上天给他的惩罚：
> 他不该助纣为虐，充当帮凶，
> 也不该对恶人唯命是从！……

"小老弟，你可要记住这一点，一定牢牢记住！"

这时，他让我走在前头，问道：

"你会写字吗？"

"不会。"

"要学会写字。学会了——把外婆讲的故事都记下来——这可是非常有用的，小老弟……"

我们成了朋友。从这天起，只要我想去，我就可以到"好事儿"那里去，坐在一只装破布的箱子上，看他如何熔化铅块，怎样给铜条加热，怎样把铁块烧红后放在一个小铁砧上，用一把带红把的小锤子反复捶打；我还看见他用木锉、钢锉、钢砂和线锯在做什么东西。所有的东西，他都在一个灵敏度很高的铜制天平上一一称过。他把各种不同的液体，倒进一只厚厚的白杯子里，然后观察它们冒烟的情况。房间里充满了刺鼻的气味，只见他皱着眉头，在厚厚的书本里查找着什么，嘴里一面哼哼，一面紧咬着发红的嘴唇，或者拉着声调，用沙哑的嗓音，低声唱道：

　　　　啊，沙仑的玫瑰花①……

"你这是要做什么？"

"一件小东西，小老弟……"

"什么东西？"

"哦，是这样，我也说不好，说了你也不懂……'

"我外公说，你可能是在造假钱……"

"你外公说的？嗯……嗒，他这是在胡诌！钱嘛，小老弟，不值一提……"

"那用什么来买面包呢？"

"是啊，小老弟，买面包是得用钱的，没错儿……"

"怎么样？买牛肉同样要用钱……"

"买牛肉也要用……"

他像揪小狗似的，笑嘻嘻地轻轻揪着我的耳朵，特别亲切地对我说：

---

① 是对《圣经》中所罗门的《雅歌》的转述，原句是："我是沙仑的玫瑰花（或作水仙花），是谷中的百合花。"（见《旧约全书·雅歌》第 2 章）

"我怎么也辩不过你——你可算把我给问住了。我们最好别争了……"

有时候,他放下手头的工作,和我并排坐下。这时我们久久地望着窗外,看雨滴如何洒落在屋顶和杂草丛生的院子里,看苹果树渐渐凋零,叶子纷纷落下。"好事儿"的话不多,但一开口总能说到点子上。经常是,他想让我注意一件什么事情时,总是轻轻地推我一下,眨巴眨巴眼,向我使个眼色。

我看不出院子里有什么特别的地方,但经他用胳膊肘这么一推和三言两语的点拨,眼前的一切就显得特别重要,一切都能够牢牢记住。比如,一只猫在院子里奔跑,在一个清水洼前停住了,它望着水里的影子,举起柔软的爪子,好像要抓挠自己的倒影似的——这时"好事儿"便轻声说:

"猫傲气,而且多疑……"

大红公鸡马迈飞上花园的篱笆,站稳后,两个翅膀一拍打,险些掉了下来,于是它恼羞成怒,气急败坏地伸着脖子,咯咯直叫。

"将军八面威风,可不见得非常聪明……"

笨手笨脚的瓦列伊走了过来,他像一匹年迈的老马,走在泥泞的道路上,显得非常吃力;他的颧骨很高,看上去一脸的不高兴。他眯缝起眼睛,仰望着天空,金秋的阳光直接照射在他的胸前——瓦列伊加克衫上的铜纽扣在阳光照射下闪闪发亮,于是这位鞑靼人停下脚步,用弯曲的手指一直摆弄着这枚铜扣子。

"他像得了一枚勋章似的,爱不释手……"

很快我对"好事儿"就有点儿恋恋不舍、形影不离了,无论是伤心受气的日子,还是欢欣鼓舞的时刻,我都离不开他。他自己寡言少语,但并不禁止我说话,我想说什么便说什么。然而,外公总是用严厉的斥责打断我的话:

"别胡诌乱扯了,像鬼推磨似的,没完了你!"

外婆自己的事都忙不过来,根本没工夫听别人说话、管别人的事。

"好事儿"总是很仔细地听我胡诌乱扯,而且常常笑着对我说:

"喏,小老弟,事情不是这样,这都是你自己编出来的……"

他的简短的点评总是来得很是时候,非常必要——他好像对我的所思所想了如指掌,我所有的废话、错话,尚未说出来他已经猜到了,用一两句很亲切的话便把我挡了回去:

"小老弟,你是在瞎说!"

　　我常常故意验证一下他这种魔术师般的本领，我瞎编个故事，讲起来头头是道，煞有介事，但是他一听便直摇头：

　　"喏，小老弟，你在瞎编……"

　　"你怎么知道我是在瞎编呢？"

　　"我呀，小老弟，我一听就知道……"

　　外婆常常带我去干草广场打水，有一次，我们看见有五个城里人打一个农民——他们把他按倒在地，像狗咬架似的打成了一团。这时外婆把水桶往地下一扔，抢起扁担便向那几个城里人跑去，一面冲我喊道：

　　"快走开！"

　　但是我吓坏了，跟着她往前跑，并且捡起地上的砖头和石块便向那些人扔去。外婆勇敢地抢起扁担，朝那些人的肩上、脑袋上一通乱打。后来又来了几个人帮忙，那些城里人才被打跑了。外婆开始给挨打的农民擦洗伤处。他的脸被那些人踢得血肉模糊，一想起他用脏手捂着被打破的鼻子的情形，现在还让人感到不寒而栗。这个农民一边吼叫，一边咳嗽，鲜血从他的指缝里直往外流，一直溅到外婆的脸上和胸口。外婆也在大声地喊叫，气得浑身发抖。

　　我一回家就跑到"好事儿"那里，把这件事讲给他听。他放下手头的工作，站在我面前，手里举着一把像马刀似的长长的钢锉，从眼镜下面直盯着我，神态十分严厉。然后，他突然打断我的话，声色俱厉地说：

　　"太好了，就应该这样！非常之好！"

　　刚才的所见所闻使我太震惊了，对于他的话，我并没有感到有什么令人惊讶的地方，仍一个劲儿地接着往下讲。但是他搂住我，在房间里跌跌撞撞地走来走去，嘴里说：

　　"行了，不用多说了！小老弟，该说的你已经都说了——懂吗？全都说了！"

　　我不再说了，但心里很不高兴，不过仔细一想，我惊奇地——这一点我记得很清楚——发现，他非常及时地不让我再往下讲，因为该说的的确我已经都说了。

　　"你呀，小老弟，这种事没有必要老去说它——老讲这种事不好！"他说。

　　有时候，他出人意料地对我讲些我一辈子都不会忘记的话。我跟他讲起我的敌手克留什尼科夫——新街有名的打架好手，一个胖乎乎的大脑袋男孩。我打不过他，他也打不过我。"好事儿"仔细听了我心中的苦恼，说：

"这算不了什么，这种力量——算不上力量！真正的力量，在于动作迅速。动作越迅速，力量就越大，懂吗？"

到了礼拜天，我试着把出拳的速度加快，结果我轻而易举地战胜了克留什尼科夫。这使我更加看重这位房客说的话了。

"任何事情都要善于把握——懂吗？善于把握——非常困难！"

我一点儿都不懂，但我不由自主地记住了诸如此类的话——之所以能记住，是因为这些言简意赅的词汇中蕴含着某种神秘莫测的内容，因为抓取石头、面包、杯子、锤子并不需要任何特别的技巧。

可是大家越来越不喜欢"好事儿"，连性格快乐的女房客养的那只活泼可爱的小猫，谁的膝盖上它都爬，就是不往"好事儿"的膝盖上爬，对他的亲昵的呼唤也不理不睬。为此，我打过它，揪过它的耳朵。为了让它不要怕这个人，我苦口婆心地一再劝导过它。

"我衣服上有一股子酸味，所以小猫不愿意接近我。"这是"好事儿"的解释，但我知道，所有的人，包括我外婆，对此却有另外的、对这位房客怀有敌意的解释。这种解释既不正确，又带有侮辱人的意味。

"你为什么老待在他那里？"外婆生气地问我，"当心他教你学坏……"

我每次到"好事儿"那里去，都瞒不过外公这只金毛黄鼠狼，而且为此总要狠狠地挨他一顿揍。当然，我没有告诉"好事儿"，说家里人不许我和他来往，但大家对他的态度，我坦率地告诉他了。

"我外婆怕你，她说你是个巫师；外公也怕你，他说你是上帝的敌人，是个危险分子……"

他像挥赶苍蝇似的甩了一下脑袋，惨白的脸上泛起红晕，露出一丝笑容，他的微笑不禁使我心头一紧，眼前一阵发黑。

"我也看得出来，小老弟！"他低声说。"这很让人伤心，是不是？小老弟。"

"是的。"

"很让人伤心，小老弟……"

最后，终于叫他搬走了。

有一次，喝过早茶，我到他那里去，看见他正坐在地板上把东西往箱子里装，一面低声在唱沙仑的玫瑰花。

"喏，再见了，小老弟，我要搬走了……"

"为什么？"

他仔细地看了我一眼，说：

"难道你不知道吗？要腾出房子给你母亲住……"

"这话是谁说的？"

"你外公……"

"他胡说！"

"好事儿"拽住我的手，把我拉到他身边。我坐在地板上，他小声对我说：

"别生气，小老弟，我以为你知道却故意不告诉我呢。这样可不好，我想……"

我真不忍心生他的气。

"听我说，"他像说悄悄话似的笑着对我说，"你记得我对你说过的话：别到我这儿来吗？"

我点了点头。

"当时你还生了我的气，是不是？"

"是的……"

"可我，小老弟，当时并不想惹你生气。不过我知道，如果我们成了朋友，你们家里的人肯定会骂你的——是吧？是这样吧？你明白为什么我要说这话吗？"

他说起话来像个跟我年纪一般大的小孩子，我非常爱听他说话，当时我觉得我甚至很早就了解他了，我也是这样说的：

"这我早就明白！"

"噢，原来如此！是这样呀，小老弟。这就对了，亲爱的……"

我心里非常难受。

"他们为什么都不喜欢你？"

他搂住我，让我紧紧地贴着他，眼睛一眨一眨地回答说：

"我是外人——懂吗？就是因为这个。跟他们不一样……"

我抓住他的衣袖，不知道该说什么，也不会说什么。

"不要生气，"他又说一遍，然后对着我耳朵小声补充说，"同样不要哭……"

可他自己却在哭，泪水在模糊的眼镜片后面直往下流。

后来，像往常一样，我们长时间地坐在那里，相对无言，只是偶尔说一句半句话。

晚上，他走了，和大家亲切地道了别，还紧紧地拥抱了我。我走出大门，看见他坐在马车上，车轮碾压着冰冻的泥巴疙瘩，一路颠簸。他刚一离开，外婆就动手打扫那间脏房子，而我则在屋子里走来走去，故意跟她捣乱。

"走开！"外婆撞到我身上，叫道。

"你们为什么要把他撵走？"

"用不着你说三道四！"

"你们全都是些蠢货。"我说。

外婆用湿抹布向我打来，嘴里喊道：

"你疯了吗，淘气鬼！"

"我没说你，其他人全是一帮蠢货。"我纠正说，但这并没有使外婆平静下来。

晚饭时，外公说：

"喏，谢天谢地！不然我一看见他就好像心上插了一把刀。唉，是应该把他撵走。"

盛怒之下，我把汤勺一撅两截，为此，我又挨了一顿毒打。

我和我认识的我国无数优秀陌生人中的第一个人的友谊就这样结束了……

九

我把自己的童年看作是一个蜂巢，各种各样的普通百姓、庸碌之辈——他们像蜜蜂一样，把自己生活的知识与思考的蜜汁带给了我。他们尽其所能，慷慨大方地丰富着我的心灵。这种蜜汁往往是肮脏的、苦涩的，但是任何知识——毕竟是蜜汁。

"好事儿"搬走后，彼得伯伯和我成了朋友。他长得很像外公，也是那么干瘦，穿戴整整齐齐、干干净净，但他的个子比外公矮一些，整个人都小一圈，像一个为了好玩才打扮成老头儿的半大小子。他的脸像一张筛子，布满了细小的皱纹，皱纹间一双眼白发黄、滑稽可笑、机智灵敏的眼睛不停地在跳动，像是关在笼子里的两只黄雀儿。他长着一头浅灰色的鬈发，胡子也都卷成了小卷。他常吸烟斗，烟斗里冒出的烟，跟他头发的颜色一模一样，同样也打着卷儿。他说起话来也常爱兜圈子，而且净是些俏皮话。他讲话细声细气，显得很亲切，但我总觉得他是在嘲弄人。

"最初，伯爵夫人塔季扬·列克谢夫娜跟我说：'你去当铁匠吧，'

过了一些时候，她又吩咐说：'你去帮帮园丁吧！'行，帮园丁就帮园丁吧。只不过我一个乡下农民，给我什么活我都干不好！有一次，她对我说：'你呀，彼得鲁什卡，打鱼去吧！'对于我来说，干什么都一样，于是我就去打鱼了……但打鱼的事刚刚入门——又不让我干了，和鱼再见了；让我到城里去赶马车，作为代役租①。好吧，赶马车就赶马车，还能叫我干什么呢？可是还没等到伯爵夫人再次调换我的工作，农奴制便废除了，我便留下来照料这匹马，现在它在我这里倒成了伯爵夫人了。"

这是一匹老马，好像曾经被一位喝醉酒的蹩脚画家在本来是白色的身上乱涂一气，最后不了了之，因此，马的身上什么颜色都有。马的腿脱了臼，它的整个身子仿佛是用许多破布缝起来的，它的脑袋瘦得皮包骨，两眼浑浊，一副垂头丧气的样子。马身上青筋暴绽，只是披一张磨掉了毛的老皮而已。彼得伯伯很尊重这匹马，从未打过它，还亲切地管它叫塔尼卡呢。②

外公有一次对他说：

"你怎么用一个基督徒的名字称呼一头牲口呢，这是为什么？"

"没有的事儿，瓦西里·瓦西里耶夫，绝无此事，尊敬的先生！基督徒可没有叫塔尼卡这个名字的——有叫塔季扬娜的。"

彼得伯伯识文断字，对《圣经》也很熟悉，经常和外公争论圣徒中谁是至圣。他们对古代那些违反教规者严加谴责，而且一个比一个严厉，对押沙龙的谴责尤其严厉。有时候，他们的争论纯系语法方面的争论，外公说："犯罪、违法、诈骗"三个词的词尾都是子音，念霍姆，属阳性名词③，而彼得伯伯则认为它们结尾的字母是母音，念瓦沙、希沙，应该是阴性名词。

"我说的是一码事，而你说的是另外一码事！"外公火了，脸涨得通红，而且故意学着他的腔调说：

"瓦沙，希沙！"

彼得伯伯一面在吞云吐雾，一面挖苦地问道：

"你那'霍姆'又有什么好？它们对上帝一点好处都没有。说不定

---

①　地主每年向农民征收的货币和产品。在俄国，实物代役租由 1861 年 2 月 19 日法令宣布取消，货币代役租对临时义务农民一直保留到 1883 年以前。

②　伯爵夫人塔季扬的爱称。

③　文中这三个词用的是古斯拉夫语，因词尾的发音不同而发生争论。

上帝在听祷告时心里想：随你怎么祷告——分文不值！"

"出去，列克谢！"外公恶狠狠地叫道，两个绿眼珠子闪闪发光。

彼得伯伯非常喜欢干净、整齐，他走在院子里时总是把一些木片、砖头瓦块、碎骨头等踢到一边去——而且边踢，边骂：

"没用的东西，净碍事！"

他这个人喜欢说话，为人和善，总是乐呵呵的，但他的眼睛时不时地总是充血，显得很浑浊，像死人的眼睛那样，一动不动。有时候，他随便坐在一个黑暗的角落，蜷缩着身子，虎着脸，和他侄子一样，一句话没有。

"你怎么啦，彼得伯伯？"

"一边去。"他低声说，态度很严厉。

在我们那条街上，有一家新搬来一位老爷。此人额头上长了一个瘤子，生活习惯非常奇特：每逢节假日，他就坐在窗口，专门用猎枪的霰弹，射击狗、猫、鸡、乌鸦等小动物；对于过往行人，只要他看着不顺眼，也照射不误。有一次，他打出的霰弹，击中了"好事儿"腰部，霰弹未曾穿透他的皮夹克，掉进了他的口袋，我至今还记得那位房客透过眼镜仔细打量那些灰色霰弹的情形。外公劝"好事儿"去告那个房客，但"好事儿"把那几粒霰弹往厨房角落里一扔，说：

"不值得。"

又有一次，这位枪手的几粒霰弹打中了我外公的一条腿，盛怒之下，外公把他给告了，民事法官开始在这条街上召集受害者和目击证人，但这位老爷却突然消失了，不知去向。

事情也怪了，每当街上一响起枪声，彼得伯伯——只要他在家——便急忙把他那顶节日才戴的、已经褪了色的宽边帽子往头发灰白的脑袋上一扣，火烧火燎地就往大门外跑。这时他把两手藏在背后的长衫下面，把长衫撑得老高，活像只公鸡尾巴，昂胸挺肚，大摇大摆地沿着人行道，在枪手的面前走过去，再走回来——来回走着。我们，所有住在这幢房子里的人，都站在大门口。那位军人房客，铁青着脸，从窗口里向外张望，在他的上方，是他老婆那一头金发的脑袋。贝特连格家院子里也有人出来观看，只有奥夫相尼科夫家那幢死气沉沉的灰房子里没有一个人出来。

有时候，彼得伯伯在街上溜达半天，一无所获——看来猎手不认为他是个值得猎取的猎物，但有时候听见双筒枪连发两枪：

"咚——咚……"

这时，彼得伯伯不慌不忙地走到我们跟前，一副扬扬得意的样子，说：

"打中长衫的下摆了！"

有一次，霰弹击中了他的肩膀和脖子。外婆一面用针把霰弹往外拨，一面责怪彼得伯伯：

"他这个人怪里怪气，你招惹他干什么？当心他把你眼睛打瞎！"

"不——会，绝不会的，阿库林娜·伊万诺夫娜，"彼得伯伯轻蔑地拉长声调说，"他算不上什么射手……"

"你干吗要招惹他呢？"

"难道我是在招惹他吗？我是想逗逗这位老爷……"

然后，他把拨出来的霰弹放在手掌里仔细打量一番，说：

"算不上什么射手。伯爵夫人塔季扬·列克谢夫娜有一个临时丈夫——她更换丈夫就跟更换用人一样——住在她家里，名叫马蒙特·伊里奇，是一位军人，喏，他的枪法可准了！他不用猎枪的霰弹，阿婆，而是用手枪子弹射击！他让傻子伊格纳什卡站在远处，距离约四十步的光景，腰里系一个瓶子，吊在两条腿中间。伊格纳什卡傻笑着，叉开双腿。马蒙特·伊里奇用手枪瞄准后，砰的一枪，瓶子被打得粉碎。只有过一次，伊格纳什卡不知是因为被牛虻还是别的什么虫子咬了——他的身子动了一下，结果子弹打着了膝盖，击中了髌骨。叫来了医生，当时就进行了截肢——一条腿就这样没了，被掩埋了……"

"那傻子呢？"

"他倒没什么。傻子用不着脚，也用不着手，就凭自己那副傻样，饱吃饱喝。人人都怜爱傻子，因为傻并不招谁惹谁。常言道：无论是教堂的执事，还是法院的录事——只要是傻子就不欺侮人……"

外婆对诸如此类的故事并不感到新奇，她自己就知道一大堆，然而我却感到有些毛骨悚然，于是我问彼得伯伯：

"那位老爷会把人往死里打吗？"

"怎么不会呢？会——的。他们甚至互相还打呢。有一名枪骑兵①来找塔季扬·列克谢夫娜，他和马蒙特发生了口角，当即便掏出手枪，在前往公园的一个池塘边的小路上，这位枪骑兵对马蒙特'砰'的就

① 18—19世纪（俄国19世纪）欧洲军队的一种轻骑兵，枪骑兵的名称源于持矛的蒙古、鞑靼骑兵。

是一枪——打中了肝脏，结果马蒙特进了坟墓，枪骑兵被发送到高加索——事情就此才算了结。这是他们自己打死了自己人，要是打死农民什么的——那就根本不在话下。如今，对他们这种人来说，你瞧，压根儿不拿人当回事儿，因为已经不是他们的人了。① 喏，不比以前，以前他们还有些心疼——自家的私人财产嘛！"

"唉，以前他们也不感到心疼。"外婆说。

彼得伯伯表示同意，说：

"这话没错——自家的财产，何况很廉价……"

彼得伯伯对我很好，跟我说话要比跟大人们说话和善一些，而且能够正眼看着我，但他身上有一种我不喜欢的东西。他请大家品尝人们爱吃的果酱，给我的那片面包上抹得特别厚，还给我拿来在城里买的甜饼干和罂粟饼，而且和我谈起话来，总是一本正经，声音很低。

"将来想干什么，小少爷？是当兵，还是去做官？"

"去当兵。"

"很好。眼下当兵也不那么苦了。当神甫也不错，随便说几声'愿上帝保佑'也就完事啦！当神甫甚至比当兵还轻松，要想再轻松一些，那就是当渔公了，当渔公什么学问都不需要——只要习惯就行了！……"

他活灵活现地描述鱼儿怎样围着饵料转悠，鲈鱼、雅罗鱼、鳊鱼如何上钩等。

"外公打你时，你肯定非常生气，"他安慰我说，"其实，小少爷，根本用不着生那么大的气，他是为了让你有所长进才打你的。这种打，是对孩子的一种教育。而我的那位塔季扬·列克谢夫娜太太，嘿，她打起人来才叫那闻名呢。她手下养了个专门打人的人，叫赫里斯托福尔，在打人方面很有两下子，有时附近庄园的邻居们上门央求伯爵夫人：'塔季扬·列克谢夫娜夫人，请您让赫里斯托福尔把我们家的用人揍一顿吧。'于是伯爵夫人就让他去了。"

他说，伯爵夫人身穿洁白的细纱连衣裙，头上系着轻薄透明的天蓝色丝巾，坐在门廊台阶上的一把红色安乐椅上，而赫里斯托福尔就当着她的面鞭打那些男女用人。他讲得非常详细，而且毫无恶意。

---

① 指俄国 1861 年废除农奴制以后，农奴名义上获得了自由的身份，不再是老爷的私有财产了。

"而且，小少爷，这个赫里斯托福尔虽说是梁赞省人，样子长得却像茨冈人和乌克兰人，八字胡一直留到耳根，嘴脸发青，下巴上的胡子刮得干干净净。不知道他是真傻，还是怕别人有事问他而故意装傻。有时他在厨房里往杯子里倒上水，逮着了苍蝇或者蟑螂、甲壳虫之类的东西，就用树枝把它们淹在水里，要淹很长时间。再不然就把从自己衣领上捉到的虱子放到杯子里淹死……"

这类故事我听得多了，许多都是从外婆和外公嘴里听来的。故事虽然五花八门，但它们彼此却出奇地相似——每个故事讲的都不外是折磨人、捉弄人和欺压人。这种故事我都听腻了，不愿意再多听，于是我恳求车夫说：

"讲点别的吧。"

他把脸上全部的皱纹集中到嘴角，然后又抬升到眼角，并表示同意说：

"好吧，你这么想听，我就讲点别的。话说我们那里有一个厨子……"

"谁们那里？"

"就是伯爵夫人塔季扬·列克谢夫娜那里。"

"你为什么叫她塔季扬？难道她是个男的吗？①"

他嘿嘿地笑了。

"不，她是位夫人，不过她长有小胡子，黑黢黢的——是黑头发的德国人所生，好像是阿拉伯人。咱们还是回到关于厨子的话题上来吧。小少爷，这个故事非常可笑……"

这个可笑的故事是这样：厨子把馅饼做砸了，主人逼着他把馅饼全都吃下去，他吃下去后便病倒了。

我愤愤地说：

"这根本不可笑！"

"那什么可笑呢？喂，你说个听听！"

"我不会……"

"这不结了——你就别挑三拣四了。"

他又编了些枯燥无味的所谓故事。

---

① 塔季扬的词尾是阳性，是男人的名字，在"小少爷"看来，女人应该叫塔季扬娜才对。

遇到节假日，两位表哥有时来做客。一个是愁眉苦脸、懒惰成性的萨沙——米哈伊尔舅舅的儿子，另一个是循规蹈矩、无所不知的萨沙——雅科夫舅舅的儿子。有一次，我们三个爬到房顶上玩，看见贝特连格家院子里有一位身穿绿色毛皮常礼服的老爷，他坐在墙边的木柴堆上，正跟几只小狗逗着玩。他的脑袋不大，谢顶，黄黄的，没戴帽子。两个表哥中有一个建议偷走他一只小狗，于是我们当即便制订一个巧妙的偷狗计划：两个表哥先到街上去，在贝特连格家的大门口等着，由我来吓唬那位老爷，趁着把他吓跑的工夫，他们俩乘机溜进院子里，将小狗偷走。

"怎么吓唬他呢？"

一个表哥建议说：

"你往他那谢顶头上吐口唾沫。"

往一个人头上吐口唾沫，这能算多大的罪过？我听说的和亲眼见过的对一个人干的坏事，比这多了去了，于是我就当仁不让，忠实地完成了我所担负的任务。

谁知这下子可惹了大麻烦了，贝特连格家一大帮男女，由一位年轻漂亮的军官领着，找到我们院子里。因为在我干坏事的时候，两位表哥正在街上溜达，外公根本不知道我们的恶作剧——所以他只是把我一个人打了一顿，为贝特连格家所有的人出气。

我挨过打后，躺在厨房的一张吊床上。这时穿着节日盛装、乐呵呵的彼得伯伯爬到我的吊床上。

"你想的这个主意太妙了，小少爷！"他小声地说，"他这是活该，这只老山羊，就该治治他——用唾沫啐他！用石头砸他那烂脑袋瓜才好呢！"

那位老爷没长胡子的、圆圆的娃娃脸浮现在我的眼前，记得当时他像小狗一样不停地低声喊叫着，如怨如诉，可怜巴巴。我感到万分羞愧，简直无地自容。我恨我这两个表哥，但是，当我仔细看清楚马车夫那张满是皱纹的脸时，这一切马上便全被忘记了——他的脸同样在颤抖，跟外公打我时的那张脸一样可怕，一样令人憎恶。

"你走开！"我喊道，一面手推脚蹬地赶彼得快走。

他嘿嘿地笑着，眼睛眨巴着，爬下了吊床。

打这以后，我再也不想跟他说话了，我开始躲避他，同时用怀疑的目光，注意着马车夫的一举一动，模模糊糊地觉得要有什么事情发生。

往老爷头上吐唾沫这件事发生后不久，还出过一档子事。奥夫相尼科夫那幢安静的房子早就引起了我的兴趣，我觉得这座灰色房子里人们的生活非同寻常，带有一种神秘莫测的童话般的色彩。

贝特连格家里一向很热闹，欢声笑语不断。那里有许多漂亮的小姐，军官、大学生是他们家的常客。他们说笑，喊叫，唱歌，弹奏乐曲。甚至这幢房子的外观看上去就令人心旷神怡，窗户的玻璃闪闪发光，窗内繁花似锦，五彩缤纷。但外公不喜欢这家人。

"都是些异教徒，不信仰上帝。"外公谈起这家人的时候总是这样说，至于说这家的女人，他用的词眼儿就很难听了。彼得伯伯有一次向我解释过这个词儿，意思非常下流，而且有点幸灾乐祸。

奥夫相尼科夫家的房屋庄严肃穆，令外公肃然起敬。

这是座单层建筑，但是房子很高，房前有一个庭院，植满了草皮，干净而僻静。院子里有一眼水井，有两根柱子支撑着井上的顶盖。这幢房子好像要避开大街似的，建造在距街道稍远的地方。三个狭长的拱形窗子距离地面很高，窗上的玻璃灰扑扑的，在太阳的映照下出现一片彩虹。大门的另一侧是一座仓库，从前面看，和正房的结构完全一样，也有三个窗子，但它们都是假的：只是在灰色的墙面上做了三个装饰性窗口，再用白色涂料画上窗框。这些虚有其表的假窗户让人看着很不舒服，而且整个仓库再一次向人暗示：这家人深居简出，不喜欢显山露水。整个院落，包括院里闲置的马厩和两扇门很大但同样闲置不用的干草棚，让人有一种息事宁人、忍气吞声或深藏若虚、自命清高的感觉。

有时候，院子里有个老头——走路有点瘸，高高的个子，光头，小白胡子，胡子向上翘着，像一根根针似的。有时候，还有另一个老头——一脸络腮胡子，鼻子歪着，他把一匹胸窄腿细的长脸灰马从马厩里牵出来。这匹马一到院子里，便向周围不住地点头，好像一位性格温顺的修女。瘸子老头用手掌使劲拍了拍这匹马，吹着口哨，大声地直叹气，然后又把这匹马藏回黑暗的马厩里了。我觉得这老头很想离开这个家，但他无能为力，被魔法缠住了。

院子里每日都有三个小孩，从中午一直玩到晚上，几乎天天如此。他们穿着一样的灰衣裤，戴着同样的帽子，都是圆圆的脸、灰色的眼睛，彼此长得非常相似，我只能根据其个子的高矮来分辨他们。

我透过墙缝观察他们，他们看不见我，可我很想让他们看见我。看着他们玩我没玩过的游戏，玩得那么开心，那么默契，我非常高兴。

我也很喜欢他们穿的衣服，喜欢他们相互之间的细心照料，尤其是两个哥哥对滑稽可笑、非常好玩的小胖子弟弟的特别关照。要是小弟弟跌倒了——他们会发出笑声，就像人们平常笑跌跤的人那样，但是他们的笑，不是在幸灾乐祸，他们会立刻把他搀扶起来。如果他的手或膝盖被弄脏了，他们会用牛蒡叶、手绢擦去他手上和裤子上的污垢，而那位当二哥的则会和善地说：

"瞧你真够笨的！……"

他们相互间从不吵骂，谁也不骗谁，而且三个孩子全都非常麻利，强壮有力，精力充沛。

有一次，我爬到树上，向他们打口哨——他们听见口哨声便立即站住了，然后慢慢地聚拢在一起，瞅着我，小声地在商量着什么。我想，他们肯定要向我扔石头，于是便从树上爬下来，捡些石头放进口袋里，抱在怀里，然后又爬回到树上，但他们这时已经跑到院子一个角落里去玩了，离我很远。看来，他们已经把我给忘了。这让我很扫兴，不过我不愿意第一个挑起战争，不一会儿，有人从气窗口冲他们喊道：

"孩子们，快回来！"

他们乖乖地、不慌不忙地回去了，像三只小鹅仔。

有好多次，我爬到树上，隔着围墙，我期待着他们叫我过去和他们一块儿玩——可是他们没有叫我。我心里早就想着和他们在一起玩了，有时候想得太入神，不禁喊出声来，甚至大声笑起来。这时他们三个人一齐看着我，小声地在说着什么，而我则被弄得怪不好意思的，便从树上爬了下来。

有一次，他们玩捉迷藏游戏，轮到老二去找。他站在仓库拐角的地方，老老实实地用两只手把眼睛捂住，一点儿也不偷看，他的两个兄弟跑着躲藏了起来。老大迅速、麻利地钻进仓库屋檐下一辆大雪橇里，小的一时没了主意，可笑地绕着井台直转圈，不知道藏到哪里好了。

"一，"老大喊道，"二……"

这时只见小的纵身一跳，跳到井架上，伸手抓住井绳，两只脚往空桶里一伸，这只桶便顺着井壁，磕磕碰碰地滑了下去，转眼便不见了。

眼见那收拾得好好的辘轳在无声地飞快旋转，我一下子愣住了，但我很快就明白会发生什么事，我一个纵身，跳到他们院子里，大喊：

"有人掉井里啦！……"

老二和我同时跑到井架旁，他一把抓住井绳，使劲往上拉，他的手被磨得火辣辣的，但这时我已经把井绳抓到我手里了，老大此时也跑了过来，帮助我往上拽井绳。他说：

"请轻一点！……"

我们很快便把小弟弟拉了上来，他自己也吓得够呛。他右手的指头流着血，一边脸也被蹭破了，腰以下全是湿的，脸色白里透青，但是他还露出微笑，身上直打颤，两只眼睛瞪得老大，边笑边拉长声调说：

"我是——怎么——掉进——去的……"

"疯了呗，这不明摆着嘛。"老二说，一面搂住他，用手绢擦去他脸上的血。老大皱着眉头说：

"咱们回去吧，反正也瞒不住……"

"你们会挨打吗？"我问道。

他点了点头，然后伸出手对我说：

"你跑来得真快呀！"

听见他的夸奖，我很高兴。我还没来得及和他握手，他又对他二弟说：

"快回去吧，他会感冒的。我们就说他摔倒了，关于井的事——就别提了！"

"对，不要提，"小的表示同意，一面直打寒战，"就说我跌进水坑里了，行吗？"

他们走了。

这一切发生得是如此之快，当我回头看一眼我纵身跳进院子里时脚下蹬的那根树枝时，它还一直在那里摇晃呢，发黄的叶子正从上面纷纷落下。

兄弟三人有一个礼拜没到院子里玩了，后来出来了，比以前玩得更加起劲儿。那个大的看见我正在树上，冲我亲切地喊道：

"来我们这儿玩吧！"

我们钻进仓库屋檐下那辆宽大的旧雪橇里，面对面，彼此相望，谈了好长时间。

"打你们了吗？"我问道。

"打了。"大的回答说。

真让人难以置信，这三个孩子跟我一样，也会挨打，我真为他们感到委屈。

"你为什么要捕捉小鸟？"那个小的问。

"它们叫得可好听了。"

"不，别逮它们，最好让它们想怎么飞就怎么飞……"

"那好，以后我不逮了。"

"不过你得先逮一只送给我。"

"送给你——什么样的鸟？"

"欢蹦乱跳的，而且要装在笼子里。"

"那就是黄雀了。"

"猫会把它吃掉的，"那个小的说，"而且爸爸不让养鸟。"

老大表示同意，说：

"肯定不让养……"

"你们有妈妈吗？"

"没有。"老大说。但老二纠正他说：

"有，不过是另外一个人，不是我们的亲妈，我们的亲妈没有了，她死了。"

"另外一个人——那叫后妈。"我说，老大点了点头，说：

"没错。"

这时他们三个都不说话，陷入了沉思，情绪非常低落。

从外婆讲的童话故事中我知道后妈意味着什么，所以我很能理解他们都不说话的含义。他们坐在那里，紧紧地靠在一起，像三只模样相同的小雏鸡。我想起了童话故事里骗取亲妈地位的巫婆后妈，于是我向他们保证说：

"等着吧，你们的亲妈还会回来的。"

老大耸了耸肩膀说：

"如果她已经死了呢？这是不可能的事……"

"不可能的事？老天在上，死而复生的事太多了，甚至被卸成八大块的人也能够活过来，只用往他们身上洒点圣水。有多少次，人的死并不是真死，不是上帝的意志，而是被妖人和巫师施了魔法。"

我兴致勃勃地开始向他们讲述我从外婆那里听来的故事，老大最初只是嘿嘿地发笑，他轻声对我说：

"这我们听过，是童话故事……"

他的两个弟弟默默地听着，最小的弟弟绷着嘴，气鼓鼓的；老大用胳膊肘顶着膝盖，探身冲着我，一只手从后面搂着小弟弟的脖子。

天色已经很晚了，屋顶上空出现一块块红云，这时，一个白胡子老头，穿一件像神甫那样的酱红色长袍，戴一顶毛茸茸的皮帽子，来到我们身边。

"他是谁？"他指着我问道。

老大站起来，指指我外公家的房子，说：

"他是那家的……"

"谁叫他过来的？"

三个孩子一声不吭，立即从雪橇中爬出来，往家里走去，这使我重又想起了那些老实听话的小鹅仔们。

老头儿一把抓住我的肩膀，将我往院子大门口拽去。他把我吓得直想大哭一场，但是他走得很快，步子又大，我还没来得及哭出来，就已经到大街上了。他站在门口，用手指着我，威胁道：

"不许到我这儿来！"

我勃然大怒，说：

"我根本就不是来找你的，老东西！"

他伸出长长的胳膊，又将我一把抓住，使劲往人行道上拉，边拉边问。他的话就像锤子似的在敲击着我的脑袋：

"你外公在家吗？"

倒霉的是，外公刚好在家。面对这个恶老头儿，外公仰起脸，撅着胡子，看着对方跟两戈比的硬币差不多的浑浊的圆眼睛，急忙解释说：

"他妈妈出远门了，我是个忙人，没有人管他——还请上校多多包涵！"

上校冲着整个宅院咳嗽一声，然后像一根木头柱子似的转身而去。可我呢，过了一会儿，被抛在彼得伯伯停放在院里的马车上了。

"又惹事了吧，小少爷？"他边卸着马，边问，"为什么挨打了？"

当我告诉他是为什么时，他一听就火了，并且咬牙切齿地说：

"为什么你要跟他们一起玩？他们是阔少爷，是毒蛇。看，因为他们，你被打成什么样子了！现在该你自己好好教训他们一顿了——走着瞧！"

他唠叨了很长时间。我因为挨了打，心里非常窝火，起初听他唠叨还有些共鸣，但他那张不停抖动的筛子脸，越来越让我感到厌恶，它使我想到这三个小孩也一定会挨打，可他们在我面前是无辜的呀。

"把他们打一顿——没这个必要。这三个小孩很好，你净胡说八道。"我说。

他看了看我，突然大喝一声：

"从车上滚下来！"

"你是个老混蛋！"我跳下马车，冲他吼道。

他开始满院子追我，但就是逮不着，他边追，边阴阳怪气地叫道：

"我是老混蛋？我胡说八道？看我把你……"

外婆来到厨房的台阶上，我立刻向她扑了过去，于是他向外婆抱怨说：

"这小子把我骂得狗血喷头！我年纪比他大五倍，可他竟然敢对我破口大骂，骂些不堪入耳的话……骂我胡说八道……"

听见有人当面撒谎，我茫然失措，一时竟愣住了，不知如何是好，不过外婆坚定地说：

"我说，你呀，彼得，你纯粹是在撒谎——他不会骂你太难听的话的！"

要是换成外公，他可能就相信马车夫的话了。

从那天起，我们之间就引发了一场无声的恶战：他存心仿佛无意间撞我一下；用马缰绳刮我；把我的鸟放跑；有一次竟然让猫把它们给吃了。他总是因为一点小事，添枝加叶，向外公告我的状。我越来越觉得他跟我一样，还是一个孩子，只不过是长一副老头相罢了。我把他用树皮编的鞋拆开，偷偷把捆扎它们的带子弄松，把鞋带扯断，这样只要彼得一穿，鞋就准坏。有一次，我把胡椒粉撒到他帽子里，使他打了整整一个钟头的喷嚏。总之，我想尽办法，千方百计地对他进行报复。每逢节假日，他整天监视着我，从不懈怠，而且不止一次地抓住我违反不许和那几个阔少爷来往的禁令。一旦被他抓住，他就去向我外公打小报告。

和几个阔少爷的来往一直在继续，而且我感到越来越开心。在一个狭小的墙角里——一边是外公家的院墙，一边是奥夫相尼科夫家的围墙——长了许多榆树、椴树和茂密的接骨木丛。我在这灌木丛下的围墙上挖开个半圆形的小洞，他们弟兄仨，或者弟兄俩，轮流到洞口来，我们蹲在那里，或者跪在那里，小声地进行交谈。他们总得有一个人在远处放哨，以防上校冷不丁地发现我们。

他们讲述自己枯燥乏味的生活，我听后感到非常难过。他们讲了我给他们逮的几只小鸟的情况，讲了许多小孩子们的事，但是对于他们的继母和父亲，从来绝口不提——至少我不记得他们提到过。通常他们只是要我给他们讲故事听，我一五一十地把外婆给我讲的故事再给他们讲述一遍，要是中间忘掉了什么，我就请他们等一下，我跑回去找外婆，把忘记的地方问问清楚。对此，外婆总是感到非常高兴。

我还向他们讲了许多关于外婆的事，有一次，那个老大深深地叹了口气说：

"当外婆的大概都非常好——我们也曾有过一个很好的外婆……"

他经常神情忧郁地说，也曾有过，以前曾经有过这样的词，好像他在世上已经活了上百年，而不是十一年。我记得他的手掌很小，手指头非常细，而且，他整个人都十分瘦弱、单薄，然而他的眼睛却十分明亮柔和，像教堂里长明灯的灯光。而且他的两个弟弟也非常可爱，同样能够使人对他们产生一种信任感——总想为他们做点好事，但我最喜欢的还是他们的大哥。

我只顾谈话了，常常没注意彼得伯伯从哪儿冒了出来。他阴阳怪气地让我们散开：

"又——凑——到——一起了？"

我看得出，他的忧郁症发作得越来越勤了。我甚至学会了事先知道他收工回家时的心情，因为通常他开门时不急不忙，门轴发出的吱扭声拖得很长，听起来懒洋洋的。要是马车夫的心情不好，门轴发出的吱扭声就很短，好像痛得哎哟一声似的。

他的哑巴侄子到乡下完婚去了。彼得一个人住在马厩里，房子又矮又小，一个小窗口，里面有股子很重的臭皮革、焦油、汗水和烟草的气味——因为这种气味，我从来没有到他的住处去过。现在，他睡觉不熄灯，这一点外公非常不乐意。

"彼得，当心别把我的房子给烧了！"

"绝不会的，你放心吧！夜里我把灯放在盛水的碗里。"他心不在焉地回答说。

不知为什么，他现在看东西一般眼睛总是往一旁瞟着，而且他早已不参加外婆的晚会了，也不再请大家吃果酱了。他的脸变干瘪了，脸上的皱纹也更深了，而且，走起路来一摇三晃，步履维艰，像个病人。

有一次，是个平常日子，早上，我和外公在院子里清扫下了一夜的大雪——这时，院子侧门的门闩忽然咣当一声，听起来声音很有些特别。接着，从外面进来一名警察，他用后背关上侧门，脸冲着外公，向自己这边勾了勾发灰的粗指头，让外公过去。外公走了过去，那警察一低头，他那张长个大鼻梁的脸，仿佛要啄外公的额头似的，开始跟他悄悄地说了些什么，外公赶紧回答说：

"这里！什么时候？让我想想……"

这时他突然很滑稽地一蹦，叫道：

"愿上帝保佑，真的吗？"

"小声点。"警察严厉地说。

外公向周围看了看，发现了我。

"把铁锹收起来，回屋去吧！"

我躲在一个角落里，他们去马车夫的小屋里了。那警察摘下右手的手套，在左手掌上拍了一下，说：

"他呀，明白着呢。把马扔下不要了，自己这不先躲了起来……"

我跑到厨房，把我所看到的和听到的事都跟外婆说了。当时她正在面盆里和面，准备做面包，头一扬一扬的，脑袋上沾了好多面粉。她听完我的话，平静地说：

"显然是偷了什么东西……玩儿去吧，关你什么事！"

当我又跑到院子里时，外公正站在侧门边，脱掉帽子，仰望着天空，在胸前画着十字。他一脸怒容，气得毛发都竖起来了，一条腿直打哆嗦。

"我不是说过叫你回屋去吗！"外公跺着脚，冲我喊道。

这时他自己也跟着我过来了，一走进厨房他便喊道：

"老婆子，你过来一下！"

他们到隔壁房间里去了，在那里小声说了很长时间。等外婆又回到厨房时，我明白发生了什么可怕的事。

"你有什么好怕的？"

"你给我住嘴。"外婆轻声地说。

一整天，家里人都在担惊受怕，气氛很紧张。外公和外婆一直忧心忡忡，你看看我，我看看你，说话声音很低，三言两语，听也听不清，这就更加重了焦虑的气氛。

"老婆子，把各处的长明灯都点起来。"外公一边咳嗽，一边吩咐说。

午饭大家都没有心思吃，急急忙忙，草草了事，仿佛在等待什么人到来。外公一脸疲惫，鼓着腮帮子。他清了清嗓子，嘟嘟哝哝地说：

"道高一尺，魔高一丈！要知道，当教徒的好像都比较虔诚，可是你呢，啊？"

外婆叹了口气。

白茫茫、灰扑扑的冬日过得非常之慢，令人心烦意乱。家里人越来越感到六神无主，忧心如焚。

天快黑的时候，另外来了一名警察，棕色头发，胖胖的。他坐在厨房的长凳上直打瞌睡，小声地打着呼噜，头一歪一歪的。外婆问他："怎样才能调查清楚？"他没有立即回答，等一会儿才瓮声瓮气地说：

"我们会调查清楚的，请放心好了！"

我记得，当时我坐在窗口，嘴里含着一枚旧钱币，想把它焐热后贴在玻璃窗的冰花上，把打败恶龙的常胜将军格奥尔吉①的画像印出来。

突然，门厅里一阵骚动，房门大开，彼得罗夫娜在门槛外大声喊道：

"快瞧瞧去吧，你们家后院是怎么回事！"

一看见有警察在，她急忙又往门厅里缩，但警察一把拽住了她的裙子，同时自己也被吓了一跳，大声吼道：

"站住——你是什么人？看什么来了？"

这时她在门槛上绊了一跤，跪倒在地上，声泪俱下地大声喊叫着说：

"我正要去挤牛奶，一看，卡希林家花园里这个像靴子一样的东西究竟是什么呢？"

这时外公暴跳如雷，捶胸顿足，大声喊叫道：

"胡说，你这个蠢货！你怎么能看见花园里的东西？围墙那么高，上面又没有缝隙！你在胡说！我家花园里什么都没有！"

"老爷子！"彼得罗夫娜放声大哭，她一只手指着外公，另一只手扶着脑袋，"你说得对，老爷子，就算是我在胡说！我正往前走着，忽然看见有脚印往你们花园围墙那边去了，而且有一个地方的雪被踩得一塌糊涂，我隔着围墙，往里一瞧，看见他躺在那儿……"

"谁——谁？"

----

① 基督教圣徒之一，据宗教传说，格奥尔吉因信仰基督教于公元303年在罗马被镇压基督教的古罗马皇帝戴克里先（约243—约313）处死。格奥尔吉最初被认为是土地的保护神，在中世纪的欧洲，他开始被认为是圣徒——军事庇护神。通常他的画像画的都是他在马上手持长矛大战恶龙的情形。沙皇俄国的国徽和钱币上均有此图像。

这一声喊叫，拉得特别长，一点儿也听不出它的含义，但是所有的人像疯了似的，争先恐后地从厨房里涌出来，向花园里跑去——彼得伯伯躺在一个大坑里，身下铺着软绵绵的积雪，后背紧贴着一根烧焦了的木头，脑袋一直耷拉到胸口。他的右耳朵后面有一道很深的裂口，红红的，很像人的嘴。裂口内有些青紫色的碎块向外凸着，像人的牙齿。我吓得赶紧把眼睛眯起来，从眼睛缝里，我看见彼得两个膝盖间有一把我见过的马具刀，他右手的手指弯曲着，已经发黑，就在马具刀的旁边。左手伸向一边，被埋在雪里。马车夫身下的积雪已经开始融化，他瘦小的身躯深深陷入松软柔和的皑皑白雪之中，看上去他更像是一个孩子。他右边的雪地上有一幅奇怪的图案，很像一只鸟，而他左边的积雪未曾被人动过，平整光滑，发出耀眼的光芒。他的脑袋无力地向下垂着，下巴直接抵着胸部，浓密卷曲的大胡子被挤压得凌乱不堪。他裸露的胸口上凝聚着一条条红色的血迹，上面放着一只硕大的青铜十字架。嘈杂的人声，令人头昏目眩。彼得罗夫娜一直在不停地喊叫，警察也一直在嚷嚷，外公正打发瓦列伊到什么地方去，对他喊道：

"别踩坏了现场痕迹！"

但他忽然紧皱双眉，往自己脚下看了看，然后神气活现地大声对警察说：

"你瞎嚷嚷什么呀，老总！这是上帝的安排，是上帝的裁决，可你净说些没用的废话——唉，你们这些人啊！"

这时所有的人一下子都不吭声了，大家把注意力全集中在死者身上，一面唉声叹气，一面在胸前画着十字。

院外有许多人跑进花园里来，他们从彼得罗夫娜家围墙那边越墙而入，一路跌跌撞撞，跑得呼哧呼哧的，但总体上——花园里还算安静，直到外公环顾四周，愤怒地大声吼叫起来，才打破了这种安静：

"街坊邻居们啊，你们怎么能踩坏我的马林果苗呀，你们这样做不感到于心有愧吗！"

外婆拉着我的手，边哭边带我回屋里去……

"他都干了些什么？"我问道。外婆回答说：

"难道你没看见……"

整个晚上，直至深夜，厨房和隔壁房间里都有许多陌生人跟外婆在一起，他们大呼小叫地嚷嚷个没完。警察一直在发号施令，一个类似教堂执事的人在写着什么，不时地提出些问题，声音像鸭子叫似的：

"嘎克？嘎克？"①

外婆在厨房里招待大家喝茶。桌边坐着一个胖胖的人，长一脸雀斑，留着小胡子，说起话来尖声尖气。他介绍说：

"他的真名、外号都不清楚，仅查出他是叶拉季马②人。哑巴是假装的，他根本不是个哑巴，对此他供认不讳。这里还有第三个人，这第三者也已经招认。他们很早以前就抢劫过教堂，他们主要就是干这个的……"

"哎呀，上帝啊！"彼得罗夫娜叹息道，她满脸通红、浑身是汗。

我躺在吊床上，往下张望，觉得所有的人都十分矮小、肥胖，而且可怕……

<h2 style="text-align:center">十</h2>

有一回，是个礼拜六，我一大早就到彼得罗夫娜家菜园子里去捕捉灰雀，网张了很久，可这些大模大样的红肚皮小鸟就是不往网子里钻。它们一面炫耀自己的美丽，一面在银白色的冰面上蹦来跳去。它们时而飞上冰霜覆盖的灌木枝头，宛如一朵朵鲜花开放其间，还不时地抖动身子，摇落许多晶莹透明的雪花。此情此景是如此之美，甚至未捕到灰雀也变得无所谓了，不值得懊恼。我不是个捕鸟迷，我更喜欢的是捕鸟的过程，而不是结果。我喜欢观察小鸟们的生活，心里总是想着它们。

一个人坐在茫茫雪原的边缘，倾听小鸟儿在冬日洁白透明的宁静中唧唧的叫声，真是令人心旷神怡。而在远处什么地方，俄罗斯冬天发愁的云雀和过路的三套马车的铃声，在渐渐远去……

我在雪地里直打寒战，感到耳朵要被冻僵了，于是我便收起网子和鸟笼，翻过外公家花园的围墙，回家去了——我看见临街的大门敞开着，一个身材高大的农民正在把一辆很大的带篷雪橇从院子里往外拉。雪橇上套有三匹马，个个身上冒着热气，赶雪橇的农民高兴地吹着口哨。我心里头一震。

"谁来了呀？"

赶车的转过身来，手搭在额头上看了看我，然后跳到驾驶座上，

---

① 俄语"Как？Как？"的音译，即"怎样？怎样？"的意思。

② 叶拉季马，奥卡河上一城市，属原坦波夫省。

对我说：

"神甫呗！"

喏，这事跟我没关系。既然是神甫，那大概是找房客的。

"驾，小鸡们！"那农民吆喝道，一面打着口哨，抖动缰绳，催马上路。三匹马齐心协力，向田野里奔驰而去，我从后面望着它们，把大门半掩上。但是，当我走进空荡荡的厨房时，旁边屋子里便传出了母亲大声说话的声音，字字句句听得都非常真切：

"现在怎么办——非置我于死地不可吗？"

我没脱外面的衣服，把鸟笼一扔，便往过道里跑去，正好一头撞在外公身上。他一把抓住我的肩膀，直眉瞪眼地看着我的脸，喉咙里像有个很难咽下去的东西似的，哑着嗓子说：

"你母亲来了，去吧！等一等……"他用力摇了我一下，使我差一点儿没站稳脚跟，然后又把我向门口一推，说："去吧，去吧……"

我一头撞在包着毛毡和漆布的门上，由于天气寒冷和内心激动，我两手一直在发抖，摸了半天还没有摸着门把手。最后，我轻轻地推开房门，站在门槛旁，只觉得头晕目眩。

"瞧，他这不是来了，"母亲说，"天哪，都长这么大了！怎么，不认识我了？瞧你们给他穿的衣服，也真是……连耳朵都冻白了！妈妈，快给我拿点鹅油①……"

她站在屋子中间，弯着腰帮我脱下衣服，她把我像转皮球似的转来转去，她高大的身躯穿一件红色的柔软暖和的连衣裙，又宽又大，像农民穿的长袍，黑色的大纽扣从肩膀——斜着——一直缀到裙子下摆。这种款式的连衣裙以前我从没有见过。

她的脸我觉得比以前小了，变小了，也更白了，而眼睛则显得大了些，眼窝更深了，金黄色的头发更亮了。她把我脱下来的衣服往门槛边一扔，撇了撇深红色的嘴唇，一脸很嫌弃的样子，只听见她发号施令的声音：

"怎么不说话呀？高兴吗？呸，这么脏的衬衫……"

接着，她用鹅油擦了擦我的耳朵，我感到很疼，但从她身上散发出的清新的香味减轻了我的疼痛感。我紧挨着她的身子，看着她的眼睛，心里非常激动，而且，我从她的话里听到了外婆那声音不大，但

———————————
① 民间相信涂抹鹅油能够治冻伤。

是不堪其忧的声音：

"他现在的主意可大了，谁都管不了他，连外公都不怕……哎呀，瓦里娅，瓦里娅……"

"喏，别抱怨了，妈妈，他会好起来的！"

和母亲相比，周围的一切，显得都很渺小、可怜和老朽，我也感到自己像外公一样老了。她用膝盖把我紧紧夹住，用她那沉重而温暖的手抚摸着我的头发，说：

"应该理发了。也到该上学的时候了。想学习吗？"

"我已经学过了。"

"还应该再学一些。嘿，你长得真够结实的，是吗？"

她一面逗我玩，同时发出爽朗的笑声，这笑声使我感到非常温暖。

这时外公进来了，一副无精打采的样子，头发乱蓬蓬的，两只眼睛通红。母亲用一只手把我推开，大声问道：

"喏，怎么样？爸爸！要我走吗？"

他站在窗前，用指甲在玻璃窗的冰层上刮来刮去，很长时间，一声不吭。周围的气氛顿时紧张起来，使人感到非常难受。像往常一样，在这种紧张时刻，我全身上下都长满了眼睛和耳朵，胸腔也莫名其妙地鼓胀起来，我直想大声地喊叫。

"列克谢，你出去一下。"外公低声说。

"为什么？"母亲问道，又把我拉到她自己身边。

"你哪儿也别去，我不允许……"

母亲站起身，像一块早霞的彩云，在屋子里款款飘动着，她在外公背后停住了脚步。

"爸爸，请听我说……"

他转过身来，对她尖声尖气地说：

"你给我闭嘴！"

"告诉你，我不许您对我大喊大叫。"母亲平静地说。

外婆从沙发上站起来，伸出一个指头，吓唬她说：

"瓦尔瓦拉！"

这时外公坐到椅子上，嘟嘟囔囔地说：

"等一下，我是谁？啊？你怎么能这样跟我说话呢？"

这时他突然大发雷霆，连声音都变了：

"你把我的脸面都丢尽了，瓦里卡①！……"

"你出去。"外婆对我说。我来到厨房，心情感到非常压抑。我爬到炕灶上去，很长时间我都一直在听隔壁的谈话——他们时而大家一齐说，相互打断对方的话头，时而大家忽然都不说了，好像一下子都睡着了似的。他们在谈论妈妈生的一个孩子而且把他送了人的事，但难以理解的是，外公为什么那样恼火：是因为妈妈生孩子没跟他打招呼，还是因为她没把孩子给他带回来呢？

后来，外公到厨房里来了，头发乱蓬蓬的，满脸通红，样子很疲惫。外婆跟在他身后，一面用衣襟擦着脸上的眼泪。外公坐在凳子上，两手撑着凳面，猫着腰，浑身直打哆嗦，紧紧咬着发灰的嘴唇。外婆跪在他面前，低声但热诚地说道：

"老爷子，你还是饶了她吧，看在耶稣基督的面上，你就饶了她吧！不光我们这样人家会出这种事，那些老爷、商人家里，这样的事还少吗？一个女人——长得又这么漂亮！唉，你就原谅她吧，要知道，谁能没点错呢……"

外公伸直腰，往背后的墙上一靠，望着外婆的脸，痛苦地冷笑着，同时抽抽搭搭、嘟嘟囔囔地说：

"是啊，那还用说！不原谅又能咋样？什么人你不原谅？所有的人你都原谅，可不是吗，唉，你们这些人啊……"

他弯下身，抓住外婆的肩膀，使劲地摇晃着她，小声地对她快速地说：

"可只怕上帝对谁都不会原谅的，不是吗？我们都是快进坟墓的人了，上帝还要进行惩罚，临了临了——我们是既没有安宁，也没有快乐——而且也不可能有！因此——你一定要记住我这句话！——我们会沦为叫花子的，非饿死不可！"

外婆拉着他的手，坐在他身边，小声、轻松地笑了。

"这有什么不得了的！瞧把你吓的——沦为叫花子！喏，叫花子就叫花子呗。记住，到时候你就坐在家里，我出去讨饭——不用怕，人们会施舍给我的，我们饿不着！你什么都别管！"

他忽然嘿嘿一笑，像山羊似的扭转脖子，一下搂住外婆的脖子，紧紧地抱着她。憔悴、瘦小的他抽抽搭搭地说：

---

① 瓦尔瓦拉的小名。

"唉呀，你这个傻瓜，一个从不知发愁的傻瓜，你是我唯一的亲人了！你呀，这个傻瓜，什么都不知道怜惜，什么也不懂得！你想想看：要是我们两个不卖力干活，我不为他们遭那么多的罪——嗒，即便是现在，即使稍微有那么一点点，对于他们来说，会怎么样呢……"

这时我再也忍不住了，眼泪不禁夺眶而出。我一下子从炉灶上跳下来，向他们扑了过去。我高兴得号啕大哭起来，因为我没想到他们的谈话是那么融洽、那么投机。我为他们也感到难过，因为我母亲回来了，还因为他们以平等的态度对待我，让我和他们一块哭泣。他们两个人一起拥抱我，紧紧地搂住我，一个劲儿地直掉眼泪。外公这时在我耳边冲着我的眼睛小声说：

"哎呀，你这个小鬼头也在这里！现在好了，你母亲回来了，你可以跟她在一块了，你外公这个老鬼，整天对你吹胡子瞪眼睛的——现在该滚一边去了，是不是？你外婆对你总是宠着、惯着——也该靠边了，啊？哎，你们这些人啊……"

这时他松开两手，把我和外婆推开，站起身，气鼓鼓地大声说：

"所有的人都想走，大家都想袖手一旁——各奔前程……嗒，还不把她叫过来！快去叫呀……"

外婆从厨房里出去了。这时外公低着头，冲着墙角说：

"仁慈的上帝啊，瞧，你都看见了，全看见了吧！"

于是他用拳头使劲扑通扑通地捶打着胸部。我不喜欢他这副样子，一般地说，我不喜欢看他在上帝面前祷告，他好像总爱在上帝面前瞎吹。

母亲来了，她的红色连衣裙顿时使厨房亮堂了许多。她坐在桌旁的长凳上，外公和外婆分别坐在两边，她那宽大的衣袖搭在他们两人的肩上。她轻声细语，但态度严肃地在讲述着什么。两位老人默默地听着，也不插话。此时此刻，他们两个则变成了小孩子，好像她是他们的母亲似的。

由于兴奋，我感到有些劳累，便在吊床上睡着了。

傍晚，两位老人像过节似的穿戴打扮一番，要去做晚祷告。外婆高兴地直向我递眼色，让我看看外公。只见他穿着行会会长的礼服，貂绒皮大衣，下面是散腿裤①。外婆瞟了母亲一眼，对她说：

①　俄罗斯人穿衣服的一种方式，指男人的裤腿不塞进靴筒里或衬衣下摆不束进裤腰里。

"瞧你父亲这身装束——变成一只洁净的小山羊了！"

母亲高兴地笑了。

当房间里只剩下我和妈妈的时候，她坐到沙发上，把双腿盘起来，两个巴掌一拍，说：

"到我这儿来！说说，你生活得怎么样——不好，是不是？"

我生活得怎么样？

"不知道。"

"外公打你吗？"

"现在不怎么打了。"

"是吗？你随便跟我讲讲，想说什么都行，好不好？"

我不想讲外公的事，我开始讲，就在这间房子里，住过一个非常和蔼可亲的人，但是谁都不喜欢他，因此外公不愿意把房子租给他住。看来，母亲并不喜欢听这个故事，她说：

"喏，还有别的事吗？"

我讲了那三个小孩的事，讲上校把我赶出院子的事——母亲紧紧地搂住我。

"这个混蛋……"

这时她一声不吭，眯起眼睛看着地板，直摇晃脑袋。我问她：

"外公为什么生你的气？"

"我对不住他。"

"要是你把孩子给他带回来就好了……"

她身子往后一仰，眉头一皱，紧紧咬着嘴唇，接着，她使劲地搂住我，哈哈大笑起来。

"你呀，真是个冤家！不要再说这事了，听见了吗？别再提了——甚至连想都不要想！"

她小声地在说些什么，说了很长时间，态度严厉，听不太明白，然后，她站起身，开始在屋子里来回走动，一面用手指敲着下巴，两道浓眉一纵一纵的。

桌上点燃的蜡烛在往下淌油，映照在空空的镜面上，一些黑乎乎的影子在地上晃动。一盏长明灯在屋角圣像的面前发出微弱的亮光。结了冰的玻璃窗上涂了一层银色的月光。母亲环顾四周，好像想在光秃秃的墙壁和天花板上寻找什么。

"你什么时候睡觉？"

"稍微再等一会儿。"

"是啊，你白天已经睡过了。"母亲想起来了，叹了口气。我问她：

"你想要走吗？"

"去哪里？"母亲吃惊地回应一句。她捧着我的头，久久地看着我的脸，看得我的眼泪都出来了。

"你怎么啦？"

"脖子疼。"

我的心也在疼。我马上感觉到：她不会在这个家里住下去的，她一定要走的。

"你将来肯定像你父亲，"她用脚把毡垫踢到一边，对我说，"外婆跟你讲过他的事吗？"

"讲过。"

"外婆很喜欢马克西姆——非常喜欢！而且他也喜欢你外婆……"

"我知道。"

母亲看了看桌上的蜡烛，皱起了眉头。她把蜡烛熄灭后，说：

"这样好一些。"

的确，这样屋内的空气要新鲜、清洁一些，不再有那些黑乎乎的影子了，地板上现出许多月光的亮点，窗户玻璃上显现出许多金灿灿的火花。

"你在这儿之前住在什么地方？"

她仿佛在回忆早已忘了的事情，举了好几个城市的名字，而且一直在屋子里转来转去，像鹰一样在无声地盘旋不定。

"那你从哪儿弄的这件连衣裙？"

"我亲手缝的。一切都是我自己做的。"

令人高兴的是，她跟谁都不像。但叫人难受的是，她很少说话。要是不问她，她干脆一句话也没有。

后来，她又挨着我坐到沙发上。我们坐在那里，一声不吭，互相紧紧靠着，一直坐到两位老人家从教堂里回来。他们一身蜡烛和香火的气味，显得庄重沉稳，和蔼可亲。

晚饭既丰盛，又隆重，像过节一样。大家在饭桌上很少说话，非常谨慎，好像生怕把什么人吵醒似的。

不久，母亲就开始努力教我学习"普通"识字课本了。她买了好几本书，其中有一本叫《国语》①。几天工夫我便学会念普通读物了，但母亲马上又让我学着背诗，从此，我们相互间的麻烦就开始了。

诗中说：

> 一条大道长又宽，
> 上帝的田野没少占……
> 不用斧铲来修筑，
> 马踏路面起尘烟。②

我把"田野"错念成了"普通"，把"铲"字错念成了"坎"字，把"马踏"错念成"马踢"了。

"喏，好好想想，"母亲开导我说，"究竟是什么？是'普通'吗？真是怪了！是'田——野'，懂吗？"

我知道是"田野"，可是一念又念成了"普通"，我自己也感到非常奇怪。

母亲生气了，说我脑子糊涂，死心眼儿。我听了感到很难受，我是真心实意想背会这首该死的诗的，我在心里默默念的时候一点错儿都没有，可是等我一念出声来，准出错儿。我恨透了这几行令人捉摸不透的诗句，于是我赌气故意把它们念错，把发音相近的单词胡乱搭配在一起，我挺喜欢这种没有任何意义的魔鬼诗句。

但这种游戏我可没有白玩儿：有一天，我顺利做完功课后，母亲问我那首诗最后背会没有，我不假思索地随口念道：

> 一条大道，两只角，
> 奶酪，神甫，便宜货，
> 洗衣槽，马蹄子③……

等我醒悟过来时已经晚了：母亲两手撑着桌子，站起身来，一字一板地问道：

---

① 小学二年级的语文课本。

② 该诗是《国语》中的一段课文，选自 19 世纪俄国社会活动家、诗人阿克萨克夫（1823—1886）的长诗《流浪汉》，这里的引文略有改动。

③ 这些单词的俄语发音在音节上有相通之处。

"你背的这是什么?"

"不知道。"我说,自己都觉得已经麻木了。

"不,究竟是什么?"

"这个,就是这么一说。"

"什么叫就是这么一说?"

"念着玩儿呗。"

"站到墙角去。"

"为什么呀?"

她平静地,但是很威严地又说一遍:

"站到墙角去!"

"哪一个墙角?"

她没有理我,只是紧盯着我的脸看,弄得我完全没了主意,我不明白她到底想要我干什么? 有一个墙角的圣像下面摆着一张小圆桌,桌上放着一只花瓶,里面插着已经枯萎了的花草;前面另一个墙角有一只大箱子,上面罩着一块壁毯;最里面的那个墙角放着一张床;第四个墙角没有了——被房门占去了,因为门框紧靠着墙壁。

"不知道你想要我干什么。"我说,同时尽量想弄清楚她的意思。

母亲坐下来,一声不响,擦了擦前额与脸颊,然后问道:

"外公让你站过墙角吗?"

"什么时候?"

"平时,随便什么时候!"她两次拍着桌子喊道。

"没有,不记得了。"

"你知道不知道站墙角是一种惩罚?"

"不知道。为什么是惩罚呢?"

母亲叹了口气。

"嗨,你过来。"

我走到她跟前,问道:

"你为什么要对我大喊大叫?"

"谁让你故意把诗念得颠三倒四的呢!"

我尽量跟她解释,说我只要一闭上眼睛,那些印在书上的诗句便历历在目,可是只要我一念,诗句就走了样。

"你不是在假装吧?"

我回答说——不,但我马上又想:"也许是装的呢?"忽然,我从容不迫地把这首诗念了一遍——完全正确,这使我惊讶不已,十分难堪。

我觉得我的脸好像忽然膨胀了似的，两耳发热，直往下坠，脑袋发出嗡嗡的响声。我面对母亲，感到羞愧难当，无地自容。透过泪水，我看见母亲难过地沉下脸来，她紧紧咬着嘴唇，两道眉毛皱了起来。

"怎么能这样呢?"她问道，声音都变了，"就是说，你是假装的了?"

"不知道。我并不想……"

"你这孩子真是难弄，"她说着，低下了头，"你去吧!"

母亲要求我要背的诗越来越多了，可是对于这些一行行的诗句，我的记忆力越来越差，同时有一种越来越强烈的、难以遏止的愿望，总想将这些诗句变变样子，歪曲一下它们的意思，给它们加上些另外的词儿。这种事干起来我得心应手——那些没用的词儿像成群的蜜蜂，招之即来，很快就把书上应该记住的诗句给弄混淆了。往往是：整行整行的诗我视而不见，无论我多么努力地想抓住它们，可我就是记不住它们。维亚泽姆斯基公爵①的一首感伤诗好像就让我吃了不少苦头：

> 无论是傍晚，还是清晨，
> 许多老人、寡妇和孤儿，
> 以基督的名义，都在寻求帮助，

下面一行是：

> 他们背着袋子，在窗下行乞。②

可是我齐刷刷地把这一行诗给漏掉了。母亲非常生气，把我的这一壮举告诉外公。外公恶狠狠地说：

"他这是在故意捣乱! 他的记性好着呢：祷告词他比我记得都牢固。他在胡说，他的记忆力就像一块石头——刻在上面的东西是抹不

---

① 彼·安·维亚泽姆斯基（1792—1878），俄国诗人，文艺评论家，院士，其公民抒情诗与十二月党人的浪漫主义诗歌很接近，从 19 世纪 50 年代起，趋向保守，反对革命，维护君主制。

② 见俄国诗人伊万·萨维奇·尼基钦（1824—1861）的诗《乞丐》（1857）。

掉的！你必须狠狠揍他！"

外婆也来揭我的短：

"故事——他能够记住，歌词——他能够记住，那歌词不也是诗吗？"

这些话都在理，我也觉得是自己不对，但是只要我一开始读诗，其他一些词儿就像蟑螂一样，不知从哪儿都纷纷爬了出来，而且也排得整整齐齐，一行一行的。

在我们家大门口，
有不少孤儿和老头。
他们喊叫着，沿街乞讨，
把讨来的东西汇总在一起，
卖给彼得罗夫娜去喂奶牛，
完了他们便去峡谷里尽情喝酒。

夜里，和外婆躺在吊床上，我只好不厌其烦地把我从书上学来的和我自己编的东西，给她学说一遍。有时候她听后哈哈大笑，但更多的是把我数落一顿。

"瞧，这不就结了，你是能够记住的！只是不应该嘲笑乞丐，上帝会保佑他们的！耶稣基督就要过饭，所有的圣徒也都要过饭……"

我随口小声念道：

我不喜欢乞丐，
外公对他们也不爱，
这事可怎么办？
上帝啊，切莫把我错怪！
外公总是在寻找借口，
打我一顿他才痛快……

"你念的是什么呀，小心烂你的舌头！"外婆生气地说，"这话让你外公听见了可怎么办？"

"听见就听见好了！"

"你不要惹是生非，让你母亲生气了！她的日子已经够不好过的了，你就别再给她添乱了。"外婆若有所思地、亲切地劝我说。

"她为什么不好过?"

"记住,不许乱问!你不懂……"

"我懂,是外公不让她……"

"听见没有,给我住嘴!"

我生活得很不开心,有一种近乎绝望的感觉,但不知为什么,我总希望将这种心情掩盖起来,装出满不在乎的样子,照样胡闹。母亲教我的课程内容越来越难懂,我很容易地就学会了算术,但是我一点儿也不喜欢作文,对语法也一窍不通。而让我最难受的——是我亲眼所见、亲身感受到母亲在外公家里的日子过得多么艰难。她的情绪越来越低沉,看所有的人都用局外人的目光。她常常坐在靠近花园的窗口,一声不响,一坐就是很长时间,不知怎么回事儿,整个人都变憔悴了。刚回来的头几天,她动作敏捷、精神饱满,可现在眼睛下面出现了两个黑圈,整天头也不梳,衣服皱巴巴的,上衣的扣子也不扣。这样就破坏了她的形象,我感到非常气恼,因为她在我心目中永远都应该是美丽端庄、衣着整洁的——应该比所有的人都优秀!

上课的时候,她常常用陷下去的眼睛望着我身后的墙壁或窗户,有气无力地向我发出提问,有时她竟忘记了回答我的问题,而且,还越来越爱发脾气,冲我大喊大叫——这也使我感到非常不满,因为在我看来,当母亲的就应该像童话故事里讲的那样,比所有的人都要公正,讲道理。

有时候我问她:

"你跟我们在一起感到很难受吗?"

她生气地回答说:

"干你自己的事去。"

我还发现外公正准备干一件外婆和母亲都很担心的事。他常常把自己关在母亲的房间里,在里面唉声叹气,尖声喊叫,像牧人尼卡诺尔吹的木笛似的,非常难听。有一次,他们谈话时,母亲大声喊叫起来,整个宅子都能够听见。

"不行,这绝对不行!"

她"砰"的一声关上了门,外公一直在吼叫。

有一天晚上,外婆坐在厨房桌子旁,给外公缝一件衬衫,一面自言自语地小声在说什么。这时,只听见门"砰"的一声,她侧耳仔细听了一下,说:

"哦,天哪,她到房客那里去了!"

突然，外公闯进厨房，直奔外婆，对着她，当头就是一拳。他一面甩着打痛了的手，一面尖声叫道：

"不许你乱嚼舌头，老妖婆！"

"你是个老混蛋，"外婆理了理被打歪的头巾，平静地说，"我会保持沉默的，还能够怎么样！你的所有的鬼点子，只要我知道，我都会跟她说……"

他向外婆扑过去，用拳头在她头上一通乱打。外婆既不抵抗，也不避让，只是说：

"喏，打吧，打吧，你这个混蛋！给，给你打！"

我从吊床上开始把枕头、被子、炉灶上的靴子，通通往他们身上扔，但打红了眼的外公压根儿没注意我扔过去的这些东西。外婆摔倒在地上，他还用脚踢她的头，最后他自己绊了一跤，也摔倒了，把一桶水也打翻了。他跳起身来，连着吐几口唾沫，呼哧呼哧地喘着粗气，恶狠狠地向四周打量一下，跑回顶楼自己的房间去了。这时外婆哼哼着站起来，坐在凳子上，开始整理自己被弄乱的头发。我从吊床上跳了下来，她气鼓鼓地对我说：

"把枕头等东西捡起来，放到炉炕上去！亏你想得出来，用枕头乱扔！这关你什么事？那老东西是发疯了——蠢货！"

这时她忽然"哎哟"一声，皱起了眉头，然后低下头来，叫我：

"你给我看看，这儿为什么这么疼？"

我把她浓密的头发扒开一看——原来头皮上扎了一根发针，扎得还很深。我把它拔了下来，可马上又发现了一根，我的手指头都发麻了。

"我还是把妈妈叫来吧，我害怕！"

外婆摆了摆手：

"你怎么啦？我叫的是你！谢天谢地，这种事，她眼不见、耳不闻，而你可倒好——还要去叫她！你走吧！"

于是，她自己用织花边的灵巧的手指，开始在乌黑浓密的头发里仔细查找。我鼓足勇气，帮助她把另外两根已经弄弯了的、又粗又大的发针从头皮里拔了出来。

"你疼吗？"

"没关系，明天我烧好洗澡水，洗个澡就好了。"

这时她亲切地恳求我说：

"你呀，我的宝贝儿，可不要跟你妈妈说外公打我的事，听见了吗？没这些事他们父女间的关系就已经够紧张的了。你不会说吧，啊？"

"不会。"

"那好，可别忘了！现在咱们把这里的东西收拾一下。我的脸没有被打伤吧？那就好，这样谁也看不出来……"

她开始擦洗地板，我诚心诚意地说：

"你简直是一位圣徒，别人欺侮你、折磨你，可你却从不放在心上。"

"你胡说什么呀？我是圣徒……你真会说话。"

她唠叨了很长时间，四肢着地，趴在地板上擦来擦去，身子一摇一晃的。这时我坐在炉炕前的台阶上，一直在琢磨如何报复一下外公，给外婆出出气！

这是他当着我的面第一次如此残忍地毒打外婆。暮色苍茫中，我眼前又浮现出他那张涨得通红的脸，他那乱糟糟的棕黄头发。我满腔怒火，热血沸腾，同时又恨自己未能想出一个报复的良策。

但是，过了两三天，因为什么事情我上顶楼去找他，走进屋子，看见他坐在地板上，面前是一只打开的小匣子，他在整理匣子里的一些纸片。椅子上放着他心爱的圣像——十二张灰色的厚纸板。那些纸片，按照月日分为四个板块，每个板块上都有这一天所有圣徒的画像。外公非常珍爱这些圣像，只有在他对我感到特别满意的时候——而这种情况是非常稀少的——才拿出来让我看看。而每当我仔细观看这些密密麻麻排在一起的、灰色的、可爱的小人时，心里总有一种异样的感觉。其中有些圣徒的传记我是知道的，如基里克和乌莉塔、苦行者瓦尔瓦拉、潘捷列伊蒙等。我特别喜欢圣徒阿列克谢的悲伤经历和关于他的美妙的诗篇，因为外婆常常讲给我听，非常感人。有时，望着几百个这样的圣徒，你会暗自感到欣慰——受苦受难者历来都有。

但现在我决定把这些圣徒的画像给剪了，因此，当外公到窗前去看一件印有鹰徽的蓝色公文时，我抓起几张圣徒的画像，迅速跑下楼去，从外婆的桌子里拿出剪刀，爬到吊床上，开始把圣徒们的脑袋一个个地往下剪。剪掉第一排圣徒后——我感到有点惋惜，于是我开始按照板块的线路剪，可是，还没有等我把第二排剪下来，外公便过来了。他站在炉炕的台阶上，问道：

"谁让你动这些圣像的？"

看见木板上散落的方纸片，他抓起几张，凑到眼前看了看，扔掉后又抓起了几张。他一下子脸都气歪了，胡子一撅一撅的，呼哧呼哧地直喘粗气，把纸片都吹到了地上。

"你这是在干什么呀？"他终于大叫一声，拽着我一只脚，用力往后一拉。我凌空翻了个个儿，外婆急忙双手接住了我，然而，外公对着她和我，抡起拳头便打，一面叫道：

"非打死他不可！"

母亲赶来了，我躲在一个角落里，在炉炕边上。母亲用身子护着我，她边说、边推挡着外公在她面前挥舞的双手：

"像什么样子呀？请冷静一下！……"

外公倒在窗前的长凳上，嚎叫道：

"气死我了！你们，你们全都在跟我作对，哎——呀……"

"您就不害臊吗？"是母亲低沉的声音，"您为什么老要装疯卖傻呢？"

外公一个劲地大喊大叫，两只脚在长凳子上乱蹬乱踢，胡子滑稽地往上翘着，两只眼睛使劲闭着。我也觉得他在母亲面前感到面子上过不去，所以他真的装模作样起来，把眼睛闭得死死的。

"我把这些零散小纸片给您贴在布上，这样还会更好看一些，也更结实一些。"母亲说着，看了看那些剪碎的和没有剪碎的圣像：

"瞧，全都给弄皱了，折坏了，搞乱了……"

母亲跟他说话，就像在教我功课时我有不懂的地方跟我解释时一样，这时，外公突然站起身，正儿八经地理了理衬衫和坎肩，清了清嗓子，说：

"你今天就给我贴好！我现在就去把剩下的几张拿来……"

他向门口走去，但是，走到门槛处，又转过身来，用弯曲的手指头指着我说：

"但必须得揍他一顿！"

"该揍，"母亲表示同意，同时转身对我说，"你为什么要这样做？"

"我是存心这样做的。谁让他打外婆呢？要是他再打，我一定要把他的胡子剪掉……"

这时外婆正在脱去被撕破的上衣，她一边摇着头，一边嗔怪地说：

"你就不能像答应过的那样不说这事吗！"

然后她朝地板上吐了一口唾沫，说：

"非得让你的舌头烂得不能动弹，只有这样你才能不多嘴多舌！"

母亲看了看外婆，在厨房里转了一圈，重又走到我跟前。

"他什么时候打你外婆的?"

"我说,你呀,瓦尔瓦拉,你怎么好意思问这种事呢? 这是你该管的事吗?"外婆生气地说。

母亲拥抱了她。

"哎呀,妈妈,我的好妈妈……"

"就知道叫好妈妈! 你给我走开……"

她们相互看了看,一句话没说,便分别走开了,因为外公正在过道里跺脚呢。

母亲刚回来的那段日子,就跟那位性格开朗的房客——军人的妻子——成了朋友,因此,几乎每天晚上都到前院去;贝特连格家的人——一些漂亮太太、军官们——也常到这里来。这一点外公很不高兴,在厨房吃晚饭时他不止一次威胁性地举起汤匙,嘟哝着说:

"这帮该死的家伙又聚集到一块啦! 等着瞧,从现在起到明天一早就别打算睡觉啦!"

没过多久,他要求房客们都搬出去。房子腾出来后,他不知从哪里拉来两车各式各样的家具,他把它们摆放在前面几间房子里,用一把大挂锁锁了起来:

"我们用不着再招徕房客,我自己要接待客人!"

于是,逢年过节,客人们纷纷登门。常来走动的人有外婆的妹妹马特廖娜·伊万诺夫娜①——女洗衣工,喜欢叽叽喳喳,大鼻子,穿一件条纹绸连衣裙,系一条金黄色头巾;和她一起来的还有她的两个儿子:一个叫瓦西里——绘图员,留一头长发,人很善良,活泼开朗,穿一身灰衣服;另一个叫维克多,一副马脸——又长又窄,穿得花里胡哨,一脸雀斑。他一走进前厅就脱去套鞋,像彼得鲁什卡那样尖声尖气地唱道:

"安德烈老爹,安德烈老爹……"

这使我非常惊讶,吓了我一跳。

雅科夫舅舅也常来走动,他带着吉他,还带来一个秃头、独眼的钟表匠。这位钟表匠穿一件黑色的长礼服,不大张扬,像一名传教士。他总是坐在屋角,歪着脑袋,面带微笑,而且莫名其妙地用一个手指

① 马特廖娜·伊万诺夫娜·穆拉托娃,1832 年生。后来嫁给了谢尔盖耶夫,是 B.C. 谢尔盖耶夫的母亲。

头顶着刮得光光的双下巴。他的肤色较黑，他唯一的一只眼睛看任何人都显得特别的专注。此人很少说话，经常重复的一句话就是：

"不必劳驾，反正……"

我头一次看见他时，让我突然想起一件很久以前的事。还是我们住在新街的时候，有一天，大门外人声嘈杂，鼓声阵阵，一辆高高的黑颜色的马车从监狱沿街向广场那边驶去。马车周围全是士兵和人群，马车上——凳子上——坐着一个个头不大、戴圆毡帽的人。他手脚上都戴着镣铐，胸前挂一块黑板，上面写着很大的白颜色的字。这个人低着头，仿佛是在看胸前写的字。他的身子不停地在摇晃，镣铐也在叮当作响。当母亲对钟表匠说"这是我的儿子"时，我吓得直往后退，把两只手藏了起来。

"不必劳驾。"他说。这时他的整个嘴巴向右耳朵方面咧去，样子非常吓人。他一把扯住我的腰带，把我拉到他身边，迅速、麻利地把我转了个圈，然后又将我放开，赞许道：

"不错，这孩子长得很结实……"

我跑到屋角，爬上一把皮沙发椅。这把沙发椅非常之大，能够躺下整个一个人——外公总是吹嘘它是格鲁津斯基王爷①的宝座——我爬到沙发椅上，看大人们在一块玩是多么的没意思，看钟表匠的面孔变化得是多么的莫名其妙和令人生疑。他的脸上油脂麻花，像要融化的样子。一旦他露出笑容，那两片厚嘴唇便跑到了右脸上去，小小的鼻子也随着滑向一边，好像盘子上的一只水饺。他的两只大招风耳朵莫名其妙地摇来晃去，一会儿和那只好眼睛上的眉毛一起向上抬起，一会儿又移向脸上的两块颧骨——看样子，只要他愿意，他能够用这两只像巴掌一样的大耳朵将自己的鼻子盖住。有时候，他一声叹息，嘴里伸出像杵槌似的暗红色的圆滚滚的舌头，接着，很麻利地在嘴的周围画个圆圈，再舔舔两片油脂麻花的厚嘴唇。所有这一切并不可笑，只能让人感到惊讶，使人不得不一直盯着看下去。

他们喝着掺了罗姆酒的茶——这东西有一种烧焦了的葱皮的气味；喝着外婆酿造的各种果酒——有金黄颜色的，有黑得焦油似的，也有翠绿翠绿的；吃着地道的自制果酱和罂粟籽奶油鸡蛋蜂蜜饼，他们一

① Г. А. 格鲁津斯基公爵是格鲁吉亚国王瓦赫坦格的后裔，19世纪初在马卡里耶夫斯基修道院附近保留有一座庄园。

个个吃得汗流浃背、气喘吁吁，一个劲儿地夸奖外婆。吃饱喝足后，每个人都红头涨脸、撑肠拄腹，一本正经地坐到各自的椅子上，懒洋洋地请雅科夫舅舅来上一曲。

雅科夫舅舅弯腰拿起吉他，轻轻拨动一下琴弦，很不耐烦地勉强唱道：

> 啊，生活呀，生活，
> 满城风雨，自得其乐——
> 喀山来的贵妇啊，
> 请听我慢慢细说……

我觉得这支歌曲非常忧伤，可外婆却说：

"雅沙①，来个别的吧，唱个好听点的，啊？记得吗，马特里娅②，以前人们都唱些什么歌曲？"

女洗衣工理了理窸窣作响的连衣裙，一本正经地说：

"亲爱的，现在那些歌曲都不时兴了……"

舅舅眯缝起眼睛看着外婆，好像外婆坐得离他很远似的，但他仍然继续坚持弹他那些令人忧伤的曲调，唱那些让人心烦的歌词。

外公神秘兮兮地在跟钟表匠说话，手指头一个劲儿地在比画着什么。钟表匠扬起眉毛，直往母亲那边看，一面不住地点头。他那张油脂麻花的面孔变化无常，令人难以捉摸。

母亲总是坐在两个谢尔盖耶夫中间，跟瓦西里认真地小声交谈。瓦西里则叹道：

"是——啊，这事是应该想一想……"

然而，维克多满脸堆笑，两只脚蹭来蹭去，忽然尖声尖气地唱道：

"安德烈老爹，安德烈老爹……"

大家一下子静了下来，惊讶地看着他，洗衣女工正经八百地解释说：

"他这是从戏园子那儿学来的，那里就是这样唱的……"

这种枯燥无味的晚会开过那么两三次，后来，钟表匠在白天来了，是个礼拜日，刚做完午祷之后。当时我正坐在母亲的房间里，帮助她

① 雅科夫的小名。
② 外婆的妹妹女洗衣工马特廖娜·伊万诺夫娜的小名。

把一件破损绣品上的玻璃珠串起来。他冷不丁地一下子将门推开了个缝，外婆一脸惊慌地向屋里探一下头，马上又缩了回来，压低声音说：

"瓦里娅——他来了！"

母亲一动未动，毫无反应，这时，门又开了，外公站在门槛处，郑重其事地说：

"穿好衣服，瓦尔瓦拉，走吧！"

母亲既没有站起来，也没有看他，只是问了一句：

"去哪儿？"

"去吧，上帝保佑你！别争了。他这个人非常稳重，业务上是个行家里手，对列克谢来说，是个好的父亲……"

外公说话时态度极其庄重，两个手掌一直在腰的两侧摩挲着，两个胳膊肘弯在背后，就好像他的两只手一直想伸到前面去，而他却竭力不让它们向前伸去。

母亲心平气和地打断了外公的话：

"我跟您说吧，这事根本不行……"

外公向她迈近一步，伸出双手，像盲人似的，弯腰弓背，毛发竖立，哑着嗓子喊道：

"快走！不然——我拉着你走！揪住你的辫子……"

"拉着我走？"母亲站起身来问道。这时她脸色变得刷白，眼睛可怕地眯了起来。她迅速脱掉了外衣和裙子，只剩下一件衬衫，走到外公跟前，说："您拉拉看！"

外公攥紧拳头，龇牙咧嘴地对她威胁说：

"瓦尔瓦拉，快穿好衣裳！"

母亲一只手推开外公，另一只手抓住门把手，说：

"喏，咱们走着瞧！"

"我诅咒你。"外公小声说。

"我不怕。那又怎么样？"

她打开了门，但外公一把抓住她的衬衣下襟，扑通一声，双膝跪了下来，口里喃喃道：

"瓦尔瓦拉，你这鬼丫头，你会毁了自己的！别再丢人现眼了……"

这时他低声地、如泣如诉地哀求道：

"老婆子呀，老婆子……"

外婆已经阻挡住了母亲的去路，她两只手像轰鸡似的在母亲面前挥舞着，她把母亲挡回门内，咬着牙埋怨道：

"瓦里卡①，傻丫头——你怎么啦？回去，真不知害臊！"

她把我母亲推进屋里，将门扣上，冲外公弯下腰，一只手把他拉起来，另一只手指着他，威胁说：

"哎呀呀，你这个老恶魔，真是老糊涂了！"

她把他扶到沙发上，而他则像一个布娃娃似的一头栽倒在那里，张着大嘴，一个劲儿地直摇脑袋。外婆冲母亲喊道：

"快穿上衣服呀，你！"

母亲从地板上捡起连衣裙，说：

"我不去见他——听见了吗？"

外婆把我从沙发上一推，说：

"舀一勺水去，快点！"

她说话的声音不大，跟耳语差不多，心平气和，但非常威严。我跑进过道里，听见前院有沉重、均匀的脚步声，而母亲的房间里传出了她说话的声音：

"明天我就走！"

我走进厨房，坐在窗口，一切都像是在做梦。

外公长吁短叹，泣不成声。外婆一直在唠叨，后来，她"砰"的一声，把门一关，便什么都听不见了，静得有些吓人。一想起外婆让我来舀水，我赶紧舀了一铜勺，来到过道——这时钟表匠从前院走了过来，他低着头，一面摸着皮帽子，一面在清理嗓子。外婆双手按着腹部，在他身后躬身一礼，低声说：

"您知道——强扭的瓜不甜……"

他在台阶的门槛上绊了一跤，一下便跳到了院子里，而外婆一再在胸前画着十字，吓得浑身直打颤，不知她是在暗暗地哭，还是在悄悄地笑。

"你怎么啦？"我跑上前去，问道。

她从我手里把勺子夺过去，将水泼了我一脚，喊道：

"你这是到哪儿打水去啦？把门关上！"

然后她到母亲房间里去了，而我呢——再次来到厨房，听他们在旁边唉声叹气，感慨万千，哼哼嗨嗨的，好像在搬什么很重的东西似的。

天气晴朗。冬天的阳光透过两个结冰的玻璃窗，斜射进屋内。准备午餐的饭桌上，锡制餐具发出暗灰色的光芒，餐桌上摆放着一瓶棕红色

---

① 瓦尔瓦拉的小名。

的格瓦斯饮料，另外还有一瓶外公喜欢喝的深绿色的伏特加酒，里面泡有药慧草和金丝桃。透过冰雪已经融化了的玻璃窗，可以望见外面屋顶上耀眼的皑皑白雪。围墙木桩的顶端和为椋鸟搭建的鸟巢上拢起的雪堆，闪耀着银色的光芒。阳光洒落在我挂在窗框上的鸟笼上，我的那些小鸟在嬉戏玩耍：乖巧的小黄雀在欢快地歌唱；红肚子灰雀在叽叽喳喳，叫个不停；红额金翅雀发出抑扬婉转的叫声。但是，在这阳光灿烂、鸟声悦耳的欢快日子里，我却并不感到高兴，我不需要这样的天气，一切对我都不需要。我想把鸟都给放了，于是开始把笼子往下摘——这时外婆跑了进来，双手拍打着腰部，向炉炕奔去，嘴里一边骂道：

"哎呀，真是该死！你怎么啦，阿库林娜，老糊涂了……"

她从炉炕里拿出一个馅饼，用手指头在上面敲了敲，气恼地啐了一口唾沫。

"哎呀——煳了！这下全烤焦了！哎呀，这该死的鬼炉灶，应该把你们统统砸碎！你们干吗老是瞪着眼睛，是猫头鹰吗？真该把你们一个个砸得稀巴烂，就像砸碎破瓦罐一样。"

这时，她气得哭了起来，拿着馅饼翻来覆去地看，用指头在烤煳的地方敲来敲去，硕大的泪珠洒落在一张张馅饼上。

外公和母亲来到了厨房，外婆把馅饼往桌子上一扔，震得盘子都跳了起来。

"瞧，烤成这个样子，全得怪你们，你们个个都不得好死！"

母亲高兴而安详地拥抱了外婆，劝她不必懊恼。外公的衣服皱皱巴巴，显得非常疲惫，他坐到桌旁，将餐巾系在脖子上，两只有些浮肿的眼睛在阳光的照射下眯缝着，嘴里一面嘟哝道：

"算啦，算啦，没关系！好馅饼又不是没吃过。上帝总是有些吝啬，他用几分钟时间就能毁掉你整年的心血……他从不承诺补偿。坐下吧，瓦里娅……算啦！"

他似乎有点精神不正常，吃饭时口口声声地讲上帝，讲罪孽深重的亚哈①，讲做父亲的沉重的命运——外婆生气地阻止他说：

---

① 见《圣经·旧约·列王纪上》第16—22章。亚哈，以色列国第七代国王（约前874—约前853在位），暗利王之子。在位时战事不多，通过与犹太王国联姻结盟抵拒亚述。其妻耶洗别崇奉迦南人之神巴力，亚哈也转而事奉敬拜，并为其造庙、筑坛，这就引起一些人，特别是先知以利亚的强烈反对。他死后，其子亚哈谢接续他为王。

"你呀，吃你的饭吧！"

母亲闪动着明亮的眼睛，一直有说有笑。

"怎么，刚才吓坏了吧？"母亲推我一下，问道。

不，当时我并不害怕，可是现在我却不知如何是好，只觉得莫名其妙。

他们跟过节的时候一样，吃了很长时间，而且吃得很多，让人非常厌烦，好像他们不是原来那帮人似的——半个小时前，他们还在相互吵骂，差点儿要打起来，个个哭天抹泪的。不知为什么，简直让人难以相信这些人的所作所为是严肃认真的，他们是不轻易落泪的。无论是他们的眼泪还是喊叫，他们相互间的种种折磨，感情经常的爆发和迅速的平息，对于我来说，已经习以为常，越来越不再引起我的注意，我也很少再为这种事激动了。

很久之后我才明白，一般地说，生活贫困、乏味的俄罗斯人，喜欢拿痛苦来寻开心。他们像小孩子一样，把痛苦当儿戏，很少因不幸而感到羞愧的。

在漫长的日常生活中，痛苦——是节日，火灾——是乐趣，在毫无表情的脸面上——伤疤也是一种修饰……

十一

这件事情之后，母亲一下子变得坚强起来，挺直了腰杆，俨然成了家里的女主人，而外公则却变得无声无息，心事重重，寡言少语，与往日相比，判若两人。

他几乎足不出户，整天一个人待在阁楼上，读一本神秘兮兮的书——《我父亲的笔记》①。他把这本书锁在箱子里，我不止一次地发现，外公在取出书之前总要先净净手。这本书的开本很小，但是很厚，棕红色的羊皮封面。在扉页前面的浅蓝色封二上，有一行褪了色的花体字，非常醒目："尊敬的瓦西里·卡希林留念"；下面落款的姓氏很奇怪，字迹潦草，像一只展翅飞翔的小鸟。外公小心谨慎地翻开厚重的书皮，戴上银边眼镜，望着书上的题词，有很长时间一直在耸动鼻

---

① 这里显然是指瓦西里·帕谢克写的《我父亲的笔记。西伯利亚情景。1804—1809》。1838年，该笔记由俄国史学家瓦季姆·帕谢克（1808—1842）收进了《俄国概论》第1卷。（见《高尔基资料汇编》中高尔基1926年8月31日给 H.K. 科利佐夫的信）

子，想把眼镜戴好。我不止一次地问过他："这是本什么书？"他一本正经地回答说：

"这你用不着知道。等将来我死了——我会把它留给你的，连同那件貉绒大衣，一块留给你。"

他跟母亲说话的态度，开始变得缓和一些，说的话也少了。母亲的话他也能够细心倾听了，像彼得伯伯那样，眼睛忽闪忽闪的，未了把手一挥，嘟囔着说：

"好吧，随你的便！你爱咋办就咋办……"

他箱子里有许多稀奇古怪的衣服：花缎裙子、绸子背心、银线绣边的丝绸长衫，还有镶着珠子的女式双角帽和盾形头饰、各种花哨的帽子和三角巾、分量很重的莫尔多瓦项圈和用不同颜色宝石串起来的项链。他把这些东西一股脑儿地抱到母亲的房间里，摆放在几把椅子和几张桌子上。母亲欣赏着这些宝贝，而外公却说：

"当年我们穿得比现在可好看多了，也阔气得多！衣服考究，但生活简朴，比较和谐。这都是过去的事了，一去不复返了！喏，试试，穿上试试……"

有一次，母亲到隔壁房间里去了一会儿，出来时穿了一件绣着金边的蓝长衫，头戴镶有珍珠的双角帽。她向外公深深地鞠了一躬，问道：

"不错吧，父亲大人？"

外公干咳一声，人一下子变得容光焕发起来。他张开双手，舞动着指头，围着她转了一圈，像做梦似的含混不清地说：

"哎呀，瓦尔瓦拉，你要是有大把的钱，身边又都是些好人，那该有多好……"

现在，母亲住在前院的两间房子里，她那里时常有客人走动，最常来的要数马克西莫夫兄弟了：一个叫彼得·马克西莫夫，是位身材魁梧的军官，美男子，留着浅黄色的大胡子，蓝眼睛，就是那个外公曾经当着他的面把我打一顿的人——因为我向老贵族的秃头上吐了唾沫；另一个叫叶夫根尼·马克西莫夫，个子也很高，细长腿，脸色很白，留着黑黑的短胡子。他的眼睛大大的，像两只李子，他身穿浅绿色的制服，金色的纽扣，狭窄的肩头上有两个金黄色的缩写字。他常常很潇洒地将头一摆，将波浪般的长发，从宽阔的前额一直甩到后面。他的微笑显得十分敦厚，讲什么事情时声音总是有些低沉，一开口少不了来句客气话：

"是这么回事，我是想……"

母亲眯起眼睛，嘿嘿地笑着，听他说话，并常常打断他的话：

"您呀，叶夫根尼·马克西莫夫，整个一个小孩子，对不起……"

那位军官用宽大的手掌拍着膝盖，叫道：

"就是个小孩子嘛……"

圣诞节节期①大家过得非常热闹与快乐。母亲那里几乎每天晚上都有衣着漂亮的人来来往往，母亲自己也打扮一新，而且总是最为出众，然后和客人们一同离去。

每当母亲和这帮花枝招展的客人们走出大门后，整座房子就好像钻入地下了似的，到处都变得静悄悄的，令人心烦意乱。外婆像一只老母鸡到各个房间里去走走看看，把东西整理好。外公则背靠着炉炕的暖墙，自言自语地说：

"喏，算了，好吧……什么乱七八糟的，咱们走着瞧……"

圣诞节过后，母亲把我和萨沙——米哈伊尔舅舅的儿子——送进了学校。萨沙的父亲又结婚了②，而后妈从一开始就不喜欢丈夫前妻的这个儿子，经常打他。在外婆的坚持下，外公才把萨沙接到家里来。我们在学校里学了一个月左右③，我记得，学的东西不外乎是回答问你的一个问题：

---

① 基督教为纪念神话中所说的基督降生和受洗而规定的节日，从12月25日（公历1月7日）至1月6日（公历1月19日），共12天。按照民间传统，圣诞节节期适逢新年之际，因而大家唱歌、跳舞，非常热闹。

② 米哈伊尔·卡希林第二次结婚娶的是一个小饭馆老板的女儿——娜佳·德米特里耶夫娜·契尔科娃。高尔基对她有这样的描述："她人高马大，丰乳肥臀，粗手大脚，圆脸庞，大脸盘，面色赤红，皮肤紧绷，中间长着两只蓝色的小眼睛，目光凶狠歹毒，像煤炭发出的蓝色的火光，眼睛下面有一只很不起眼的鼻子和一张双唇薄薄的嘴，一口细小的牙齿。她的声音出奇的高亢，听起来像鸡叫似的，咯——咯——咯，仿佛一直就在耳边。"（《高尔基资料汇编》第12卷，第68页）

③ 1933年4月，高尔基在给格鲁兹木夫的信中写道："《童年》里说，在卡纳维诺上学前，我在下诺夫戈罗德教区学校里学习过两个月，后来因出痘子便上不了。"（见《高尔基资料汇编》第9卷，第318页）高尔基博物馆有资料说，彼什科夫"学习不过5—6个月：1876年2月他因出痘子辍学了"。（见《卡希林之家》一书，1968年，第30页）

"你姓什么？"不能简单地回答说："彼什科夫，"而必须说："我姓彼什科夫。"

同样，也不能对老师说：

"你呀，老兄，别瞎嚷嚷，我不怕你……"

我一上来对学校就非常反感。我表哥从一开始就感到十分满意，一下子结交了许多伙伴，但有一次上课时他睡着了，在梦中忽然大叫：

"我再也不……"

被叫醒后，老师叫他离开课堂一会儿，为此，他被同学们狠狠地嘲笑了一通。第二天，我俩一块儿去上学，走到通往干草广场的山峪时，他停下来对我说：

"你上学去吧，我不去了！我还不如去玩儿呢。"

他蹲下身，把书包小心地埋进雪堆里后便走了。当时是1月份，天气晴朗，到处洒满了灿烂的阳光，我非常羡慕表哥，但我还是横下一条心上学去了——我不想让母亲感到伤心。萨沙埋在雪里的书包，当然给弄丢了。因此，第二天他不去上学便成为理所当然的事了，可是到了第三天，他的这一行为已经被外公知道了。

我们被叫去进行审问——坐在厨房桌旁具体审问的有外公、外婆和我母亲——记得萨沙对外公的提问，回答得非常可笑：

"你究竟为什么不去上学？"

萨沙怯生生地盯视着外公的脸，从容不迫地回答说：

"忘记学校在什么地方了。"

"忘记了？"

"是的。我找呀，找呀……"

"你跟着列克谢不就得了，他知道学校在哪儿！"

"我把他给丢了。"

"把列克谢丢了？"

"是的。"

"这怎么会呢？"

萨沙想了一下，叹道：

"暴风雪很大，什么也看不见。"

大家全都笑了——因为那些日子，天气晴朗、风和日丽。萨沙赔着小心，也露出了笑容，可是外公龇着牙，挖苦地问道：

"你不会拉住他的手、拽着他的腰带吗？"

"我拉了，但大风把我给吹开了。"萨沙解释说。

他说话时显得无精打采，露出一副万般无奈的样子。听着他编的这些愚蠢的、毫无用处的瞎话，我感到非常尴尬，他这种顽固劲儿真让我非常惊讶。

我们被打了一顿，然后家里决定雇一名专门送我们上学的人。这人是个小老头，以前当过消防队员，一条胳膊有残疾——他应该进行监督，不要让萨沙在上学的半道上跑到别处去。但是这同样也无济于事：就在第二天，表哥刚走到山峪边，便忽然弯下身子，把一只脚上的毡鞋脱下来，向远处扔去，然后又脱掉另一只，朝另一个方向扔去，自己光穿着袜子，拔腿向广场跑去。老头儿一声惊叫，一溜小跑，赶紧去捡毡鞋，然后，惊惶失措的他，把我领回家了。

整整一天，外公、外婆和我母亲，都在满城寻找逃走的萨沙，直到晚上，才在修道院旁边的奇尔科夫小酒店里找到他。当时他正在给大家跳舞取乐呢。他被领回家后，始终一言不发，弄得大家不知如何是好，甚至都没有打他。他跟我一块儿躺在吊床上，把腿翘得老高，脚掌直蹬着天花板。他小声跟我说：

"后妈不喜欢我，父亲也不喜欢我，连爷爷都不喜欢我——干吗我要跟他们一起生活？我这就去问奶奶：哪里有强盗，我去投奔他们——到时候你们全都会知道……咱们一块儿跑好不好？"

我不能跟他一起跑，当时我有自己的目标——我决心要当一名军官，留着浅黄色的大胡子，为此，我必须得学习。我把自己的打算告诉表哥后，他想了想，便同意了我的计划，说：

"这样也好。等你当了军官，我已经是强盗头目了，那时你就得到处抓我，谁打死谁还说不定，没准儿还能生擒活捉呢。反正我不会杀死你。"

"我也不会杀死你。"

我们就这样说定了。

这时外婆来了，她爬到炉炕上，看了看我们，开口说：

"干什么呐，小耗子们？唉呀，两个孤儿，两块破碎的瓦片！"

她觉得我们非常可怜，于是便大骂萨沙的后妈——小酒馆老板的胖女儿，我的娜杰日达舅妈，然后把所有的后妈和继父们骂了个遍，而且顺便还给我们讲了一个故事，说的是：有一位圣明贤达的隐士约拿，少年时和后妈发生争执，求上帝进行裁决。他的父亲是乌格齐人，是白湖上的一位渔民。

年轻的妻子起了歹意，
一心要置丈夫于死地，
她把安眠药投进啤酒，
使他昏昏沉沉，不知所以；
再将他放入橡木小舟，
犹如放进了小小的棺木——
一块容身的方寸之地。
她抓起槭木打造的桨叶，
亲自驾起小舟，
向白湖的中心划去。
那里暗藏着险恶的旋涡，
这妖妇干起了无耻的行径。
她将身子一斜，来回一晃，
转瞬间，小木舟倾覆湖中。
丈夫像铁锚一样沉入湖底，
而她却迅速向岸边游动。
上岸后，她一头扑倒在地，
呼天抢地，泣不成声，
她的假慈悲骗过了好心的众人，
大家将她的话信以为真，
和她一块落泪，
同她一起伤心：
"哎哟，你年纪轻轻就守寡！
这可是女人最大的不幸，
不过我们的生活全凭天意，
生死全由上帝决定！"

只有约拿心存怀疑，
不相信后妈的眼泪，
他伸出小手按住她的心口，
怯生生地对她说：
"后妈呀，后妈，你是我命运的机缘，
可你是一只夜行鸟，诡计多端，
我不相信你的泪水，

因为你的心正在欢呼雀跃，乐而忘返！
让我们现在对天发誓，
问一问上天诸位神灵：
随便请人拿出一把宝剑，
请他把利剑抛向万里晴空，
你说的若是实话——宝剑取我的性命，
我说的若是实话——宝剑直落你的头顶！"

后妈瞅了他一眼，
横眉怒目，七窍生烟，
她猛然站起身，
跟约拿争辩道：

"哎呀，你这个不长脑子的畜生，
你这个不足月的杂种，
你都胡诌些什么？
怎么会有这种言行？"

人们看着他们，悉心倾听，
都认为此事疑窦丛生，
大家左右为难，暗自思忖，
彼此间议论纷纷。
后来一位老渔夫挺身而出，
向大家躬身一礼，
然后道出自己的决定：
"善良的人们啊，
请你们把宝剑递给我，
由我来将它抛向天空，
等它落下时，肯定能找到真凶！

人们把宝剑递给老人，
他接过宝剑，抛向头顶，
宝剑像飞鸟一样，直插云霄，
等来等去，仍不见踪影。

人们脱下帽子，聚作一团，
凝神仰望明净的天空，
大家默默无语，黑夜也悄然无声——
空中的宝剑，仍迟迟不见踪影！
朝霞在湖面上冉冉升起，
后妈扬扬得意，脸上露出了笑容，
刹那间宝剑像飞燕一样落下，
直接刺中后妈的心胸。

善良的人们双膝跪下，
只听见一片祈祷声：
"上帝保佑，感谢你主持了公正！"
老渔夫拉着小约拿的手，
领着他到远方去修行。
修道院就坐落在光明的直尔任查河畔，
附近就是基杰什这座无形之城……①

　　第二天，我睡醒后，发现自己长了一身红斑，原来是出水痘了。我被安置到后面的阁楼上，在那里一躺就是很久，什么也看不见，手脚被很宽的绷带绑得结结实实，净做些各种各样的噩梦——有一个噩梦差点儿要了我的命。只有外婆经常来看我，她像喂婴儿似的一勺一勺地喂我吃东西，给我讲很多很多的故事，而且每次都是新的内容。有一天晚上，我的身体已经康复，躺在那里手脚已经不再捆绑了——只有手指头还用绷带裹住，以免我在脸上胡乱抓挠——不知为什么，外婆这天来得比平时都要晚，这使我感到非常不安。忽然，我看见她了：她躺在门外满是灰尘的阁楼台阶上，脸部朝下，胳膊张开，像彼得伯伯那样，脖子被割开一半。一只大猫从落满尘土的昏暗角落里瞪着两只绿眼睛，贪婪地向她慢慢走过去。
　　我急忙从床上跳下来，用脚踢，用肩撞，把窗户框打掉，纵身跳到院子里，落在一个雪堆上。那天晚上母亲那里有许多客人，谁都没

---

　　①　在坦波夫省鲍里索格列布斯基县的科柳巴诺夫斯卡村，我听到过这个神话传说的另一种结尾：宝剑刺死了诬蔑后妈的继子。——原注

听见我砸碎玻璃、打掉窗框的声音，所以我在雪地里躺了好长一段时间。我什么地方都没有摔坏，只是一条胳膊脱了臼，身上被玻璃狠狠划了几道，但是我的两条腿不听使唤了。于是我躺了三个月，完全不能动窝。我只能躺在那里洗耳恭听：家里越来越热闹，楼下开门关门的声音不绝于耳，人来人往，络绎不绝。

风雪在门外肆虐，屋顶被刮得哗啦啦直响，令人心烦意乱。门内阁楼上，四下透风，烟囱在发出悲鸣。阵阵狂风传来刺耳的呼啸声。白天，乌鸦嘎嘎的叫声不断，夜深人静时，只听见旷野狼群凄厉的嚎叫声——在这种音乐的伴奏下，我的心在成长壮大。后来，春天慢慢地到了，它怯生生地、悄无声息地，却一天天更加亲切地透过3月清澈明媚的阳光，小心翼翼地窥探着每一个窗口。猫在屋顶和阁楼上开始活跃起来，叫声不断，春天的信息透过墙壁传了进来——晶莹透明的小冰柱正在涣然冰释，融化了的雪水正从屋顶的高处往下流淌，马车的铃声也比冬天更加清脆响亮了。

外婆经常来看我，我发现她说话时嘴里常带有一股白酒的气味，而且越来越浓重。后来她来时老是带一只白颜色的大茶壶，把它藏到我的床底下，冲我使个眼色，说：

"你呀，我的心肝宝贝，千万不能对你外公这位灶王爷说呀！"

"你干吗要喝酒呢？"

"少插嘴！长大后——你就会明白……"

她就着壶嘴喝了一口，用袖子擦擦嘴唇，脸上露出甜蜜的笑容，问道：

"好啦，我亲爱的小少爷，昨天我讲什么来着？"

"讲到我父亲。"

"讲到哪儿啦？"

经过我的提醒，她便像小河流水似的，滔滔不绝地讲了起来。

是她自己向我讲起我父亲的事的。有一次，她到我这里来，没有喝酒，样子显得很忧伤，一脸倦容，她说：

"我梦见了你父亲，他好像在田野里行走，手里拿一根核桃木棍子，吹着口哨，身后跟着一条小花狗，舌头一伸一伸的。不知为什么，最近我经常梦见马克西姆·萨瓦捷伊奇①——显然，他的灵魂未能得到

———————————

① 即列克谢的父亲马克西姆·萨瓦捷耶夫。

安宁，还在四处游荡……"

她一连几个晚上都在讲我父亲的故事，这些故事跟她讲的其他故事一样好听。

我爷爷行伍出身，当过军官，因为虐待下属，被流放到西伯利亚，我父亲就是在西伯利亚出生的。当时家里生活很苦，父亲很小的时候就常常从家里逃走。有一次，爷爷为寻找父亲，带着几条狗到森林里像猎兔子似的好一通搜寻。还有一次，逮到父亲后，把他一顿猛揍，多亏邻居们把他拉走藏了起来。

"小孩子总要挨打吗？"我问道。外婆平心静气地回答说：

"总要挨打的。"

奶奶死得很早，父亲刚九岁时，爷爷又去世了，他只好跟着当木匠的教父生活。教父让他参加彼尔姆市①的同业行会，教他木匠手艺，但是父亲离开了他，到集市上去给瞎子领路，十六岁来到下诺夫哥罗德，在一艘轮船上干活，给一位包工木匠打下手。二十岁时他已经是一位很好的细木工、裱糊匠和装修工了。他的店铺作坊紧挨着外公家，就在科瓦利赫大街②。

"围墙虽然不高，可人倒是挺麻利，"外婆笑道，"是这么回事。我和瓦里娅正在花园里采摘马林果，他——你父亲——突然从围墙外面跳了进来，我着实被他吓了一跳：一个身强力壮的小伙子，穿着白衬衫，绒布裤子，然而打着赤脚，没戴帽子，长头发上系了一根皮筋，从苹果树中间走了过来。他是来求婚的！我以前看见过他，他常从我们的窗前走过，现在，看见他，我心里想：这小伙子挺不错的！他一过来，我就问他：

"'小伙子，你怎么不堂堂正正地进来呀？'

"可他扑通一声便跪了下来，说：

"'阿库林娜·伊万诺夫娜，我整个人全都在这儿了，我的整个灵魂、心思，也全都呈现在你面前了。这不——瓦里娅也在这儿，看在上帝的份上，帮帮我们吧，我们想结婚！'

---

① 俄罗斯彼尔姆州的一座古老城市，是卡马河港口码头。1940—1957年曾叫莫洛托夫市。

② 科瓦利赫大街是下诺夫戈罗德市一条古老的街道，沿街的拉克马河现在被修成了暗渠。高尔基的外公在这条街上购置了两栋房子，一栋面朝大街，另一栋是侧房，都有院子。这是高尔基的外公所拥有的最漂亮的房子。

"当时我一下子愣住了，连话都说不出来了。我一瞧，你母亲这个机灵鬼，躲在苹果树后面，脸红得跟马林果似的，正在跟他打手势呢。她自己眼睛里也含着泪水。我说：

"'哎呀，你们这两个遭天打的，你们这是搞的什么名堂？你疯了吗，瓦尔瓦拉？还有你，小伙子，你也该想一想：这朵花你配不配来摘取？'

"你外公当时很富有，孩子们还没有分家，有四处房产，既有钱，又有名气。前不久，还因为一连当了九年的行会会长，奖给他一顶带金丝绦带的帽子和一身制服呢——当时他可神气啦！① 我告诉他们俩事情该怎么办，可我自己都吓得浑身直发抖，加上我又觉得他们非常可怜——两个人全蔫了。这时你父亲说：

"'我知道瓦西里·瓦西里耶维奇不会同意把瓦里娅嫁给我的，我想悄悄地把她娶走，只希望你能够帮助我们。'

"居然要我来帮忙！气得我当即给了他一巴掌，他连躲都没躲，说：

"'就是你用石头砸我，我也认了。只求你能够帮帮我们，反正我是不会退缩的！'

"这时瓦尔瓦拉走到他身边，一只手搭在他肩上，说：

"'你告诉她，其实我们早就结过婚了，还在 5 月份的时候，现在我们只需要举行一下婚礼。'

"这一下可把我给气昏了——我的老天爷呀！"

外婆笑了起来，全身都在颤动，然后她闻了闻鼻烟，擦去眼泪，高兴地叹了口气，接着讲道：

"什么叫结婚，什么叫举行婚礼——这种事你还不懂得，不过要是一个姑娘没有举行婚礼便生孩子，那可是一种大逆不道！这一点你可要牢牢记住，你长大后可不要引诱姑娘们干这种事。这样的话，你造的孽可就大了，姑娘会遭到不幸，孩子也是非法的——你一定要记住，要当心！人生在世，一定要怜惜妇女，真心诚意地爱她们，可不能玩世不恭，逢场作戏。我这可是认真地对你说的！"

---

① 19 世纪 50—60 年代是高尔基的外公事业的鼎盛时期，不仅生活富裕，而且在当地也颇有名气。作为染坊行业的行会会长，在塞瓦斯托波尔保卫战期间，他因为在全市业者中为国防军发起过募捐而得到了沙皇的褒奖——奖给他一件带金银边饰的礼服和一顶带羽毛的帽子。

她坐在椅子上轻轻摇晃着，陷入了沉思，然后，忽然又来了精神劲儿，开始说：

"喏，事情可怎么办呢？我打马克西姆的脑袋，揪瓦尔瓦拉的头发，可他却很理智地跟我说：

"'打是解决不了问题的。'

"瓦尔瓦拉也说：

"'您还是先想想该怎么办吧，打的事——以后再说。'

"我问他：

"'你手里有钱吗？'

"他说：

"'有，不过我给瓦里娅买戒指，花了。'

"'你手里就这几个卢布吗？'

"'不，差不多有一百卢布呢。'

"当时的钱很值钱，东西很便宜。我看着他们俩——你的父母，心里想，你们这些年轻人啊，都是些傻瓜！你母亲说：

"'因为怕你们看见，我把戒指藏在地板下了，可以把它卖了。'

"唉，还完全是两个孩子！不过，说来说去，最后说好，过一个礼拜给他们举行婚礼，事情由我亲自和神甫进行安排。而我自己则大哭一场，一直提心吊胆，怕老爷子知道，瓦里娅也非常紧张。喏，事情总算安排好了！

"不过你父亲有个仇人，是位师傅，此人不怀好意，对这件事早有猜疑，并且一直在暗中盯着我们。就这样，我把我唯一的女儿打扮一新，穿上最漂亮的衣服，领到大门外。一辆三驾马车就在街角等着，瓦尔瓦拉上了车，马克西姆一声口哨——马车便扬长而去！我回家时眼泪汪汪的——突然，这个人朝我迎面走来，并且恬不知耻地跟我说：

"'阿库林娜·伊万诺夫娜，我这个人心地善良，不想干涉别人的人生大事，只不过因此你得给我五十个卢布！'

"可是我没有钱，因为平时我不喜欢钱，也就没有积攒，于是，我一时糊涂，便对他说：

"'我现在没有钱，也不会给你！'

"'你答应以后给也行呀！'他说。

"'怎么答应——以后我到哪儿去弄钱？'

"'喏，你丈夫有钱，从他那里偷点，这有什么难的？'他说。

"我也真是笨，应该跟他多磨一会儿，拖住他，可我只是冲着他那副嘴脸，啐了一口，就回家去了。他赶在我的前头，跑进院子——便张扬开了！"

外婆闭上眼睛，微笑道：

"直到今天，一想起他们干的这种鲁莽事儿，还叫人感到不寒而栗！你外公听说后火冒三丈、咆哮如雷——这还了得？平时，他打量着瓦尔瓦拉，夸耀说：我要把她嫁给一个贵族，一位老爷！这下可好——什么贵族、老爷！万能的圣母比我们更清楚——谁跟谁有缘。你外公像火烧着了似的，满院子蹦来跳去，把雅科夫和米哈伊尔喊出来，又把那个麻脸师傅和车夫克里姆叫了出来。他拿着短柄流星锤——哑铃上拴一根皮带，米哈伊尔抄起火枪。我们家的马都是好马，性情暴烈，加上那辆四轮马车——轻便快捷，我想，这下肯定能够追上他们！就在这千钧一发的时刻，瓦尔瓦拉的守护天使忽然让我茅塞顿开——我拿起刀，把车辕上的轭索割了一道口子，心想，这下好了，路上一定会断的！事情果然不出所料：半道上轭索突然断了，差一点没把你外公、米哈伊尔，还有克里姆当场摔死。他们被耽误了下来，等他们把马车修好，赶到了教堂——瓦里娅和马克西姆已经举行完婚礼，正在教堂门口的台阶上站着呢。真是老天有眼呀！

"我们家这老少几个，不由分说，扑过去就要打马克西姆。嘿——怎奈马克西姆身强力壮，气力过人！一下子便把米哈伊尔掀翻到台阶下，摔断了胳膊，把克里姆也摔伤了。你外公和雅科夫舅舅，还有那个麻脸师傅，全给镇住了。

"马克西姆虽然在气头上，但没有失去理智。他对你外公说：

"'快把流星锤收起来，别在我面前摇来晃去。我是个安分守己的人，可是一旦它到了我的手里，那可就是上帝的恩赐了，谁也别想从我这里再把它夺回去，别的我也不用再对你说什么了。'

"他们退了回去，你外公坐到马车上后，喊道：

"'永别啦，瓦尔瓦拉，你不是我的女儿了，我也不想再见到你。你愿意怎么过就怎么过，冻死饿死——随你的便。'

"老爷子回到家里——打我，骂我，我只是逆来顺受，一声不吭，心想：一切都会过去的，如今木已成舟，有什么办法！过后，你外公跟我说：

"'给我听着，阿库林娜，今后你再也没有这个女儿了，这一点你要好好记住！'

"我心里想的一直是：赤发鬼，你说的这些，都是一派胡言。怨恨是坚冰，天一暖和就会融化的！"

　　我听得津津有味，全神贯注。外婆讲的有些地方使我感到惊讶，外公给我描写的我母亲的婚礼完全不是这样。他说当时他反对这桩婚事，婚礼过后也不许母亲进家门，但婚礼还是举行了。按照外公的说法——婚礼不是偷偷举行的，当时他也在教堂里。我不想问外公这两种说法究竟谁说的更正确，因为外婆讲的故事更生动，我更喜欢听。她一边讲，身子一边摇晃，就跟坐在小船上一样。一旦讲到悲伤或可怕之处，她的身子就摇晃得更厉害了，一只手向前伸着，好像要从空中抓取什么东西似的。她常常半合着眼睛，在她那布满皱纹的脸上，流露出一种盲目的、善良的笑容，一双浓浓的眉毛在微微地颤动。有时候，她这种盲目的、与世无争的善良心态使我深受感动，但有时候我又很希望外婆能够说几句发狠的话，责骂几声。

　　"最初，大概有两个礼拜时间，连我也不知道瓦里娅和马克西姆在什么地方，后来有一个毛头小子从她那里来告诉我了。我等到礼拜六，装着要去做晚祷，我亲自到他们那儿去了。他们住的地方很远，在苏耶金斯基坡地的一间不大的厢房里。① 整个院子住的都是手艺人，到处都是垃圾，又脏又乱，闹哄哄的，可他们却不在乎，像两只快乐的小猫，在一块嬉戏玩耍。我尽可能给他们带了点东西：茶叶、白糖、各种杂粮、果酱、面粉、干菇和零花钱——不记得是多少了，是我从你外公那里悄悄偷出来的，因为只是我自己花，偷一点还是可以的。你父亲什么都不要，老大不乐意地说：

　　"'难道我们是叫花子吗？'

　　"瓦尔瓦拉也帮着他说：

　　"'哎呀，妈妈，你这是干什么呀？……'

　　"我嗔怪他们说：

　　"'傻小子，我和你谁跟谁呀？我是你丈母娘。至于你，傻丫头，我是你亲妈！难道你们要惹我生气吗？要知道，世上要是有人惹母亲生气，天上的圣母就会伤心落泪！'

　　"那好，这时马克西姆一下子把我抱了起来，而且满屋子地转悠，

_____

　　① 这个地方在郊区，是一块坡地，往上是小牛胡同（现在叫果戈理胡同），往下是罗日杰斯特文斯基大街（后改为马雅科夫斯基大街），离教堂很近。1863—1866 年阿列克谢的父母在这里住过。高尔基的短篇小说《火灾》对这里有详细的描述。

一边转悠，还一边跳着舞——他的力气可真大呀，整个一头大狗熊！而瓦里娅这鬼丫头在一旁仪态端庄、步履从容，像赞美新的布娃娃似的一个劲儿地夸奖丈夫。她睁大眼睛，东瞧瞧，西看看，俨然一个管家婆，煞有介事地大谈其家务事来了——那神情看着实在叫人觉得好笑！她端来了就茶吃的摊面饼，硬得能够把狼的牙齿硌掉，而且奶酪——也都是些碎渣子！

"事情就这样过了很长时间，你已经快要诞生了，可是老爷子仍然一声不吭——顽固得很，整个一个灶王爷！我悄悄地常去看他们，这事他好像知道，可又好像不知道。全家人都不许提瓦里娅的事，大家都闭口不谈，我也一声不吭，可是我自己心里清楚——做父亲的心是不会长期保持沉默的。这不，盼望已久的时刻终于来临了——一个暴风雪的夜晚，各个窗口好像有狗熊正在往里撞似的，烟囱发出呜呜的叫声，所有的妖魔鬼怪仿佛都挣脱了锁链。我和你外公躺在床上——怎么也睡不着，于是我就说：

"'遇到这样的夜晚，穷人的日子可就难过了，要是心里再感到不踏实，那日子就更不好过了。'

"这时你外公突然问道：

"'他们俩过得怎么样了？'

"'好像没什么，过得还挺好。'我说。

"'你知道我指的是谁吗？'他说。

"'指女儿瓦尔瓦拉和女婿马克西姆呗。'

"'你怎么猜到我指的就是他们呢？'

"'得了吧，老爷子，别揣着明白装糊涂了，这出戏不要再演下去了——有谁高兴看呢？'

"他深深地叹了一口气，说：

"'唉，你们呀，全都是魔鬼，全是些面目可憎的恶魔！'

"然后，他进一步地问：

"'那个大混蛋，'他这是指你父亲。'真的是个混蛋吗？'"

"我说：'那些自己不想干活、骑在别人脖子上靠人养活的人才是混蛋呢，你睁开眼看看雅科夫和米哈伊尔吧——他们两个不都是混蛋吗？家里谁在干活？谁在挣钱？是你。他们帮过你多大的忙？'

"于是他破口大骂起来，骂我是蠢货、下贱坯，纵容女儿和别人私奔，骂得别提有多难听了！我一声不响。他说：

"'你一不了解他是哪里的人，二不了解他为人如何，怎么能够轻

易相信他呢？'

"我仍然一言不发，等他说累了，我才说：

"'你去看看就知道他们生活得怎么样了，他们过得好着呢。'可是你外公说：

"'那也太抬举他们了，叫他们自己过来吧……'

"我一听他这话，高兴得甚至哭了起来。这时他把我的头发松开——他喜欢摆弄我的头发，嘟嘟囔囔地说：

"'别哭了，傻瓜，难道我就那么没心肝吗？'

"要知道，你外公这个人以前好着呢，后来不知他怎么想的，认为再没有比他更高明的人了。从此以后，他就变得又爱发火，又愚蠢。

"这样，你父母他们就来了。那是个神圣的日子，是大斋前最后一个礼拜日①。他们俩个子都很高，穿得整整齐齐、干干净净。马克西姆站在老爷子面前——比你外公高出一头，说：

"'瓦西里·瓦西里耶维奇，看在上帝的份上，不要以为我来是向你要嫁妆的，不，我是来向岳父大人请安的。'老爷子一听满心欢喜，嘿嘿笑道：

"'我说你呀，傻大个儿，整个一个强盗！喏，有你撒欢的时候，搬过来跟我们一起住吧！'

"'这要看瓦里娅什么意思了，我无所谓。'马克西姆眉头一皱说。

"他们两个当时就吵起来了，怎么也谈不到一起！我向你父亲又是递眼色，又是在桌下踩他的脚——可是不行，他仍然坚持自己的意见。他的两只眼睛很漂亮：清澈，快乐，眉毛黑黑的。有时候他把眉头一皱，眼睛便藏到眉毛下，板起脸，样子很倔强。他谁的话都不听，只听我的。我对他比对亲生儿子都好多了，他知道这一点，他也很喜欢我。他紧贴在我身边，有时候还拥抱我，再不就把我抱起来，满屋子转悠，嘴里一边说：

"'你是我真正的母亲，像大地一样。我爱你胜过爱瓦尔瓦拉！'

"当时你母亲喜欢说笑，非常调皮——她一听这话便向你父亲扑了过去，嘴里喊道：

"'你怎么能说出这样的话，彼尔米亚克人，多难听呀！'

"就这样，亲爱的，我们仨在一块儿日子过得挺好！你父亲跳舞也

----

① 人们习惯在这一天相互原谅，摒弃前嫌。

是一把好手，唱的歌也很好听——是从瞎子们那里学来的，而瞎子——再没有比他们更好的歌手了！

"他和你母亲都搬过来了，住在花园里的一间厢房里①。你就是在那里诞生的，当时正是中午——恰好赶上你父亲回来吃午饭。他那个高兴呀，像疯了似的，你母亲被他折腾得够呛，真是傻透了，好像他就不知道女人生孩子有多么艰难！他把我背在肩上，穿过整个院子，去向你外公报喜，说是又添了一个外孙——你外公甚至笑了起来，说：

"'哎呀，马克西姆，就你的幺蛾子多！'

"可是你两个舅舅不喜欢你父亲——因为他从不喝酒，嘴巴不饶人，点子又多，而且非常能干——为此，他们没少给他苦头吃。有一次，正逢大斋期，忽然刮起了大风，所有屋子都响了起来，呜呜直叫，怪吓人的——大家都愣住了，是什么妖物在作怪？你外公吓得不得了，吩咐把各处的长明灯点上，跑前跑后地大声喊叫：

"'赶紧祈祷！'

"忽然，所有的响声都没有了。这样大家更感到害怕了。你雅科夫舅舅猜想：

"'这准是马克西姆捣的鬼！'

"后来马克西姆自己说了出来，的确是他在气窗处摆放了各式各样的玻璃瓶子——大风一吹，瓶子就发出呜呜的响声，不同的瓶子，发出的声音也不一样。外公吓唬他说：

"'开这种玩笑，马克西姆，小心再把你发配到西伯利亚，永远不得回来！'

"有一年天气特别冷，野外的狼群直往城里跑，有时咬死一条狗，有时把马给吓惊了，有个喝醉酒的守夜人就被狼吃了。狼群进城的事，一时间闹得人心惶惶！可是你父亲拿起猎枪，蹬上滑雪板，夜里去到野外。你还别说，还真的能拖回一只甚至两只狼来。他把狼皮剥下来，把狼头一撑，装上两只玻璃眼睛——看上去跟活的一样！正好你米哈伊尔舅舅到过道里去方便，冷不丁一看，调头便跑，头发都竖起来了，眼珠子也鼓了起来，喉咙也堵住了，什么话也说不出来了。他的裤子滑落下来，把他绊了个跟斗，嘴里有气无力地直嚷嚷：狼！狼！大家

---

① 指外公科瓦利赫大街住宅的厢房。1868年3月16日阿列克谢·彼什科夫（即高尔基）就是在这里出生的。

一听，立即抄起手边的家伙，打着灯笼，向过道奔去。到那儿一瞧，果然木箱子里有一只狼脑袋向外伸着！于是大家一通乱打，开枪射击，可是它全然不动！仔细一看——原来只是一张狼皮和一个掏空了的狼脑袋，狼的两条前腿用钉子钉在木箱子上。这时你外公非常恼火——对马克西姆大发雷霆。后来雅科夫也跟着起哄，学会了开这种玩笑：马克西姆好像用硬纸板做了个狼头——鼻子、眼睛、嘴巴都有，再粘上些麻絮当狼毛，然后便和雅科夫一起，来到街上，把狼的这种可怕嘴脸伸进人家的窗户——人家当然被吓坏了，大声呼救。而他们往往在夜深人静的时候，身上披个床单出去吓唬神甫。神甫吓得转身就往岗亭里跑，而值班巡警也被吓坏了，大喊救命。这种恶作剧他们搞了多次，怎么劝他们都不听。我也说过他们——别胡闹了。瓦里娅也说过，可是没用，他们不听！马克西姆总是笑着说：

"'真来劲，看见人们因为一点小事就吓得抱头鼠窜，太有意思了！'

"跟他简直没法说……

"后来，这种事差一点要了他的命：你米哈伊尔舅舅非常像你外公——心胸狭窄，爱记私仇，一心想除掉你父亲。这不，一个初冬的日子，他们做客回来，一共是四个人：马克西姆、你两个舅舅，还有一位教堂执事——此人因打死一个马车夫被赶出了教堂。他们从亚玛街①走回来，把你父亲骗到久科夫池塘，说是去滑冰，像小孩子那样，不用穿冰鞋。他们连哄带骗，把他推进冰窟窿里——记得这件事我跟你讲过……"

"为什么两个舅舅这么歹毒？"

"他们不是歹毒，"外婆平心静气地说，一面闻着鼻烟，"他们只不过是——愚蠢！米什卡非常狡猾，但是很愚蠢；雅科夫倒没什么，但有点傻气……喏，他们把他推进冰窟窿里，但他又钻出水面，两手紧紧扒住冰窟的边沿，可是他们开始用脚踩他的手，他所有的手指头都被他们用鞋后跟踩破了。所幸他没有喝酒，而他们都醉醺醺的。在上帝的保佑下，他总算从冰层下面钻了出来，在冰窟窿中央，坚持把脸露在外面，以便呼吸。这样他们便够不到他，于是他们朝他头上扔了一会儿冰块也就走了——心想，他自己会沉下去的。然而他却爬了上

---

① 即大亚玛街，后改名红色舰队街。

来，立刻跑到警察局——警察局就在附近——他知道警察局就在广场上。警察分局局长认识他，也认识我们全家，便问他：'这是怎么回事？'"

外婆在胸前画了个十字，感慨万千地说：

"上帝啊，请保佑马克西姆·萨瓦捷伊奇和你虔诚的信徒们安息吧，他是无愧于您的保佑的！

"因为他向警察隐瞒了事情的真相，他说：

"'是我自己喝醉了酒，路过池塘，不小心掉进冰窟窿的。'

"'不对，你从来不喝酒的呀！'警察分局局长说。

"不管怎么说，警察局的人用酒给他擦了身，换上干衣服，用皮袄裹着，把他送回家来了。分局局长亲自送他，随行的还有其他两个人。这时雅什卡和米什卡两个人还没有回来，到酒馆里转悠去了，到处去说父母的坏话。我和你母亲一看马克西姆：他完全变了一个样子，浑身冻得发紫，手指全破了，在流着血，鬓角全白了！

"瓦尔瓦拉大叫一声：

"'是谁把你弄成这副模样的？'

"分局局长东看看，西看看，盘问得非常仔细。我打心眼里感觉到：坏了，事情不妙！我让瓦里娅先稳住分局局长，自己背地里悄悄问马克西姆——到底怎么回事？他小声说：

"'你赶快去迎着雅科夫和米哈伊尔，告诉他们——让他们说他们是在亚玛街和我分手的，之后他们俩就去波克罗夫卡大街①了。而我呢，就说我拐到纺织胡同②去了！千万别说错了，否则警察会叫他们倒大霉的！'

"我找到你外公，跟他说：

"'你去招呼一下分局局长，我到大门外去等两个儿子。'

"然后，我告诉你外公出了什么娄子。他边穿衣服、边哆嗦，嘴里嘟囔着说：

"'我早就知道会出这样的事！'

"你外公这是在信口胡说，他压根儿什么都不知道！唉，我拦住了两个孩子，啪啪给了他们两个耳光——米什卡吓了一跳，但马上就清

---

① 后改为斯维尔德洛夫大街。
② 现在的马斯利亚科夫大街。

醒过来了，而雅什卡这小子醉得连话都说不清楚了，不过他也嘟嘟哝哝地说：

"'我什么也不知道，都是米哈伊尔干的，是他挑的头儿！'

"我们好说歹说，才稳住了那位分局局长——他真是位好好先生！他说：

"'嘿，可得当心，要是你们家发生什么事，我一定要查清楚是谁的责任。'

"说完他就走了。你外公走到马克西姆面前说：

"'喏，谢谢你，要是换个人，处在你的位置上，便不会这样说了，这件事我心里全明白！还有你，闺女，谢谢你把一位大好人领到爸爸家里来！'

"你外公这个人，只要他愿意，说话好听着呢，可是后来他却变糊涂了，心里话对谁也不说，自己把自己封闭了起来。后来，只有当我们娘仨在一块的时候，马克西姆·萨瓦捷伊奇才哭了起来，他仿佛在说梦话似的对我说：

"'他们为什么要害我？我哪儿对不起他们了？妈妈，你说，这到底是为什么？'

"他没有管我叫'岳母'，而是喊我'妈妈'，完全像个孩子。他确实也是个孩子，就性格来说，的确像个小孩子。他问我：'到底是为什么？'我放声大哭——我能够说什么呢？他们是我的儿子，我怜爱他们！你母亲把上衣的所有扣子都扯掉了，披头散发地坐在那里，像刚打完架似的，大声吼道：

"'我们走，马克西姆！两个哥哥把我们当成仇敌，我害怕他们，我们离开这里！'

"'别火上浇油了，家里的火势已经够旺了！'我赶紧制止她。

"这时你外公正让这两个混蛋前来请求宽恕。你母亲一见，立刻跳起来，向米哈伊尔扑过去，照他脸上就是几个耳光——这就是对他的宽恕！可你父亲则抱怨说：

"'两位兄长，你们怎么能够这样？因为你们这样，很可能会把我弄成残废，没有手我可怎么工作啊？'

"喏，就这样，马马虎虎他们算是和解了。之后你父亲大病一场，在床上躺了差不多七个礼拜，他偶尔和我提起，说：

"'唉，妈妈，跟我们一起到别的城市去吧——这儿没多大意思！'

"没过多久①，他要去阿斯特拉罕。那里夏天要准备迎接沙皇，你父亲承接了修建凯旋门的工程。他们是乘第一班轮船走的，和他们道别，我心里简直难受极了，实在是难舍难分，你父亲心里也很难受，一个劲儿地劝我，让我跟他们一块到阿斯特拉罕去。然而，瓦尔瓦拉可高兴了，甚至不想掩饰内心的快乐，真不害臊……他们就这样走了。就这些，全跟你讲了……"

她喝了口白酒，闻了闻鼻烟，若有所思地望望窗外的蓝天，说道：

"是啊，我跟你父亲没有血缘关系，可我们的心是相通的……"

有时候，外婆正在给我讲故事，外公忽然走了进来。他仰起那张黄鼠狼脸，用尖鼻子在空气中东闻闻、西闻闻，狐疑多端地打量着外婆，看见她正在讲故事，嘴里便嘟囔道：

"瞎说，净瞎说……"

他突然问我：

"列克谢，她刚才喝酒了吗？"

"没喝。"

"你在撒谎，从你眼睛里我就能够看出来。"

然后，他犹疑不决地走了。外婆在他背后挤了挤眼睛，说了句俏皮话：

"阿夫杰依，您赶快走人，别惊着了我的马群……"

有一次，他站在屋子中间，眼睛看着地板，小声问道：

"老婆子？"

"啊？"

"那事情怎么样了，你看到没有？"

"看到了。"

"你怎么认为？"

"老爷子，都是命啊！还记得你总是说要她嫁个老爷的话吗？"

"嗯，记得。'

"他就是一位老爷。"

"一个穷光蛋。"

"喏，那是她的事！"

外公走了。我感到有点不对劲儿，便问外婆：

"你们讲的什么事情呀？"

---

① 1871 年春天。

　　"什么事你都要打听,"外婆抱怨说,一面在给我揉腿,"从小爱打听——老了就没什么可问了……"说着,她摇晃着脑袋,笑了起来。

　　"唉呀,老爷子,老爷子,在上帝心目中你太微不足道了!廖尼卡,这事你可不许乱说!——你外公彻底破产啦!他借给一位老爷一大笔钱,可那位老爷破产了……"

　　她脸上带着笑容,陷入沉思,久久坐在那里,一言不发,宽大的脸庞上布满了皱纹,显得忧心忡忡,黯然神伤。

　　"你在想什么呀?"

　　"我在想给你讲点什么呢?"外婆忽然来了精神,"喏,就讲叶夫斯季格涅伊的故事吧,好不好?你听着:

> 从前有一位教堂执事,
> 名字叫叶夫斯季格涅伊。
> 他认为自己聪明绝顶,老子天下第一,
> 神甫、贵族全不在话下,
> 连资格最老的看家狗,
> 也无法和他相比!
> 他走起路来,
> 昂首阔步,像只公火鸡,
> 自称是美人鸟西林①,
> 左邻右舍他教训个遍,
> 没有一件事合他的心意。
> 抬头看看——教堂太矮!
> 低头瞧瞧——街道太挤!
> 苹果他认为不够红!
> 太阳不应该早升起!
> 不管大家跟他说什么,
> 他总是说——

　　外婆鼓起腮帮子,瞪大眼睛,她那慈眉善目的脸庞,看上去有些傻相和滑稽,她有气无力地用低沉的声音说:

---

　　①　神话中的鸟,长着一副美女的容貌。

这些事我样样都行，
做起来比谁都麻利，
只是我实在没时间，
——心有余而力不足。

她沉默片刻，满面笑容地接着小声往下讲：

一天夜里，
小鬼们来找这位执事：
"执事先生，
你对这里是不是很不满意？
那就跟我们一起，到地狱里去，
那里的炭火正旺着呢！"
聪明的教堂执事
还没来得及戴上帽子，
小鬼们一拥而上，
将他死死抓在手里，
拖的拖，挠的挠，大呼小叫，
有两个干脆骑在他脖子上，
最后把他扔进了地狱的火坑。
"叶夫斯季格涅伊，在这里感受如何？"
教堂执事酷热难耐，向四下打量，
双手叉着腰，
高傲地噘着嘴说：
"你们这地狱呀，黑幕重重，乌烟瘴气！"

她用浑厚的声音，慢条斯理地讲完了这个寓言故事，脸上表情一变，笑嘻嘻地跟我解释说：
"这个叶夫斯季格涅伊没有认输，顽固坚持自己那一套，执迷不悟，跟咱们家老爷子一模一样！好啦，到时候了，该睡觉了……"
母亲很少到我住的阁楼上来，即便来了，跟我待在一起的时间也不长，匆匆忙忙说几句话就走。最近她变得越来越漂亮了，穿得比以前也更好了，但是从她身上，就跟从外婆身上一样，总使我感到发生了某种新的、不让我知道的情况，这只是我的感觉和猜想。

外婆的故事对我越来越没有吸引力了，连她讲的关于我父亲的往事也无法平息我心中的疑虑与不安，我的这种情绪有增无减、与日俱增。

"为什么父亲的灵魂不能安息呢?"我问外婆。

"这我怎么知道?"她半闭着眼睛说，"这是上帝的事，由上天做主，我们无法知道……"

我整夜整夜地失眠，透过蓝色的窗户，遥望夜空，只见群星在天际间缓缓移动，我忽发奇想，杜撰出一些伤感的故事——其中占主导地位的是我的父亲，他总是独来独往，孑然一身，手里拿一根棍子——一条长毛狗紧随其后……

十二

有一回，傍晚时我睡着了，醒来后，我的两条腿也有了知觉。这时我把腿从床上放下来，站在地板上——可是它们却又不听使唤了，但是我已经有了信心——相信我的腿是好的，将来还可以走路。这太让人兴奋了，我高兴得叫了起来，把全身的重量都放在两条腿上，可是我摔倒了，不过我立刻向门口爬去，沿着楼梯往下爬，我能够清楚地想象得出，楼下的人看见我时有多么惊讶。

不记得我是怎样来到母亲房间的了，我坐在外婆的膝盖上，有好多我不认识的人站在她的面前，一个穿绿衣裳的干瘪老太婆嗓门比谁都高，她严厉地说：

"给他灌马林果汁，把头包起来……"

她浑身上下都是绿颜色——连衣裙是绿的，帽子是绿的，脸也是绿的，甚至眼睛下面那颗痣上长的一撮毛也像一撮青草似的。她的下嘴唇向下耷拉着，上嘴唇往上翻着，看我的时候露出她那满嘴的绿牙，还用那只戴着绣有花边的无指黑手套的手半遮着眼睛。

"她是谁呀?"我小心地问道。外公不耐烦地回答说：

"她也是你奶奶……"

母亲嘿嘿一笑，把叶夫根尼·马克西莫夫①推到我跟前说：

"他就是你父亲……"

_____

① A.M.彼什科夫(高尔基)的继父康斯坦丁诺夫斯基，测绘学院的学生。暑假期间他本来是到下诺夫戈罗德市探望自己兄弟的，但结婚后便不再回莫斯科继续学习了，而是在卡纳维诺轮船账房里找了个事做，可是没干多久就被辞退了，后来在下诺夫戈罗德火车站谋了个会计的职位。

她的话说得很快，听不明白她说的是什么。马克西莫夫眯起眼睛，俯下身跟我说：

"我送给你一盒油彩。"

屋子里非常明亮，前面一个角落放着一张桌子，桌上有一台银质枝形灯，五根蜡烛同时都点着，蜡烛中间是外公心爱的圣像——"勿哭我，圣母"。圣像衣饰上的珍珠在灯光的映照下光彩夺目，清澈明亮，圣像头顶金色光环上镶嵌的红宝石闪闪发光。有几张模糊不清的圆脸，从外面紧贴在临街的玻璃窗上，他们一声不吭，把鼻子都挤扁了。周围的一切仿佛在向某个地方飘动，而那位一身绿色的老太婆用她那冰冷的手指摸了摸我的耳朵说：

"一定要让他喝，一定……"

"他晕过去了。"外婆说罢，便抱着我向门口走去。

但我并没有晕过去，我只是闭上了眼睛。当她抱着我上楼的时候，我问她：

"这事儿你怎么早不告诉我呢？……"

"你呀，算啦，别说了！……"

"你们在骗人……"

她把我放到床上后，便一头扑在枕头上，放声大哭起来，浑身都在哆嗦，肩膀抖动得很厉害，哭得上气不接下气。她抽抽搭搭地说：

"你也哭吧……都哭出来……"

我不愿意哭。阁楼上又暗又冷，我浑身发抖，连床都直摇晃，发出吱吱的响声，那个绿色老太婆就站在我的面前。我假装睡着了。后来外婆走了。

几天来，日子过得单调乏味、空虚无聊，犹如一条小溪在潺潺流过。事情说好后，母亲便到什么地方去了，这时家里变得非常安静，但我的心情却十分压抑。

一天早上，外公手里拿一把凿子，走到窗前，要动手拆除冬天窗户上的防寒板条。外婆端来一盆水，带着抹布，外公小声地问她：

"怎么样，老太婆？"

"什么怎么样？"

"高兴了吧，是不是？"

她像在楼梯上回答我时那样回答他：

"你呀，算啦，别说了！"

简简单单的一句话，现在却具有特殊的含义，它包含着一件人人都知道却心照不宣的令人伤心的事。

外公小心翼翼地拆下窗户上的防寒板条，放到一边，外婆将窗户打开——花园里马上传来了椋鸟的鸣叫和麻雀叽叽喳喳的叫声，一股春回大地的泥土芳香涌进了屋内。炕灶上浅蓝色的瓷砖有些发白，显得有些不合时宜，望着它们，令人不禁感到有些寒意。我从床上下了地。

“不能光着脚走路。”外婆说。

“我想去花园看看。”

“等等再去吧，那里的地还湿着呢！”

我听不进她的话，甚至一看见大人心里就烦。

花园里到处已经吐出了新绿芽，苹果树上的叶芽、花蕾，正含苞待放，彼得罗夫娜房顶上的青苔已经发绿，看上去令人心旷神怡。周围有很多鸟儿在自由飞翔，欢快的叮当声，清新的空气，扑鼻的芳香，令人心醉神迷，头晕目眩。在彼得伯伯自杀的那个土坑里，满目都是被积雪压得乱七八糟的枯草——看上去乱糟糟的，一点春天的气息都没有。那些被烧得发黑的一根根木头，显现出一副败落相，因此，整个土坑给人的印象令人生厌，而且绝对多余。我真想将那些杂草统统拔掉、踩碎，把这些破砖碎瓦、烧焦的木头拿走，把一切肮脏的废物统统清理掉，从而给自己在土坑里营造一个干净的空间，夏天可以避开大人，一个人到这儿来住。说干就干，于是，我立刻动手，花了很长时间。这件事使我避开了家里发生的许多事情，尽管有时候仍不免生气，但日复一日，对它们的兴趣也就淡漠了。

“你怎么总噘着嘴呀？”外婆和我母亲时不时地老这样问我——她们这样问我时，我总感到有些尴尬，其实我并没有生她们的气，只是感到我在这个家里处处都是个局外人。午饭、喝晚茶和吃晚饭时，那个一身绿色的老太婆经常就坐在旁边，很像旧篱笆上的一根腐朽的木桩。她的眼睛像是用无形的针线缝合在脸上的，轻易就能从干瘪的眼眶内鼓出来，转动起来非常灵活。她什么都能看见、什么都能发现，谈到上帝时，她眼睛望着天花板，要是谈到家务事，两只眼睛便垂到了脸上。她的眉毛像是用麦麸做成粘上去的。她的牙齿很大，而且外露，总在不声不响地咀嚼着她塞进嘴里的一切东西。她在拿东西的时候总是滑稽地将手往下弯着，小拇指翘得老高。耳垂下各有一个骨质小球晃来晃去，耳朵一动一动的，连那颗痣上的一撮绿毛也跟着在微微颤动，仿佛是在她那满是皱纹的、干净得令人讨厌的皮肤上慢慢地蠕动。她和她的儿子一样，浑身上下异常洁净——让人不好意思和他们靠近，也不便接触。最初几天，她总想把一只死人般的手伸到我嘴边让我吻，可是她手上有一股子喀山产的黄肥皂和乳香的气味，于是我转身就跑。

她经常对她的儿子说：

"男孩子一定得好好教育——懂吗，热尼亚？"

他听话地低下脑袋，眉头紧锁，一声不吭。在这位绿老太婆面前大家都皱着眉头。

我恨透了这个老太婆，也恨她的儿子，为此我挨过不少的打。有一次吃午饭的时候，她瞪大眼睛跟我说：

"哎呀，阿廖申卡，你干嘛这样狼吞虎咽的，这么大的块儿就一口吞下，会噎着你的，亲爱的！"

我把那块东西从嘴里掏出来，用叉子扎着，递给她说：

"要是觉得可惜，您就拿去吧……"

母亲把我从饭桌上拉开，让我到阁楼上去，弄得我很没面子——外婆来看我，她捂着嘴，哈哈大笑，说：

"哎呀，老天爷！你也太胡闹了，基督保佑你……"

我不喜欢她捂着嘴的样子，便躲开她，爬到屋顶上，在烟囱后面坐了很久。是的，我很想胡闹一通，对所有的人恶语相向，而且我很难克制这种愿望，但是没办法，不得不克制。有一回，我在我未来的继父和奶奶的椅子上抹了些樱桃树胶，他们两人都被粘住了。这件事太可乐了，但外公把我揍了一顿。母亲到阁楼上来看我，把我拉到跟前，用两个膝盖使劲夹住我，说：

"听着——你干吗要这样使坏呢？要知道，你这样做叫我多伤心呀！"

她眼睛里饱含着泪水，把我的头紧紧贴在她的脸上——她这样让我难过极了，还不如把我打一顿呢！我说，我再也不会对马克西莫夫母子使坏了，永远不会——但愿母亲不会再哭了。

"是啊，这就对了，"母亲小声说，"不要再淘气了！我们很快就要举行婚礼，然后去莫斯科，回来后，你就跟我住在一块。叶夫根尼·马克西莫夫人很好，也很聪明，你会跟他和睦相处的。你将来要上中学，然后上大学——就跟他现在一样，然后，当博士。想干什么都可以——有了学问就可以干自己想干的事了。现在你去吧，玩儿去吧……"

她一连用了好几个"然后"，我觉得这些"然后"是通往深处某个地方的阶梯，距离她越来越远。黑洞洞的，漆黑一片，孤身一人——我不喜欢这样的阶梯。我很想对母亲说：

"求求你，别嫁人了，我养活你！"

但这话我没有说。母亲常常唤起我对她的无限亲情与思念，但要把这些想法说出来，我一直下不了决心。

在花园里，我的事情进展得很顺利：我手拔刀砍，清除了杂草，将土坑四周塌陷的地方用碎砖砌起来，再砌一个宽大的平台，这样不仅可以坐人，甚至可以躺下。我找来许多彩色的玻璃片和餐具碎片，填在砖缝里，抹上灰泥——这样太阳一照，土坑里马上便显得喜气洋洋、五彩纷呈，像置身于教堂一样。

"这主意很不错！"有一次外公看了我的工程后这样说，"只是杂草会长得比你还高，必须把它们连根拔掉！我来帮你用铁锹把地翻一翻——去把铁锹拿来！"

我取来了铁锹，外公清了清嗓子，朝手上吐了一口唾沫，然后一只脚踩着铁锹，把它深深踩进肥沃的土壤里。

"把草根捡出去，以后我帮你栽上向日葵与锦葵——肯定能够成活，长好……"

这时，他弯下腰，扶着铁锹，忽然不说话了，在那里发愣。我仔细瞧了瞧他——只见眼泪正从他那双像狗一样聪明的小眼睛里不住地往下滴呢。

"你怎么啦？"

他打起精神，用手掌擦了擦脸，泪眼模糊地看了看我。

"我出汗了！快瞧，那么多蚯蚓！"

然后他又开始翻地，这时他突然说：

"你干的这些活，都算是白干！瞎耽误工夫，小伙子。因为很快我就要把房子卖掉。大概入秋前就卖。我需要钱，给你母亲做嫁妆用。是的，但愿她能够过上好日子，上帝会保佑她……"

他扔下铁锹，挥了一下手，便到浴室后面去了，他在花园一角有几间小温室。于是我便动手挖地，刚一开始就碰伤了脚趾头。

这样我便无法陪母亲到教堂去参加她的婚礼了，我只能把她送到大门外，看着她挽起马克西莫夫的胳膊，低着头，小心翼翼地走在砖砌的人行道上，踏着从砖缝里长出来的青草——好像走在一颗颗钉子上似的。

婚礼很冷清。从教堂里回来，大家喝茶时，情绪都不高。母亲当即换下婚纱，到卧室去收拾箱子了。继父坐到我身边，对我说：

"我答应过送给你油彩，可是这城里没有好的，我自己用的又不能给你，等我到莫斯科后，给你寄来……"

"我要油彩有什么用？"

"你不喜欢画画吗？"

"我不会。"

"好吧，我给你寄别的礼物。"

母亲走过来说：

"我们很快就会回来的，你父亲一考完试，结束学业，我们马上就回来……"

他们跟我说话像跟大人说话一样，这一点我心里感到非常舒服，但我有点纳闷的是，一个长了胡子的人怎么还要上学呢？于是我问他：

"你在学习什么呀？"

"土地测量……"

我也懒得问：这究竟是干什么的？家里安静得令人心烦，只听见有一种收拾毛料子的窸窣声，真希望夜幕能尽快降临。外公背靠着炉灶站在那里，眯缝着眼睛望着窗户。那个一身绿色的老太婆在帮助我母亲打点行装，唠唠叨叨、哼哼咳咳，而外婆中午就喝醉了酒，为了顾全面子，家里人把她送到阁楼上，门上落了锁。

第二天一大早母亲便走了。临行前她拥抱了我，把我轻轻地从地上抱起来，用一种从未见过的目光看着我，亲吻我，说：

"喏，再见了……"

"跟他说，让他听我的话。"外公望着天空，脸色阴郁地说。这时天空刚出现红霞。

"好好听外公的话。"母亲说着，在我胸前画了个十字。我期待着她还能再说点什么，可是被外公给打断了，因此我非常生外公的气。

他们坐上一辆轻便马车，母亲的裙子下摆不知钩在什么地方了，她解了好长时间，显得非常烦躁。

"去帮她一下呀，你没看见吗？"外公对我说。

我没有去帮忙，当时我的心情坏透了。

马克西莫夫在马车上耐心地把穿着蓝窄脚裤的两条长腿摆放好，外婆往他手里塞了一包什么东西，他把它放在膝盖上，用下巴顶着，惊讶地皱起了他那张苍白的脸，拉长声调说：

"够——了……"

那位绿色老太婆和她的大儿子——一位军官，坐在另外一辆轻便马车上——她正襟危坐，像画上画的一样，她儿子却在用马刀把拨弄自己的大胡子，而且直打哈欠。

"这么说，您这是去打仗了？"外公问道。

"没错儿！"

"这是件好事。土耳其人就是该打。"

沙俄为了向黑海和巴尔干地区扩大自己的影响，多次和土耳其发生战争，从 17 世纪末到 19 世纪将近二百年的时间里，大的战争就有八九次之多。这里显然是指 1877—1878 年的那次俄土战争，土耳其战败，被迫签订了《圣·斯特法诺和约》，俄获得南高加索大片土地，巴尔干许多地方纷纷脱离土耳其，宣布独立。……

他们走了。母亲几次回过头，向我们挥动手绢，外婆一只手扶着墙，哭得泪人似的，另一只手也在空中不停地挥动。外公也一直在流泪，不断地揉着眼睛，他小声断断续续地说：

"这事儿不会有……好结果……不会……"

我坐在一个石磴上，看着两辆马车一颠一颠地往远处驶去——眼看着它们转过弯去。此时此刻，我心里仿佛有什么东西一下子被关了起来，紧紧地关闭住了。

天色尚早，各家各户的百叶窗还关着，街上冷冷清清——我从未看见过大街上如此空旷冷清，死气沉沉。只听见远处有牧人吹笛子的声音——吹得没完没了，实在烦人。

外公扶着我的肩膀说：

"我们喝茶去吧，看来你是命中注定——非跟我一块生活不可了。我们俩就跟火柴与石头一样，你就在我身上划吧！"

从早到晚，我和外公一直默默地在花园里忙活。他平整畦土，绑扎马林果，清除苹果树上的苔藓，捻死小毛虫，而我却一直在营造和装饰我那个小窝。外公把烧焦了的那一段木头砍去，在地上插了几根木棍，我把鸟笼分别挂在上面。我用干草编成草帘子，盖在长凳上遮挡阳光和露水——把我这儿收拾得舒舒服服，停停当当。

外公说：

"你自己学着给自己营造一个舒适的处所，这对你很有益处。"

我非常珍惜他的话。有时候，他躺在我搭的草铺上，慢条斯理地开导着我，好像他的话是很不容易才说出来的。

"现在你和你母亲已经一刀两断，她另外有了孩子，她对他们比对你要亲。这不，你外婆又开始喝起酒来了。"

他沉默了很长时间，仿佛在倾听什么——然后又很不情愿地开了口，语气非常沉重。

"这是她第二次开始喝酒了——米哈伊尔被征兵时她也喝过。当时她这个老糊涂劝我掏钱给他买了一个免役证。他要是当了兵，说不定日后还能变一个样子……哎呀，你们这些人呀……我活不了多久了。就是说，将来就剩下你一个人，什么事情都得你自己操心，自己照料自己——明白吗？嗯，就是这样。必须要学会自食其力，不能依赖别人！要安分守己、老老实实地做人，但一定要倔强！大家的意见要听，但你觉得怎么好就怎么办……"

整个夏天——当然恶劣天气除外——我都是在花园里度过的，遇上温暖的夜晚，我甚至在那里过夜，就睡在外婆送给我的那块羊毛毡上。有时外婆也在花园里过夜，她抱来很多干草，摊在我的床边，然后她躺下来，随便什么事她都能跟我讲很长时间，其间，她往往突然停下来，插话说：

"瞧，一颗星星陨落了！不知是谁的纯洁的灵魂在思念大地母亲了！就是，现在什么地方有一个好人诞生了。"

再不，有时候她指给我看：

"你瞧，出现了一颗新的星星！多么明亮！啊，上天呀，上天，你是上帝光辉的法衣……"

外公嘟囔着说：

"怎么这样不懂事，你们这样会感冒生病的，没准儿还会引起中风。小偷进来，会掐死你们的……"

常常有这样的情形——太阳落山时，天空会出现一条条燃烧的河流，当这些河流燃烧殆尽时，金光灿灿的红色灰烬，会撒落在花园天鹅绒般的大片绿茵上，然后，周围的一切，在温暖、昏暗的笼罩下明显地在变暗，在扩展，在膨胀。充分沐浴了阳光的树叶往下耷拉着，草儿都垂向地面。一切都变得更加柔和，更加朦胧，空气中散发出各种淡淡的香味。它们像音乐那样沁人肺腑，亲切宜人——这时正好有乐声传来，来自远处的旷野：是兵营里的军号声。夜幕在降临，人们心中不禁涌起一种强烈的、像母亲的爱抚那样令人振奋的激情，宁静用它那温暖的毛茸茸的手，轻轻地抚摸着人的心扉，拂去心头上一切应该忘掉的东西——白天沾染上的一切有害的细小灰尘。一个人躺在那里，仰望天空，观看闪烁的群星，遐想深邃的夜空，这是多么惬意的事啊！这无限深邃的夜空，越看越高，越能够不断发现新的星星。它不费吹灰之力便能够把你从地上托起，而且——说起来也怪——不知是整个大地在你面前变小了，还是你自己神奇地长高了、变大了，和周围的一切融为一体了。夜，越来越黑，越来越静，但是感觉灵敏的琴弦无处不在，而且它的每一个音响——无论是小鸟梦中鸣叫，刺猬跑动的响声，还是什么地方忽然传来的悄声细语——都显得非常独特，与白天的声音就是不同，因为它被充满爱心的、敏感的寂静凸显出来了。

远处传来了手风琴的演奏声和女人的笑声，有用马刀砍击人行道上砖头的声音，还有狗的尖叫声——这一切都没有必要，多此一举，是日暮途穷的白昼所留下的最后几片残叶。

有时候，夜深人静，在荒郊野外，或者大街之上，忽然传来醉鬼们的喊叫声，有人在急速奔跑，迈着沉重的脚步——这些都已经司空见惯、习以为常，不值得注意了。

外婆很长时间没有睡着，她躺在那里，双手放在脑后，心潮起伏，思绪万千。她激动地给我讲述着什么，至于我是不是在听她的故事，这一点看来对她毫不重要。她非常善于选择故事，每次讲的内容，都能够使夜晚变得更加有趣，更加美丽。

听着她那富有节奏的叙述，我不知不觉进入了梦乡，醒来时鸟儿已经在歌唱了，阳光照在脸上暖洋洋的。早晨的空气在徐徐流动，苹果树叶子上的露珠被纷纷抖落下来。湿润的草地在阳光照耀下像水晶一样的清澈透明，显得越发鲜艳漂亮。薄薄的雾气在青青的草地上冉冉升起，徘徊缭绕。只见雪青色的天空里霞光万道，紫气千条，整个天空变得更蓝了。云雀在展翅飞叫，直插云天。一切色彩和声响像雨露一样滋润着人们的心田，使人有一种平静喜悦的心情，希望赶快起来做点什么，和身边的一切生灵和睦相处，共同生活。

这是我毕生最安静和感受最多的一段时间，也正是这个夏天，我形成并建立了对自己力量的自信心。我变得孤僻了，不愿与人交往。我明明听见奥夫相尼科夫家的孩子们在喊叫，但是我不愿意去找他们。表哥们来了，我一点也不感到高兴，反而担心他们可能会毁坏我花园里的建筑——我独立干成的第一件事。

外公的话我也不爱听了，因为他的话越来越没有意思，整天长吁短叹，唠叨个没完。他开始经常跟外婆吵架，赶她出门。她不是到雅科夫舅舅那里，就是到米哈伊尔舅舅那里去住。有时一连几天都不回家。于是外公只好自己做饭，经常烫着自己的手，疼得他嗷嗷直叫，破口大骂，摔碟子砸碗，显得特别不耐烦。

有时候，他来到我的草棚子里，找块草皮，舒舒服服地坐下，长时间地注视着我，一声不吭，然后突然问道：

"你为什么一句话不说？"

"不为什么。怎么啦？"

他开始教训我说：

"我们不是有钱的老爷，没有人来教我们，我们得自己去弄明白事情的道理。书倒是有，那是为别人写的，学校也是给别人盖的，根本没我们的份儿。一切都得靠自己……"

这时他陷入了沉思，蔫头耷脑的，一动不动，像哑巴似的，简直有些吓人。

秋天，外公把房子卖了。卖之前不久，有一天喝早茶的时候，突然，他阴沉着脸，态度坚决地向外婆宣布：

"喏，老婆子，我一直养活你，养活到现在——也够了！以后你自己挣饭吃吧。"

外婆对他的这些话根本不在乎，好像她早就料到他会这样讲，而且正等着他这样说呢。她不慌不忙地取出鼻烟壶，放在自己海绵似的鼻子下闻了闻，说道：

"喏，好吧！既然如此，那就这么办吧……"

外公在山脚下一条死胡同里租了两间房子，是一幢老房子的地下室，光线非常阴暗。① 搬家时，外婆拿来一只系着长带子的树皮鞋，把它扔进炉灶里，然后蹲下身，对家神爷祷告说：

"家神爷呀，家神爷，这是给你预备的雪橇，请你跟我们一块迁往新居，寻求新的幸福……"

外公从院子里往窗内一望，大声喊道：

"看我拉不拉他走，异教徒！别给我丢人了……"

"哎呀，当心，老头子，说这种话是要倒霉的。"她严肃地警告说，但外公咆哮如雷，不许她把家神爷请过去。

---

① 指在大雁胡同租下两间厢房，房间很小。卡希林家的人在这里住了不久，后来就搬到库纳维诺去了。

家具等各类杂物，他卖给了几个收破烂的鞑靼人，有两三天时间，他一直在和他们讨价还价，甚至破口大骂。外婆隔着窗子看着他们，时而伤心落泪，时而不禁发笑，她低声喊道：

"让他们拿走吧，不要了……"

我也快要哭了，舍不得我的花园、我的小草屋。

搬家时我们用了两辆大车，我坐的那一辆，上面堆满了杂七杂八的东西，颠簸得很厉害，简直就要把我抛出去了。

有两年左右的时间——直到我母亲去世——我一直就是在这种颠簸不定、不知要把我抛向何处的感觉中度过的。

外公迁到地下室后不久母亲就回来了，她脸色苍白，人变瘦了，眼睛也大了，眼里流露出炽热、惊异的神色。不知为什么，她对什么东西都要仔细察看一遍，好像头一次看见外公、外婆和我似的——她认真地打量一切，一句话没有，而继父则一直在屋子里晃来晃去，小声地吹着口哨，不时地咳嗽几声，背抄着手，指头一直在乱动。

"天哪，你长得可真够快呀！"母亲用热烘烘的双手捧着我的脸对我说。她的衣服样子非常难看——穿一件又宽又大的棕色连衣裙，肚子挺得老高。

继父向我伸出了手：

"你好哇，小老弟！噢，日子过得怎么样，啊？"

他闻了闻周围的空气，说：

"知道吗，你们这里可真够潮湿的！"

他们两个好像经过长途跋涉，已经非常劳累，衣服皱皱巴巴的不说，还磨出了窟窿。现在他们什么都不需要，只想躺下好好休息一下。

大家都在闷着头喝茶，外公看着雨水如何在冲刷窗户上的玻璃，问道：

"这么说，全都烧光了？"

"全都烧光了，"继父的语气非常肯定，"我们俩算侥幸逃了出来……"

"是啊，大火可不是儿戏。"

母亲俯在外婆的肩膀上，在她耳边小声嘀咕了几句——外婆眯缝着眼睛，好像害怕强光刺激似的。气氛变得越来越沉闷了。

这时外公突然开口了，他的话非常尖刻，语气平静，声音很高：

"叶夫根尼·马克西莫夫先生，我听说根本就没有失火，只是你玩牌把什么都输光了……"

屋子里鸦雀无声，像在地窖里一样。茶炊在突突作响，雨点在抽打着窗上的玻璃，后来母亲说：

"爸爸……"

"爸爸什么，啊？"

外公大发雷霆：

"还要怎么样？难道我没跟你说过三十岁的人不要嫁给二十岁的小伙子吗？这下你可好，找了一位翩翩少年！你是贵族小姐吗？是不是呀，闺女？"

四个人全都在大喊大叫，继父的嗓门最大。我跑进过道里，坐在木柴上，简直被惊呆了——母亲仿佛换了一个人，和以前完全不一样。在屋子里时还不太明显，但是到了这里，在昏暗的过道里，我清楚地回想起了她以前的样子。

后来，不知为什么，我不记得是怎样到了索尔莫沃①的。我们住的房子，一切全是新的，墙上没有贴壁纸，木头墙的缝隙里填的都是絮麻，墙缝里有很多蟑螂。母亲和继父住两间窗户临街的房子，我和外婆住在厨房里，房顶上有个天窗。工厂烟囱像一个个又粗又黑的手指头，耸立在厂房的上空，滚滚浓烟，被寒风一吹，整个村子里烟雾弥漫。在我们所住的冰冷的房间里，经常有一股呛人的煤烟味。一大早，汽笛像狼嗥一样地呜呜吼叫着：

"呜——呜——呜……"

要是站在长凳上，透过窗子上面的玻璃，顺着一排排屋顶，在灯光的映照下，可以看见工厂敞开的大门，它像一个老年乞丐张开的没有牙齿的黑洞洞的嘴巴——密密麻麻的人群蜂拥而入。到了中午，汽笛又响了，工厂大门的两片黑嘴唇又张开了，好像打开的是一个深不见底的黑洞，被工厂咀嚼得疲惫不堪的人们一股脑地被吐了出来。他们像一股黑色的洪流涌向大街，街上白毛风肆无忌惮地催赶着人们回到自己家里。村子上空难得看到天日：时间长了，房顶上，雪堆上，蒙上一层烟尘，像是另外加上了一个罩——灰灰的、淡淡的。它严重束缚了人们的想象力，以它那郁闷、单一的色调使人感到头晕目眩。

每当夜晚，工厂上空就浮现出一片烟雾缭绕的火光，把一个个烟

---

① 索尔莫沃位于高尔基市奥卡河左岸，沿伏尔加河的右岸分布，属高尔基市管辖。1876 年末到 1878 年，高尔基和母亲、外婆、继父就住在这里。继父 E. B. 马克西莫夫在索尔莫沃一家工厂里工作。

囱的上端照得非常明亮，看上去这些烟囱好像不是从地面向上耸起的，而是从这片烟雾中垂落下来的——其间，它喷出烟雾、吐出火光，咆哮着、吼叫着。看着这一切，简直令人作呕，无法忍受，一种寂寞难耐的怒火在噬咬着你的心。外婆当起厨娘来了——她每天做饭、拖地、劈柴、担水，从早到晚，忙个不停，躺下睡觉时已经是累得精疲力竭，哼哼咳咳，长吁短叹了。有时候，厨房的活干完了，她穿上短棉袄，把裙子下摆往腰里一掖，便要进城去：

"去看看老头子在那儿过得怎么样……"

"带我一块去吧！"

"会把你冻坏的，瞧，外面的风有多大！"

她在风雪交加的旷野里得走七俄里的路才能到达城里。母亲怀孕了，脸色发黄，身上裹一条带穗子的灰色破披肩，还显得有些冷。我恨透了这件披肩，因为它破坏了母亲高大、匀称的身材，我也讨厌披肩上的那些穗子，把它们一个个都揪了下来。我恨这所房子、工厂和这个村子。母亲脚上穿一双破毡鞋，挺着个大肚子，不住地咳嗽，肚子一起一伏的，难看极了。她那蓝灰色的眼睛目光呆滞，透着几分恼怒，她常常一动不动地盯着光秃秃的墙壁，目光像钉在了墙上似的。有时她望着窗外的大街，能花上整整一个钟头。这条街很像人的颌骨，一部分牙齿因老化而变黑了，东倒西歪的，另一部分牙齿已经脱落，镶上了新牙，但因为技术不佳，镶上去的牙齿很不合糟，显得过大。

"我们为什么要住在这里？"我问。她回答说：

"哎呀，你就别问了……"

她很少跟我说话，一张嘴就像下命令似的：

"快去，递给我，给我拿来……"

他们很少放我到街上去，每次从街上回来，我都被外面的孩子们打得鼻青眼肿——打架成了我唯一的爱好和享受，我乐此不疲。母亲用皮带抽我，但这种惩罚更加刺激了我，下一次我和那些孩子们打得更凶，而母亲对我的惩罚也更加严厉。有一回，我警告母亲，说要是她再打我，我就咬她的手，然后跑到野外，冻死在那里——母亲吃惊地把我一把推开，在屋子里走来走去，累得上气不接下气地说：

"你这头小野兽！"

在我的心目中，那种被称为爱的绚丽多彩、沁人肺腑的感情，已经黯然失色，我对一切都充满了仇恨，心里常常爆发出一阵阵无名业火。在这种单调乏味、死气沉沉的环境中，那种难以忍受的不满情绪和孤掌难鸣的感觉已经渐渐泯灭了。

继父对我十分严厉，他跟我母亲也很少说话。他老爱吹口哨，总是咳嗽，午饭后喜欢站在镜子面前，拿根牙签，仔细剔着他那参差不齐的牙齿，一剔就好长时间。他跟我母亲吵架的次数越来越多，总是气鼓鼓地对她用"您"称呼——他的这种称呼"您"的态度，使我大为恼火。吵架时他总是把厨房门关得紧紧的，显然是不希望我听见他的话，但我还是听见了他有些低沉的说话声。

有一次，他跺着脚，大喊大叫：

"就因为您挺着个难看的肚子，我根本没法请客人到家里来，唉，你这头母牛！"

我先是一惊，简直肺都要气炸了。我从吊床上一跳而起，脑袋狠狠地撞着了天花板，舌头都被咬出了血。

每到礼拜六，工人们成群结队地到继父这里来卖代币券。这种券在工厂开办的店铺里去领取，作为工资支付给工人们①，而继父花半价把这些券买下来。他在厨房里接待工人们，神气活现地坐在桌旁，眉头一皱，接过代币券说：

"一个半卢布。"

"叶夫根尼·马克西莫夫，凭天地良心……"

"一个半卢布。"

这种黑暗、愚蠢的生活没有持续多久，母亲临产前，我被送到外公家去了。这时外公已经搬到了库纳维诺镇，在沙子街一幢两层楼房里租了一个小房间，有俄式炉灶和两个朝院子的窗户。这条街沿山坡而下，一直通往纳波尔教堂墓地的围墙。

"怎么啦？"外公问道。他一看见我便尖声笑了起来，"人们常说：朋友亲不如亲妈亲，看来现在应该说：亲妈还不如外公这个老鬼亲！哎呀，你们这些人啊……"

我还没来得及仔细看看新的环境，紧跟着，外婆和母亲抱着一个婴儿便到了。原来继父因为盘剥工人被工厂开除了，但是他出去到什么地方活动一下，火车站马上便聘他当了售票员。

过了好长一段无所事事的日子，他们又把我送到母亲那里去

---

① 资本家剥削工人的一种方式，因为资本家开的这种店铺，东西都比外面商店里的贵。

了——她住在一幢砖房的地下室里——母亲立刻就把我送进了学校，从第一天起，学校就让我感到非常讨厌。

我上学时脚上穿的是母亲的一双旧皮鞋，大衣是用外婆的一件外套改的，里面穿一件黄衬衫，下身穿一条"散腿裤"。这身打扮马上遭到同学们的嘲笑，他们笑话我的黄衬衫，给我起个外号叫"囚犯"①。我和小伙伴们很快就混熟了，但老师和神甫不喜欢我。

老师是个秃头，脸色发黄，经常流鼻血，他进教室时鼻子里塞着棉花。他坐到讲桌后面，鼻音很重地开始讲课，有时一句话讲了半截突然就停住了。这时，他把棉花球从鼻孔里拔出来，左看看，右看看，一个劲儿地直摇头。他有一张很普通的脸，面色黄里透青，一副无精打采的样子，脸上皱纹里有一种类似铜锈的东西。他那双目光呆滞的眼睛，看上去完全是多余，特别是把他的整个面孔都丑化了。他一直令人讨厌地死盯着我的脸，使我总想用手掌在脸上擦一把。

有好几天我都坐在第一组头排的位置上，几乎挨着老师的讲桌——这让我简直受不了，好像除了我他谁都不看，只听见他操着浓厚的鼻音，说道个没完：

"彼斯（什）科夫，请换一件衬衣！彼斯（什）科夫，腿不要乱动！彼斯（什）科夫，你的鞋里又往外流水了！"

为此，我想出了个恶作剧，决定狠狠报复他一下。有一次，我弄来半个冰镇西瓜，挖去瓜瓤后，穿上线，连在光线阴暗的过道门的滑轮上。这样门打开的时候，西瓜就上去了，当老师随手将门带上时，西瓜便像帽子一样，直接扣在老师的秃头上。学校门卫拿着老师的条子，把我送回家里。为了这场恶作剧，我又受了一顿皮肉之苦。

另外一次，是我往老师抽屉里撒了一些鼻烟末，害得他连连打喷嚏，上不成课，只得派他的女婿来代课。此人是一位军官，他命令全班一起唱《上帝保佑沙皇》和《自由啊，我的自由》。谁唱错了，他就用尺子敲他的脑袋，不知为什么，他敲的声音特别响，非常可笑，但是并不疼。

教神学的老师是一位神甫，人年轻，又漂亮，一头浓密蓬松的头发。他不喜欢我，是因为我没有《新旧约使徒》这本书，还因为我老模仿他说话的样子。

一进教室，他的第一件事就是问我：

———————————

① 俄国囚犯背上的标记多用黄色。

"彼什科夫,书带来了没有?对,书带来了吗?"

我回答说:

"没有。没有带来。的确没带。"

"什么?——'的确没带'?"

"没带。"

"那好——你回家去吧!对,回家去。因为我不想教你了。没错,我不想教了。"

对此,我并不感到太伤心。我离开了教室,一直到下课,我都在镇上肮脏的街道上闲逛,仔细观察镇上热闹的生活。

神甫的相貌有点像耶稣基督,端庄文雅,仪表堂堂,有一对温柔体贴的女人般的眼睛和一双纤细的小手。这双手无论接触到什么东西,同样都使人感到温暖可爱。每样东西——无论是书、尺子,还是羽毛——他拿起它们时的动作都十分优美,好像这东西都是有生命的,非常的娇嫩,他很喜欢它们,生怕由于自己不小心而伤着了它们。他对学生们可没有这样温和,但他们还是很喜欢他。

尽管我的学习还算凑合,但没过多久,我就被告知:我被学校开除了,说我的操行不及格。我非常懊丧——这会使我面临一场巨大的灾难:母亲的脾气越来越不好,打我的次数也越来越多。

但是天无绝人之路,我的救星来了——赫利桑弗主教①突然来到了

---

① "赫利桑弗著有三卷本的名著《古代世界的宗教》、论文集《埃及的轮回》及评论文章《论婚姻和妇女》。这篇评论我年轻时读过,给我的印象很深。文章题目我引得好像不对。该文在70年代一家神学杂志上发表过。"

以上是高尔基的注释,下面译者作一点补充。

据查,赫利桑弗,即 B.H.列季夫采夫(1832—1883),俄国宗教界作家,曾经在喀山神学院任教,当过阿斯特拉罕和下诺夫戈罗德的主教。他力求在自己的著述中把哲学和历史的研究方法运用到神学研究之中。高尔基在注释中提到的几部著作的情况是:《古代世界的宗教及其对基督教的态度》(三卷本,圣彼得堡,1872—1878);《埃及的轮回》(《正教评论》,1875年第1期)。高尔基提到的关于婚姻和妇女的文章有些不够确切。文章题目应该是:《基督教对婚姻的看法及当前关于家庭和妇女社会地位的议论》(《基督教读物》,1867年第2期)。高尔基在自己的作品中曾不止一次提到过赫利桑弗其人。在《谈技艺》一文中,高尔基就提起过 A.杰连科夫的私人图书馆中就收藏有赫利桑弗关于妇女地位的文章。(见《高尔基文集》第25卷,第332页)

学校。他很像一个魔法师，记得他的背还有点驼。

主教的个子很矮小，穿一件宽大的黑衣服，头上戴一顶非常滑稽的长筒帽。他坐在讲台上，把两只手从袖筒里伸出来，说：

"喏，我的孩子们，咱们谈谈吧！"

这时教室里立刻变得十分温暖、快乐，这种愉快的氛围，以前从来没有过。

他问了许多学生，最后把我叫到讲台前，严肃地问道：

"你——多大了？才这么点儿大？小老弟，你长得可够高的了，啊？是不是经常在雨地里站来着，啊？"

他把一只手——它又干又瘦，而且留着长长的指甲——放在讲台上，另一只手捋着稀疏的胡子，慈眉善目地望着我的脸，提议说：

"这样吧，你给我讲一段《圣经》中你喜欢的故事，好吗？"

当我告诉他，说我没有书，没有学过《圣经》时，他正了正头上的长筒帽，问道：

"怎么能这样呢？要知道，这是必须要学习的呀！不过，也许你知道或听别人讲过些什么？你会背圣诗？好呀！还会背祷告词？嗨，你瞧！连使徒传也会背？还会朗诵诗？你简直是无所不能呀。"

这时，我们那位教神学的神甫赶到了，他赶得满脸通红，上气不接下气。主教向他表示了祝福，但当神甫讲到我的时候，主教扬起手说：

"请等一下……好吧，你就讲讲圣徒阿列克谢的故事吧……"

"多好的诗篇呀，孩子，是不是？"当我忘记了某句诗，背不下去时，他说，"你别的还会背什么？……大卫王的故事呢？我很想听听！"

我看得出，他真的是在听，他很喜欢诗。他问了我很长时间，然后突然停下来，急切地向我打听：

"你学过背圣诗？谁教你的？是慈祥的外公？他很凶？真的吗？你是不是非常淘气呀？"

我犹豫起来，但我还是说了：是。老师跟神甫说了好多话，肯定了我的所思所想。主教听了他的介绍，垂下眼睛，然后叹了口气，说：

"听见都说你什么了吗？喏，你过来！"

他把手放在我的头上。我闻到一股檀香的气味。他问我：

"你为什么那么淘气？"

"学习太没意思了。"

"没意思？孩子，这话你说得可有点不对。要是你觉得学习没意思，那么你学习的成绩肯定很差，然而老师们说你学习的成绩很好。就是说，这里一定有别的原因。"

他从怀里掏出一个小本子，在上面写道：

"彼什科夫·阿列克谢。是这样。孩子，你毕竟得收敛一些，不能太淘气了！有一点淘气——是可以的，但过分淘气，人们就讨厌了！孩子们，我说得对不对？"

大家异口同声，高兴地回答说：

"没错儿！"

"你们都不太淘气吧？"

孩子们嘿嘿笑着说：

"不，也淘气着呢。非常淘气！"

主教往椅子背上一靠，使劲搂住我，令人惊讶地说：

"这种事呀，我的孩子们，没什么大不了的。因为我在你们这个年龄的时候就是个大淘气包！孩子们，这到底是怎么回事呀？"

主教的这番话把大家——甚至老师和神甫——都逗乐了。

孩子们都笑了，主教向他们提出各种各样的问题，巧妙地启发大家，使他们相互展开争论，活跃现场气氛。最后他站起来说：

"好了，淘气的孩子们，非常高兴和你们在一起，不过，现在我该走了！"

他举起一只手，把袖筒一直捋到肩膀，然后挥动胳膊，为大家画了个十字，并祝福说：

"我以圣父、圣子、圣灵的名义，祝福你们，祝你们好好学习，发奋用功！再见。"

大家齐声喊道：

"再见了，大主教！请您一定再来。"

他戴着长筒帽，频频点头说：

"我一定来，一定来！给你们带书来！"

离开教室时，他对老师说：

"让他们放学回家吧！"

他拉着我的手来到过道，小声跟我说：

"你呀，应该收敛一点，说好了？我知道你为什么搞恶作剧！好了，再见，孩子！"

我感到非常激动，心中有一种特殊的感情，难以平静下来。老师让全班同学都放学回家了，他把我一个人留下来，跟我说，今后我应该比水还要安静，比小草还要服帖——我听的时候很上心，也很乐意。

神甫穿皮大衣的时候亲切地跟我说：

"今后你应该来听我的课！是的，应该来。但是——要老老实实地坐着听！对，老老实实。"

我在学校里的事情总算过去了——可是在家里又闹出了事端：我偷了母亲一个卢布。这是一桩没有事先预谋的罪行。

有一天晚上，母亲有事出去了，让我在家照看小孩子。我闲着没事儿，随便打开继父的一本书——大仲马的《医生札记》① ——发现书里夹着两张票子——一张是十卢布的，一张是一卢布的。书我看不懂，便把它合上了，但我忽然一想，一个卢布不仅能够买一本《使徒传》，大概还可以买一本关于鲁滨孙的书②。不久前我在学校里听说有这么一本书，当时天气很冷，是课间休息的时候，我正在给同学们讲童话故事，突然有一个同学很不以为然地说：

"童话故事——净是胡说八道，那鲁滨孙才真正叫故事呢！"

有几个读过鲁滨孙故事的同学都夸这本书好，不喜欢听我外婆讲的故事，这使我非常生气，当时我就下定决心，非读读鲁滨孙不可，到时候我就可以说：鲁滨孙同样是胡说八道！

第二天，我带着《使徒传》和两本破烂不堪的安徒生③童话，还有三俄磅④白面包和一俄磅的香肠，来到了学校。弗拉基米尔教堂⑤围墙旁边有一家光线很暗的小店，那里就有关于鲁滨孙的书——书很薄，书皮是黄的，第一页上画了一个留着大胡子的人，头上戴一顶很高的皮帽子，肩上披了张兽皮——我一看就不喜欢，可是那两本童话故事，别看它们破破烂烂，光看外表就觉得非常可爱。

午间休息时我把面包与香肠和同学们分着吃了，然后我们就开始

---

① 法国作家大仲马（1802—1870）的小说《约瑟夫·巴尔萨莫》（1846）俄译本的名字。

② 指英国小说家笛福（约 1660—1731）59 岁时写的一举成名的小说《鲁滨孙漂流记》。

③ 安徒生（1805—1875），丹麦作家，一生写了 168 篇童话故事，深受世界各国成年人和儿童们的喜爱，其中《卖火柴的小女孩》《丑小鸭》《皇帝的新衣》《豌豆上的公主》《白雪皇后》等名篇，广为世人所传诵，经久不衰。

④ 一俄磅约合 409.5 克。

⑤ 坐落在下诺夫戈罗德市奥卡河对面的库纳维诺镇上。

读一篇非常好听的童话《夜莺》——它一下子就抓住了大家的心。

"在中国，所有的居民都是中国人。皇帝本人也是中国人"——记得这句话使我感到既惊异，又舒畅，因为它是那样的朴实无华，像一支其乐融融的乐曲，以及某种非常美妙的东西。

由于时间原因，我未能在学校里把《夜莺》读完。回到家里，母亲正在炉灶前攮着煎锅把儿煎鸡蛋，她用一种奇怪的、压低了的声音问我：

"你拿了一个卢布吗？"

"拿了。瞧，这就是我用它买的书……"

她举起煎锅把儿就打我，而且打得相当狠，安徒生的童话也给收走了，藏到永远也找不到的地方了——这比打我一顿还让我痛苦。

有好几天我都没去学校上学。在这段时间内，大概我继父把我拿钱的事迹讲给他的同事们听了，而他的同事们又告诉了自己的孩子，其中一个孩子把这件事又传到了学校，所以我一到学校，人们便给我起了个新的绰号——小偷。简洁、明了，但是——有失公正：因为我没有隐瞒那一个卢布是我拿的。我试图对这件事进行解释，但没有人相信我，于是我回家对母亲说，我不再去上学了。

母亲又怀孕了，样子显得很憔悴。她坐在窗前正在喂弟弟萨沙吃东西，一双痛苦的眼睛绝望地看着我，像鱼一样张着嘴巴：

"你胡说，"她小声说，"谁都不知道你拿了一个卢布的事。"

"不信你可以去问。"

"是你自己说出去的吧。喏，你说，是你自己说的吧？当心我明天亲自去了解个明白，究竟是谁散布到学校去的！"

我说出一个学生的名字。母亲当即皱起眉头，显得很无奈的样子，眼泪马上就流出来了。

我回到厨房，躺在自己的床上——我的床是在炉灶后用木箱子搭起来的——躺下来的时候听见母亲在房间里低声地哭泣：

"我的天哪，我的天哪……"

我躺在那里，实在受不了那被烤得热烘烘的抹布的油腻味，于是起来到院子里去，可是母亲喊住了我：

"你到哪儿去？去哪里？过来！……"

后来，我们坐在地板上，萨沙躺在母亲的腿上，直揪她连衣裙上的扣子，边摇晃着脑袋边说：

"扣扣。"他的意思是想说：扣子。

我坐在那里，紧紧偎依着母亲，她搂住我说：

"我们是穷苦人家，我们的每一个戈比，每一个戈比……"

后面的话，她一直没说出来，只是用那只发烫的胳膊使劲搂住我。

"这个混蛋……王八蛋！"她忽然说出我曾经听见她说过的那个词儿。

萨沙也学着说：

"蛋，蛋！"

这小孩很怪——笨手笨脚的，脑袋特大，有一双漂亮的蓝眼睛，喜欢东张西望，经常笑眯眯的，仿佛在期待着什么。他开始学话的时间特早，从来没哭过，总是乐呵呵的。他身体很虚弱，勉强会爬，一看见我就非常高兴，挣着要我抱。他喜欢用他那柔软的、不知为什么散发出紫罗兰香味的小手指头摆弄我的耳朵。他死得很突然，因为没有得什么病。上午还好好的，和平常一样，高高兴兴，可是到了傍晚，当晚祷钟声响起的时候，他已经躺在桌子上不会动了。这事发生在第二个弟弟尼古拉刚出生不久的时候。

母亲履行了自己的诺言，我又顺利地回到了学校，但是我又一次被送回到外公的身边。

有一天喝晚茶的时候，我从院子里正要走进厨房，忽然听见母亲撕心裂肺地喊道：

"叶夫根尼，我求你了，求求你……"

"一派——胡言！"继父说。

"可我明明知道你要到她那儿去！"

"那又怎么样？"

两个人沉默片刻，母亲咳嗽一阵说：

"你这个狼心狗肺的东西……"

听见继父在打母亲，我便冲进屋内。只见母亲跪倒在地上，背和胳膊肘靠着椅子，挺着胸，仰着头，呼哧呼哧地喘不过气来，眼睛的神色非常可怕；而继父却穿得干干净净，一身新制服，飞起他那长长的腿，对准母亲的胸口就是一脚。我从桌子上抓起一把镶银的骨把刀子——它是我父亲身后留给我母亲的唯一物品，平时用来切面包——竭尽全力向继父的腰间刺去。

幸好母亲一把将马克西莫夫推开了，刀子从他腰旁擦边而过，把制服戳了个大窟窿，只是划破了他一点皮。继父哎呀一声，捂住腰从屋子里跑了出去，母亲一把抓住我，把我从地上提起来，大吼一声，把我摔到地板上。这时继父急忙从院子里跑回来，把我拉到一边。

晚上，已经很晚了，继父还是从家里出去了，这时母亲到炉灶后来看我，她轻手轻脚地拥抱我，吻我，哭着说：

"对不起，是我不好！可是，亲爱的，你怎么能、怎么可以动刀子呢？"

我对她说，我要杀死继父，然后我自己也自杀。我这话完全是发自内心，而且我完全明白它的含义。我想，我能够做得出来，至少我会试一试。直到现在，他那条穿着镶有鲜艳饰边裤子的该死的长腿还清楚地出现在我眼前，我亲眼看见他是如何飞起长腿，脚尖对准一个女人的胸口踢过去的。

一想到野蛮的俄国生活中这些令人感到压抑的种种劣迹，有时我会反问自己：这种事值得去谈吗？但每次我都满怀信心地对自己回答说：值得！因为这就是活生生的丑恶的现实，至今也还没有消亡。这种现实必须从根本上加以认识，以便把它从人们的记忆和心灵中，从我们整个痛苦与可耻的生活中连根拔除。

我之所以描写这些丑恶现象，还有另外一个更加积极的原因。尽管这种丑行令人反感，使我们备感压抑，使许许多多心灵美好的人感到难以生活下去，但俄罗斯人的心灵毕竟还是健康和年轻的，他们正在消除，而且将来一定能够消除这种丑恶行径。

我们的生活之所以是那样的惊心动魄，发人深省，不仅是因为它有滋生各种禽兽不如的败类的肥沃土壤，而且还因为穿过这层土壤，一种光明的、健康的、富有创造性的力量，正在顺利地成长起来。人们善良的本性在增长，它唤起了我们恢复人类美好生活的永不泯灭的希望。

十三

我又回到了外公家。

"怎么样，淘气鬼？"外公一看见我，一只手便敲着桌子说，"喏，现在我可不能再养活你了，让你外婆养活吧！"

"我养活就我养活，"外婆说，"瞧你说的，有什么大不了的！"

"那你就养活吧！"外公甩了一句，但态度立刻便平静下来，跟我解释说："我和她已经完全分开过了，现在我们的一切都各是各的……"

外婆坐在窗前，很麻利地编织着花边，线轴不时发出欢快的碰击声。枕座上密密麻麻，到处别的都是铜针，在春天阳光的照耀下，闪闪发光，像一只金色的刺猬。外婆像铁打铜铸一般——总是这副样子，永远不变。然而外公却日见消瘦，脸上的皱纹也增多了，棕红色的头发变白了，沉着稳重的举止不见了，人变得浮躁忙乱起来，一双绿色的眼睛，看什么都觉得可疑。外婆边笑边给我讲起她和外公分家的事：外公把盆盆罐罐、锅碗瓢勺、所有的餐具都给了她，说：

"这些都归你，别的你就不要再向我要了！"

然后，他把外婆所有的旧裙子、各种用品、狐皮大衣，统统拿走，一共卖了七百卢布。他把这笔钱贷给了自己的教子——一个做水果生意的犹太人，专门吃利息。外公完全变成了一个吝啬鬼，而且到了恬不知耻的地步：他不断去找自己的老朋友，找那些曾经和他在手工业行会共过事的熟人和一些富商，一个劲地向他们哭穷，说孩子们弄得他破了产，希望他们能对他解囊相助，扶困济贫。他利用人们对他的尊重，要来了不少的钱，得到大把的钞票。他拿着这些钱，在外婆的眼前摇来晃去，说大话，吹牛皮，像小孩子似的故意逗她：

"看见了吧，傻瓜！要是你去要，人家连这个数目的百分之一也不会给你！"

他把弄来的这些钱，贷给了自己的一位新朋友——此人是个毛皮匠，高个子，秃顶，镇上人叫他"鞭子"——和这位新朋友的妹妹——一家小店的女老板。此人长得人高马大，满面红光，两只棕褐色眼睛，一副懒洋洋、甜腻腻的样子，整个一堆蜜糖。

家里所有的事情都分得一清二楚：头天由外婆掏钱买东西准备午饭，第二天就由外公来买副食和面包；每逢外公负责买东西，午饭肯定比较差，因为外婆买的都是好肉，而外公买的都是下水——肝、肺、肚什么的。茶和白糖各人分别存放，但是在一个茶壶里沏茶，所以外公往往不放心地说：

"慢着，等一等——你放多少茶叶？"

他把茶叶倒在自己手上，仔细数了数，说：

"你这茶叶比我的要碎，就是说，我应该少放一些，因为我的茶叶叶片大，比较耐泡。"

他非常在意外婆给自己倒的茶和给他倒的茶，浓度是不是一样，他们俩茶杯里的茶是不是一样多。

"是不是每人只剩最后一杯了？"壶里的茶快倒完时外婆问道。

外公朝茶壶里看了一眼，说：

"哦，是啊——每人最后一杯！"

　　甚至连圣像前放的长明灯用的油，两人也是分开的——两个人同甘共苦生活了半个世纪，最后竟成了这个样子！

　　外公这一切反常行为，使我觉得既好笑，又反感，然而外婆只是觉得好笑。

　　"你呀，甭理他！"外婆劝我说，"喏，有什么大不了的？人老了，犯糊涂了。他已经是八十岁的人了——等你活到这个年纪你就知道了。糊涂就糊涂吧，招谁惹谁啦？你我两个——由我挣钱养活，用不着担心。"

　　我也开始干活挣钱了：一到节日，我早早地背起麻袋，到各家各户、大街小巷去捡拾牛骨头、破布、废纸和钉子。一普特①破布和废纸，卖给收破烂的，能卖二十个戈比，一普特废铁——也是这个价钱，一普特碎骨头，能卖十个或八个戈比。平日里放学后我也去捡，每到礼拜六，我把捡来的各种破烂儿一卖，也能换上三十五十戈比，运气好的话，还要多一些。外婆接到我的钱时，总是赶紧塞进裙子口袋里，低着头，夸我说：

　　"谢谢你啦，我的心肝宝贝！谁说我们不能自己养活自己？有什么大不了的！"

　　有一次，我无意中发现，她把我挣的几枚五戈比的硬币放在手里，看着它们，默默地流泪，一滴浑浊的眼泪悬挂在她那泡沫般的、满是微孔的鼻子上。

　　到奥卡河上的木材栈或彼斯基岛去盗窃木料和板材，要比捡破烂的油水更大——每逢集市，人们在这里搭起许多临时售货棚。集市过后，临时售货棚全都拆了，木料和板材也都整整齐齐地垛放在彼斯基岛上，几乎要等到下年春汛期来临时再启用。一块好板材，城里的房业主出价十个戈比，一天能偷出来两到三块。但这只有在天气不好的情况下才行，因为大风雪或者下雨天看守人员在外面待不住，都躲避起来了。

　　我们几个要好的哥们儿凑在一起：有讨饭的莫尔多瓦女人十岁的儿子桑尼卡·维亚希尔——既文静，又可爱，总是笑嘻嘻的；没爹没妈的科斯特罗马——人长得特瘦，一头鬈发，眼睛黑黑大大的，十三岁那年，因为偷人家一对鸽子，进了少年犯教养院，后来上吊自杀了；

---

　　①　又译俄担，一普特约合 16.38 公斤。

鞑靼孩子哈比——十二岁，力气可大了，忠厚善良；塌鼻子雅兹的父亲是一个替人家挖墓和守墓的人，这孩子有七八岁，跟鱼一样，不声不响，是个羊癫疯①。哥们儿中以寡妇裁缝的儿子格里什卡·丘尔卡的年龄最大，头脑清楚，办事公正，特别喜欢拳击。这些个孩子都是同一条街上的。

在镇上，偷东西不算什么，它是一种风气，几乎成了饥民们谋生的唯一手段。一个半月的集市交易②要养家糊口一年是不够的，所以，许多有头有脸的业主也"到河上去讨生活"——打捞发大水时冲下来的木料和板材，用小船做些小宗运输，但主要是在货船上进行盗窃活动。总之，他们在伏尔加河和奥卡河上"见机行事"，只要有空子可钻，他们便乘机捞上一把。一到节日，大人们夸耀自己成功的业绩，孩子们在一旁，边听边学。

春天，开集前总有一段时间非常热闹，每天晚上，镇上大街小巷到处都是喝醉酒的工匠师傅、马车夫和各行各业的工人——这时候，镇上的孩子们便瞅准他们的口袋，进行扒窃。这是一种合法的营生，孩子们就在大人的眼皮底下公然行窃，根本不害怕。

他们偷木匠的工具，偷客运车夫们用的扳子，从货运马车夫那里盗窃枢轴和车轴上的衬铁——不过我们几个人不干这种事。丘尔卡有一次坚决表示：

"我绝不偷东西，妈妈不让我偷。"

"我是因为——害怕！"哈比说。

科斯特罗马对小偷小摸极其反感，他提到"小偷"这个词时语气总是特别重，而且，只要他发现别的小孩在扒窃醉汉，他会将他们赶走，要是被他逮住了——少不了一顿猛揍。这个眼睛大大、老成持重的孩子自以为是个大人了，走路的样子非常特别，一摇一晃的，像个

①　库纳维诺的老住户 M. A. 卢金在回忆中写道："我在读《童年》时特别注意到'雅兹'这个人物，他父亲是个替人挖墓和守墓的人，而我爷爷就是个守墓人，他的儿子雅兹是我的父亲；听父亲说，他小时候就玩过羊拐，捡过破烂，小伙伴中就有阿列克谢·彼什科夫。我爷爷1906年去世，享年86岁，我父亲雅兹1937年去世，享年63岁。"（见高尔基博物馆收藏的《备忘录》，1967年，第7—8册，第17页）

②　下诺夫戈罗德的集贸市场一般是6月15日开市，实际上到25日才开张，批发生意做到8月25日，零售生意一直要做到10月10日。

装卸工。他说话时竭力把嗓子压得很低，粗声大气的。一个人整天绷着脸，好像城府还挺深的。而维亚希尔则坚信盗窃是一种罪行。

但是，从彼斯基岛上顺走些板材和木料，算不上什么罪过，所以干起来我们谁都不害怕，而且，为了干起来方便和顺手，我们还想出了一整套的办法。晚上，等天黑以后，或者趁着风雪天，维亚希尔和雅兹便顺着河湾①，沿着潮湿的、凹凸不平的冰面向彼斯基岛出发——他们大摇大摆地走过去，尽量把巡逻人员的注意力吸引过去，而我们四个人则分别行动，神不知鬼不觉地摸了过去。巡逻人员只顾对付雅兹和维亚希尔了，一直盯住他们俩，这时我们已经在事先约好的木垛旁会合了，各人看准自己要拿的木料，趁腿脚快的同伙们把巡逻人员逗得东奔西突、对他们紧追不舍的时候，我们几个就开始往回撤。我们每人都带一条绳子，绳子末端有一个大铁钩子。我们的钩子把木料或板材钩紧，沿着雪地和冰面一路拖去——巡逻人员几乎从未发现过我们，就是发现了，他们也追不上。卖了木料，我们把钱分成六份——每人五个戈比，有时候能分到七个戈比。

用这些钱，我们可以痛痛快快地吃一天饱饭，但维亚希尔一定要给他母亲带回去一什卡利克②或半瓶伏特加酒，否则回家就要挨她的打；科斯特罗马把钱都攒起来，一心想要养鸽子；丘尔卡的母亲有病，他尽量想多挣点钱；哈比也在攒钱，他想回到他出生的城市去，但他舅舅到下诺夫戈罗德后不久便被淹死了。哈比忘记他出生的城市叫什么名字了，只记得它在卡马河上，离伏尔加河很近。

不知为什么，哈比说的这个城市我们觉得非常可笑，便老是逗这个眼睛有点斜的鞑靼小孩，我们唱道：

卡马河上有座城，
什么地方说不清！
伸出两手摸不着，
迈开双脚难成行！

起初，哈比非常生气，但有一次，维亚希尔果真像他的外号说的

---

①　奥卡河夏季形成的一种狭小的河湾，只有靠螺旋桨推进的小型船只才能够通过，可以直达彼斯基岛的料场。
②　什卡利克，旧俄量酒单位，约合0.06升。

那样，跟鸽子叫似的对他嘀嘀咕咕地说：

"怎么啦，你？真的生哥们儿的气啦？"

小鞑鞑感到很不好意思，于是自己也唱起了"卡马河上有座城"来。

和偷木料相比，我们毕竟更愿意去捡破烂。尤其是春天，特别有意思。雪已经融化，集市空空荡荡，石子路的街道被雨水冲刷得干干净净。在集市上，我们总能从排水沟里捡到许多钉子和废铁，有时还能捡到一些钱币——铜币和银币。但是为了不让市场管理人员把我们赶走，夺去我们的麻袋，还得给他们几枚两戈比的铜币，不然就总是得向他们鞠躬敬礼。总之，我们挣这点钱是很不容易的，不过我们几个人相处得很好，虽然有时也吵几句嘴，但我一次也不记得我们曾经打过架。

维亚希尔是我们的调停人，他总能够及时地跟我们说些别出心裁的话。话虽简单，却一针见血，使我们深感自愧不如。他说这些话的时候自己也感到很惊讶。对于雅兹的种种越轨行为，他既不生气，也不担心。他认为雅兹的这些劣迹败行都是没必要的，而且，他总能够心平气和却令人信服地加以反对。

"喏，你何必要这样呢？"他问道。这样我们也就明白了：实在没有必要！

他管自己的母亲叫"我那位莫尔多瓦妇女"，这并不使我们感到有什么好笑。

"昨儿个我那位莫尔多瓦妇女回家时又是烂醉如泥！"他兴冲冲地说，两只金黄色的圆眼睛闪闪发光。"她'咣'的一声推开门，一屁股坐在门槛上，接着便唱了起来，唱呀，唱呀，活像只老母鸡！"

爱刨根问底的丘尔卡说：

"都唱些什么？"

维亚希尔一只手轻轻地拍着膝盖，尖声尖气地学着他母亲的样子唱道：

> 一个牧人年纪轻轻，
> 手持牧杖在街上行，
> 看见窗户便敲几下，
> 哎哟哟，耳边一阵咚咚声！
> 大伙儿急忙往外跑，

晚霞已照得满天红，
牧人鲍尔卡的笛声起，
全村上下，一片肃静！

维亚希尔会好多这种热情奔放的歌曲，而且唱得非常娴熟。

"是啊，"他继续说，"她就这样在门槛上睡着了。屋子里冷得要命，差一点没把我冻僵，但是拖她我又拖不动。可今天早上我对她说：'你怎么醉得这么厉害呢？'她说：'没什么，你再忍一忍，反正我活不了多久啦！'"

丘尔卡严肃地证实说：

"她是活不久啦，全身都浮肿了。"

"你不觉得她很可怜吗？"我问道。

"哪能够呢？"维亚希尔有些惊讶，"要知道，她是我的好母亲呀……"

我们明知道这个莫尔多瓦女人动不动就打维亚希尔，可是我们仍然相信她是一位好母亲。遇到时运不佳的日子，丘尔卡总是提议说：

"大伙儿每人凑一个戈比，给维亚希尔的母亲买酒喝吧，不然他母亲会打他的！"

我们这帮人中只有两个人识字——我和丘尔卡。维亚希尔非常羡慕我们，他揪着自己尖尖的老鼠耳朵，嘟嘟哝哝地说：

"等我把那位莫尔多瓦妇女安葬之后，我也要去上学。我给老师跪下来，恳求他能收下我。学完后，我就去给大主教当园丁，或者去为沙皇本人效力！……"

春天，这位莫尔多瓦妇女，跟一个为修建大教堂进行募捐的老头一块儿，还有一瓶伏特加酒，被倒下来的木头垛压在下面了。人们把这个莫尔多瓦妇女送进了医院，老成持重的丘尔卡对维亚希尔说：

"住到我那里去吧，我妈会教你认字的……"

没过多久，维亚希尔仰起头，会念商店的招牌了：

"食品杂拌店……"

丘尔卡纠正他说：

"是食品杂货店，乱弹琴！"

"我看清楚了，可那些字总让人看眼花。"

"是看花眼！"

"这些字跳过来、跳过去——有人念它们，它们觉着挺高兴呢！"

他酷爱花草树木，对此，我们大伙儿觉得既好笑，又惊奇。

镇子就坐落在一片沙漠上，难得有植物生长。只是各家院落里的某些地方，孤零零地生长着几棵瘦弱的白柳和一丛丛东倒西歪的接骨木，顶多在围墙下很不起眼的地方，还羞答答地长着一些枯黄的小草。要是我们有谁想在草地上坐一下，维亚希尔便会生气地抱怨说：

"喂，为什么要践踏草地呢？坐在旁边的沙地上对你们不是一样吗？"

只要他在场，谁都不好意思去折一根白柳枝、采一朵接骨木花，或者从奥卡河岸上柳树林里折一根柳条——他一看见有人攀折花木，总是表现出很惊讶的样子，肩膀一耸，两手一摊：

"为什么你们要乱折花木呢？真是活见鬼了！"

看他那大惊小怪的样子，大家都感到很不好意思。

每到礼拜六，我们就搞一次快乐的恶作剧——这得准备一个礼拜——要满大街去收集各种破草鞋，然后将它们码放在一些偏僻的角落里。礼拜六晚上，当成群结队的鞑靼装卸工从西伯利亚码头①下班回家时，我们预先找一个街口，摆好阵势，开始朝这帮鞑靼人身上扔草鞋。起初，他们非常生气，一个劲儿地追我们，嘴里骂骂咧咧，但不久，他们自己也觉得这样很好玩。他们知道会遭到伏击，于是在进入战场时也用许多草鞋把自己武装了起来。不仅如此，他们事先还侦察到我们藏匿军火的地方，曾不止一次地把我们的草鞋偷个精光，对此，我们向他们抱怨说：

"哪有这种玩法！"

这时他们才把草鞋分给我们一半——然后双方才开始战斗。通常，他们在一片空地上摆好阵势，我们从四面八方将他们围起来，一面尖声喊叫，一面往他们身上扔草鞋。一旦我们有人在奔跑时被他们扔过来的草鞋击中，倒在沙地上，他们同样也大喊大叫，笑得震天响。

游戏持续很长时间，有时能一直玩到天黑。有一些市民前来观看，从各个角落探头张望，颇有些怨言，说应该顾全体面。满是尘土的破草鞋像成群的乌鸦，满天飞舞，有时我们的人难免被击中，但游戏的乐趣总是大于疼痛和不快的。

---

① 所谓西伯利亚码头，指的是下诺夫戈罗德集贸市场的一块地方，就在伏尔加河岸边的沙滩上。轮船到达后，一般先由鞑靼装卸工把货物从船舱里搬到甲板上，然后再由俄国装卸工用小推车运送到码头的仓库里。

　　鞑靼人的玩兴不亚于我们，战斗结束后，我们常常和他们一起到装卸工人同业会去。在那里，他们给我们吃甜马肉，还有一种特殊烹制的菜汤。吃过晚饭，我们就着黑桃仁甜面点，喝一种煮得很浓的砖茶。我们很喜欢这些人高马大的男子汉，他们全是挑选出来的大力士，他们身上有一种我们很熟悉的充满稚气的东西。使我感到特别惊讶的是，他们相互之间都没有恶意，一向为人厚道，彼此以诚相待，互相照应。

　　他们所有的人都喜欢开怀大笑，笑得上气不接下气，眼泪都能笑出来。他们中间有一个卡西莫夫市①的人，其人鼻子有点毛病，力大无比。有一次，一口二十七普特重的大钟，他竟然一个人从货船上一直扛到距离很远的岸上。他边笑，边喊，边叫：

　　"嗨哟，嗨哟！有的话——闲扯淡，有的话——赚小钱，而有的话呀——金不换！"

　　有一次，他把维亚希尔抱起来，举得高高的，说：

　　"嗨，你应该生活在那里，住在天上！"

　　遇到坏天气，我们都到雅兹家里去。他们家就在墓地上，他父亲有一间看墓的小屋。他父亲佝偻得很厉害，骨头都弯了。他的胳膊很长，穿得又脏又破。他的脑袋很小，脸也很黑，上面密密麻麻长了满头满脸脏兮兮的毛发。整个脑袋看上去就像是一棵干枯的牛蒡草，又长又细的脖子正好是牛蒡草的秸秆。他时常甜蜜蜜地眯起有点发黄的眼睛，急急巴巴地嘟囔着说：

　　"上帝保佑，可别让我失眠呀！哎哟哟！"

　　我们买了三佐洛特尼克②的茶，八分之一俄磅③的白糖，还有面包，自然一定还得给雅兹的父亲带上半瓶伏特加酒。丘尔卡严厉地对他吩咐说：

　　"没用的家伙，快把茶炊的火生起来呀！"

　　老汉嘿嘿一笑，点着了铁皮茶炊。我们一边等着喝茶，一边商量自己的事。这时他给我们出主意说：

　　"这不，后天就是特鲁索夫家的四十天忌辰④，他们一定会大摆筵

---

　①　位于俄国梁赞州奥卡河一码头城市。
　②　俄国旧时的重量单位，一佐洛特尼克约合 4.26 克。
　③　一俄磅约合 409.5 克。
　④　旧俄风俗：人死四十天为追悼亡灵的日子，民间称为"四十天忌辰"。

席——那里骨头肯定不少，有你们捡的!"

"特鲁索夫家的骨头都被他们家厨娘捡走了。"无所不知的丘尔卡说。

维亚希尔一直在望着窗外的墓地出神:

"很快咱们就可以到森林里去了，这太棒了!"

雅兹总是一声不吭，他目光忧郁地仔细瞧着大家，不声不响地给我们看他从垃圾堆里捡来的那些玩意儿——木头士兵、缺了腿的木马、碎铜烂铁、衣服扣子等。

他父亲将各种各样的杯子、茶碗摆放在桌子上，把茶炊端了上来——这时，科斯特罗马坐下来，给各位倒茶。雅兹的父亲喝罢自己的酒，便爬到炉炕上去，从那里伸出长长的脖子，用猫头鹰似的眼睛打量着我们，嘴里嘟哝道:

"我说呀，你们这些该死的家伙，好像也都不是小孩子了，是不是? 哎哟，你们这帮窃贼，上帝保佑，可别让我失眠呀!"

维亚希尔对他说:

"我们压根儿不是窃贼!"

"好，是小偷小摸……"

要是我们对雅兹的父亲实在感到不耐烦了——丘尔卡就愤怒地呵斥他:

"少废话，没用的家伙!"

他这个人，一说起某某人家有谁生病、镇上某某人快要死了等，便津津乐道、如数家珍、毫无恻隐之心。我、维亚希尔和丘尔卡，对他这一点非常反感。他看得出我们讨厌听他说话，于是便故意地气我们，刺激我们:

"哈哈，害怕了吧，你们这些小鬼! 果不其然! 眼下很快就有一个胖子将要死去——哎呀，不过他的尸体得很长时间才会腐烂!"

他的话几次被打断，可是他一个劲儿地往下讲:

"要知道，你们也都会死的，在污水坑里是活不长久的!"

"喏，死就死呗，"维亚希尔说，"到时候我们都去当天使……"

"就你——们?"雅兹的父亲这一惊不打紧，连话都说不利落了，"你们——几个? 去当天使?"

他哈哈大笑，又接着气我们，讲了些关于死人的乌七八糟的恶心人的事。

但是，有时候，这个人忽然又把声音压得很低，娓娓动听地给我们讲些莫名其妙的事情：

"听我说，孩子们，别着急呀！是这样，三天前，埋葬了一个女人，孩子们，我打听了关于这个女人的情况——她究竟是怎样一个娘们儿？"

他经常谈论女人，而且总是乌七八糟、不堪入耳，但从他的讲述中，总使人感到有一种发人深省、如怨如诉的东西。他好像是在请我们和他一起进行思考，所以我们听他讲的时候都非常认真。他不善于辞令，说话没条理，常常用一些问题把自己的话打断，但他的故事在我的脑子里总能留下一些令人忐忑不安的零星记忆：

"有人问她：'是谁放的火？'她说：

"'是我放的！'

"'怎么会呢，傻瓜？那天夜里你并不在家，你在医院里躺着呀！'

"'是我放的火！'

"她这样说，是为了什么呢？哎哟哟，上帝保佑，可别让我失眠……"

他几乎了解镇上每一个人的生平故事，因为是他亲手把他们一个个埋进这片凄凉荒芜墓地的沙土里的。他仿佛在我们面前打开了各家各户的大门，我们走进去，看看他们是怎样生活的，从而得到某种严肃的重要的感悟。看来他能够通宵达旦地讲下去，直到第二天早晨，但每当他小屋的窗户暗淡下来，夜幕即将降临的时候，丘尔卡便从桌旁站起来，说：

"我要回家了，不然妈妈会担心的。谁跟我一块儿走？"

大家伙全都要走。雅兹将我们送到围墙边，关上大门，然后把他那又黑又瘦的脸，紧贴在栅栏上，粗声粗气地说：

"再见了！"

我们也冲他喊了声："再见！"每次把他一个人留在墓地里的时候，总感到心里不是滋味。有一次，科斯特罗马回头看了一眼，说：

"等明天我们一觉醒来，没准儿他已经死了。"

"雅兹的生活最苦了。"丘尔卡时常说，但维亚希尔总是反对，他说：

"我们生活得并不坏……"

照我看来，我们生活得并不算坏——我很喜欢这种流浪街头、自由自在的生活，喜欢我的伙伴们。他们能够激起我的某种远大抱负，使我无法安于现状，总想为他们做点好事。

我在学校里的日子仍然不好过，同学们都嘲笑我，叫我捡破烂的、叫花子。有一次，我跟他们吵了一架。他们向老师反映，说我身上有一股子垃圾味儿，没法跟我坐在一块儿。这一指责深深刺痛了我，以后我很难再来上学了。这一指责是他们恶意编造的，因为每天早上我都认真仔细地洗过澡，而且，上学时我从不穿捡破烂时穿过的衣服。

但我终于通过了三年级的考试，得到的奖品是一本福音书，一本精装的克雷洛夫寓言和一本书名有些莫名其妙的平装书——《法塔—莫尔干纳》①，还颁发给我一张奖状。我把这些奖品拿回家后，外公非常高兴，他动情地宣布：这些东西必须珍藏起来，还说要把书锁在自己的箱子里。外婆躺在床上，已经病倒好几天了。她手头没有钱，外公只是唉声叹气，尖声喊叫：

"你们吃我的，喝我的，现在我就剩下一把骨头了，哎呀，你们这些人呀……"

我把几本书拿到店里，卖了五十五个戈比，钱给了外婆；在奖状上我胡乱写了些字②，交给了外公。他像宝贝似的收藏了起来，居然没有打开看看，没发现我在上面捣的鬼。

不去上学后，我又到街上混日子去了，不过现在好过多了——正是万物复苏、大地回春的时候，我们挣的钱比以前也多了。每到礼拜天，我们大伙一早就来到野外，走进松树林，一直到很晚才回到镇上来，尽管感到有些劳累，但大家心情很愉快，彼此也更加亲密了。

但是这种日子没有持续很久——继父被解职了，他再次外出，不知去向。母亲带着小弟弟尼古拉搬到外公家去住，保姆的责任便落到了我的肩上，因为外婆到城里一个富商家，给人家绣盖圣体用的经麻布③去了。

---

① 据辞书称，"法塔—莫尔干纳"至少有两个意思：一是指地中海墨西拿海峡等地可见到的一种变幻多端的蜃景；二是指传说故事中亚瑟的同胞姊妹。

② 1877年秋天，高尔基在库纳维诺镇开始上小学一年级，1879年升入三年级后，因学习成绩优秀而受到表彰，得了奖状，还奖给了书。如今奖状还存放在高尔基博物馆内，奖状上的确有高尔基的字迹，他将"品行端正"四个字改成了"调皮捣蛋"，在姓名"阿廖沙·彼什科夫"后面加上了"围巾帽"三个字。

③ 织物上面绣着耶稣基督的像，覆盖在棺材里的圣体上。每年在受难周的礼拜五，将它从教堂里请出来，供信徒们拜谒。

母亲十分憔悴，像哑巴似的，成天不言不语，迈步都非常困难，她用一双可怕的眼睛注视着周围的一切。小弟弟患淋巴结核病，踝骨上有溃疡，身体十分虚弱，连大声哭的气力都没有，饿了只会哼哼唧唧，浑身哆嗦，吃饱了就打瞌睡；睡着时还发出一种奇怪的叹气声，像小猫似的轻声打着呼噜。

外公小心地摸了摸他，说：

"应该好好地喂养他，可是我养活不起你们所有的人……"

母亲坐在屋角的床上，声音嘶哑地叹了口气说：

"他只需吃一点点……"

"这个一点点，那个一点点，加在一起可就多了……"

他挥了一下手，对我说：

"把尼古拉抱出去，让他晒晒太阳，用沙把身子埋上……"

我用口袋背来许多清洁的干沙子，倒在窗前可以晒到太阳的地方，堆成一堆，按照外公的吩咐，我把小弟弟放在上面，然后将沙子一直埋到小弟脖子处。小家伙坐在沙子里非常高兴，他美滋滋地眯缝起眼睛，神情很不一般——没有眼白，只有浅蓝色的瞳孔，瞳孔外面有一道发亮的圆圈。

我顿时对小弟产生了一种深深的依恋之情，我觉得，我和他并排躺在窗前沙堆上时的心思他全都明白。这时耳边传来外公尖细的声音：

"死——并不难，可你得想办法活下去呀！"

母亲咳嗽不止……

弟弟的两只小手从沙里抽出后，向我伸过来，小白脑袋一摇一晃的。他的头发稀稀拉拉，显得有些斑白，小脸蛋看上去有点老气，非常聪明。

一旦有鸡和猫走近我们，科利亚①便久久地看着它们，然后望着我，露出一丝微笑——他的笑使我颇为尴尬——是不是他觉察到了我和他在一起感到有些枯燥乏味，正想丢下他跑出去玩呢？

院子很小，院里又脏又挤。紧挨着院子大门，有一排用碎木料搭建的板棚、柴屋和地窖，然后，往里拐进去，尽头是一间浴室。房顶上堆满了破船板、各种木料、板材和湿刨花——这都是市民们在奥卡河解冻和春汛期间从河里打捞上来的东西。整个院子横七竖八地堆放

_____
① 尼古拉的小名。

着各种各样的木料，这些木料都非常湿，经太阳一晒，散发出一股发霉的气味。

旁边有一家牲口屠宰场，差不多天天早上都能够听见牛羊哞哞、咩咩的叫声，空气中弥漫着一股浓重的血腥味。有时候我简直觉得浑浊的空气中有一层透明的血的薄雾……

宰杀牲畜前，先用锤子在它们的脑门上——两个犄角之间——猛击一下，将其打昏，这时它们会发出一声惨叫——每当这个时候，科利亚便眯起眼睛，撅着嘴唇，可能是想模仿它们的叫声，但结果只是哈口气而已……

"哈……"

中午时，外公从窗口探出脑袋，喊道：

"吃午饭啦！"

他把科利亚抱在膝盖上，亲自喂他——将土豆和面包在嘴里嚼碎，再弯起手指，把它塞到科利亚的小嘴里，把孩子的薄嘴唇和尖下巴弄得很脏。喂了一会儿后，外公便掀开孩子的小衬衣，用手指在他鼓起的小肚子上摸了摸，估摸着说：

"吃饱了吗？要不要再吃点儿？"

从门旁黑暗的角落里传来了母亲的声音：

"您明明看见——他伸着手，还想要面包呢！"

"这小孩有点傻！他不知道自己该吃多少……"

于是，他又往科利亚嘴里塞了一口嚼过的土豆和面包。看着他这样喂科利亚，我感到又难受，又心疼，我的嗓子眼里直堵得慌，觉得恶心。

"喏，好了！"外公终于说，"给你母亲抱过去吧。"

我接过科利亚，他哼哼哝哝地还要往桌子那边挣。母亲站起身，喉咙呼哧呼哧地向我走来，她伸出骨瘦如柴的双手，修长的身材，像一棵被砍去了枝叶的云杉。

母亲变得完全不说话了，很少听见她能呼哧着说上只言片语，有时候整天都没有一句话，默默地躺在一边等死。当然，母亲将不久于人世，这一点我已经感觉到了。我知道她活不了多久，加上外公老是不厌其烦地讲到死亡。特别是到了晚上，院子里天一黑，一股暖烘烘的，像熟羊皮那样浓重的霉味从窗外飘进来的时候，他讲得就越发起劲儿。

外公的床放在前面的屋角，几乎就在圣像下面。他躺下睡觉时脑袋正好冲着圣像和窗户——他躺下后在黑暗中总要唠唠叨叨说好长时间：

"说话间——死的时候便到了。我有何脸面去见上帝呢？对他说什么呢？要知道，忙忙碌碌一辈子，也干了些事情……可结果如何呢？……"

我睡在炉灶和窗户之间的地板上，由于这地方对于我太小了，我便把两条腿伸进底下的炉膛里。有许多蟑螂在我腿上爬来爬去，弄得我直痒痒。这个狭小的角落曾经给过我不少幸灾乐祸的满足——因为外公做饭时炉叉和火钩子的把手经常撞碎窗上的玻璃。说来好笑，也让人感到奇怪，像他这样聪明的人，竟然没想到把火钩子截短一些。

有一次，他在瓦罐里熬什么东西，一下熬过头了，他一急，连忙用火钩子去钩，不料火钩子的把手撞着了窗框，震碎两块玻璃，瓦罐也被碰翻打破了。这使老人大为伤心，坐在地板上哭了起来。

"天哪，天哪……"

白天，趁他出去时，我用面包刀把火钩子的把手砍去四分之三，但外公一看见便大骂起来：

"没用的东西，应该用锯子锯才对，用锯子——锯！这样锯下来的那一截还可以当擀面杖卖钱，你呀，真是个废物！"

他挥舞着双手，急赤白脸地向过道跑去。这时母亲跟我说：

"你别管这些闲事……"

母亲是8月间死的，是个礼拜天的中午。① 继父刚从外地回来，又在什么地方找了个差事，在火车站附近有一处干净房子，外婆和科利亚搬过去住了，过几天母亲也打算搬过去。

就在母亲去世的那天早上，她小声地对我说（不过声音比平时更清晰、更微弱）：

"你去叫一下叶夫根尼·马克西莫夫，就说我请他来一趟！"她从床上欠起身，一只手扶着墙，坐了起来，又补充说：

"快点去！"

我觉得她好像露出了笑容，眼睛里闪现出一种异样的神情。继父当时正在做午祷，外婆让我到一个犹太女人开的小铺去买点烟来，因

———————————

① 高尔基的母亲是1879年8月5日因肺病去世的，年仅35岁。安葬在郊外一露天墓地，即现在的高尔基儿童公园。

为没有现成的，得等老板娘现去研磨，然后再拿回来给外婆。

我回到外公家时，母亲正坐在桌旁，她穿一件淡紫色的干净连衣裙，头发梳得非常漂亮，像从前一样神气十足。

"你好点了吗？"我问道，不知为什么感到有些胆怯。

她令人可怕地望着我，说：

"过来！你到哪儿玩去了，啊？"

我还没来得及回答，她便一把揪住我的头发，另一只手抓起一把用锯条做的软刀，用刀的平面在我身上一连打了几下——刀子从她手里落到了地上。

"捡起来！给我……"

我捡起刀子，把它扔在桌上，母亲把我推向一边。我坐在炉灶前的小台阶上，吃惊地看着她。

她从桌边站起身，缓慢地向自己的角落一点一点移动着脚步，躺到床上后，一直在用手绢擦拭着脸上的汗水。她的手已经不听她使唤了，有两次手都从脸旁滑过，落在枕头上，手中的手绢在枕头上擦拭着。

"给我点水喝……"

我从桶里舀了一杯水，她吃力地抬起头，稍微喝了一点，深深地叹了一口气，用冰冷的手将我的手挡开。然后看了一眼屋角的圣像，又把目光转向我，嘴唇一动一动的，好像是在微笑，之后她那长着长睫毛的眼睛便慢慢地闭上了。她的两个胳膊肘紧夹住双肋，两只手的手指头在微微地颤动，慢慢地摸向胸口，向喉咙处移动。她脸上蒙了一层阴影，而且越来越暗，同时皮肤渐渐发黄，鼻子显得更尖了。她惊恐地张开嘴，但已经听不到她呼吸的声音了。

我站在母亲的床前，手里端着杯子，待了很长很长时间，眼看着她慢慢地变僵了，脸色发灰了。

外公走了进来，我跟他说：

"母亲死了……"

他往床上看了一眼，说：

"你胡说什么呀？"

他走到炉灶前，开始往外取馅饼，把炉门和烤盘碰得叮叮当当。我知道母亲已死。我望着他，等着他能够明白这一点。

继父来了，穿一件帆布夹克，戴一顶白色鸭舌帽。他轻手轻脚地搬了把椅子，走到母亲床前。突然，他把椅子往地上一扔，像吹喇叭一样，大声喊道：

"可她已经死了，你们瞧呀……"

外公瞪大眼睛，手里拿着炉盖，一声不吭，像瞎子似的跌跌撞撞离开了炉灶。

当人们向母亲的棺材上填埋干土时，外婆像盲人似的在墓地里东奔西走，十字架把她的脸都撞破了。雅兹的父亲将外婆领到看护墓地的小屋，让她洗洗脸，这时他小声安慰我说：

"我说，你呀——上帝保佑，可别让我失眠——你怎么啦，啊？人生不就是这么回事嘛……我说的话对不对，老奶奶？不管是富人、穷人，到时候都得进坟墓——是不是这个理儿，老奶奶？"

他向窗外看了一眼，忽然从小屋里跑了出去，但立刻同维亚希尔又转了回来，一脸高兴劲儿。

"你看呀，"他说，把一个坏了的马刺递给我看，"瞧这是什么东西！这是我和维亚希尔送给你的礼物。你看，还有小齿轮呢，啊？肯定是哥萨克人用的，后来丢失了……我打算把这东西从维亚希尔手里买过来，我出两个戈比……"

"你胡说什么啊！"维亚希尔声音不高，但却很生气地说。可是雅兹的父亲当着我的面，手舞足蹈，冲他一个劲地递眼色，并且说：

"是你维亚希尔送的，行了吧？你也太认死理了！好吧，不是我，是他送给你的，他……"

外婆洗过脸，用头巾把肿得发青的脸包好，喊我回家去——我不想回去。我知道葬完人后家里人要吃上一顿，要喝酒，说不定还要发生争吵。还在教堂的时候，米哈伊尔舅舅就唉声叹气地对雅科夫说：

"今天咱们喝他个够，怎么样？"

维亚希尔竭力想让我开心——他把马刺挂在下巴上，用舌头舔那上面的小轮子，雅兹的父亲故意放声大笑，一面大声喊道：

"快看呀，快看呀，看他在干什么！"但他见我并不感到高兴，便严肃地对我说：

"行了，行了，别难过了！将来我们大家都会死的，连小鸟也会死的。这样吧：你愿不愿意我给你母亲的坟上铺一层草皮？咱们现在就到野外去——你、维亚希尔和我，把我的小爬犁也带上，我们铲好草皮，把坟铺起来——这样再好不过了！"

我觉得这样挺好，于是我们便到野外去了。

安葬罢母亲，几天之后，外公对我说：

　　"是这样，列克谢，你也不是一枚勋章，老挂在我脖子上也不是个事儿，到人间闯荡去吧……"

　　于是我就走进了人间。

在人间

汝龙 译

一

我来到人间，在本城①大街上一家"时式鞋店"里做一名"学徒"。

我的老板是一个身材又小又圆的矮子。他脸色黑红，皮肤粗糙，牙齿发绿，眼睛是很淡的污泥的那种颜色。我觉得他是个瞎子。我想肯定这一点，就不住地做鬼脸。

"别做怪相。"他轻声而又严厉地说。

这对污浊的眼睛居然看见我了，这是使人不愉快的。我就不相信这对眼睛能看见人。也许老板只是猜出来我在做鬼脸吧？

"我已经说过，不要做怪相。"他教训道，声音越发低了，他的厚嘴唇几乎没动。

"别抓挠你的手，"他那干巴巴的低语声爬到我这边来，"你如今是在城里大街上头一流商店里做事，这得记住！学徒应当在店门口那儿站着不动，好比一尊雕像。……"

我不懂什么叫作雕像，我也不能不抓挠我的手。我这两只手，一直到胳膊肘那儿，布满了红斑和烂疮，疥癣虫咬得我难忍难熬。

"你在家里干什么活？"老板瞅着我的手，问道。

我讲了一讲，他就摇着他那贴满了灰色头发的圆脑袋，盛气凌人地说：

"捡破烂，比要饭都不如，比偷东西都不如。"

我就有点自豪地声明说：

"要知道，我也偷过东西呢。"

一听这话，他就伸出两只手来往一张斜面办公桌上一按，仿佛一只猫往前伸出两个爪子似的。他惊恐地睁大他那对空虚的眼睛，瞅着我的脸，声音低哑地说：

"什么？你怎么还偷过东西？"

我就把这件事解释了一下②。

"哦，我们不来计较这些小事。不过，要是你在我这儿偷鞋或者偷

---

① 指尼日尼·诺甫哥罗德城，现改称高尔基市。

② 高尔基小时候捡破烂，由于生计所迫而同一些小伙伴合偷过一些旧木板。见高尔基著的《童年》。

钱，我就要把你送进监牢里去，一直把你关到长大成人。……"

他是平心静气地讲这些话的，我却吓了一跳，也就越发不喜欢他了。

在这个鞋店里做生意的除了老板以外，还有我的表哥，亚科甫的萨沙①。另外还有一个大店员，那是一个伶牙俐齿、很会兜揽生意、脸颊绯红的人。萨沙穿一件褪成棕色的小礼服，戴着衬胸，扎着领结，散着裤腿。他态度高傲，不把我放在眼里。

我的外祖父领我来见老板的时候，还要求萨沙帮助我，教我做事。萨沙却大模大样地皱起眉头，警告说：

"要叫他听我的话！"

外祖父就伸出一只手来按在我的头上，硬要我弯一下脖子。

"你要听他的话。不管是论年纪还是论职位，他都比你大。"

萨沙瞪大眼睛，教训我说：

"你要记住外公说的话！"

于是他从头一天起就开始热心地利用他这种高我一等的地位。

"卡什林，别瞪起眼珠子。"老板常这样说他。

"我没瞪眼，老板。"萨沙回答说，低下头。可是老板不放过他：

"你别拉长了脸，买主们会把你当成一头公山羊②了……"

大店员就恭恭敬敬地赔着笑脸，老板难看地咧开嘴巴。萨沙却涨得满脸发紫，躲到柜台后面去了。

我不喜欢这类话，有许许多多的字眼我都听不懂。有的时候我觉得这些人说的是外国话。

每逢一个女顾客走进门来，老板就把他的手从衣袋里抽出来，摸着他的唇髭，脸上装出一副甜蜜蜜的笑容。这种笑容弄得他满脸都是皱纹，却没有改变他那瞎眼的模样。大店员把他的两个胳膊肘紧紧地贴在腰上，挺直身子，让他那两只手毕恭毕敬地悬在半空中。萨沙惊慌地不住眨眼，为的是极力掩盖他那对爆眼睛。我呢，站在店门那儿，偷偷地抓挠我的手，注意看他们做生意的规矩。

大店员在女顾客面前跪下去，给她试鞋，他的手指头怪模怪样地张开来。他的手颤颤巍巍，极其小心地碰到那个女人的脚，仿佛生怕

---

① 高尔基的二舅亚科甫·卡什林的儿子。

② 在俄国的粗话里，"公山羊"含有"色鬼"的意思。

把那只脚碰断了似的。其实，那只脚肥得很，活像一个倒放着的歪脖子酒瓶。

有一回，一个太太不住地抖动她的脚，缩起身子，说：

"哎哟，您搔得我好痒啊……"

"这是为要顾到礼貌，太太。"大店员热心地赶快解释说。

瞧着他对女顾客的那种肉麻样子，怪可笑的。我为了不笑出声来，就扭过脸去对着店门的玻璃。可是我又忍不住想观察他做生意的样子，店员的那一套手法引得我太开心了。同时我又暗想：我是永世也学不会这么有礼貌地张开我的手指头，这么灵巧地给别人的脚穿上鞋去的。

常常，老板走出店堂，到柜台后面的一个小房间里去，而且把萨沙也叫去，单留下大店员一个人同那个女顾客周旋。有一回，他的手摸过一个棕红色头发的女人的脚以后，他就把他这只手的几个手指头捏成一小撮，送到嘴边去吻了一下。

"哟，"那个女人惊叹道，"您可真是调皮！"

可是他鼓起腮帮子，使劲发出亲吻的声音：

"唶！"

看到这儿，我就哈哈大笑，笑得我生怕倒在地下，就伸出手去揪住门柄，结果店门开了，我一头撞在玻璃上，把玻璃碰掉了。大店员就不住地对我跺脚，老板伸出他那戴着大金戒指的手指头敲我的脑袋，萨沙也动手拧我的耳朵。傍晚我们同路回到老板家里去的时候，萨沙严厉地教训我说：

"你干出这种事来，人家会把你赶走的！哼，这有什么可笑的呢？"

他还解释说：要是那个店员博得太太们的欢心，铺子里的买卖就会兴隆些。

"就算这个太太不需要买鞋吧，可是单为了看一眼这个招人喜欢的店员，她也会来一趟，另外多买上一双鞋的。你就这么不懂事！简直为你操够了心……"

这话惹得我怄气：谁也没有为我操过心，尤其是他。

每天早晨，厨娘，这个有病的、脾气大的女人，总是在叫醒萨沙的前一个钟头就把我叫醒。我就刷干净老板一家人、大店员、萨沙的鞋和衣服，烧茶炊，给所有的炉子送柴火去，洗干净装午饭用的提盒。到了商店里，我就扫地，掸灰尘，准备茶水，给顾客们送货，到老板家里去取午饭。在这种时候我的守门的职务就由萨沙担任，他认为这有损于他的尊严，就骂我说：

"笨货！叫人家替你干活……"

我觉得这儿沉闷乏味。我过惯了独立不羁的生活，过惯了那种从早到晚在库纳维诺①的沙土铺成的街道上，在浑浊的奥卡河的岸上，在野外，在树林里的生活。这儿没有我的外祖母，没有我的同伴，没有一个可以谈一谈话的人。同时在这儿，生活向我露出了它那鄙陋虚伪的内情，惹得我气愤。

女顾客什么东西也没买就走掉，这是常有的事。可是他们三个人却觉得受了委屈。老板立刻收敛他那副甜蜜蜜的笑容，下命令说：

"卡什林，把货收起来！"

随后他就骂道：

"嘿，这头猪，闯到这儿来了！这个蠢娘们儿在家里坐得无聊了，就出来逛商店。你要是我的老婆呀，我早就给你点厉害看看了……"

他的老婆生得干瘪，黑眼睛，大鼻子，动不动就对他跺脚，叫骂，就像对待仆人一样。

往往，他们对一个熟识的女顾客谦恭地鞠躬，说出种种殷勤的话，把她送走以后，就纷纷用肮脏无耻的话数落她，惹得我恨不能跑到街上去，追上那个女人，把他们数落她的话统统告诉她才好。

当然，我知道人们一般说来都是互相在背后说坏话的。可是这几个人特别可恶地议论一切人，倒好像有什么人承认他们是最优秀的人，派他们来担任全世界的审判官似的。他们嫉妒很多的人，从来也不称赞任何人，对每一个人都知道一点他的坏处。

有一回，一个年轻的女人来到这个商店里，她脸蛋儿红扑扑，眼睛亮晶晶，穿一件丝绒的斗篷，上边镶一个黑皮的领子，她的脸被那块黑皮子烘托得就像是一朵美得出奇的花。她把那件斗篷从肩膀上脱下来，由萨沙把它接过去，她就显得越发漂亮了：她那苗条的身材紧紧地裹在一件蓝灰色的绸衣服里，她的耳朵上有些钻石在发亮。她使我联想到美丽的瓦西里萨②，我相信她必是省长夫人。她受到特别恭敬的接待，他们见着她就像见着一捧火似的，不住地低头哈腰，满嘴的甜言蜜语，气都透不出来了。那三个人在店堂里东奔西跑活像魔鬼，货橱的玻璃上掠过他们的映影，倒好像四周的东西一齐着了火，正在

---

① 尼日尼城的郊区，高尔基的外祖父的家在那里。

② 俄国民间故事中的一个女人，非常聪明，意志坚强。

熔化，马上就要变成另一个样子，换成另一种形状似的。

可是，等到她很快地选中一双贵重的鞋，走了，老板却吧哒一下嘴，打一个嗯哨，说：

"这条母狗……"

"一句话，无非是个女戏子罢了。"大店员轻蔑地说。

他们就纷纷议论这个女人的那些情人，议论她的花天酒地的生活。

午饭后，老板总是到商店后面的一个小房间里去睡觉。有一次我打开他的金怀表，在机器里滴上一点醋。我很愉快地看见他睡醒以后走到店堂里来，手里拿着那个怀表，心慌意乱地嘟哝说：

"真是意想不到的事！怀表忽然冒汗了！从来也没有出过这样的事：怀表冒汗！莫非是要出什么不吉利的事吗？"

尽管商店里的杂事很多，家里的工作也不少，我却好像在沉重的烦闷无聊中昏睡。我越来越常常暗想：我该干出一件什么事来，才能让他们把我从商店里撵走呢？

一些身上粘着雪的行人在商店门前沉默地闪过去，仿佛他们在给什么人出殡，送死人到墓园里去，可是误了时间，落在送葬的行列的后面了，于是急急忙忙，赶紧去追上那口棺材。街上的马车摇晃着，费力地爬过雪堆。这家商店的后面，教堂的钟楼上，每天响着凄凉的钟声，原来大斋①到了。钟声像枕头那样打在人的头上：痛倒是不痛，可就是弄得人头脑麻木，耳朵发聋。

有一次，我正在店门附近的一个院子里拆开一口刚刚收到的货箱，这时候教堂看守人走到我跟前来。他是个歪脖子的小老头，浑身软绵绵的，像是用破布做成的。他衣衫褴褛，仿佛让狗撕破了一样。

"你，上帝的人呀，给我偷一双套靴吧，行吗？"他提议说。

我不吭声。他在一口空箱子上坐下来，打了个呵欠，在嘴上面了个十字②，又说了：

"你偷吧，啊？"

"不能偷东西！"我告诉他说。

"可是大家都偷。你得敬重老人才是！"

他跟我四周的人不一样，这很招人喜欢。我体会到他十分相信我

①　基督教斋日，共四十天，在复活节前。
②　按俄国迷信，这是为了避邪。

216

愿意为他偷东西，我就答应从窗子的通风口里递给他一双套靴。

"那才好，"他平静地说，可是并不高兴，"你不是骗人吧？嗯，嗯，我看得出来你不是骗人……"

他沉默地坐了一会儿，用他的靴底揉搓着肮脏的湿雪，然后点上他那个陶土的烟斗，忽然吓唬我说：

"可要是我骗你呢？我一拿到这双套靴，就立刻送到你的老板那儿去，而且说这是你卖给我的，价钱是半个卢布，那怎么样？啊？那双套靴值两个多卢布，可是你只卖了半个卢布！你把钱都买糖果吃了，啊？"

我怔住了，瞅着他，好像他已经把他应许要做的这件事做过了似的。他不住地轻声说话，瓮声瓮气，同时瞧着他自己的靴子，喷出淡蓝色的烟雾。

"比方说，假定这是你的老板指使我干的：你去替我摸一摸那个孩子的底，看他是不是个贼娃子？那又怎么样呢？"

"那我不给你套靴了。"我生气地说。

"你既答应了，现在就不能不给喽！"

他就拉住我的手，把我拽到他跟前去，伸出一根凉手指头敲我的脑门子，懒洋洋地接着说下去：

"你怎么能平白无故地说：喏，拿去吧？！"

"是你自己要的嘛。"

"我想要的东西多的是！我要你去打劫教堂，那你怎么样，去打劫吗？难道外人是可以轻易相信的吗？哎，你呀，小傻瓜……"

他把我推开，站起来。

"偷来的套靴我不要。我又不是老爷，我根本不穿套靴。我这不过是开一个玩笑罢了。……你这么老实，那么等复活节到了，我就放你到钟楼上去，你可以在那儿敲一敲钟，看一看这个城……"

"我熟悉这个城。"

"从钟楼上看下来，这个城要漂亮一点……"

他把他的靴尖伸进雪里，慢腾腾地往教堂的拐角那边走过去。我瞅着他的背影，闷闷不乐，提心吊胆地暗想：这个小老头真的是在开玩笑呢，还是由老板私下里派来考察我的？我都不敢走进商店里去了。

萨沙跳进院子里来，喊了一声：

"你在忙些什么鬼名堂！"

我突然心头火起，举起钳子来对他抡了一下。

　　我知道他和那个大店员常偷老板的东西。他们往往把一双皮鞋或者便鞋藏在炉子的烟囱里，然后在离开商店的时候把它塞在大衣的袖子里。这种事我不喜欢，而且使我害怕，我是记得老板的恫吓的。

　　"你偷东西？"我问萨沙。

　　"不是我偷，是那个大店员偷，"他严厉地对我解释说，"我只不过是帮他的忙罢了。他说：你帮我干！我不得不听他的话，要不然他就会跟我为难。咱们的老板！以前他自己就做过店员，他什么都懂。可是你别说出去！"

　　他一面说话一面照镜子，学那个大店员的样子不自然地张开他的手指头，整理他的领结。他一股劲儿地对我摆出高我一等的架子和压我一头的权势，扯开男低音的嗓门对我叫嚷。每逢他支使我做事，他总是把他的一条胳膊往前一伸，那姿势仿佛要把我推开似的。我生得比他身量高，力气大，可是瘦得皮包骨头，笨手笨脚。他却丰满，轻巧，光润。他穿着礼服，散着裤腿，这在我的心目中显得尊严庄重，可是他周身有一种惹人不愉快的和可笑的味道。他痛恨那个厨娘，而厨娘也真是一个奇怪的女人，谁都弄不清她是个好人还是个坏人。

　　"世界上的事我最喜欢的，就是搏斗，"她睁大她那对烈火般的黑眼睛说，"不管什么样的搏斗，在我看来都一样：公鸡相斗也罢，狗咬架也罢，庄稼汉厮打也罢，我一概都喜欢！"

　　要是院子里有几只公鸡或者鸽子斗起来，她就丢下手里的活，瞅着窗外，把这场厮杀从头看到尾，忘掉一切，脑子里什么也不想，耳朵里什么也不听。每到傍晚，她就对我和萨沙说：

　　"你们这两个孩子干什么闲坐着，还不如打个架的好！"

　　萨沙生气了：

　　"我可不是什么孩子，我是个小店员了，傻娘们儿！"

　　"哦，这我倒没看出来。要叫我来说，没要媳妇的就都是孩子！"

　　"傻娘们儿，呆头呆脑……"

　　"魔鬼倒是聪明，可就是上帝不喜欢他。"

　　她这种谚语特别惹得萨沙冒火，他就挖苦她。她呢，轻蔑地斜起眼睛瞧着他，说：

　　"哼，你呀，蟑螂，上帝错叫你投了胎！"

　　他不止一次撺掇我趁她睡熟的时候给她的脸涂上黑鞋油或者煤烟，在她的枕头里扎上大头针，或者另外想个什么法子跟她"开一下玩笑"。可是我怕那个厨娘，再者她也睡得不沉，常常醒过来。她一醒，就点上油灯，坐在床上，眼睛瞅着墙角一个什么地方出神。有的时候她绕过大灶，走到我这儿来，把我叫醒，用沙哑的声音要求我说：

"我睡不着，列克塞依卡①，我心里有点害怕，你跟我说说话吧。"

我就睡意蒙眬地对她讲点什么事。她坐在那儿一句话也不说，光是摇晃她的身子。我觉得她那热乎乎的身子冒出蜡和神香的气味②，她很快就会死了。说不定她马上就会脸朝下，一头栽在地板上死掉。我心里害怕，我的说话声就响起来，可是她拦住我说：

"小点声！要不然那些坏蛋醒过来，就会胡思乱想，把你当作我的姘头了……"

她在我的身旁坐着，老是保持同一种姿势：她弯下腰，把两个手巴掌塞在两个膝盖中间，用她腿上的尖骨头把手巴掌夹紧。她的胸脯是平的，她的一根根肋骨甚至透过她那粗麻布厚衬衫印出来，像是一个干裂的木桶上的一道道铁箍。她往往沉默着坐上很久，随后忽然低声说：

"我死了才好，免得心里老是这么忧愁……"

或者，不知她在问一个什么人：

"我老活着不死，这算是什么意思呢？"

"睡吧！"她没容我讲完就打断我的话，直起腰来说。然后这个灰色的女人就无声无息地消失在厨房的幽暗里。

"巫婆！"萨沙在她背后这样称呼她。

我就对他提议说：

"那你当面去这么叫她！"

"你当是我不敢叫吗？"

可是他马上皱起眉头说：

"不，我不当面叫她！或许她真是一个巫婆也说不定……"

她对一切人都看不上眼，爱发脾气，就连对我也是任什么事都不讲情面，早晨一点到六点钟，就来揪我的腿，嚷道：

"别贪睡啦！去抱柴火！烧茶炊！削土豆皮！……"

萨沙醒过来了，哀叫道：

"你嚷什么哟？我要告到老板那儿去！你吵得人睡不了觉……"

---

① 高尔基的名字阿历克塞的爱称。

② 借喻"死尸的气味"；当时俄国人死后要抬进教堂里去做安魂的弥撒，"蜡和神香的气味"就是教堂里的气味。

她那骨瘦如柴的身子在厨房里很快地移动不停，同时她朝萨沙那边闪着她那对由于失眠而发红的眼睛，说：

"呸，上帝错叫你投了胎！我要是你的后妈，我早就把你收拾了。"

"该死的。"萨沙骂道。他在到商店去的路上撺掇我说："应当想个办法让老板把她赶走才好。应当趁人没注意，偷偷往所有的菜里多加点盐。要是她烧出来的菜都太咸，咱们的老板就把她赶走了。要不，放上点煤油也成！你干什么不动手呢？"

"那你怎么不去干？"

他生气地哼一下鼻子，说：

"胆小鬼！"

厨娘当着我们的面死掉了。她正弯下腰去，要端一个茶炊，忽然她的身子挫下去，坐在地板上了，倒好像有人推一下她的胸口似的。随后她一声没吭，斜着身子倒下去，她的两条胳膊往前平伸出去，她的嘴里流出了鲜血。

我们两个人顿时明白她死了。可是我们吓蒙了，瞧了她很久，一句话也说不出来。最后萨沙一个箭步蹿出厨房，跑掉了。我不知道该干什么才好，就偎到窗口去，凑近亮处。老板来了，发愁地蹲下去，伸出手指头摸摸厨娘的脸，说：

"她果然死了……这是怎么回事啊？"

他开始对着墙角，对着奇迹创造者尼古拉的小圣像在胸前画十字，做祷告，然后对着前堂发命令说：

"卡什林，你跑一趟，去报告警察！"

警察来了，转悠了一阵，得着几个茶钱，就走了。过后他又来了，而且带来一个赶大车的。他们抬起厨娘的脚和头，把她抬到街上去了。老板娘在前堂里往这儿看一眼，吩咐我说：

"把地板擦干净！"

可是老板说：

"幸好她是在傍晚死的……"

我不懂这有什么好。临到躺下睡觉的时候，萨沙对我说，而且口气异乎寻常地温和：

"你别熄灯啊！"

"你害怕吗？"

他拉起被子来蒙上头，躺在那儿久久不吭声。夜晚那么安静，仿佛在倾听什么声音，等着发生什么事情似的。我觉得好像马上就要敲钟了，于是突然之间，全城的人就会又是奔跑，又是喊叫，惊慌得乱成一团。

萨沙从他的被子里露出他的鼻子，小声提议说：

"咱们一块儿睡在灶台①上吧，好不好？"

"灶台上热。"

他沉默一会儿，说：

"她是怎么搞的，一下子就死了，啊？这才是巫婆呢……我睡不着觉了……"

"我也睡不着。"

他开始讲死人，说是他们会从坟墓里爬出来，在城里徘徊到午夜，寻找他们原来的住处，寻找他们的亲人的住处。

"死人只记得这座城，"他小声说，"至于街道和房屋，他们就记不得了。……"

四下里越发安静，仿佛也越发黑了。萨沙略微抬起头来，问道：

"你想看一看我的箱子吗？"

我早就想知道他在那口箱子里藏着些什么东西。他用一个吊锁锁着那口箱子，每次开箱子总要采取种种特别的预防措施；如果我打算看一眼箱子里的东西，他就粗暴地问道：

"你要干什么？啊？"

等到我表示同意，他就在床上坐好，没有把他的腿顺着床沿耷拉到地，却用命令的口吻吩咐我把箱子抬到床上他的脚跟前去。他的钥匙跟他的贴身的十字架放在一起，挂在一根带子上。他瞟一眼厨房里那些黑暗的角落，就庄严地皱起眉头，开了锁，还对着箱盖吹一口气，仿佛那箱盖烫他的手似的。最后他把箱盖打开，从箱子里拿出几身衣服。

这口箱子里有一半装满了药盒子、包茶叶用的花纸、鞋油盒和沙丁鱼盒。

"这是什么？"

"你等着瞧吧……"

他用他的两条腿夹住箱子，对它弯下身子去，轻声唱起来：

"上帝呀……"

———

① 或译"炕炉"，指俄国式的炉灶上面可以睡人的地方。

　　我等着看一看玩具。我素来没有玩具，表面上对玩具装出看不起的样子，可是谁真有玩具，我就不免羡慕。我想到像萨沙这样庄重的人居然也有玩具，心里很高兴。虽然他害臊地把玩具藏起来，不过这种害臊在我倒是可以理解的。

　　他打开头一个盒子，从里面拿出一副眼镜架子，把它戴在他的鼻子上，严厉地瞧着我，说：

　　"这副眼镜缺玻璃是完全没关系的，本来就有这样的眼镜！"

　　"让我戴一下！"

　　"你的眼睛戴这副眼镜不合适。这是给深色的眼睛预备的，你的眼睛却是淡色的。"他解释说，学着老板的气派嗽一下喉咙，可是立刻又战战兢兢地瞟一眼整个厨房。

　　有一个鞋油盒里装着许多杂样的纽扣，他得意地对我解释说：

　　"这都是我在街上捡来的！全是我自己捡的。已经有三十七颗了……"

　　第三个盒子里却原来装着一些大的铜别针，也是在街上捡来的。其次是些铁靴掌，有的磨损了，有的坏了，有的是好的。再就是皮鞋和便鞋的一些带扣、一个铜门柄、一个坏了的手杖顶上的骨制镶球、一把少女梳头用的梳子、一本名叫《圆梦和占卜》的书，另外还有许多同一类价值的东西。

　　当初我捡破烂，拾骨头的时候，像这样无聊的东西我很容易就能在一个月里捡到十倍之多。萨沙的这些东西在我心里引起的感觉，是失望、困窘、对他的深深的怜悯。可是他聚精会神地观赏每一件东西，伸出手指头去热爱地抚摸它，他的厚嘴唇庄严地噘起来，他的爆眼睛温柔关切地瞧着，然而那副眼镜却把他的稚气的脸衬托得可笑了。

　　"你要这些东西干什么？"

　　他从那副眼镜架子里匆匆地瞟我一眼，用尖脆的儿童最高音问道：

　　"你要我送给你一样什么东西吗？"

　　"不，不用了……"

　　看来，我的拒绝和我对他的宝贝的不大在意，都惹得他不高兴。他沉默了一会儿，然后轻声提议说：

　　"你拿一块毛巾来，我们来把所有的东西都擦一下，因为它们沾上灰尘了……"

　　等到这些东西一个个擦完，放好，他就翻身钻进被窝，脸对着墙睡下。外面在下雨，房檐在滴水，风在推窗子。

萨沙说话了，没有对我这边扭过脸来：

"你等着吧，园子里干了，我就给你看一样东西，你准定会叫一声'哎呀'！"

我没有开口，铺床睡觉。

又过了几秒钟光景，他忽然爬起来，伸出手去抓挠墙，带着令人震动的恳切口气讲起来：

"我害怕呀……天主，我害怕呀。天主怜恤吧！这是怎么回事啊？"

这时候连我也吓得呆住了。我觉得那个厨娘似乎正站在朝着院子的窗子跟前，背对着我，低下头，把脑门子抵在窗玻璃上，就像她生前站着看公鸡相斗的时候的那种样子。

萨沙哇哇地哭，不住抓挠墙，踢蹬着他的腿。我费了不小的劲才跨出步去，好像在烧红的煤炭上走路似的，头也不回，穿过厨房，到他那儿，跟他并排躺下。

我们一直哭到筋疲力尽才睡着。

这以后过了几天，正赶上一个什么节日，店里的生意做到中午就收了，大家回到家里去吃午饭。等到老板一家人吃完午饭，去睡觉了，萨沙就鬼鬼祟祟地对我说：

"咱们走吧！"

我猜到我马上就要看见那个会弄得我叫一声"哎呀"的东西了。

我们走进园子里去。在两所房子中间一块又窄又长的土地上，立着十来棵老椴树，粗大的树干上布满像绿棉绒一般的青苔，光秃的黑树枝死气沉沉地竖起来。树枝之间连一个乌鸦窠也没有。这些树活像墓园里的石碑。园子里除了这些椴树以外一无所有，既没有灌木，也没有杂草。小径上的地面已经踩硬，乌黑，像是生铁；有些地方，在去年的枯黄的树叶当中露出一块块光秃的地面，那上边也生了一层霉，好比一摊死水上盖着一块块浮萍。

萨沙走到房角那儿拐过弯去，来到临街的围墙跟前，在一棵椴树底下站住，瞪起眼睛，往旁边那所房子的浑浊的玻璃窗里张望了一下。然后他蹲下去，伸手扒开一堆树叶，于是树叶底下露出一个粗大的树根，树根附近有两块砖，深深地埋在地里。他把砖挖出来，砖底下露出一小块铺房顶用的铁皮，铁皮底下是一小块四方的木板，最后我的眼前就出现了一个大洞，直通树根底下。

萨沙擦亮一根火柴，然后点上一个蜡烛头，把蜡烛头送进这个洞里去，对我说：

"你瞧啊！只是不要害怕……"

看来，他自己倒在害怕：蜡烛头在他的手里不住颤抖，他脸色煞白，难看地张开嘴巴，他的眼睛变得湿润，他悄悄把他那只闲着的手移到背后去了。他的恐惧传染给我，我就极其小心地往树根底下的深处看，那树根成了这个地洞的拱顶。萨沙在地洞的深处点上三个烛火，蓝色的亮光照满了这个地洞。这个地洞相当宽，有一个木桶的内膛那么深，然而比木桶宽，两侧砌满小块的彩色玻璃和茶具的碎瓷片。地洞中央有一个隆起的高台，铺着一小块红布，上面放一口小棺材，棺材外边糊着锡箔纸。棺材上面有半边盖着一块什么破布，类似一个锦缎的棺材罩子。从这个罩子底下露出一只麻雀的两个灰色小爪子和一个尖嘴的小脑袋。棺材后面耸立着一个读经台，上面放着一个贴身带着的铜十字架。读经台周围点着三个蜡烛头，这些蜡烛头插在烛台上，烛台包着金色和银色的糖果纸。

烛火的火苗朝着地洞的出口弯过来。地洞里朦胧地闪着五颜六色的光点和光斑。蜡烛的气味、温热的腐烂气味、泥土的气味，一齐扑到我的脸上来。我眼花缭乱，眼睛里跳动着一道道细小的虹。这一切在我的心里勾起一种难受的惊愕心情，倒把我的恐惧压下去了。

"这好吗？"萨沙问。

"这算是什么？"

"小礼拜堂呗，"他解释说，"像吗？"

"我不知道。"

"那只麻雀算是死人！说不定它会变成圣徒的干尸，因为它是个无辜受难的殉教徒呢。……"

"当初你找到这只麻雀的时候，它就是死的吗？"

"不，它本来是飞进堆房里来的，我就拿一顶帽子扣住它，把它闷死了。"

"这是为什么？"

"不为什么……"

他盯一下我的眼睛，又问：

"这好吗？"

"不好！"

听到这话，他就对着地洞弯下腰去，很快地盖上木板和铁皮，把砖埋进地里，站起来，拂掉膝盖上的泥土，厉声问道：

"为什么你不喜欢？"

"我可怜那只麻雀。"

他瞪起一对呆呆不动的眼睛瞧着我，像瞎子似的。然后他推一下我的胸口，喊道：

"混蛋！你这是因为嫉妒才说不喜欢！你当是你在卡纳特纳亚街那个园子里做得出比这个再好的玩意儿吗？"

我想起我那个凉亭①，就有把握地回答说：

"当然，就是比这个好！"

萨沙脱掉他那件小礼服，扔在地下，卷起袖子，往手心里啐几口唾沫，提议说：

"既是这样，咱们就来打一架！"

我倒不想打架。当时我心头烦闷，意气消沉，瞧着我的表哥的恶狠狠的脸，心里很别扭。

他却向我扑过来了，一头撞在我的胸口上，把我撞翻在地，骑在我的身上，叫起来：

"要活还是要死？"

可是我比他力气大，而且心里很生气。过了一分钟他就脸朝下趴在地上，伸出两只手抱住头，声音沙哑了。我吓了一跳，就动手扶他起来，可是他抢胳膊，踢腿，把我挡回去，这就越发把我吓坏了。我走到一旁去，不知道该怎么办才好。他却略微抬起一点头，说：

"怎么，你算是打赢啦？那我就照这么躺着，一直躺到老板家的人走过来看见我，到那时候我就告你的状，他们就会把你撵走！"

他骂我，吓唬我。他那些话惹得我心头火起，我就朝地洞那边跑过去，挖出那两块砖，把棺材和麻雀一齐扔到围墙外边的街上去，又挖出地洞里的一切东西，用脚踩碎。

"给你一个样儿看一看！你瞧见了吗？"

对于我的这种暴行，萨沙的态度却很古怪。他坐在地上，微微张开一点嘴，皱起眉头，盯住我的一举一动，却一句话也不说。等到我干完了，他才不慌不忙地站起身来，抖一抖身上的尘土，把他那件小礼服搭在他的肩膀上，平静而凶险地说：

"那你就瞧着会出什么事吧，你稍为等一下就是！这个玩意儿我本

---

① 高尔基的外祖父家就在卡纳特纳亚街上，高尔基在那儿的园子里造过一个凉亭供歇凉用。

来就是特为你做的，这是魔法！你明白了吧？……"

我一下子蹲下去了，好像他的话把我打痛了似的，我的五脏六腑一齐灌满了凉气。他却头也不回地走掉了，他这种镇静越发使我的心里堵得慌。

我决定明天就从城里跑掉，躲开我的老板，躲开萨沙和他的魔法，躲开这一套乏味而愚蠢的生活。

第二天早晨，一个新来的厨娘把我叫醒了，接着她大叫一声：

"我的圣徒啊！你这张脸是怎么回事啊？……"

"魔法开始了！"我心情沉重地暗想。

可是那个厨娘扬声大笑，声音那么嘹亮，引得我也不由得微微一笑，然后凑着她的镜子照一照，原来我的脸上涂了一层很厚的煤烟。

"这是萨沙干的吧？"

"难道会是我！"厨娘笑着叫道。

我开始刷鞋，我刚把一只手塞进一只鞋里，就有一根大头针扎进我的手指头里。

"魔法又来了！"

原来所有的靴子里都有大头针和缝衣针，而且安得那么巧妙，正好扎进我的手心里。于是我舀了一瓢凉水，带着极其解恨的心情把它浇在那个还没醒来，或者假装睡熟的魔法师的头上。

不过话说回来，我仍旧心绪恶劣。我老是恍恍惚惚地看见那口装着麻雀的棺材，看见那只麻雀的弯曲的灰色小爪子，看见它那凄凉地朝上伸着的、蜡黄的嘴，而且四周有五颜六色的光点不停地闪烁，仿佛想合成一条长虹，却又办不到似的。那口棺材渐渐展宽，鸟爪渐渐长大，往上伸去，颤抖着，活了。

我决定当天傍晚就跑掉。可是午饭前我在一个煤油炉上热一个装着白菜汤的提盒，我只顾想心思，汤却煮开了。我正动手熄掉炉火，却把那个提盒碰翻，它倒扣在我的手上。他们就把我送到一个医院里去了。

我至今还记得我住进医院好比做了一场吓人的噩梦。那是个空荡荡的、颜色发黄的、摇晃不定的地方，有些灰色的和白色的人穿着尸衣，在那儿盲目地蠕动，有嗓子里呼噜呼噜响的，有哼哼唧唧地呻吟的。一个高身量的人拄着拐杖走来走去，他那两道眉毛好比两撇唇髭；他不住摇着他的大黑胡子，嗓子里带着吹口哨的响声咆哮道：

"我要到主教大人那儿去告发！"

那些病床都像是棺材。病人们躺在那儿，鼻子朝上，都像是死麻雀。黄色的墙壁摇晃着，天花板像船帆似的凸出来，地板起伏不定，几排病床时而合拢，时而分开。一切都不安稳，使人胆战心惊。窗外竖起一些树枝，像是一些用来打人的树条，不知什么人在摇晃它们。

一个头发棕红、身子精瘦的死人，在房门口蹦蹦跳跳像舞蹈似的，伸出他的两条短胳膊拉扯他身上的尸衣，尖声叫道：

"我不要这些疯子！"

可是那个挂拐杖的人对他大喝一声：

"我要到主教大人那儿去……"

我的外祖父、外祖母乃至所有的人，向来总是说医院里把人折腾死，于是我认为我这条命算是交代了。一个戴着眼镜、也穿着尸衣的女人走到我跟前来，在我的床头上挂着的一块小黑板上写了几个字。她的粉笔断了，粉笔的碎屑洒在我的头上。

"你叫什么名字？"她问。

"不叫什么名字。"

"可是你总有名字吧？"

"没有。"

"哼，你别胡闹，要不就拿鞭子抽你一顿！"

就算她不说，我也相信我会挨鞭子，所以我干脆不回答她的话。她跟猫那样哼了一下鼻子，而且也像猫似的没一点响声地走了。

这儿点上了两盏灯，两个黄色的火亮挂在天花板底下，好像不知一个什么人把自己的两个眼睛丢在这儿了。它们挂在那儿，极力互相靠拢，一眨一眨的，照得人眼花缭乱，心里厌烦。

墙角上有个什么人说：

"咱们来打牌，好不好？"

"我缺一条胳膊怎么打呀？"

"可不是，他们把你的胳膊锯掉了！"

我顿时暗想：你瞧，他们锯掉这个人的胳膊就是因为他打牌。那他们会怎样折腾我，再把我整死呢？

我的手发烧，刺痛，仿佛有谁在抽出我手里的骨头似的。我又怕又痛，轻声地哭起来。我为了不让人看见我流泪，就闭上眼睛，可是眼泪偏又挤开我的眼皮，顺着我的两鬓流下来，滴进我的耳朵里去。

夜晚来了，所有的人都在病床上躺下，藏在灰色的被子里。四下里越来越静，一分钟比一分钟静，只有墙角上有个什么人在嘟哝说：

"这是不会有什么好结果的，他是草包，她也是草包……"

我应当给我的外祖母写一封信，要她到这儿来，趁我还活着，把我偷偷带出医院去才好。可是我又没法写，我的手不能写字，而且也没有纸笔。那么我该试一试看：能不能从这儿溜掉呢？

夜晚越来越死气沉沉，似乎从此以后永远不会天亮了。我轻轻地把脚放到地板上，走到房门口，正好房门开着一半。走廊里，灯底下，一条有靠背的长条木椅上，坐着一个人，竖起他的花白的、像刺猬般的脑袋，不住喷出烟子来，用一对深色的、凹进去的眼睛瞧着我。我来不及躲开了。

"是谁在走动？过来！"

他的声音倒不可怕，很轻。我就走过去，瞧着他那张圆脸，脸上满是短胡子茬，可是他脑袋上的头发却很长，向四面八方伸出去，给他的头镶上了一道银色的光圈。这个人的腰上挂着一串钥匙。要是他的胡子和头发生得再长一点，那他就像使徒彼得①了。

"你这是烫伤了手吧？你干什么晚上出来溜达？这算是什么规矩？"

他对着我的胸脯和脸喷了许多烟子，伸出一条温暖的胳膊来搂住我的脖子，把我拉到他身边去。

"你害怕吗？"

"害怕！"

"大家在这儿起初都是害怕的。其实用不着害怕。特别是跟我在一起，更不必怕，我从来也不给人气受……你想抽烟吗？好，那你就别抽。这在你还嫌太早，你再等上两年吧。……那么你的爹娘在哪儿呢？爹娘都不在了！嗯，不在就算了。没有爹娘，咱们也能活下去，只是不要胆怯！你明白吗？"

我已经很久没有见过这种善于用明白易懂的语言讲话，而且讲得朴实和善的人了。我听着他讲话，说不出的愉快。

等到他把我领到我的病床那儿去，我就要求他说：

"你陪我坐一会儿吧！"

"行。"他同意说。

"你原是干什么的？"

"我吗？我是一个兵，一个地地道道的兵，高加索的兵。我打过

———————
① 耶稣的门徒。

仗，哪能不打仗呢？兵活着就是为打仗嘛。我跟匈牙利人打过，跟契尔克斯人打过，跟波兰人打过，一句话，跟什么人都打过！打仗，老弟，那可是一场大祸害啊！"

我闭了一会儿眼睛。等我再睁开眼睛，在兵的位子上坐着的却是穿一件深色连衣裙的我的外祖母了。那个兵站在她的身旁，正在说话：

"那些人大概都死了吧，是不是？"

太阳正在病房里玩得高兴：它把所有的东西涂上一层金黄色，紧跟着它自己却藏起来，可是过了一会儿，它又明晃晃地照亮一切了，仿佛一个活泼的孩子在闹着玩似的。

我的外祖母弯下腰来，凑近我，问道：

"怎么样，小亲亲？你受了重伤吧？我已经跟那个红头发魔鬼讲过了……"

"我马上就去按规矩把手续办好。"那个兵说，走了。外祖母擦掉她脸上的泪水，说：

"他是我们那儿的一个兵，巴拉赫纳人……"

我仍旧以为我在做梦，就没说话。医生来了，给我在烫伤的地方换了绷带。然后我就跟外祖母一块儿走了，坐上一辆出租的马车，穿过城里的街道。她讲道：

"咱们家里那个老爷子完全昏了头，贪心重得很，瞧着都恶心！不料他的一个新朋友，毛皮工人赫雷斯特，不久以前从他那本赞美诗里偷去一张一百卢布的钞票。结果他们狠狠地吵了一架，唉唉！"

太阳明亮地照耀，云块在天空中浮游，像是一只只白鸟。我们的马车走过在伏尔加河的冰面上用木板铺成的一条道路。冰呜呜地响，正在膨胀，路上的木板压得水咕唧咕唧响。在市场那边的肉红色大教堂的拱顶上，有一些金黄的十字架闪闪发光。迎面走来一个宽脸膛的村妇，怀里抱着一束柔滑的柳条：春天来了，复活节快到了！

我的心像云雀那样颤动起来。

"我深深地爱你啊，外婆！"

这话并没有使她惊讶，她用平静的口吻对我说：

"这是因为我是你的亲人。不是我夸口，我要说一句：就连外人也喜爱我。荣耀归于你啊，圣母！"

她含笑补充说：

"嗯，圣母不久就要高兴了，她的儿子要复活了，可是我的女儿瓦留霞①……"

讲到这儿，她就沉默了……

二

我的外祖父是在院子里迎面见到我的，他正跪在那儿用一把斧子削一个木楔。他举起那把斧子，仿佛要砍到我的脑袋上来似的。然后他脱掉帽子，讥诮地说：

"您好哇，主教大人，大官老爷！您退休啦？好，那您现在可以称心如意地过日子喽，是啊！哎，你们啊……"

"行了，行了。"外祖母急忙说，挥一挥手把他赶开。她走进房间里，烧上茶炊，讲道：

"现在啊，你的这个外公可是彻底破产了。他把他的钱一股脑儿拿给他的教子尼古拉去生利，至于借条，大概也没向他要。我简直不知道他们是怎么搞的，反正他是破产了，那些钱全没了。这都是因为我们不周济穷人，不怜恤苦人。天主一想到我们就心里盘算：我何必叫卡什林家得着好处呢？他这么一想，就把一切都收回去了。……"

她回过头去看一眼，告诉我说：

"我一直想法多多少少地讨天主的欢心，免得他过于难为这个老头子。现在我到了晚上就常拿着我干活挣下来的钱悄悄地去施舍给人家。喏，要是你乐意，今天晚上我们就一块儿去。我身上有钱……"

外祖父进来了，眯缝着眼睛问：

"你们是准备吃东西吧？"

"又不是吃你的②，"外祖母说，"不过要是你乐意，你就跟我们一块儿坐下吧，也够你吃的。"

他就挨着桌子坐下来，轻声说：

"给我倒点茶……"

这个房间里一切都是老样子，只是我母亲以前所占的那个墙角凄凉地空着。此外在墙上，在外祖父的床的上方，挂着一张纸，上面用

---

① 高尔基的母亲的名字瓦尔瓦拉的爱称，在这里叙述的事情不久以前，她已经去世。

② 当时高尔基的外祖父由于贪吝而不养活外祖母，两人分过，外祖母自力谋生。

印刷体的大字写着：

> 唯有救世主耶稣永世长存！愿你的神圣的名字在我有生之日
> 与我同在！

"这是谁写的？"

外祖父没有答话。外祖母等了一阵，含笑说道：

"这张纸值一百个卢布呢！"

"这不关你的事！"外祖父叫道，"我要把样样东西都送给外人！"

"现在你没有什么东西可送了。当初你有东西的时候，也没送过外人。"外祖母平心静气地说。

"闭嘴！"外祖父尖叫道。

这里一切都安排得井井有条，一切都跟从前一样。

墙角里一口箱子上放着一个装衬衣的筐子，柯里亚①就睡在这个筐子里，这时候醒过来了，从那儿往外看。他的眼皮中间几乎看不出有两条青色的眼缝了。他变得越发面色灰暗，体力衰弱，奄奄一息。他没认出我来，沉默地扭过脸去，闭上了眼睛。

街上有些悲惨的消息在等我：维亚赫尔在苦难周②"出痘子死了"；哈比到城里去过活了；雅兹下肢瘫痪，不能玩耍了。黑眼睛的柯斯特罗玛把这些消息告诉我以后，生气地说：

"孩子们一个个死得太快了！"

"可是死了的不是只有维亚赫尔一个人吗？"

"那也一样：谁离开了这条街，谁也就跟死了差不多。这些伙伴，你刚刚交上朋友，刚刚混熟，有的就由家里送出去做工，有的就死了。这儿，就在你们的院子里，切斯诺科夫的住宅换上了新房客，是叶甫塞延科一家人。他们家里的那个小伙子纽什卡倒还不错，挺棒的！他有两个妹妹；一个还小，另一个是瘸子，走路拄着拐棍，长得挺俊的。"

他沉吟一下，补充说：

"兄弟，我跟楚尔卡都爱上她了，我们老是吵架！"

---

① 高尔基的母亲和他的继父所生的第二个孩子，有病。

② 基督教节日，复活节的前一个星期。

"跟她吵架？"

"哪儿的话？我们自己吵呗。跟她很少吵架！"

当然，我知道年纪大的小伙子乃至成年人会搞恋爱，我也知道这个词的粗鄙的含义。我心里不痛快，我替柯斯特罗玛惋惜，我瞧着他那笨拙的身体，瞧着他那对气愤的黑眼睛都觉得别扭了。

那个瘸姑娘我当天傍晚就见到了。她正走出门廊，到院子里来，失手把拐棍弄掉了，狼狈地停在台阶上，伸出两只透明的手去抓住栏杆上的细木条，她生得消瘦而孱弱。我想拾起那根拐棍来，可是我这两只扎了绷带的手不好使，我忙了很久，心里怪懊恼的。她站在我旁边的高处，轻声笑着，说：

"你这双手怎么了？"

"烫伤了。"

"我呢，腿瘸了。你就是住在这个院子里的吧？你在医院里住得久吗？我在那儿可是住过很久啊！"

她叹口气，补充一句：

"太久了！"

她穿一件连衣裙，白底子，带浅蓝色马掌形的花；这件衣服已经穿旧了，可是挺干净。她把头发梳得很平整，编成一条粗而短的辫子，搭在她的胸前。她的眼睛又大又严肃，在这对眼睛的宁静的深处，燃烧着浅蓝色的火花，照亮了她那张鼻子尖尖的瘦脸。她愉快地微笑，可是我不喜欢她。她的整个病态的身体仿佛在说：

"别碰我，劳驾！"

我那些伙伴怎么会爱上她了呢？

"我早就瘸了腿，"她兴致勃勃地讲着，好像在夸耀似的，"这是我的一个女邻居对我使了魔法。她跟我的妈妈吵了一架，后来她要气我的妈妈，就对我使了魔法……你在医院里害怕吗？"

"害怕。……"

我觉得跟她在一块儿怪别扭的，就走回房间里去了。

将近午夜，我的外祖母亲切地叫醒我。

"我们走吧，好不好？给人家出点力，你这双手就会很快长好……"

她挽着我的胳膊，领着我在黑地里走，就像我是个瞎子似的。夜色漆黑，潮湿，风不住地刮，犹如河水在湍急地奔流。冰凉的沙土冻得脚生痛。外祖母小心地走到那些小市民的小屋的黑窗子跟前，在自己胸前画三次十字，把一枚五戈比的铜币和三个甜面包放在每一家的窗台上，然后再在自己胸前画十字，眼望着没有繁星的天空，小声说：

"至高无上的圣母啊，帮助人们吧！所有的人在你的面前都是罪人，母亲！"

我们走得离家越远，四周围就越是荒凉，越是死气沉沉。夜间的天空黑得深不见底，似乎永远把月亮和繁星藏起，不让它们出来了。不知从什么地方跑过来一条狗，在我们的对面停住，汪汪地叫起来，它的眼睛在黑地里发亮。我胆怯地靠紧我的外祖母。

"没关系，"她说，"这只不过是一条狗罢了。这不是魔鬼出来的时候，现在已经太迟了，他不能出来，要知道公鸡已经啼过了！"

她招手把那条狗叫过来，摩挲着它的毛，劝它说：

"你要留神，小狗，别吓坏我的小外孙！"

那条狗就挨着我的腿蹭来蹭去，我们三个一块儿往前走去。外祖母前后有十二次走到人家的窗子跟前，在窗台上留下"悄悄的施舍"。天在亮起来，从幽暗中露出一幢幢灰色的房屋，纳波尔纳亚教堂的白得像砂糖一样的钟楼耸立起来。墓园的砖砌的围墙，颜色渐渐地淡下去，像是用薄席编成的一样。

"我这个老婆子走累了，"外祖母说，"该回家去了！明天那些娘们儿醒过来，一瞧，圣母给她们的娃娃送来一点点东西！既然样样都缺，那么添个一丁半点的，也顶事！哎哎，阿辽沙①，老百姓过得苦啊，谁也不关心他们！

> 富人想不起天主，
> 最后审判②他也不顾；
> 他既不把穷人当朋友，
> 也不把穷人当骨肉。
> 他一味搜刮黄金，
> 这黄金就成为地狱里烧他的柴薪！

事情就是这样！在生活里，人应该互相关心，再由上帝关心大家！我呢，高兴得很，因为你又跟我在一块儿了……"

---

① 高尔基的本名是阿历克塞，这是他的小名。
② 基督教经书中的迷信传说，指神在世界末日对人类进行的审判。

　　我也感到平静的高兴，模糊地体会到我同我永远也不会忘记的一种什么东西连结在一起了。那条狗生着棕红色的毛、狐狸般的脸和善良而负咎的眼睛，这时候正在我的身旁冷得瑟瑟地抖。

　　"让它留在我们家里吗？"

　　"那有什么不行的？要是它乐意，就让它住下好了。喏，我来给她一个甜面包吃，我这儿还剩着两个呢。咱们就在这条长凳上坐下吧，我有点累了……"

　　我们就在人家大门外边的一条长凳上坐下，那条狗在我们的脚旁边趴下，啃那个干了的甜面包。外祖母讲道：

　　"此地住着一个犹太女人，她一家有九个孩子，一个比一个小。我问她：'你可怎么过呢，莫塞芙娜？'她说了：'我同我的孩子跟着上帝过呗，不跟他过还跟谁过呢？'"

　　我靠在外祖母的暖和的身子上，睡着了。

　　生活又急促而紧凑地流过去，印象的洪流每天给我的心灵带来一点新的东西，这种新的印象时而使我陶醉，时而使我忧愁，时而使我怄气，时而逼得我沉思。

　　不久，我也千方百计地尽量想跟那个瘸姑娘常常见面，跟她谈话，或者跟她沉默地并排坐在大门外的长凳上了。跟她在一起，就是不开口说话也是愉快的。她装束得干干净净，像是一只柳莺鸟。她出色地讲着顿河的哥萨克怎样生活，原先她在那边她叔叔的家里住过很久，那个叔叔是一个油坊的机械工人，后来她那做钳工的父亲搬到尼日尼来了。

　　"另外我还有一个叔叔，是二叔，他在沙皇跟前当差。"

　　每到假日的傍晚，街道上所有的居民都走出家门，到"大门外边"来。小伙子和姑娘们动身到墓园里去跳环舞，成年人纷纷到小饭铺里去喝酒，街上只剩下妇女和孩子。妇女们分别坐在自家的大门外边的长凳上，或者干脆在大门外的沙土地上坐下，大声聊天，拌嘴吵架，搬弄是非。孩子们开始玩棒球，玩"扔棒子"，玩"玛兹洛球"。他们的母亲就看着他们玩，给那些手脚灵活的助威，讥笑那些玩得差的。大家的嚷叫声震聋人的耳朵，那种快活使人终生难忘。有"大人"在场观战，就使得我们这些小家伙精神抖擞，给所有的游戏增添了特殊的活跃和热烈的竞争。然而，不管我们对游戏多么深深地入迷，我们这三个人，柯斯特罗玛、楚尔卡和我，有时候这一个，有时候那一个，

　　我也感到平静的高兴，模糊地体会到我同我永远也不
会忘记的一种什么东西连结在一起了。那条狗生着棕红色
的毛，狐狸般的脸和善良而负咎的眼睛，这时候正在我的
身旁冷得瑟瑟地抖。

——《在人间》

总会跑到那个瘸姑娘跟前去夸耀一番。

"留德米拉，你瞧见我把五个圆柱统统打出圈外去了吗①?"

她亲切地笑一笑，一连点几下头。

从前我们这三个人无论玩什么游戏，总是极力站在一边，如今我却看见楚尔卡和柯斯特罗玛老是分开，各站一边，千方百计地比赛彼此的本领和力气，常常闹到流出眼泪，打起架来为止。有一次他们扭在一起，打得发了疯，惹得那些大人不得不出头干涉，把凉水泼在这两个仇人身上，就像对付打架的狗一样。

留德米拉坐在一条长凳上，用她那只健康的脚不住地跺着地面。临到那两个战士滚到她的跟前来，她就拿起她的拐棍捅开他们，害怕地叫起来：

"住手!"

她的脸色惨白得发青，眼睛里的火花熄灭了，瞳仁不住地往上翻，活像一个发了癔症的女人。

还有一次，柯斯特罗玛丢脸地输给楚尔卡两盘"扔棒子"，就躲到一家食品杂货店的燕麦柜后面去，蹲在那儿，不出声地哭泣。他那样子几乎叫人害怕：他咬紧了牙关，他的颧骨耸起来，他那瘦得露出骨头的脸死板板的，他那对阴沉的黑眼睛里滚出一颗颗沉重的大泪珠。我开始安慰他，他却哽咽得透不过气来，小声说：

"等着就是。……我要捞起一块砖头来砸碎他的脑袋，……叫他瞧着吧!"

楚尔卡却变得神气活现，在街当中走来走去，活像一个到了结婚年纪的小伙子，歪戴着帽子，把两只手插在衣袋里。他学会了从牙齿缝里啐出唾沫来的剽悍气概，而且许下了愿说：

"我不久就能学会抽烟。我已经试过两回，可是闹得我直要呕吐。"

这一切我都不喜欢。我看出来我正在失去这个伙伴，我觉得这都该由留德米拉负责。

有一天傍晚，我正在院子里收拾我捡来的骨头、破布和各种废品，这时候留德米拉走到我跟前来，身子一摇一晃的，挥着她的右手。

"你好，"她说，一连点三下头，"柯斯特罗玛常跟你一块儿玩吗?"

"对了。"

①　指"扔棒子"游戏，即扔出一根木棒，把方圈内的圆柱打出圈外。

"那么楚尔卡呢?"

"楚尔卡跟我们不要好了。这都该怪你不对,他们都爱上了你,所以才打起架来……"

她脸红了,可是讥诮地回答说:

"这是什么话!我有哪点儿不对?"

"那你为什么招得他们爱上你?"

"又不是我要他们爱的!"她生气地说,走开了,嘴里说着:"这都是胡闹!我年纪比他们大,我十四岁了。男的不兴爱上一个比自己年纪大的姑娘。……"

"你懂得的多!"我想气一气她,就叫道,"喏,那个老板娘,赫雷斯特的姐姐,年纪大得很,可还是跟那些小伙子勾勾搭搭!"

留德米拉把她的拐棍深深地插进院子的沙土地里,扭转身来对着我。

"你自己才什么也不懂,"她急急忙忙地讲起来,嗓音里含着眼泪,她那对妩媚的眼睛美丽地放光,"那个老板娘是个放荡的女人,莫非我也是那样的女人吗?我还小,谁也不应该碰我一下,拧我一把等等的……你应该先读一遍长篇小说《堪察加女人》第二卷,再来说话!"

她呜咽着走了。我觉得对不住她:她的话里含有某种我还不懂的真理。我的那些伙伴为什么要拧她呢?他们还说什么他们爱她呢……

第二天我有意弥补我对留德米拉所犯的过错,就花了一枚两戈比的铜币买了一点"麦芽糖",我已经知道她喜欢吃这种糖了。

"你想吃点这糖吗?"

她硬装出生气的样子说:

"走开,我不跟你好!"

可是她马上又接过糖去,对我说:

"这糖至少也该用纸包一下嘛,你的手多么脏呀。"

"我洗过手,可是怎么也洗不干净。"

她就伸出一只又干又热的手来,拿过我的手去,仔细看了一下。

"你把手糟蹋得多么厉害……"

"可是你的手指头也扎了那么些小眼……"

"那都是针尖扎出来的,我经常做很多的针线活……"

过了几分钟,她回过头去看一眼,对我提议说:

"你听我说,咱们躲到一个什么地方去,一块儿读一读《堪察加女人》,你愿意吗?"

我们就找一个可以躲起来的地方，找了很久，可是到处都不方便。最后我们决定顶好还是悄悄地到浴室的更衣室里去。那儿固然阴暗，可是不妨在窗口那儿坐下，好在这个窗口面对着一个肮脏的角落，而这个角落又是在一个堆房和邻近的一个屠宰场之间，平时人们是很少走到那儿去的。

于是，她就在靠窗子那儿侧着身子坐下，把她那条有病的腿放在长凳上，让她那条健康的腿耷拉到地板上。她坐在那儿，捧着一本破旧的小书，挡住了她的脸，兴奋地念出许许多多难懂而乏味的字。可是我心情激动。我坐在地板上，瞧见她那对严肃的眼睛像两个浅蓝色的火花似的在书页上移动，有的时候泪水湿润了那对眼睛，这个姑娘的嗓音就发颤，急匆匆地念出那些我所不熟悉的字，而且那些字难懂地拼凑在一起。于是我就抓住这些字眼，极力把它们编成诗句，千方百计地颠倒它们的次序，这样就彻底妨碍我去理解这本书里究竟在讲些什么了。

我的那条狗趴在我的膝盖上打盹儿。我给它起了个名字叫"风"，因为它生得毛蓬蓬的，身子长，跑得快，叫起来的声音像是秋天刮进烟囱里的风。

"你在听吗？"姑娘问。

我沉默地点头。那些杂凑的字越发惹得我激动，使得我越发心心念念地要把它们另外编排一下，摆成诗歌的形式：在诗歌里每个字都是活的，闪闪发光，好比天空中的星斗。

等到天色暗下来，留德米拉就放下她那只拿着书的、颜色变白的手，问道：

"这书不是挺好吗？这你就明白了吧……"

从这天傍晚起我们常常到这个更衣室里来坐着。使我高兴的是留德米拉不久就把《堪察加女人》丢开不读了。至于这本无穷无尽的书里究竟讲的是什么，我是没法回答她的问话的。而这本书所以无穷无尽，是因为在我们刚开始读的第二卷以后还有第三卷，并且据这个姑娘告诉我说，第三卷后面还有第四卷呢。

碰上阴雨的日子，而且如果这阴雨天又不是在星期六人们烧暖浴室的时候，那在我们是特别愉快的。

院子里下着瓢泼大雨，谁也不会走到这个院子里来，谁也不会来张望我们这个阴暗的角落。留德米拉很怕我们会被人"碰见"。

"你知道那时候人家会怎样想吗？"她轻声问道。

我知道。我也担心万一被别人"碰见"。我们一连几个钟头坐在那儿谈天，有的时候我讲我的外祖母的神话，留德米拉就讲美德威吉察河一带的哥萨克的生活。

"嘿，那儿多么好啊！"她叹道，"这儿算个什么地方呢？在这儿生活的全是些叫花子……"

我就暗自决定：等我长大成人，一定要到美德威吉察河去看一看。

不久我们就不再需要这个更衣室了。留德米拉的母亲在一个毛皮工人那儿找到了工作，每天一早就离开家。她的妹妹到学校里去念书，她的哥哥在一家瓷砖厂里做工。遇上阴雨的日子，我就常到这个姑娘家里去，帮她做饭，收拾房间和厨房。她笑着说：

"我和你过得倒像是一对夫妻，只是我们不在一起睡觉罢了。我们过得甚至比夫妻还要好：那些做丈夫的照例是不帮妻子做事的……"

要是我有钱，我就买一点糖果，我们一块儿喝茶。然后我们用冷水把茶炊泡凉，免得留德米拉的喜欢吵嚷的母亲猜出来我们烧过茶炊。有的时候我的外祖母也到我们这儿来，坐着，织花边或者刺绣，讲美妙的神话。每逢我的外祖父动身到城里去了，留德米拉就费力地走到我们家里来，我们无忧无虑地吃喝一顿。

外祖母就说：

"嘿，我们过得多么好啊！自己挣钱，自己快活！"

她鼓励我们的友谊。

"男孩子和女孩子要好，这是好事！可就是别胡闹……"

她就用最简单的话语给我们解释什么叫"胡闹"。她讲得美丽，动听，于是我清楚地理解到：一朵花在含苞未放的时候是不应当去摘的，要不然这朵花就既不会发散香味，也不会结出果子来了。

我们倒不想"胡闹"，不过这并没有妨碍我和留德米拉谈那种人们照例不谈的事。当然，我们是迫不得已才谈的，因为，用粗鄙的形式表现出来的两性关系太经常而且太讨厌地扑到我们的眼帘里来，过于惹得我们愤恨了。

留德米拉的父亲是一个四十岁光景的美男子，生着一头的鬈发，唇髭又长又多，他带点特别得意的样子活动他那两道浓眉。他出奇地沉默寡言，我简直想不起来他说过什么话。他逗孩子玩，光是嗯嗯啊啊地叫，像是一个哑巴。就连他打他的妻子的时候，他也不吭声。

每到节日的傍晚，他就穿上一件浅蓝色的衬衫、一条棉绒的灯笼裤、一双擦得亮闪闪的皮靴，走到家门外边来，带着一个大的手风琴，手风琴上的皮带挎在肩上。他在门外站住，好比一个兵做出"举枪敬礼"的姿势。顿时，在我们的大门口外，"散步"开始了：少女们和妇女们像小鸭子似的一个跟着一个走过来，她们有的暗地里从睫毛底下瞟叶甫塞延科一眼，有的公然睁着贪婪的眼睛瞅他。他呢，站在那儿，努出他的下嘴唇，睁着他那对深色的眼睛，用一种挑选的眼光打量所有的女人。他们四目相视，无言地交谈着，然后那些女人慢腾腾地，带着听凭摆布的神情从这个男人面前走过去。这一切都含有一种狗一般的、不愉快的味道，似乎她们当中任何一个人，只要那个男人对她使一个命令的眼色，就会乖乖地倒下去，躺在街当中肮脏的沙土地上，犹如给人打死了一样。

"这头公山羊出去招摇了，不要脸的家伙！"留德米拉的母亲抱怨道。她身材又瘦又高，她那张脸很长，不干净，她得过伤寒症后，头发留得很短，总之她那模样活像一把用久了的扫帚。

留德米拉挨近她坐着，毫无成效地想把她的注意力从街道上岔开，反复地问她一件什么事情。

"你躲开，讨厌鬼，倒霉的残废人！"她的母亲嘟哝说，心神不定地眨巴眼睛。她那对蒙古人般的细眼睛奇怪地发亮，呆呆不动，这对眼睛一盯住什么东西，就此盯死了不放。

"你别生气了，妈妈，反正生气也没用，"留德米拉说，"你快瞧，席铺老板娘打扮得多么好看呀！"

"要不是有你们这三个孩子，我穿得比她还要好看呢，你们把我活生生地吃掉，吞掉了。"她的母亲毫不留情，同时又仿佛含着眼泪地回答说，她的眼睛盯住了席铺老板死后留下的那个身材又大又宽的寡妇。

那个寡妇生得像是一所小房子，她的胸脯鼓出来，好比一个门廊。她的红通通的脸用一块绿色的头巾包严，方方正正，类似一扇天窗，而窗玻璃正好映着阳光。

叶甫塞延科把手风琴架在胸脯上，拉响了。这个手风琴上有许许多多的琴键，它的声音迷人地招引着人们往一个什么地方走去。孩子们从各条街道上纷纷跑过来，围在这个拉手风琴的人的脚旁边，坐在沙土地上，一动也不动，听得入了迷。

"你等着吧，人家会把你的脑袋拧下来。"叶甫塞延科太太对她的丈夫警告说。

他沉默地斜起眼睛来瞧着她。

那个席铺老板娘在不远的地方，在赫雷斯特的小铺门口的长凳上，像一大块石头似的坐下，把她的脑袋歪在肩膀上，听着，脸上红扑扑的。

晚霞挂在墓园后面的旷野上空，颜色发红。街道上有些穿得花花绿绿的高大身影在浮动，好比河上的船只。孩子们像旋风似的东奔西跑。温暖的空气亲切而醉人。白天晒热的沙土地冒出一股刺鼻的气味，特别难闻的是屠宰场的那种油腻发甜的气味，那是血腥气。由那些住着毛皮工人的院子里，发散出又咸又辣的皮革味。妇女的谈话声、成年男子喝醉了酒的吵闹声、孩子的清脆的喊叫声、低音手风琴的乐曲声，这些合起来，成为一片低沉的嘈杂声，这是永不疲倦地创造万物的大地的强大的叹息声。一切都粗野，赤裸裸，引得人们强烈而坚定地相信这种野蛮无耻的黑暗生活是永世长存的。这种生活正在夸耀它的力量，同时又在苦恼而紧张地寻找一个可以发泄它的力量的出路。

在这种闹声中不时有些阴森可怕的话语送进人的心里，使人永远也忘不了：

"不能大家一齐动手打一个人，要轮流打他才对……"

"要是我们自己不爱惜自己，那还有谁来爱惜我们呢……"

"也许上帝生出女人来就是为了供人取笑的吧？……"

夜晚临近了。空气凉下来，嘈杂声低下去，那些木头的房屋披上黑暗的阴影，膨胀起来，长大了。孩子们分别由大人们领回各家的院子里去睡觉，有的孩子就地躺在围墙底下，躺在他们的母亲的脚旁边或者膝盖上，睡着了。孩子们到了夜里就大都变得温顺些，老实些。叶甫塞延科悄悄地溜掉了，好像融化了似的。席铺老板娘也不在了，那个低音手风琴在远处，在墓园后面的一个什么地方响着。留德米拉的母亲坐在一条长凳上，缩起身子，拱起后背，像是一只猫。我的外祖母出门，到一个女邻居那儿喝茶去了。那个女邻居是个接生婆和拉皮条的，她是个身材高大、筋骨强壮的女人，生着一个鸭嘴样的鼻子。她那像男人一般扁平的胸脯上挂着一块金奖牌，上面写着"起死回生"几个字。街道上的人全怕她，认为她是一个女魔法师。关于她，人们有这样的一个传说：有一次发生火灾，她从大火里救出某某上校的三个孩子和他的多病的妻子。

我的外祖母跟她要好。每逢在街上遇见，她们两个人隔得还很远就互相微笑，而且笑得有点特别畅快。

柯斯特罗玛、留德米拉和我坐在她家大门外的一条长凳上。楚尔卡叫留德米拉的哥哥出来比武，他们抱住彼此的身体，在沙土地上不住跺脚，扬起一股股灰尘。

"住手！"留德米拉战兢兢地要求说。

柯斯特罗玛斜起他的黑眼睛瞧着她，讲起猎人卡里宁的事情。那是一个白发苍苍的小老头，生着一对狡猾的眼睛，名声很坏，这是全郊区的人都知道的。不久以前他死了，可是没有埋在墓园的沙土地里，人们却把他的棺材放在地面上，放在别的坟墓的旁边。那口棺材是黑的，棺材架底下的腿很高，棺材盖子上用白漆画着一幅画，画的是一个十字架、一支长矛、一根长杖、两段骨头。

每天晚上天一黑下来，这个老人就从棺材里爬出来，在墓园里走来走去，不住寻找一个什么东西，一直找到鸡叫头遍为止。

"别讲吓人的事！"留德米拉要求说。

"放手！"楚尔卡叫道，从她哥哥的怀里挣脱出来，然后讥诮地对柯斯特罗玛说："你胡说些什么？我亲眼看见那口棺材埋到地里，不过上边空着，预备立一个墓碑。……至于死人走来走去，那都是那些喝醉酒的铁匠胡诌出来的……"

柯斯特罗玛眼睛没有看着他，生气地提议说：

"既是这样，那你就到墓园里去睡它一夜！"

他们争论起来，留德米拉烦闷地摇着头，问道：

"妈妈，死人是夜里出来吗？"

"夜里出来。"她的母亲重复着这几个字，好像远处响起的回音似的。

小铺老板娘的儿子瓦辽克是一个身体很胖、两颊绯红、年纪在二十岁上下的小伙子，他走过来，听着我们的争论，就说：

"你们三个人当中有谁能在那口棺材上躺到天亮，我就给谁一枚二十戈比的银币和十支纸烟。谁胆小，溜回来，我就揪谁的耳朵，揪他一个够。怎么样？"

大家都不吭声，窘住了。留德米拉的母亲说：

"简直是胡闹！怎么能撺掇小孩子去干这种事呢……"

"你出一个卢布，我就去！"楚尔卡阴沉地提议说。

柯斯特罗玛马上刻薄地问道：

"人家出二十个戈比，你就不敢去啦？"于是他对瓦辽克说，"你就出一个卢布好了，反正他也不会去，他只不过是说大话罢了……"

"好，你拿一个卢布去吧！"

楚尔卡从地上站起来，一句话也没说，不慌不忙地走开，紧挨着围墙走去。柯斯特罗玛把一个手指头塞进嘴里，对着他的背影尖声打了一个唿哨。留德米拉不安地开口说：

"唉，天主啊，简直乱吹牛皮……这是何苦呢！"

"你们哪儿行哟，胆小鬼！"瓦辽克讥诮说，"你们还自以为是这条街上头一流的勇士呢，原来是些小猫……"

听着他的奚落是难堪的。我们不喜欢这个脑满肠肥的小伙子，他老是怂恿孩子们去干恶毒的坏事，对他们讲姑娘和女人的肮脏下流的坏话，教唆他们去要弄她们。孩子们听了他的话去干，总是为此大吃苦头。不知什么缘故他痛恨我的狗，常对它扔石头，有一次在面包里放上缝衣针，拿给它吃。

然而更加使人难堪的，是眼看楚尔卡缩起身子，含羞带愧地走掉。我就对瓦辽克说：

"你拿一个卢布来，我去……"

他一面嘲笑我，吓唬我，一面把一个卢布交给叶甫塞延科太太，可是那个女人厉声说道：

"我不管，我不拿！"

说完，她就气冲冲地走开了。留德米拉也不敢收下那张钞票。这就越发加强了瓦辽克的奚落。我正打算不要这个小伙子的钱就到墓园里去，可是我的外祖母走过来了，她弄明白这是怎么一回事，就收下那个卢布，平心静气地对我说：

"你穿上你那件小大衣，带上被子，因为将近天亮的时候天就冷了……"

她的话给了我希望：我根本不会遇上什么可怕的事。

瓦辽克定下条件，要我在棺材上躺着或者坐着直到天亮，不管发生什么事，即使老人卡里宁开始从棺材里爬出来，棺材摇晃了，我也不能从棺材上下来。我一跳下地，就算我输了。

"你要留神，"瓦辽克预先警告道，"我通宵看住你！"

临到我动身到墓园去，外祖母就在我的胸前画一个十字，劝告我说：

"要是你恍恍惚惚看到什么东西，那你不要动，光是向圣母祷告就行了……"

我很快地走去，想把这件事快点开始，快点结束。送我去的有瓦辽克，有柯斯特罗玛，另外还有几个小伙子。我爬过砖砌的围墙的时候，被那床被子缠住腿，摔下墙去，不过我立刻爬起来站稳，仿佛被沙土地抛起来一样。围墙外面响起哈哈大笑的声音。我的心在胸膛里发紧，背上发冷，皮肤上起了鸡皮疙瘩。

我跌跌绊绊，走到那口黑棺材跟前。那口棺材的一边已经陷在沙土地里，另一边露出棺材架的短粗的腿，好像有个人打算抬起棺材来，却把它弄歪了似的。我在棺材盖的边沿上，在死人放脚的那一头坐下，往四下里看一眼。这个高低不平的墓园里竖满了灰白色的十字架，阴影铺开来，落在坟墓上，抱住那些生着硬草的坟头。有的地方有些又瘦又细的小桦树挺立着不动，好像在那些十字架当中迷了路，出不去了似的。这些小桦树的树枝把隔开的坟墓连成一片，在树枝的阴影所编成的花纹当中竖起一根根的野草，这种灰色的硬草才最惹人害怕！那个教堂像一个大雪堆似的耸上天空，天空中的小月亮在静止不动的浮云里放光，像是在溶化。

雅兹的父亲（"没出息的庄稼汉"①）正在守望楼里懒洋洋地打钟。每一次他拉钟绳，那根绳子总要擦响房顶的铁皮，发出凄凉的沙沙声，随后那口小钟就响起干巴巴的声音，听起来短促而乏味。

"求天主千万别叫人晚上睡不着觉才好"，我不由得想起这个看守人的一句口头语。

这真阴森可怕。不知什么缘故我觉得闷热了。虽然夜间凉爽，我却出了一身大汗。万一卡里宁老头开始从坟墓里爬出来，我来得及跑到看守室那边去吗？

这个墓园我是很熟悉的，我跟雅兹和别的伙伴一起在这些坟墓中间玩过几十次。喏，我的母亲就葬在那边，靠近教堂的那一边……

人们还没有都去睡觉，从郊区那边传来一阵阵欢笑声，间或有歌唱声。在高岗上，在铁路采集沙土的开采场上，或者在卡狄左甫卡村那边，有手风琴在吱吱地叫，呜呜地哭。永远醉醺醺的铁匠米亚丘夫在围墙外面唱着歌走过去。我就是从歌声中听出来是他在唱：

> 我们的妈妈呀，
> 罪孽不大，
> 除了我们的爸爸以外，

① 雅兹的父亲做教堂看守人，在旧社会这个职务被人看不起。这是雅兹的伙伴对他父亲的称呼。

她什么人也不爱……

听着生活的最后的呼吸声是愉快的。可是每敲一次钟，四下里就更安静些。寂静蔓延开来，如同河水漫上草场，把一切都淹没，盖住了似的。人的灵魂在这种无边无际而又深不见底的空虚中游荡，像黑暗里一根火柴的光焰那样熄灭，就此消融在汪洋大海般的空虚中，什么痕迹也没有留下。在这样的空虚里只有高不可攀的繁星活着，发光，而大地上的一切却都消失，变得不必要，死灭了。

我坐在棺材上，身上裹着被子，盘起腿，脸对着教堂。我一动，那口棺材就嘎吱嘎吱地响，棺材底下的沙土也簌簌地响。

不知一个什么东西落在我背后的地面上，响了一声，后来又落下一个什么东西，过后又有一小块砖头落在我的附近。这是可怕的，不过我立刻猜出来这些都是瓦辽克和他的那伙人从围墙外边扔进来的，他们想要吓唬我。可是，由于附近有人，我心里反而轻松一点了。

我不由自主地想起我的母亲……有一次，她碰见我正在学着抽烟，就动手打我。我就说：

"你别碰我。你就是不打，我也已经不好受了。我恶心得直想呕吐……"

后来，我挨完打，在炉子后边坐着。她对我的外祖母说：

"这是个没有感情的孩子，他什么人也不爱……"

听着这话是令人难过的。每逢我的母亲惩罚我，我总是可怜她，替她难为情，她的惩罚很少是公平的，罪有应得的。

总的说来，生活里使人感到难过的事是很多的。比方就拿墙外的那些人来说吧，他们本来清楚地知道我一个人守在墓园里正在担惊害怕，可是他们偏要弄得我更害怕些。这是为什么呢？

我有心对他们大叫一声：

"你们统统见鬼去吧！"

然而这样做是危险的，谁知道魔鬼听了这句话会怎么样呢？它大概就在附近的一个什么地方吧。

沙土地里有许多小云母片，在月光里昏暗地闪亮。这就使得我想起了有一次在奥卡河上，我正趴在一个木筏上面瞧着河水，突然间，一条小鳊鱼浮上水面，几乎直扑到我的脸上来。它翻平了身子，那模样像是半张人脸，然后它睁着圆圆的鸟眼睛瞧我一眼，就一个猛子扎下去，往深处游去了，摇摇摆摆，像是槭树的一片落叶。

我的记忆力越发紧张地活动起来，使得各式各样的生活陈迹都复活了，仿佛要借此抵制我的想象力，免得它顽强地创造可怕的景象似的。

后来有一只刺猬滚过来了，它的硬爪子踩得沙地沙沙地响。它很像一个家神，也是那么小，也是那么毛蓬蓬的。

我记得有一回我的外祖母对着炉洞蹲下来，说：

"善心的家神爷啊，把蟑螂赶走吧……"

远处，在我的目力所看不到的那座城的上空，天色正在亮起来。晨寒刺得我的脸颊发紧，我的两只眼睛困得睁不开。我就索性躺下去，把身子缩成一团，用被子蒙上头：要出什么事就随它去出吧！

叫醒我的是我的外祖母。她站在我的身旁，揭开被子，说：

"起来吧！你冻坏了没有？哦，怎么样，害怕吗？"

"害怕。不过你别对外人说，别对那些孩子说呀！"

"干什么说不得？"她惊讶地说，"要是不可怕，那么这件事也就没有什么值得夸耀的了。……"

我们走回家去。在路上她亲切地说：

"样样事都得亲身经历一下，我的小亲鸽子，样样事都得自己知道一下……你自己不学，那就谁也教不会……"

到傍晚，我成了这条街上的"英雄"。大家纷纷问我：

"难道你就不害怕吗？"

等到我说："害怕！"大家就摇着头，叫道：

"啊！这你就明白了吧？"

可是小铺老板娘用有把握的口气大声宣布说：

"这样看来，大家说卡里宁爬出棺材来，那是胡扯。要是他常爬出来，难道这回他会怕一个小孩子吗？那他早就把这个孩子扔出墓园，连影子都看不见了。"

留德米拉带着温柔的惊讶神情看着我。就连我的外祖父对我也分明满意，不住地微笑。只有楚尔卡阴沉地说：

"他干这种事自然便当，他的外婆就是个女巫嘛！"

三

我的弟弟柯里亚悄悄死了，就像一颗小星在晨光中熄灭了一样。本来，我的外祖母带着他和我睡在一个小板棚里的柴火堆上，那柴火堆上铺着些备式各样的破布。我们旁边，隔着一道墙就是房东家的鸡窝，那道墙是用厚毛板拼成的，露出许多缝隙。傍晚我们听见那些吃饱的鸡临睡的时候抖搂身上的毛，叽叽咯咯地叫；到了早晨，一只大嗓门的金黄色公鸡就把我们啼醒了。

"哎哟，该死的！"外祖母醒过来，抱怨说。

我已经醒了，正在观察太阳的光芒穿过柴棚的缝隙照到我的床位上，阳光里飞舞着一些银白色的灰尘，这些尘屑好比神话里的一个个发亮的字眼。柴堆里有些老鼠窸窸窣窣地爬着，一些红色的甲虫跑来跑去，它们的翅膀上有黑色的小圆点。

有的时候鸡粪的臭气呛人，我就走出柴棚，爬到棚顶上，看着这所房子里的人怎样纷纷醒来，他们仿佛没有生着眼睛，个子高大，睡了一夜而更加膨胀起来。

喏，船夫费尔玛诺夫的头发浓密的脑袋从窗子里探出来了；这个阴沉的酒徒瞧着太阳，把他的浮肿的眼睛眯成极细的两条缝，呼哧呼哧地吐气，活像一头野猪。我的外祖父跑到院子里来了，他伸出两只手摩挲着他那稀疏的棕红色短发，然后匆匆忙忙地跑到浴室里去用凉水浇他的身子。房东家的唠唠叨叨的厨娘，生着尖鼻子，满脸的雀斑，像是一只杜鹃。房东本人却像一只苍老的肥鸽子。所有的人都使人联想到飞禽走兽。

早晨那么晴和，灿烂，然而我有点心情忧郁，只巴望到没有人的野地上去。我已经知道人们照例会把这种明亮的白昼弄得一塌糊涂。

有一次我正躺在棚顶上，我的外祖母来叫我。她对她的床那边点了一下头，声音不大地说：

"柯里亚这孩子死了……"

那个男孩从红布枕头上滑下来，躺在一块毡子上，光着身子，肤色发青。他的衬衫一直卷到脖子上，露出他的隆起的肚子和生着脓疮的歪腿，他的两只手奇怪地垫在他的腰底下，倒好像他要把自己托起来似的。他的头略微往一旁歪着。

"谢天谢地，他去了，"外祖母一边梳头，一边说，"要不然他怎么活下去呢，这个小残废？"

我的外祖父脚下踏着拍子像跳舞似的，走来了。他伸出一根手指头小心地摸一下那个孩子的闭着的眼睛。外祖母生气地说：

"你干什么用没洗过的手去摸他？"

他叽叽咕咕说：

"喏，他生到世界上来……活也活了，吃也吃了……结果一场空……"

"你去醒一醒吧。"外祖母拦住他的话。

他茫茫然地看她一眼，就走到院子里去，嘴里说着：

"我可没有钱办丧事，你爱怎么办就怎么办吧……"

"呸，你这个倒霉鬼！"

我走了，直到傍晚才回到家里来。

第二天早晨柯里亚下葬。我没有走进教堂里去。教堂里做弥撒的时候，我始终坐在我母亲的坟旁边，跟我的狗和雅兹的父亲在一起，这时候我母亲的坟已经由他挖开了。他挖坟的价钱便宜，他老是在我的面前吹嘘这一点。

"我只是看在熟人的面上才这么办，要不然我就得要一个卢布……"

我往那个黄色深坑里看一眼，那里冒出一股难闻的气味，我瞧见坑底的边上有些乌黑潮湿的木板。我稍稍一动，坟墓周围堆着的沙土就往下塌，沙土的细流一直灌到坑底，在边上留下一些皱纹。我就故意这样活动，好让沙土盖没那些木板。

"别顽皮。"雅兹的父亲抽了几口烟说。

我的外祖母抱来一口白色的小棺材，"没出息的庄稼汉"就跳进坑里去，接过那口棺材来，把它跟那些乌黑的木板并排放在一起，再从这个墓穴里跳出来，开始用脚和铲子把沙土推到坑里去。他的烟斗在冒烟，像是一个教堂里用的手提香炉。我的外祖父和外祖母也沉默地帮他干。一个教士也没有，一个乞丐也没有，在这十字架的密林里只有我们四个人。

外祖母把钱付给那个看守人，带着责备的口气说：

"你仍旧惊动了瓦莉亚①的棺材……"

"那有什么办法！就这样也已经多占旁人的地了。这没关系。"

外祖母就对着这个坟跪下去，扑在地上，先是哽哽咽咽，后来放声大哭，这以后她就走了。外祖父跟在她的身后，拉下帽檐来遮住他的眼睛，拉平他那件破旧的上衣。

"种子都播在没耕过的地里了。"他突然说，而且跑到前头去了，仿佛一只乌鸦跑过一块耕地一样。

我就问外祖母说：

---

① 高尔基的母亲瓦尔瓦拉的小名。

"他怎么了？"

"随他去吧！他有他的想法。"她回答说。

天热。外祖母走路吃力，她的脚陷进热乎乎的沙土里。她常常停下来，拿手绢擦她那汗湿的脸。

我鼓一鼓劲，问她道：

"坟里那黑东西，就是我母亲的棺材吗？"

"是啊，"她生气地说，"这要怪那条笨狗……还没过一年，瓦莉亚就烂掉了！这都是因为沙土的关系，它渗水。如果是黏土，那就好多了……"

"大家都会烂掉吗？"

"都会烂掉。只有圣徒才不会烂掉……"

"你就不会烂掉！"

她停住脚步，把我头上的便帽扶正，严肃地劝我说：

"不要想这些，这是不应该想的。听见了吗？"

可是我心里暗想："死亡是多么令人难过，讨厌啊。真是糟透了！"

我心里很不好受。

等我们走到家，外祖父已经准备好茶炊，摆好饭桌。

"咱们来喝茶吧，天热得很，"他说，"我已经用我的茶叶泡好茶了。够咱们大家喝的。"

他走到外祖母跟前，拍一拍她的肩膀。

"怎么样，老婆子，啊？"

外祖母挥一下手。

"有什么可说的！"

"就是嘛！天主生了我们的气，把我们的子孙一个个地拉走了……要是一家人都活得结结实实，像手上的手指头一样就好了……"

他很久以来没有这么温顺和气地说过话了。我就听着他讲，期望这个老人扑灭我的委屈，帮着我忘掉那个黄色的深坑和坑底那些乌黑潮湿的碎木片。

可是外祖母严厉地拦住他的话：

"别说了，老爷子！你这一辈子净说这种话，可是有谁听了会轻松点呢？你这一辈子就像铁锈似的把人人都锈烂了……"

外祖父嗽一下喉咙，看一看她，不吭声了。

傍晚，在大门外，我愁闷地告诉留德米拉说这天早晨我看到些什么，可是这并没有给她留下明显的印象。

"做个孤儿倒好些。要是我的父亲和母亲都死了，我就把我的妹妹交给我的哥哥，我自己到修道院里去过一辈子。我还有什么别的办法呢？嫁人，我是不够格的了。瘸子又不能做女工。再者，生出孩子来也会是瘸子……"

她讲得头头是道，就像我们街上所有的女人一样。大概就是从这天傍晚起，我对她失去了兴趣。再者生活也起了变化，我跟这个女朋友越来越难得见面了。

我弟弟死后过了几天，外祖父对我说：

"今天你早点睡，明天天一亮，我就叫醒你，咱们到树林里拾柴去……"

"那我也去搂草。"外祖母声明说。

这个云杉和白桦的树林，坐落在离郊区大约三俄里远的一个沼泽上，里边有很多的枯树和倒下来的树。这个树林的一端伸展到奥卡河边，另一端扩张到直通莫斯科的、砌着石头路面的大道，而且过了大道还蔓延开去。那儿有一片松林高高地耸立在柔软的刺毛草上边，好比一个黑色的帐篷，那地方叫"萨维洛夫马鬃"。

这一大片林产都属舒瓦洛夫伯爵所有，然而保护得很差。库纳维诺的小市民们干脆把它看作自己的财产，把倒下来的树拉走，把枯树砍倒，遇到有机会就连活着的树也不放过。每到秋天，赶上拾柴过多的时节，总有几十个人整装走进树林，手里提着斧子，腰上带着绳子。

第二天天刚亮，我们这三个人也动身了，走过一片沾满露水、颜色淡绿的旷野。在我们左边，在奥卡河对岸，在佳特洛夫山的棕红色山坡的上空，在白色的尼日尼·诺甫哥罗德城的上边，在布满苍翠的园子的高岗上，在教堂的金色圆顶的上空，俄罗斯的懒洋洋的太阳正在不慌不忙地升上来。清风从平静而浑浊的奥卡河上睡意蒙眬地吹过来。金黄的毛茛被露水压得摇摇摆摆，淡紫色的挂钟草无言地把身子弯到地上，五颜六色的蜡菊干瘪地挺立在贫瘠的草土上，"夜美人"石竹张开星形的鲜红色花朵……

树林像一支黑色的军队似的迎着我们走过来。云杉张开翅膀般的枝叶，好比一只只大鸟。白桦如同少女一样。沼泽的酸臭味在旷野上飘荡。我的狗跟我并排走着，吐出粉红色的舌头，常停住脚，仔细嗅一嗅，纳闷地摇它那狐狸般的脑袋。

外祖父穿一件外祖母的短上衣，戴一顶没有帽檐的旧便帽，眯细了眼睛，不知什么缘故在微笑。他迈开他的瘦腿小心地走着，仿佛在偷偷溜进树林里去似的。外祖母穿着蓝色的短上衣和黑色的裙子，头上包一块白头巾，在地上快步走着，我很难跟上她。

树林越近，外祖父就越活泼。他用鼻子深深地吸进空气去，不时嗽一下喉咙，于是开口讲话了，先是讲得不连贯，不清楚，后来仿佛陶醉了，就讲得快活而动听了：

“树林是天主的园子。谁也没有给树林播过种，全靠上帝的风，也就是上帝口中吐出的神圣的气息培植起来的……我年轻的时候到过日古利，那时候我当拉船的纤夫……哎，列克塞①呀，我阅历过的事你还没机会见识过，阅历过！奥卡河一带的树林好大啊，从卡西莫夫城起一直到穆罗姆城止。还有伏尔加河对岸的树林，那可是一直伸展到乌拉尔去了，真的！这些都大得没法量，简直出奇啊……”

外祖母斜起眼睛来看着他，对我挤一挤眼。他呢，脚底下碰着土墩而跌跌绊绊，嘴里细碎地吐出许多干硬的字眼，从此深深地印在我的记忆里。

“有一次我们坐上一条尖头帆船，装着油，从萨拉托夫城运到卡玛利亚城的市集上去。地主家的总管基利洛跟我们一块儿去，他是普烈赫城的人。船上的头目是卡西莫夫城的一个鞑靼人，大概姓阿萨夫……这船开到日古利，天就刮起顶头风，弄得我们睁不开眼，我们累得一点力气也没有，两条腿都僵了，身子摇摇晃晃。我们就停下船，上岸去烧饭吃。陆地上正是五月天气，伏尔加河好比一片汪洋大海，河面上的浪头成群地打滚，像是千百只天鹅，一齐向里海游去。日古利的那些山到春天一片葱绿，山顶耸入天空，天上的白云活像在草场上放牧的一头头白羊，太阳往地上洒下万道金光。我们歇着，看风景，大家相处得可亲热了。河上刮北风，冷飕飕，岸上却暖和，香喷喷！将近傍晚，我们的基利洛，这个年纪不小、脾气很凶的人，站起来，脱了帽子，然后说：‘嗯，小伙子们，我从此再也不当你们的头儿，也不当你们的奴仆了，你们自己走吧，我要到树林里去了！’我们都吓了一跳：这是怎么回事？要知道，我们不能缺一个在东家面前负责的人啊，这么一伙人没有个头头可不行！这虽说是伏尔加河，可也说不定认不清直路，走岔了道。这班人都是没脑筋的畜生，什么事干不出来呀？大家吓坏了。可是他打定了主意：‘我不愿意再照这么过下去，当

① 高尔基的名字阿历克塞的简称。

你们的牧人了，我要到树林里去！'我们有的人本来打算揍他一顿，再把他捆起来，可是也有人捉摸着他的话，喊道：'慢着！'在船上当头目的鞑靼人也叫道：'我也去！'这可真糟了。他，这个鞑靼人，已经走过两趟船，东家还没给他工钱，这第三趟也已经走了一半，这在那时候可是一笔很大的钱啊！大家嚷啊叫的，直吵到深夜，有七个人夜里离开我们走了，剩下我们，一共不是十六个人就是十四个人。这都是树林惹出来的事！"

"他们是去当强盗吗？"

"说不定是去当强盗，可也说不定是去做苦行僧，反正那时候大家把这两件事看得差不多……"

外祖母在自己胸前画了一个十字。

"至高无上的圣母呀！我一想到人，就觉得所有的人都可怜。"

"所有的人天生来都是一样的脑筋，只知道魔鬼往哪儿拉，自己就往哪儿跑……"

我们顺着一条潮湿的小路，在沼地的土墩和瘦弱的云杉之间走进这个树林里。我觉得像普烈赫城的基利洛那样走进树林里去，从此再也不出来，倒也很好。树林里没有唠唠叨叨的人，也没有人打架，没有人酗酒。到了那儿，人就可以忘掉我那外祖父的可憎的贪吝，忘掉沙土地里我的母亲的坟墓，忘掉一切使人愤懑而且像沉重的烦闷那样压得人难受的事情。

外祖母挑好一块干燥的地面，说：

"应当吃点东西了，咱们坐下吧！"

她的篮子里装着黑面包、生葱、黄瓜、盐和用一块破布包着的奶渣。外祖父不好意思地瞧着这些东西，眨巴眼睛。

"可是我什么吃食也没带来，唉，圣母呀……"

"这些东西够咱们大家吃的……"

我们就坐下来，背靠着制桅杆用的松树的铜色树干。空气里饱含着树脂的香气，清风从旷野上吹来，木贼草摇摇摆摆。外祖母伸出一只乌黑的手去拔草，同时对我讲金丝桃、小杨梅、车前草的医疗效用，对我讲蕨、黏性的柳兰、扑满尘土的千屈菜的神秘的力量。

外祖父专管劈碎倒下地的树，我得把他砍下来的柴火堆在一个地方。可是我悄悄地尾随着外祖母，走进密林里去了。外祖母正在那些强大的树干之间慢慢地往前走，老是向铺满针叶的地面弯下腰去，仿佛在水里扎猛子似的。她一面走，一面自言自语：

"上帝又让蘑菇生早了，今年的蘑菇不会多！天主啊，你不大关心穷人，对穷人来说蘑菇就是好菜啊！"

我不吭声，跟在她的身后，小心在意，不让她发现我。我不愿意打搅她跟上帝、青草、蛤蟆……谈话。

可是她看见我了。

"你从外公那儿跑掉啦？"

随后她就向黑色的土地弯下腰去，地面上生着青草，仿佛披着一件华丽的绣花道袍。紧跟着她就讲起有一次上帝对人类大发雷霆，把水灌满大地，淹死了一切生物①。

"可是他的至高无上的母亲事先把所有的种子采下来，放在一个篮子里，藏起来了。后来她要求太阳说：你把天下的土地统统晒干吧，人们会因此给你唱赞歌的！太阳就把土地晒干，她把藏起来的种子播在地里了。天主一瞧，大地上又生出了活物：又是青草，又是牲口，又是人！……他就说：这是谁干出了违抗我的意志的事？圣母就对他实说了。天主自己也不忍心看着大地空荡荡的，就对她说：你干得好！"

我喜欢这个故事。不过这个故事又使我感到诧异，我就极其严肃地说：

"难道会是这样吗？上帝的母亲是在洪水过去很久以后才出生的。"

这回轮到外祖母觉得诧异了。

"这是谁告诉你的？"

"学校里的书本子上就是这么写的……"

这话使得她放心了。她劝我说：

"你丢开那些书本子，忘掉这种话好了。那些书本子上净是胡说！"

然后她轻声而畅快地笑了。

"那些蠢货净是胡思乱想！有上帝，却没有上帝的母亲，好家伙！那么上帝是谁生出来的呢？"

"我不知道。"

"这倒好！学来学去，学了个'我不知道'！"

"教士说，上帝的母亲是约基木和安娜生的。"

---

① 指基督教的迷信传说：据《旧约·创世记》载，神在人类上古时代，让洪水泛滥，淹没全世界。

"莫非她叫玛丽雅·亚基莫芙娜?"

外祖母已经生气了,她站在我的面前,严厉地、直瞪瞪地瞅着我,说:

"要是你再这么想,我就使劲揍你一顿!"

可是过一会儿她又向我解释说:

"圣母素来就有,比谁都早!上帝就是由她生出来的,后来……"

"那么基督呢?"

外祖母沉默了,发窘地闭上了眼睛。

"基督……是啊,是啊,是啊?"

我看出来我胜利了。我弄得她在神的世界的秘密里晕头转向了,然而这在我却是不愉快的。

我们在树林里越走越深,来到一片淡蓝色的幽暗里,有几道金黄的阳光直射进来。这片温暖舒适的树林里轻微地响着一种特别的闹声,带点梦幻的味道,激发人的幻想。交嘴鸟兹拉兹拉地叫,山雀清脆地啼,杜鹃咕咕地笑,金莺不住地打唿哨,碛鹨一刻也不停地唱它的嫉妒的歌,松雀这种怪鸟心事重重地吟唱。那些碧绿的青蛙在人的脚旁边蹦蹦跳跳,而一条黄颔蛇正躺在两个树根之间,抬起金黄色的头,窥伺那些青蛙呢。一只松鼠把一个什么东西咬得卡卡地响,它的毛茸茸的尾巴在松树的枝梢上闪过去。人看见了多得没法叫人相信的东西,可是还想再多看一些,还想再往前走。

在那些松树的树干之间,时常出现透明轻盈的薄雾,形状像是巨人的身影,随后就消失在一片浓重的苍翠里,而带银色的蓝天就从这片苍翠里透过来。人的脚底下铺着青苔,像是厚实的地毯,绣着一丛丛越橘和干瘪的酸果蔓,悬岩钩子在青草里像一滴滴鲜血那样耀眼,蘑菇的浓重气味刺激得人的鼻子怪好受的。

"至高无上的圣母啊,人世的灿烂的光辉啊。"外祖母一面祷告一面叹息。

她在树林里像是四周万物的主人和亲人。她如同一头熊那样走着,看见一切,称赞一切,感激一切。她的身上似乎流出一股暖气,注满树林。每逢青苔经她的脚踩平后,又舒展开,竖起来,我看着总是感到特别愉快。

我一边走一边暗想:做一个强盗,打劫贪婪的财主,再把打劫来的东西送给穷人,让一切人都吃饱饭,快快活活,不必嫉妒别人,不必像恶狗似的咬架,那样才好。要是能够走到外祖母的上帝跟前去,走到她的圣母跟前去，那也挺好，那我就可以把全部真相告诉他们，说人们生活得多么坏，他们多么恶劣地而又使人难过地把人埋葬在糟透了的沙土地里。一般说来，在人世间，使人难过的事真是多啊，而这些事都是根本不必要的。如果圣母相信我，那就让她给我智慧，使我能够换个样子来安排一切，尽量比原来好一些吧。让人们带着信任来倾听我的话吧，我一定会找到一种办法使得生活好一些！我年纪小，这也没关系；当初基督只比我大一岁的时候，贤哲们就已经在倾听他的话了……

有一次我只顾想心思，迷迷糊糊，失足落在一个深坑里，树枝戳伤我的腰，我后脑勺上的头皮擦伤了。我坐在坑底下一摊冰凉的、像树脂那么黏的烂泥里，十分害臊地感到我爬不出去了，可是用喊叫声去惊吓外祖母，我又觉得不好意思。不过我还是叫她了。

她赶快把我拉上来，在自己胸前画了一个十字，说：

"多谢天主！嗯，亏得这是一个空的熊洞。万一主人在家，那可怎么得了？"

她又是哭又是笑。然后她把我领到一条小溪旁边，给我洗干净，贴上几片什么叶子，止住了疼痛，撕一块她的衬衫作为绷带，给我扎好伤口，把我带到铁路线上的岗棚里去，因为我太衰弱，走不到家了。

从此我差不多每天要求外祖母说：

"咱们到树林里去吧！"

她总是乐意地答应我，我们就这样度过整个夏天，一直到了深秋，不断采集青草、野果、蘑菇、核桃。外祖母把采来的东西卖掉，我们就用卖来的钱糊口。

"寄生虫！"外祖父声音沙哑地叫道，其实我们压根儿就没吃过他的面包。

树林在我的心里引起一种精神上安宁恬适的感觉，我的一切悲伤都消失在这种感觉里，不愉快的事统统忘掉了。同时我的感官练得特别警觉：我的听觉和视觉变得敏锐多了，我的记忆力强得多了，我头脑里储存的印象也加多了。

我的外祖母越来越引起我的惊叹，我已经习惯于把她看作一个高于众人的人，一个人世间最善良聪慧的人，她也不断地加强我的这种信念。有一天傍晚我们采完了白蘑菇，在回家去的路上走出树林，来到一块林边草地上，外祖母坐下来歇一下，我就到树林里面去看一看还有蘑菇没有。

我忽然听见她的说话声，抬头一看：她正坐在一条小路上，平心静气地揪掉蘑菇的根须，她身旁站着一条身子细长的灰毛狗，吐出了舌头。

"你走吧，走开吧!"外祖母说，"你走吧，求上帝跟你同在!"

在这以前不久，瓦辽克毒死了我的狗；我很想收留这条新狗。我就往那条小路上跑过去，那条狗却奇怪地拱起身子来，它没有扭动脖子，只用它那对饥饿的眼睛射出的绿色目光瞧了我一眼，然后它就把尾巴夹在两条后腿中间，蹿到树林里去了。它的姿态不像狗。等到我打一声唿哨，它却拼命地跑到灌木丛里去了。

"瞧见了吗？"外祖母含笑问道，"我起初认错了，以为它是一条狗呢。我一看，它的牙却是狼的长牙，脖子也是狼脖子！我甚至害怕了。我就说：喂，如果你是狼，你就走开吧！幸好夏天狼的性子温顺些……"

她从来也没有在树林里迷过路，她总能找到一条回家去的路，决不会走错。她凭杂草的气味就知道一定有哪一种蘑菇生在这个地方，一定有哪一种蘑菇生在别的地方，而且她常考问我。

"黄蘑菇喜欢生在什么树上？好的红蘑菇和有毒的红蘑菇你怎么分得出来？哪一种蘑菇喜欢蕨？"

她看到树皮上的不明显的爪痕就对我指出这儿有松鼠的树洞。我就爬上树去，洗劫这种小野兽的巢穴，从那儿掏出它留着过冬吃的榛子。有的时候一个松鼠窝里存着的榛子有十俄磅之多……

有一回我正在干这种工作，不知哪个猎人把二十七颗打鹬鸟用的散弹打进我的右边身体里去了。外祖母用一根针挑出十一颗来，余下的散弹在我的皮肤里埋了很多年，后来渐渐自己钻出去了。

我忍得住痛，外祖母看了很喜欢。

"这才是好小子，"她夸奖说，"有了忍劲也就会练出本领来!"

每一回她从卖蘑菇和卖榛子得来的钱里略为积攒下一点点，就拿去分头送到各处窗台上，做为"悄悄的施舍"，而她自己就连在节日也穿着破衣服或者打了补丁的衣服。

"你穿得比叫花子都不如，简直是给我丢脸。"外祖父埋怨说。

"没关系，我又不是你的女儿，反正我也不是一个等着出嫁的大闺女了……"

他们越来越常常吵嘴。

"我的罪孽并不比旁人大，"外祖父悻悻地叫道，"可是我受的惩罚比旁人都重!"

外祖母就讥诮他说:

"鬼才知道谁罪大罪小。"

后来我们单独在一起,她就对我说:

"我那老头子害怕魔鬼!瞧他老得这么快,这都是因为害怕……唉,这个可怜的人啊……"

这一夏天我在树林里变得身体很壮,性情很野,对那些同年龄的人的生活,对留德米拉,都失去了兴趣;她在我的心目中成了一个聪明而乏味的姑娘了……

有一次我的外祖父从城里回来,周身湿透。那时候是秋天,正在下雨。他在房门口像一只麻雀似的抖搂一下身上的水,然后得意扬扬地说:

"喂,你这无业游民,明天打点一下上班去吧!"

"到底上哪儿去?"外祖母生气地问道。

"到你的妹妹玛特辽娜那儿去,到她的儿子那儿去。……"

"哎,老爷子,你想出了一个馊主意!"

"闭嘴,傻瓜!说不定他们会把他栽培成一个绘图员呢。"

外祖母就沉默地低下了头。

傍晚,我对留德米拉说我就要进城,在那儿生活了。

"家里不久也要把我送进城里去了,"她心事重重地告诉我说,"爸爸打算把我这条腿干脆锯掉。我没有这条腿,身体就会好了。"

这一夏天她瘦下来,脸上的肤色变得略微发青,眼睛显大了。

"你害怕吗?"我问。

"害怕。"她说,不出声地哭起来。

我想不出什么话来安慰她,我自己就害怕城里的生活。我们互相挨紧,在凄凉的沉默中坐了很久。

假如这时候是夏天,我就会劝我的外祖母照她过去做姑娘的时候①那样出外去讨饭。我们甚至也不妨带上留德米拉,我可以用小车推着她走。……

然而这时候是秋天,潮湿的风刮过街上,天空堆满无穷无尽的云,

---

① 高尔基的外祖母同高尔基一样,小时候也是孤儿,生活很苦,每天在外乞讨。

大地皱起了眉头，变得泥泞而愁惨了。……

四

我又来到城里，住在一幢两层的白楼房里。这幢房子类似一口供许许多多人合用的棺材。房子倒是新的，然而似乎害着恶病质症，浮肿，就像一个叫花子突然发了一笔横财，顿时大吃大喝，于是发胖了一样。这所房子的侧面临街，每层楼有八个窗子。房子的正面，每层有四个窗子。楼下的窗子朝着一条狭窄的甬道，这条甬道通到院子里。楼上的窗子越过围墙对着一所洗衣女工住着的小房子，对着一块肮脏的凹地。

街道，按我平常所理解的街道来说，这儿是没有的。这所房子的前面铺开一片肮脏的凹地，其中有两处被狭窄的土坝截断。这块凹地左边通到囚犯劳动场，一路上各家各户都把垃圾倒在凹地里，凹地的底部有一大摊稠黏深绿的烂泥。这块凹地的右边尽头上是一个淤泥很多的兹威兹津池，冒出酸臭的气味。凹地的正中恰好对着这所房子，有一半堆着垃圾，生满荨麻、牛蒡、酸模，另一半由司祭陀利美东特·波克罗夫斯基培修了一个园子。这个园子里有一个亭子，是用薄板条钉成的，涂着绿漆。要是拿一块石头扔到这个亭子上去，板条就会咔嚓一声断裂。

这个地方乏味得不得了，肮脏得不像话。到了秋天，这块堆满垃圾的黏土土地就弄得一塌糊涂，地面上像是铺了棕红色的焦油，粘住人的脚不放。我从来还没有见过在这么小的一块空地上会有那么多的污泥。自从我习惯了旷野和树林的洁净以后，城里的这个角落就引起我满心的愁闷。

这块凹地的对面是一带年久失修的灰色围墙。我看见远远地在围墙当中有一所棕褐色的小房子，去年各天我在那家商店里做学徒的时候就在那儿住过。这所房子居然近在眼前，这就越发使得我气闷。为什么我偏巧又住到这条街上来了呢？

我的东家，我是认得的；他以前常到我的母亲家里来做客，而且带着他的弟弟一块儿来，他的弟弟可笑地尖声叫道：

"安德烈爸爸，安德烈爸爸。"

他们两兄弟仍旧跟原先一样。那哥哥生着鹰钩鼻子和长头发，招人喜欢，而且好像心地善良。那弟弟叫维克多，仍旧是那么一张马脸，也仍旧是满脸雀斑。他们的母亲就是我的外祖母的妹妹，爱发脾气，嘁嘁喳喳。那哥哥结了婚，他的妻子丰满白净，像是一个白面包。她的眼睛很大，颜色很深。

在我去的头几天，她对我说过两次：

"我送过你的母亲一件缀着小玻璃珠的缎子斗篷……"

不知什么缘故我不肯相信她送过礼物，也不肯相信我的母亲收过她的礼物。等到她再一次对我提起这件斗篷，我就劝她说：

"你送过了，那也就用不着再吹嘘了。"

她吓一跳，从我的身边躲开了。

"什么？你是在跟谁说话？"

她的脸上红一块白一块，眼珠差点瞪出眼眶，她把她的丈夫叫来了。

他走进厨房里来，手里拿着圆规，一支铅笔别在他的耳朵背后。他听完他妻子的话，就对我说：

"跟她讲话，跟所有的人讲话，都要称呼'您'。放肆的话不要说！"

然后他不耐烦地对他的妻子说：

"你别拿这些小事来打搅我！"

"这怎么会是小事呢！要是你的亲戚……"

"什么亲戚，见鬼去吧！"东家叫起来，跑掉了。

这些人居然是我的外祖母的亲戚，这我也不喜欢。根据我的观察，亲戚们相互之间的关系比外人都不如：他们比外人更清楚地知道彼此的短处和可笑的地方，他们在背后说起坏话来就更恶毒，他们也就更加常常吵嘴和打架。

我喜欢我的东家，他漂亮地甩他的头发，把头发撩到耳朵后边去。不知怎的，他使得我联想到"好事情"①。他常常愉快地发笑，于是他的灰色的眼睛就露出和善的神情，他的鹰钩鼻子旁边那些可笑的细纹就有趣地颤动。

"你们别吵了，母鸡畜生！"他对他的妻子和母亲说，温和地笑一笑，露出他那口又小又密的牙齿。

婆婆和儿媳妇每天吵架。她们那么容易而且那么快就吵起架来，

---

① 高尔基的外祖父的一个房客，是一个穷苦的正直的知识分子；他有个口头语"好事情"，因而大家给他起了个外号："好事情"。

这使得我很惊讶。从早晨起，她们俩头也不梳，衣服纽扣也不扣，就开始在各处房间里跑来跑去，仿佛家里着了火似的。她们成天价忙碌，只有在吃午饭，喝晚茶，吃晚饭的时候才在饭桌旁边休息一下。她们喝得多，吃得多，一定要吃喝到昏昏沉沉，筋疲力尽才肯罢休。她们吃饭的时候总是谈吃食，懒洋洋地互相骂几句，为大吵架做准备。不管婆婆烧出什么菜来，儿媳妇一定要说：

"这个菜我妈就不是这样烧！"

"不是这样烧，那就是比这个差！"

"不，比这个好！"

"好，那你就到你妈那儿去好了。"

"我是这儿的女主人！"

"那我是什么人？"

东家就出头干涉说：

"够了，母鸡畜生！你们怎么了？你们发疯啦？"

这个家里，样样事情都说不出地奇怪和可笑。从厨房到饭厅的路上，正好要穿过这个住宅里唯一的一个又小又窄的厕所，茶炊和吃食都要穿过这个厕所才能送到饭厅里去，这个厕所就成了快活的取笑的对象，而且常常成为滑稽的误会的源泉。我的一项职责就是给厕所的水槽灌水。我是在厨房里睡觉的，而我睡的地方正好对着厕所的门，又挨近正门门廊的门口，于是我的头被厨房里的炉子烤得发热，而我的腿却被门廊里送来的风吹着。我躺下来睡觉的时候，总是把所有的长条粗地毯都拿来盖住我的腿上。

大厅里有两面镜子挂在墙上，有一些金色镜框装着《田地》杂志附赠的画片，有两张牌桌和一打曲背的椅子。这个地方空荡荡，枯燥无味。那个小客厅里塞满了形形色色的软家具和一些陈列"嫁妆"、银器、茶具的玻璃橱；这儿装配着三盏灯，一盏比一盏大。寝室里没有窗子，阴暗得很，除了一张大床以外还放着些箱子、立橱，里面发散出烟叶和波斯除虫菊粉的气味。这三个房间永远空着，东家一家人总是挤在小饭厅里，互相碍事。喝过早茶以后，到八点钟，东家和他的弟弟立刻拉开桌子的活桌面，放上一张张白纸、一盒盒制图仪器、一些铅笔、几个盛绘图墨水的小碟，然后他们动手工作，一个站在桌子的这一头，一个站在桌子对面的另一头。那张桌子摇摇晃晃。它占满了整个房间。每逢奶妈和女主人从儿童室里走出来，她们总要碰着桌子角。

"你们不要在这儿走来走去！"维克多叫道。

女主人不高兴地要求她的丈夫说：

"瓦夏①，你对他说，要他别冲着我嚷！"

"可是你别摇撼桌子。"东家和气地劝她说。

"我怀着孕，这儿又挤……"

"好，那我们就到大厅里去工作。"

可是女主人生气了，叫道：

"天主啊，哪有在大厅里工作的?"

老太婆玛特辽娜·伊凡诺芙娜的被炉火烤红的、凶狠的脸从厕所的门里探出来，她嚷着说：

"喏，瓦夏，你瞧：你在工作，可是她霸占着四个房间还不够她下崽子的。这可是应了一句俗话：小地方来的女贵族，脑袋瓜糊里糊涂。"

维克多发出奸笑的声音，可是东家叫道：

"够了！"

但是儿媳妇给她的婆婆送过去一连串最恶毒的骂人话，然后倒在一把椅子上，呻吟说：

"我走！我去死！"

"不要妨碍我工作，见鬼去吧！"东家嚷道，由于紧张而脸色苍白。"这儿简直成了疯人院！要知道我为你们，为养活你们这些畜生，把脊梁都累断了！哎，这些母鸡畜生……"

起初这类争吵使得我害怕。有一次女主人拿起一把饭桌上用的刀子，跑进厕所里去，关紧两头的门，开始在那儿扯开嗓子大哭，我就尤其吓坏了。一时间，房子里安静下来，然后东家用两只手扶住房门，弯下身子来，对我喊了一声：

"你爬到我身上来，砸碎玻璃，把门钩挑开！"

我就赶紧跳到他的背上去，把房门上边的玻璃砸掉，可是等到我把身子弯下去，女主人却使劲用刀柄打我的脑袋。我到底总算是把房门打开了，东家就一边跟他的妻子扭打，一边把她拉到饭厅里去，夺下她手里的刀子。临到我在厨房里坐下，揉搓我的挨过打的脑袋，我才很快地体会到我白吃了一场苦头：那把刀是钝的，连面包也很难切

---

① 东家瓦西里的小名。

开，至于皮肤，那是无论如何都割不破的。我本来也不必爬到东家的背上去，只要站在一把椅子上就能把玻璃砸破。最后还有一点，大人去摘门钩要方便些，因为他们的胳膊比较长。自从发生过这件事以后，这个家庭的争吵就再也吓不住我了。

他们两兄弟在教堂的唱诗班里歌唱。往往，他们一边工作，一边低声哼起来，哥哥唱的是男中音：

> 我把心爱的姑娘的指环啊
> 掉在了大海里边……

弟弟就用男高音接着唱道：

> 我把人世的幸福
> 随着指环一齐断送。

儿童室里就响起女主人的轻微的喊叫声：
"你们发疯啦？孩子睡觉了……"
或者：
"你，瓦夏，成了家，尽可以不必再唱什么姑娘了。唱这个干什么呢？而且不久教堂就要敲钟做彻夜祈祷了……"
"哦，那我们就唱教堂的歌好了。……"
可是女主人开导说，教堂的歌在教堂以外的地方唱，一般说来是不合宜的，何况是在这么一个地方……她说着，很有理地用手指了指小房门①。
"非搬家不可了，鬼才知道这是怎么回事！"东家说。
他同样常常说到非换一张桌子不可了，可是这话他一连说了三年。
我听着东家一家人议论别人的时候，老是想起那家鞋店，那儿的人也是这样议论别人的。我看得很清楚，东家一家人也自以为是全城最优秀的人，他们知道最准确的品行规则，而且依据这些我所不明白的规则残酷无情地审判所有的人。这种审判使得我对东家一家人的法律发生强烈的厌烦和愤恨。对我来说，违反这些法律反而成了一件快

---

① 即厕所的门。

活事。

我的工作是很多的。我担任女仆的职务：每到星期三要擦洗厨房的地板，刷干净茶炊和铜茶具，每到星期六要擦洗整个住宅的地板和两道楼梯。我得给炉子劈木柴，送木柴，洗碗碟，收拾蔬菜；我得跟着女主人一块儿跑市场，把买来的东西放在一个筐子里，由我提着；此外我还要跑小铺，跑药房。

我的顶头上司就是我的外祖母的妹妹，她是个吵吵闹闹、怒气冲天的老太婆。她起床早，大约早晨六点钟就起来了。她很快地洗完脸，只穿着一件衬衫就在圣像前面跪下去，向上帝抱怨她的生活，抱怨她的孩子，抱怨她的儿媳妇，抱怨很久。

"天主啊！"她叫道，声音里含着眼泪，把捏成一撮的手指头送到脑门子上去，"天主啊，我什么也不请求，什么也不需要，只求你让我休息吧，天主，用你的力量让我的心神安宁吧！"

她的哀号声把我惊醒了。我醒过来，在被子里瞧她，战战兢兢地听着她的热烈的祈祷。秋天的晨光透过厨房的蒙着雨的玻璃窗，昏沉地照进来。在寒冷的幽暗中，一个灰色的人影在地板上摇摇摆摆，不安地挥动她的胳膊画十字。她的头巾滑下来了，她那稀疏的浅色头发就从她那小小的脑袋上披下来，挂在她的肩膀和脖子上。她的头巾不住地掉下来，老太婆一边用左手使劲把它推上去，一边嘟哝说：

"哼，该死的！"

她把手用力一挥，拍在她的额头上，再拍在她的肚子上，再拍在两个肩膀上，算是画了一个十字，然后沙哑地低声说：

"还有我的儿媳妇，天主啊，你替我惩罚她。你把我的一切委屈，一切委屈都算在她的账上！你把我儿子的眼睛打开，叫他看清她这个人是怎么回事，也叫他看一看维克多鲁希卡①！天主啊，保佑维克多鲁希卡吧，把你的恩惠赐给他……"

维克多鲁希卡也睡在厨房里，在一个高板床上躺着。他被母亲的哀叫声吵醒，就用带着睡意的声音喊道：

"妈妈，您一大早又来哇哇地嚷！这简直糟透了！"

"得了，得了，你睡吧。"老太婆负疚地小声说。有一两分钟她沉默地摇摆她的身体，随后突然又怨毒地叫道："要一枪打进他们的骨

———————————

① 维克多的爱称。

头，叫他们不得好死，天主……"

像这样可怕的事，就连我的外祖父也没有祈祷过。

她一面祷告，一面叫醒我：

"起来，别贪睡了，你到这儿来不是为了睡觉的！……你烧茶炊，把柴火搬来。你昨天傍晚没把细劈柴劈好吧？哼！"

我极力把一切事情很快地做好，只求别听见这个老太婆的喊喊喳喳的斥骂就好。可是要叫她满意，那是办不到的。她像冬天的暴风雪那样在厨房里东奔西跑，声音沙哑地低声吆喝道：

"轻一点，魔鬼！你会把维克多鲁希卡吵醒的，我要揍你一顿！你快到小铺里去跑一趟……"

平日他们喝早茶，要买两俄磅的白面包，另外还要给年轻的女主人买两个戈比的小白面包。每逢我拿着面包回来，那两个女人就怀疑地检查面包，用手心掂一掂分量，问道：

"没有添头吗？没有？好，你张开嘴！"于是她们得意地叫道，"你把添头吃掉了，瞧，你的牙缝里有面包渣嘛！"

……我乐于干活，我喜欢清除这所房子里的脏东西，洗干净地板，擦干净铜餐具、火炉通风口和门柄。我不止一次地听见那两个女人在和睦的时候讲起我，说：

"他干活卖劲。"

"他爱干净。"

"可就是脾气太犟。"

"哎，亲爱的，你得想一想：他是由什么人教育大的！"

这两个女人就极力教育我尊敬她们。可是我认为她们半疯半傻，不喜欢她们，不听她们的那一套，跟她们讲话总是以牙还牙。年轻的女主人多半发觉她的有些话对我起了很坏的影响，因此越来越常常说：

"你得记住我们是从一个叫花子的家庭里把你拉拔出来的！我送过你的母亲一件缎子斗篷。还镶着玻璃珠呢！"

有一次我对她说：

"莫非要我为这件缎子斗篷剥掉我身上的皮来报答您吗？"

"圣徒呀，他简直能放火啊！"女主人害怕地叫起来。

我惊讶极了：这跟放火有什么相干呢？

她们两个人屡次把我告到东家那儿去，东家就严厉地对我说：

"你要给我小心着点，孩子！"

可是有一次他冷静地对他的妻子和他的母亲说：

"你们也太好了！你们拿这个孩子当牛马使唤，换了别的孩子干这么重的活，早就逃跑或者死掉了……"

这些话气得那两个女人流下眼泪来。他的妻子跺着脚，发狂似的喊道：

"难道可以当着他的面说这种话吗，你这个长头发的混蛋！既然你都这么说，那我在他的眼里还成个什么人？你要放明白点，我是个怀着孕的女人啊。"

他的母亲带着哭声哀叫道：

"求上帝饶恕你吧，瓦西里。不过要记住我的话：你会把这个孩子惯坏的！"

等到她们气冲冲地走了，东家就严厉地对我说：

"你看，小鬼，为你惹出多大的乱子来了？瞧着吧，我把你打发到你的外公那儿去，叫你再去做个捡破烂的！"

我受不了这个气，就说：

"做个捡破烂的也比在你们这儿当差强！您收我做学徒，可是您都教过我什么？老是倒泔水……"

东家一把揪住我的头发，不过揪得不痛，下手不重。他瞅着我的眼睛，惊讶地说：

"你倒真厉害呀！小子，这可不行，这可不行啊……"

我心里寻思，他们这回会把我赶走了。可是过了一天，东家来到厨房里，手里拿着一卷像小筒般的厚纸、一管铅笔、一块三角板、一把尺子。

"你擦完刀，就来画这个！"

那张纸上画着一所两层的楼房的正面图，那所房子有许多的窗子和塑造装饰①。

"这就是圆规！用它量出所有的线的长短，再在纸上画。每条线的两头先点两个点，然后拿尺子比着，用铅笔从这个点到那个点画上一条线。先是横着画，那就是水平线，然后直着画，那就是垂直线。你画吧！"

我看到这种干净的工作，看到学习的开始，心里很高兴。可是我只顾带着兢兢业业的敬畏心理瞧着纸张和仪器，他的话我一点也没听

① 指房屋的泥塑花边。

明白。

不过我立刻洗干净手，坐下来学画。我在那张纸上画完所有的水平线，检查一遍：挺好！只是多画了三条。我再画上所有的垂直线，却惊讶地看见房屋的正面荒谬地变了样子：那些窗子纷纷移到窗旁边的墙壁上去，其中有一个窗子跑到墙外去，悬在房子附近的半空中。正门的门廊也上升到空中，跟二层楼平齐，房檐搬到房脊的中央，天窗安在烟囱的顶上去了。

我几乎含着眼泪瞧着这些无法挽救的奇迹，瞧了很久，想弄明白这是怎么搞成的。我始终也没弄明白，就决定借助于幻想来补救这个局面。我在房子正面的所有房檐上和房脊上都画了许多乌鸦、鸽子、麻雀，在窗子前边的地面上画了一些生着罗圈腿的人，打着伞，然而这也不大能够掩盖他们的丑相。随后我又在整个画面上涂满一条条斜线，就把这个作品送到我的老师那儿去了。

他把眉毛抬得高高的，把头发揉得蓬蓬松松，阴沉地质问道：

"这是什么玩意儿？"

"天在下雨，"我解释说，"下雨的时候所有的房子都显得歪歪扭扭，因为雨丝永远是斜的。这是鸟……喏，这都是鸟……它们躲到房檐那儿去了。下雨的时候总是这样。这个呢，这是人们跑回家去。瞧，这个太太摔倒了。这个是卖柠檬的小贩……"

"多谢多谢。"东家说着，扬声大笑，笑得对着桌子低下头去，他的头发不住地在那张纸上扫来扫去。他叫起来："哎哟，我要把你撕得粉碎，你这个麻雀畜生啊！"

女主人来了，摇摆着她那个像木桶一样的大肚子。她瞧了瞧我的作品，就对她的丈夫说道：

"你揍他一顿！"

可是东家和气地说：

"没关系。当初我自己开头学的时候也并不比这个高明……"

他用一支红铅笔标出我在正面图上画错的地方，并且另外给我一张纸。

"再画一次！要画到像个样子为止……"

我的第二稿画得好一点，只是有一个窗子安在门廊的门上了。可是我不喜欢让这所房子空着，我就把各式各样的房客搬进去。那些窗子跟前坐着一些太太，手里摇着扇子。她们的男同伴吸着纸烟，其中有一个男人不吸烟，却用大拇指按住自己的鼻子，做出那种看不起所有的人的手势。门廊的前边停着一辆出租的马车，趴着一条狗。

"为什么你又画得乱七八糟？"东家生气地问。

我对他解释说，房子里没有人太寂寞，可是他开始骂我。

"叫这些东西统统见鬼去吧！要是你想学，就好好学。这简直是胡闹嘛……"

最后我总算画成了一幅近似原图的正面图，他高兴了。

"这你该明白了，你能行嘛！照这样子干下去，你也许很快就会入门了……"

于是他交给我一个任务：

"你画一个住宅设计图吧，要画出房间该怎么摆，门窗该装在哪儿，什么地方该有什么东西。我一点主意也不出，都由你自己画吧！"

我走进厨房里去，开始思考：这该从哪儿着手呢？

可是正在这个当口，我的制图技术的研究也就中止了。

那个年老的女主人走到我跟前来，险恶地问道：

"你要画图吗？"

她一把抓住我的头发，把我的脸往桌子上撞去，撞得我的鼻子和嘴唇都破了。她跳过来跳过去，把我的图纸撕碎，把桌子上的仪器扔掉，然后她把两只手插在她的腰上，得意扬扬地叫起来：

"哼，看你还怎么画！不行啊，这种事办不到！把独一个的亲兄弟，亲骨肉丢开不要，反而弄一个外人来工作吗？"

东家跑来了，他的妻子像船似的游过来了，于是一场疯狂的丑剧开场了。这三个人互相跳脚大骂，口沫横飞，大哭小叫，最后那两个女人哭着走散了。东家就对我说：

"你暂且丢开这些，别学了。你自己也看得出来这件事闹到了什么地步！"

我可怜他，他那么窝囊，听人摆布，老是让那些女人吵闹得头昏眼花。

其实我早就明白那个老太婆不愿意我学习，故意跟我捣乱。我在坐下来画图之前，总要先问她一声：

"没有什么别的事要做了吧？"

她就阴沉地回答说：

"有事我就叫你。现在，你坐在那儿由着性儿去胡搞吧……"

过了不大一会儿，她就差遣我到什么地方去一趟，或者说：

"正门的楼梯你是怎么打扫的？角落里都是垃圾，灰尘！快去扫一扫……"

我去了，一看：根本就没有尘土。

"你要跟我抬杠吗?"她叫道。

有一次她把格瓦斯①泼在我所有的图纸上，另外一次又把圣像面前的灯油打翻在我的图纸上。她像小女孩一样恶作剧，显出了幼稚的狡猾，在她掩盖这种狡猾的时候却又显出了幼稚的笨拙。不论是这以前也好，这以后也好，我都没见过一个人像她那么快而且那么容易地大发脾气，那么热烈地喜欢抱怨一切人和一切事。一般说来，人都喜欢抱怨，可是她抱怨起来特别津津有味，好像在唱歌似的。

她对她的儿子的爱，类似疯魔。这种爱的力量惹得我又是好笑，又是害怕。对于这样的力量，我没法起别的名字，只能称之为一种狂暴的力量。往往，在晨祷以后，她站到炉子的小踏磴上去，把胳膊肘倚在那张高板床的靠边一块木板上，热切地低声说:

"我的上帝的宠儿，我的滚烫的、纯洁的、钻石般明亮的鲜血，天使的轻盈的羽毛! 他睡着了。那就睡吧，孩子，让欢畅的美梦罩住你的心，让你梦见你的新娘子，头号的绝色美人，公主，家财万贯的姑娘，商人的女儿! 叫你的仇人没生下来就死掉，让你的朋友长命百岁，叫姑娘们追着你，成群结队，好比许多母鸭子追着一只公鸭子!"

我忍不住要笑。粗鄙懒惰的维克多活像一只啄木鸟，也是那么五颜六色，也生着那么一个大鼻子，也是那么固执而迟钝。

他母亲的低语声有的时候把他惊醒了，他就睡意蒙眬地嘟哝说:

"您滚到魔鬼那儿去吧，妈，您把唾沫星子一直喷到我的脸上来了! ……您吵得人没法活!"

有的时候她就从小踏磴上乖乖地走下来，笑着说:

"好，你睡吧，睡吧……大老粗!"

不过也有这样的时候: 她两条腿发软，扑通一声倒在炉边上，张开嘴，大声吐气，仿佛烫伤了舌头似的，把她那些热辣辣的话吐出来:

"是这样吗? 你把你的母亲打发到魔鬼那儿去吗，狗崽子? 哼，你啊，我深夜干干的丢脸事，你这根该死的刺，是魔鬼把你扎在我的心里的，巴不得你在出生以前就烂掉才好!"

她讲的全是肮脏话，全是街头醉汉的话，使人听得毛骨悚然。

---

① 俄国的一种清凉饮料。

她睡得少，睡得不安稳，有的时候一夜从灶台上跳下来好几次，倒在我的木榻旁边，把我叫醒。

"您怎么了？"

"别说话，"她喃喃地说，在胸前画十字，瞧着黑地里的一个什么东西，"天主啊……先知伊里亚啊……大殉教徒瓦尔瓦拉呀……千万别叫我一下子死掉才好……"

她就伸出颤巍巍的手去点上一支蜡烛。她那张鼻子很大的圆脸紧张地鼓起来，她那对灰色的眼睛不安地眨巴着，瞅着那些被黑暗改变了模样的东西。这个厨房很大，然而塞满了柜子和箱子，夜间就显得小了。月光静悄悄地照进厨房里来，圣像前面的长明灯的火苗不住地颤摇。墙上的那些菜刀亮闪闪，像是一根根冰柱。搁板上放着些乌黑的平底煎锅，像是些没有眼睛的人脸。

老太婆就从灶台上小心地下来，仿佛从河岸上走下河去一样。她叭哒着一双光脚，往墙角走去。墙角上立着一个泔水桶，上边挂着一个洗手器，有两个耳朵，像是一个砍下来的头颅。那儿还立着一个装着清水的桶。

她就咕嘟咕嘟地喝水，不住地叹气，然后她隔着窗子玻璃上的浅蓝色冰花瞧着窗外。

"怜恤我吧，上帝，怜恤我吧。"她小声央求说。

有的时候她吹熄蜡烛，跪在地下，一肚子委屈地低声说：

"有谁爱我啊，天主，有谁需要我呀？"

然后她爬上灶台去，在烟囱的小门上画了个十字，再摸一摸风门是不是严实。她弄了一手的煤烟，就破口大骂，而且不知怎么一来，她立刻就睡着了，好像有一种看不见的力量把她打死了似的。每逢我受了她的欺侮，我总是暗想：可惜我的外祖父没有要她做老婆，要不然她真会把他骂得死去活来！而且她自己也少不了受罪。她常常欺侮我，不过也有些日子，她那浮肿得像棉花一样的脸上现出愁闷的神情，她的两只眼睛泡在泪水里，她极其恳切地说：

"你当是我心里轻松吗？我生下这些孩子，养活他们，把他们带大成人，临了怎么样呢？你瞧，如今我给他们当厨娘，我心里舒服吗？儿子弄来一个外头的娘们儿，他要了她就丢开了亲骨肉，这好吗？啊？"

"不好。"我真诚地说。

"明白了吧？说的就是嘛……"

她就开始不害臊地讲她的儿媳妇：

"我跟她一块儿到澡堂里去过，我看见过她的身子！他贪图她哪一点呢？这样的娘们儿也能叫作美人儿？……"

她讲起男人和女人的关系来，老是讲得出奇地肮脏。起初她的话在我的心里引起憎恶，然而不久我就常常注意地听她讲话，发生很大的兴趣了，我感到她那些话里也未尝没有某些沉痛的真理。

"女人是一种力量，连上帝都受过女人的骗①，就是这样！"她喊喊喳喳说，用手掌拍着桌子，"所有下地狱的人，都是受夏娃的害，真的！"

关于女人的力量，她能无穷无尽地讲下去，我老是觉得她说这些话是想要吓唬什么人。我特别记牢了"夏娃欺骗过上帝"这句话。

我们的院子里有一幢厢房，也像正房那么大。这两幢房子里有八户人家，其中四户都是军官，第五户是军队里的一个教士。整个院子里满是勤务兵和传令兵，那些洗衣女工、女仆、厨娘常到他们那儿去。各家厨房里经常闹出风流事，演出活剧，少不了眼泪、诟骂、打架。那些兵互相打架，也跟挖土工人，房东的工人们打架；他们也常打那些女人。院子里经常沸腾着一种所谓的放荡荒淫的气氛，也就是身体健康的小伙子们的兽性的、压制不住的饥渴。这种生活充满残暴的肉欲、毫无意义的折磨、胜利者的肮脏的夸耀。我的东家一家人在吃午饭，喝晚茶，吃晚饭的时候，对这种生活总要加以详尽的、不知羞耻的讨论。老太婆永远知道院子里发生的一切事情，总是用热烈的、幸灾乐祸的口气讲这些事。

年轻的女主人听着这些故事，一言不发，嘻开她的厚嘴唇微微地笑。维克多哈哈大笑，可是东家皱起眉头说：

"别说了，妈……"

"天主啊，我连话都不能说了！"那个讲故事的人抱怨说。

维克多却鼓励她说：

"您讲吧，妈，何必拘束呢！反正这儿都是自己人……"

大儿子用一种又嫌恶又怜悯的态度对待他的母亲，避免跟她单独待在一起。真要是只有他们两个人在一起，那个母亲就对他啰啰嗦嗦

---

① 指基督教的迷信传说。据《旧约·创世记》载，神创造了第一个男人亚当和第一个女人夏娃，把他们安置在伊甸园里，不许他们吃一种"分别善恶树上的果子"，但夏娃偷偷吃了，也给亚当吃了。

地抱怨他的妻子，而且一定会向他要钱。他就匆匆忙忙地把一个卢布，三个卢布或者几个银币塞在她的手里。

"您用不着要钱，妈。倒不是我舍不得钱，而是您用不着钱！"

"要知道，这钱我是用来施舍给叫花子的，再者到教堂里去，买蜡烛也要花钱……"

"算了吧，什么叫花子！您简直会把维克多惯坏的。"

"你不爱你的弟弟，这就是你的一条大罪呀！"

他对她摆一摆手，走掉了。

维克多对他的母亲总是态度粗暴，冷嘲热讽。他贪吃得很，老是觉得肚子饿。每到星期日，他的母亲烤油饼，老是藏起几个来，放在一个瓦罐里，把那瓦罐摆在我所睡的木榻底下。维克多做完弥撒回来，就拿出那个瓦罐，嘟哝说：

"你就不能多留几个，王牌钉子！"

"你就快点吃吧，可别叫人家看见啊……"

"我偏要把你为我偷油饼的事说出去，你这后脑勺上的叉子！"

有一回我取出那个瓦罐来，吃了两个油饼。维克多为这件事把我毒打一顿。他不喜欢我，就跟我不喜欢他一样。他嘲弄我，逼着我一天给他擦三次靴子。他在高板床上躺下睡觉的时候，拨开木板，从板缝里啐唾沫，极力啐到我的头上来。

大概为了模仿常说"母鸡畜生"的哥哥，维克多也常说土话，然而这些土话都荒唐得惊人，而且毫无意义。

"妈——从右边向后转！——我的袜子在哪儿呀？"

他提出一些愚蠢的问题逼我回答：

"阿辽希卡①，你来回答吧：为什么写起来是'发蓝'，念起来是'犯馋'？为什么念起来是'钟'，而不是'纸翁'？为什么说'靠着树'，而不说'锅里煮'？"

他们这些人所说的话，我都不喜欢。我受过外祖母和外祖父的优美语言的训练，从一开头就不理解有些不能结合在一起的字怎么能结合在一起，例如"滑稽得吓人""恨不得吃到死了为止""高兴得可怕"。我认为滑稽的事不可能吓人，高兴的事也不可能可怕，所有的人都是一直要吃到死的那一天为止的。

---

① 高尔基的本名阿历克塞的卑称。

我问他们：

"难道可以这么说吗？"

他们却骂道：

"嘿，你算个什么老师！真应该把你的耳朵揪下来。……"

可是依我看来，就连"揪下耳朵"也说得不正确，只有青草、花朵、核桃才能揪下来。

他们就动手揪我的耳朵，向我证明耳朵也是能揪下来的。可是这仍旧没有说服我，我就得意扬扬地说：

"反正耳朵揪不下来！"

我的四周有那么多的残忍的恶作剧和肮脏的无耻行径，这类事比起库纳维诺街上来多得没法说，而库纳维诺街上本来就"妓院"林立，"街头"的姑娘多得是。在库纳维诺，肮脏事和恶作剧的背后总还可以使人感觉到有某些东西足以说明这类恶作剧和肮脏事是不可避免的，那就是半饥半饱的艰苦生活和沉重的劳动。在这里，大家却吃得饱饱的，生活轻松，所谓的工作其实只是一种不可理解的和不必要的无谓纷扰和空忙而已。在这里，一种强烈而恼人的烦闷笼罩着一切。

我本来就生活得不好，可是临到我的外祖母到我这儿来做客，我就感到越发不妙。她从后门进来，走到厨房里，面对圣像在自己的胸前画一个十字，然后对着她的妹妹弯下腰去深深一鞠躬，这一鞠躬像是有几百普特重，生生把我压弯了，闷得我透不出气来。

"哦，是你，阿库琳娜。"我的老女主人随随便便，冷淡地迎接外祖母说。

我认不出我的外祖母来了：她卑顺地抿起嘴唇，把她的整个脸相改变得跟平时大不相同，然后静悄悄地在房门旁边泔水桶附近的一条长凳上坐下来，一句话也不说，好像犯了罪似的。她回答她妹妹的问话的时候，声音低微而恭顺。

这使得我心里难受，我就生气地说：

"你干什么坐在那儿？"

她亲切地对我使一个眼色，然后一本正经地回答说：

"你少说话，你不是这儿的主人！"

"不归他管的事，他总要管，随你打他，骂他，都没用。"老女主人开始抱怨说。

我的老女主人不止一次幸灾乐祸地问她的姐姐说：

"怎么样，阿库琳娜，是在靠要饭过日子吗？"

"那也没什么了不得的……"

"要是不顾廉耻，那就什么事都没什么了不得的了。"

"听说基督也靠要饭生活过……"

"这是那些蠢货说的，那些邪教徒说的，你这个老混蛋却听进去了！基督不是叫花子，而是上帝的儿子。经书上写着，他到世上来是为了荣耀地审判活人和死人。他连死人也要审判的，你得记住！你躲不开他，亲爱的，哪怕你烧成灰也不行……上帝会替我惩罚你和瓦西里①的骄傲，当初你们有钱的时候，我求过你们帮忙的……"

"当时我可是帮过你很大的忙，"外祖母冷静地说，"可是天主倒惩罚我们了，你知道……"

"这在你们还不够！还不够呢……"

这个妹妹费了很长的工夫用她那条不知疲倦的舌头锯我的外祖母的心，咬我的外祖母的心。我听着她的恶毒的尖叫声，痛苦地纳闷：我的外祖母怎么受得了这些呢？在这种时候我甚至不喜欢她了。

年轻的女主人从房间里走出来，她客气地对我的外祖母点点头。

"到饭厅里来吧，没关系，来吧！"

外祖母的妹妹对着我的外祖母的背影叫道：

"把你的脚擦干净。俗话说得好：杉木的村庄只配造在沼地上！"

我的东家快活地迎接我的外祖母说：

"啊，聪明绝顶的阿库琳娜，你过得怎么样？卡什林小老头还活着吧？"

外祖母就对他微笑，那是从她心底里流露出来的笑容。

"你还是在辛辛苦苦，在工作吗？"

"我还在干活！像个犯人似的。"

外祖母亲切愉快地同他讲话，不过她用的是长辈的口气。有的时候我的东家想起我的母亲，就说：

"是啊，瓦尔瓦拉·瓦西里耶芙娜……她是一个多么好的女人啊，真了不起，对吗？"

他的妻子转过脸来对着我的外祖母，插一句嘴：

"您记得我送过她一件斗篷吗？黑色的，缎子的，还镶着小玻璃珠呢……"

---

① 高尔基的外祖父的名字。

"可不是……"

"那还是一件挺好的斗篷呢……"

"对，对，"东家喃喃地说，"斗篷，帐篷，生活是窝棚!"

"你这是说的什么呀?"他的妻子怀疑地问道。

"我吗? 没说什么。……快活的日子啊，都过去了;好人啊，都死了……"

"我不懂，你说这些是什么意思?"年轻的女主人不安地说。

后来外祖母给领去看新生的婴儿了。我正收拾桌子上的用脏的茶具，我的东家却带着沉思的样子，声音不高地对我说:

"你的外祖母是个好老太婆……"

我深深地感激他说这句话。可是，等到我单独地跟外祖母在一起，我就心痛地对她说:

"为什么你到这儿来，为什么? 你总看得出来他们是些什么样的人吧……"

"哎，阿辽沙，我什么都看得出来。"她回答说，瞧着我，她那美得出奇的脸上露出善良的笑意。而我倒难为情了;嗯，不用说，她什么都看得出来，什么都明白，就连这个时候我的心里想些什么，她也是知道的。

她小心地回头瞧一眼，看有没有人来，然后她搂住我，热诚地说:

"要不是你在这儿，我才不会来呢:他们跟我有什么相干? 可是你的外公生病了，我一直忙着照应他，没有干活，就没有钱了……还有，我的儿子米哈依尔把萨沙①从家里赶出去了，我也得供他吃喝。他们雇了你，答应一年给六个卢布。我就暗想:现在他们不是至少可以给一个卢布了吗? 要知道你在这儿干了将近半年了……"然后她凑着我的耳朵小声说:"他们叫我教训你，骂你，他们说你什么人的话也不听。你啊，我的小亲鸽子，就在他们这儿干下去吧。你再忍它两年，等翅膀长硬了再走! 你忍一下吧，啊?"

我答应忍一忍。这是很困难的。这种乞丐般的、沉闷乏味的、一天到晚为吃喝而忙得团团转的生活把我压垮了，我像在梦里那样地生活着。

有的时候我不由得暗想:应该跑掉才对! 然而外面正是该死的冬

① 高尔基的大舅米哈依尔·卡什林的儿子。

天，每到夜间暴风雪就不住地呼啸，风在阁楼里逞威，房梁被严寒冻得咔咔地响。人往哪儿跑啊？

游玩在我是不允许的。再者也没有游玩的工夫，冬天的短短的白昼在烦琐的家务劳动中转眼就过去，快得抓也抓不住。

不过我得到教堂里去，每到星期六要去参加彻夜祈祷，遇到节日要去参加晚祷。

我喜欢到教堂里去待着。我总是站在墙角上的一个什么地方，那儿空一点，也黑一点。我喜欢远远地瞧着圣像壁，它仿佛正在蜡烛的火光里熔化，变成一股股浓重的金黄色水流，淌到讲经台的灰色石地上去。那些圣像的乌黑的身体微微地动弹。圣障中门的金色花边快活地颤抖。那些蜡烛的火苗悬在淡蓝色的空气中，好比一个个金色的蜜蜂，那些女人和姑娘的头就像是一朵朵花。

四周的一切同唱诗班的歌声和谐地融合在一起，一切都在过一种奇怪的神话生活。整个教堂缓慢地像摇篮那样摇晃，在稠得像树脂的、漆黑的空虚里摇晃。

有的时候我觉得这个教堂深深地沉浸在一个湖的湖水里，避开大地，为的是过一种特别的、同俗世完全不同的生活。大概，我的这种感触是由我的外祖母所讲的关于基捷日城的故事引起的。往往，在我带着睡意跟四周所有的人一块儿摇晃着身子，被唱诗班的歌声、喃喃的祈祷声、人们的叹息声催入睡乡的时候，我就暗自温习这个可以歌唱的、凄凉的故事：

> 那些该诅咒的鞑靼人
> 带领可恶的千军万马
> 包围了可爱的基捷日城，
> 而且是在做晨祷的快乐时辰。……
>   啊，我们的上帝，天主，
>   至高无上的圣母！
> 啊，求您容许您的奴仆
> 做完他们的晨祷，
> 听完神圣的经书！
>   啊，千万别让鞑靼人
>   亵渎神圣的教堂，

　　　　　玷污我们的妻子和姑娘，
　　　　　把小小的儿童送往杂耍场，
　　　　　让年老的长者横死暴亡！
　　　天主耶和华，
　　　还有圣母，
　　　都听见了人们的悲叹
　　　和基督徒的哀诉。
　　　　　天主耶和华
　　　　　对英明的天使长米哈依洛谆谆叮嘱：
　　　　　"米哈依洛呀，
　　　　　你快去吧，
　　　　　撤掉基捷日底下的泥土，
　　　　　把这个城沉进一个大湖；
　　　让人们只管在那儿祈祷，
　　　永不休息，也永不疲劳，
　　　从晨祷做到彻夜祈祷，
　　　教堂的一切神圣礼拜都做到，
　　　千秋万代，永远祷告！"

　　那些年我的头脑里满是我的外祖母的诗歌，就像一个蜂房里满是蜂蜜一样。似乎我连思考也是按照她的诗歌的格式进行的。
　　在教堂里我从不祈祷。我觉得不好意思在外祖母的上帝面前念外祖父的气愤的祷告词，唱那些悲惨的圣歌。我相信外祖母的上帝不可能喜欢这些，犹如我不喜欢这些一样。再者，这些东西都已经印在书上，那么上帝就像一切识字的人那样一定把这些东西都背下来了。
　　也就是因为这个缘故，在教堂里，每逢我的心被一种甜蜜蜜的悲哀抓紧的时候，或者每逢过去这一天我所受到的各种小小的委屈咬我的心，挠我的心的时候，我就极力编我自己的祷告词。只要我想起我那缺乏欢乐的命运，怨诉的词句就自然而然，无须费力地形成了：

　　　　天主啊，天主，我烦闷无聊！
　　　　只求让我快点长大才好！
　　　　照现在这样我实在不耐烦再活下去，
　　　　求天主饶恕，我一心想上吊！

学手艺也没学出什么结果。
魔鬼的傀儡玛特辽娜老太婆
像狼那样嗥着要咬我。
这也太苦了，我实在没法活！

　　我的许多"祷告词"我一直到今天都还记得。小时候的智力活动
总是像极深的伤痕似的印在人的心上，而那样的伤痕往往是一辈子也
合不拢的。

　　教堂里挺好。我在那儿就像在树林里，在野外那样休息养神。我
那小小的心灵已经领略过许许多多的侮辱，已经被恶毒粗野的生活所
玷污，如今却在一些模糊而热烈的幻想里荡涤干净了。

　　不过，我只有在隆冬严寒的日子，或者在暴风雪疯狂地刮遍全城
的时候才到教堂里去。在那样的时候，似乎天空已经冻死，风给它铺
满了雪云，大地也在雪堆底下冻死，似乎永远也不会再苏醒，永远也
不会再活过来了。

　　遇上夜里没有风，我倒比较喜欢在城里散步，从这条街走到那条
街，溜达到最荒僻的角落里去。往往，我走啊走的，觉得像是张开翅
膀在飞翔。我孤身一个人，好比天上的月亮。在我的前面，我的影子
爬个不停，扑灭雪地上星星点点的亮光，可笑地撞在路旁的小石柱上，
撞在围墙上。有一个守夜人在街道当中走着，穿一件沉重的皮袄，手
里拿着梆子，他身旁有一条狗在发抖。

　　这个笨重的人，论外形像是一个狗窝，这个狗窝从院子里出来，
在街上走动起来，谁也不知道它要到哪儿去。于是那条闷闷不乐的狗
只好跟着他走。

　　偶尔，我遇见一些兴高采烈的小姐和她们的男同伴。我心里就想：
连他们也不肯做彻夜祈祷，从教堂里溜出来了。

　　有的时候，从那些灯光明亮的窗子的通风口里，有一些特别的气
味飞散到清澈的空气里来，那种气味细腻，生疏，暗示这儿在过着另
外一种我所不知道的生活。我就站在窗子跟前，闻着，听着，猜测这
是一种什么样的生活，这所房子里住着一些什么样的人。这是做彻夜
祈祷的时间，然而他们却在快活地嚷叫，欢笑，弹奏某些特别的弦琴，
铜琴弦的响声从通风口里低沉地飘出来。

　　特别使我发生兴趣的是一所低矮的平房，它坐落在荒凉得不见人

影的吉洪诺夫斯卡亚街和马丁诺夫斯卡亚街的拐角上。我是在一个月夜偶尔见到这所房子的，那正是解冻的时令，是在谢肉节①之前。有一种不同寻常的声音，从窗子的方形通风口里随着暖和的热气一块儿飞散到街上来，仿佛有一个极其强壮善良的人正在闭着嘴巴唱歌似的。歌词听不清，可是那个歌在我听来显得出奇地熟悉，好懂，只是有一种琴弦的响声惹人讨厌地不住插进歌里来，妨碍人听下去。我就在路旁的一个小石柱上坐下，暗自想象这必是人们在拉某种提琴，它那力量很强大，既美妙，又叫人受不了，因为听起来几乎是使人痛苦的。有的时候它唱得那么有劲，仿佛整个房子都在发抖，窗上的玻璃也丁零丁零地响似的。房檐上滴着水珠，我的眼睛也滴出了泪水。

那个守夜人不声不响地走过来。他把我从小石柱上推开，问道：

"你待在这儿干什么？"

"听音乐。"我解释说。

"哪有那么些说的！走开……"

我很快地绕着这段街道跑了一圈，又回到这儿的窗根底下来。可是房子里的人不再奏乐了，只有快活的说笑声闹吵吵地从通风口里飘到街道上来，而这声音跟那种悲凉的音乐截然不同，好像刚才我是在梦中听见的一样。

从此以后，我几乎每个星期六都跑到这所房子跟前来，然而只有一次，那是在春天，我才又听见那大提琴的声音，它几乎一直演奏到午夜。等我回到家里，我就挨了一顿痛打。

这类在冬季的星光下走遍城里荒凉街道的夜间漫步，使我大开眼界。我故意选择离城中心较远的街道。城中心有很多的路灯，主人家的熟人们可能瞧见我，那么主人家里就会知道我没有去做彻夜祈祷而是在游玩了。那些醉汉、警察、"街头的"姑娘也碍事。在偏僻的街道上，如果那些楼下的窗子上没有结太多的冰花，窗子里边也没有挂窗帘，那就可以凑上去，看一看窗子里的情形。

这些窗子使我看到许多不同的画面。我看见人们怎样祈祷，接吻，打架，玩牌，或者专心而又没有声音地谈话。一种无声的、鱼一般的生活在我的面前展开，就像人们在一个戈比看一次的"拉洋片"里所看见的那样。

---

① 基督教节日，在春天，大斋前的一个星期。

有一回，我看见一个地下室里有两个女人坐在一张桌子旁边，一个年纪轻一些，一个年纪大一些。她们的对面坐着一个头发很长的中学生。他正在给她们朗诵一本书，不住挥动他的一条胳膊。年轻的那一个听着，严峻地皱起眉头，身子靠在椅背上。年纪大的那一个，身材苗条，头发浓密，她忽然用手心蒙上她的脸，两个肩膀颤抖起来，那个中学生就放下了那本书。等到年轻的那一个站起来，跑出去，他就在头发浓密的那一个的面前跪下去，开始吻她的手。

在另一个窗子里，我偷看到一个身材魁伟、胡子很多的男人叫一个穿着红色短上衣的女人坐在他的膝盖上，把她当作小孩一样摇来晃去。看来，他在唱一个什么歌，张大了嘴，瞪大了眼睛。她笑得浑身发抖，身子往后仰，两条腿摆动不停。他就把她扶正，又唱起来，她就又笑。我瞧了他们很久，直到我明白他们准备玩乐一夜，我才走掉。

许多这类的画面永远留在我的记忆里了。我常常看得入了迷而误了回家。这引起东家一家人的怀疑，他们就盘问我：

"你是到哪个教堂里去的？是哪个教士领着做礼拜的？"

他们知道全城的教士，知道什么时候念什么福音，他们样样都知道。我说谎话是容易被他们识破的。

那两个女人所膜拜的是我的外祖父的那个震怒的上帝，那个上帝要求人们战兢兢地对待他。上帝的名字经常挂在那两个女人的嘴边上，甚至在相骂的时候，她们也互相威胁道：

"你等着就是！天主会惩罚你，叫你弯腰驼背，下流胚！……"

大斋第一个星期的星期日，老太婆烤油饼，把所有的油饼都烤煳了。她被炉火烘得满脸通红，愤懑地叫道：

"哎，叫你们见鬼去吧。……"

后来，忽然，她闻一下煎锅，脸色发黑了。她把煎锅的活柄往地下一丢，哀叫道：

"圣徒啊，这个煎锅有荤油味，该死，原来我在圣洁的星期一①没有把它烧干净，天主啊！"

她就跪下去，含着眼泪央求说：

"天主爷爷，求你看在你受难的份上饶了我这个该死的！不要惩罚我这个老糊涂了，天主呀！……"

---

① 即大斋开始的头一天。

她把烤出来的油饼都送给狗吃了，然后把煎锅烧干净。从此以后那个儿媳妇就在吵架的时候责难她的婆婆说：

"您就连在大斋当中也用荤油锅烤油饼哟……"

她们把她们的上帝拉到全部家务里来，拉到她们的狭小的生活的各个角落里来。由于这一点，她们的空洞贫乏的生活才获得了一种表面的意义和重要性，显得她们在随时随地为最高力量①服务。她们把上帝拉到乏味的琐事里来的做法，压得我透不出气来，我就不由自主地老是回过头去往角落里看，感到自己是在一个什么人的无形的监视之下。每到夜里我就被恐怖的冷雾团团围住，这种恐怖是从厨房的一个角落里传过来的，那儿有一些乌黑的圣像，它们的面前点着一盏永不熄灭的小油灯。

圣像架的旁边有一个大窗子，分成两个窗框，当中立着一根小木柱。一片深不见底的蓝色天空照进这个窗子里来，似乎这所房子、这个厨房、我自己，都挂在这片天空的边沿上；要是猛然动一下，一切就会统统掉到那儿去，落进那个冷冰冰的蓝色窟窿里，飞啊飞的，经过那些星斗，最后，一点响声也没有地落到死气沉沉的寂静里去，犹如一块石头丢进水里，就此淹没了一样。我在床上一动也不动地躺了很久，不敢翻一下身，静等着生命的可怕的结束。

我记不得我是怎样医好这种恐惧的了，不过我很快就医好了。不消说，我的外祖母的善良的上帝在这方面帮了我的忙。我认为即使在那个时候我也已经体会到一个简单的真理：我至今一件坏事也没有做过，我没有罪就对我加以惩罚是没有这个道理的，至于别人的罪过，那却不能由我来负责。

教堂里做晨祷的时候，我也往往在外边游玩，尤其是在春天。春天的不可征服的力量坚决不允许我走到教堂里去。要是他们给我一枚两戈比的铜板供我买蜡烛用，那可就完全把我毁了。我一定会去买羊拐子，把做晨祷的时间完全玩掉，结果不可避免地误了回家。有一次我竟然把整整一个十戈比银币都输光了，那是主人家给我做追荐亡者的祷告，买圣饼用的，因此我只好趁一个教堂下级职员从祭坛上端下一个盘子来的时候，在那里面偷了一点别人的圣饼。

我一心想玩。我对游戏入迷到了着魔的地步。当时我手脚相当灵

①　指上帝。

活，也有力气，不久就在附近几条街上博得了玩羊拐子、打球、扔棒子的能手的名声。

主人家要我在大斋期间持斋，于是我到我们的邻居陀利美东特·波克罗夫斯基神甫那儿去行忏悔礼。我觉得他是一个严厉的人，而且我对他个人又在许多方面有罪：我用石头砸破过他那园子里的亭子，跟他的孩子们打过架，总之他能对我说出不少各式各样惹得他不愉快的行为。这使得我心里很慌张。临到我在那个简陋的教堂里站好，等着轮到我忏悔的时候，我的心就七上八下地跳起来。

可是陀利美东特神甫却用一种好心肠的、唠唠叨叨的惊叹口气迎接我说：

"啊，邻居来了……好，你跪下来！你犯过什么罪啊？"

他把一块沉重的丝绒盖在我的头上。我被蜡和神香的气味熏得透不过气来，说话就困难，而且也不想说了。

"你听大人的话吗？"

"不听。"

"那你说：我有罪！"

出乎我的意料之外，我自己忽然冒出一句话来：

"我偷过圣饼。"

"你怎么偷圣饼？在哪儿？"这个司祭沉吟一下，不慌不忙地问。

"在三圣者教堂，在圣母节日教堂，在尼古拉教堂。……"

"呵，呵，个个教堂都偷到了。孩子，这不好，这是罪过。明白吗？"

"明白。"

"那你说：我有罪！这个野孩子。你偷了是为吃吗？"

"有的时候是吃掉了，不过有的时候是我玩羊拐子输了钱，可又得带着圣饼回家，我就偷了。……"

陀利美东特神甫开始含混而疲劳地低声说了一些什么话，然后又提出几个问题，突然他厉声问道：

"你看过地下出版的书吗？"

我当然不懂这句话，就反问道：

"啥？"

"禁书看过吗？"

"没有，一本也没看过……"

"你的罪得到宽恕了。……起来吧！"

我惊讶地看了看他的脸，那张脸似乎沉思而善良。我觉得不好意思，羞愧。原先主人家打发我来忏悔的时候，讲过许多忏悔如何阴森可怕的话，一定要我老老实实地承认我犯过的一切罪。

"我往您的亭子里扔过石头。"我就声明说。

司祭抬起头来，说：

"这也不好！你走吧……"

"我还用石头砸过您的狗……"

"下一个！"陀利美东特神甫叫道，眼睛越过我，去看别人了。

我走了，觉得上了当，心里委屈。我本来以为忏悔礼多么可怕，心情十分紧张，结果却并不可怕，甚至没有趣味！有趣的只有他问起我所不知道的那种书。我想起了那个在地下室里对两个女人朗诵一本书的中学生，还想起了"好事情"，他也有许多黑封面的书，很厚，其中夹着我看不懂的插图。

第二天，主人家给我一枚十五戈比的银币，打发我去领圣餐。这年的复活节来得迟，雪早已融化，街上干了，路上扬起了滚滚的灰尘。这天阳光灿烂，喜气洋洋。

教堂围墙的附近有一大群工人正在着了迷地用羊拐子赌钱。我断定领圣餐还有的是工夫，就要求这些赌徒说：

"算上我一个！"

"要玩先得拿出一个戈比来。"一个麻脸的、头发棕红的人骄傲地声明道。

可是我同样骄傲地说：

"我在左边第二对底下押三个戈比！"

"把钱放下去！"

赌博就此开始了！

我破开那个十五戈比的银币，在长方形赌池里的一对羊拐子下面放了三个戈比。谁把那对羊拐子打出去，谁就得着钱；谁没打中，谁就赔我三个戈比。正好我走运：有两个人瞄准我的钱，可是他们统统没有打中，结果我居然从成年人手里，从大汉手里赢到了六个戈比。这就大大提高了我的心气……

可是有一个赌徒说：

"要看住他，伙伴们，要不然他就拿着赢来的钱跑掉了。"

听到这话，我就生气了，于是像打板鼓似的，激烈地声明说：

"在左边尽头上那一对底下押九个戈比！"

然而这并没有在那些赌徒的心里留下明显的印象。只有一个跟我年龄相仿的孩子嚷起来,警告说:

"要留神啊,他走运,他是住在兹威兹津池那边的一个绘图员,我认识他!"

一个精瘦的工人,带着毛皮工人的气味,挖苦说:

"你是小鬼头①吗?好得很……"

他用一个灌铅的羊拐子瞄准以后,一下子就把我的赌注打出去了。他弯下腰来凑近我,问道:

"你要哭一鼻子了吧?"

我回答说:

"在右边尽头上押三个!"

"我照样吃掉。"这个毛皮工人夸口说,可是他输了。

在赌池里下注不能超过一连三次。我就动手打别人的赌注,又赢了四个戈比和一堆羊拐子。可是等到再轮着我下注,我就押了三次,结果把所有的钱都输光,而且正巧到时候了:弥撒做完,钟声敲响,人们纷纷从教堂里走出来了。

"你娶媳妇了吗?"那个毛皮工人问,打算揪住我的头发,可是我一扭身跑掉了。我追上一个穿着过节的衣服的小伙子,客气地打听道:

"您领圣餐了吗?"

"嗯,那又怎么样?"他怀疑地瞧着我,回答说。

我请求他告诉我领圣餐是怎样进行的,司祭在那时候说了些什么,我当时应该做些什么。

那个小伙子严厉地皱紧眉头,用吓人的声调吼叫道:

"你这个邪教徒,只顾玩,没去领圣餐吗?哼,我什么也不告诉你,让你的父亲去剥掉你身上的皮!"

我跑回家里,相信他们马上要盘问我,不可避免地会知道我没有领圣餐。

可是老太婆对我祝贺一下以后,只问了一件事:

"教堂下级职员的香火钱,你给了多少?"

"五个戈比。"我不假思索地说。

"给他三个戈比也就够了,另外两个戈比你应该留下才是,你这丑

---

① 在俄语里,"绘图员"和"小鬼头"的读音差不多。

八怪！"

……春天来了。每一个白昼都换上新装，每一天都比前一天灿烂而明媚。嫩草和桦树的新绿发散着醉人的香气，使得人难忍难熬地一心想到野外去，在温暖的土地上躺下，仰面朝天，听一听百灵鸟的啼鸣。可是我，却在刷干净冬天的衣服，帮着把它们收进箱子里去，撒上撕碎的烟叶，另外我还得拍净家具上的尘土，总之一天到晚摆弄这些使我感到不愉快和不必要的东西。

遇到空闲了，我又完全没法消磨时间。我们的鄙陋的街道是空荡荡的，远处又不让我去。院子里都是些爱发脾气的、疲劳的挖土工人，衣服破烂的厨娘和洗衣女工。每天晚上净是狗一般的婚礼，这惹得我十分憎恶和生气，我恨不得变成瞎子才好。

我常到阁楼上去，随身带去一把剪刀和一些彩色纸，把那些纸剪成一些带花边的图案，把它们贴在房梁上。……这好歹也算是一种消愁解闷的办法。我心神不安地巴望着到别的一个什么地方去，到一个人们少睡觉、少吵架、不那么纠缠不清地向上帝告状、也不那么常常像愤怒的法官一般辱骂人的地方去。

……复活节的星期六那天，奥兰斯基修道院的弗拉基米尔圣母的有灵验的圣像抬到城里来了。这个圣像在城里停留到六月中旬为止，要访问各教区的所有家庭，所有住宅。

在一个工作日的早晨，它到我的东家的家里来了。我正在厨房里擦铜茶具，忽然年轻的女主人在房间里惊恐地叫起来：

"快去开大门，奥兰斯基的圣母像抬来啦！"

我就赶紧跑下楼去，身上肮里肮脏，手上满是脂油和砖粉，开了大门。一个年轻的修士，一只手里提着一盏灯，另一只手里摇着一个手提香炉，小声埋怨说：

"你们是睡着了吧？来帮忙啊……"

那个沉重的神龛由两个市民抬上一道狭窄的楼梯。我帮着他们抬，用肮脏的手和肩膀托住神龛的边。后边有几个身体沉重的修士踏着步跟上来，用低沉的嗓音不起劲地唱道：

"至高无上的圣母啊，为我们向上帝祷告……"

我带着悲哀的无可奈何心情暗想：

"圣母会生我的气，因为我肮里肮脏地抬着她。我这两只手就要瘫痪了……"

这个圣像放在一个房间里上首的两把椅子上，椅子上先铺好了干净的被单。神龛的两边站着两个修士，扶住那个神龛。他们年轻而漂亮，像是两个天使，眼睛明亮，喜气洋洋，头发浓密好看。

祷告开始了。

"啊，万民称颂的圣母呀，"一个身材魁梧的教士提高喉咙唱道，不住把一根深红的手指头伸到他那浓密的头发里去，摸他的一个耳朵的厚耳垂。

"至高无上的圣母啊，怜恤我们，"修士们疲乏地唱道。

我爱圣母。按照我的外祖母的说法，正是她，为了安慰穷人才在大地上栽种一切花卉，传播各种欢乐，各种又好又美的东西。后来，到了应该吻她的手的时候，我没有注意大人们是怎样吻的，就浑身发颤地吻了吻这个圣像的脸和嘴。

不知是谁，伸出一只强有力的手，一下子就把我推到门槛那边，推到墙角里去了。我记不得那些修士是怎样抬着圣像走掉的，不过我记得很清楚的是当时我坐在地板上，东家一家人把我团团围住，极其恐慌而担忧地议论着：这一下子我可怎么得了？

"应当去找司祭谈一谈，他懂得的多，"我的东家说。然后他就不带恶意地骂我说：

"糊涂虫，你怎么就不明白圣母的嘴是亲不得的？你还在学校里念过书呢……"

我一连好几天怀着在劫难逃的心情，等着看会出什么事。用脏手抓过神龛，又大逆不道地亲过圣母的嘴，这可是不会白白放过我，不会白白放过我的！

可是，看来，圣母宽恕了我无意中由诚挚的热爱而犯下的这种罪过。再不然就是她的惩罚太轻，而我从那些好心人手里遭到的惩罚又太多，所以我根本没有理会就过去了。

有的时候，我为了气一气我那年老的女主人，就用伤心的口气对她说：

"看起来，圣母把惩罚我的事忘掉了……"

"你等着就是，"那个老太婆阴险地吓唬我说。"咱们总会瞧见的……"

……在阁楼里，我手里把粉红色的茶叶纸剪成的花样、锡箔纸、树叶、各式各样的杂物粘贴在房梁上，嘴里就用教堂的调子把我脑子里所想的统统唱出来，如同加尔梅克人①在赶路的时候常唱的那样：

> 我在阁楼里坐好，
> 手里拿着一把剪刀，
> 我把纸张剪个不停……
> 我这粗人啊，心里烦闷无聊！
> 假如我是一条狗，
> 我早就逃到我想去的地方，
> 可是现在人人对着我嚷：
> 淘气鬼，好好坐着，一声也别响，
> 要是你开口，我就揍得你满身都是伤！

老太婆瞅着我的作品，不住地微笑，不住地摇头。

"你应该照这样把厨房装饰一下才好……"

有一次我的东家走到阁楼上来，仔细地瞧了瞧我的手艺，叹口气，说：

"你这个人可真有意思，彼什柯夫②，见鬼……怎么样，将来你要当一个变戏法的吗？这简直是想也想不到啊……"

他给了我一枚尼古拉一世时代的、很大的五戈比银币。

我就用细铁丝做成一个小爪子，让它抓紧那个钱，然后把它挂在我那些杂样作品当中一个最显眼的地方，像是一枚奖章。

可是过了一天，那个银币连同那个小爪子一齐不见了。我相信这是老太婆偷去了！

五

这年春天我到底还是跑掉了。有一天早晨，我到小铺里去买面包供主人喝早茶用。小铺老板在跟他的妻子吵架。我去了，他仍旧吵下去，后来用一个磅秤上的砝码砸他妻子的脑门子。她跑到街上去，晕倒在那儿。立刻围上来一群人，那个女人给抬到一辆四轮马车上，送到医院里去。我本来跟着那辆出租的马车跑，可是后来，我自己也

---

① 俄国的一个少数民族。

② 高尔基的姓。他的全名是阿历克塞·玛克辛莫维奇·彼什柯夫，高尔基是他的笔名。

没觉得就来到了伏尔加河的堤岸上，手里捏着一枚二十戈比的硬币。

这个春日的白昼明媚动人。伏尔加河涨起大水，河面辽阔。大地上空旷而又热闹。我呢，至今却一直像地窖里的一个小耗子似的生活着。我就决定不再回到东家那里去。我也不到库纳维诺去找我的外祖母，我没有履行我的诺言，不好意思去见她，而且外祖父对我又要幸灾乐祸了。

有两三天我一直在堤岸上溜达，在好心肠的装卸工人那儿吃饭，晚上跟他们一块儿在码头上睡觉。后来，有一个装卸工人对我说：

"我看，孩子，你不该在这儿逛荡！你到'善良号'轮船上去试试看，那儿要用一个洗碟子工人……"

我就去了。轮船食堂的老板高身量，大胡子，戴一顶黑缎子的、没有帽檐的帽子。他从眼镜里用一对浑浊的眼睛瞧着我，轻声说：

"一个月两个卢布。拿出你的身份证来。"

我没有身份证。食堂老板想一想，提议说：

"把你的母亲找来。"

我就赶紧跑去找我的外祖母。她赞许我的这种做法，而且说服我的外祖父到手工业者行会去替我办了身份证。她自己跟我一块儿到轮船上来了。

"好，"食堂老板对我们看一眼，说，"跟我走。"

他领着我走到轮船的船尾。在那儿有一位身材魁伟的厨师，身穿白上衣，头戴白帽子，挨着一张小桌子坐着，正在品茶，同时吸着一支粗烟卷。食堂老板把我推到他跟前去。

"这是洗碟子工人。"

他说完，立刻就走掉了。厨师哼了一下鼻子，竖起他的黑色唇髭，对着他的背影说：

"不管什么样的魔鬼您都雇来，只要价钱便宜就成……"

他气愤地扬起他那生着又短又黑的头发的大脑袋，瞪圆他那对深色的眼睛，打起精神，绷着脸，声音洪亮地叫起来：

"你是什么人？"

我很不喜欢这个人。他虽然穿得一身白，可是仍旧显得邋遢，他的手指头上生着毫毛，他的大耳朵里也竖起长毛。

"我饿了。"我对他说。

他眨巴一下眼睛，忽然他那张凶恶的脸变了样子，现出畅快的笑容，他那厚实的火红色脸颊像波浪似的往耳朵那边退过去，露出一口巨大的马牙，他的唇髭柔软地耷拉下来，他变得像是一个心地善良的胖女人了。

他把他的茶杯里的残茶泼到船外去，斟满新茶，又把一个别人没有吃过的长圆形白面包和一大截腊肠推到我的跟前来。

"吃吧！你有爹妈吗？会偷东西吗？哦，你不用担心，这儿的人都是贼，迟早能把你教会的！"

他说话像狗叫。他那张由于勤刮胡子而颜色发青的大脸庞上，在鼻子附近，布满一个红血管的密网，他那个臃肿而通红的鼻子垂到唇髭上。他的下嘴唇显得很重，带着嫌恶的神情挂下来。他的嘴角上叼着一根烟卷，冒着烟。看样子，他刚从澡堂里回来，发散着桦条帚①和胡椒酒的气味，他的两鬓和脖子上汗水淋漓，亮晶晶的。

等我喝够了茶，他就塞给我一张一个卢布的钞票。

"你去给你自己买两个带前胸的围裙。慢着，我自己去买！"

他把帽子戴正，走了，沉甸甸地摇晃着身子，两只脚在甲板上蹭着，好比一头熊。

……夜晚来了。月亮明晃晃地照耀着，往这条轮船左边的一个草场上跑过去。这条棕红色轮船有点陈旧，它的烟囱上涂着白色的条纹，它的轮叶正在从容不迫而又不大平稳地拍击着银色的河水。黑暗的河岸迎着轮船悄悄地拢过来，在河面上投下了阴影。河岸高处有些农民的小屋，窗子里射出红色的亮光。那个村子里有人在唱歌，姑娘们在跳环舞，歌声中的"啊咿，流里"②叠句听起来就像是"阿利路亚"③……

这条轮船后面，有一根很长的拖索拉住一条驳船。驳船也是棕红色的。整个船面上像是罩着一个铁笼子，笼子里装着的都是些被判永久流放而且去服苦役的囚犯。那条驳船的船头上立着一个哨兵，他的枪刺像一支蜡烛那么放光。深蓝的天空中，细小的繁星也亮晶晶的，像是点着一支支蜡烛。那条驳船上安安静静，月光倾泻到船上来。从我们的轮船这边，可以隐约看见那个铁笼子的黑栅栏里有些灰白的圆斑点，那是囚犯们在眺望伏尔加河。河水发出拍溅声，又像是呜咽，又像是胆怯的笑声。四周的一切都有点教堂的味道，空中有浓重的油

---

① 俄国蒸汽浴的工具。

② 俄国民歌中所用的无一定意义的用语。

③ 基督教徒在教堂里做礼拜时赞美上帝的用语。

脂气味，这也跟教堂里一样。

我瞅着那条驳船，想起了我很小的时候①，想起了从阿斯特拉罕到尼日尼的旅程，想起了我母亲的铁青的脸容，想起了我的外祖母，这个领我走进虽然艰难却又有趣的生活，走进人间的人。我一想起我的外祖母，一切恶劣恼人的事就统统离开我，于是一切都变了样子，显得有趣多了，愉快多了，人们也变得好多了，可爱多了……

夜晚的美丽使我激动得几乎流下泪来。那条驳船也使我激动：它那模样像是一口棺材，在这涨起大水的辽阔的河面上，在这温暖的夜晚的沉思的寂静里，显得那么多余。不平整的河岸轮廓时而高起来，时而低下去，愉快地惊扰人的心。于是我一心巴望我自己做一个善良的而又为人们所需要的人。

我们这条轮船上的乘客是一种特殊的人，所有他们这些人，不管男女老少，依我看来都是一样的。我们的轮船走得慢，有事要办的人都坐邮船去了，搭乘我们这条轮船的都是些气度安详的闲人。他们从早到晚喝酒，吃饭，弄脏许许多多的盘盏、刀叉、汤勺。我的工作就是洗盘盏，擦刀叉。我从早晨六点钟起就干这个活，差不多一直干到午夜。白天在两点钟到六点钟之间，傍晚在十点钟到午夜之间，我的工作少一点，在这些时候乘客们吃得累了，要歇一歇气，就光是喝茶，喝啤酒，喝白酒。在这几个钟头里，食堂的全体工人都闲着，他们全是我的上司。厨师斯穆雷依、他的助手亚科甫·伊凡内奇、厨房里的洗碟工人玛克辛、伺候甲板上的乘客的仆役谢尔盖，都在船上抽水机旁边挨着一张小桌子喝茶。谢尔盖是个驼子，高颧骨，满脸的麻子，眼睛油亮。亚科甫·伊凡内奇专讲各式各样的下流事，发出短促的、像哭一样的笑声，露出一口朽烂的绿牙。谢尔盖听得笑起来，把他的蛤蟆嘴咧到耳朵旁边去了。阴郁的玛克辛却保持沉默，用他那对颜色难于分辨的严厉眼睛看着他们。

"亚细亚人②！莫尔多瓦人③！"有的时候厨师的头目用很响的声

———

① 指高尔基幼年丧父，随着母亲从他的出生地阿斯特拉罕迁到尼日尼他的外祖母家里去。

② 沙皇俄国时期，有些人受了俄国统治阶级民族歧视的影响，把亚洲人比喻为"野蛮人"。

③ 一种少数民族，定居在伏尔加河一带；他们受到俄国统治阶级的压迫和蔑视，同样被比喻为"野蛮人"。

音说。

我不喜欢这些人。肥胖而秃顶的亚科甫·伊凡内奇光是讲女人，而且老是讲得肮脏。他的脸上没有表情，生着一些蓝灰色的斑点，有一边脸上长着一颗疣子，上面生着一小撮棕红色的毫毛，他把这些毫毛拧在一起，成为一根针的样子。每逢轮船上来了一个随和而活泼的女乘客，他就在她身旁转来转去，显得特别胆怯，惊恐，像是一个叫花子。他跟她讲话总是又巴结又可怜，嘴唇上冒出肥皂泡一般的唾沫，他不时伸出他那条肮脏的舌头很快地把它舔掉。不知什么缘故，我觉得刽子手就一定是这种肥头胖脑的样子。

"要善于把女人的心火勾上来。"他教导谢尔盖和玛克辛说。他们专心地听他讲，鼓起腮帮子，满脸通红。

"亚细亚人，"斯穆雷依厌恶地大吼一声，沉甸甸地站起来。他命令我说："彼什柯夫，走！"

他到了他的舱房里，就塞给我一本皮封面的小书，他自己在靠近冷藏室墙壁的一个吊床上躺下来。

"你念吧！"

我就在一个装通心粉的箱子上坐下，认真地读道：

"'满天星斗的日全食，意味着他们可以摆脱蠢人和恶德的束缚，而与天国交往，畅通无阻。'……"

斯穆雷依点上一支纸烟，喷出烟子来，抱怨说：

"这些骆驼！他们写的是什么玩意儿……"

"'祖露左胸标志着心地的清白。'……"

"是谁祖露着胸脯？"

"书上没有写。"

"那是说娘们儿祖露胸脯……哼，这些色鬼。"

他闭上眼睛，把两只手枕在脑袋底下，躺在那儿。他把那支纸烟叼在嘴角上，纸烟几乎不冒烟了，他就用他的舌头把它拨正，深深地吸几口，于是他的胸膛里好像有个什么东西在打唿哨，他那张大脸就淹没在烟雾里。有的时候，我觉得他睡熟了，就不再念下去，呆望着这本该死的书，它惹得我满心的腻味，简直要呕吐了。

可是他用沙哑的声音说：

"念啊！"

"'主教大人回答说：你要留神，我亲爱的修道士修维梁。'……"

"谢维梁……"

"书上写的是修维梁……"

"哦？莫名其妙！书后边写着诗，你就从那儿大声念吧……"我就大声念道：

> 门外汉有心想知道我们的工作，
> 可是你们的弱眼永远也看不透。
> 你们连修道士唱的歌也听不懂。

"打住，"斯穆雷依说，"这简直不能算是诗！把书给我……"

他生气地翻看那些厚厚的蓝色书页，然后把这本书塞在他的褥垫底下。

"你再拿一本……"

活该我倒霉，他那口包着铁皮的黑箱子里装着许多本书，这儿有《奥米尔教言》《炮兵生活摘录》《谢坚加利勋爵书信集》《论臭虫之害，兼论如何予以消灭，附录防治方法》，还有些书既没有头，也没有尾。有的时候这位厨师叫我把这些书一本本看过，念出所有的书名。我就念那些书名，他生气地抱怨说：

"他们这些坏蛋，写出这种玩意儿来。……这就像是他们不住地打你的耳光，可是究竟为什么要这样打，那就弄不明白了。什么'盖尔瓦西'！我要他，这个盖尔瓦西，有什么用！什么'日全食'。……"

那些古怪的字眼和生疏的名字死乞白赖地要求我记住，搔得我的舌头发痒。我就想时时刻刻念它们，也许它们的含义会从它们的声音里透露出来吧？窗子外面，河水不知疲倦地歌唱着，拍溅着。这时候要是能出去，到船尾上去才好，水手们和司炉工人们正在那儿，在那些货箱上，聚在一起，他们或是跟乘客们打牌而赢光他们的钱，或是唱歌，或是讲有趣的故事。要是能跟他们坐在一块儿才好，那就可以听一听他们的简单明了的话语，瞧一瞧卡马河岸，瞧一瞧那些像铜弦般绷直的松树，瞧一瞧那些草场，而那些草场在春汛之后变成了一个个小湖，就像一块块碎镜片似的躺在那儿，映着蓝色的天空。我们这条轮船已经跟大地分开，躲开它远远的，然而在疲乏的白昼的寂静中，岸上传来一个看不见的钟楼的钟声，这就使人联想到那儿有村子，那儿有人。先是有一条渔船在水浪上摇摆，像是一大块面包，后来岸上就出现了一个小村子，一群小男孩在河里扑腾水，一个穿红布衬衫的农民在一长条黄色沙滩上走着。从河里远远地望过去，一切都显得好看，一切都像玩具一样，小得可笑，五颜六色。我不由得想对岸上喊出一些亲切的、好心的话，不但是对着岸上喊，也对着那条驳船喊。

那条棕红色驳船很吸引我的注意，我能够一连气瞧它一个钟头，看它怎样用它那鲁钝的鼻子拱开浑浊的河水。我们这条轮船拖着它就像拖着一头猪。那根拖索有时候松下来，抽打着河水，有时候又绷紧，洒下许多水珠，把驳船的鼻子拽紧。我很想看一看那些像野兽般关在一个铁笼子里的人的脸。在彼尔姆，他们被押到岸上去的时候，我就极力挤到驳船的跳板上去。好几十个灰色的人走过我的面前，声音很响地踏着步子，弄得脚铐上的链子哗啷哗啷地响，他们背着沉重的行李包而弯下腰。这些人，男男女女，老老少少，俊的和丑的，陆续走过去，然而他们完全跟所有的人一样，只是装束不同，头发剃得难看①罢了。当然，这些人是强盗，然而我的外祖母讲起强盗来却说过那么多的好话。

斯穆雷依比任何人都更像凶恶的强盗，可是他阴沉地瞅着那条驳船，抱怨说：

"求上帝别叫我们遭到这样的命运才好！"

有一次我问他说：

"这是怎么回事呢！您做饭，别人却杀人，打劫？"

"我不是做饭，而是烧菜，娘们儿家才做饭。"他笑着说。他沉吟一下又补充说："人跟人的不同，就在于愚蠢不愚蠢。有的人比较聪明，有的人差一点，有的人却是十足的傻瓜。为了变得聪明，就得读正当的书。至于妖法的书，另外种种的书，也要读。所有的书都要读，那你才能找着正当的书。"

他经常开导我说：

"你得读书！一本书读不懂，就读它七遍；读七遍还不懂，就读它十二遍……"

斯穆雷依对轮船上所有的人，就连对沉默寡言的食堂老板也不例外，讲起话来总是很不客气，抢白几句，而且带着嫌恶的样子撇着下嘴唇，竖起他的唇髭。他说话就像对人扔石头一样。他对我倒是温和关切的，然而这种关切却有一种略微使我害怕的味道。有的时候我觉得这位厨师像我外祖母的妹妹一样，似乎有点疯疯癫癫。

---

① 帝俄时代，押往西伯利亚去的男犯人都被迫剃掉半边头发。

有的时候他对我说：

"你先别念了，等一等……"

于是他闭上眼睛，躺了很久，鼻子里微微打鼾。他的大肚子轻微地起伏，他那双手像死人的手似的交叉在胸前，他那些烫伤的、毛茸茸的手指头在动弹，好像在用一些别人看不见的织针编织一只别人看不见的袜子似的。

忽然，他嘟嘟哝哝地讲起来了：

"是啊。你天生来就是这么一个脑筋，那你就靠着这个脑筋去过日子吧！可是上帝给人的脑筋总是很少一点点，而且给大家的也不是一般多。要是人人的脑筋都一样倒也罢了，可又不是这么回事……有的人懂事，有的人就不懂事，可也有人根本不想懂，就是这么的！"

他费力地找出字眼来讲他以前当兵的生活的故事。这些故事的含义我总是听不清楚，觉得没有趣味。再者他也不是从头讲起，而是想起什么就说什么。

"团长把那个兵叫来了，问他说：'中尉都对你说了些什么话？'他就把原话一五一十地都讲了，当兵的就得说实话嘛。可是中尉瞧着他就像瞧着一堵墙似的发愣，随后扭转身去，低下了头。是啊……"

厨师冒火了，他喷出烟子，抱怨说：

"难道我知道什么话能说，什么话不能说吗？后来那个中尉判了罪，关进了堡垒，他的妈妈说……唉，我的上帝呀！我什么也不懂嘛……"

天热。四周的一切轻微地摇动着，嗡嗡地响。舱房的铁墙外面，河水拍溅过来，轮船的轮子隆隆地响。在舷窗外面，这条河像一根宽带子那样流过去，人可以远远地看见岸上那个长条的草场，远处有些树木矗立着。人的耳朵听惯了那些响声，倒觉得好像四下里很安静，其实船头上有一个水手正在凄凉地叫道：

"七啊，七啊……"

我什么活动都不想参加，也不想听人讲话，更不想工作，只想找个背阴的地方，找个没有厨房里那种热腾腾的油腻气味的地方坐着，半睡半醒地瞧着这种安静而疲乏的生活怎样在水面上滑过去。

"你念啊！"厨师生气地吩咐说。

就连房舱的服务员们都怕他，而且脾气温顺、说话很少、活像一条鲈鱼的食堂老板，看起来也怕斯穆雷依。

"喂，你，猪猡！"他对食堂的仆役嚷道，"走过来，小偷！亚细亚人……日全食……"

水手们和司炉工人们对他又恭敬又巴结。他常把烧清肉汤剩下的那些煮老的肉拿给他们吃，详细地问他们的家乡，问他们的家庭。蹭一身油和熏一身烟子的白俄罗斯籍司炉工人们，被人看作轮船上的下等人，大家一概叫他们"白佬"，讥诮说：

"白佬，小白佬，大白佬……"

斯穆雷依听到这种讥诮，就竖起唇髭，涨红了脸，对司炉工人嚷道：

"你怎么能让人家耍笑你，草包！你给这个俄罗斯佬一个嘴巴！"

水手长是一个相貌漂亮而心肠恶毒的大汉，有一次对斯穆雷依说：

"白佬和乌克兰佬是一路货！"

厨师①就一只手抓住他的衣领，一只手抓住他的腰带，把他举到半空中，不住摇撼他，问道：

"你要我把你摔个粉碎吗？"

大家常常争吵，有的时候吵得打起架来。可是谁也打不过斯穆雷依，他有超出常人的强大体力。此外，船长的太太常常跟他亲热地谈天，那个女人生得又高又胖，脸像男人，头发剪得跟男孩那样短而光滑。

他酒量极大，可是从来也不醉。他从早晨起就喝酒，一瓶白酒四次就喝光，从此一直到傍晚不住地灌啤酒。他的脸渐渐转成黑褐色，他那对深色的眼睛张大了，显出一种惊讶的神情。

傍晚他往往往抽水机那边坐下，体格高大，穿一身白衣服，一连几个钟头沉默地坐着，神包阴郁地眺望流动的远方。在这种时候大家特别怕他，然而我怜惜他。

亚科甫·伊凡内奇从厨房里走出来，满头大汗，被炉火烤红了脸。他站住，搔一搔他的秃头顶，然后挥一下手，走开了，或者远远地说一句：

"那条鲟鱼死了。……"

"哦，拿它做杂拌汤吧。……"

"可是万一客人要吃鱼汤或者清蒸鱼呢？"

---

① 从"斯穆雷依"这个姓以及他讲话中所用的乌克兰字来看，他是乌克兰人。

"你做吧。客人会吃的。"

有的时候我鼓起勇气走到他跟前去，他就费力地把他的眼睛转过来瞧着我。

"有什么事？"

"没事。"

"好……"

有一次，正是在这样的时候，我忍不住问他说：

"为什么您惹得大家都怕您？要知道您是个心好的人。"

出人意外，他没有大发脾气。

"我只是对你才心好。"

不过他马上又老实而沉思地补充说：

"可是，说真的，也许我对大家也都心好。只是我没有露出来罢了。对人露出这一点来是不行的，那他们就会把你生生磨死。人人都是见了好人就往他身上爬，仿佛人到了沼地就往土墩上爬一样……他们会把人活活踩死。你去拿点啤酒来……"

他一杯连一杯地把一瓶酒喝完，抿干净唇髭，说：

"要是你这只鸟大一点，我倒有很多的东西要教给你。我有话要对人说，我不是傻瓜……你得读书。凡是书里该有的，书里都一定有。书可不是无关紧要的东西啊！你想喝啤酒吗？"

"我不喜欢喝酒。"

"好。那你就别喝。酗酒是祸害。白酒是魔鬼搞出来的把戏。要是我富裕，我就会送你去念书。一个没学习过的人就好比一条牛，饶你给它套上车轭，饶你吃它的肉，它也只会摇一摇尾巴……"

船长太太借给他一本果戈理的作品。我把《可怕的报复》念了一遍，我很喜欢这个作品。可是斯穆雷依生气地叫道：

"这是废话，荒唐！我知道她还有些别的书……"

他把我手里的书夺过去，又从船长太太那里拿来另外一本书，阴沉地吩咐说：

"你念一念《塔拉斯》……它叫什么名字来着①？你把它找出来吧。她说这篇东西挺好……是准觉得好？那是她觉得好，可也许我就

---

① 这书的全名是《塔拉斯·布尔巴》，俄国作家果戈理（1809—1852）的中篇历史小说。

觉得不好呢？她把头发都剪掉了，瞧她那个样儿！另她为什么不把耳朵也索性剪掉呢？"

当塔拉斯挑战，要跟奥斯塔普较量一下的时候，厨师就用他那低沉的嗓音笑起来。

"是这么回事！可不是！你有学问，可我有力气！他们真能写啊！这些骆驼……"

他注意地听着，可是常常抱怨说：

"哼，这是胡说！那可办不到，一刀把一个人从肩膀上直劈到屁股上，那可办不到！而且用一根长矛也挑不起一个人来，那样一来长矛就会折断！我自己就当过兵嘛……"

安德烈的背叛引起他的憎恶。

"这是个下流卑鄙的后生，不是吗？为了一个娘们儿！呸……"

可是临到塔拉斯打死他的儿子，这位厨师却把他的腿从吊床上放下来，把他的手撑在床边上，低下头，哭起来，泪水慢慢地顺着他的脸颊滴下来，滴在舱板上。他呼哧呼哧地抽气，喃喃地说：

"哎，我的上帝……我的上帝呀……"

忽然，他对我嚷起来：

"你倒是念啊，鬼骨头！"

他又哭起来。等到奥斯塔普在临死以前喊道："爸爸！你听见了吗？"厨师就哭得越发厉害，越发伤心了。

"全完了，"斯穆雷依哽咽着说，"全完了，唉！这篇东西就此结束了吗？哎，这真是一件该诅咒的事！不过，从前也真有了不起的人，这个塔拉斯就是个好样的，不是吗？是啊，这才叫作人啊……"

他从我的手里拿过那本书去，注意地瞅着它，眼泪扑簌簌地滴在书的封面上。

"这是本好书！读这样的好书简直像过节一样！"

后来我们读《撒克逊劫后英雄略》①，斯穆雷依很喜欢理查德·普兰达盖奈特。

"这才是个地道的皇帝！"他庄严地说。我却觉得这本书乏味。

一般说来，我们俩的口味不一致。《汤姆·琼斯的故事》，即《捡来的孩子汤姆·琼斯的身世》的旧译本，很吸引我，可是斯穆雷依抱

---

① 英国作家史格得（1771—1832）的长篇历史小说。

怨说：

"胡说八道！他，这个汤姆，跟我有什么相干？我要他干什么用？一定还有别的书……"

有一次，我对他说，我知道另外有一种书，叫地下的书，禁书，那些书只能夜间在地下室里读。

他瞪大眼睛，竖起了唇髭。

"什么？你瞎说些什么？"

"我没有瞎说。我行忏悔礼的时候，教士问我看过禁书没有。而且那以前我亲眼见过人家读这种书，哭起来……"

这位厨师阴沉地瞧着我的脸，问道：

"谁哭？"

"一个听朗诵的女人。另一个甚至吓得跑掉了……"

"你醒一醒吧，你在说梦话了。"斯穆雷依说，慢慢地闭上了眼睛。他沉默了一会儿，喃喃地说：

"当然，总会有那么一种地方……有那种秘密的书本。不可能没有……我呢，不是那种岁数了，再者我也没有那样的性格……嗯，不过呢……"

他能够娓娓动听地照这样讲上足足一个钟头……

连我自己也没觉得，我就养成了读书的习惯，乐于拿起书本来了。书本上所讲的总是跟生活有所不同，令人感到愉快，而生活本身却变得越来越沉重了。

斯穆雷依对读书也越来越入迷，常常打断我的工作，把我叫走。

"彼什柯夫，念书去。"

"我有许多碟子没洗呢。"

"玛克辛会替你洗。"

他粗暴地硬逼那个高我一等的洗碟工人干我的活。那一个就心怀怨恨，把玻璃杯子打碎。于是食堂老板用温和的口气警告我说：

"我会把你赶下轮船去的。"

有一回玛克辛故意把几个玻璃杯子放在一个装脏水和残茶的盆里。我把水泼到船外去，那几个玻璃杯子就也飞出去了。

"这怪我不对！"斯穆雷依对食堂老板说，"你记在我的账上吧。"

食堂的工人们开始皱起眉头看我，纷纷议论我。

"呵，你这个书迷！你是因为什么领工钱的？"

他们就尽量给我多添工作，平白无故地把盘盏弄脏。我明白这样下去我会落个坏下场，我也果然没有料错。

有一天傍晚时分，在一个小码头上，有一个满脸通红的女人带着一个头戴黄色头巾、身穿粉红色新上衣的姑娘，来搭乘我们这条轮船。她们两个人都带点酒意，那个女人笑嘻嘻的，见人就点头，说起话来"欧"音很重，像是教堂里的助祭。

"对不起，亲人们，我喝了一点点酒！人家把我拉进法院里去，可是我无罪释放了，我一高兴就喝了几盅……"

那个姑娘也在笑，用昏花的眼睛看人。她不住推那个女人，说：

"你走啊，傻娘们儿，快走吧……"

她们在二等舱的舱房附近坐下，正好对着亚科甫·伊凡诺维奇和谢尔盖睡觉的舱房。那个女人很快就不见了，不知到哪儿去了。谢尔盖挨着那个姑娘坐下，贪婪地咧开了他那张蛤蟆嘴。

夜里，我干完活，正在一张桌子上躺下来睡觉，谢尔盖却走到我跟前来，抓住我的手。

"走，我们来给你成亲……"

他喝醉了。我极力挣脱我的手，可是他打我。

"走！走！"

玛克辛跑来了，也是醉醺醺的。他们两个人拉着我走过甲板，经过睡熟的乘客们身旁，往他们的舱房走去。可是斯穆雷依正站在他们的舱房的门外。亚科甫·伊凡内奇站在房门里边，两只手抓住门框，那个姑娘正捏着拳头捶他的后背，用喝醉的声音喊道：

"放我走啊……"

斯穆雷依把我从谢尔盖和玛克辛的手里夺下来，用两只手揪住他们的头发，把他们的脑袋往一块儿撞，然后往两旁一推，他们就双双倒在地下。

"亚细亚人！"他对亚科甫说，把房门对着他的鼻子砰的一声关上。然后他把我推开，吆喝一声：

"走开！"

我就跑到船尾上去了。这天夜里阴云四布，河水黑黝黝的。船尾的后边有两条灰白的水路在沸腾，它们分别通到人们看不见的河岸那边去。那条驳船夹在这两条水路之间紧跟着轮船前进。星星点点的红色灯火时而在右边出现，时而又在左边出现，它们没有照亮任何东西，并且在河岸急转弯的地方不见了。这以后四下里就越发黑，越发叫人难受了。

那位厨师走过来，在我的身旁坐下，长叹一声，点上一支烟。

"是他们把你拉到那个女人那儿去的吗？哼，这些混蛋！我先已经听见他们在商量着害你了……"

"您把她从他们那儿拉出来了吗？"

"她？"他粗野地骂一句那个姑娘。然后他用痛心的声调接着说，"这儿的人都是坏蛋。这条糟糕的轮船比乡村都不如。你在乡村里住过吗？"

"没住过。"

"乡村糟透了！尤其是在冬天……"

他把烟头扔到船外，沉默一会儿，又讲起来：

"你在这群猪当中会完蛋的，我怜惜你，我的小狗。我也怜惜所有的人。有的时候我不知道该怎么办才好，……简直想跪下来，问他们说：'你们在干些什么呀，狗崽子，啊？你们是怎么回事，瞎了眼吗？'这些骆驼……"

我们这条轮船响起了汽笛声，拖得很长。轮船的拖索抽打一下河水。在浓重的黑暗里，有一根灯柱上的灯光在摇摇闪闪，指明码头在那儿。随后又有些灯火在黑暗里露出来。

"这个地方叫醉森林，"厨师嘟哝说，"有一条河叫醉河。从前有个司务长姓皮扬科夫①。……还有个文书员姓扎皮沃兴②。……我要到岸上去一趟……"

卡马地区的一些膀大腰圆的女人和姑娘从岸上用长长的手抬架运来木柴。她们肩上压着皮带，弯着腰，矫健地迈开跳舞般的步子，成双成对地走到锅炉房的底舱跟前，把半俄丈长的劈柴倒进那个乌黑的深坑里，清脆地叫一声：

"倒完啦！"

她们送木柴上船的时候，水手们摸她们的奶，捏她们的腿，那些女人就尖声喊叫，对那些大汉啐唾沫。她们回去的时候，挥动她们的手抬架，抵挡他们的乱揪乱推。这种情形我在每一次航程中都要看到几十次，在所有的运来木柴的码头上总是发生这样的事。

我觉得我好像已经老了，已经在这条轮船上生活了许多年，凡是

---

① 这个姓的俄语字根原意是"醉"。
② 这个姓的俄语字根原意是"喝酒"。

明天，一个星期以后，今年秋天，或者来年可能发生的事，我统统都知道。

天已经在亮起来。码头高处的陡沙岸上现出一个茂密的松树林。那些女人爬上山坡向那个树林走去，笑着，唱着，尖声喊叫。她们背着很长的手抬架，像是一群士兵。

我有心哭一场，泪水在我的胸中沸腾，我的心仿佛受着泪水的煎熬。这真痛苦呀。

然而哭是可耻的。我就动手帮着一个水手勃里亚兴擦洗甲板。

这个人，勃里亚兴，是一个不为人注意的人。他似乎周身发霉，暗淡，老是躲在各处的角落里，在那儿眨巴他那对小眼睛。

"说实在的，我并不是姓勃里亚兴，而是姓……你要知道，这是因为我的母亲当初过的是放荡的生活。我有一个姐姐，就连这个姐姐也过的是那样的生活。可见她们俩都是命中注定要这样。命运这个东西，老弟，对我们所有的人来说，就好比是一个铁锚。你想往前走，可是不行，你得等一等……"

现在，他用墩布沙沙响地擦着甲板，细声细气地对我说：

"刚才你看见了，他们多么欺侮那些女人啊！说的就是嘛！就算是湿木头吧，你紧自拿火点它，它也会烧起来！我不喜欢这一套，老弟，我受不了这一套。要是我生下来是个女人，那我宁可跳到一个黑水坑里去活活淹死，我敢向基督作出神圣的保证！……做一个人，本来就已经没有什么自由，人家还要拿火来烧你！那些阉割派教徒，我要跟你说，可不是糊涂人。你听说过阉割派教徒吗？他们是些聪明人，他们很正确地领会到：应该丢开一切小事，专心侍奉上帝，清心寡欲……"

这时候船长太太走过我们的面前，高高地提起她的裙裾，踏过那些水洼。她素来起身很早。她身材高而匀称，她的脸容极其纯朴，明朗……人恨不得跟在她后面跑，诚心诚意地要求她说：

"您跟我讲点什么吧，跟我讲点什么吧！……"

这条轮船慢慢地离开码头向前开动。勃里亚兴在胸前画个十字，说：

"我们又往前走了……"

六

在萨拉普尔码头，玛克辛下船登岸了。他沉默，严肃，镇静，跟谁也没有告辞就走了。随后那个快活的女人也笑呵呵地走了。跟在她身后的是那个姑娘，面容疲惫，眼睛浮肿。可是谢尔盖在船长室的门前跪了很久，不住地吻房门的门板，用额头撞那块门板，大声央求说：

"饶了我吧，这不是我的错！这都是玛克辛干的……"

水手们，食堂的工人们，甚至某些乘客，明知他在说谎，却用鼓励的口气劝他说：

"求吧，求吧，他会饶了你的！"

船长把他赶开，甚至用脚踹他一下，踹得谢尔盖仰面朝天倒在地上。不过船长终于宽恕了他。谢尔盖就立刻满甲板跑来跑去，端着茶盘到处送茶，像狗那样带着讨好的神情端详人们的眼睛。

他们从岸上雇来一个维亚特省的小兵接替玛克辛的职位。这个人瘦得皮包骨头，生着小小的脑袋和棕红色的眼睛。厨师的助手立刻打发他去宰鸡。这个小兵动手宰了两只鸡，而把其余的鸡放在甲板上，鸡就走散了。乘客们开始捉鸡，结果有三只鸡飞到船外去了。于是这个小兵在厨房附近的木柴堆上坐下，放声痛哭。

"你怎么了，傻瓜？"斯穆雷依惊讶地问他。"难道当兵的能哭吗？"

"我本来是非战列连的兵。"这个兵小声说。

他这一哭，就把他自己毁了。过了半个钟头，轮船上所有的人都朝着他哈哈大笑。他们纷纷走到他的紧跟前，直着眼睛瞧他的脸，问道：

"就是这个人吗？"

然后他们就笑得前仰后合，发出了伤人的、荒唐的笑声。

那个兵起初没有看见这些人，也没有听见他们的笑声。他只顾用他那件旧花布衬衫的袖子擦他的眼泪，仿佛要把他的眼泪藏进他的袖子里去似的。可是不久他那对棕红色的小眼睛就气得发红，他用维亚特省人那种像喜鹊般快嘴快舌的腔调讲起来：

"你们干啥瞪大了眼珠子瞧着我？哎，巴不得把你们都撕得粉碎才好……"

这倒逗得观众越发开心了。他们伸出手指头去戳那个兵，揪他的衬衫，拉他的围裙，把他当作一头山羊似的耍弄他，就这样一直把他折腾到吃午饭的时候。吃过午饭以后，不知是谁把一个挤干的柠檬套在一个木勺的柄上，再把这个木勺拴在这个兵背后的围裙带子上。这个兵一走动，木勺就在他的身后摇摇晃晃，大家就哈哈大笑。他呢，慌里慌张像个被捉住的小耗子似的，总也弄不明白是什么缘故惹得人发笑。

斯穆雷依一句话也不说，严肃地盯住他，这位厨师的脸变得像女人一样了。

我心里可怜那个兵，就问厨师说：

"我可以告诉他那木勺的事吗？"

他沉默地点一点头。

我对那个兵解释大家为什么发笑，他就很快地摸到那个木勺，把它扯下来，丢在地下，用脚去踩碎。然后他伸出两只手来揪住我的头发，我们就打起来了。这招得观众们大为高兴，顿时把我们团团围住。

斯穆雷依推开那些看客，把我们拆开，先拧一下我的耳朵，再揪住兵的耳朵。等到观众看见这个矮小的人在厨师的手底下不住摇动脑袋，两脚乱跳，他们就发疯般地嚷叫，打唿哨，顿脚，笑得肚皮都要破了。

"好哇，卫戍兵！快拿你的脑袋撞厨师的肚子！"

这群乘客的疯魔般的欢乐惹得我恨不能扑到他们的身上去，拿块木柴敲他们的肮脏的脑袋才好。

斯穆雷依放开那个兵，倒背着两只手，竖起他的唇髭，吓人地龇出他的牙齿来，像一头野猪似的照直往观众们跟前闯过去。

"走，各回各位！亚细亚人……"

那个兵又向我扑过来，可是斯穆雷依只伸出一条胳膊就把他挟住，带到抽水机那边，把水压上来，冲那个兵的头，把他的孱弱的身体转来转去，好像他是个用破布做成的玩偶似的。

水手们、水手长、副船长，都跑来了，人群又聚拢来。食堂老板站在那儿，比所有的人都高出一头，他的神态仍旧像平时那么安详，一句话也不说。

那个兵在厨房附近的木柴堆上坐下来，伸出发抖的手去脱他的靴子，然后开始拧他的包脚布上的水，其实那包脚布是干的。水珠从他的稀疏的头发上滴下来。这又招得观众哄堂大笑。

"不管怎么样，"他用又细又高的声音说，"反正我要打死那个坏孩子！"

斯穆雷依按住我的肩膀，对副船长说了一句什么话。水手们就把那些观众赶走。等到大家都走散了，厨师就问那个兵：

"拿你怎么办才好呢？"

那一个闷声不响，用恶狠狠的眼睛瞅着我，周身奇怪地不住抽搐。

"立——正，泪人儿！"斯穆雷依说。

那个兵回答说：

"别胡说了，这又不是在部队里。"

我看见厨师窘住了，他那鼓起来的脸软绵绵地松下来。他啐一口唾沫，带着我走开了。我昏头昏脑，跟在他的身后走去，不住地回头看那个兵。斯穆雷依纳闷地嘟哝说：

"这家伙真是个活宝，不是吗？对不起，他就是这号人……"

谢尔盖追上我们，不知什么缘故压低喉咙说：

"他要拿刀抹脖子！"

"在哪儿？"斯穆雷依大喝一声，撒腿就跑。

那个兵正站在仆役们的舱房门口，两只手举着一把大刀。这把刀是平时用来剁鸡头，劈生火用的木柴的。刀刃钝了，又有许多缺口，像锯子一样。观众站在这个舱房前面，瞅着这个身材矮小、头发湿淋淋、惹人发笑的人。他那张翻着鼻孔的脸像肉冻似的发颤，他的嘴疲乏地嘻开来，嘴唇在跳动。他像牛叫似的说：

"这些刽子手……刽子手……"

我跳到一个什么东西上去，站住，从人们的头上望过去，瞅着人们的脸。这些人有的在微笑，有的在格格地笑，有的互相说：

"你瞧，你瞧……"

等到那个兵伸出一只干瘪的、孩子般的小手把掉出来的衬衫塞进裤腰里去，有一个站在我身旁的、仪表堂堂的男人就叹一口气，说：

"自己都准备死了，还管裤子干什么……"

观众笑得更响了。事情很清楚：谁也不相信这个兵会抹脖子。我也不相信。斯穆雷依瞅了这个兵一眼，就挺起他的肚子向观众那边闯过去，同时说：

"走开，蠢货！"

他把这许多人一股脑儿说成蠢货。他往这一大群人跟前走过去，对他们嚷道：

"各回各位，蠢货！"

这本来也是可笑的，不过又显得挺正确：今天从早晨起，所有的人合成一个大蠢货了。

他把观众赶散以后，走到那个兵跟前，伸出一只手去。

"把刀子给我……"

"给你就给你。"兵说，把刀刃直捅过来。那位厨师拿过那把刀来，递给我，把那个兵推进舱房里去。

"躺下，睡觉！你这是怎么搞的，啊？"

那个兵在一个吊床上坐下，一句话也不说。

"他会给你送吃食和白酒来。你喝白酒吗？"

"喝一点……"

"你要注意，你别碰他。要弄你的不是他，听见了吗？我要说清楚。不是他……"

"可是他们为什么折磨我？"那个兵小声问道。

斯穆雷依沉吟一下才闷闷不乐地回答说：

"哎，我怎么知道呢？"

他带着我一块儿回到厨房里去，在路上他嘟哝说：

"是啊……真的，他们缠住这个可怜虫不放！你看见那局面了吧？就是嘛！老弟，人们是能把一个人逼疯的，能的……他们像臭虫似的叮住人不放，叮个没完！他们简直连臭虫都不如！比臭虫还要恶毒……"

我把面包、牛肉和白酒送到兵那儿去。他正坐在一个吊床上，身子前后摇晃，轻声哭着，哽哽咽咽，像个娘们儿。我把盘子放在一个小桌子上，说：

"你吃吧……"

"关上房门。"

"一关门，屋里就黑了。"

"关上，要不然他们又会闯进来……"

我走了。这个兵不招我喜欢，他没有在我的心里激起同情和怜悯。这是使人难为情的，我的外祖母多次教导我说：

"要怜惜人，所有的人都不幸，所有的人都艰难……"

"你送去了吗？"厨师问我，"哦，他在那儿干什么呢？"

"他在哭……"

"这个……草包！他哪能算是一个兵啊！"

"我不可怜他。"

"哦？那又怎么样呢？"

"可是应当怜惜人才对……"

斯穆雷依拉住我的手，把我拽到他跟前去，很有力量地说：

"人总不能勉强自己去怜惜一个人嘛，而且做假也不好，你明白吗？你不要养成习惯，变得婆婆妈妈的，人要有主心骨……"

然后他把我推开，阴沉地补充说：

"这儿不是你待的地方！喏，你抽烟吧……"

乘客们的行为使我非常激动，弄得我心里乱糟糟的。他们那样折磨这个兵，看到斯穆雷依揪住这个兵的耳朵，竟然那么快活地扬声大笑，我从这当中体会到一种说不出的侮辱人和欺压人的味道。这种可憎而又可怜的事怎么能够招得他们满心喜欢呢？这种事有什么地方能够惹得他们那么快活地大笑呢？

眼下，他们又纷纷在低矮的天篷底下坐好或者躺下。他们喝酒，吃菜，打牌，温和稳重地谈话，观看河景，好像一个钟头以前打唿哨和起哄的不是他们似的。所有他们这些人又跟平素那样安详懒散了。他们一天到晚在轮船上慢腾腾地溜达，像是些小蚊子或者阳光里的尘屑。后来，十几个人挤在轮船的跳板上，在胸前画着十字，下了轮船，到码头上去，而码头上又有十几个人照直走上轮船，同样被沉重的行囊和箱子压弯了脊背，穿的是同样的衣服……

虽然人来人往，经常更换，可是一点也没有改变轮船上的生活。新来的乘客所讲的也就是下去的乘客所讲的那一套，无非是议论土地，议论工作，议论上帝，议论女人，等等，就连他们说的话也差不多。

"逆来顺受是上帝规定的，那么人啊，忍受着吧！这是一点办法也没有的，我们命该如此……"

这种话听起来枯燥乏味，而且惹人生气。我就不能忍受卑劣，我就不肯忍受任何人用恶毒的、不公平的、欺人太甚的态度对待我。我坚定地知道而且感觉到我不应当受到这样的对待。连那个兵也不应该受到这样的对待。或许他自己愿意做一个可笑的人吧……

玛克辛被赶下船去了，其实他倒是个严肃善良的小伙子。谢尔盖这个卑鄙的人反而留下来了。这些事都不对头。况且，那些善于折腾人，把人折腾得几乎发疯的人，为什么老是乖乖地服从水手们的气愤的叫嚷，毫不恼怒地听着他们的辱骂呢？

"你们干什么都挤到船边上去？"水手长嚷道，眯缝着他那对漂亮而恶毒的眼睛，"你们把轮船都压歪了。散开，穿糙呢子的魔鬼……"

那些魔鬼就乖乖地搬到对面的船边上去，可是在那儿又像一群羊似的给赶走了。

"啊，你们这些该死的……"

炎热的晚上，在白天晒烫的铁皮天篷底下躺着，是闷得透不出气来的。那些乘客就像蟑螂似的在整个甲板上到处乱爬，爬到哪儿就睡在哪儿。在轮船将到码头以前，水手们就来踢他们，把他们踢醒。

"喂，你们干什么躺在路上！滚开，回到你们的位子上去……"

他们就爬起来，睡意蒙眬地任凭人家把他们推搡到别处去。

水手们跟他们是一路人，只不过装束不一样罢了，然而他们却像警察一样指挥他们。

在这些人身上，首先引人注目的，就是他们的安分，他们的胆怯，他们的带点忧郁的顺从性情。每逢从这种顺从的外壳里突然迸发出他们那种残忍的、毫无意义的而且几乎总是说不上什么快乐的恶作剧的时候，人就会感到那么奇怪，那么可怕。我觉得好像这些人并不知道轮船把他们送到哪儿去，至于在哪儿下船，在他们也是完全无所谓的。不管他们在哪儿登岸，他们也总是在岸上坐不多久就又搭乘这条或者那条轮船，又到一个什么地方去了。所有他们这些人都仿佛是一些行踪不定、无依无靠的人，整个人间在他们都是生疏的。再者，所有他们这些人都胆小到了失魂落魄的地步。

有一次，那是在过了午夜之后，轮船的机器里有个什么东西爆裂开来，那声音像是放了一声大炮。甲板上立刻笼罩着白云般的蒸汽，这浓重的蒸汽是从锅炉房里腾起，穿透所有的隙缝冒上来。有一个谁也看不见的人发出了震得耳朵发聋的喊叫声：

"加甫利洛，拿红铅和毡子来①……"

我正在锅炉房旁边一张平时洗餐具用的桌子上睡觉。爆响和震撼把我惊醒了，这时候甲板上很安静，锅炉里的蒸汽正在滚热地翻腾，汽锤敲得更勤了。可是过了一分钟，所有甲板上的乘客都用各种调门大呼小喊起来，这倒一下子叫人毛骨悚然了。

在白茫茫的浓雾里（它很快就淡下去了），许多没戴头巾的女人和头发蓬松、睁大了圆圆的鱼眼睛的男人东奔西跑，互相撞翻。所有的人都拿着衣包、行囊、箱子，不知要到什么地方去。他们有的绊跤，有的跌倒，嘴里喊着上帝，喊着圣徒尼古拉，互相殴打。这是极其吓人的，然而另一方面，却也有趣。我就跟着这些人跑来跑去，不断注意地看着他们究竟要干些什么事。

这是我头一次看见夜间的惊扰。不知怎的，我立刻明白这是人们搞错了。这条轮船照旧在走，速度没有放慢。右边船舷的外面，在很

---

① 焊接裂口用的材料和工具。

近的陆地上，有些割草人在烧篝火。夜色明亮，一轮明月高挂在天空。

可是甲板上的人跑得越来越快。房舱的乘客们也纷纷从房舱里蹿出来。有一个人跳到船外去了，紧接着又跳出去一个，以后又有人往外跳。在一条钉紧在甲板上的长凳那儿，有两个农民和一个修士正在把长凳上的木板撬下来。船尾上，有人把一个大鸡笼子扔到河水里去了。在甲板中央，靠近船长的桥楼的楼梯那儿，有一个农民跪下来，对那些在他面前跑来跑去的人叩头，像一头狼似的嗥叫着：

"东正教徒们，我有罪啊……"

"给我一条小船，你们这些魔鬼！"一个只穿着裤子而没穿衬衫的胖老爷叫道，不住用拳头捶自己的胸脯。

水手们跑来跑去，揪住人们的衣领，打人们的脑袋，把人们摔倒在甲板上。斯穆雷依沉甸甸地走来走去，里边穿着睡衣，外边披一件大衣。他用低沉的嗓音劝告大家说：

"你们应该害臊才是！你们在干什么呀，发疯啦？这条轮船没往下沉，它在水面上走，不是吗？喏，那就是河岸！那些跳水的傻瓜，割草人正在一个个打捞上来，救上来。他们就在那儿，你们看见那两条小船了吗？"

可是他对三等舱的乘客们常常举起拳头，朝着他们的脑袋劈头盖脑地打下去，他们就一声也没吭，像口袋似的倒在甲板上了。

这场骚乱还没停下来，忽然有一个穿着斗篷的太太向斯穆雷依扑过去，她一只手里拿着一把汤匙，举到他的鼻子跟前，摇着那把汤匙，嘴里嚷着：

"你怎么敢打人？"

一个汗水淋漓的老爷抿着自己的唇髭，拉住她，厌烦地说：

"你别管这个蠢货了……"

斯穆雷依摊开他的两只手，发窘地眨巴眼睛，问我说：

"这是怎么回事，啊？她跟我吵什么？真是怪事！我这还是头一回跟她见面嘛！……"

有一个矮小的庄稼汉，吸溜着鼻子里的鲜血，叫道：

"嘿，这些人！嘿，这些强盗啊！……"

这一个夏天我在这条轮船上看见过两次惊扰，而这两次都不是由直接的危险引起的，只是害怕可能发生危险罢了。第三次是乘客们揪住两个贼，其中的一个打扮成朝山拜圣的香客。乘客们瞒着水手，把这两个贼几乎打了整整一个钟头。等到水手们把贼带走，乘客就开始骂他们说：

"当然了，贼才护着贼！"

"你们自己就是痞子，怪不得你们要包庇痞子……"

这两个痞子已经给打得人事不省。水手们在一个码头上把他们交给警察的时候，他们连站都站不稳了……

这样的事发生过许多次。这种事使得我情绪激动，无法了解这些人：究竟他们是坏人还是好人？是温顺的人还是胡闹的人？他们到底为什么恶毒得那么残忍凶暴，又温顺得那么可耻呢？

我常对那位厨师提出这个问题，可是他喷出纸烟的烟雾来罩住他的脸，屡次烦恼地说：

"嗨，你干什么这样神魂不安，像有个什么东西搔得你满身发痒似的！人就是这个样子嘛。……有的人聪明，有的人糊涂。你读书就是，别叽叽咕咕了。只要是正当的书，那里面就一定什么都写得有……"

他不喜欢宗教书和圣徒传记。

"哦，这些书是给教士们看，给教士们的儿子看的……"

我想做一件让他高兴的事，想送给他一本书。船到喀山码头，我就上岸去，花五个戈比买了一本《一个兵救活彼得一世的传说》。可是当时厨师喝多了酒，怒气冲冲，我不敢把这个礼物送给他，就自己先把这本《传说》看了一遍。我很喜欢这本书，一切都那么朴素，明了，有趣，简练。我相信这本书会使得我的老师高兴。

可是临到我把这本书送给他，他却一句话也不说，用手心把它揉成一大团，扔到船外去了。

"这就是你的书的下场，蠢货！"他阴沉地说，"我一股劲儿像教一条猎狗似的教你，可你老是想找野食吃，啊？"

他跺一下脚，嚷起来：

"这算是什么书？这些胡说八道我全读过！这里面写的是什么，是真事吗？好，你来说说看！"

"我不知道。"

"那我知道！一个人的脑袋给人砍掉了，这个人就会从楼梯上摔下来，那么别的人就再也不会爬到那个干草棚里去。当兵的又不是傻瓜！他们就会放一把火，烧掉那些干草完事！明白了吗？"

"明白了。"

"就是嘛！我知道沙皇彼得的事，这种事他压根儿没遇到过！走开吧……"

　　我明白这位厨师的话是对的，可是我仍旧喜欢这本小书。我就又买来一本《传说》，读了第二遍，这才惊讶地相信这本小书果然不好。这把我窘住了，从此我就越发留意，越发信服地对待这位厨师。可是不知什么缘故，他却越来越常常带着十分懊恼的心情说：

　　"哎，你该上学念书才好。这儿不是你待的地方。……"

　　我也感觉到这儿不是我待的地方。谢尔盖对我的态度太可恶了，我好几次发觉他偷走我桌子上的茶具，瞒着食堂老板把它们卖给乘客。我知道这种事算是偷窃。斯穆雷依不止一次警告过我：

　　"你要留神，不要把你桌子上的茶具拿给服务员！"

　　另外还发生了许多对我不利的事情。我常常起意一到码头就离开轮船，跑到树林里去。可是斯穆雷依把我留住了，他待我越来越亲热。而且这条轮船的不停的航行也使我十分入迷。它停靠码头的时候，那是使人不愉快的。我老是盼望着马上会发生一件什么事，于是我们的轮船就从卡马河开进别拉雅河，开进维亚特卡河，要不然在伏尔加河上航行，那我就会看见新的河岸、新的城市、新的人了。

　　可是这样的事并没有发生，而我在这条轮船上的生活却以一种出人意外的而且在我是可耻的方式中断了。有一天傍晚我们这条轮船正从喀山开到尼日尼去，食堂老板来了，叫我到他的房间里去一趟。我走进他的房间里，他就关上我身后的门。斯穆雷依正脸色阴沉地坐在一个毡面的板凳上，食堂老板就对他说：

　　"他来了。"

　　斯穆雷依粗鲁地问我说：

　　"你把餐具拿给谢尔盖了吗？"

　　"他是趁我没看见的时候自己拿的。"

　　食堂老板轻声说：

　　"他没看见，可是，他知道。"

　　斯穆雷依一拳头打在他自己的膝盖上，然后搔了搔膝盖，说：

　　"等一等。您别忙嘛……"

　　他开始沉思。我瞧着食堂老板，他也瞧着我，可是我觉得他的眼镜里边好像没有眼睛似的。

　　他生得安分守己，走路不出声，说话声音低。有的时候他那褪色的胡子和空虚的眼睛从一个什么角落里钻出来，随后马上又消失了。临睡以前他跪在食堂里的圣像面前，跪上很久，圣像前面点着一盏小小的长明灯，这是我从房门上一个形似红桃爱司①的小眼里看到的。可是我没能看见食堂老板怎样祈祷：他光是跪在那儿，瞧着圣像和小灯，叹气，摩挲胡子。

斯穆雷依沉默一会儿，问道：

"谢尔盖给过你钱吗？"

"没有。"

"从来没给过？"

"从来没给过。"

"他不会说谎。"斯穆雷依对食堂老板说。可是那一个声调不高地回答说：

"那也一样。就是这么回事。"

"咱们走！"厨师对我吆喝一声，走到我的桌子跟前来，伸出手指头轻轻地弹一下我的头顶，"傻瓜！我也是傻瓜！我本来应当留意你才是。……"

在尼日尼，食堂老板付清我的工资，把我辞掉了。我领到将近八个卢布，这是我干活挣来的头一笔大款项。

斯穆雷依跟我分手的时候，闷闷不乐地说：

"嗯，是啊……从今以后你的眼睛要放尖一点，明白吗？马马虎虎可不行……"

他把一个用小玻璃珠编成的彩色荷包塞在我的手里。

"喏，你拿去吧！这是很好的手工活。这是我的教女给我做的……好，咱们分手了！你要读书，这是最好的事！"

他把他的两只手插到我的胳肢窝底下，把我举起来，吻我，然后把我安稳地放在码头的甲板上。我既舍不得他，又为我自己难过。临到我瞧着他，这个庞大、沉重、孤独的人，推开那些装卸工人，走回轮船上去的时候，我差点哇的一声哭出来……

后来，我遇见过多少像他这样善良的、孤独的、同当时的生活格格不入的人啊！……

七

我的外祖父和外祖母又搬到城里去了。我带着愤愤不平、想找碴

---

① 指"心形"。

打架的情绪来到他们的家里。我的心里是沉重的：为什么人家把我看成一个贼呢？

我的外祖母亲热地迎接我，立刻去烧茶炊。我的外祖父照例讥诮地问道：

"你攒了不少的金子吧？"

"我攒了多少，那都是我的。"我回答说，在窗边坐下。我得意扬扬地从衣袋里拿出一盒纸烟，大模大样地点上一支。

"是这样啊，"外祖父说，定睛看着我的一举一动，"原来是这么回事。你抽上魔鬼的草①了吗？这不嫌太早吗？"

"人家甚至还送给我这么一个烟荷包呢。"我夸口说。

"烟荷包！"外祖父尖叫起来，"你这是干什么，拿我开心吗？"

他伸出又细又结实的胳膊，朝着我扑过来，闪着绿色的眼睛。我跳起来，拿脑袋撞他的肚子，老头子就一屁股坐在地板上了。他瞅着我，惊讶地眨巴眼睛，咧开发黑的嘴巴，这样沉闷地过了几秒钟。然后他平心静气地问道：

"是你把我这个外公撞倒的吗？是你把你母亲的亲爹撞倒的吗？"

"过去您也把我打得够瞧的了。"我明白我做的事不像话，就叽咕道。

外祖父干瘦而轻巧，从地上一骨碌爬起来，在我的身旁坐下。他眼疾手快，一下子把我的纸烟夺过去，丢出窗外，而且用恐慌的声调说：

"野小子，你明白吗，你干这件事，你这一生一世上帝都饶不了你？老婆子，"他扭过脸去对我的外祖母说，"你瞧瞧吧，他居然打起我来啦！就是他！他打了我。你问问他嘛！"

她没有开口问我，只是走到我的跟前，一把抓住我的头发，揪了几下，嘴里说着：

"你干出这种事，我要叫你受一受，叫你受一受……"

我痛倒是不痛，可就是心里委屈得难受。外祖父的阴险的笑声特别惹得我气愤。他蹲在他的椅子上，跳上跳下，用手心拍着他的膝盖，一边笑一边像乌鸦那样呱呱地叫：

"活该，活该……"

_____

① 指烟草。

我挣脱外祖母的手，跑到前堂里去，在那儿的墙角上躺下，一肚子的闷气，心灰意懒，听着茶炊呜呜叫的声音。

外祖母走到我跟前来，弯下腰，凑近我，小声地说话，声音低得几乎听不清：

"你要原谅我，反正我没有揪痛你，我是故意做做样子的！不这样不行。你的外公到底是个老人，你得尊敬他。要知道他也老朽得一根根骨头都断了，他也是满心的愁苦。欺侮他是不应该的。你年纪不小了，你会懂得这一点……应当懂得才是，阿辽沙！他如今变成一个小孩子，跟小孩子一模一样了……"

她的话像热水那样冲洗着我的心。我听了这种爱护我的低声喁语，觉得又惭愧又轻松，我就紧紧地抱住她。我们亲吻。

"你到他那儿去，去吧，没关系！只是不要一下子就在他面前吸烟，要让他慢慢习惯才行……"

我就走进房间里去。我看一眼我的外祖父，差点忍不住笑出来。他果然像个小孩子那样心满意足，眉开眼笑，两条腿乱蹬乱踹，两只生满棕红色毫毛的小手不住地拍打桌子。

"怎么着，山羊？你又要来撞人啦？哼，你啊，强盗！简直跟你的爸爸一模一样！你倒是个新派人，走进屋子里来也不在胸前画一个十字，马上就拿出烟来抽。嗨，你啊，一钱不值的波拿巴①！"

我没吭声。等到他把话说完，他也疲乏得沉默了。可是到喝茶的时候，他开始教导我说：

"人得惧怕上帝，就像马得有笼头一样。除了上帝以外，我们就没有朋友了。人和人是凶恶的仇敌！"

讲到人和人是仇敌，我倒体会到这句话里有一些真理，至于其余的那些话，就都不能打动我的心了。

"现在你再到姨姥姥玛特辽娜那儿去好了。到明年春天你就到轮船上去。今年冬天你要在他们家里过。不过你别说春天你要离开他们……"

"咦，何必骗人呢？"外祖母说。可是刚才她就假意揪过我的头发，借此欺骗我的外祖父。

"不骗人可没法混，"外祖父坚持他的主张说，"那你就来说一说：

───────────

① 即拿破仑。

谁活着能不骗人?"

傍晚,趁我的外祖父坐下来念赞美诗的时候,我就同我的外祖母一起走出大门,到旷野上去了。外祖父现在所住的这个简陋的小屋只有两个窗子,这个小屋坐落在本城的城郊,地点是在卡纳特纳亚街的"背后",而从前外祖父在这条街的正面是有他自己的房子的。

"你瞧瞧我们搬到什么地方来了!"外祖母说,笑起来。"老头子总也找不到合他心意的地方,老是搬来搬去。就连这儿他也觉得不称心,可是我倒觉得挺好!"

我们面前伸展开一片贫瘠的草土地带,大约有三俄里长,中间穿插着一些山沟,尽头是茂密的树林,是喀山大道的桦树林带。山沟里伸出灌木丛的枝丫,像是一根根鞭子,冷冰冰的落日的光芒给它们染上鲜血般的红色。傍晚的清风摇动灰色的草茎。在最靠近的一条山沟的对面,出现一些小市民家庭的青年男女的黑色人影,也像是草茎。右边,远处,是旧教徒墓园的一带红色围墙,那个地方叫作"布格罗夫斯基隐僧修道院"。左边的一条山沟上面,有一片黑压压的树木在旷野上耸立着,那儿有一个犹太人墓园。四下里,一切都贫乏鄙陋,一切都无言地依偎着坑坑洼洼的土地。城郊那些小屋的窗子胆怯地瞧着尘土飞扬的道路,有些吃不饱肚子而生得瘦小的鸡在这条道路上徘徊。处女修道院旁边有一群牲口在走动,母牛哞哞地叫。军营里不住地传来音乐声,铜号在雷鸣和吼叫。

一个醉汉走过这儿,拼命地拉一个手风琴,脚底下磕磕绊绊,嘴里叽咕道:

"我要走到你那儿去……没错儿……"

"这个小傻瓜,"外祖母眯缝着眼睛看那红太阳,说,"你走得到哪儿去哟?你不久就会倒下去,睡着了。你在梦中,人家就会把你的东西抢个精光……就连这个给你解闷的东西,这个手风琴,也会丢掉……"

我一面给她讲我在轮船上的生活,一面往四下里看。自从我出外见识过以后,这个地方在我看来就显得冷冷清清,我觉得自己像是煎锅里的一条鲈鱼了。外祖母一句话也不说,专心地听我讲,就像我也爱听她讲话一样。我讲到斯穆雷依的时候,她恭恭敬敬地在胸前画个十字,说:

"他是好人,求圣母保佑他这个好人!你要注意,你别忘了他!好人好事你要永远牢牢记住。至于坏人坏事,你干脆忘掉算了。……"

我很难开口对她说明我是为了什么事被辞退的，不过我咬一咬牙，还是说了。这件事没有给她留下什么印象，她光是冷淡地说：

"你还小，你不会生活……"

"大家都互相这么说：你不会生活。农民们也说，水手们也说，姨姥姥玛特辽娜对她的儿子也这么说。那么应该怎么样才算是会生活呢？"

她噘起嘴来，摇头。

"那我也不知道了！"

"那你还说呢！"

"为什么不能说呢？"外祖母平心静气地说，"你别不高兴。你还小，那你当然不会生活。再说，谁又会生活呢？只有骗子才会。就拿你的外公来说吧，他又聪明又识字，可他也还是一点都不会生活……"

"你自己一直生活得好吗？"

"我吗？一直生活得挺好。可是也有生活得不好的时候。什么情形都有……"

有些人不慌不忙地在我们面前走过去，身后拖着很长的阴影，脚底下腾起一股股尘烟，掩埋了他们的阴影。傍晚的郁闷变得越来越浓重。外祖父的唠叨声从窗子里飘出来：

"天主啊，求你不要带着你的震怒指责我，也不要带着你的愤懑惩罚我……"

外祖母微笑着说：

"他一定把上帝惹得厌烦了！他每天傍晚发牢骚，其实有什么可唠叨的呢？要知道他已经老了，没有什么可要求的了，却老是诉苦，老是吹胡子瞪眼。……也许上帝听到这傍晚的声音，就会好笑：瓦西里·卡什林又在嚼舌根了！……咱们去睡吧……"

我决定去捕捉善于歌唱的鸟雀作为我的职业。我觉得这个工作能叫人吃饱饭。我捉鸟，由我的外祖母拿去卖就成了。我买好网子、圆环、捕鸟器，做好鸟笼。于是有一天，天刚亮，我就在一条山沟的灌木丛中坐着。我的外祖母拿着筐子和口袋，走进树林里去采摘残余的蘑菇、绣球果、胡桃。

九月的疲沓的太阳刚刚升上来。它的白光时而消失在云层里，时而像一把银色的扇子似的铺开，落到山沟里我的身上来。山沟底下还很黑，深灰色的迷雾从那儿升上来。在这条山沟里，一边是一道高陡的黏土峭壁，乌黑而光秃；另外的一边是一道比较平缓的斜坡，布满枯黄的杂草和茂盛的灌木丛。灌木丛中点缀着黄色的、棕色的、红色的叶子。清风吹落这些叶子，它们就在山沟里盘旋飘飞。

这条山沟底下的牛蒡里，有些小金翅雀在叫唤，我看见杂乱的灰色莠草里露出这些活泼的鸟的深红色头顶。一些好奇心重的山雀在我的周围不住啼鸣。它们可笑地鼓起白色的腮帮子，喊喊喳喳，忙忙乱乱，就像在过节的日子库纳维诺区那些小市民家庭里的青年妇女一样。它们敏捷，聪明，居心不良，什么事都想知道，什么东西都要去碰一碰，于是它们就一个跟着一个落进捕鸟器里去了。眼看它们挣扎是于心不忍的，然而我干的却是一种铁面无情的工作，一种用鸟换钱的工作。我把捕鸟器里的那些鸟移到备用的鸟笼里，再把鸟笼装进一个口袋里；它们到了黑地方就乖乖地不动了。

一群黄雀落到一个山楂树丛里，这个树丛沉浸在阳光里。黄雀喜欢太阳，就叫得更欢了。从它们的神态来看，它们类似一群顽皮的小学生。一只贪婪的、恋家的伯劳鸟迟迟不飞到暖和的地方去，却立在一丛野蔷薇的柔韧的枝子上，用嘴理顺翅膀上的毛，睁着黑色的眼睛敏锐地寻觅它要捕捉的东西。它像百灵鸟似的往上一飞，捉到一只丸花蜂，就小心地把这只蜂插在一根树刺上，然后重新在枝子上立定，不住转动它那狡猾的灰色小脑袋。松雀这种机警的鸟，不出声地飞过去了；我贪婪地渴望着捉到的就是它，要能捉到它，那多好呀！有一只离群的灰雀停在一棵赤杨树上，浑身通红，神态尊严，像是一个将军；它摇着它的黑嘴，生气地叫着。

太阳越升得高，鸟雀就越多，叫得也就越欢。整个山沟里充满了音乐声。它的基本的调子就是被风吹动的灌木丛的不停的飒飒声，鸟雀的好胜的叫声盖不过这种轻微而又忧郁动听的响声。我从这种响声里听出夏季的告别的歌声，这首歌用某些特殊的字眼向我低声诉说着，那些字眼自然而然地形成了一首歌。在这种时候我的记忆就违背我的心意，把我以前经历过的一个个画面复活了。

我的外祖母在上边的一个什么地方叫道：

"你在哪儿呀？"

她在这条山沟的边沿上坐下，铺开一块头巾，放上面包、黄瓜、萝卜、苹果。在这一堆像是天赐的东西当中，立着一个小小的、很美的、多面棱状的玻璃瓶，迎着阳光发亮，瓶子顶端有一个水晶玻璃的瓶塞，雕成拿破仑的头像的形状，瓶子里装着一什卡利克①重的、用金丝桃泡过的白酒。

"这一切多么好啊，天主！"外祖母带着感激的心情说。

"我编出一首歌来了！"

"真的吗？"

我就对她念了几句类似诗歌的东西：

> 冬天越来越临近，
> 树叶越来越枯黄，
> 别了，我的夏天的骄阳！……

可是她没有听完我的歌，就插嘴说：

"这样的歌是有的，只是比这个要高明一点！"

她就唱着念道：

> 啊，夏天的骄阳已经沉落，
> 落进了漆黑的夜晚，
> 落到了遥远的树林后面！
> 唉，撇下我姑娘一个人，
> 孤零零，
> 失去了春天的欢欣……

> 早晨我走出村外，
> 想起五月间我的游兴；
> 荒凉的原野愁闷地瞧着我，
> 我在这里失去了我的青春。

> 啊，我亲爱的女伴们！
> 等到下了头一场鹅毛大雪，
> 你们就从我白净的胸脯里挖出我的心，
> 在白茫茫的雪地里把它埋深！……

---

① 俄国酒类的容量名，合 0.06 升。

我的作家自尊心丝毫也没有受到挫伤。我很喜欢这首歌，我很可怜那个姑娘。

我的外祖母说：

"这是在歌唱悲伤！你看，这首歌是一个姑娘编的：她春天玩得高高兴兴，可是还没到冬天她那个心上人就丢开她，说不定是去找别的姑娘了。她从心里觉得委屈，就放声大哭……凡是你自己没经历过的事，你就不会讲得又好又真。你看，这首歌她编得多么好啊！"

她头一次卖掉那些鸟，挣到四十个戈比的时候，感到惊讶极了。

"你瞧瞧！我原来想：这个行当没什么道理，小孩子家的玩意儿罢了。想不到能赚这么多的钱！"

"这还卖得太便宜呢……"

"真的吗？"

逢上赶集的日子，她卖鸟能挣到一个卢布，甚至还不止。她越发惊奇了：这个没道理的行当居然能挣到那么多的钱！

"一个女人成天价洗衣服或者擦地板，一天也才挣二十五个戈比，你想想吧！不过话说回来，这个行当不好！把鸟关在笼子里也不好。你别干了，阿辽沙！"

可是我对捕鸟很入迷。我喜欢这种工作，它使得我不必靠人供养，而且除了对付鸟以外也不给任何人添麻烦。我配备了一套挺好的工具。我常跟一些年老的捕鸟人谈天，学到很多东西。我往往一个人外出去捕鸟，几乎走三十俄里远的路，到克斯托甫斯基树林去，到伏尔加河的岸上去。在那儿，在制桅杆用的松林里，有交喙鸟，有玩鸟的人所珍爱的一种特别的山雀：那是些白色的小鸟，长长的尾巴，美丽得出奇。

我往往傍晚出门，通宵沿着喀山大道一步步走去，有的时候淋着秋雨，踏着很深的泥浆。我的背上背着一个袋子，里面有捕鸟器和装着诱鸟的笼子，袋子外面缝着一层胶布。我的手里拿着一根粗大的胡桃木手杖。秋天的黑夜是阴冷而可怕的，可怕得很！……道路两旁立着些被雷电击过的老桦树，湿淋淋的枝子擦着我的脑袋。左边，山脚下，乌黑的伏尔加河上，有几条末班的轮船和驳船在航行，桅杆上有寥寥几个灯火闪亮。这些船似乎正在向一个无底的深渊游去，轮子在水里轰轰地响，船上的汽笛呜呜地叫。

道旁乡村里那些农民小木屋，一个个仿佛从生铁般的土地里耸立起来。一些愤怒而饥饿的狗扑到我的脚旁边来。有一个守夜人敲着梆子，战兢兢地嚷道：

"是谁在走动？说句夜里不该说的话，是什么人让魔鬼支使到这儿来了？"

我很担心我的那套工具被没收，身边总是带着几个五戈比的硬币，准备送给那些守夜人。佛基纳村的守夜人倒跟我挺要好，老是惊叹道：

"你又来啦？哎，你啊，天不怕地不怕的，简直是个闲不住的夜游神，啊？"

他的名字叫尼冯特。他生得身材矮小，头发花白，相貌像是一个圣徒。他常从他的怀里拿出一根萝卜、一个苹果、一把豌豆，塞在我的手里，说：

"拿着吧，朋友。我给你准备下这么一点小礼物。你吃了点一点心吧。"

然后他把我送到村口的栅栏外面。

"那你走吧，求上帝跟你同在！"

将近黎明，我才走到树林里。于是我安置好工具，把那些诱鸟在各处挂好，然后我就在林边空地上躺下来，等着白昼来临。四下里静悄悄的。周围的一切沉入秋天的酣睡，纹丝不动。透过淡灰色的幽暗可以隐约看见山脚下那些辽阔的草场。那些草场被伏尔加河拦腰切断，然而它们爬过这条河去，往四下里蔓延，消融在迷雾里。远处，在草场尽头的树林后面，光芒四射的太阳不慌不忙地升上来了，在树林的黑色树顶上燃起了火焰。然后，一种奇怪的、激动人心的活动开始：草场上的雾气越来越快地往上升，由阳光照成一片银白色。这以后，地面上就耸起灌木丛、树木、干草垛。草场仿佛在阳光下融化，向四面八方流去，颜色金黄而带点暗红。这时候阳光接近岸边的、平静无波的河水了，于是整条河都好像在活动，所有的水都涌到太阳照着的地方来。太阳越升越高了，它欢欢喜喜，祝福一切，晒暖光秃而冻僵的大地，大地就发散出秋天的甜香。清澈的空气使得大地广漠无垠，把它无限地扩展开去。一切都在往远方飘去，而且在召唤人们也到大地的蓝色边沿上去。我在这个地方看见太阳升起过几十次，每一次在我的面前总是诞生一个新的世界，充满新奇的美丽……

我特别喜爱太阳。我甚至喜欢太阳这个名字、这个名字的可爱的声音、它的音调的响亮。我喜欢闭上眼睛，把我的脸凑到炽热的阳光底下去。每逢太阳从围墙的隙缝或者树枝之间像利剑似的射过来，我总是喜欢伸出手心去接住它。我的外祖父很敬仰"不向太阳膜拜的米哈依尔·切尔尼果夫斯基公爵和费奥多尔大臣"，我却觉得这些人像茨冈那样肤色黝黑，而且为人阴沉，心肠歹毒，他们的眼睛永远有病，像穷苦的莫尔多瓦人一样。等到太阳升到草场的上空，我就不由自主地、高兴地微笑。

在我的上边，针叶林丁零丁零响。这些树的碧绿的枝梢洒下一颗颗露珠。在树阴底下的阴影里，晨寒时分的白霜在图案般的蕨叶上发亮，像是银白的锦缎。杂草变得颜色棕红，已经被雨珠砸倒，草茎向地面弯下去，一动也不动。可是等到明亮的光芒照到它们身上，就可以看出来那些草在微微颤动，也许那是生命的最后挣扎吧。

鸟雀醒过来了。灰白的煤山雀像毛茸茸的小球似的从这根树枝上落到那根树枝上。火红的交喙鸟在松树顶上用它们的弯嘴啄碎松球。那种特别的白色山雀在松枝的梢头上摇摇晃晃，摆动它的长尾巴上的羽毛，它那小玻璃珠般的小黑眼睛不信任地斜着看我张开的一面网。整个树林本来在一分钟之前还在庄严地沉思，后来，不知怎么的，突然间，人就听见树林里响起千百只鸟雀的鸣声，充满了人间最纯洁的生物的忙碌。人类，尘世的美丽之父，正是根据它们的形象才创造出仙女、司智天使、六翼天使以及全体天使来安慰自己的。

我有点不忍心捉这些小鸟，不好意思把它们关进鸟笼里去。我比较喜欢的是观察它们，然而我的捕猎的嗜好和打算挣钱的愿望战胜了我的怜悯。

鸟雀的狡猾惹得我发笑。一只天蓝色的山雀专心而仔细地瞅着我的一个捕鸟器，明白这个东西对它有危险，它就侧着身子走过去，动作灵活而且毫无危险地从捕鸟器的那些小棍之间伸进嘴去，把麦粒叼走了。这些山雀是很聪明的，可是它们的好奇心太重，这就把它们毁了。那些神态尊严的灰雀却有点笨：它们成群地钻进网子里来，好比吃饱的小市民涌进教堂里去一样。每逢它们被捉住，它们往往感到很惊讶，瞪起眼睛，伸出它们的粗大的嘴来啄人的手指头。交喙鸟总是又沉着又庄严地走进捕鸟器里去。鸭鸟是神秘的，跟别的鸟完全不同，在网子跟前常常站很久，摇动它的长嘴，身子往后仰，让它那很粗的尾巴支在地上。它常在树干上跑上跑下，像是一只啄木鸟。它永远跟山雀做伴。这种烟色的小鸟有一点吓人的地方，它似乎孤零零，谁也不爱它，它也不爱谁。它像喜鹊似的喜欢偷一些细小发亮的东西，悄悄藏起来。

将近中午，我就结束捕鸟工作，穿过树林和旷野，走回家里去。

要是从大路走，穿过乡村，那些野孩子和小伙子就会抢去鸟笼，把工具拆开，捣毁，这样的事我已经经历过了。

我又累又饿地回到家里，已经是黄昏时分，不过我觉得在这一天当中我好像长大了，知道了一点新东西，变得更有力量了。正是这种新的力量，才使得我有可能平心静气，毫不愤恨地听我外祖父的恶意的讥诮。我的外祖父看出了这一点，就有条有理地认真讲起来：

"你丢开这种无聊的工作，丢开吧！谁也没有靠捉鸟混出个人样儿来，这样的事压根儿就没有过，我知道！你该选好一种工作，从此一边干一边长脑筋。人活着不是为了干无聊的工作，人是上帝的种子，应当叫好种子长出穗来！人好比一个卢布，只要周转得好，一来二去，一个卢布就变成了三个！你当是活着容易吗？不，很不容易啊！对人来说，世界好比黑夜，每个人都得给自己照亮一条路。上帝赐给每个人十个手指头，可是人人都打算凭自己的两只手多拿一点。人就得亮出自己的力量来，要是没有力量，那就得拿出狡猾来应付。谁又小又弱，谁就既下不了地狱，也进不了天堂！看起来你好像是在跟大家一块儿生活，可是你得记住：你是孤零零一个人。谁的话你都要听明白，可是谁的话你也别相信。要是你用眼睛大致一看就相信了，那就会把尺寸量错。你要少说话，房子和城市不是靠舌头而是靠卢布和斧子造出来的。你不是巴什基尔①人，也不是加尔梅克人，他们的全部家当就只有虱子和绵羊罢了……"

他能把这一类的话说上整整一个傍晚，这些话我都背下来了。我喜欢这些话，可是我对这些话的含义却不信服。从他的话里可以听得很清楚，有两种力量妨碍人按自己的心意生活，那就是上帝和人。

我的外祖母在窗子旁边坐着，正在搓线，准备织花边。一个纺锤在她的灵巧的手里嗡嗡地响。她听着我的外祖父讲话，沉默了很久，后来突然说：

"一切都会变得像圣母所希望的那种样子。"

"这是什么意思？"外祖父叫道，"上帝！我没有忘记上帝，我知道上帝！蠢老太婆，怎么样，莫非上帝送到人世上来的都是些傻子吗？"

……我觉得在这个世界上生活得最好的人就是哥萨克和兵；他们

---

① 俄国的一个少数民族。

的生活又单纯又快活。遇上好天气，他们一大早就在我们房子前头一条山沟的对面出现，散布在光秃的旷野上，像是些白色的蘑菇，然后开始玩一种复杂而有趣的游戏。他们灵活，强壮，穿着白衬衫，手里拿着枪，在旷野上快活地奔跑，后来钻进山沟里去，不见了。随后，忽然间，军号一声响，他们又涌到旷野上来了，嘴里喊着"呜啦"，在凶险的军鼓声中朝着我们的房子照直跑过来，亮出刺刀，好像马上就要把我们的房子从地上挑起来，拆得稀烂，就跟对付一个干草垛一样。

我也喊着"呜啦"，忘掉一切，跟着他们跑。军鼓的凶恶的颤音在我的心里引起一种激烈的愿望：我恨不能毁掉一件什么东西才好，比如拆毁一道围墙，或者把一个小孩子痛打一顿。

在休息时间，那些兵送给我下等烟草请我吸烟。他们常把那些沉重的枪支拿给我看。有的时候这一个或者那一个兵用枪刺对准我的肚子，故意恶狠狠地嚷道：

"扎死这个蟑螂！"

那把刺刀闪闪发光，似乎它是活的，像蛇那样蜿蜒地爬着，想要咬人。这是有点吓人的，然而倒也好玩。

鼓手是一个莫尔多瓦人，常教给我用两根小棍敲打皮革的鼓面。起初他拿住我的整个手，把我的手捏得生痛，然后把小棍塞在我那些被捏痛的手指头当中。

"你敲吧：一，二；一，二！特拉达达！敲吧，左手要轻，右手要重。特拉达达！"他严厉地嚷着，睁大了他的鸟眼睛。

我在旷野上跟那些兵一块儿跑来跑去，一直跑到训练结束为止。然后我又送他们穿过全城，回到营房里去。我听着响亮的歌声，瞅着那些善良的脸。所有的脸都那么新，好比刚铸出来的一个个五戈比的硬币。

一大群同样的人合成一股力量，快活地穿过大街，这就在人的心里引起一种想跟它亲近的感情，使得人很想如同投到一条河里那样的投进去，如同走进一个树林里那样的走进去。这些人什么也不怕，勇敢地瞅着一切，能够征服一切，要什么就会得着什么。不过要紧的是，他们都是朴实善良的人。

可是有一次，那是在休息的时候，一个年轻的军士送给我一支粗大的烟卷。

"你抽吧！这支烟好得很，我简直舍不得送人，不过你这孩子不同，太好了！"

我就点上这支烟卷。他退后一步。突然间,一团红色的火焰燃起来,照得我的眼睛什么也看不见,烫伤了我的手指头、鼻子、眉毛,一股带咸味的灰色浓烟呛得我打喷嚏,咳嗽。我眼花缭乱,心里害怕,站在那儿不住跺脚,那些兵密密层层把我围住,哄堂大笑,笑得又响又快活。我就走回家去,而嘘哨声和哄笑声在我的身后跟上来。还有一种什么东西啪啪地响,就像牧人的鞭子一样。我的烫伤的手指头痛起来,脸上又是刺痒又是痛,眼睛里流出泪水。然而使我难受的倒不是痛,而是一种沉重郁闷的惊讶心情:为什么他们这样对待我?为什么这种事使得那些善良的小伙子觉得开心呢?

我回到家里,就爬到阁楼上去,在那儿坐了很久,回想种种残忍得没法解释的事,这样的事我已经在我的生活道路上遇到过很多很多了。我特别鲜明生动地想起萨拉普尔城的那个身材矮小的小兵。他站在我的面前,仿佛活人似的问道:

"怎么样?你明白了吧?"

不久我又经历到一件更使人难堪、更使人震动的事。

我常跑到哥萨克的营房里去,那个营房在彼切尔斯卡亚郊区。哥萨克显得跟那些兵有所不同,这倒不是因为他们善于骑马奔驰,或者他们穿得比较漂亮,而是因为他们讲另外一些话,唱另外一些歌,又擅长跳舞。往往,到傍晚,他们刷洗过马匹以后,在马房旁边就围上一圈人。有一个身材矮小、头发棕红的哥萨克甩一下他那竖立的头发,用很高的声音唱起来,好似一只铜喇叭。他使劲挺直身体,轻声地唱着关于安静的顿河、关于蓝色的多瑙河的悲惨的歌。他的眼睛闭着,像欧驹鸟一样,那种鸟是常常唱到从树枝上掉下地,死掉为止的。这个哥萨克敞开衬衫的领口,露出像铜嚼环一般的锁骨,而且这个人浑身上下都像是铜铸的。他挺直了他的两条细腿,身子却摇摇晃晃,好像他脚底下的土地在摇动似的。他摊开两只手,闭着眼睛,歌声清脆,仿佛他不再是一个人,却变成号兵的铜号,牧人的芦笛了。有的时候我觉得他好像会往后一仰,倒在地下,死掉,跟欧驹鸟一样,因为他已经把他的全部心血,他的全部力量统统消耗在歌上了。

他的同伴们站在他的周围,合成一个圆圈,把手放在衣袋里或者放在宽阔的背脊后面,严峻地瞧着他那张铜脸,盯紧他那只在空中慢慢挥动的手。他们神态尊严,从容不迫地唱着,就像教堂里的唱诗班一样。所有他们这些人,不论是有胡子的还是没胡子的,在这种时候都类似一个个圣像:他们都那么威严,都那么超凡入圣。他们的歌很长，犹如一条宽广的大道，也是那么平稳，那么辽阔，那么充满智慧。人听着这种歌，就忘了现在世界上是白天还是夜晚，忘了自己是孩子还是老人，总之忘了一切！这些歌手的歌声渐渐停下来了，于是人可以听见马群在怀念自由的草原而长吁短叹，听见秋天的夜晚从旷野上悄悄地而又不可阻挡地拢过来。人的心就扩大，涨满种种不同寻常的感情，涨满对人和对世界的伟大而无言的热爱，要裂开了。

这个身材矮小像铜人一般的哥萨克，在我的心目中不是一个普通人，而是一种重大得多的人物，一种神话人物，比普通人好，比普通人高。我没法跟他讲话。每逢他问我什么话，我就幸福地微笑，腼腆地沉默着。我甘愿像一条狗似的跟在他的身后沉默温顺地走着，只求能够常常看见他，听见他唱歌就行了。

有一次，我看见他站在马房里的一个墙角上，把他的一只手举到他的脸跟前，细看他的手指头上戴着的一个光滑的银戒指。他那两片美丽的嘴唇努动着，他那小小的棕红色唇髭在颤抖，他的面容又是哀伤又是委屈。

可是有一回，那是一个漆黑的傍晚，我带着几个鸟笼子到老草料场上的一家小饭铺里去。那个饭铺老板酷爱歌唱的鸟，他常常买我的鸟。

那个哥萨克正坐在柜台旁边的一个墙角里，夹在一堵墙和一个火炉之间。跟他在一起的还有一个女人，她身材高大，几乎比他的身体大一倍。她那张圆脸像上等山羊皮似的放光。她用母亲般的爱抚目光瞧着他，神色之间带点忧虑。他喝得醉醺醺的，伸出脚去在地上蹭得沙沙地响，而且，大概碰痛了女人的脚，因为她打了个哆嗦，皱起眉头，小声央告他说：

"别胡闹……"

那个哥萨克费了好大的劲才把他的眉毛扬起来，可是他的眉毛马上又无力地落下去。他觉得热，就解开军装和衬衫的纽扣，露出他的脖子。那个女人把头上的头巾放下来，搭在肩膀上，把她的两只结实的白手放在桌子上，手指头交叉在一起，抱成拳头，抱得那么紧，连手指头都发红了。我越是瞧着他们，就越是觉得他像是一个在慈母面前犯了过错的儿子。她对他又亲热又责备地讲着什么，他却发窘地沉默着，似乎对于应得的责备找不出什么话来回答一样。

突然，他像被一个什么东西扎痛了似的站起来，把军帽歪戴在头上，把帽檐低低地拉到额头上，再伸出手掌去把帽子拍了一下，没有扣上衣服的纽扣就往门口走去。那个女人也站起来，对饭铺老板说：

"我们马上就回来，库兹米奇……"

人们用笑声和开玩笑的话把他们送走。不知一个什么人，用低沉而严峻的口气说：

"这个领港员①会回来的。他会给她点颜色看看！"

我跟着他们走去。他们在前边，同我相隔大约十步远，在黑地里走着，斜穿过满是污泥的广场，往伏尔加河的高陡的岸坡那边走去。我看见那个女人用手扶住那个哥萨克，摇摇晃晃地往前走去。我听见他们的脚把污泥踩得咕唧咕唧响。那个女人用不高的声音，带点恳求的口气问道：

"您到哪儿去啊？是啊，您究竟是到哪儿去啊？"

我跟在他们的身后，踩着污泥走着，其实这并不是我回家去的路。他们走到岸坡的便道上，那个哥萨克就站住，从那个女人跟前退后一步，突然举起拳头来朝着她的脸打过去，她又惊讶又害怕地叫起来：

"哎呀，这是干什么？"

我也吓坏了，照直向他们跟前跑过去。那个哥萨克横着抱起那个女人的身体，把她抛到栏杆外面的斜坡上，他自己跟着也跳过栏杆去。他们两个人就合成漆黑的一团，顺着岸坡上的草地滚下去。我愣住了，动弹不得，只听见下边发出扭打声和衣服撕裂声。那个哥萨克像野兽般的吼叫，那个女人却压低喉咙，断断续续地嘟哝说：

"我要喊了……我要喊了……"

她高亢而痛苦地呻吟一声，随后就沉寂了。我伸手摸到一块石头，把它丢下去。杂草就沙沙地响起来。广场上一家酒店的玻璃门砰的响了一声，一个什么人叫了声"哎呀"，大概是倒在地下了，随后就又是寂静，而这种寂静似乎随时都在准备着借一件什么事来给人一点惊吓。

坡底下出现一大团白东西。它哽哽咽咽，呼哧呼哧地喘着气，慢腾腾地、不安稳地爬上来。我认出来它就是那个女人。她手脚挨地，像绵羊似的爬着。我看见她的上身直到腰部都是精赤条条的。她那两个大乳房垂下来，这就使她显得有三张脸了。后来，她爬到栏杆这儿来，几乎紧挨着我坐下，不住地吐气，就像是一匹害气肿病的马。她理着她那凌乱的头发，人可以清楚地看出来她的肉体的白净皮肤上有

————————————

① 这是讥笑那个哥萨克身材矮小，而那个女人却高大得像是一条轮船。

污泥的黑斑点。她哭着，用猫洗脸那样的动作擦掉她脸上的泪水。她一眼看见我，就轻轻地惊叫了一声：

"天主啊，你是谁？走开，你这不要脸的家伙！"

我却没法走开，我又是惊讶，又是痛心，又是苦恼，完全呆住了。我不由得想起我外祖母的妹妹的话：

"女人是一种力量。夏娃甚至欺骗过上帝……"

这个女人站起来，拉起衣服的碎片掩住她的胸口，结果却露出了她的两条腿，然而她还是很快地走开了。那个哥萨克从岸坡底下走上来，在空中挥舞着几块白色的破布片，低声打一个唿哨，听一下，用快活的声音讲起话来：

"达莉雅！怎么样？哥萨克总是想要什么就得着什么……你当是我喝醉了吗？不对，这是我装出来给你看的……达莉雅！"

他站得很稳，他的声调听起来又清醒又讥诮。他弯下腰去，用那些破布片擦他的靴子，又讲起话来：

"喂，你把这件上衣拿去吧……达莉雅！你别装腔作势了……"

紧跟着，这个哥萨克大声说出了一个侮辱女人的词。

我在一堆碎石头上坐着，听着这个人的说话声，这个在夜晚的寂静中独一无二的响声，它是那样地盛气凌人。

广场的路灯的火苗在我的眼睛前面跳动。右边，在那乌黑的一片树木当中，一所贵族女子中学的白色房屋耸立着。那个哥萨克懒洋洋地吐出一连串的脏字眼，挥舞着白色的破布片，向广场走去，终于像一场噩梦似的不见了。

下边，岸坡底下，在水塔那儿，有一个排气的烟囱呼呼地喷气。一辆出租的四轮马车顺斜坡走着。四下里一个人影也没有。我闷闷不乐，在斜坡上边走着，手里攥着一块冰凉的石头，我没有来得及把它摔到那个哥萨克身上去。在胜利者乔治教堂附近，有一个守夜人拦住我，气势汹汹地问我是什么人，我背上的袋子里装着什么东西。

我对他详细地讲了讲那个哥萨克的事。他大笑起来，叫道：

"妙极了！老弟，哥萨克是有办法的人，咱们可比不上！那个小娘们儿是条母狗……"

他笑得岔了气。我就向前走去，心里不懂：这件事究竟有什么可笑的呢？

随后我又战兢兢地暗想：万一我的母亲，我的外祖母遇到这种事，那可怎么得了？

八

等到天下雪了，我的外祖父就又领着我到我外祖母的妹妹家里去。

"这对你没有什么坏处，没有什么坏处。"他对我说。

我觉得这一夏天我好像阅历了非常多的事，我显得年纪大多了，头脑也聪明多了。可是在这段时期里，我那东家的家里却越发沉闷乏味了。他们仍旧常常害病，由于吃得太多而肠胃失调，他们仍旧互相详细地讲他们的病情。老太婆仍旧那么凶狠可怕地祷告上帝。年轻的女主人在分娩以后瘦下来了，身体也缩小了，可是走动起来仍旧像孕妇那样大摇大摆，慢腾腾的。她给孩子做衣服的时候，老是低声地唱同一首歌：

> 斯皮利亚，斯皮利亚，斯皮利东，
> 斯皮利亚，我亲爱的小弟兄，
> 我自己坐在一辆小雪橇上，
> 让斯皮利亚站在后面的脚镫上……

要是有人走进她的房间里去，她就立刻停住歌唱，生气地喊道："你要干什么？"

我相信她除了这首歌以外是什么歌也不会唱的。

傍晚，东家一家人把我叫到他们的房间里去，吩咐说：

"来，你讲一讲你在那条轮船上是怎么生活的！"

我就在厕所门口旁边的一张椅子上坐下，讲起来。目前这种生活是人家不顾我的心意而把我硬塞进来的，因此回想另外一种生活就成为一件愉快的事了。我讲得入了迷，忘了我的听众，然而这种情形没有维持很久。那些女人从来也没坐过轮船，问我说：

"大概总有点害怕吧？"

我不懂：这有什么可怕的呢？

"可是万一轮船开到水深的地方，沉下去了呢？"

我的东家哈哈大笑。我虽然也知道轮船在水深的地方不会沉下去，可是我没法说得使那两个女人信服。老太婆相信轮船不会浮在水面上，而是像陆地上的大板车一样，靠两个轮子在河底滚动才向前走的。

"如果它是铁做的，那它怎么浮得起来？一把斧子恐怕就浮不起来吧？……"

"勺子不是就不沉到水里去吗？"

"这怎么能相比！勺子小，中间又是空的……"

我讲起斯穆雷依和他的书，她们就怀疑地瞧着我。老太婆说书是蠢货和邪教徒写出来的。

"那么赞美诗呢？那么大卫王呢？"

"赞美诗是圣书，而且大卫王为赞美诗请上帝宽恕过。"

"这话在哪儿写着？"

"在我的手巴掌上写着。我要给你的后脑勺一巴掌，叫你知道知道在哪儿写着！"

她什么都知道。她不论讲到什么都很有把握，而且总是讲得很离奇。

"在彼丘尔卡街上有一个鞑靼人死了，他的灵魂就从他的嗓子里流出来，黑得像煤焦油一样！"

"灵魂是一股气。"我说。然而她鄙薄地叫道：

"鞑靼人的灵魂也会这样？你这傻瓜呀！"

年轻的女主人也怕书。

"看书是很有害处的，特别是在年轻的时候，"她说，"在我们的格烈别希卡街上，就有一个上流人家的姑娘一股劲儿地看书，结果呢，她爱上了一个教堂的助祭。那个助祭的妻子就把她狠狠地羞辱了一场，可真是厉害呀！就在大街上，当着许多人的面……"

有的时候我引用斯穆雷依的那些书上的字眼。在他那些书当中，有一本既没有开头，也没有结尾，上面写着："认真说来，谁也没有发明火药；照例，火药的出现是漫长的一系列细微的观察和发现的结果。"

不知道是什么缘故，我把这句话牢牢地记住了。我特别喜欢"认真说来"这几个联在一起的字。我感到这个成语有力量。可是这个成语给我带来了很多的灾难，而且是可笑的灾难。世界上也确实有这样的灾难。

有一次，东家一家人要我再给他们讲一些轮船上的事，我回答说：

"认真说来，我已经没有什么可讲的了……"

这使得他们吃一惊，他们纷纷叫起来：

"什么？你说什么？"

他们四个人一齐好意地大笑起来，学着我的样子说：

"'认真说来'。啊，圣徒呀！"

连我的东家都对我说：

"你想出来的这个花样可不高明啊，怪人！"

从那时候起他们就给我起了一个诨名，而且叫了很久：

"喂，'认真说来'！你去把娃娃床底下的地板擦干净，'认真说来'。……"

这种毫无道理的嘲弄倒没有惹得我生气，却使我感到极其惊讶。

我生活在一种使人头昏脑涨的苦闷的迷雾里。为了克制这种苦闷，我就尽量多干活。活是不愁没有的：这家人添了两个娃娃，保姆又不合主人的意，经常更换，我就得忙着照料娃娃，每天洗尿布，每个星期到宪兵泉去洗一次衣服。在那儿，我遭到洗衣女工们的嘲笑。

"你怎么干起娘们家的事来了？"

有的时候她们把我惹急了，我就把湿衣服拧成一长条，抽她们。她们也加倍回敬我。不过，同她们在一起是快活有趣的。

宪兵泉在一条深沟的底下流过去，注入奥卡河，那条沟把一片以古神雅利洛①为名的原野同这个城隔开了。每到悼亡节②，本城的小市民就到那片原野上去游玩。我的外祖母告诉我说，她年轻的时候，人们还信奉雅利洛，就给他献祭：他们拿来一个轮子，包上浸透树脂的麻絮，点上火，于是大家嚷叫，唱歌，把它滚下坡去，瞧着这个火烧的轮子能不能滚到奥卡河里去。要是滚到了，那就是雅利洛神接受了这次献祭，这年的夏天就会阳光灿烂，人人幸福。

那些洗衣女工一大半是雅利洛人，都是些神态活泼、口齿锋利的女人。城里的生活，她们样样都知道。听她们讲那些雇她们做工的商人、文官、军官的事，是很有趣的。冬天在一条小溪的冰水里洗衣服，那是一种不亚于苦役的工作。所有的女人的手都冻得皮开肉绽。那里有一个破旧的棚子，这个棚子有许多裂缝，挡不住风和雪，溪水流进棚子里的一个木槽，那些女人就弯下腰去，凑着那个木槽洗衣服。她们的脸冻得通红，生了冻疮。严寒冻伤她们的潮湿的手指头，害得这些手指头都弯不过来了。她们的眼睛里不断流出泪水。可是这些女人滔滔不绝地聊天，互相转告各式各样的事情，带着一种特别泼辣的态度对待一切人和一切事情。

---

① 古代东斯拉夫人的太阳、丰收、爱情之神。

② 基督教徒纪念亡者的节日，在复活节后第七个星期四举行。

谈锋最健的是娜达丽雅·柯兹洛甫斯卡雅，一个三十岁开外的女人。她朝气蓬勃，身体结实，眼睛里带着讥诮的笑意，舌头特别灵活而尖刻。她受到她所有的女伴的器重，大家都找她商量各种事情，都尊敬她，因为她干活麻利，衣服整齐，还因为她把她的女儿送到一个中学校里去念书。每逢她背着两筐子湿衣服，弯下腰，从坡上沿着一条滑溜的小路走下来，大家就快活地迎接她，关心地问道：

"你的女儿怎么样了？"

"她不错，谢谢。她正在念书呢，谢天谢地！"

"瞧着吧，往后她会做个太太吧？"

"可我就是为这个才送她去念书的。那些细皮嫩肉的老爷太太都是打哪儿来的？都是从我们这种人当中来的，从这块黑土里来的，另外还能从哪儿来呢？学问越大，手就越长，拿着的东西也就越多。谁拿的多，谁的工作就体面，人人敬重。……上帝把咱们送到人世来的时候，咱们都是些傻娃娃，可是他要咱们回去的时候，都得变成聪明的老年人才成，可见人人都要有学问！"

她讲话的时候，大家都不开口，专心地听她那些又有条理又有信心的话。不论是当面还是在背后，大家都称赞她，为她的刻苦耐劳，为她的聪明头脑惊叹不已，可是谁也不按她的榜样去做。她用一双靴筒的旧皮子缝成上衣的两只护袖，这就使她可以不必把胳膊裸露到胳膊肘那儿，也不至于沾湿衣袖。大家都说她这个办法想得好，可是谁也不照着去做。临到我照着做了，他们反而讪笑我。

"嗨，你啊，跟娘们家学聪明！"

关于她的女儿，大家说：

"好神气呀！嘿，往后又要多添一个太太了，哪有那么容易的事哟？是啊，也许她学不到头，也许她会死掉……"

"不过话说回来，有学问的人也不见得都过得舒服。比方说，巴希洛夫家的女儿就是一股劲儿地念书，结果她自己当了教员。嗯，既是当了教员，那可就要做老姑娘了……"

"那还用说！其实娘们家不识字，人家也要。只要有点什么长处就行。……"

"娘们家的聪明不在脑子里……"

听她们这样不害臊地谈她们自己，那是又奇怪又别扭的。我知道水手们、兵士们、挖土工人们怎样讲女人。我看见男人相互之间总是夸耀自己怎样善于欺骗女人，同女人的关系怎样保持得久。我感觉到他们对"娘们家"怀着敌意。可是男人们讲到他们的胜利的时候,他们的夸耀的腔调几乎总有一种味道,足以使我认为在他们所讲的话里夸耀和虚构是多于真实的。

洗衣女工们彼此之间倒不谈她们的爱情故事。可是从她们讲到男人的一切活里,我往往听出一种讥诮而恶毒的感情。我心想这也许是对的:女人是一种力量嘛!

"不管你怎么转来转去,也不管你跟谁要好,你总会回到娘们家身边来,跑不了的。"娜达丽雅有一次说,于是一个老太婆用伤风的嗓音对她嚷道:

"另外还有什么地方可去呢?不管是修道士也罢,苦行僧也罢,照样也会离开上帝,跑到咱们这儿来的……"

她们在呜咽般的泉水声和湿衣服的拍打声中,在沟底里,在那个连冬天的厚实而洁净的白雪也盖不严的肮脏残破的棚子底下高谈阔论,不知羞耻而又恶毒地议论着一切种族和民族由以产生的那种秘密。她们那些话在我的心里勾起一种战兢兢的憎恶心情,使得我的思想和感情对于我四周那些层出不穷的"恋爱"避之唯恐不及。从此以后,"恋爱"这个概念,在我的心里就同那种肮脏淫荡的事情牢固地联结在一起了。

不过话说回来,在沟里跟那些洗衣女工在一起,在厨房里跟那些勤务兵在一起,在地下室里跟那些挖土工人在一起,还是比在家里有趣,而且有趣得没法比。家里的话语、思路、事情总是千篇一律,非常单调,只能引起沉重愤懑的烦闷。我的东家一家人生活在一个循环往复、无法逃脱的魔圈里,无非是吃饭啊,生病啊,睡觉啊,再就是忙着做饭,忙着铺床安歇。他们讲罪过,讲死亡,而且很怕死。他们挤在一起,好比磨盘四周的麦粒,随时等着自己活活地被轧碎。

空闲的时候我就到板棚里去劈柴,想独自一个人待着。然而这是很少能够办到的。那些勤务兵常到这儿来,讲院子里的生活。

到板棚里来找我最勤的是叶尔莫兴和西多罗夫。叶尔莫兴是一个高身量的、背有点驼的卡卢加人,周身上下布满又粗又结实的青筋,脑袋很小,眼睛无光。他性情懒散,笨得惹人生气,动作迟缓而不灵便。他一看见女人,就像牛似的叫起来,向前探出身子,仿佛要扑到女人的脚底下去似的。他能很快地征服那些厨娘和女仆,全院的人都对他的本领感到惊讶,嫉妒他,而且害怕他那种熊一般的力气。西多罗夫是个瘦得皮包骨头的土拉人,老是神情悲戚,说话声音很低,小心地咳嗽。他的眼睛战兢兢地闪光，很喜欢瞅着阴暗的角落。他常常低声讲一件什么事，或者坐在那儿不说话，然而总是瞅着一个最阴暗的角落。

"你在瞧什么？"

"也许那儿会跑出一个耗子来……我喜欢耗子，怪好玩的，跑来跑去，静悄悄的。……"

我给勤务兵们写家信，寄回他们的家乡。我也给他们写情书。我喜欢这类工作，可是给西多罗夫写信要比给别人写信愉快些。他每到星期六必定要给他那住在土拉的妹妹发出一封信去。

他把我邀到他的厨房里去，然后在一张桌子旁边挨着我坐下，伸出两个手掌来使劲揉他的剪短了头发的脑袋，凑着我的耳朵小声说：

"好，你写！开头是照例的那一套：我最亲爱的小妹妹，祝你长寿等等……照例那么一套！然后你再写：你那一个卢布我收到了，只是你不该寄给我。我谢谢你。我这儿什么也不缺，我们生活得很好。其实我们生活得十分不好，跟狗一样。不过呢，这话你别写上。你只写：挺好！她年纪小，才十四岁，何必让她知道这些呢？然后，你再按人家教的那样去写吧……"

他把他的身子压在我左边的肩膀上，带着一股发热的口臭气凑近我的耳朵呼吸，固执地小声说下去：

"叫她别让小伙子搂抱她，摸她的奶，千万千万！你再写：要是有谁说亲热的话，那可别相信他，这是他想欺骗您，糟蹋您……"

他为了用力忍住咳嗽而把他那张灰色的脸涨得通红，他鼓起他的腮帮子，泪水涌上了他的眼眶。他在他的椅子上总也坐不稳，不住地碰我。

"你碍我的事！"

"没关系，你写吧！……老爷们可是最最信不得，他们一下子就能把一个姑娘骗上手。他能说会道，什么话都编得出来，你一听信他的话，那你就只有到窑子里去的份儿了。要是你攒下一个卢布，你就交给教士好了，如果他是个好人，他就会给你保管好。不过呢，最好还是你自己把它埋在地里得了，千万别让外人看见，可是你自己要记住埋在哪儿。"

在一个通风小窗的铁枢纽的尖叫声中听着这样的低语声，我的心里很悲凉。我瞅一瞅大灶的被烟熏黑的炉门，瞅一瞅布满苍蝇屎的食器柜。这个厨房脏得不成样子，臭虫到处都是，满屋子是呛人的油煎气、煤油气、柴烟气。炉灶上有些蟑螂在小劈柴中间爬来爬去，窸窸窣窣地响。一股愁闷涌上我的心头，我十分可怜这个兵，可怜他的妹妹，几乎要流下眼泪来。难道可以这样生活吗？难道这样生活好吗？

我只顾写下去，不再听西多罗夫的低语声了。我写道：生活是多么乏味，多么恼人啊。他就叹一口气，对我说：

"你写了很多，谢谢！这一下子她就会知道应该害怕什么了……"

"什么也用不着害怕。"我生气地说，其实我自己也害怕很多的东西。

那个兵笑了，咳嗽几声，说：

"你这个怪人！怎么能不怕呀？那么对老爷们呢？对天主呢？该怕的还嫌少吗！"

他收到他妹妹寄来的信后，总是心神不定地要求说：

"劳驾，你赶快念……"

他就逼着我把那封写得潦草的而且简短空洞得惹人生气的信一连念上三次。

他为人善良温和，可是他对待女人却跟大家一样，像狗那么粗野而简单。我有意无意地观察过这类关系，而这类关系在我的眼前从开头发展到结束常常快得惊人而且快得可恶。我亲眼看见西多罗夫怎样在女人面前诉说他的兵士生活的苦处，借此引起女人的善良的感情，他怎样用亲切的谎话使得女人陶醉。可是这以后，他对叶尔莫兴讲起他的胜利，却嫌弃地皱起眉头，啐唾沫，仿佛吃了苦药似的。这伤了我的心，我就气愤地问这个兵：为什么他们大家都欺骗女人，对她说谎，然后又嘲弄她，把她从这个人手里转到那个人手里，而且常常打她？

他光是小声地笑，说：

"你不应当对这种事发生兴趣，这种事都不好，都是罪过！你还小，这种事对你来说还嫌太早呢……"

可是有一次，我得到了比较明确的回答。这个回答我记得很清楚。

"你当是她不知道我在骗她吗？"他眨一下眼睛，咳嗽着说，"她知道！她自己就希望人家骗她。干这种事是人人都做假的，这简直是一件大家都害臊的事，谁都不爱准，无非是找个乐子罢了！这种事太叫人害臊了。喏，你等着吧，你自己会明白的！这种事非晚上干不可，白天就得在暗处，在堆房里干，对了！谁干了这种事，上帝就把准赶出天堂。大家干了这种事都不快活……"

他讲得那么好，那么忧郁，那么忏悔，这使得我对他的恋爱略微谅解了一点。我对他比对叶尔莫兴亲近得多。我痛恨叶尔莫兴，千方百计地嘲笑他，惹他生气。这一点我办到了，他就常常不怀好意地满院子追我，多亏他不灵便，才很少达到目的。

"这种事是禁止的。"西多罗夫说。

讲到这种事是禁止的，那我倒知道，可是说人们干了这种事会不快活，我就不相信。我固然看见他们不快活，可是我不相信，因为我不止一次地观察到相爱的人们的眼睛里有一种不同寻常的神情，我感觉到恋爱着的人特别善良。我看到这种心灵的节日，老是感到愉快。

可是话虽如此，我至今都记得，当时的生活在我的心目中却显得越来越乏味，残酷，凝固在我天天看见的那种形式和关系之中，永远停滞不动了。除了当前的这种生活，每天在我的眼前不可避免地出现的这种生活以外，我都想不出还可能有什么更好的生活了。

然而有一次，那些兵对我讲起一件事，却使我大为激动。

这个院子里有一家人，户主是本城的一家上等成衣店的剪裁师傅，他为人安分谦虚，属于非俄罗斯民族。他有一个娇小而没有子女的妻子，她天天待在家里看书。在这个声音嘈杂的院子里，在那些挤满醉汉的人家当中，这两个人却生活得不惹人注意，无声无息。他们从不接待客人，也从不到任何地方去，只有逢到假日才到剧院里去看戏。

那个丈夫早晨出去上班，傍晚很迟才回来。那个妻子像是一个十五六岁的少女，每个星期到图书馆里去两次，那总是在白天。我常常看见她身子有点摇晃，仿佛她的腿有点瘸似的，踩着碎步在堤坝上走着，像中学生那样用一根皮带拴着一些书，提在手里。她那么单纯，好看，新颖，干净，她那小小的手上戴着手套。她生一张鸟脸和一对灵敏的小眼睛，周身上下漂漂亮亮，好比镜台上的一个小瓷人。据那些兵说，她右边胸部缺一根肋骨，所以她走起路来才那么古怪地摇晃，不过我倒觉得这样挺好看，并且立刻把她和院子里其他的太太们，那些军官的妻子，区别开来，另眼相看了。那些太太尽管嗓门大，衣服花花绿绿，衬着很高的裙垫①，可是都显得陈旧不堪，就像她们是放在阴暗的堆房里，夹在各式各样不必要的东西中间，放得过久而被人忘记了似的。

---

① 十九世纪末欧洲妇女的装饰品，装在裙子后部，撑起裙子。

全院的人都认为剪裁师傅的这个娇小的妻子有点傻头傻脑，都说她看书太多，把脑筋看坏了，连家务也不会管，只好由她丈夫自己上市场去买菜，自己向厨娘交代午饭和晚饭该做什么菜。那个厨娘是个身量高大、非俄罗斯民族的女人，神色阴沉，只有一只红眼睛，而且老是流泪，另一只眼睛变成了一条粉红色的细缝。据说，这个太太连猪肉和牛肉也分不清，有一次去买香芹菜，却把辣根买回来了，大丢其脸！您想想吧，这够多么糟糕！

他们这三个人在这所房子里像外人一样，仿佛他们是无意间落进这个庞大的养鸡场的一个笼子里来了。这种情形倒类似那些山雀，它们为了躲避严寒，往往飞进人家的通风小窗，就此落到人们的肮脏闷热的住宅里来了。

突然，那些勤务兵告诉我说，那些军官老爷正在打这个剪裁师傅的娇小的妻子的主意，玩一种侮辱人的恶毒把戏。他们几乎每天由这一个或者那一个给她写一封信，转交到她手里，信上写着他怎样爱她，写着他自己怎样痛苦，写着她多么美丽。她就给他们写回信，请求他们不要打搅她，惋惜她惹得他们悲伤，要求上帝帮助他们不要再爱她。那些军官收到这样的信后，就聚在一起念她的信，讪笑这个女人，然后一块儿编出另一封由某人出面的信，交给她。

那些勤务兵把这件事讲给我听，也笑个不停，而且骂剪裁师傅的妻子。

"这个倒霉的傻娘们儿，瘸家伙。"叶尔莫兴用男低音说。西多罗夫就轻声地给他帮腔说：

"每一个娘们儿都愿意自己受骗。她心里全明白……"

我就不相信那个剪裁师傅的妻子知道人家在讪笑她，就立刻决定把这件事告诉她。我留意察看，趁她家的厨娘到地下室里去的时候，我就从后门的一道楼梯跑到那个小女人的住宅里去，闯进了她家的厨房。厨房里没有人，我就走进另一个房间里。正好剪裁师傅的妻子在一张桌子旁边坐着，一只手里拿着一个沉重的金色茶杯，另一只手里拿着一本翻开的书。她吓了一跳，把那本书按在她的胸口上，声音不大地问道：

"是谁呀？阿芙古斯达！你是什么人？"

我又快又不连贯地对她讲起来，料着她会把那本书或者那个茶杯摔到我身上来。她坐在一把深红色的大圈椅上，穿一件天蓝色的家常长衫，下摆缀着穗子，领子和袖口上滚着花边。波浪般的淡黄色头发披在她的两个肩膀上。她像是教堂里圣障中门上的一个天使。她靠在她那把圈椅的椅背上，睁大她的圆眼睛瞧着我，起初是生气地瞧着，后来却变得惊讶，露出笑容了。

临到我把我所要讲的话统统讲完，而且失去勇气，回转身往门口走去的时候，她就对我嚷了一声：

"站住！"

她把那个茶杯放在一个托盘上，把那本书丢在桌子上，把她的两个手掌合在一起，用大人的低沉声调开口讲话了：

"你是个多么奇怪的孩子啊……你走过来一点！"

我就很小心地走过。她拉住我的手，伸出她那又小又凉的手指头来摩挲我的手，问道：

"并不是有什么人指使你来对我说这些话的吧，是吗？嗯，那很好。这我看得出来。我相信这是你自己想出来的主意……"

她松开我的手，闭上她的眼睛，拖着长音低声说：

"原来那些下流的兵这样议论这件事！"

"您应该搬家才对。"我郑重地劝告她说。

"为什么？"

"他们会把您磨死的。"

她愉快地笑起来，然后问道：

"你上过学吗？你喜欢看书吗？"

"我没有工夫看书。"

"要是你喜欢看，那总找得出时间来。好，谢谢你！"

她对我伸过来一小撮捏在一起的手指头，这些手指头里夹着一个银币。我不好意思收下这个冰凉的东西，可是我又不敢回绝她，就在走出去的时候把它放在那道楼梯栏杆的一个小圆柱上了。

我从这个女人那里带走了一种对我来说既深刻又新颖的印象。我的眼睛前面似乎燃起了一片朝霞。我一连好几天生活在欢乐之中，回想那个宽绰的房间，回想房间里那个剪裁师傅的妻子，她穿一身天蓝色的衣服，犹如天使一样。她四周的一切都美丽得出奇。一块华美的金黄色地毯铺在她的脚底下。冬季的白昼透过银白色的玻璃窗子照进来，依偎在她的身边取暖。

我有心再去见一见她。要是我去了，向她借一本书，那会怎样呢？

我就照这样做了，又在原来的地方见到了她。她的手里仍旧拿着一本书，可是她的半边脸上包着一块棕红色头巾，有一只眼睛浮肿着。

这个剪裁师傅的妻子拿给我一本黑封面的书，含糊不清地说了一句什么话。我愁闷地带着那本书走了，那本书上有杂酚油和茴香油的气味。我把那本书收藏在阁楼里，用一件干净的衬衫和一张纸把它包起来，生怕我的东家那些人把它拿走和扯碎。

我的东家订着一份《田地》杂志，那是为了看其中的服装样式，为了得到附赠的画刊，而不是为了阅读的。他们看一看画片以后，就把这些杂志放在他们的寝室里的一个柜子顶上，到了年终就把它们装订成一册，收藏在他们的床底下，而这张床底下已经另外放了三册《绘画评论》了。每逢我擦洗这个寝室的地板，脏水就流到这些书底下去。我的东家订着一份《俄罗斯邮报》，每到傍晚他读着这份报纸，常常骂道：

"鬼才知道他们写这些东西干什么！无聊极了……"

星期六那天我到阁楼上去晾衣服，想起那本书，就把它取出来，翻开，读了开头的一行："家庭如同人：每个家庭都有它自己的面貌。"这句话那么真实，使得我暗暗吃惊。我就站在天窗底下，读下去，一直读到身子冻僵才停住。这天傍晚，东家一家人都出外做彻夜祈祷去了，我就把那本书拿到厨房里来，埋头读那些又黄又旧犹如秋叶的书页。这些书页毫不费力地把我引到另外一种生活里去，接触到一些新的人名和新的关系，见识到善良的人物和阴森的坏蛋，这些人是一点也不像我看腻了的那些活人的。这本书是克萨维·德·蒙台潘①的一个长篇小说，篇幅很长，如同他的一切长篇小说一样。书中的人物和情节多得很，描绘出一种我所不熟悉的，急剧变动的生活。这个长篇小说里一切都单纯明朗得惊人，仿佛有一种光隐藏在字里行间，照亮了善和恶，帮助人们热爱和痛恨，驱使人们紧张地注意那些纠缠在一起、拆也拆不开的人的命运。这本书一下子就在人的心里激发出一种要帮助这个人和打击那个人的坚强愿望，忘了这种出人意外地展开的生活其实纯粹是纸上的生活。斗争的激荡使人忘却了一切，人的心就淹没在读这一页的高兴心情和读那一页的悲伤心情里了。

我读得入了迷，临到我听见大门口的门铃声，竟然一时间弄不明白这是谁在拉铃，为什么要拉铃。

一支蜡烛几乎已经点完。烛台今天早晨刚由我擦干净，这时候却

---

① 蒙台潘（1823—1902），法国作家。

流满了烛油。圣像前面的小灯是归我管的，这时候灯芯从灯头里滑下去，灭了。我满厨房跑来跑去，极力掩盖我的罪迹。我把那本书塞到炉灶底下的一个空地方，开始收拾那盏小灯。保姆从房间里跳出来。

"你聋啦？外边拉铃呐！"

我赶紧跑去开门。

"你睡着啦？"东家厉声问道。他的妻子费力地爬上楼梯，抱怨我害得她着了凉。老太婆骂个不停。她一走进厨房里，顿时看见那支快要点完的蜡烛，就开始质问我在干什么事。

我闷声不响，仿佛从高处的一个什么地方摔下来，跌得粉身碎骨似的，暗自担心她会找到那本书。她嚷着说我会把房子烧光。我的东家和他的妻子走过来吃晚饭，老太婆对他们抱怨说：

"好，你们瞧吧，他把整整一支蜡烛都点完了，他会把房子烧光……"

他们这四个人吃晚饭的时候，就一齐用他们的舌头折磨我，重提我过去犯下的种种有意的和无意的过错，吓唬我说我日后不会有好下场。可是我心里知道，他们说这许多话并不是出于恶意，也不是由于好心，而只是因为烦闷无聊罢了。我看着他们，不由得觉得奇怪：他们跟书上的那些人相比，显得多么空虚可笑啊。

后来他们吃完晚饭，饱得动弹不得，就疲乏地走散，去睡觉了。老太婆用她那愤懑的诉苦把上帝惊扰一番以后，就爬到灶台上去，不吭声了。这时候我就从床上起来，到炉灶底下取出那本书，走到窗子跟前去。夜色明亮，月光直射进窗子里米，然而书上的字太小，我还是看不清楚。可是我一心想看书，难忍难熬。我就从搁板上取下一口铜锅，用它把月光反照到书上来，不料这更糟，更黑了。于是我到墙角去，爬到一个凳子上，挨近圣像，就此凑着小灯的亮光，站在那儿看书。后来我看得筋疲力尽，就倒在凳子上睡着了，直到老太婆不住嚷叫，不住推我，我才醒过来。她用两只手举起那本书，使劲敲打我的两个肩膀。她气得满脸通红，只穿着一件衬衫，光着脚，恶狠狠地昂起她那生满棕红色头发的脑袋。维克多在他那高板床上哀叫道：

"妈，您别再哇哇地嚷啦！闹得人都没法活了……"

"那本书要完蛋了，要撕碎了。"我心里暗想。

到吃早茶的时候，我受到了审判。我的东家厉声问道：

"这本书你是从哪儿拿来的？"

那两个女人嚷起来，彼此打岔。维克多怀疑地闻一闻书页，说：

"有香水的气味呢，真的⋯⋯"

他们听我说这本书是一个司祭的，就再一次检查这本书，由于司祭读长篇小说而感到惊讶和愤慨。不过这总算使他们略为放了心。只是我的东家仍旧把我教训了很久，说读书是有害的，危险的。

"有那么一些读书人，他们挖铁道，想害死人①⋯⋯"

年轻的女主人又生气又害怕地对她的丈夫嚷起来：

"你疯啦！你在跟他说什么呀？"

我把蒙台潘的那本书送到那个兵那儿去，把事情的经过对他说了一遍。西多罗夫把那本书接过去，一句话也没说，掀开一口小小的箱子，从中取出一块干净的毛巾来，把这本长篇小说包好，收进箱子里去，对我说：

"你别听他们那一套。你自管到我这儿来看书，我绝不对外人说！要是你来了，而我不在，那么钥匙就挂在圣像的后面，你自己打开箱子，把书拿出来读就是⋯⋯"

我的东家一家人对待书本的态度一下子提高了书本在我的心目中的地位：书本成了一种重大而可怕的秘密了。某些"读书人"在某一个地方挖铁道，打算害死某些人，这倒没有引起我的兴趣，然而我想起了以前行忏悔礼的时候司祭问起的那句话，想起了那个中学生在地下室里的朗诵，想起了斯穆雷依说起"正当的书"而讲的那些话，想起了我的外祖父所讲的邪门歪道的新派人：

"当初亚历山大·巴甫雷奇皇上在位的时候，有些贵族②走上歪路，搞起邪门歪道和新派思想来了，存心要把整个俄罗斯民族出卖给罗马教皇，这些假善人啊！这时候阿拉克彻耶夫将军③就把他们捉拿到案，不顾他们的官衔和爵位，一概发送到西伯利亚去做苦工，他们在那儿纷纷像蚜虫似的死掉了。⋯⋯"

我不由得想起"满天星斗的日全食""盖尔瓦西"和那些得意而讥诮的字眼：

"门外汉有心想知道我们的事！可是你们的弱眼永远也看不透！"

我感到我自己正站在某些伟大的秘密的门口。我生活得像着了魔

---

① 指十九世纪七十年代俄国民粹派反对沙皇专制时期的恐怖行动。

② 指十九世纪初期俄国反对沙皇专制制度的十二月党人。

③ 阿拉克彻耶夫（1769—1834），沙皇亚历山大一世手下的最反动的专制佞臣。

一样。我一心想看完这本书，生怕这本书会在那个兵手里弄丢，或者不知怎么一来他把它弄坏了。那样一来，我对剪裁师傅的妻子说什么好呢？

可是老太婆盯紧了我，不让我跑到勤务兵那儿去。她常常数落我说：

"书迷！那些书专教人干淫荡的事。就拿她，那个女书迷来说吧，她落到了什么地步呀，就连上市场都不会，专门跟那些军官勾勾搭搭，大白天就把他们招到她家里去，这些事我都知道！"

我很想叫起来：

"这是胡说！她没有勾勾搭搭……"

可是我不敢替剪裁师傅的妻子辩护。万一这个老太婆猜出来这本书就是她的，那可怎么得了？

一连好几天我过得糟透了。我精神恍惚，心里苦闷不安，睡不着觉，担心蒙台潘那本书的命运。有一次，剪裁师傅家的厨娘在院子里拦住我，说：

"把书送回来！"

我趁东家一家人吃过午饭以后躺下来安歇的时候，到剪裁师傅的妻子家里去了。我觉得又是难为情，又是灰心。

她像我头一次见到她的时候那样迎接我，只是装束不同了。这一次她穿一条灰色的裙子和一件黑丝绒的短上衣，裸露的脖子上挂着一个镶绿松石的十字架。她像是一只雌灰雀。

我对她说我没有来得及看完这本书，我的东家家里不准我看书。我心里委屈，可是见到这个女人又高兴，我的眼睛里就含满了泪水。

"呸，这些人多么愚蠢啊！"她把两道细眉毛皱起来，说，"你的东家的脸还挺招人喜欢呢。你先别发愁，我来想一想办法。我给他写一封信吧！"

这个办法把我吓坏了。我就对她解释说，我向东家一家人撒了谎，说这本书不是在她这儿借的，而是在司祭那儿借的。

"不用了，您别写信了！"我要求她说，"他们会笑您，骂您的。要知道这个院子里的人谁也不喜欢您，大家都笑您，说您是傻瓜，说您缺一条肋骨……"

我随口说出这许多话以后，马上明白我说了多余的话，使她难堪了。她咬着上嘴唇，如同骑在马上那样拍一下她的胯骨。我窘得低下了头，恨不得钻进地里去才好。可是这时候剪裁师傅的妻子倒在一把椅子上，畅快地扬声大笑，反复说道：

"哎，多么愚蠢……多么愚蠢啊！可是，该怎么办呢？"她定睛瞧着我，问她自己。然后她叹口气，说："你是个很奇怪的孩子，很奇怪……"

我照一下她身旁的镜子，看见一张生着高颧骨和大鼻子的脸，脑门子上有一大块青伤，很久没剪过的头发往四面八方张开。这就叫作"一个很奇怪的孩子"吗？……这个奇怪的孩子跟那个细致的小瓷人倒真是大不相同呢……

"那一次我给你一个小钱，你没拿。那是为什么？"

"我不要。"

她叹口气。

"哎，那有什么办法呢！要是他们准许你看书，你就来，我会借给你书的……"

她的镜台上放着三本书。我送来的这一本最厚。我难过地瞧着这本书。这个剪裁师傅的妻子对我伸出一只粉红色的小手。

"好，再见……"

我小心地碰一碰她的手，就很快地走掉了。

也许人们议论她的话是对的：她什么也不懂。比方说，她把一个二十戈比的硬币叫作小钱，就像小孩子一样。

可是我倒喜欢这一点……

九

我那种很快地爆发起来的读书热情，给我带来那么多难堪的屈辱、欺凌、惊恐，现在回想起来，觉得真是又可悲又可笑！

剪裁师傅的妻子的那些书，看来非常贵重。我生怕老女主人会把它们放进炉灶里烧掉，就极力不去想那些书。每天早晨我要到小铺里去买面包供早茶用，我就开始在这个小铺里借阅一些花花绿绿的小书。

小铺老板是一个极不顺眼的青年。他嘴唇厚，爱出汗，生一张虚胖的白脸，有瘰疬病的瘢痕和斑点。他眼睛发白，一双胖手上生着又短又笨的手指头。他的小铺是街上的少年和轻佻的少女傍晚聚会的地点。我的东家的弟弟也几乎每天傍晚都到这个小铺里去喝啤酒和打牌，家里常常打发我到那里去叫他回家来吃晚饭。我不止一次在这个小铺后边一个又窄又小的房间里看见小铺老板的脸色绯红、有点傻头傻脑的妻子坐在维克多或者别的青年人的膝盖上。看起来，这并没有惹恼小铺老板。他的妹妹在小铺里帮他做生意，往往被歌手们、士兵们和一切喜欢调情的人使劲抱住，他看见了也并不生气。这个小铺里的货品不多，他解释说这是因为他的买卖是新开办的，他还没有来得及把货备齐，其实这个小铺早在秋天就已经开张了。他拿淫秽的画片给客人和顾主看，把一些无耻的诗句拿给那些愿意抄的人去传抄。

我就读米沙·叶甫斯契格涅耶夫所写的那些无聊的小书，每读一册就要花一个戈比。这租费很贵，而这些小书却没有使我得到什么乐趣。《古阿克，或不可战胜的忠诚》《威尼斯人弗兰齐尔》《俄罗斯人和卡巴尔达人的会战，或死在丈夫坟墓上的美女伊斯兰教徒》以及所有这一类的文学作品，也都没有使我感到满意，反而常常在我的心中引起一种气愤的烦恼，好像这些小书跟耍弄傻子那样耍弄我，用拗口难懂的文字讲些使人没法相信的事。

《射手》《尤利·米洛斯拉甫斯基》《神秘的修道士》《亚潘察，鞑靼的骑手》以及这一类的书，我读得倒满意些，读完了总还留下一点印象。然而更加吸引我的却是圣徒的传记，这种书有一些严肃的、可以使人相信的东西，有的时候甚至使我深深地激动。不知什么缘故所有的大殉教徒都使我联想到"好事情"，那些女性大殉教徒使我联想到我的外祖母，那些圣徒使我联想到脾气很好的时候的我那外祖父。

我出外劈柴的时候就在板棚里读书，或者我就到阁楼里去读书，可是这两个地方都同样不方便，同样冷。有的时候要是一本书引起我的兴趣，或者我得赶快把它读完，我就往往夜里起床，点上蜡烛。然而老女主人发现蜡烛在夜里缩短了一截，就先用一极小劈柴量好蜡烛的长短，再把那根小劈柴藏起来。如果到早晨蜡烛短了一俄寸，或者如果我找到了那根小劈柴而没有把它折得跟点过的蜡烛一般长，那么厨房里就会掀起一阵猛烈的叫骂。有一次维克多鲁希卡在高板床上气愤地嚷起来：

"您别骂街啦，妈！简直闹得人没法活了！当然，他一定点了蜡烛，因为他在看书。书是在小铺老板那儿借来的，我知道！您到阁楼上去翻一翻他的东西吧……"

老太婆就跑到阁楼上去，找到了一本小书，把它撕得粉碎。

不消说，这使得我难过，可是读书的欲望反而更加强烈了。我明白，如果有个圣徒到这个家庭里来，我的东家一家人也还是会着手教训他，叫他一举一动都合乎他们的心意的。他们所以这样做，是因为他们烦闷无聊。假如他们不挑别人的毛病，不对别人叫嚷，不嘲弄别人，他们就会没有话可说，变成哑巴，自己看不见自己在活着了。人为了感觉到自己在活着，就不得不用某种方式来对待别人。我的东家一家人对待别人除了教训和责难以外，就再也没有别的方式了。别人真要是开始照他们那样生活，也就是把自己的思想和感情改得同他们一样，那也还是不行，这些人仍旧会为此遭到责难。天下就真有这样的人。

我千方百计继续读书。老太婆有好几次把我的书撕毁。后来，我忽然发现我欠下了小铺老板一大笔债，有四十七个戈比之多！他逼着我还钱。我到这个小铺里去买东西，他就威胁我说要扣下东家的钱来抵债。

"这样一来会怎么样呢？"他用嘲弄的口气问我。

对他这个人我讨厌透了。看样子他也感觉到这一点了，就用种种的威胁折磨我，而且干得特别有味道。我一走进这个小铺里来，他那张斑点很多的脸就露出了笑容，他亲热地问我说：

"你欠的款子带来了吗？"

"没有。"

这使他吃一惊，他皱起眉头。

"这是怎么搞的？那叫我怎么办呢？把你送到法院去还是怎么的？莫非要按法律办事：先查封你的财产，再把你送到移民区①去吗？"

我没有地方去找钱，我的工资是由我的外祖父拿去的。我没了主意，不知道该怎么办才好。我要求推迟还债的日期，小铺老板作为回答，就向我伸出一只像油炸饼那样又油又厚的手，说：

"你吻一下我的手，我就等！"

可是我从柜台上拿起一个磅秤的砝码，对他挥动一下。他就蹲下去，嚷道：

"干什么？你干什么，你干什么呀？我是说着玩的！"

我明白他并不是说着玩的，就决定偷一点钱来还清他的债。我每天早晨要刷我的东家的衣服，他的裤子的口袋里常有些硬币叮当地响，有的时候它们从口袋里掉出来，滚到地板上。有一次一个硬币掉进地板缝里，落到楼梯底下的柴棚里去了。我忘了说起这件事，直到过了好几天在柴堆里发现一枚二十戈比的硬币，才想起来。我就把它交给

---

① 指西伯利亚之类服苦役刑的地区。

了东家，他的妻子却对他说：

"你瞧瞧。你把钱放进口袋里以前，先要数一数清楚。"

可是东家对着我微笑，说：

"他不偷东西，我知道！"

现在我决定偷钱了，我就想起了这句话和他那信任的笑容，感觉到我简直难于下手。有好几次我从他的口袋里拿出银币，数一下，却又下不了决心拿走。我一连三天为这件事心里七上八下。后来，突然间，这件事很快而且很简单地解决了。我的东家出人意外地问我说：

"你怎么了，彼什柯夫？你闷得慌吗？你是生病了还是怎么的？"

我就老老实实地把我的伤心事都对他说了。他皱起了眉头。

"这你就该明白了，它们，那些书，惹出了多少麻烦啊！书这个东西，一定会这样那样地闹出乱子来……"

他给了我半个卢布①，严厉地吩咐我说：

"当心，你别说走了嘴让我的妻子或者母亲知道，那会大闹一场的！"

然后，他好意地笑一笑，说：

"你的脾气真犟啊，见鬼！没关系，这倒挺好。不过你还是把那些书丢开吧！从新年起我订一份很好的报纸，你就念报吧……"

于是每天傍晚，喝完茶以后，到吃晚饭以前，我就给东家一家人朗读《莫斯科小报》上的瓦希科夫、罗克沙宁、鲁德尼科甫斯基的长篇小说，以及其他种种供烦闷得要死的人有助于消化的文学作品。

我不喜欢大声朗读，这妨碍我理解我所读的东西。可是我的东家一家人倒听得聚精会神，露出一种似乎颇为虔诚的贪婪心情，不住地惊叫，对小说中人物所干的坏事大惊小怪，而且得意地互相说：

"可是我们生活得挺安静，挺本分，这种事一点也没遇到，谢天谢地！"

他们总是把事情记混，把著名的大盗楚尔金所做的事归到车夫福玛·克鲁钦名下，把人名弄错。我常常纠正这些听众的错误，这使他们感到很惊讶。

"嘿，他的记性可真不坏！"

我不止一次在《莫斯科小报》上遇到列奥尼德·格拉威的诗。我

———

① 半个卢布合五十个戈比。

很喜欢这些诗，把其中的一些抄在我的笔记本上。可是东家一家人却议论这个诗人说：

"他老都老了，可还要写诗。"

"他是个酒鬼，疯疯癫癫的，什么都不在乎。"

我喜欢斯特鲁日金、美曼托—莫利伯爵的诗。然而那两个女人，老的和少的，都硬说诗歌是瞎胡闹。

"只有小丑和戏子才念诗。"

在这个又小又窄的房间里同我的东家一家人一起度过的这些冬天的傍晚，对我来说，是沉闷难受的。窗外是死气沉沉的夜晚，有的时候树枝在严寒中冻得咔嚓咔嚓响。人们坐在一张桌子旁边，沉默着，像是一些冰冻的鱼。再不然暴风雪沙沙响地敲打窗上的玻璃，敲打墙壁，在烟囱里呜呜地叫，撞响炉子的火门。儿童室里小娃娃在啼哭。我恨不能躲到一个阴暗的角落里去坐着，蜷起身子，像一条狼似的嗥一阵才好。

那两个女人靠着桌子的一头坐着，做针线活或者织袜子。维克多鲁希卡在桌子的另一头坐着，弯下背去，无精打采地复制图纸，不时叫道：

"你们别摇桌子呀！简直闹得人没法活，王牌钉子，吃耗子的狗……"

我的东家在一旁挨着一个巨大的绣架坐着，在一块粗麻布的桌布上绣十字花。从他的手指头底下出现了一个个红色的虾、青色的鱼、黄色的蝴蝶、棕红色的秋叶。他的刺绣图案是由他自己画出来的。这个工作他已经一连干了三个冬天，干得很腻味了。白天我闲着的时候，他常常对我说：

"喏，彼什柯夫，你来坐着绣桌布，你来干！"

我就坐下，用一根粗针干起来。我可怜我的东家，总是愿意在各方面极力帮助他。我老是觉得有一天他会丢开制图、刺绣、打牌这类的事，开始做另外一种有趣的事，一种他常常思索的事。每逢他这样思索的时候，他就突然丢下他手头的工作，用他那对惊讶的眼睛呆呆地瞧着这个工作，仿佛瞧着一种他不熟悉的东西似的。这时候他的头发披下来，盖在他的额头上和脸上，他活像修道院里的一个见习修道士。

"你在想什么？"他的妻子问。

"没想什么。"他回答说，就又埋头工作。

我默默地暗自吃惊：难道可以问一个人在想什么吗？这样的问题是没法回答的。人总是一时间想着很多的事情，例如眼面前所有的种种事情，昨天和去年见到过的种种事情。这一切纠结在一起，抓也抓不住，一切都在活动和变化。

《莫斯科小报》的文章不够朗读一个傍晚的，我就提议朗读他们寝室里床底下放着的那些杂志。年轻的女主人怀疑地说：

"那有什么可念的呢？那里面净是些画片。……"

可是他们的床底下除了放着《绘画评论》以外，却原来还放着《火花》。于是我们就读萨里阿斯的《佳青—巴尔契依斯基伯爵》。我的东家很喜欢这个中篇小说里那个有点傻头傻脑的主人公，他无情地笑那个公子哥儿的可悲的遭遇，笑得眼泪都流出来了。他叫道：

"哎呀，这篇东西可真逗笑！"

"这恐怕都是胡诌。"年轻的女主人说，借此表示她是有独立见解的。

他们床底下的那些图书帮了我的大忙。我争取到把那些杂志拿到厨房里去的权利，夜里可以看书了。

说来也是我走运，老太婆搬到儿童室里去睡觉了，因为保姆的狂饮病发作，喝得醉醺醺的。维克多鲁希卡并不碍我的事。等到全家人都睡熟，他就偷偷穿好衣服，不知到什么地方去了，直到早晨才回来。他们不给我灯火，把蜡烛都带到他们的房间里去，而我又没有钱买蜡烛。于是我悄悄地着手把几个烛台上的烛油收集起来，放在一个原先装沙丁鱼的罐头盒里，浇上一点长明灯里的油，再用细线搓成一根灯芯。每到夜里炉灶上就点起一个烟雾腾腾的灯火。

每逢我翻动一本大书的书页，灯芯的小红火苗就颤巍巍地摇闪，大有要灭的样子。灯芯时常淹没在那摊融化的、有气味的稀油里，烟子熏我的眼睛，可是所有这些不方便，都消失在看画片和读画片说明词的快乐里了。

这些画片把我眼前的世界扩展得越来越开阔，给这个世界装点上许多神话般的城市，指引我看到了高山峻岭和美丽的海岸。生活美妙地扩大开来，大地变得更妩媚了，人加多了，城市林立了，真是五花八门，千变万化。如今，我眺望着伏尔加河对岸的远方，才知道那儿并不是一片荒野。然而以前我看着伏尔加河对岸，心情却有点特别惆怅：一些草场平躺在那儿，草场上有些灌木丛像是黑色的补丁，草场的尽头是一带森林，好比一堵高低不平的黑墙，草场的上空是迷蒙寒冷的蓝天。大地空旷而荒凉。人的心就也空荡荡了，淡淡的哀愁抓挠着人的心，一切愿望都化为乌有，人就万念俱灰，只想闭上眼睛。这种冷清的空虚是不给人任何希望的，它把人的心里所有的力量都吸得干干净净。

那些画片说明词明白晓畅地述说着另外的一些国家和另外的人，讲解过去和现在的种种事情。有许多地方我还看不懂，这使得我苦恼。有的时候一些古怪的词钻进了我的脑筋，什么"形而上学"啦，什么"人间千年天国说"① 啦，什么"宪章派"② 啦，等等。这种词把我搅扰得难受极了。它们膨胀得庞大无比，遮蔽了一切。我觉得要是我弄不明白这种词的含义，我从此就会什么也理解不了，正是这些词像卫兵似的把守住了一切秘密的大门。常常有整句整句的话在我的记忆里存在很久，像木刺扎进了手指头一样，妨碍我思考别的东西。

我记得我读过一首奇怪的诗：

> 匈奴的皇帝阿提拉，
> 披戴着钢盔铁甲，
> 走过荒无人烟的地方，
> 像坟墓那样阴沉而喑哑……

紧跟在他后面的，是许多的武士，好比黑压压的一片乌云，他们叫喊道：

> 罗马在哪儿？
> 强大的罗马在哪儿？

罗马是一个城，这我是知道的，可是匈奴是什么人呢？这非弄懂不可。

我就挑了一个方便的时候问我的东家。

"匈奴？"他惊讶地念一遍这个词，"鬼才知道这是什么东西！一定

---

① 一种荒诞的宗教传说，劝人消极耐心地等待一千年，天国自会降临人间。

② 指参加宪章运动的人，宪章运动是十九世纪三四十年代英国最早的、群众性的、政治性的无产阶级革命运动。

是胡诌出来的……”

然后，他不赞成地摇摇头。

“这些无聊的东西在你的脑子里翻腾个没完，这可不好啊，彼什柯夫！”

不好也罢，好也罢，反正我要弄懂它。

我觉得团队里的司祭索洛维耶夫一定知道匈奴是什么。我就住院子里拦住他，问他。

这个人脸色苍白，带着病容，生着一对红眼睛，没有眉毛，留着稀疏的黄胡子，老是怒气冲冲。他把他的黑色拐杖往地上一戳，对我说：

“这个跟你有什么相干，啊？”

涅斯捷罗夫中尉听到我提出的问题，就凶恶地回答说：

“你问这个干什么？”

于是我断定，关于匈奴这个词必须到药房里去问那个药剂师才成。他生着一张聪明的脸，大鼻子上架着一副金丝眼镜，老是亲切地瞧着我。

“匈奴，”药剂师巴威尔·戈尔德堡对我说，“原本是一个游牧民族，就像吉尔吉斯人那样。如今这个民族已经没有了，全都死掉了。”

我心里又难过又懊恼，这倒不是因为匈奴人绝种了，而是因为这个词弄得我苦恼了那么久，不料它的含义竟然这样简单，并没有给我什么收获。

不过我还是很感激匈奴。自从我为这个词大伤脑筋以后，这一类的词就不再那样搅扰我了。而且多亏这个阿提拉，我才认识了这个药剂师戈尔德堡。

这个人知道一切难懂的词的简单含义，他有打开一切秘密的钥匙。他用两个手指头正一正他的眼镜，从很厚的镜片里定睛瞧着我的眼睛，然后他开口说话，而他那些话就像一个个小钉子似的扎进我的脑门子里去：

“朋友，词好比树上的叶子。为了理解树叶为什么是这样而不是那样，就得知道这棵树是怎么生长的，那就得学习！书本，朋友，像是一个好花园，那儿样样都有：既有使人愉快的东西，也有使人得益的东西……”

我常常跑到药房里去找他，为那些经常闹“胃气痛”的大人买苏打和含水碳酸镁①，为婴儿买月桂膏和泻药。那位药剂师的简明扼要的教导使得我对待书本的态度越来越严肃。无形之中它们已经变成我所缺少不得的东西，犹如酒之于酒徒一样。

书本向我指出另外的一种生活，这种生活具有博大的感情和愿望，它们指引人们去做出丰功伟绩和犯罪行为。我看出我四周的那些人是没有能力做出丰功伟绩和犯罪行为的，他们的生活同书本上所写的一切毫不相干。他们这种生活究竟有什么趣味，那是很难理解的。我不愿意过这样的生活……这一点我是很清楚的：我就是不愿意……

从那些画片说明词当中，我知道在布拉格、伦敦、巴黎这些城的城中央，就没有这种深沟，没有这种由垃圾堆成的肮脏的土坝。那边的街道又直又宽，房屋和教堂都是另一种样子。那边没有一连六个月的冬季，把人关在房子里，出去不得。那边也没有大斋，弄得人只能吃酸白菜、腌蘑菇、燕麦面、土豆以及难以下咽的亚麻子油。在不准看书的大斋期间，我手头的《绘画评论》就被拿走，那种空虚沉闷的生活又直逼到我的眼前来。如今，我既然能够拿它同我从书上知道的那种生活相比，我就觉得它越发贫乏，越发不像样子。我一面读书，一面感到自己健康多了，强壮多了。我干起活来又顺手又熟练，因为我有了一个目标：工作完得越快，留下的读书时间就越多。缺了书，我就变得无精打采，懒洋洋的，而且记性坏得反常，这是我以前从没发生过的。

我记得，正是在这些空虚的日子里，发生了一件神秘的事。有一天傍晚，大家都躺下睡觉了，忽然间，大教堂的钟洪亮地响起来。这声音顿时震动了家里所有的人，这些没有穿好衣服的人就扑到窗子跟前去，互相问道：

"是火灾吗？是打警钟吗？"

人可以听见别的住宅里也在忙忙乱乱，各处的房门砰砰地响。不知一个什么人，牵着一匹马跑过这个院子。老女主人嚷着说，这是有人在抢劫大教堂。我的东家就拦阻她说：

"别说了，妈。要知道，谁都听得出来这不是打警钟！"

"哦，那就是大主教死了！……"

维克多鲁希卡从他的高板床上下来，穿上衣服，叽咕说：

————————————

① 治疗胃酸过多的一种药。

"我知道出了什么事，我知道！"

我的东家打发我到阁楼上去看一看有没有火光。我就跑去，从天窗里爬到房顶上，可是没有看见火光。那口钟在平静的、严寒的空气里不慌不忙，当当地响。这座城正躺在大地上昏睡。有一些看不清的人在黑地里跑来跑去，踩着雪嘎吱嘎吱地响。雪橇的滑铁吱扭吱扭地叫。钟声响得越发凶险了。我回到房间里去。

"没有火光。"

"哎，天主啊！"我的东家说，穿上大衣，戴上帽子，竖起衣领，开始犹豫不决地把他的脚伸到一双套靴里去。年轻的女主人央求他说：

"你别去了！算了，你别去了……"

"废话！"

维克多鲁希卡也穿好衣服，故意逗得大家着急，说：

"我知道……"

等到这两个弟兄上街去了，那两个女人就吩咐我烧茶炊，她们自己又扑到窗子跟前去。可是我的东家几乎马上就从街上走回来，拉门铃了。他沉默地跑上楼梯，推开外室的房门，声音低沉地说：

"沙皇遇刺了①！"

"遇刺！"老太婆叫了一声。

"遇刺了，这是一个军官告诉我的……这可怎么好啊？"

维克多鲁希卡拉门铃了。他无精打采地脱掉外衣，生气地说：

"我还当是打仗了呢！"

然后他们这几个人就坐下来喝茶，平心静气地谈话，可是声音很低，小心翼翼。街上也安静下来，那口钟不再响了。一连两天他们交头接耳，鬼鬼祟祟地讲话。他们常常出门到别的地方去，客人们也不住来找他们，详细地讲着一件什么事。我很想弄明白到底出了什么事。可是东家一家人把报纸藏起来，不准我看。我就问西多罗夫为什么沙皇遇刺，他却压低喉咙回答说：

"这件事是不许说的……"

整个这件事很快就被人淡忘，日常的琐事把它盖住了。不久，我经历到一件很不愉快的事。

有一个星期日，东家一家人出外去做早弥撒，我在家里烧上茶炊

---

① 一八八一年三月俄国民意党人刺死沙皇亚历山大二世。

后，走开，收拾房间去了。这时候这家人的大孩子溜进厨房里去，把茶炊上的水龙头拧下来，钻到一张桌子底下去坐着，玩那个水龙头。这个茶炊的内膛里木炭很多。茶炊里的水流完以后，茶炊就开焊了。我还在别的房间里就已经听见茶炊发出的声音极响，而且反常。等我跑进厨房里去，我就吓了一跳，看见整个茶炊变成青色，不住摇晃，仿佛要从地板上跳起来似的。水龙头的那根管子已经开焊，悲惨地耷拉下来，茶炊的盖子歪到一旁去了。从茶炊的把手底下流下一滴滴的锡液。这个青得发紫的茶炊仿佛喝得酩酊大醉似的。我拿水来浇这个茶炊，它就嘶嘶地响起来，凄凉地瘫在地板上。

这时候正门的门廊上响起了门铃。我就去开门。老太婆问我烧好茶炊没有，我就简短地回答说：

"烧好了。"

这句话多半是出于惊慌害怕才说出口的，可是他们认为是讥诮，就加重了对我的惩罚。我挨了一顿毒打。老太婆拿起一小捆松木的小劈柴打我，这倒不很痛，然而这一顿打却在我背上的皮肤里留下许许多多的长木刺。将近傍晚我的后背就像枕头一样鼓起来。到第二天中午，我的东家就不得不把我送到医院里去了。

一个瘦长得可笑的医师检查完我的伤后，就用深沉的男低音平静地说：

"这种毒打得写呈文报官。"

东家涨红了脸，把两只脚在地上蹭来蹭去，低声对那个医师讲了一些话。可是医师把眼睛越过他的头向前看去，简短地回答说：

"我办不到。这不行。"

可是后来这位医师问我说：

"你想告状吗？"

我身上痛，然而我说：

"我不想。您快点给我治吧……"

我就给送到另一个房间里去，趴在一张桌子上。那位医师就拿一把凉得叫人怪好受的镊子拔那些木刺，颇有风趣地说：

"他们把你这一身皮可收拾得真不错，朋友，现在你这身皮就连一滴水也渗不进去了……"

他做完这种使我痒得难熬的工作以后，就说：

"拔出了四十二根大木刺，朋友，你要记住。往后你可以夸耀一番了！明天这个时候你来换绷带。你常挨打吗？"

我想了一想，回答说：

"以前我挨过的打还要多呢……"

医师用他的男低音哈哈大笑：

"对，一切都在变好，朋友，一切都在变好啊！"

他把我领到我的东家面前去，对他说：

"请您领走吧，他算是修理好了！明天再来，要给他换绷带。算您运气好，他倒是个乐天派呢……"

我们坐上一辆出租的马车以后，我的东家就对我说：

"以前我也挨过打，彼什柯夫，那有什么办法呢？打得可厉害了，小兄弟！你好歹还有我来怜惜，我呢，却连一个怜惜我的，人也没有，一个也没有！人是到处都有的，拥挤不动，可是讲到怜惜我，那就连一个狗崽子也没有！哼，那些母鸡畜生……"

他一路上骂个不停。我可怜他。我也很感激他，因为他像人跟人那样同我说话。

东家家里的人如同迎接寿星老那样地迎接我。那两个女人逼着我详细地讲一讲医师怎样给我治伤，他都说了些什么话。她们听着，不住地惊叫，津津有味地吧哒嘴唇，皱起眉头。她们对疾病，对痛苦，对一切不愉快的事表现出这么紧张的兴趣，真使我吃惊！

我看出她们对我很满意，因为我没有告她们的状。我就趁此机会要求她们允许我在剪裁师傅的妻子那儿借书来看。他们不敢拒绝我，只有老太婆惊讶地叫了一声：

"嘿，这个小鬼！"

过了一天，我就站在剪裁师傅的妻子跟前了。她亲切地说：

"人家告诉我说你病了，送到医院里去了。你看，那些传说多么不确实！"

我没说什么。我不好意思把真相告诉她：那种粗暴而可悲的事何必让她知道呢？她跟别人不一样，这太好了。

我就又读大本的书。大仲马①、彭桑·杜·特里尔②、蒙台潘、沙

①　大仲马（1803—1870），法国历史惊险小说作家。

②　特里尔（1829—1871），法国惊险小说作家。

科涅①、加博里奥②、艾玛拉③、布阿果贝④的书，我一本连着一本，读得很快，心里高高兴兴。我感到我在参与一种不平凡的生活，这种生活愉快地激动我的心，使得我精神振奋。我那盏自制的小灯又冒起了黑烟，我通宵看书一直看到天亮。我的眼睛出了点毛病，老女主人就殷勤地对我说了：

"你等着吧，书呆子，你的眼珠会爆裂，眼睛会瞎掉！"

可是，我很快就明白过来，在所有这些复杂得有趣的书里，尽管情节千变万化，国家和城市各不相同，所讲的却是一回事：好人倒霉，遭到坏人的迫害，坏人老是比好人走运，聪明，不过到头来总有一种不可捉摸的东西战胜坏人，而好人必然胜利。那些"恋爱"的情节惹人讨厌，因为所有的男人和女人都用千篇一律的话来谈情说爱。这种单调不但使人感到乏味，而且引起模糊的怀疑。

往往从最初几页起，我就开始猜测谁会胜利，谁会失败。一旦情节的关键变得明显了，我就极力运用我的想象力来解开这个扣子。我就不再读下去，停下来思考一下，如同思考算术教科书上的一道习题似的。结果我越来越有把握，常常能够准确地解答哪一个人物会走进万事大吉的天堂里去，哪一个人物会落到监牢里去。

不过在这一切情节的背后，我倒隐隐约约地看到了一种生动的、在我是意义重大的真相，看到了另外的一种生活的特点，另外的一种人与人的关系。我看得很清楚：巴黎的马车夫们、工人们、士兵们以及全体"平民"同尼日尼、喀山、彼尔姆的这类人不一样。巴黎的那些人同老爷们说话胆大些，对待老爷们的态度也随便些，独立自主的精神多一些。那边也有兵，可是他们就不同于我所认识的任何一个兵：既不像西多罗夫，也不像轮船上的那个维亚特省的兵，尤其不像叶尔莫兴。那边的兵比这儿的兵更像一个人。他们跟斯穆雷依倒有某种共同之处，然而不像他那么凶恶粗暴。那边也有小铺老板，不过他们也比我所认识的一切小铺老板都高明。就连那些书上的教士也跟我所认识的教士们不同，他们对待人们的态度热诚些，也关切些。大体说来，照那些书上所讲的全部外国生活，比起我所熟悉的这种生活来，要有

---

① 沙科涅（1817—1895），法国作家。

② 加博里奥（1835—1873），法国侦探小说作家。

③ 艾玛拉（1818—1883），法国作家。

④ 布阿果贝（1589—1662），法国诗人，剧作家。

趣些，轻松些，高明些。在外国，人们就不这么常常野蛮地打架，不像要弄维亚特省的兵那样刻薄地耍弄人，也不像我的老女主人那么穷凶极恶地祷告上帝。

特别惹人注意的是那些书讲到坏人，讲到那些贪婪而卑鄙的人的时候，并没指出他们也有我所熟悉而且常常观察到的那种无法解释的残忍，那种一心想要弄人的渴望。那些书上的坏人也残忍，可是一定有他的意图；为什么他残忍，那几乎总是可以理解的。我却常常看见一种既没有目标又没有意义的残忍。人们只是用这种残忍来取乐，并不是希望从中得到什么好处。

我每读一本新书，我的眼前就越发清楚地显出俄国生活和其他国家生活之间的不同。这种差别在我的心里引起模糊的烦恼，而且加深我的怀疑，使我不相信那些经许多人读过而边角污损的黄色书页上的描写是真实的了。

忽然，龚古尔①的长篇小说《泽姆加诺弟兄》落到我的手里来了。我一口气，在一夜之间，就把它读完了。我由于一种我至今还没体验过的东西而感到震惊，就把这个又简单又悲惨的故事再从头看起。在这本书里，复杂的情节一点都没有，表面有趣的东西也一点都没有。这本书从头几页起就显得严肃，枯燥，像圣徒的传记一样。这部小说的文字那么准确，不带夸张，起初使我生出不愉快的惊讶心情。可是那些简洁的文字和结构谨严的句子那么清楚地印到我的心里，那么有力地叙述着卖艺的两弟兄的悲剧，我津津有味地读着这本书，连我的两只手都发抖了。我读到那个不幸的、断了腿的艺人爬到阁楼上去，而他的弟弟正在那儿悄悄地练他们所心爱的艺术的时候，我就放声大哭了。

我把这本精彩的书还给剪裁师傅的妻子的时候，要求她再借给我一本这样的书。

"什么叫作'这样的'呢？"她问，微微一笑。

这笑容把我窘住了。我也说不出我要什么样的书。她就说：

"这是一本乏味的书。好，你等着吧，我会给你一本更有趣的书……"

过了几天，她就给我一本格林乌德的《一个小苦孩子的真实故

---

① 爱特蒙·龚古尔（1822—1896），法国的自然主义作家。

事》。这本书的名字有点刺痛我的心，可是这本书的头一页就从我的心里引出喜悦的微笑。我就一直带着这样的笑容把全书读完，某些页我重读了两三遍。

这样看来，甚至在外国，有的时候，一个小孩子也生活得那么艰难困苦！那么我的处境就完全不能算是太坏，那我大可不必灰心丧气了！

格林乌德给我增添了很多的勇气。这以后没过多久，有一本真正"正当的"书落到我的手里来了，那就是《欧也妮·葛朗台》①。

葛朗台老头子使我鲜明地联想到我的外祖父。这本书那么短，这是令人遗憾的，然而其中的真实情况又有那么多，这却使人吃惊。那些真实情况原是我在生活中很熟悉而且很厌恶的东西，这本书却用一种全新的，一种不带恶意、平心静气的描写手法把它表现出来。我以前所读过的一切书，除了龚古尔的作品以外，都像我的东家一家人那样声色俱厉、大叫大喊地审判人们，那些书反而常常引起读者对罪人的同情和对正人君子的懊恼心情。眼看一个人耗费大量的智慧和毅力而仍旧不能达到他所想望的目的，那总是使人觉得可怜的，这都是因为正人君子从第一页起到末一页止始终像石头柱子那样毫不动摇地站在他的面前，挡住他的去路。一切不道德的罪恶意图碰着这些柱子，固然统统不可避免地撞得粉碎，然而石头决不会引起读者的同情。要知道，一堵墙不管多么漂亮，多么结实，可要是我们打算摘这堵墙后边的一棵苹果树上的苹果，那我们就不可能欣赏这堵墙。我倒觉得最珍贵、最活生生的东西正好就隐藏在美德的背后……

龚古尔、格林乌德、巴尔扎克的作品里，既没有恶毒的人，也没有善心的人，而只有栩栩如生的普通人。他们是不容人怀疑的：凡是他们所说的话和所做的事，都恰恰应该这样说，这样做，而不可能是另外的一种样子。

这样，我才明白读一本"好的、正当的"书是一件天大的快活事。可是这种书怎样才能找到呢？在这方面，剪裁师傅的妻子就帮不上我的忙了。

"瞧，这是一本好书。"她说，给我一本阿尔森·古塞②的《两只

———

① 法国现实主义作家巴尔扎克（1799—1850）的长篇小说。
② 古塞（1815—1896），法国浪漫主义作家。

满是玫瑰、黄金、鲜血的手》，或者拜洛、波尔·德·寇克、波尔·费瓦尔①的长篇小说，可是这些书我已经读得很勉强了。

她喜欢马里叶特②、魏尔纳③的长篇小说，我却觉得这些作品枯燥乏味。就连斯皮尔哈根④的作品也不能使我读得高兴，不过我倒很喜欢奥艾尔巴赫⑤的那些故事。苏⑥和雨果⑦也不大能吸引我，我觉得瓦尔特·史格得比他们好。我一心想读那种能够使我激动和快乐的书，例如美妙绝伦的巴尔扎克的作品。那个像瓷人一般的女人也越来越不招我喜欢了。

每逢我到她那儿去，我就穿上干净的衬衫，梳好头发，想尽办法极力使得我的外貌整齐顺眼，而这是未必办得到的。不过我一直盼望她看到我衣冠齐整以后，跟我讲起话来会随便一些，亲热一些，免得她那张干净的、老是装得很高兴的脸上露出一种像鱼那样呆板的笑容。可是她见了我，总是面带笑容，用疲倦的嗓音娇声娇气地问道：

"你看完了吗？喜欢这本书吗？"

"不喜欢。"

她就微微地扬起她那两道细眉毛，瞧着我，然后叹口气，用我听熟了的鼻音说：

"那是为什么呢？"

"我已经读过这个了。"

"'这个'是指什么说的呢？"

"恋爱……"

她就眯缝着眼睛，笑起来，发出甜蜜蜜的笑声。

---

① 拜洛（1829—1890），寇克（1794—1871），费瓦尔（1817—1887），都是法国的传奇小说作家。

② 马里叶特（1792—1848），英国作家，善于描写水手生活。

③ 魏尔纳（1768—1832），德国作家。

④ 斯皮尔哈根（1829—1911），德国作家，以自由资产阶级立场对现实有所批判。

⑤ 奥艾尔巴赫（1812—1882），德国作家，他的《黑山乡村故事》四卷描写农村生活。

⑥ 苏（1804—1857），法国作家，他的作品反映资本主义城市的下层社会的贫困堕落。

⑦ 雨果（1802—1885），法国作家。

"哎，可是话说回来，所有的书里都写恋爱呀！"

她坐在一把很大的圈椅上，摆动着她那双穿着皮便鞋的小脚，不时打一个呵欠，把身上的一件浅蓝色家常长袍裹一裹紧，然后伸出她那粉红色的手指头，敲着她膝盖上放着的一本书的硬封面。

我本来提问她说：

"为什么您还不搬家呢？要知道那些军官老是给您写信，讪笑您……"

可是我又没有勇气对她说这些话。我就拿着一本描写"恋爱"的厚书走掉了，心里满是悲哀的失望。

这个院子里的人不断议论这个女人，那些话越来越恶劣，挖苦，歹毒。我听着这些肮脏的、多半是胡诌出来的流言，心里难受得很。不在这个女人的面前，我总是可怜她，替她担忧。可是我一到她那儿，一看见她那对尖利的小眼睛、她那像猫一样灵活的娇小的身体、她那张老是装得很高兴的脸，我对她的怜悯和担忧就像烟一般地消散了。

到了春天，她忽然走掉，不知到哪儿去了。过了几天，她的丈夫也搬走了。

那些房间空了，在等候新的住户。有一次我顺路走进去，看一看那些光秃的墙壁。那些墙上，挂过画片的地方都留下了方形的印记，另外还留下一些弯钉子和钉眼。房间里，涂过油漆的地板上，胡乱地丢着一些五颜六色的破布、纸片、破药盒、空的香水瓶，有一枚很大的铜别针闪闪发光。

我心里悲伤，很想再见一见那个剪裁师傅的娇小的妻子。我要告诉她：我多么感激她……

十

还在剪裁师傅的妻子离开以前，就有一个年纪很轻、眼睛乌黑的太太带着她的母亲和一个小姑娘，搬到我的东家的住宅的楼下来住了。那个母亲是一个头发花白的老太婆，叼着琥珀烟嘴不住地吸烟。那个太太生得很美。她威严，骄傲，讲起话来声音低沉而好听。她不论看什么人，总是先扬起头，微微眯细眼睛，仿佛人家离得很远，她看不清楚似的。有一个在她家里干粗活的兵邱弗亚耶夫，几乎每天把一匹瘦腿的枣红马牵到她的住宅的门前。那个太太就走出来，站在门廊上，身上穿一件很长的银灰色丝绒连衣裙，手上戴一副喇叭口的白手套，脚上穿一双黄色皮靴。她一只手拿着一根柄上镶着淡紫色宝石的马鞭，提起她的衣裾，另一只小手摩挲着那匹马的脸。那匹马就亲切地龇出牙来，斜起火红的眼睛瞧着她，周身颤抖，用它的蹄子轻轻地刨着踩硬的地面。

"罗贝尔①，罗贝尔。"她声调不高地说道，用力拍一拍那匹马的弯得很好看的脖子。

然后，这个太太用一只脚踩着邱弗亚耶夫的膝盖，灵活地一纵身，在马鞍上坐好。那匹马就骄傲地迈出跳舞一般的步子，沿着土坝走去。她那么老练地骑在马鞍上，倒好像她本来就是生在马背上的一样。

她那种美丽是一种罕见的美丽，永远像是新的，以前从来也没见过似的，而且永远使人的心里洋溢着醉人的喜悦。我瞧着她，心里就暗想：狄安娜·普阿提耶、玛尔果皇后、少女拉·瓦里艾尔以及历史长篇小说中的其他美丽的女主人公一定都生得像她这样。

在本城驻扎的某师的军官们经常围绕在她的周围，每到傍晚就在她的家里弹钢琴，拉小提琴，弹吉他，跳舞，唱歌。奥列索夫少校来得比别人都勤，老是在她的周围转来转去。这个人头发花白，腿短，身子胖，红脸膛，油光光的，好像轮船上的一个机械工人。他善于弹吉他，一举一动像是这个太太的忠诚卑顺的仆人。

那个五岁的小姑娘也像她的母亲一样美丽动人。她头发鬈曲，生得丰满。她那对淡蓝色的大眼睛用严肃平静而又有所期望的目光看人。这个小姑娘经常流露出一种不是小孩所应有的沉思神情。

她的外祖母从早到晚忙于操持家务，由阴郁沉默的邱弗亚耶夫和一个斜眼的胖女仆帮着她做。她们家里没有照料孩子的保姆，那个小姑娘就独自生活着，几乎没人管，成天价在门廊上或者门廊对面的一堆木头上玩耍。每到傍晚我常常出来跟她一块儿玩，我很喜欢这个小姑娘。她也很快就跟我熟了。我给她讲神话，她往往就在我的怀里睡着了。等到她睡熟，我就把她送到她的床上去。不久，事情就发展到这样一种局面了：每逢她躺下睡觉，她总是非要我去跟她告别不可。我就去了，她郑重其事地对我伸出一只胖乎乎的小手，说：

"明天见！外婆，应该说些什么呀？"

"你就说：求天主保佑你。"她的外祖母说，从她的嘴里和尖鼻子里喷出一缕缕灰暗色的烟。

———————————

① 马的名字。

"求天主保佑你到明天。那我就睡了。"小姑娘学着说了一句，把一条滚着花边的被子盖在身上。

她的外祖母教导她说：

"不是保佑到明天，而是永远保佑！"

"难道明天不就是永远吗？"

她喜欢"明天"这个词。她把她喜欢的一切东西都转移到未来去。她把摘下来的花和折断的树枝插进土地里去，说：

"明天这儿就会是个花园了……"

"明天我也去买一匹马，及（骑）着它走，跟妈妈一样……"

她挺聪明，可是心里总是不大快活。往往，她玩得正起劲，却忽然沉思起来，出人意外地问一句：

"为什么司祭的头花（发）跟女人的一般长？"

她被荨麻刺痛了，就对它摇一摇手指头，说：

"你留点神，我会祷考（告）上帝，那他就要叫你妻（吃）很大的苦头。不管什么人，上帝都能叫他妻苦头。就连我的妈妈，上帝也能惩罚呢……"

有的时候一种淡淡的、严肃的悲哀笼罩着她。她就偎紧我，抬起她那对有所期望的蓝色眼睛瞧着天空，说：

"我的外婆常发脾气，妈妈就从来也不这样，她老是笑。大家都喜欢她，因为（所以）她总也没有工夫。客人老是来，老是来。他们来瞧她，因为她长得美。她真可爱，妈妈。连奥列索夫都这么说！可爱的妈妈！"

我非常喜欢听这个小姑娘讲话，她讲的是我所不熟悉的一个世界。关于她的母亲，她总是乐于讲，而且讲得多，于是一种新的生活悄悄地在我的眼前展开，我又想起了玛尔果皇后。这就越发加深了我对书本的信任，也加强了我对生活的兴趣。

有一天傍晚，我正坐在门廊上等我的东家一家人从奥特科斯散步回来，那个小姑娘却在我的怀里睡着了。恰巧她的母亲骑着马回来，她轻巧地翻身下马，然后把她的头往后一扬，问道：

"她这是怎么了？睡着了吗？"

"对了。"

"原来是这样……"

那个兵邱弗亚耶夫跑出来，接过马去。这个太太就把鞭子插在她的宽腰带里，对我伸出两只手来，说：

"把她交给我！"

"我自己抱进去吧！"

"站住！"这个太太对我叫道，像吆喝一匹马似的。她在门廊的台阶上跺了一下脚。

那个小姑娘醒过来了，眨巴着眼睛，瞧她的母亲，也向她伸出手去。她们就走掉了。

我听惯人家对我的吆喝了，不过连这个女人也吆喝我，这却不愉快。其实，但凡她小声吩咐一句，人人都会听她的话的。

过了几分钟，那个斜眼的女仆来叫我。原来那个小姑娘在闹脾气，不跟我告别就不肯睡觉。

我在那个母亲面前有点得意扬扬地走进了她家的客厅里。那个小姑娘正坐在她母亲的膝盖上，那个太太用灵巧的手在给她解开衣服。

"好，你瞧，"她说，"他已经来了，这个怪物！"

"他不是怪物，他是我的小伴……"

"是这样吗？那很好。我们来送给你的小伴一点什么东西吧。你愿意吗？"

"行，我愿意！"

"好，这件事由我来办。你去睡吧。"

"明天见，"小姑娘说，对我伸出一只手来，"求天主保佑你到明天……"

那个太太惊讶地叫起来：

"这是谁教给你的，是外婆吗？"

"是啊……"

她走后，这个太太就伸出一个手指头来招呼我走过去。

"送给你一点什么东西才好呢？"

我说用不着送给我什么东西，不过她能不能借给我一本什么小书呢？

她就伸出她的又热又香的手指头来抬起我的下巴，带着愉快的笑容问道：

"原来是这样，你爱看书，是吗？那你看过些什么书呢？"

她一笑，就越发美了。我腼腆地对她举出几个长篇小说的名字。

"那些书里有些什么东西招得你喜欢呢？"她把她的手放在桌子上，问道，她的手指头微微动着。

她身上发散出一种什么花的浓重的甜香，这种香气同马汗的气味古怪地混合在一起。她从她的长睫毛里严肃而沉思地瞧着我。至今为止还没有一个人像这样瞧过我。

这个房间里放着许多柔软漂亮的家具，房间就显得窄小，像鸟窠一样了。窗子被一些鲜花的茂密的绿叶遮住。昏暗的角落里闪着一个火炉的雪白的瓷砖，旁边有一架黑色的钢琴发光。墙上挂着一些不亮的金边镜框，里面装着一些颜色发暗的文书，上面歪歪斜斜地写满斯拉夫文的大字母，每一张文书下面都用线绳挂着一个乌黑的大印章。所有这些东西都像我一样温顺胆怯地瞧着这个女人。

我尽我的能力对她解释说生活是很艰难，很乏味的，而一读书就把这些都忘掉了。

"哦，是这样吗?"她说着，站起来，"这话说得不坏，而且这话，我看是对的……嗯，好吧，今后我可以借书给你，可是目前我手头没有书……不过呢，你把这一本拿去好了……"

她从一个长沙发上拿起一本黄色封面、边角污损的小书。

"你读完了，我再给你第二本，一共有四本……"

我就带着一本美谢尔斯基公爵①的《彼得堡的秘密》走了。我开始聚精会神地读这本书，然而从头几页起我就清楚地看出来彼得堡的"秘密"比起马德里、伦敦、巴黎的秘密来乏味得多。这本书里，只有关于自由和棍棒的寓言使我感到有趣。

"我比你高明，"自由说，"因为我聪明些。"

可是棍棒回答它说:

"不，我比你高明，因为我比你有力量。"

它们吵啊吵的，打起来了。棍棒就把自由痛打了一顿。后来，据我记得，自由挨了这一场打就在医院里死掉了。

书里讲到虚无主义者②。我记得，按照美谢尔斯基公爵的看法，虚无主义者是一种非常凶恶的人，就连一只鸡经这种人看过一眼也会死掉。虚无主义者这个词，依我看来像是骂人的，不体面的，可是除此以外我就什么也不懂了。这使得我灰心丧气:显然我不善于理解好书:我相信这是一本好书;要知道，这么一个高傲而美丽的女人是决不会看坏书的!

---

① 当时俄国的一个反动文人。

② 暗指十九世纪俄国的反对农奴制的进步人士。

"哦，怎么样，你喜欢这本书吗？" 她看到我把美谢尔斯基的那本黄色封面的长篇小说还给她，就问道。

我很难回答她说我不喜欢。我想，这样说会惹她生气。

可是她反而笑起来，走到门帘后面去了，那儿是她的寝室。她从那儿拿来一本蓝色山羊皮硬封面的小书。

"这本书你会喜欢的，只是不要把它弄脏！"

那是普希金的诗集。我一口气就把它读完了，心里满是如饥似渴的感觉，就像一个人无意间来到一个以前没有见过的、美丽的地方，总想一下子把这整个地方都跑遍似的。一个人在沼泽地带的树林中，在那些长满青苔的土墩上走了很久，突然有一片干燥的林边草地在他的眼前展开，那里满是鲜花和阳光，他就会生出这样的心情。一时间他如醉如痴地瞧着它，然后就满腔幸福地跑遍整个这块地方。他的脚每一次碰到这块肥沃的土地上那些柔软的青草，都会使他感到宁静的喜悦。

普希金的诗歌的朴素无华和声调铿锵，使得我大为惊奇，这以后我有很长的一段时间都觉得散文不自然，读起来别扭。《鲁斯兰》① 的诗序使我联想到我外祖母的那些最优秀的神话，仿佛把那些神话美妙地压缩在一起了。有一些诗句显出了刻画入微的真实，使得我暗暗吃惊。

> 那边，在人迹不到的小路上，
> 印着人们没有见过的野兽的足迹……

我心里背诵着这些美妙的诗句，就看见了那些我很熟悉的而又不大明显的小路，看见了那些神秘的足迹以及被踏倒的青草，而那些青草还没抖掉像水银那么重的露珠。那些音调响亮的诗句把它们所讲的一切东西装点得喜气洋洋，非常容易使人记住。这使得我心里幸福，使得我生活轻松愉快。这些诗像新生活的钟声那样鸣响。一个人能够识字看书，那是多么幸福啊！

普希金的那些精彩的童话诗对我来说最亲切易懂。我只要把它们读几遍就背下来了。我躺下来睡觉的时候，闭上眼睛，不出声地念那

---

① 俄国诗人普希金（1799—1837）的长诗《鲁斯兰和柳德米拉》。

些诗，直到睡着为止。我不止一次把这些童话诗念给那些勤务兵听。他们听着，扬声大笑，好意地骂几句。西多罗夫摩挲着我的脑袋，轻声说：

"这写得真好，不是吗？啊，天主呀……"

我的满腔兴奋被东家一家人看出来了。老太婆骂道：

"他看书看得迷了心窍，这个淘气鬼，茶炊有四天没擦了！等我的火上来，我就捞起擀面杖来揍你……"

擀面杖算得了什么？我就用诗来保护自己，反击她：

> 那苍老的女魔法师
> 用黑暗的灵魂热爱恶事……

那个太太在我的心目中越发高大了：原来她读的是这样的书！她跟那个剪裁师傅的像瓷人一般的妻子可是大不相同啊。……

我把这本书送到她那儿去，难过地还给她的时候，她有把握地说：

"这本书你一定喜欢！你听说过普希金吗？"

这个诗人的生平，我已经在一本杂志上读到过一点，可是我希望由她来讲一下，就回答说我没有听到过。

她对我简略地讲了一下普希金的身世和死亡①，然后她像春天的白昼那样微笑着，问道：

"你明白爱一个女人是多么危险吗？"

根据我读过的一切书，我知道这确实是危险的，然而另一方面，这又很好。我就说：

"危险是危险，可是大家都在爱！而且话说回来，女人也因此受苦。……"

她像看一切人那样从她的睫毛里看着我，严肃地说：

"是吗？你了解这一点？那么我希望你别忘掉！"

然后她开始问我喜欢哪些诗。

我就对她说了一说，而且挥舞着我的两条胳膊，背诵了一些诗句。她沉默而严肃地听着我朗诵，然后站起来，在房间里走来走去，沉思地说：

---

① 普希金三十八岁死于决斗，决斗的起因与他的妻子有关。

　　"你，最可爱的小野兽，应当去上学念书才是。这件事我来考虑一下。……你的东家一家人是你的亲戚吗？"

　　我肯定地回答了她问的话，她就叫了一声：

　　"哦！"从她的口气听来，好像在责备我似的。

　　她给我一本《贝朗瑞①诗集》。这本书版本精致，附有版画，裁口喷金，红皮封面。这些诗把沉痛的悲伤和汹涌的欢乐奇怪地紧密结合在一起了，我简直读得神魂颠倒。

　　我读着《老乞丐》里的那些辛酸的话，心里发凉：

> 莫非我这条可恶的蛆惹得你们心烦？
> 那你们就用脚踩死这个败类算了！
> 有什么可怜惜的呢？
> 快点把我一脚踩烂！
> 为什么这以前你们没有教导我，
> 没有给我的使不完的精力找一条出路？
> 那我这条蛆
> 就会变成一个勤劳的蚂蚁！
> 那我临死的时候
> 就能拥抱天下的兄弟。
> 可是我现在奄奄一息，
> 按老流浪汉的身份死去，
> 我要大声疾呼，
> 替我向你们这些人报仇雪耻！

　　这以后我读到《哭泣的丈夫》，却又笑得流下了眼泪。我记得特别清楚的是贝朗瑞的这句话：

> 快乐的生活的科学
> 普通人并不觉得难学！……

---

　　①　贝朗瑞（1780—1857），法国诗人，歌曲家，有革命民主主义思想，对法国宗教、皇室等有所批判。

贝朗瑞在我的心中挑起一种无法克制的欢乐，一种想调皮捣蛋、想对所有的人说尖酸刻薄的话的愿望，而且有一个很短的时期我在这方面倒是很成功的。他的诗句我也念熟而背下来了。每逢我抽空跑到勤务兵的厨房里去玩几分钟，我总是津津有味地对那些勤务兵朗诵这些诗。

然而，不久，我就只得放弃这种朗诵，因为有一回我朗诵一句诗：

> 一个十七岁的姑娘
> 戴什么帽子都漂亮！……①

不料这却引起了一场极其可恶的关于姑娘的谈话。这些话把我气疯了，我就拿起一个煎锅来照准兵士叶尔莫兴的脑袋砸下去。西多罗夫和别的勤务兵把我从他的笨拙的手里揪出来，可是从此以后我就不敢跑到那些军官住宅的厨房里去了。

到街上去玩，这在我是不许可的。况且我也没有工夫玩，工作越来越多了。现在，除了女仆的、门房的、"跑腿的学徒"的日常工作以外，我每天还得把细棉布钉在一些宽木板上，再把设计图贴上去；我还得誊抄东家所做的建筑工程预算，核对包工头的账单。我的东家一天到晚像一架机器似的工作。

那些年，市场上的公家建筑物正在转为商人的私有财产。那些商号正在匆匆忙忙地改建。我的东家承担修缮旧店和建造新店的包工业务。他绘制"翻造过梁并在房顶开辟天窗"以及诸如此类的设计图。我常拿着这些图纸，外带一个装着一张二十五卢布钞票的信封，去找一个年老的建筑师。那个建筑师收下钱，在图纸上签字，写道："查该图纸与实际情况相符，此项工程由余亲自监督进行。某某。"不消说，实际情况他并没有看见，亲自监工更不可能，因为他病得根本不能走出家门了。

我常把这种贿赂分头送到市场主管人和其他一些必要的人那儿去，从他们那儿领到各种证件，按东家的说法，也就是"各种违法行为的许可证"。由于我做了这些工作，我才得到权利可以在东家一家人傍晚出外拜客的时候在门外的门廊上等他们回来。这种事是不常发生的，

---

① 普希金的诗句。

不过他们一旦出去，就要过了午夜才回来。我往往在门廊的小平台上，或者在门廊对面的一堆木头上一连坐几个钟头，瞧着我认识的那个太太家里的窗口，贪婪地听着欢畅的谈话声和音乐声。

她家的窗子敞开着。我从窗帘和鲜花的空隙里望进去，看见军官们的匀称身材在房间里各处移动。那个身子发圆的少校滚来滚去。她呢，穿得出奇地朴素和美丽，轻盈地走动着。

我暗自叫她玛尔果皇后。

"瞧，这就是法国书里所写的那种欢乐的生活了。"我瞧着窗子里，暗想。我心里总是有一点难过：我一看见玛尔果皇后四周的那些男人，一看见他们像一群黄蜂围着一朵鲜花似的围绕着她，我那稚气的嫉妒心就受不住了。

到她家里来的次数最少的，是一个身量很高、闷闷不乐的军官。他额头上带着刀伤的疤痕，两只眼睛深深地陷进去。他老是随身带来一把小提琴，拉得极出色。他演奏得那么好，就连过路的行人都纷纷在这个窗子跟前停下来，整条街上的人都聚集到那堆木头上去，就连我的东家一家人，要是在家的话，也会推开窗子听一下，而且称赞这位音乐家。我不记得他们除了称赞过大教堂的大辅祭以外，还称赞过什么人，况且我知道他们毕竟是喜欢鱼油馅饼胜过喜欢音乐的。

有的时候这个军官用他那有点低沉的声调唱歌和朗诵诗句，在这种时候他常常古怪地喘气，把他的手心按在他的额头上。有一次我跟那个小姑娘在窗子跟前玩耍，听见玛尔果皇后正在要求他唱歌。他推辞了很久，然后清楚地说：

> 只有歌才需要美
> 美却不需要歌……

我很喜欢这两句诗。不知什么缘故我有点可怜那个军官。

对我来说比较愉快的是瞧着那个太太独自一个人坐在房间里弹钢琴。音乐使我陶醉，我的眼睛就什么也看不见了，只看见那个窗子，以及窗子里黄色灯光下那个女人的苗条身材、她那张骄傲的脸的侧影、她那双在琴键上像小鸟一样飞来飞去的白手。

我瞧着她，听着悲伤的音乐，想入非非：我要到一个什么地方去找到一宗宝藏，把它统统送给她，让她阔绰起来！假如我是斯科别列夫①，我就会再对土耳其人宣战，拿到赔款，在这个城里最好的地点奥特科斯造起一所房子来，送给她，只要能让她离开这条街，离开这所房子就好，因为这儿的人都在用伤人的而且卑鄙的话议论她。

不论是她的邻居们还是我们这个院子里的大小奴仆（特别是我的东家一家人），都在恶毒地说玛尔果皇后的坏话，就像骂剪裁师傅的妻子一样。不过他们讲得小心点，把声音放低点，不住地回头看。

他们之所以怕她，也许是因为她是一个门第很显赫的人家的寡妇。她房间里墙壁上挂着的那些文书就是旧日的俄国沙皇戈东诺夫、阿历克塞、彼得一世赏赐她丈夫的祖先的。这话是那个兵邱弗亚耶夫对我说的，他认识字，老是读福音书。也许人们怕她举起她那根柄上镶着淡紫色宝石的马鞭子来打人吧，据说她已经用那根鞭子打过一个什么大官了。

然而低声的议论并不比那些大声说出来的话好多少。这个太太生活在一种仇视她的云雾当中。这种仇视在我是不能理解的，使我十分痛苦。维克多鲁希卡讲起他过了午夜走回家里来，路过玛尔果皇后的寝室的窗子，往里看一眼，却瞧见她只穿着内衣，坐在一个沙发床上。那个少校跪在地上，给她剪脚趾甲，用一块海绵擦她的脚。

老太婆骂起来，啐唾沫。年轻的女主人涨红了脸，尖声叫道：

"维克多，呸！多么不要脸！嘿，这些老爷多么卑鄙龌龊！"

我的东家不吭声，微微地笑。我很感激他的这种沉默，不过我又提心吊胆地等待着他也同情地参加这种叫嚷和诟骂。那两个女人尖声叫喊，不住地惊叹，详细地盘问维克多鲁希卡究竟那个女人怎样坐着，那个少校怎样跪着。维克多就加油添醋地讲起来。

"他脸色通红，吐出舌头来……"

我看不出那个少校给那个女人剪脚趾甲有什么不体面的地方。可是我不相信他吐出舌头来，依我看来这是诬蔑的谎话。我就对维克多鲁希卡说：

"既然这不好，那您为什么往窗子里看呢？您又不是小孩子。……"

当然，我挨了一顿骂，可是这种辱骂倒并不惹我生气。我只想做一件事，那就是跑下楼去，在那个女人面前像少校那样跪下去，要求

---

① 一八七七年至一八七八年俄土战争中的俄国将领。

她说：

"请您搬出这所房子吧！"

现在我既然知道世界上有另外一种生活、另外一些人、另外一些思想和感情，那么这所房子以及它的所有房客就在我的心里激起更加强烈的憎恶。无耻的流言蜚语像一面肮脏的网子似的包住整个这所房子，这所房子里的人没有一个不遭到恶意中伤的。那个团队的教士有病，可怜样，却以酒徒和色鬼闻名。军官们和他们的妻子，按我的东家一家人的说法，则是在犯通奸罪中过日子的。那些兵士讲起女人来，老是那么一套单调的话，这已经惹得我厌恶了，而最惹得我厌恶的是我的东家一家人，他们非常喜欢毫不留情地指摘别人，其实这种指摘究竟有什么价值，我是知道得很清楚的。挑剔别人的短处，是唯一的一种可以不付代价而享受到的娱乐。我的东家一家人就专靠用嘴巴糟蹋人家来取乐，仿佛因为他们自己生活得那么正经、困难、乏味而向一切人报复似的。

每逢他们用不堪入耳的话议论玛尔果皇后，我的绝不是孩子气的感情就在我的胸中一阵阵地汹涌激荡，我的心由于憎恨这些诽谤的人而胀痛，我生出一种无法克制的热望，恨不能惹恼所有的人，胡闹一场才好。不过有的时候我又心潮起伏，痛苦地怜悯我自己，怜悯一切人。这种无言的怜悯往往比痛恨还要难受得多。

我知道的关于那个皇后的事比他们多。我生怕我知道的事他们也会打听出来。

每到节日的早晨，我的东家一家人总是到大教堂里去做晚弥撒，我就到她的家里去。她常把我叫到她的寝室里去。我在一把小小的、蒙着金黄色缎子的圈椅上坐下，那个小姑娘就爬到我的膝盖上来。我就对她的母亲讲我读过的书。她躺在一张大床上，两个小手合起来压在她的脸颊底下。她身上盖着一条被子，也是金黄色的，就跟寝室里的一切陈设一样。她的深色的头发编成一条辫子，从她的肤色发黑的肩膀后面撂过来，放在她的前面，有的时候从床上奔拉到地板上。

她一边听我讲话，一面睁着她那对温柔的眼睛瞧着我的脸，现出一种几乎看不出来的笑容，说："是吗？"

就连她这种好意的笑容在我的眼睛里也只是皇后的高高在上的笑容罢了。她用亲切的低沉声调讲话，而我觉得她讲的话老是这么一种意思：

"我知道我比所有的人都好得没法说，都纯洁得没法说。我不需要他们当中的任何一个人。"

有的时候我碰见她正坐在一把低矮的圈椅上，对着一面镜子，梳她的头发。她的头发梢落在她的膝盖上，落在圈椅的把手上，越过椅背几乎垂到地板上。她的头发又长又密，像我的外祖母一样。我在镜子里看见她那对肤色发黑的、结实的乳房。她当着我的面穿她的束腰和袜子。可是她的纯洁的裸体没有在我心里引起羞臊的感觉，反而引起了为她骄傲的喜悦心情。她老是发散出鲜花的香气，这就保护着她，使她避免了外人对她的邪念。

我健康，强壮，清楚地知道男女关系的秘密。可是人们在我面前讲起这种秘密，总是露出毫无心肝的幸灾乐祸的神情，带着极其残忍的口吻，讲得那么肮脏，所以我都不能想象这个女人会被男人抱在怀里，我也很难设想任何人会有权利成为她的肉体的主人，伸出手来放肆而无耻地碰到她。我相信那些厨房和堆房里的爱情是玛尔果皇后所不理解的。她所知道的必是另外一种极其高尚的欢乐，另外一种爱情。

可是有一天，在傍晚以前，我走进她家的客厅里，却听见她的寝室的门帘里边有我心上的那个女人的响亮的笑声，另外有一个男人的声音要求说：

"你等一等……天主啊！我简直不能相信……"

我走得掉。我明白这一点，可是我又没法走掉……

"是谁呀？"她问，"是你吗？进来吧……"

她寝室里的鲜花的香气闷得人透不过气来，房间里光线幽暗，窗子上挡着窗帘。……玛尔果皇后躺在床上，她的被子一直盖到她的下巴底下。那个拉小提琴的军官正坐在她的身旁，靠近墙。他只穿着一件衬衫，敞开了胸口。他的胸脯上也有一处刀伤，这条伤口像一根红带子似的从右肩直到奶头上，而且那么明显，就连在昏暗中我也看得清清楚楚。那个军官的头发乱得可笑。这还是我头一次在他那张悲哀的、有刀伤的脸上看见他微笑，他笑得那么奇怪。他那对女人样的大眼睛瞅着那个皇后，好像这是他第一次看出她的美丽似的。

"这是我的朋友。"玛尔果皇后说。我不知道这话是对我说的还是对他说的。

"你为什么吓成了这样？"我仿佛远远地听见她的声音，"你走过来……"

我就走过去。她伸出一条赤裸的、滚热的胳膊搂住我的脖子，说："等你长大，你也会幸福的……你去吧！"

　　我就把我手里的书放在书架上，另外拿了一本，走掉了，像在梦中一样。

　　我的心里有个什么东西咔嚓一声碎了。当然，我一分钟也没有想到过我的皇后会像一切女人那样恋爱，况且那个军官也不容许人这样想。我的眼前现出了他的笑容，他笑得欢欢喜喜，就像一个感到出乎意外的惊讶的小孩子一样。他那张悲哀的脸美妙地变了样子。他一定爱她。难道能有人不爱她吗？她呢，也会用她的爱情来慷慨地回报他，他小提琴拉得那么出色，他又善于那么真挚地朗诵诗歌……

　　然而，正因为我不得不寻求这些安慰，我才清楚地看出来并不是一切都好，我对我所看见的那件事的态度和对玛尔果皇后本人的态度也不是都正确。我觉得我失去了一样什么东西，我在深切的悲哀中度过了好几天。

　　……有一天，我一时性起，盲目地胡闹起来。后来我到那个太太家里去取书，她很严厉地对我说：

　　"我听说，你简直淘气得要命！我没想到你会这样……"

　　我忍不下去，就讲起我生活得多么苦恼，我听到人家说她的坏话的时候多么难受。她站在我的对面，把一只手放在我的肩膀上，先是注意而严肃地听我讲话，可是不久就笑起来，把我轻轻地推开了。

　　"别说了，这些我都知道，明白吗？我都知道！"

　　随后，她拉着我的两只手，很亲切地说：

　　"你越是少注意这些卑鄙龌龊的事，对你来说就越好……再者你这双手可没有洗干净……"

　　唉，这样的话她还是以不说为妙。倘使她擦铜器，刷地板，洗尿布，那么我想，她那一双手也不会比我高明的。

　　"一个人善于生活，别人就生他的气，嫉妒他。他不善于生活呢，别人又都看不起他，"她沉思地说，搂住我，把我拉到她跟前去，含笑看着我的眼睛，"你爱我吗？"

　　"爱。"

　　"很爱吗？"

　　"很爱。"

　　"那是为什么呢？"

　　"我不知道。"

　　"谢谢。你真好！我喜欢人家爱我……"

　　她笑了一声，想要说一句什么话，可是，叹一口气，沉默了很久，没有松手放开我。

"你常到我的家里来吧。只要你能来，你就只管来。……"

我利用到她家里去的机会，从她那儿得到很多的益处。每天吃过午饭以后，我的东家一家人都躺下睡觉了，我就跑下楼去。要是她在家，我就在她那儿坐上一个钟头，甚至还不止一个钟头。

"要读俄国的书，要知道我们自己的生活，俄国的生活。"她一面教导我，一面用她那些灵活的粉红色手指头把发针插进她的芬芳的头发里去。

她列举若干俄国作家的名字，问道：

"你记住了吗？"

她常常沉思地说，而且微微带点烦恼的口气：

"你得上学念书，上学念书才成，可我总是忘掉这件事！啊，我的上帝呀……"

我在她家里坐了一阵，然后手里拿着一本新书，跑到楼上去。我神清气爽，倒好像我的五脏六腑一齐用水冲洗了一下似的。

我已经读过阿克萨科夫①的《家庭纪事》、精彩的俄国史诗《在树林中》②、惊人的《猎人笔记》③、格烈宾卡④和索洛古布⑤的几本著作，以及魏涅维季诺夫⑥、奥陀耶夫斯基⑦、丘特契夫⑧的诗篇。这些书冲洗我的灵魂，清除了贫乏而苦痛的现实生活在我的灵魂里留下的糟粕印象。我这才体会到什么叫作好书，了解到这种好书在我是不可缺少的。由于这些书，我的灵魂里才平静地形成了一个坚定不移的信念：我在世界上并不孤单，而且我决不会没路可走！

我的外祖母来了，我就兴奋地对她讲起玛尔果皇后。外祖母津津有味地闻了一撮鼻烟，很有信心地说：

"是啊，是啊，这才好！反正好人多的是。你只要去找，就准能

① 阿克萨科夫（1791—1839），俄国作家。
② 俄国作家帕·麦尔尼柯夫（1819—1883）的长篇小说。
③ 俄国作家屠格涅夫（1818—1883）的小说集。
④ 格烈宾卡（1812—1848），乌克兰诗人。
⑤ 索洛古布（1863—1927），俄国作家。
⑥ 魏涅维季诺夫（1805—1827），俄国诗人，同情十二月党人。
⑦ 奥陀耶夫斯基（1802—1839），俄国十二月党人，诗人。
⑧ 丘特契夫（1803—1873），俄国诗人。

找到!"

有一回她提议说:

"也许我该到她那儿去一趟,替你道一声谢吧?"

"不,不用了……"

"那就算了……天主啊,天主啊,一切是多么好啊!我恨不得千秋万代地活下去才好!"

玛尔果皇后有心把我送到学校里去念书,可是这件事她没有办成。三一节①那天突然发生一件可恶的事,差点把我断送了。

在这个节日的前不久,我的眼皮肿得很厉害,完全蒙住了我的眼睛。我的东家一家人吓坏了,怕我瞎了眼睛,就连我自己也吓坏了。他们把我送到他们熟识的产科医师亨利·罗德节维奇那儿去,他在我的眼皮里边开了刀。有好几天我躺在那儿,眼睛上蒙着绷带,感到痛苦的、黑暗的寂寞。到三一节前夕,我的眼睛上的绷带解掉了,我就又站起来,像是从活埋的坟墓里爬出来了似的。再也没有比失去目力更可怕的了。这是一种无法形容的磨难,它夺去了一个人的十分之九的世界。

在快活的三一节那天,由于我处在病人的地位,从中午起我的一切职务就都解除了。我到各家厨房里去看望那些勤务兵。除了严谨的邱弗亚耶夫以外,所有的人都喝醉了。将近傍晚,叶尔莫兴捞起一根大劈柴打西多罗夫的脑袋,西多罗夫就倒在门道里,失去了知觉。叶尔莫兴吓坏了,就逃到那条深沟里去了。

满院子很快地传遍了惊恐的流言,说是西多罗夫给打死了。人们纷纷聚集到门廊附近来,瞅着那个兵。他直挺挺地躺在那儿,纹丝不动,身子越过厨房的门槛伸到门道里,头朝外。人们低声说,应当去叫个警察来才对,可是谁也没去叫,而且准都不敢碰一碰那个兵。

洗衣女工娜达丽雅·柯兹洛甫斯卡雅来了。她穿一件新的雪青色连衣裙,肩膀上披一块白色头巾。她气愤地推开众人,走进门道里去,蹲下来,大声说:

"你们这些傻瓜,他活着呢!去拿水来……"

大家纷纷劝她说:

"不是自己的事,还是少管的好!"

---

① 基督教节日,在复活节后的第五十天。

"我说，拿水来呀！"她嚷道，像是发生了火灾。她两手麻利地把她那件新的连衣裙撩到她的膝盖上边，把她的衬裙拉平，再把那个兵的血污的脑袋搬到她的膝盖上去。

观众带着不以为然的神情战战兢兢地走散了。我在昏暗的门道里看见这个洗衣女工的白净的圆脸上那对含满泪水的眼睛愤愤地发亮。我提来一桶水，她就吩咐我把水倒在西多罗夫的头上，胸上，而且警告说：

"你别把水泼在我的衣服上，我还要去做客呢……"

那个兵醒过来了，睁开呆瞪瞪的眼睛，呻吟起来。

"你把他抬起来。"娜达丽雅说，把她的一双手插到他的胳肢窝底下去，平伸着她的胳膊，悬空托起他，免得碰脏她的连衣裙。我们把这个兵抬到厨房里去，放在他的床上。她用一块湿抹布擦净他的脸，然后她就走了，临走的时候说：

"你把抹布蘸上水，按在他的头上。不过我要走了，我去找那个蠢货。这些魔鬼，等着瞧吧，照他们这样喝酒，早晚要闯出祸来，送去做苦工完事。"

她把血污的衬裙从她的腿上脱下来，扔到墙角上去，细心地理好她那件沙沙响的、揉皱了的连衣裙，走了。

西多罗夫不住伸懒腰，打嗝，哼哼唧唧，从他的头上滴下一颗颗沉重的黑血珠，落在我的光脚背上。这是不愉快的，然而我由于害怕又不敢移开我的脚，只好任凭那些血珠滴在我的脚上。

我心里很苦。外面，节日的白昼光辉灿烂，房前的门廊和院子的大门装点着小桦树。路旁的每根小石柱上都拴着新砍下来的槭树枝和花楸树枝。整条街上现出一片莲蓬勃勃的碧绿色，一切都年轻而新鲜。从这天早晨起，我就觉得这个春天的节日好像会来得很久，从这一天起生活就会变得纯洁些，光明些，快乐些。

那个兵呕吐了，弄得厨房里满是热酒和生葱的呛人的气味。不时有些模糊的宽脸膛贴到窗子的玻璃上来，把鼻子压瘪了。那些脸的两旁放着两个手掌，这就使得那些脸像是生出了难看的大耳朵。

那个兵回想着，嘟哝说：

"我这是怎么啦？摔了吗？叶尔莫兴呢？他可真是个好伙伴啊……"

后来他咳嗽起来，醉醺醺地哭着，流下了眼泪，哀叫道：

"我的小妹妹呀，……亲妹妹呀……"

他下了床，站住，身上的衣服黏滑，潮湿，臭烘烘的。他身子一晃，扑通一声倒在床上，古怪地转动着眼珠，说：

"我简直让人打死了……"

我觉得好笑。

"是谁在笑，鬼东西？"那个兵问道，呆呆地瞧着我，"你笑什么？我死定了……"

他伸出两只手来推我，嘟哝说：

"头一个日子是先知伊里亚，第二个日子是骑马的叶果里，第三个……你别走到我跟前来！走开，你这条狼……"

我说：

"别胡闹！"

他莫名其妙地勃然大怒，嚷起来，他的脚在地上擦得沙沙地响。

"我给打死了，可是你……"

他伸出一只软绵绵的、肮脏的手，狠狠地一拳打在我的眼睛上。我发出一声喊，什么东西也看不见了。我好不容易跑到院子里去，迎面碰上了娜达丽雅。她正拉着叶尔莫兴的胳膊，哇哇地嚷着。

"走啊，你这匹马！你怎么啦？"她看到我，就问。

"他打我……"

"他打人？"娜达丽雅惊讶地拖着长音说。随后她揪一下叶尔莫兴，对他说：

"喂，妖精，照这么说，那你该谢谢你的上帝了！"

我用凉水把我的眼睛冲洗一下，然后从门道往门里看，瞧见那两个兵互相抱着哭，讲和了。后来他们俩就动手搂抱娜达丽雅。她打他们的手，叫道：

"把你们的爪子拿开，这些公狗！你们把我看成什么人了，你们当我是你们的那号骚娘们儿吗？趁你们的老爷不在家，赶快躺下去睡觉。喂，快点！要不然，我就叫你们吃一吃苦头！"

她把他们当作小孩子似的服侍着睡下，一个躺在地板上，一个躺在木床上。等到他们打起鼾来，她才走到门道里来。

"我上上下下都弄脏了，可是我本来打扮好了要去做客呢！他打你啦？……瞧瞧这个大混蛋！这全是酒闹出来的。你可别喝酒，小伙子，永远也别喝酒……"

随后，我跟她一块儿在大门外的一条长凳上坐下。我问她怎么会不怕醉汉。

"我连没喝醉的也不怕呀，叫他们尝尝这个！"她说，伸出一个捏紧的红拳头给我看。"我有过一个丈夫，如今他死了。他生前也是喝得死去活来，我就把他这个醉鬼捆上胳膊，捆上腿，等他睡得酒醒了，就扒下他的裤子，拿结实的树条抽他：不准你喝，不准你灌醉，你既是成了家，你的老婆才是你的乐子，酒不是你的乐子！对了。我打得没了力气才住手。这以后，他就像我手里的一团蜡了……"

"您真有力量。"我说，想起那个连上帝也欺骗过的女人夏娃。

娜达丽雅叹口气，说：

"娘们儿应当比爷们儿有力量。照说，应当给娘们儿双份力量才是，可天主就是不给！爷们儿是靠不住的人啊。"

她心平气和地讲着，不带恶意。她坐在那儿，把两条胳膊交叉在她那隆起的胸脯上，背靠着围墙，她的眼睛悲哀地盯住由垃圾堆成并且布满了碎石头的土坝。我听着她那些有见识的话，忘掉了时间，后来忽然看见在土坝的尽头上女主人挽着我的东家的胳膊出现了，他们慢腾腾地走着，神态庄严，活像一只雄火鸡带着一只雌火鸡。他们定睛瞧着我们这边，然后互相说话。

我跑去开正面门廊上的门，推开了门。女主人一面走上楼去，一面挖苦我说：

"你在对洗衣女工献殷勤吗？你是跟楼下的那个太太学会这套本事的吧？"

这话愚蠢极了，甚至没有刺痛我的心。我觉得比较可气的倒是我的东家，他冷冷一笑，说了一句：

"是啊，到时候了！……"

第二天早晨我下楼去，到板棚里取木柴的时候，在这个板棚的门上一个四方的猫洞旁边捡到一个空的钱夹。这以前我有几十次看见过西多罗夫的手里拿着这个钱夹，我就立刻把这个钱夹送到他那儿去了。

"可是钱在哪儿？"他问，用手指头摸着钱夹里边，"一个卢布零三十个戈比到哪儿去了？你给我！"

他用一块毛巾包着头，脸色发黄，瘦了。他生气地眨巴他那浮肿的眼睛，不相信我捡到的钱夹是空的。

叶尔莫兴来了。他开始朝着我这边点头，说服西多罗夫道：

"这一定是他偷的，一定是他，把他拉到他的东家那儿去！当兵的绝不偷当兵的东西！"

这些话倒向我透露了偷钱的就是他，而且把那个钱夹扔在我的板棚里的也是他。我顿时对着他的脸喊道：

"你胡说，这是你偷的！"

我完全相信我猜中了，因为他又害怕又气愤，他那张呆笨的脸完全变了样子。他转来转去，逼尖了喉咙哀叫起来：

"你拿出证据来！"

我拿什么来证明呢？叶尔莫兴哇哇地嚷着，把我拉到院子里去。西多罗夫跟在我们的后面，也嚷着一些什么话。各式各样的人就从那些窗子里探出头来。玛尔果皇后的母亲冷眼旁观，平心静气地吸着烟。我明白这一下子我在那个太太的眼睛里算是完蛋了，我就愣住了。

我记得，当时那两个兵揪住我的胳膊，而我的东家夫妇就站在他们的对面，听他们告状，同意他们的话，不住互相点头说："是啊，是啊。"女主人很有把握地说：

"当然，这准是他干的！怪不得昨天他在大门外对一个洗衣女工献殷勤，可见他有钱，不花钱是跟她搞不成的……"

"说的就是啊！"叶尔莫兴叫道。

我觉得天昏地暗，一腔熊熊的怒火烧坏了我。我就对着女主人大嚷大叫，结果挨了一顿痛打。

然而，使我痛苦的与其说是这顿打，不如说是担心目前玛尔果皇后对我有什么看法。我在她面前该怎样洗刷我自己呢？在这种极糟的时候，我心里苦透了。

也算是我走运，这件事很快就由那些兵传遍整个院子，传遍整条街了。这天傍晚我正在阁楼里躺着，忽然听见下边响起了娜达丽雅·柯兹洛甫斯卡雅的喊叫声：

"不，为什么我不该讲！不，亲爱的，你过来吧，你过来！我说你倒是过来啊！要不然我就到你的主人那儿去，他会叫你走过来的……"

我立刻感觉到这场吵闹牵涉了我。她正在我们的门廊旁边嚷叫，她的声音越来越响亮，越来越得意。

"你昨天给我看了多少钱？那笔钱是打哪儿来的？你说。"

我高兴得连气都透不出来了，只听见西多罗夫懊丧地拖着长音说：

"唉唉，叶尔莫兴呀……"

"你们给那个孩子造谣言，还打了他，是吗？"

我恨不得跑下楼，到院子里去，高兴得跳一跳舞，感激地吻一下那个洗衣女工才好。可是这时候，大概是在窗口里边吧，我的女主人叫起来：

"那个孩子挨打是因为他骂人。至于说他是贼，那么除了你这个臭娘们儿以外，谁也没有这么想过！"

"您自己才是臭娘们儿，太太。说句不怕您见怪的话，您是一头大母牛。"

我听着这种叫骂就像听音乐一样。我自己的委屈和我对娜达丽雅的感激使我流下了热辣辣的眼泪，这种热泪烧痛了我的心。我喘着气，极力忍住我的哭泣。

后来，我的东家顺着楼梯慢腾腾地走到阁楼上来，挨着我，在人字梁的系条上坐下。他理一下他的头发，说话了。

"怎么样，小伙子，彼什柯夫，你运气不佳吧？"

我沉默地扭过脸去，不理他。

"不过话说回来，你也骂得太不像话了。"他接着说。我就轻声对他声明说：

"等我能起来，我就离开你们……"

他坐了一会儿，沉默着，只顾吸他的烟，后来他注意地瞅着烟头，声音不大地说：

"好吧，这也随你了！你年纪已经不小，你已经能明白对你来说该怎么办才好了……"

他就走了。我像往常一样可怜他。

这以后过了三天我才离开这所房子。我一心想跟玛尔果皇后告别，急得不得了，可是我又没有勇气去见她。而且，老实说，我在等她自己叫我去。

我跟那个小姑娘告别的时候，托付她说：

"你告诉妈妈，就说我很感激她，很感激！你会告诉她吗？"

"我会告诉她，"她应许说，亲切温柔地微笑着，"明天见，对吗？"

大约二十年后我又遇见她，她已经嫁给一个宪兵军官了……

十一

我又做洗碟工人了，这一回是在"彼尔姆号"轮船上。这条轮船白得像天鹅一样，船身大，走得快。这一次我做"打杂的"洗碟工人或者"厨房里的用人"，每月挣七个卢布，我的职务是给厨师当下手。

食堂老板身子滚圆，为人傲慢，他的脑袋光秃得像个皮球。他把两只手抄在背后，成天价在甲板上沉甸甸地走来走去，就像一头骟猪在大热天要找一个阴凉的角落似的。他的妻子在食堂里守着，这个女人年纪在四十开外，相貌美丽，可是已经憔悴，脸上扑了很厚的脂粉，弄得她脖子上的又白又黏的粉末不住掉下来，洒在她那件鲜艳的连衣裙上。

掌管厨房的是工资很高的厨师伊凡·伊凡诺维奇，外号叫小熊，个子小，身材胖，生一个鹰钩鼻子和一对讥诮的眼睛。他是个爱打扮的人，衣领总要浆硬，每天刮胡子，腮帮子铁青，乌黑的唇髭往上翘着。空闲的时候他一刻也不停地捻他的唇髭，他那些烤红的手指头捻个没完，同时他举起他那个带把的小圆镜子照了又照。

这条轮船上最有趣的一个人，是司炉工人亚科甫·舒莫夫。这是一个胸脯很宽、四四方方的汉子。他那张鼻孔往上翻的脸平得像铲子一样，一对熊一般的小眼睛藏在两道浓眉下面。他脸上的胡子卷成许多极小的圆圈，像是沼地上的青苔。他脑袋上的头发密密匝匝像是一顶厚实的帽子，他要费很大的劲才能把他的弯曲的手指头伸进他的头发里去。

他打牌善于赢钱。他食量大得惊人。他像一条饿狗似的经常在厨房旁边转来转去，要几块肉，要几根骨头。每到傍晚他就跟小熊在一块儿喝茶，讲他自己的惊人的身世。

当初他年轻的时候，他在梁赞城给一个城里的牧人做帮手。后来，一个过路的修士把他引诱到一个修道院里去了。他在那儿做了四年见习修道士。

"我本来会升上去做修道士，变成上帝的一颗黑星的，"他打趣道，讲得很快，"不料我们这个修道院里来了一个平扎城的女香客。她是个怪有意思的娘们儿，一下子就把我搅昏了头。'你这个人倒挺不坏，筋强力壮的，'她说，'我呢，是个清白的寡妇，孤孤单单的，那你就到我家里去做个扫院子的工人吧，'她说，'我自己有一所小房子，我做的是鸟毛和绒毛的生意……'

"行啊，她叫我去做个扫院子的，我呢，索性当了她的姘头。我吃着她的热乎乎的面包大约过了这么三年。……"

"你胡说得没个边了，"小熊打断他的话说，关心地瞧着自己鼻子上的一个粉刺，"要是胡说能挣钱，那你倒发了成千上万的财了！"

亚科甫嘴里嚼个不停，他那些淡灰色的、卷成小圆圈的胡子就在他的似乎没生眼睛的脸上蠕动，他那对毛茸茸的耳朵也动弹。他听完厨师的话，就仍旧那么平稳而快当地接着讲下去：

"她岁数比我大，我跟她一块儿过得没意思，我不耐烦了，就跟她的侄女勾搭上了。后来她知道了这件事，就给我一个脖儿拐，把我轰出来了……"

"这倒是给你的奖赏，再好不过了。"厨师说，也像亚科甫那样讲得轻松而有条理。

那个司炉工人把一小块砂糖塞进嘴里，接着说下去：

"我没个着落，逛荡了一段时候，后来跟一个小老头搭上伙了。他是弗拉吉米尔城的人，是个跑单帮的。我跟他走遍了天下！巴尔干高山也去过，土耳其人那儿也去过，罗马尼亚人那儿也去过，希腊人那儿也去过，还有各式各样的奥地利人，各民族那儿都走遍了。我们在这个地方买了东西，再运到那个地方去卖……"

"你们偷东西吗？"厨师认真地问。

"那个小老头可不干这号事！他还对我说：你到了外乡得守本分。他说外国有个规矩，偷一丁点东西就要砍脑袋。我呢，说真的，偷东西的事倒试过，可就是结果不顺心：我打算从一个商人的院子里牵出一匹马来，可是本事不成，让人抓住了。当然，人家就动手打我，打了又打，后来把我交到警察局里去。我们是两个人，一个是地道的偷马贼，老行家，我呢，是闹着玩的，多半是想图个新鲜。我原就在那个商人家里干活，在他的新浴室里砌炉子。那个商人生起病来，做了一个噩梦，梦见了我。他吓坏了，就赶紧去求长官：您把他放了吧，这说的是我，您把他放了吧，要不然我老是梦见他。他说要是我不饶了他，我这个病可好不了，看起来他是个魔法师。你瞧，我成了魔法师了！好，这个商人很有势力，人家就把我放了……"

"不应该把你放出来，倒应该把你沉进水里，泡上三天，把你那些糊涂想法统统泡掉才是。"厨师插嘴说。

亚科甫立刻接过他的话来说：

"说得对，我脑子里的糊涂想法也真是多，老实说吧，我这些糊涂想法抵得上整整一个村子那么大……"

厨师把一根手指头伸进硬领里去，生气地把领子抻开，摇晃着脑袋，然后用烦恼的口气抱怨说：

"莫名其妙！你们瞧瞧这个囚犯，他活在世上，吃啊，喝啊，逛荡啊，可这都是为什么？是啊，你说说看，你活着是为什么？"

司炉工人嘴里嚼着东西，吧哒着嘴，回答说：

"这我就不知道了。我活啊活的，就这么活下来了。有的人是躺着过日子，有的人是走着过日子，当官的坐着不动过日子。讲到吃东西，那可是人人都得吃的。"

厨师越发生气了。

"哼，你简直是一头糟得没法说的猪！干脆说吧，你是臭猪食……"

"你骂人干什么？"亚科甫惊讶地说，"庄稼汉都是一棵橡树上的果子嘛。你不用骂人，反正你就是骂我，我也还是一点也不会变好……"

这个人一下子就把我牢牢地吸引住了。我带着压也压不住的惊讶心情瞧着他，张开了嘴巴听他讲话。据我的想法，他必是有他自己的一套实实在在的生活知识。他对一切人统统称呼"你"，不论见着什么人都皱着他那蓬松的眉毛，同样直率、同样满不在乎地瞧着。他似乎把一切人，不管是船长、食堂老板，还是头等舱的显要乘客们，一概看得同他自己，同水手们、食堂的仆役们、甲板上的乘客们完全一样。

往往，他站在船长或者机械师面前，把他那两条像猴子一样长的胳膊抄在背后，沉默地听着人家骂他懒惰，或者骂他打起牌来随随便便地赢光人家的钱。他就那么站着，谁都看得出来这种斥骂对他不起作用。他们威胁说到下一个码头就赶他下船，可是这也没吓倒他。

他有一种与众不同的气概，如同"好事情"一样。看来，他自己也相信自己特殊，相信人们不可能了解他。

我从没看到过这个人生闷气，沉思不语，我也想不起他有沉默很久的时候。他那张盖满蓬松的胡子的嘴里永远流出滔滔不绝的话来，甚至仿佛不由自主似的。每逢人家骂他，或者他听着一个什么人讲有趣的事，他的嘴唇就努动，好像他在背诵他听到的话，或者在轻声继续说他自己的话似的。每天他值完班，就从锅炉间的舱口里爬出来，光着脚，一身汗，沾满石油，穿一件湿的衬衫，不系腰带，敞开前胸，露出鬈曲而浓密的毫毛，于是他那平稳、单调、带点沙哑的声调顿时在甲板上传开来，像雨点似的洒下许许多多的字句。

"你好哇，老大娘！上哪儿去啊？到奇斯托波尔去？那地方我知道，我去过，我在一个富足的鞑靼人家里当过雇工。那个鞑靼人叫乌桑·古巴依杜陵，这个老头子有三个老婆，他身子硬朗，红脸膛。他有个小娘们儿，是个怪有意思的鞑靼女人，我跟她干过造孽的事呢……"

他各处都去过，一路上跟所有的女人都干过造孽的事。他讲起这一切来，平心静气，不带恶意，仿佛他这一辈子从来也没有遭遇过什么欺侮，经历过什么凌辱似的。过了一分钟，他的话又在船尾那边响起来了。

"正派人呀，来打牌！咱们来打'撞大运'，打'三张牌'，打'皮带'，打什么都成！打牌是件顺心的事，坐着就可以拿钱，倒是商人的行当呢……"

我留意到他很少说"好""坏""恶劣"，等等。他几乎总是说："怪有意思的""顺心的""图个新鲜"。对他来说，美丽的女人就是"怪有意思的小娘们儿"，晴朗美好的白昼就是"顺心的日子"。不过他最常说的是：

"算不了什么！"

大家都认为他是懒汉，可是我觉得他在炉膛前面，在地狱般的又闷又臭的热气当中同所有的人一样辛勤地做他的艰苦的工作。然而，我想不起他像别的司炉工人那样抱怨过劳累。

有一回，一个乘船的老太婆的钱包不知给谁摸走了。那是一个晴朗无风的傍晚，所有的人都那么好心好意，和和气气。船长送给这个老太婆五个卢布，乘客们也纷纷给她凑钱。临到笔钱交到那个老太婆手里，她就在胸前面一个十字，对人们弯下腰去深深一鞠躬，说：

"亲人啊，这笔钱比我原有的还多出三个卢布零十个戈比！"

有人快活地叫道：

"你就统统收下吧，老大娘，何必自找麻烦，张扬出去呢？添三个卢布总不会嫌多嘛……"

另一个人有条有理地说：

"钱又不是人，谁也不会嫌多的……"

可是，亚科甫走到那个老太婆跟前去，认真地提议说：

"你把多余的钱给我吧，我拿去打牌！"

大家笑起来，以为这个司炉工人在开玩笑。可是他一股劲儿地劝那个发窘的老太婆说：

"你给我，老大娘！你要这钱有什么用呢？你明天就要到坟地里去了……"

大家纷纷把他赶走，痛骂他。他摇着他的头，惊讶地对我说：

"这班怪人！他们何必管人家的闲事呢？要知道这是她自己说的；这些钱在她是多余的！可我要是有了这三个卢布，那就顺心了……"

钱币的模样大概使他觉得怪有意思的。他讲话的时候，喜欢把银币和铜币放在他的裤子上，擦来擦去。等到他把一个硬币擦得亮晃晃的，他就用他那些弯曲的手指头捏紧它，把它放在他那张鼻孔往上翻的脸跟前，仔细看它，他的两道眉毛不住地动弹。然而他并不贪财。

有一回他提议，叫我跟他一块儿玩"撞大运"。我不会玩。

"你不会？"他惊讶地说，"你怎么能不会呢？你居然还读书识字呢！那我得教会你。咱们打着玩吧，拿糖做赌注……"

他赢掉我半磅方块糖，而且不住地把一块块糖送进他那胡子蓬松的嘴里去。后来他发现我已经学会了，就提议说：

"现在咱们可要认真地玩了，拿钱下赌注！你有钱吗？"

"有五个卢布。"

"我有两个卢布多一点。"

不消说，他很快就把我的钱赢光了。我想翻回老本，就押下我的长外衣，当作五个卢布的赌注，结果输掉了。我又拿一双新皮靴下注，算三个卢布，也输掉了。于是亚科甫很不满意，几乎是生气地对我说：

"不行，你不能打牌。你太急躁了。什么长外衣啦，皮靴啦，现在统统拿走吧！我不要这些东西。好，衣服之类拿回去，钱呢，你拿回四个卢布去，另外一个卢布算是交给我做学费的……行不行？"

我很感激他。

"算不了什么！"他听到我道谢后就回答说，"打牌是玩，也就是找乐子，可是你仿佛在打架。就算是打架吧，也用不着急躁，要瞄准了再打！有什么可急躁的呢？你年轻，你得沉住了气。一次不成功，五次不成功，到第七次就干脆丢手不干了！你索性躲开，走到一边去。等你冷静下来，就再干！这才叫玩！"

我越来越喜欢他，也越来越不喜欢他。有的时候，他讲的话使我想起了我的外祖母。他有许多吸引我的地方，可是他对待人们的冷漠态度却是强烈的，看来已经终生确定下来了，这却引起了我的尖锐的反感。

有一天，太阳正下山，一个二等舱的乘客，是彼尔姆城的一个身材高大的商人，喝醉了酒，掉到船外去了，他手抓脚蹬，沿着那条金红色的水路漂游着。船上的机器很快地关上，轮船停住了，从轮子底下放出一团团云雾般的泡沫，落日的红光把它染成了鲜血的颜色。那个乌黑的人体离船尾已经很远，正在那团沸腾的鲜血里扑腾，河面上响起死命挣扎的喊叫声，震撼人心。乘客们也大呼小喊，推推搡搡，纷纷挤到船边上来，聚在船尾那儿。失足落水的人的同伴也喝醉了；他头发棕红，头顶光秃，举着拳头打一切人，冲到船边上，像牛似的吼起来：

"走开！我马上就游到他那儿去……"

已经有两个水手跳进水里，笔直地往失足落水的人那边游过去。一条舢板从船尾上放下去。在船员们的叫喊声中，妇女们的尖叫声中，亚科甫的略微沙哑的声音却像水那样安静平稳地流着：

"他会淹死，准定会淹死的，因为他穿着长外衣！人穿着长衣服，就一定会淹死。比方拿娘们儿来说，为什么她们比男人容易淹死呢？就因为她们穿着裙子。娘们儿一掉进水里，就立刻沉到水底，像一个一普特重的砝码一样……你们瞧着吧，他马上就要淹死的，我不是瞎说……"

那个商人果然淹死了。人们大约找了他两个钟头也没找到。他的同伴醒过酒来，坐在船尾上，呼呼地喘气，伤心地嘟哝着：

"得，你瞧，闹出了这样的事！现在这可怎么办，啊？叫我对他的亲人说什么，啊？他有亲人呀……"

亚科甫在他的面前站住，把两只手放在背后，开始安慰他说：

"想开点，商人！说真的，谁也不知道自己注定在哪儿死掉。有的人吃着蘑菇，吃啊吃的，就吃死了！成千的人吃蘑菇没事，就只有他一个人吃死了！其实，蘑菇又是什么了不得的东西呢？"

他身子宽，又结实，像个磨盘似的立在商人的面前，像撒麸子一样撒下他那些话来。起初这个商人没说话，哭着，用他的大手掌擦掉胡子上的泪水，可是他听了一阵，就叫起来了：

"妖精！你干什么撕扯我的心？正教徒啊，你们把他拉走，要不然就别怪我闹出乱子来！"

亚科甫平静地走开了，嘴里说着：

"这些怪人！人家对他好心好意，他却呆头呆脑……"

有的时候我觉得这个司炉工人是个傻子，不过我常常想到的却是他故意装傻。我死乞白赖地要问出他怎样走遍世界，看见过什么，然而总是白费劲。他把头往上一扬，略微睁开一点他那对熊一般的黑眼睛，用手摩挲着他那张毛茸茸的脸，拖着长音追述道：

"到处都是人，老弟，像蚂蚁一样！那儿也是人，这儿也是人，我跟你说吧，热闹得很！当然，最多的还是农民，地面上简直满是庄稼汉，比方说，就像秋天的树叶一样。保加利亚人吗？我见过保加利亚人，也见过希腊人，还有塞尔维亚人，罗马尼亚人我也看见过，还有各式各样的茨冈，反正多极了，各不相同！他们是什么样的人？其实还不是一样！住在城里的就是城里人，住在乡下的就是乡下人，完全跟咱们这儿一样。反正有许多地方都像。有些人连说话都跟咱们一样，只不过说不好，比方说，鞑靼人或者莫尔多瓦人就是这样。希腊人不会说咱们的话，他们叽里咕噜乱说一阵，说的倒也像是话，不过到底是什么意思，就弄不清了。跟他们说话就得用手指头打比方。可是我的那个小老头子装得好像连希腊话也懂，叽里咕噜地说起来，什么'卡拉玛拉'啦，什么'卡里美拉'啦。这个小老头狡猾得很，把他们蒙得够呛！……你又问他们是什么样的人。你这怪人啊，他们能是什么样的人呢？嗯，当然，他们皮肤黑，罗马尼亚人也黑，他们信的教是一样的。保加利亚人也黑，不过他们信的教跟咱们一样。讲到希腊人，他们跟土耳其人差不多……"

我觉得他好像没有把他所知道的都说出来，他还留着一些话不愿意说出口。

我根据杂志上的图片知道希腊的首都是雅典，那是一个极古老的、很美的城。可是亚科甫怀疑地摇头，不承认有雅典。

"这是人家在诓你，老弟。雅典是没有的，倒有个亚陀斯，不过那不是一个城，而是一座山，山上有一个修道院。就是这么的。那地方叫亚陀斯圣山。这样的图片是有的，那个老头子就贩卖这种图片。有一个别尔戈罗德城①，在多瑙河边，就像咱们的雅罗斯拉夫尔城或者尼日尼城一样。他们那些城都平平常常，不过讲到那儿的乡村，那就是另一码子事了！那儿也有娘们儿，不过那些娘们儿可真有意思得要命！我差点为这么一个娘们儿留下不走了，她叫什么名字来着？"

他伸出他的手掌使劲擦他那张似乎没生眼睛的脸，他那些硬胡子就轻声地窸窸窣窣响，于是他嗓子里的一个深深的地方响起了笑声，类似一个破铃铛的叮当声。

"我这个爱忘事的人啊！要知道那时候我跟她别提多么要好了……分手的时候她哭了，我也哭了，真的……"

他就开始用平静的、不害臊的口气教导我应该怎样对付女人。

我们在船尾上坐着。温暖的月夜迎着我们飘过来。在银白色河水的尽头，隐约地现出河岸上的草场。高陡的岸上有些黄色的灯火在闪烁，像是被大地捉住的几颗星星。四周的一切都在活动，毫无睡意地颤抖，过着一种安静而又顽强的生活。在可爱而忧郁的寂静中，那种略微沙哑的话语声响着：

---

① 这是俄国库尔斯克省的一个城市，不在多瑙河边。

"往往，她张开两条胳膊，像钉死在十字架上一样……"

亚科甫不害臊地讲着，然而并不惹人讨厌。他的那些话里没有夸耀，也没有残忍，听起来倒有点朴实，而且略微带点悲哀。天上的月亮也不害臊地赤身露体，它同样惹人激动，同样使人感到无端的忧郁。这时候我只能回想好的事，最好的事，于是我想起了玛尔果皇后和那两句由于真实而难忘的诗：

> 只有歌才需要美，
> 美却不需要歌……

我像摆脱掉轻微的睡意那样摆脱掉这种梦幻般的心境，然后我又向这个司炉工人追问他的生活，追问他见过些什么。

"你真是怪人，"他说，"该跟你说些什么呢？我什么都见识过。你问：我看见过修道院吗？我看见过。那么饭馆呢？我也看见过。我看见过老爷们的生活和农民们的生活。我自己呢，又经历过吃饱的生活，又经历过挨饿的生活……"

他慢慢腾腾，仿佛正在一条水深的河流上面一座不安稳的、危险的桥上走过去似的，追述着往事说：

"好，比方说吧，有一次，我因为偷马而在一个警察分局里关着。我心想，这回可要把我流放到西伯利亚去了！正巧警察分局长在骂街，原来他的新房子里的炉灶倒灌烟子了。我就说：'这个炉灶我能修，老爷。'他对我说：'你少说废话！这东西连最高明的师傅都修不好……'可是我对他说：'有时候一个放羊的倒比一个将军还聪明。'当时我对什么人说话都胆子很大，反正我要流放到西伯利亚去了！他就说：'那你就试一下，'他说，'要是你把炉灶越修越坏，我就把你的骨头砸碎！'我花了两天的工夫就把这个活干成了，警察分局长大吃一惊，叫道：'瞧瞧你，傻瓜，蠢货！其实你是个有本事的师傅，可是你偷马，这是怎么回事啊？'我就对他说：'那都是因为我糊涂，老爷。'他说：'这话不错，你就是糊涂，'他说，'我怜惜你了！'就是啊。他说他怜惜我了。你瞧见没有？一个当警察的人，按他的职分来说应当铁面无情才对，可是你瞧，他怜惜人了……"

"哦，那又怎么样呢？"我问。

"不怎么样。他怜惜我了。那还要怎么样呢？"

"你有什么可怜惜的？你简直是块大石头嘛！"

亚科甫好意地笑了，说：

"怪人！你说我是石头，啊？可是，就连石头你也要怜惜嘛，石头也有石头的用处，石头能铺马路啊。不论什么东西都得爱惜，没有一样东西是白放在那儿的。沙土算得了什么？可是沙土里就生出青草来……"

这个司炉工人说这些话的时候，我看得特别清楚：他一定知道一些我所不了解的东西。

"你对厨师有什么看法？"我问。

"对小熊吗？"亚科甫冷淡地说，"对他能有什么看法呢？根本什么看法也不会有。"

这话倒是实在的。伊凡·伊凡诺维奇那么严谨，那么稳重，弄得别人的思想不可能转到他的身上去。他只有一件事使人发生兴趣：他不喜欢这个司炉工人，老是骂他，然而又老是请他喝茶。

有一次厨师对他说：

"要是农奴制度还在，而我又是你的老爷，那我就要把你这个寄生虫每星期用树条抽上七次！"

亚科甫认真地说：

"抽七次未免太多了！"

厨师一面骂这个司炉工人，一面不知什么缘故又拿各式各样的食物送给他吃。他粗鲁地塞给他一块吃食，说：

"吃吧！"

亚科甫不慌不忙地嚼着，说：

"多亏你，我才更加筋强力壮了，伊凡·伊凡诺维奇！"

"筋强力壮对你这个懒汉有什么用处？"

"怎么会没用处呢？那我就能长寿呗……"

"可你活着为的是什么，妖精！"

"就连妖精也要活着嘛。你来说一说，莫非活着没意思吗？伊凡·伊凡诺维奇，活着可是顺心得很啊……"

"简直是一个白吃（痴）！"

"你说什么？"

"一个白吃。"

"居然有这样的词儿。"亚科甫惊讶地说。可是小熊对我说：

"是啊，你想一想吧：咱们在炉子跟前那种要命的热气里熬干一滴滴的血，烤煳一根根的骨头，可是他呢，你看嘛，嚼得那么有滋有味，像是一头骟猪!"

"各人有各人的命运嘛。"司炉工人说,嘴里不住嚼着食物。

我知道在锅炉前面工作比在厨房里的炉子跟前工作苦得多,也热得多,我有好几次在晚上跟亚科甫一块儿动手"拨火和添火"。不知什么缘故他不愿意对厨师说明他的劳动很辛苦,这使我感到奇怪。是啊,这个人一定知道一些特别的道理……

大家都骂他。船长啦,机械师啦,水手长啦,无论什么人都可以随便骂他。事情很奇怪:他们何不索性辞掉他呢?司炉工人们虽然也嘲笑他的饶舌和打牌,可是对待他却明显地比别人对他好。我问他们说:

"亚科甫是好人吗?"

"亚科甫吗?挺不错。他和和气气,你想怎么摆布他就可以怎么摆布他,哪怕把一块烧红的木炭放在他的怀里都成……"

这个司炉工人尽管在锅炉跟前辛苦地劳动,尽管有马一般的胃口,却睡得很少。他一下班,常常连衣服也不换,一身大汗,肮里肮脏,整夜在船尾上待着,跟乘客们谈天,或者打牌。

他站在我的面前,像是一口锁着的箱子。我觉得这口箱子里收藏着一些我所不能缺少的东西,我就顽强地寻找一把开箱子的钥匙。

"我不明白,老弟,你究竟想知道些什么呢?"他问,用他那对隐藏在眉毛底下不容易让人看见的眼睛瞅着我。"是啊,在这个世界上,确实,我走过很多地方。另外还有什么可讲的呢?怪人!那你好好听着吧,我就来给你讲讲有一次我遇到过的一件事。"

他就讲起来。从前在一个县城里,有一个年轻的法官,害了肺痨病。他的妻子是一个德国女人,身体健康,没有孩子。这个德国女人爱上了一个匹头商人,那个商人却是个成了家的人,他的妻子生得漂亮,有三个儿女。后来那个商人发觉这个德国女人在爱他,就想法子捉弄她。他约她晚上到他家的花园里去,另外他又邀来他的两个朋友,把他们藏在花园里的灌木丛中。

"妙得很!好,那个德国女人就去了,跟他谈这谈那。她说:我全听你的了!可是他对她说:我不能跟你结婚,太太,我成家了,不过现在我倒给你找了两个朋友,一个死了老婆,一个还没结过婚。那个德国女人叫了声哎呀,使劲打了他一个嘴巴,把他打得从一条长凳上翻下了地。她伸出鞋去踹他的脸,用鞋后跟踹他!那时候是我把她送去的,我正在法官家里做扫院子的。我顺着篱笆的缝往里瞧,看见那儿闹成了一锅粥。这当儿那两个朋友朝她那边跑过去了，一把揪住了她的辫子。我就翻过墙去，把他们推开，说：'商人老爷们，这样可不行啊！'太太诚心诚意去找他，可是他想出了这么一个不要脸的主意。我赶紧把她送走，可是他们拿起砖头来把我的脑袋砸破了……她伤心得很，在她家的院子里走来走去，心乱如麻。她对我说：'亚科甫，我等我的丈夫死了，就立刻去找我的亲戚朋友，找德国人去。我要走！'我说：'当然，是应该走！'后来法官死掉，她就走了。她待人和气，挺明白道理。那个法官也待人和气，求天主让他升天堂吧……"

我摸不着头脑，不明白这件事的含义，就没说话。我感到这件事有点我所熟悉的那种冷酷而荒唐的味道，可是这该怎么说呢？

"这故事好吧？"亚科甫问。

我说了几句什么话，愤慨地骂着。可是他平静地解释说：

"他们都是些吃饱了肚子的人，对一切都心满意足。不过呢，有的时候他们想开个玩笑，可是结果玩笑不像个玩笑，他们似乎不会开玩笑。当然，他们是些正正经经的生意人。做生意要用不少的脑筋。靠着费脑筋过日子大概没什么意思，所以就想胡闹一下了。"

轮船船尾的外边满是泡沫，河水流得湍急。人可以听见河水奔流的沸腾声。乌黑的河岸随着河水慢慢地往后退去。甲板上的乘客们正在打鼾。有一个身量很高而生得干瘦的女人往我们这边走过来，正在那些长凳中间，在睡熟的身体中间慢慢地走动。她穿一件黑色连衣裙，她那花白的头发上没戴头巾。那个司炉工人用肩膀碰一碰我，小声说：

"你瞧，她心里苦恼……"

我觉得别人的苦恼似乎使他觉得满有意思。

他讲的话很多，我如饥似渴地听着。他讲的事我统统记得很清楚，可是我想不起他讲过一件快活的事。他讲的话比书上的文字平静得多，我在书本里倒常常听见作者的感情；他的愤怒、他的喜悦、他的悲哀、他的嘲笑。这个司炉工人不嘲笑，不斥责，无论什么事都不惹他生气，也不使得他明显地高兴。他讲起话来像是法官面前的一个冷漠的见证人，一个对被告、原告、法官一概不关痛痒的人……这种冷漠在我的心里引起越来越厉害的苦恼，这就使得我对亚科甫生出了气愤的敌意。

生活在他面前燃烧着，像是锅炉底下炉膛里的火，而他总是站在炉膛面前，伸出他那像熊爪般的粗手，拿着一个木槌轻声敲打喷嘴的阀门，添加燃料或者减少燃料。

"你受过委屈吗？"

"准能叫我受委屈？要知道我打起耳光来是力气很大的！……"

"我不是说打架，我是说你的灵魂受过委屈吗？"

"谁也不能叫别人的灵魂受委屈，灵魂是受不着委屈的，" 他说，"你无论用什么办法也决不能触动人的灵魂……"

甲板上的乘客们和水手们，一切人，都那么多而且那么勤地提到灵魂这两个字，就跟他们常常提到土地、工作、粮食、女人一样。灵魂是普通人话语里的常用字，这两个字好比五戈比的硬币一样流行。我不喜欢这两个字那么经常地挂在人们的光滑的舌头上。每逢人们骂街，不管是出于恶意还是好意而骂到灵魂的时候，这总沉重地打击我的心。

我记得很清楚，我的外祖母极其小心地谈到灵魂，把它看成一种容纳爱情、美丽、欢乐的神秘器具。我相信一个好人死后，就有一些白色的天使把他的灵魂带上蔚蓝的天空，送到我的外祖母的善良的上帝面前去。上帝就亲切地迎接他说：

"怎么样，我的亲爱的，怎么样，我的纯洁的人，你吃了很多的苦，受了不少的累吧？"

然后他就把六翼天使的翅膀送给这个灵魂，那是六个白色的翅膀。

亚科甫·舒莫夫也这样小心地谈到灵魂，谈得又少又勉强，就跟我的外祖母一样。他骂人的时候不提灵魂，遇到别人讲起灵魂的时候，他总是不开口，把他那牛一般的红脖子低下去。我问他灵魂是什么，他回答说：

"那是一股气，上帝吐出来的气……"

我嫌这个回答不够，就又问他，于是这个司炉工人低下头，说：

"讲到灵魂，老弟，就连教士都知道得很少，这是一件还没摸清底细的事……"

他闹得我经常想着他，用顽强的努力去了解他，然而这种努力没有什么成效。我除了他以外什么也看不见，他总是用他的宽阔的身影挡住我的视线，便我看不见别的东西。

食堂老板娘对我的态度亲热得可疑。每天早晨我得伺候她漱洗，其实这是二等舱女仆露霞的职务，她是个又干净又快活的姑娘。我在那窄小的舱房里挨着食堂老板娘站着，她脱掉上身的衣服，直到腰部裸露着，我就看见了她的黄色的肉体，她身上皮肉松弛，跟发得太酸的面团一样，我就不由得想起了玛尔果皇后的铜铸一般的、肤色发黑的身体，厌恶这个老板娘了。这个老板娘老是在讲话，时而怨诉，发牢骚，时而生起气来，冷嘲热讽。

她的话的含义我没有听懂，不过我仿佛隐隐约约地猜出来了：那是一种可怜的、下贱的、可耻的含义。可是我无动于衷，我生活得离食堂老板娘和轮船上所发生的一切事情都很远，我的面前立着一块生满青苔的大石头，它挡住我的眼睛，使得我看不见这日日夜夜向一个什么地方飘去的整个世界。

"我们的加甫利洛芙娜满心爱上你了，"我像在梦中似的听着露霞的挖苦话，"那你张大了嘴，接住这个造化吧……"

不光是她在讪笑我，食堂的所有仆役都知道老板娘的这个弱点。厨师皱起眉头说：

"这个娘们儿什么都吃过，如今要尝一尝小蛋糕，甜点心了！这种人啊……你要留神，彼什柯夫，别马马虎虎……"

连亚科甫也用父辈的认真口气开导我说：

"当然，要是你年纪再大两岁，那我要对你说的话就不一样了，可是现在，按你这种年纪，也许还是不理她的好！不过呢，这也随你的意……"

"你别说了，"我说，"这是下流事……"

"当然……"

可是紧跟着，他把手指头插进他的纠结的头发里去，打算把头发弄乱，同时吐出一个个又小又圆的字眼：

"是啊，人也应该明白她的局面才是，那是一种冷清的、冬天的局面……连狗都喜欢人家摩挲它，何况是人呢！娘们家靠人家的爱抚活着，就跟蘑菇靠潮湿活着一样。她自己想必怪害臊的，可又有什么办法呢？她的肉体要人家来亲热嘛，就是这么的……"

我紧张地瞧着他那对叫人捉摸不透的眼睛，问道：

"你怜惜她了？"

"我怜惜她？莫非她是我的母亲还是怎么的？人家就连自己的母亲也不怜惜呢，可是你……这个怪人啊！"

他声音不高地笑了，发出破铃铛的响声。

有的时候我瞧着他，觉得我自己仿佛沉到无声的空虚里，沉到无底的深渊和黑暗里去了。

"瞧，大家都结婚，可是你，亚科甫，为什么就不结婚呢？"

"结婚干什么？我就是像现在这样不结婚，也总是能找到女人的。谢天谢地，这种事简单得很……有老婆的人就得在一个地方住定下来，种庄稼，可是我的地不好，又太少，而且就连这点地也让我的叔叔霸占了。我的哥哥当兵回来，跟我的叔叔吵个没完，打了官司，还拿一根大棒打他的脑袋。血哗哗地流开了。我的哥哥为此在监牢里关了一年半，后来倒是从监牢里出来了，不过也只有一条路可走，就是又回到监牢里去。他的老婆是个挺可心的小娘们儿……可是说这些也没用了！人一结了婚，就得守着自己的小窝当主人。可是当兵的，就连自己的命自己也做不了主。"

"你祷告上帝吗？"

"你这怪人！我当然祷告……"

"那你祷告些什么呢？"

"什么都祷告。"

"你念什么祷告词呢？"

"祷告词我不会念。老弟，我祷告得简简单单：天主耶稣啊，你怜恤活着的，叫死了的得到安息吧。天主啊，别叫人得病……好，另外再说点别的……"

"再说点什么呢？"

"随便说说呗！反正不管你说什么，他都听得见！"

他对我亲热，带点图个新鲜的心情，仿佛对待一条并不愚蠢而又会做出种种有意思的动作的小狗一样。我晚上往往跟他一块儿坐着。从他身上发散出石油味、焦烟气、大葱味：他爱吃葱，嚼起生葱来像嚼苹果一样。他突然要求说：

"喂，阿辽哈①，大娃娃，你来念一首诗吧！"

我背熟了许多首诗。此外我还有一个很厚的笔记本，我把我喜欢的诗都抄下来了。我就给他念《鲁斯兰》，他听着，一动也不动，仿佛瞎了眼睛，成了哑巴似的，压住带点嘶声的呼吸，然后声音不大地说：

"这倒是挺顺心、挺不错的小故事！这是你自己编出来的吗？是普希金写的？确实有这么一个穆兴—普希金老爷，我见过他……"

"不是你说的这一个。那一个普希金早就给人打死了！"

"什么缘故给打死的？"

我就把玛尔果皇后告诉我的那些话简略地对他讲了讲。亚科甫听着，然后他平心静气地说：

---

① 高尔基的名字阿历克塞的别称。

"有很多的人都是为娘们儿活活送了命……"

我常常把我从书上读到的各式各样的故事讲给他听。所有的那些故事在我的头脑里都混在一起，熔铸成一个极长的故事，叙述一种动荡而又美丽的生活，浸透了火一般的激情，充满出生入死的英雄业绩、紫红色的贵族排场、神话般的成功、决斗和死亡、高尚的言词和卑鄙的行动。在我的故事里，罗堪博尔取得了拉·摩尔、汉尼拔、柯罗纳的骑士特征；路易十一取得了葛朗台的父亲的特征；骑兵少尉奥特列达耶夫同亨利四世合二为一了。在这个故事里，我凭一时的灵感篡改了人物的性格，把情节掺混在一起，于是这个故事就成了一个我在其中可以为所欲为的世界，这倒很像我的外祖父的上帝，他也是想玩弄谁就玩弄谁的。我把许多的书乱改一通，这倒没有妨碍我按现实的本来面目去了解现实，也没有冲淡我想理解活人的愿望，可是这却把我笼罩在一种透明的而又为外界力量所穿不透的云雾里，使得我避开了许许多多有感染性的肮脏事，使得我避开了生活中种种致人死命的毒素。

那些书使得我受不到许多东西的伤害。我既知道人们怎样相爱和受苦，就不可能到妓院里去。那种几个小钱的淫荡，在我的心里激起了我对它的憎恶，以及我对那些以此为乐的人的怜悯。罗堪博尔教导我做一个坚韧不拔的人，对环境的力量决不屈服。仲马笔下的那些人物启发我树立一种把自己献给某种重要而伟大的事业的志愿。我所喜爱的人物是快乐的皇帝亨利四世，我觉得贝朗瑞的一篇精彩的诗歌说的就是他：

> 他给农民们许多的好处，
> 他自己也喜欢喝酒。
> 既然全体人民都幸福，
> 皇帝喝点酒又何尝不可？

那些长篇小说把亨利四世描写成为一个善良的人，接近他的人民。他像太阳一样明亮，他使我得出一个信念：法国是全世界最美丽的一个国家，一个骑士的国家，在那儿国王的长袍和农民的衣衫同等高贵；安日·皮突跟达特安同样是骑士。亨利被打死的时候，我满心凄惨地哭起来，由于痛恨拉瓦里亚克而咬牙切齿。这个国王几乎永远是我对司炉工人所讲的故事的主要人物，我觉得亚科甫似乎也喜爱法国和

"恩利"了。

"这个恩利国王倒是个好人，谁都可以跟他一块儿钓一钓棘鲈鱼，爱干什么就干什么。"他说。

他听得并不入迷，也不提出问题来打断我的故事。他沉默地听着，低下他的眉毛，脸容呆呆地不动，像是一块生了霉的老石头。不过倘使我因为什么缘故停住嘴，他就立刻问道：

"完了吗?"

"还没有。"

"那你别停住!"

关于那些法国人，他叹口气说：

"他们过得倒凉快……"

"这话怎么讲?"

"你看，我和你受着热，干着活过日子；他们呢，在凉快的地方生活。他们什么工作也不干，光是喝酒，玩乐。真是顺心的生活!"

"他们也工作。"

"这从你讲的故事里却看不出来。"司炉工人正确地说。我忽然醒悟过来，我所读过的绝大多数的书几乎根本不提那些高贵的英雄怎样工作，靠什么劳动过活。

"好，我睡一会儿。"亚科甫说，就在他坐的地方仰面朝天躺下去，过一会儿他的鼻子里就发出了匀称的呼噜声。

秋天，卡马河的岸上现出一片棕红色，树叶变得金黄，斜射的阳光转成白色了。这时候亚科甫却出人意外地离开了轮船。他在离开的前一夜还对我说：

"后天我和你，阿辽哈，大娃娃，在彼尔姆上岸，到澡堂子里去一趟，痛痛快快地洗个蒸汽浴，出了澡堂子就到一个有音乐的饭馆里去，那才顺心呐! 我就喜欢看人家玩那个手摇风琴。"

可是，在萨拉普尔码头，有一个胖胖的男人来搭乘轮船。他生着一张女人般的脸，皮肉发松，没有胡子和唇髭。他穿一件又厚又长的外衣，帽子上有一副狐皮耳罩，这就使得他越发像是一个女人了。他立刻在厨房附近一张小桌子那儿坐下，这个地方暖和些。他要了茶，随后就开始喝那滚开的黄色茶水。他喝得大汗淋漓，却不解开他的长外衣的扣子，也不脱掉他的帽子。

秋天的乌云不停地降下毛毛细雨。看样子，仿佛这个人甩一块方格手绢擦掉他脸上的汗的时候，雨就下得小一点；等到这个人再出汗，雨就又下大了。

不久，亚科甫在他的身边出现。他们开始仔细地看一张日历上的地图，那个乘客伸出一根手指头在地图上画来画去，司炉工人平静地说：

"行！没关系。这在我算不了什么……"

"那就好。"那个乘客用尖细的嗓音说，把那本日历塞进他的脚旁边一个开着口的皮袋子里。他们轻声地谈起来，开始喝茶。

趁亚科甫走去上班，我就问他这是一个什么样的人。他笑一笑，回答说：

"看上去，他像是一只鸽子，大概是个阉割派教徒。他是从西伯利亚来的，远得很呢！这个人怪有意思的，靠着画图纸过活……"

他从我身边走开了，他那两个乌黑的、像马蹄那么硬的脚后跟把甲板踩得噔噔地响。可是他又站住了，搔了搔他的腰。

"我就要到他那儿做工人去了。等轮船到了彼尔姆，我就下船。咱们分手了，阿辽哈，大娃娃！我跟他一块儿先坐火车，再走水路，还得骑马。好像得走五个星期才到得了，这个人住得好远啊……"

"你认识他吗？"我对亚科甫的出人意外的决定感到惊讶，就问道。

"哪儿认识呢？我压根儿就没见过他。要知道我没在他那个地方生活过……"

到了早晨，亚科甫身上穿一件油污的短皮袄，他那双光脚穿一双破鞋，脑袋上戴一顶小熊的缺了帽檐的破草帽，伸出他那些生铁般的手指头来攥紧我的手，说：

"你跟我一块儿去吧，啊？要是我跟他说一声，那他，这个鸽子，也会要你的。你愿意我去说一声吗？他们会把你那个多余的东西割掉，还会给你钱。他们觉得这种把人弄成残废的事是一件大喜事，他们为此还要赏给你钱呢……"

那个阉割派教徒站在船边那儿，胳肢窝里挟着一个小白布包，用他那对死人般的眼睛紧紧地盯住亚科甫。他身子笨重，虚胖，像是一个淹死的人。我声音不大地骂那个人。司炉工人再一次攥紧我的手巴掌。

"随他去吧，算不了什么！各人祷告各人的上帝嘛，这跟咱们有什么相干？好，分手了！祝你生活幸福！"

亚科甫·舒莫夫摇摇摆摆像一头大熊似的走了，在我的心里留下了一种不轻松的复杂感情：我又是舍不得这个司炉工人，又是气恼他，而且，我记得，我还有点羡慕他。我不安地暗想：这个人何必要到一个他没见过的地方去呢？

再者，亚科甫·舒莫夫究竟是一个什么样的人呢？

十二

深秋天气，轮船的航行结束了，我就到一个圣像作坊里去做学徒。可是过了一天，我的老板娘，一个脾气温和、老是带点酒意的老太婆，用弗拉基米尔城的土话对我说：

"现如今，白天可是短了，傍晚长了，以后你早晨就到铺子里去，在铺子里当学徒，傍晚再到作坊里去学手艺！"

她就把我交给一个身子矮小、走路很快的店员去支配。他是个年轻的人，他那张漂亮的脸上老是笑眯眯的。每天早晨黎明时分，在寒冷的幽暗中，我跟他一块儿穿过全城，沿着酣睡的商人街伊里英卡到尼日尼市场去。这个铺子坐落在那个商业地区的二楼上。它是由一个堆栈改建成的，光线阴暗，安着一个铁门和一个临着阳台的小窗子，而阳台上蒙着一层铁皮。这个铺子里摆满大小不等的圣像和各种神龛，有的神龛不加装饰，有的却刻着"葡萄"的花样，还有些教会斯拉夫文的、黄皮封面的书。另外还有一个铺子紧挨着我们的铺子，也卖圣像和书，由一个黑胡子的商人经营，他是伏尔加河对岸克尔热涅茨河地区一个著名的旧教派经学家的亲戚。这个商人有一个儿子，生得干瘦，举动活泼，跟我的年纪差不多，生着一张灰白而苍老的小脸和一对像小耗子那样不安宁的眼睛。

我打开铺面以后，得跑到小饭铺里去买开水。等到喝完茶，我还得收拾铺子，掸掉货物上的灰尘，然后就到阳台上去站着，小心注意，务必不要让顾客走到隔壁的铺子里去。

"顾客是傻瓜，"店员极有把握地对我说，"顾客只要价钱便宜，不管在哪儿买都成。至于货色好坏，他是不懂的！"

他很快地把那些圣像的小木板子收拾好，发出噼噼啪啪的响声。同时他炫耀他在生意方面的精到的知识，教导我说：

"姆斯捷拉城的成品是便宜的货色，三俄寸宽四俄寸长的那种很划算……六俄寸宽七俄寸长的也划算……你懂得圣徒吗？你要记住：沃尼法契依防酒狂症，大殉教徒瓦尔瓦拉防牙痛和暴亡，瓦西里防疟疾和热病……你懂得圣母吗？你要注意，有悲伤圣母，有三臂圣母，有阿巴拉茨卡亚预兆圣母，有哭泣圣母，有消愁圣母，有喀山圣母，有保护圣母，有七箭圣母……"

我很快就记住了各种尺寸和各种手工的圣像的价钱，记住了各种圣母像的差别，可是要记住圣徒们的功用就不容易了。

往往我正站在铺子的门口呆呆地出神，那个店员却忽然开口考问我的知识说：

"哪个圣徒管难产？"

要是我说错了，他就轻蔑地问道：

"你长着个脑袋是干什么用的？"

更困难的是招引顾客。我不喜欢那些画得很丑的圣像，卖这种东西是别扭的。我根据我的外祖母的那些故事把圣母想像得年轻，美丽，善良。在那些杂志的画片上，圣母也是这样。可是这儿的圣像却把她画得又老又凶，生着弯钩的长鼻子，两条胳膊像木头一样。

在星期三和星期五这些赶集的日子，生意分外兴隆，不时有些庄稼汉和老太婆走到阳台上来，有的时候全家大小都来了。他们都是伏尔加河对岸住在森林里的旧教徒，全是些疑心很重、神情阴沉的人。往往，我看见一个身体沉重的人在长廊上慢慢地走过来，仿佛担心陷进地里去似的。他身上穿一件羊皮袄和一件家里织的、很厚的粗呢衣服。要我站到这样一个人的面前去，是既别扭又难为情的。我要费很大的劲才能走过去，挡住他的去路，在他那双穿着极重的皮靴的脚跟前转来转去，像蚊子似的唱着：

"您要买点什么呀，老人家？我们这儿有加了注和加了讲解的赞美诗，有叶弗烈木·西陵的书，有基利尔的书，有教规，有日课经。请进，您看一看吧！您要圣像，这儿样样都有，价钱不同，手工上等，颜色也深！您要定做什么圣像，我们都能照做，各种圣徒和圣母的像我们全能做！也许您打算定做谁的命名日守护神的圣像，或者一个家庭的守护神的圣像吧？我们有俄国最好的作坊！我们这儿是全城头一家商号！"

那个胸有成竹、谁也捉摸不透的顾客沉默很久，像瞧一条狗那样瞧着我。随后，他突然伸出一只木头般的手，把我推开，走进隔壁那家铺子里去了。我们那个店员就揉搓着他的大耳朵，生气地抱怨说：

"你把他放走了，你这个人可真会做生意……"

隔壁那家铺子里就响起一个柔和而发甜的说话声，一种迷魂汤似的话就源源而来：

"亲人呀，我们不卖羊皮，不卖靴子，专卖上帝的恩赐。这东西比金银珍贵万倍，是无价之宝啊……"

"魔鬼！"我们那个店员又是嫉妒又是赞叹地小声说，"他把这个庄稼汉生生弄迷糊了！你得学！你得学啊！"

我就认真地学。任什么工作，只要是承担下来了，就应当做好。可是我在吸引顾客和做生意方面都干得不大有成绩。那些神情阴郁、讲话很少的庄稼汉，那些像耗子一样老是有点战战兢兢、低头哈腰的老太婆，总是在我的心里引起对他们的怜悯。我恨不得把这些圣像的真正价钱悄悄地告诉那些顾客，免得向他们多要二十个戈比的谎价。依我看来他们似乎都穷苦，挨饿。看见他们花三个半卢布买一本赞美诗，是奇怪的，而他们最常买的恰恰就是这本书。

他们在书本和圣像绘画评价方面的知识使得我暗暗吃惊。有一次我正把一个头发花白的小老头招引到我们的铺子里去，他却简短地对我说：

"说你们的圣像作坊是俄国最好的一家，这话不实在，小伙子。最好的一家是莫斯科的罗果任作坊！"

我窘住了，给他让出路来，他就慢腾腾地向前走去，也没有走进隔壁那家铺子里去。

"碰钉子了吧？"店员挖苦地问我一句。

"您没有对我说起过罗果任作坊……"

他就骂起来：

"这班到处逛荡的人，瞧着倒挺老实，其实他们什么都知道，该死的。他们什么都在行，老狗……"

这个店员相貌漂亮，面容丰润，自以为了不起。他痛恨那些农民，一遇到方便的时候就对我抱怨说：

"我是个聪明人，我爱干净，喜欢好闻的气味，什么神香啦，花露水啦，等等的。可是尽管我有这种品格，我却得对一个臭烘烘的庄稼汉弯下腰去深深鞠躬，好让我们的老板娘赚着他的五个戈比！这在我好受吗？其实庄稼汉是什么东西？无非是酸臭的羊毛，地上的跳蚤罢了，可是……"

他伤心地停住了嘴。

我却喜欢那些农民，我在他们每个人身上都像在亚科甫身上一样感到有一种神秘的东西。

往往，一个身体笨重的人影钻进我们的铺子里来。他里面穿一件羊皮袄，外面套一件农民式上衣。他脱掉厚毛的帽子，面对着有长明灯在闪烁的墙角，伸出两个手指头在胸前面个十字，极力不让自己的眼睛去看那些没有点长明灯的圣像，然后他沉默地用眼睛看一下他的四周围，说：

"拿一本有讲解的赞美诗来！"

他卷起上衣的袖口，把这本书的扉页念了很久，他那两片泥土颜色的、冻裂得出了血的嘴唇努动着。

"有古一点的本子吗？"

"古本，您知道，要卖上千个卢布呢……"

"我知道。"

这个庄稼汉就把他的一个手指头稍微蘸上点唾沫，翻动书页，凡是经这个手指头碰到过的地方，一概留下了发黑的手指印。店员用愤恨的眼光瞅着这个顾客的头顶心，说：

"圣书都一样的古，天主没有改动过他的话。……"

"我知道，我听说过！天主没有改动过，可是尼康①改动过了。"

这个顾客就合上书，沉默地走掉了。

有的时候，这些住在森林地区的人跟我们的店员争吵起来。我看得很清楚，关于圣书他们知道的比店员多。

"这些沼地里的邪教徒。"店员悻悻地说。

我还看出来虽然新书不合这些庄稼汉的意，他们却仍旧带着尊敬看待它，小心地摸到它，仿佛那本书像鸟一样会从他的手底下飞掉似的。这种情形我看得很愉快，因为书本对我来说也是一种奇迹。书本里藏着写书的人的灵魂；我一打开书，就解放了这个灵魂，它就跟我神秘地交谈起来。

那些老头子和老太婆极其频繁地把尼康时代以前的古版书籍或者由伊尔吉兹河和克尔热涅茨河一带的旧教派女修士抄得工整漂亮的这类书籍手抄本带来出售。他们还拿来没有经德米特利·罗斯托夫斯基修订过的日经课文月书手抄本、古代绘制的圣像、十字架、镶珐琅的铜制三折圣像、北部沿海地区的铸造品、由莫斯科公爵赏给酒店仆役的银勺。所有这些东西他们都是鬼鬼祟祟地拿出来，不住地四下里看，偷偷地出售的。

---

① 十七世纪莫斯科的总主教，实行了教会改革，这是教会分裂的原因之一。拒绝这种改革的即旧教派教徒。

不论是我们的店员还是我们隔壁那家铺子，都很机警地盯紧这一类的卖货人，极力你争我夺，半路截住。他们花几个卢布或者几十个卢布买下这些古董，一转手就在市集上用几百个卢布的价钱卖给那些富裕的旧教徒。

店员教导我说：

"你要盯住这些树精，这些魔法师，一眼也别放松！他们会带来财运的。"

这样的卖货人一来，那个店员就打发我去请旧教派经学家彼得·瓦西里伊奇，他是古版书籍、圣像和各种古董的行家。

这人是一个高身量的老头子，留着圣徒瓦西里那样的长胡子，他那张招人喜欢的脸上生着一对聪明的眼睛。他的一只脚的踝骨被砍掉了，他走起路来有点瘸，手里挂着一根长手杖。不论冬夏他老是穿一件又轻又薄的长外衣像道袍似的。他头上戴一顶样式古怪的丝绒便帽，类似一口煎锅。他平时精神焕发，挺直了身子，可是一走进铺子里来，就耷拉着肩膀，弯下背，低声叹气，常常捏着两个手指头在胸前画十字，随时喃喃地念祷告词和赞美诗。这种虔诚和衰老的样子立刻在卖货人的心里引起了对这个旧教派经学家的信任。

"你们这儿出了什么麻烦事啊？"老人问。

"嗬，有一个圣像要卖给我们，是这个人带来的。他说这是斯特罗甘诺夫画的圣像。"

"什么？"

"斯特罗甘诺夫画的圣像。"

"哦……我耳朵不好。天主给我堵上一个耳朵，不让我去听尼康派的胡言乱语……"

他脱掉帽子，平举着那个圣像，先是仔细看它的画法，再斜着看，再直着看，又看一下木板的接合榫，眯缝着眼睛，喃喃地说：

"那些不信上帝的尼康派呀，看出我们喜欢古圣像，就由魔鬼极其恶毒地指使着，做出各式各样的假东西来，如今就连圣像也能巧妙地做出假来，嘿，巧妙得很呢！表面看上去，一个圣像仿佛真是斯特罗甘诺夫或者乌斯丘格画的，再不然就是苏兹达尔画的，可是经行家的眼睛一瞧，原来是假的！"

如果他说"假的"，那就是说这个圣像是珍贵而罕见的。他说出一整套暗中约定的用语，对那个店员表明这个圣像或者这本书可以花多少钱买下来。我知道"灰心和悲伤"这几个字的意思是十个卢布，"尼康老虎"是二十五个卢布。眼看他们欺骗那些卖货人，我觉得可耻，然而那个经学家的巧妙把戏又吸引我。

"那些尼康派，尼康老虎的黑子孙，由魔鬼指使着，什么东西都能做出来。乍一瞧，打底子的颜料像是真的，圣像的衣服也是由一个人画出来的，可是你再瞧，圣像的脸就不是那个手笔，不是那个手笔了！从前的师傅，像西蒙·乌沙科夫，虽说是个异教徒，却总是由他一个人画完整个像。衣服也罢，脸也罢，都由他一个人画。连底板也是由他刨平的，打底子的颜料也是他抹的。到了我们这年月，那些叛教的家伙就办不到了！想当年，画圣像原是一种神圣的事业，可是如今成了一行手艺，真是这样，上帝的信徒们！"

最后，他把那个圣像小心地放在柜台上。然后他戴上帽子，说：

"罪过呀。"

这意思是说：你买下吧！

那个卖货人沉浸在娓娓动听的言辞的长河里，对老人的学识暗自吃惊，就恭恭敬敬地问道：

"那么这个圣像怎么样呢，老人家？"

"这个圣像是尼康派画的。"

"根本不可能！我的祖父、曾祖父都是对它祷告的……"

"可是尼康生得比你的曾祖父早。"

这个老头子把那个圣像直送到卖货人的脸跟前，声色俱厉地教训道：

"你瞧，她的模样多么快活，莫非这也叫作圣像？这是画片，是不懂行的手艺，是尼康派的玩意儿。这东西没有灵魂！难道我说的是谎话吗？我是个老人了，为真理受过苦。我不久就要去见上帝了，我犯不上昧良心！"

他就走出这个铺子，在阳台上站住，衰老得像是快要断气了，由于人家不信任他的鉴定而一肚子委屈。那个店员就花几个卢布把那个圣像买下来。卖货人走了，临行对彼得·瓦西里伊奇深深一鞠躬。他们就打发我到小饭铺里去买开水来泡茶。我回来的时候看见那个经学家精神焕发，兴高采烈。他满腔热爱地瞅着刚买下来的那个圣像，教导店员说：

"你瞧，这个圣像神态严正，画工细致。这是带着敬神的心情画出来的，人情味的东西一点也没有……"

"这是谁画的？"店员问，眉开眼笑，蹦蹦跳跳。

"你要知道这个还嫌太早呢。"

"那么行家肯出多少钱买这个？"

"那我也不知道了。我去拿给人家看一看吧……"

"唉，彼得·瓦西里伊奇呀……"

"要是我卖掉了，你就拿五十，余下的钱统统归我！"

"哎……"

"你用不着唉声叹气……"

他们就一面喝茶，一面不要脸地讲价钱，用骗子的眼光打量对方。店员完全落在那个老头子的掌心里了，这一点是很清楚的。老头子走后，他就对我说：

"注意，你别把这次买圣像的事说给我们的老板娘听！"

每逢他们讲妥卖圣像的事，店员就问：

"那么城里有什么新闻吗，彼得·瓦西里伊奇？"

那个老头子就伸出他的一只黄手来理开他的胡子，露出两片油光光的嘴唇，讲起那些富裕的商人的生活。他讲到他们在商业上的成就，讲到他们的宴乐，讲到疾病和婚礼，讲到妻子和丈夫的外遇。他像一个好厨娘烤油饼那样，快当而灵巧地烤出这些油腻的故事，另外浇上些嘶声嘶气的笑声。那个店员听得满心是羡慕和兴奋，他那圆圆的脸就红得发黑，眼睛蒙上一层梦幻般的薄雾。他叹口气，凄凉地说：

"人家才是真正在生活！可我呢……"

"各人有各人的命运嘛，"那个经学家用男低音哇哇地说，"有些人的命运是天使用小银锤子敲出来的，有些人的命运却是魔鬼用斧背砸出来的……"

这个身体结实、筋强力壮的老头子样样事情都知道，他知道这个城的全部生活，知道商人们、文官们、教士们、小市民们的全部秘密。他目光锐利，活像一只鹰隼之类的猛禽，在他的身上混杂着狼和狐狸的味道。我老是想气一气他，可是他仿佛离我很远，隔着一层雾似的瞧着我。我觉得他的四周好像围绕着无底的空虚，要是我走到他跟前去，就会不知掉到什么地方去了。我感到他有一种跟司炉工人舒莫夫相似的东西。

虽然店员不论当着他的面还是背着他的面都对他的聪明才智赞不绝口，不过有些时候他也像我一样想气一气那个老头子，想给他一点难堪。

"其实你是个骗人的家伙。"店员忽然说，带着找碴吵架的神情瞧着那个老头子的脸。

那个老头子懒散地冷冷一笑，回答说：

"只有天主才不骗人。我们却是在傻子当中生活。要是不骗傻子的话，那么傻子还有什么用处呢？"

店员冒火了：

"并不是所有的庄稼汉都是傻子，要知道商人就是从庄稼汉当中出来的！"

"我们说的又不是商人。傻子倒不会做骗子。傻子倒是圣徒，可就是他的脑子永远在睡觉……"

老头子越说越懒洋洋，这很惹人生气。我觉得他好像站在一个土墩上，四周围全是泥塘。要惹恼他是不可能的。他不会生气，要不然就是善于把他的气愤深深地隐藏起来。

不过，常常有这样的事：他自己倒来纠缠我了。他走到我的跟前来，胡子里带点笑意，问道：

"你那个写书的法国人姓什么来着？是姓'盆子'吗？"

这种歪曲姓名的可恶态度把我气得要命，可是我暂时忍住了气，回答说：

"彭桑·杜·特里尔。"

"他姓'盆子塞在肚子里'？"

"您别胡闹，您年纪不小了。"

"对，我年纪不小了。你在看什么书？"

"叶弗烈木·西陵①的书。"

"准写的好一点：是你那些世俗的作家呢，还是这一个？"

我不吱声。

"那些世俗的作家大半写的是什么？"他说，仍旧不肯放松我。

"生活里有什么就写什么。"

"那么写狗，写马。生活里就有这些东西嘛。"

那个店员哈哈大笑；我呢，一肚子的气。我很难受，不愉快。可是，如果我打算离开他们，店员就拦阻说：

"到哪儿去？"

那个老头子要难倒我：

---

① 俄国的宗教著作家。

"来，读书人，你来解一个难题吧：你面前站着一千个赤身露体的人，五百个女的，五百个男的，其中有亚当和夏娃①。你怎样才能找出亚当和夏娃来？"

他考了我很久，最后才得意扬扬地宣布说：

"小傻瓜，要知道他们不是生下来的，而是造出来的，那他们就没有肚脐眼嘛！"

这样的"难题"老头子知道很多，简直不计其数，所以他总能利用它们来折磨我。

我初到这个铺子里上班的那段时期，对这个店员讲过我所读到的几本书的内容，现在这些故事却变成了我的灾难。店员把这些故事向彼得·瓦西里伊奇转述一番，故意胡说，篡改得很肮脏。老头子就巧妙地提出种种不害臊的问题来帮着他干这件事。他们那两条黏糊糊的舌头把垃圾一般的丑话纷纷抛到欧也妮·葛朗台、留德米拉、亨利四世的身上。

我明白他们这样做不是出于恶意，而是由于烦闷无聊。可是这样想并不能使我觉得轻松些。他们造出这种肮脏的东西以后，就像猪一样扒开它，由于到底弄脏了和糟蹋了美丽的东西而快活得哼哧哼哧地喘气。美丽的东西在他们是格格不入的，无法理解的，可笑的。

整个这块商业地区，它的全部居民，那些商人和店员，都过着一种古怪的生活。这种生活充满像小孩那样愚蠢的而又总是恶毒的娱乐。倘使一个过路的庄稼汉打听到城里某个地点去该怎样走才近便些，他们总是对他指出不正确的方向，这种事大家已经完全干惯，所以这对欺骗者来说也已经谈不到有什么乐趣了。他们捉到一对耗子，就把它们的尾巴拴在一起，放到马路上，欣赏它们往不同的方向奔跑的时候我咬你，你咬我的那种样子。有的时候他们给老鼠浇上煤油，把它点上火烧起来。他们常常在狗尾巴上拴一个破铁桶，这样的狗总是怕得发疯，尖声吠叫，乱跑一阵，发出乒乒乓乓的响声，人们就站在一旁瞧着，哈哈大笑。

这一类的消遣是很多的。似乎所有的人，尤其是乡下人，都是专门为了供这个商业地区取乐而存在的。我从他们对待人的态度里感觉到他们经常有意要弄人，使人痛苦和受窘。奇怪的是我所读过的那些

---

① 按基督教的迷信传说，这一男一女是上帝创造出来的人类祖先。

书却从没提到过人们这种经常地、一心一意地打算要弄别人的渴望。

这个商业地区的这类娱乐当中，有一件事依我看来特别可气而可恶。

我们这个铺子的下边有一个商人经营皮货和毡靴的生意。他手下有一个伙计，这人食量极大，使得整个尼日尼市场为之震惊。他的老板常常夸耀这个工人的这种本领，就像夸耀一条狗的凶恶或者一匹马的力气似的。他不止一次把那些做生意的邻居叫来，要跟他们打赌：

"准来打十个卢布的赌？我赌米希卡两个钟头吃完十磅咸肉！"

可是大家都知道米希卡能够做到这一点，就说：

"我们不打赌，我们可以把咸肉买来让他吃，我们瞧着。"

"不过要买纯肉，不要带骨头！"

他们懒洋洋地争论了几句。然后就从幽暗的堆栈里爬出来一个身材消瘦、没留胡子、颧骨很高的汉子来。这人穿一件长长的厚呢子大衣，腰上系一根红色宽腰带，周身粘满一绺绺毛皮。他恭敬地从他那小脑袋上脱掉帽子，沉默着，他那对深深地陷进去的眼睛射出暗淡的目光，瞅着他的老板那张涨得通红、生满又粗又硬的胡子的圆脸。

"你能吃一巴特曼①咸肉吗？"

"要多少时间，您老？"米希卡用尖细的嗓音认真地问道。

"两个钟头。"

"那可难啊，您老！"

"瞧你说的，有什么难呢！"

"您给我两杯啤酒吧，您老！"

"行啊，你吃吧。"他的老板说。然后他夸耀道："你们别当是他空着肚子。不对，他早晨吃过两磅面包了，而且中午又饱饱地吃了一顿午饭……"

咸肉拿来了。看客们聚拢来。那些商人个个都是彪形大汉，身上紧紧地裹着沉重的皮大衣，活像巨大的磅秤砝码。这些人都挺着大肚皮，可是所有这些人的眼睛都很小，嵌在肥厚的肉缝里，一种不堪忍受的烦闷无聊给他们的眼睛蒙上了一层睡意蒙眬的薄雾。

他们把手揣在袖子里，把那个食量极大的人团团围住，形成了一个紧密的圆圈。那个人拿到一把刀和一大块黑面包。他规规矩矩地在

---

① 俄国重量单位名，在此指十磅。

他的胸前画了一个十字，在一个大羊毛包上坐下，把咸肉放在他身旁的一个货箱上，用他那对空虚的眼睛打量那块咸肉。

这个食量极大的人切下薄薄的一片面包和厚厚的一片肉，把它们整齐地合在一起，用两只手把它们送到他的嘴边去。他的嘴唇发抖了。他伸出他那条像狗一样的长舌头，舔了舔他的嘴唇，于是露出了他的又小又尖的牙。然后他按照狗的姿态把他的嘴凑到那块肉上去。

"他开始了！"

"看好了钟点！"

所有的眼睛一齐认真地转到那个食量极大的人的脸上去，瞅着他的下巴，瞅着他耳朵旁边由于咀嚼而暴起的两块圆圆的筋肉。他们瞅着那个人的尖下巴匀称地一起一落，懒洋洋地交换意见说：

"简直像是熊吃食！"

"你见过熊吃食啊？"

"莫非我在树林里住过吗？这只是一句俗话罢了，'吃起来像熊一样'。"

"俗话说的是'吃起来像猪一样'。"

"猪可不吃猪肉……"

他们强打精神笑起来。立刻就有一个懂行的人纠正说：

"猪什么都吃，又吃自己的崽子，又吃自己的姊妹……"

那个食量极大的人渐渐脸色红得发黑，耳朵颜色变得灰白，他那对深陷进去的眼睛从眼窝的骨头里鼓出来，他呼吸的声音发粗了。然而他的下巴仍旧那么匀称地活动。

"快点吃，米哈依洛，时间要紧！"那些人鼓励他说。他心神不定地用眼睛打量余下的肉，喝一点啤酒，又嚼起来。观众变得活跃了，越来越勤着去看米希卡的老板手里的怀表。那些人互相警告说：

"可别让他把表往回拨呀。干脆把他的表拿过来！"

"要注意米希卡，别让他把肉往他的袖口里塞！"

"到了钟点他吃不完！"

米希卡的老板逞强地嚷道：

"我赌一张二十五个卢布的钞票！米希卡，你别坍我的台！"

观众纷纷跟老板顶嘴，可是谁也不肯打这个赌。

米希卡仍旧嚼个不停，他的脸色变得跟那块咸肉不相上下了，他那生着大软骨的尖鼻子凄凉地呼呼响。他那样子看上去实在吓人，我觉得他似乎马上就要哭着叫道：

"你们饶了我吧……"

要不然，也许那些肉卡住他的嗓子，咽不下去，他就一头栽在看客们的脚跟前，死掉了。

最后他总算都吃完了，瞪起他那对仿佛醺醉的眼睛，疲乏地用沙哑的声调说：

"给我点水喝……"

可是他的老板看一看怀表，抱怨说：

"他过了四分钟，这个混蛋……"

观众就讥诮他说：

"可惜我们没跟你打赌，要不然你可就输了！"

"不过这个家伙倒真比得上一头野兽！"

"嗯，是啊，应当把他送到杂技团里去才对……"

"话说回来，上帝能把人弄得多么稀奇古怪啊，不是吗？"

"咱们走吧，喝茶去好不好？"

于是他们就像一条条小木船似的漂游到小饭铺里去了。

我一心想弄明白：究竟是什么东西促使这些笨重的、像铁打的一般的人聚在一块儿，把那个不幸的人团团围住呢？这个人的病态的暴食为什么会引得他们那么开心呢？

这条狭窄的走廊里阴暗乏味，密密麻麻地堆满羊毛、羊皮、大麻纤维、缆绳、毡靴、马具。有些砖砌的柱子把这条走廊和人行道分开，那些柱子粗大笨重，由于年代久远而灰泥斑剥，溅满了街上的烂泥。所有那些砖块和砖缝我大概暗自数过几千次，它们的难看的图案构成一面沉重的网，永久印在我的记忆里了。

行人们在人行道上从容不迫地走着。有些出租的载客的雪橇和运货的雪橇在街上不慌不忙地活动。街道的尽头有一些两层楼的红色砖房，那是一家家商店，这些商店圈出一个方形广场，那儿堆着木箱、干草、揉皱的包装纸，铺满踩硬的污雪。

所有这些，包括人和马，尽管在活动，却又好像静止不动，懒洋洋地在一个地方绕圈子，被一道看不见的锁链拴住了。人突然感到这种生活几乎没有声音，由于音响太少而变得死气沉沉。那些雪橇的滑铁咔咔地响，那些商店的大门砰砰地开关，那些卖馅饼和蜜水的小贩在吆喝，可是人们的说话声那么不快活，无精打采，单调得很，因此人很快就听惯，不觉得有什么声音了。

教堂的铜钟送丧般地响着。这种凄凉的钟声永远留在人的耳朵里，去不掉了。似乎这种钟声老是在这个市场的上空飘荡，从早到晚一刻也不停顿。它穿透人的一切思想和感情，在人的一切印象上铺了一层沉甸甸的铜垢。

一种冷冰冰的、百无聊赖的烦闷从各处冒出来：从铺着污雪的土地里冒出来，从房顶上的灰色积雪里冒出来，从房屋的肉色砖块里冒出来。烦闷从烟囱里往外冒，随着灰白的浓烟升上低矮而空虚的灰色天空。马喷气的时候喷出烦闷，人吐气的时候吐出烦闷。烦闷也有它的气味，那是由汗水、脂肪、大麻油、在炉床里烤成的馅饼、烟子合成的一股呛人的难闻气味。这种气味箍紧人的脑袋，像是给脑袋戴上一顶又厚又紧的帽子。它渗进人的胸脯里去，引起一种奇怪的昏迷沉醉状态，而且引起一种阴暗的愿望，恨不得闭上眼睛，拼命地喊叫，跑到外面去，见着墙就紧跑几步，一头撞上去才好。

我常常细看那些商人的脸，那些脸油光肥大，血管里灌满了油腻的浓血，冻得发红，呆板无神，仿佛睡着了似的。这些人常常打呵欠，张大了嘴，好比丢在干沙地上的一些鱼。

冬天生意清淡。这些商人的眼睛里缺少那种警觉而残暴的光芒，而在夏天这种光芒却把他们的眼睛装点得稍稍好看些，活泼些。这些人穿着厚重的皮大衣，这使得他们行动不便，弄得他们弯腰曲背。这些商人说话懒洋洋，生起气来就吵架。我认为他们是故意吵架，无非是为了互相表示：我们都还活着！

我看得很清楚：烦闷正在压垮他们，戕害他们。我只能把这些人的残忍而无聊的娱乐解释做这是他们对烦闷的吞没一切的力量进行着徒劳的斗争而已。

有的时候我跟彼得・瓦西里伊奇谈起这一点。虽然一般说来他总是用讥诮和嘲弄的态度对待我，可是他喜欢我的读书的嗜好，有的时候他也就改变态度，用严肃的教导口气对我讲话了。

"我不喜欢商人们的那种生活。"我说。

他就把他的一绺胡子缠在他的一根长手指头上，问道：

"商人的生活你怎么会知道呢？莫非你到他们的家里去做客吗？这儿是大街，小伙子。人不是在大街上生活的，他们在大街上做生意，再不然就是匆匆地走过大街回家去了！人家穿得整整齐齐地走上大街来，你单凭人家的衣服没法知道他们是些什么样的人。他们在自己的家里，在四堵墙当中，才无拘无束地生活，可是他们在家里究竟怎样生活，你并不知道！"

"可是，不管是在这儿还是在家里，他们的思想不是一样的吗?"

"可是谁能知道自己的邻居有些什么样的思想呢?"老人严厉地睁圆眼睛，用很响的男低音说，"老年人常说:思想好比跳蚤，数也数不清。也许，一个人回到家里，就跪下去，痛哭起来，祈求上帝说:'饶恕我吧，天主，我在你这神圣的一天里犯了罪!'也许，对他来说，他的家就是修道院，他只有在家里才是跟上帝生活在一起呢?说的就是啊!每个蜘蛛都得照顾自己的窝，它得织自己的网子，而且得知道自己有多么重，好让那个网子承得住它……"

每逢他严肃地说话，他的声调就低得多，男低音的音调就强得多，好像在讲重要的秘密似的。

"你如今在研究问题，可是研究问题在你还嫌太早。在你这种年纪，人不是靠头脑活着，而是靠眼睛活着!所以你要多看，多记，可是要少开口。办事才要靠头脑，灵魂所需要的却是信仰!你常读书，这很好，不过无论干什么事都得有个分寸。有些人就是读书入了迷，弄得疯疯癫癫，不信上帝了……"

我觉得他好像永远也不会死。人很难想象他会衰老，变样。他喜欢讲商人的故事，讲强盗的故事，讲那些先造假钱，后来变得有财有势的人的故事。这样的故事我已经听我的外祖父讲过许多，而且我的外祖父讲得比这个经学家好。不过这些故事的含义却是千篇一律的:人总得干那种对别人和对上帝来说是有罪的事才能够发财。彼得·瓦西里伊奇不怜悯人，可是讲起上帝来却带着亲热的感情，唉声叹气，低下他的眼睛。

"他们就是这样地欺骗上帝，可是他，主耶稣，什么都看见了，哭着说;我的人啊，人啊，不幸的人啊，你们只有下地狱这条路啦!"

有一次，我大着胆子提醒他说:

"要知道您也欺骗那些庄稼汉……"

这话倒没有惹得他生气。

"我干的那种事有什么大不了的?"他说，"我不过是捞一张三个卢布的钞票，五个卢布的钞票罢了，再也没有什么别的了。"

他碰见我在看书，就把我手里的书拿过去，吹毛求疵地盘问我读过的那些段落，然后他又是怀疑又是惊讶，对那个店员说:

"你瞧瞧，他倒真把书看懂了，小坏包!"

他就有条有理地教导我，他那些话使人牢记不忘:

"你听着我讲，我的这些话对你有用!基利尔有两个，这两个都是主教，一个是亚历山大城的①，一个是耶路撒冷城的②。头一个基利尔对罪大恶极的邪教徒涅斯托利③干起仗来。涅斯托利卑鄙地主张圣母是一个凡人，所以生不出上帝来，而是也生出一个凡人，不过按名分和事业来说叫基督，也就是救世主。因此不能叫她圣母，要叫基督之母，明白吗？这就叫左道旁门：耶路撒冷的基利尔反对邪教徒阿利④……"

他的宗教史的知识使我很佩服。于是他用一只像教士那样细皮白肉的手揪了揪他的胡子，夸耀说：

"我在这方面称得起是一个将军。有一次，将近三一节，我到莫斯科去参加一个口头辩论会，跟那些歹毒的尼康派学者、教士、俗人舌战。孩子，我甚至跟教授们交过锋，是啊！我把舌头当成剑，往一个教士身上刺过去，弄得他甚至流鼻血了。真是这么的！"

他的脸颊上泛起红晕，他的眼睛炯炯有光。

看来，他把他的对手流鼻血这件事看作他的成就的最高峰，看作他的荣誉的金冠上一块最耀眼的红宝石。他飘飘然地讲起这件事：

"他是个相貌漂亮的教士，身材魁梧！他站在讲经台前面，鼻子里滴出血来，滴了又滴！他自己却不知道自己出了丑。这个教士凶得很，活像荒野里的一头狮子，嗓门响得像是一口钟！我呢，对他慢条斯理地讲着，我那些话却像锥子那么尖，全扎进他的灵魂里去，扎进他的胸膛里去了！……他活像一个烧旺了火的炉子似的拼命喷出恶毒的邪说……嘿，从前那个时候可真是热闹啊！"

另外还有些旧教派经学家常到我们这个铺子里来。其中有一个是巴霍米依，他挺着一个大肚子，穿一件油污的农民长外衣，瞎一只眼睛，身体虚胖，哼哧哼哧地吐气。另一个是路基昂，他是个矮小的老人，须发柔滑得像耗子一样，待人亲切，举止活泼。常常跟他同来的，是一个身材高大、神态阴郁的人，他像一个赶马车的，生一把黑胡子和一张死气沉沉的脸，不招人喜欢，然而相貌漂亮，他那对眼睛总是呆呆地不动。

他们几乎总是带来一些古书、圣像、香炉和一些杯盘出售。有的

---

① 五世纪亚历山大城大主教，严厉迫害邪教徒和犹太教徒。
② 四世纪耶路撒冷城大主教。
③ 五世纪康斯坦丁堡的总主教，他主张玛丽雅不是神的母亲，而是耶稣的生母。
④ 四世纪耶路撒冷城的神甫。

时候他们把卖主也带来，那都是些伏尔加河对岸的老太婆或者老头子。他们做完买卖，就在柜台旁边坐下来，像是田界上的一群乌鸦。他们喝茶，吃白面包和果汁糖，互相讲起尼康派教堂所进行的迫害；某某地方遭到了搜查，祈祷用的书都没收了；某某地方由警察查封了一个祈祷室，根据第一百零三条法令把主管人送交法院审讯了。这个第一百零三条法令最常常成为他们谈话的题目，可是他们谈起这个法令的时候平心静气，就像谈到一件不可避免的东西，例如冬天的严寒一样。

警察、搜查、监狱、法院、西伯利亚之类的字眼是他们讲起为信仰而受迫害的时候经常提到的。这类字眼像火红的煤块似的落到我的灵魂里，燃起我对这些老人的同情和共鸣。我所读过的那些书已经教会我尊敬为达到自己的目标而顽强努力的人，教会我重视坚定不移的精神。

我常常忘记我在这些生活导师的身上所见到的一切不好的东西，光是感觉到他们的沉着的顽强精神。我觉得在这种顽强精神的背后隐藏着这些导师对他们的真理的不可动摇的信心，隐藏着他们为真理不惜承担一切磨难的精神准备。

后来，直到我有机会在人民中间，而且在知识分子中间，见到许多这样的人以及类似的旧信仰捍卫者以后，我才明白这种顽强精神其实是人们的消极态度：他们已经在一个地方站住，不再到什么地方去了。再者他们也不打算到任何地方去，因为他们被陈旧的语言和过时的概念像桎梏似的紧紧地束缚住，就此在这类语言和概念里变得僵硬，动不得了。他们的意志停滞下来，不能够向着未来的方向发展。倘或有某种外来的力量把他们从习惯的地点推出去，他们就会不由自主地滚下坡去，好比石头从山上滚下来一样。他们之所以能在过时的真理的坟场旁边守住他们的岗位不动，是凭借着怀念过去这样一种死气沉沉的力量，是凭借着对苦难和压迫的病态的爱好。然而，一旦消除他们受苦的可能，他们就会空无所有，就此消灭，犹如浮云遇上清爽而有风的日子一样。

他们心甘情愿而且带着很强的自尊心准备为他们的信仰受苦受难，这样的信仰无可争论地是一种坚强的信仰。然而这种信仰却使人联想到一件旧衣服，而且这件衣服粘满各式各样的污泥，唯其如此这件衣服也才没有受到时间的破坏作用。他们的思想和感情已经习惯于藏在偏见和教条的窄小的硬壳里，这些思想和感情虽然无从振翅高飞，虽然变得畸形，可是倒也觉得安稳而自在了。

　　警察、搜查、监狱、法院、西伯利亚之类的字眼是他们讲起为信仰而受迫害的时候经常提到的。这类字眼像火红的煤块似的落到我的灵魂里，燃起我对这些老人的同情和共鸣。

——《在人间》

这种出于习惯的信仰，是我们生活里的一种最可悲、最有害的现象。在这种信仰的领域里，如同在砖墙的阴影里一样，一切新的东西生长得缓慢而畸形，气息奄奄。这种阴暗的信仰过于缺少热爱的光芒，而又有太多的委屈、怨愤和嫉妒，这些却是永远同仇恨联结在一起的。这种信仰的火，其实是腐烂的东西发出来的磷光而已。

然而，为了相信这一点，我却不得不经历许多沉痛的岁月，不得不在我的灵魂里毁掉许多东西，把它们从我的记忆里抛出去。可是，我最初在乏味而无耻的现实生活当中遇见这些生活导师的时候，却觉得他们是具有伟大的精神力量的人，是世界上最优秀的人。他们几乎每一个人都受过审判，坐过监狱，从不同的城里押送出境，同囚犯们跋涉长途。他们都小心地生活着，老是躲躲藏藏。

不过，我看出来这些老人一面抱怨尼康派的"精神压迫"，一面在他们彼此之间却又很乐于互相压迫，甚至干得津津有味。

独眼的巴霍米依喝了一点酒以后，喜欢夸耀他那确实惊人的记性。有些书他"用手指头一指"就背得出来，犹如犹太法学者背诵犹太圣法经传一样。他伸出一根手指头，随便往哪一页上一戳，就开始用他那颇为柔和的、带点鼻音的声调从他手指头戳着的那个地方起一路背下去。他老是瞧着地板，他那只独眼志忑不安地在地板上看来看去，仿佛在找一件他丢失的而又很贵重的东西似的。他最常在梅谢茨基公爵的《俄国的葡萄》这本书上显出他的这种本领，他背得特别熟的是"无比优美和无所畏惧的殉教徒们的坚韧不拔和英勇不屈的受难"，可是彼得·瓦西里伊奇老是极力抓他的错处。

"你胡扯！这不是发生在神圣的基普利昂身上，而是发生在纯洁的丹尼斯身上！"

"哪儿有什么丹尼斯？应当说古奥尼西依……"

"你别抓住一个名字挑毛病！"

"那你也别教训我！"

过一分钟，他们两个气得面红耳赤，互相瞪起眼睛，说：

"你是个贪吃鬼，不要脸的家伙，瞧你的肚子吃得多么大……"

巴霍米依仿佛打着算盘报货名似的回答说：

"可你呢，色鬼，公山羊，追着娘们儿不放。"

那个店员把两只手揣在袖子里，恶毒地微笑着，像怂恿小孩子打架似的怂恿这些古代信仰的捍卫者说：

"就该给他点厉害看看！对，再来一下！"

有一回这些老头子打起来了。彼得·瓦西里伊奇出人意外地眼疾手快，打了他的朋友一个嘴巴，把他打跑了。这个老人疲乏地擦掉他脸上的汗，对逃跑的人的背影嚷道：

"你瞧着吧，这个打人的罪过要记在你的账上！是你这个该死的引得我的手犯罪的，呸！"

他特别喜欢责备他所有的朋友，说他们的信仰不够坚定，老是滑到"离经叛道"那边去。

"这都是那个亚历山大把你们煽动成这样的，那只公鸡说的比唱的还好听！"

"离经叛道"惹他生气，而且看样子，也使他害怕。可是遇到人家问他那一派的教义究竟是什么，他就回答得不大明白了：

"离经叛道那一派宣扬一种最可恶的邪说。他们说只有理智，没有上帝！比方在哥萨克那里，他们除了圣经以外什么也不读，而且那圣经也是从萨拉托夫来的德国人，从路德①那儿传来的。大家一讲起路德就说：'他的姓名起的好：路德就是路子和缺德，他走的路子最缺德！'离经叛道的家伙就是鞭身派，还有什么福音洗礼派，这都是从西方，从西方的邪教徒那儿传来的。"

他跺了几下他那只残废的脚，又冷酷又用力地说：

"应该镇压的就是这些新教派！这些家伙就是应该用火烤熟，活活烧死！不应当迫害我们。我们自古以来就是俄罗斯人，我们的信仰才是真正的、东方的、地道的俄罗斯信仰。那些东西全是西方的玩意儿，全是变相的自由思想！德国人，法国人，干得出什么好事来？你想想他们在一八一二年②干了些什么吧……"

他讲得入了神，忘记他面前站着的是一个孩子，却伸出一只有力的手抓住我的宽腰带，时而把我拉过去，时而推开我。他讲得动听，兴奋，激烈，带着青春的朝气：

"人的理智在它自己的种种胡思乱想的密林里徘徊，就像恶狼似的徘徊。它听从恶魔的指使，摧残人的灵魂这种上帝的恩赐！他们，那些恶魔的奴仆，想得出什么好事来？波果米尔派③就全是离经叛道的那

① 路德（1483—1546），十七世纪德国宗教改革家，基督教新教的创始者。

② 指法国拿破仑入侵俄国的那一年。

③ 十世纪保加利亚的反封建农民运动，具有异教的形式。

一套，他们教导说：撒旦①也是上帝的儿子，是耶稣基督的哥哥。你瞧，他们居然这样胡诌！他们还教导说：官长的话不用听，活也不用干，妻子儿女都不要。人什么也不需要，什么规矩也不守。要听凭人们想怎么活着就怎么活着，魔鬼怎么支使他，他就怎么干。你瞧，这又是亚历山大的那一套，唉，这条蛆啊……"

恰巧，在这时候那个店员叫我去做一件什么事，我就离开这个老人，走了。可是他仍旧一个人留在长廊上，继续对他四周的空气讲下去：

"啊，这些没有翅膀的灵魂！啊，这些生来就瞎了眼睛的小猫！……我要跑到哪儿去才能躲开你们呀？"

然后他仰起头，把两只手放在他的膝盖上，定睛瞧着冬天的灰色天空，沉默很久，呆呆不动。

他对待我开始比较关心，比较亲热了。他碰到我在看书，就摩挲着我的肩膀，说：

"你读吧，孩子，读吧，这有用处！你好像还有点小聪明，可惜的就是你不尊重长辈，跟所有的人讲话都要顶嘴。你想过这种调皮会把你弄到什么地步吗？孩子，这准定会把你送进监狱里去完事。书呢，你只管读，不过你要记住，书到底是书，你还是得自己动脑筋！是啊，鞭身派当中有个导师，叫达尼洛，他想入非非，说什么老书也罢，新书也罢，一概没有用处，干脆把书本都装进一个大袋子，丢进河里去了！真的……这当然也是胡闹！还有亚历山大那个狗头，也搅惑人心……"

他越来越常常提起那个亚历山大。有一次，他来到铺子里，心事重重，脸色严厉，对那个店员宣布说：

"亚历山大·瓦西里耶夫到了这儿，到了这个城里，他是昨天到的！我找了又找，一直没找着他。他藏起来了！我要坐一会儿，说不定他会到这儿来……"

那个店员不客气地回答说：

"我什么事也不知道，什么人也不认得！"

老头子点一下头，说：

"这倒也是理所当然：对你来说一切人都是买主和卖主，别的就不

---

① 基督教迷信传说中的恶魔。

存在了！你请我喝点茶吧……"

等到我提回来一大铜壶的开水，这个铺子里却来了新客人。一个是小老头路基昂，快活地微笑着。另一个是新人，坐在门背后一个阴暗的角落里，身上穿一件厚大衣，脚上穿一双高筒毡靴，腰上系一根绿色的宽腰带，头上戴一顶帽子，那顶帽子别扭地压在他的眉毛上。他生得貌不惊人，显得文静而谦虚，像是一个刚刚失掉工作而为此很伤心的店员似的。

彼得·瓦西里伊奇没有往他那边看，正在讲话，声调严厉而有力。那个新人老是猛地动一动他的右手，推一下他的帽子：他抬起手，仿佛打算在他的胸前画一个十字似的，其实是把他的帽子往上推一下，然后一推再推，几乎把它推到他的头顶心上去了，随后再把它紧紧地压在他的眉毛上，看上去很别扭。这种奇突的动作使我想起外号叫"口袋里的死鬼"的小傻子伊果沙。

"各式各样的鳕鱼游到我们这条浑浊的河里来，把水搅得越发浑了。"彼得·瓦西里伊奇说。

那个貌似店员的人沉着地轻声问道：

"你这话说的是我吗？"

"就算是说你吧……"

于是那个人声音不高，然而极其诚恳地又问一句：

"那么，人啊，你对你自己有些什么看法呢？"

"我对我自己有什么看法，我只对上帝说。那是我的事……"

"不，人啊，这也跟我有关系，"那个新人庄严而有力地说，"你不要在真理面前扭开你的脸，你不要因为自高自大而什么也看不见，这是对上帝和对人的一条大罪啊！"

他把彼得·瓦西里伊奇叫作"人"，这我听了很满意，可是他那平静庄严的声调却使我激动。他讲起话来就像那些好教士念"天主啊，我的生命的主宰者"一样。他老是向前探出身子去，他的身子几乎从椅子上滑下去了。他的一只手不住地在他的脸跟前挥动……

"你不要批评我，我的罪过并不比你重……"

"茶炊的水开了，茶炊喷出气来了。"那个老经学家鄙夷地说。可是那个人听了这话没有停住嘴，却继续说下去：

"只有上帝才知道是谁把圣灵的源泉搅得更浑些。也许这是你们的罪过，你们这些咬文嚼字的读书人。可是我不是读书人，我不会咬文嚼字，我是个单纯的活人……"

"我可领教过你那种单纯，我已经听得够了！"

"把人搞糊涂的是你们，把直截了当的思想搞得乱七八糟的是你们。这都是你们这些读书人和伪君子干出来的事……我究竟说过些什么呢？你说。"

"还不是那一套左道旁门！"彼得·瓦西里伊奇说。可是那个人把他的一个手掌伸到他自己的脸跟前，摇来摇去，倒好像在读他的手掌上写着的什么字似的。他激烈地说：

"你们认为把人们从这个畜栏里赶到那个畜栏里去，就算是对人们做了好事吗？可是我说：不对！我说：人啊，你解放自己吧！在天主面前，你的家庭、你的妻子和你所有的一切，都有什么用处呢？人啊，你摆脱一切使人类互相殴打和厮杀的东西吧，摆脱金银和一切财产吧！那些东西是破烂，是臭狗屎！人的灵魂的得救不是在俗世的平原上，而是在天堂的山谷里！我说：要跟这些东西一刀两断，要砍断一切联系和绳索，要拆毁这个世界的网，因为这种网是基督的敌人编出来的。……我走的是直路：我的灵魂并不摇摆，我不接受这个黑暗的世界……"

"那么面包、水、衣服，你都不接受吗？你看，这不都是俗世的东西吗！"老头子挖苦地说。

可是就连这些话也不能触动亚历山大的心。他更加热诚地说下去，虽然他的声音不高，听起来却像是他在吹一只铜号。

"人啊，对你来说什么东西是宝贵的？只有上帝才是宝贵的。你要站到他的面前去，丢开一切，砍断你的灵魂跟俗世相连的绳索，那天主就会看见你：你孤身一个人，上帝也是孤身一个！这样你就会接近上帝，这是通到上帝那儿去的唯一的一条路！这样人的灵魂才能得救：应该把父母都抛弃，一切都丢开，就连你那一双引诱你的眼睛也得挖掉！为了上帝就要毁掉自己的肉身，保全自己的精神，那你的灵魂就会永久燃烧，永不熄灭……"

"哼，真该打发你去跟那些臭烘烘的野狗做伴了，"彼得·瓦西里伊奇说着，站起来，"我本来当是你从去年起会变得聪明一点，可是你反而更糟了……"

这个老头子摇摇晃晃，走出这个铺子，到了阳台上。这却使得亚历山大心慌了，他惊讶而匆忙地问道：

"你走了？可是……你干什么走掉呢？"

然而和气的路基昂为了让他安心，就眨巴一下眼睛，说：

"没关系……没关系……"

这时候亚历山大就转过来攻击他说：

"还有你这个俗世的忙人，也散布些无聊的废话，可是这有什么道理呢？什么三呼阿利路亚啦，什么两呼啦……"

路基昂对他微微一笑，也走到阳台上去了。亚历山大就扭过脸去对着那个店员，很有把握地说：

"他们敌不过我的精神，敌不过！他们溜掉了，就像烟子遇到了火……"

那个店员皱起眉头瞧着他，干巴巴地说：

"我不过问这类事。"

那个人仿佛窘住了，把他的帽子拉下来，嘟哝说：

"怎么能不过问呢？这种事要紧得很……它逼得人不能不过问嘛……"

他低下头，沉默地坐了一会儿。后来那两个老头子招呼他，他们这三个人就没有告别，一起走了。

这个人在我的面前闪了一下就过去了，好比夜里的篝火，旺盛地燃了一下就灭了。他那种否定生活的论调使我体会到多少含有一些真理。

这天傍晚，我挑了一个时候把这个人的话热烈地讲给画圣像的师傅们的领班听。这人文静而和气，叫伊凡·拉利奥诺维奇。他听完我的话，就解释说：

"看起来他是个遁世派。这是一种教派：他们任什么东西也不承认。"

"那他们怎么生活呢？"

"他们跑来跑去地生活，老是在世界上流浪，因此大家才给他们起了这么一个名称，叫遁世派。俗世和属于俗世的一切东西，按他们的说法，跟我们是不相干的。警察认为他们有害，抓他们……"

虽然我生活得痛苦，可是我不明白：人怎么能丢开一切而跑掉呢？当时我四周的生活里，有许多东西在我是有趣而宝贵的，于是亚历山大·瓦西里耶夫不久就在我的记忆里淡下去了。

然而，后来，有的时候，在我处境艰难的时候，他往往在我的眼前出现：他在野外走着，沿着一条灰色的道路，向树林那边走去，他那只没有工作过的白手颤颤巍巍地挂着他的手杖。他嘟哝说：

"我走的是一条正路，我什么也不承认！要砍断一切联系……"

我不由得想起我的父亲，他好像跟亚历山大并排走着，就像我的外祖母梦见他的那种样子：他手里挂着一根胡桃木的手杖，身后跟着一条花狗，它跑着，吐出它的舌头……

十三

圣像作坊坐落在一所半砖半土的大房子里，占两个房间。其中的一个房间有三个窗子朝着院子，两个窗子朝着花园。另一个房间有一个窗子朝着花园，一个窗子临街。那些窗子都小，四四方方，窗上的玻璃由于年陈日久而五颜六色，不乐意把冬日的淡薄分散的阳光放进作坊里来。

这两个房间里摆满了许多桌子，每个桌子旁边坐着一个圣像画工，埋头工作。有的桌子旁边坐着两个画工。天花板下面用绳子吊着一些玻璃圆球。它们装满水，把灯光聚起来，再把白色的冷光投射到那些圣像的方板上。

作坊里又热又闷。有将近二十位"画神的"在工作，他们是帕列赫、霍路依、姆斯捷拉等地的人。大家坐在那儿，上身穿着花布衬衫，敞着领口，下身穿着斜纹布裤子，有的光着脚，有的穿着破鞋。这些师傅的头顶上面弥漫着烧焦的下等烟草的灰蓝色薄雾，空中有一股由干性油、油漆、臭鸡蛋合成的浓重气味。一首弗拉基米尔地区的悲歌在空中慢腾腾地像焦油一样流动：

> 如今的人多么不害羞，
> 一个男孩子当着人的面诱惑一个姑娘……

他们也唱别的歌，那些歌也不欢畅，不过他们最常唱的还是这首歌。它那拖长的旋律并不妨碍人思考，也不妨碍人用很细的银鼠毛画笔在圣像画上勾勒，描出"圣像衣服"的皱褶，给圣徒们的瘦脸添上苦难的细纹。雕镂工人戈果列夫在窗子跟前用一个小锤子敲着，他是个醉醺醺的老头子，生一个青色的大鼻子。他那小锤子的生硬的敲打声不断插到懒洋洋地流动着的歌声里来，就跟一条虫子在蛀一棵树似的。

画圣像这种工作没有使得任何人入迷。不知哪一个恶毒的聪明人把这个工作拆散，分成一长串缺乏美感的动作，这类动作不能激发人对工作的热爱和对工作的兴趣。斜眼的细木工潘菲尔为人恶毒而阴险，他送来由他刨平和粘合的、大小不等的柏木板和椴木板。一个害肺痨病的青年达维多夫就给这些木板涂底色。他的伙伴索罗金抹上"白灰泥"。米里亚欣用铅笔从圣像样本上把图样勾下来。老头子戈果列夫敷上金色,再在金色底子上刻出图样。那些衣服画工就画出圣像的背景和衣服。然后这个画像缺脸缺手,立在墙跟前,等着那些容颜画工来画完它。

往往那些供圣像壁和祭坛门用的大圣像,立在墙跟前,缺脸,缺手,缺脚,只穿着法衣或者铠甲和天使长的短衬衫,这种景象看上去是很不愉快的。那些画得五颜六色的木板冒出一种死气沉沉的气味。它们缺少那种使它们活起来的东西,不过看上去倒好像它们本来是有过生命的,后来却奇迹般地消灭,只留下了它们的沉重的法衣似的。

等到圣像的"肉身"由容颜画工画完,这个圣像就交给一个师傅,由他在刻出的图样上涂"珐琅"。题字也是单由一个师傅来写。至于上清漆,那是由这个作坊的主管人伊凡·拉利奥内奇,一个安静的人,亲自动手的。

他生一张灰白的脸。他的稀疏的胡子也颜色灰白,而且又细又光滑。他那对灰白的眼睛显得特别深沉,特别悲哀。他常常愉快地微笑,可是谁都不用微笑来还报他,仿佛不好意思对他微笑似的。他的模样近似"柱顶苦行僧西缪恩"的圣像,也是那么干瘪,精瘦,他那对呆呆不动的眼睛也那么若有所思地掠过人群和墙壁,往远方望过去。

我到这个作坊里来上班以后,没过几天,一个画神幡的师傅,顿河哥萨克卡片久兴,这个美男子和大力士,喝醉酒回来了。他咬紧牙关,眯缝着他那对像女人那样妩媚的眼睛,一句话也不说,抡起他那对铁拳头毒打一切人。他身材不高而匀称,在作坊里跑来跑去,仿佛一只猫落在地窖里的一群耗子当中似的。人们惊慌失措,纷纷躲开他,钻到各个角落里去,在那儿互相叫唤说:

"打他!"

容颜画工叶甫根尼·西塔诺夫拿起一个板凳来朝那个发狂的暴徒的头上砸过去,才算把他打昏了。这个哥萨克就一屁股坐在地板上,大家顿时把他按倒在地,用一条毛巾把他捆起来。他就用他那些野兽般的牙齿咬那条毛巾,撕扯它。这时候叶甫根尼一时性起,跳上一张桌子去,把他的胳膊肘贴在他的腰上,准备跳到那个哥萨克身上去。他生得很高,筋强力壮,真要是跳下来,就不可避免地会踩碎卡片久兴的胸廓。可是正在这当口,拉利奥内奇在他的身旁出现了,这个人穿着大衣，戴着帽子，伸出一个手指头来对西塔诺夫摇一摇，然后对那些师傅郑重地低声说：

"把他抬到前堂里去，让他醒一醒酒……"

他们就把这个哥萨克抬到作坊外面去，再把作坊里的桌子和椅子放好。大家就又坐下来工作，偶尔互相简短地谈几句话，讲到这个伙伴的力气，而且做出预言，说是他总有一天会跟人打架而被打死。

"要打死他是困难的。"西塔诺夫很沉着地说，就像讲一件他了解得很清楚的事似的。

我瞧着拉利奥内奇，纳闷地暗自思忖：为什么这些身体强壮、脾气暴躁的人这么容易听从他的话呢？

他指点所有的人应该怎样工作，就连最优秀的师傅也乐于听取他的意见。他对卡片久兴教导得最多，对他所讲的话也比对别人讲的要多。

"你，卡片久兴，如今算是一个写生画家了，这就是说你应当按意大利的风格画得逼真。油画的写生，要求温暖的色彩配合一致。可是你瞧，你涂了太多的白色颜料，结果圣母的眼睛就显得阴冷，有冬天的味道了。她的脸颊倒画得通红，像苹果一样，可是跟她的眼睛却配不上。再者，这对眼睛也摆得不平衡：一只眼睛挨近鼻梁，另一只眼睛却跑到鬓角上去了，结果她的脸就不是那么神圣纯洁，倒显得狡猾，俗气了。你干活不用心，卡片久兴。"

那个哥萨克听着，一脸的哭丧相。后来他睁着他那对女人样的眼睛不害臊地微笑了，用一种好听的、由于酗酒而略微沙哑的声调说：

"唉，伊凡·拉利奥内奇老大爷，这不是我的行当。我天生来是个音乐家，可是现在却把我送到一群修士当中来了！"

"只要用功，什么工作都能干好。"

"不，我哪儿行啊？我应当做个赶车的，赶这么一辆由快马拉着的三套马马车才对。啊……"

他就鼓起他的喉核，扯开嗓门唱起来：

> 啊，我给我这辆三套马马车
> 套上深棕色的快马，
> 呵，然后我就在严寒的夜晚驰骋，
> 一直，哎，一直奔向我情人的家！

伊凡·拉利奥内奇温顺地微笑着，端一下架在他那灰白而悲凉的鼻子上的眼镜，退到一边去了。于是十来个喉咙齐声接着唱起来，合成一股强大的洪流，好像把整个作坊举到半空中，用匀称的力量把它摇来摇去一样。

> 马儿跑熟了路，
> 知道我的情人住在何处……

学徒巴希卡·奥津佐夫①本来在挖蛋黄，这时候也停下工作，每只手里拿着一个蛋壳，用好听的儿童最高音给他们帮腔。

所有的人都被歌声所陶醉，忘了一切。所有的人都用同一个胸膛呼吸，生出同一种感情，斜起眼睛盯住那个哥萨克。他唱歌的时候，整个作坊把他拥戴为至高无上的主宰。大家都依从他，瞅着他大起大落地挥舞他的胳膊。从他挥舞胳膊的样子看上去，倒好像他打算飞上天去似的。我相信如果他突然中止歌唱，喊一声"打啊，把一切都砸碎!"那么所有的人，连最稳重的师傅也在内，就会在几分钟当中把这个作坊捣毁。

他很少唱歌，然而他那些风暴般的歌的威力，永远是而且一律是不可抗拒，所向披靡的。不管这些人的心境多么沉重，他总能使得他们振作起来，精神抖擞。大家就都鼓起劲来，所有的力量热烈地汇合在一起，他们变成一个强大的机体了。

这些歌引得我羡慕这个歌手，羡慕他那种影响人们的美妙威力，这种羡慕的心情是很热烈的。一种令人非常激动的东西倾注到我的心里，把我的心胀得发痛。我一心想哭一场，对那些唱歌的人喊道：

"我爱你们呀!"

害着肺痨病而面黄肌瘦的达维多夫，仿佛浑身生满纠结散乱的毛发，这时候也张开了嘴，他那模样是奇怪的，近似一只刚从蛋里孵出来的小唐鸦。

这些欢畅豪放的歌，只有在那个哥萨克带头唱起来的时候大家才唱。他们比较常唱的却是那些情调凄凉、声音拖长的歌，他们唱"不害羞的人"、唱"在那树林，在那小树林里"，唱亚历山大一世的死亡：

---

① 巴威尔的别称。

"当我们的亚历山大来检阅他的军队的时候"。

有的时候，根据我们作坊里最优秀的容颜画工席哈烈夫的建议，大家试着唱教堂歌曲，可是这种尝试很少成功。席哈烈夫老是追求某种特别的而且只有他一个人理解的严整，这就妨碍大家歌唱了。

这是一个四十五岁光景的男子，生得干瘦，头顶光秃，留着半圈像茨冈那么鬈曲的黑头发。他那两道黑眉毛很密，像唇髭一样。他的又尖又密的胡子给他那五官清秀、肤色发黑、非俄罗斯型的脸增光不少，然而他的鹰钩鼻子底下却生出许多硬唇髭，他既有那样的眉毛，这些唇髭就多余了。他那对蓝色的眼睛不一般大：左眼明显地比右眼大。

"巴希卡！"他用男高音对我的师兄说，"好，你来带头唱：'赞美'！你们大家都听着！"

巴希卡用他的围裙擦干净他的手，唱起来：

"'赞——美……'。"

"'……上帝的名字'。"有几个人接着唱起来。可是席哈烈夫不安地叫道：

"叶甫根尼，唱低一点！把你的声音放到你的灵魂深处去。……"

西塔诺夫就声音低沉，像敲一个大桶似的唱起来：

"'上帝的奴隶'……"

"不对！这儿应当唱得能叫土地震动，门窗自动敞开来！"

席哈烈夫由于一种外人难于理解的兴奋而周身扭动，他那两道惊人的眉毛在额头上不住地上下移动，他的声音变得嘶哑了，他的手指头不住拨一个谁也看不见的古弦琴。

"'上帝的奴隶'，这你明白吗？"他意味深长地说，"对这几个字得体会到它们的深处去，得钻透它们的一切外壳才成。'奴隶啊，赞美上帝吧！'可是你们这些活人怎么就会不懂呢？"

"您知道，这在我们是永远也达不到的。"西塔诺夫客气地说。

"哦，那就别唱了！"

席哈烈夫就满腔委屈地动手工作。他是一位最优秀的师傅，能够按拜占庭的传统，按法国的传统画脸，而且像意大利风格那么"逼真"。拉利奥内奇接到做圣像壁的定货的时候，总要找他商量。他是个渊博的行家，熟悉各种圣像样本。一切创造奇迹的神像的珍本，例如费多罗夫像、斯莫连斯克像、喀山像等，他都见识过。可是他翻看各种样本的时候，常大声抱怨说：

"这些图样捆住了我们的手脚……应当说实话,捆住了我们的手脚!……"

尽管他在作坊里占据重要的地位,他却最不摆架子。他对待学徒们,对待我和巴威尔很和气,而且愿意教我们学手艺,这却是除他以外谁也不这样做的。

他这个人是难于理解的。大体说来,他是一个不快活的人。有的时候他整整一个星期沉默地工作,像是变成哑巴了。他惊讶而生疏地瞧着大家,仿佛这些他熟识的人他是头一次瞧见似的。虽然他很喜欢唱歌,可是遇到这样的日子他却不唱歌,甚至别人唱,他也好像没听见。大家都注意他,朝他那边互相使眼色。他弯着腰凑近一个斜放着的画像,这个圣像的木板立在他的膝盖上,木板中靠在一张桌子的边沿上,他的细画笔一丝不苟地描出一张神色黯淡、落落寡欢的脸,而他自己也是神色黯淡,落落寡欢的。

忽然,他用不痛快的口气清楚地说:

"'先驱'是什么东西?'驱'在古时候是'走'的意思。'先驱'就是'先行者',而不是什么别的意思……"

作坊里就安静下来。大家都斜起眼睛往席哈烈夫那边看,微微地笑。随后,在寂静里响起一些奇怪的话:

"不应当给他画上羊皮袄,而应当画上翅膀……"

"你在跟谁说话呢?"有人问他。

他不吭声,没有听见人家问他的话,要不然就是不愿意答话。后来,他的话又落到紧张的寂静中来了:

"他们的生平事迹应当知道才是。可是谁知道呢?谁知道他们的生平事迹呢?我们知道什么?我们生活得死气沉沉……灵魂在哪儿?哪儿有灵魂?不错,样本倒是有的!可是感情却没有……"

这些说出口的思想,惹得一切人的脸上现出讥诮的笑容,只有西塔诺夫不笑。遇到这种时候,几乎总是有人幸灾乐祸地小声说:

"到了星期六他就要灌酒去了……"

身量很高、筋强力壮的西塔诺夫是一个二十二岁的青年,生一张圆脸,没有唇髭和眉毛。他在这种时候老是悲哀而严肃地瞧着墙角。

我记得,席哈烈夫似乎是在画完一张准备送到昆古尔城去的费多罗夫圣母像以后,把这个圣像往桌子上一放,激动地大声说:

"圣母画完了!你啊,好比一个杯子,一个没有底的杯子,从今以后人世上的发自内心的辛酸眼泪就要源源不断地流进这个杯子里来了……"

随后，他拿起一件别人的大衣来披在自己的肩膀上，走掉，到小酒铺里去了。青年人就纷纷笑起来，吹口哨。年纪大的人对着他的背影羡慕地叹口气。可是西塔诺夫走到那个作品跟前去，仔细地看了一阵，就解释说：

"当然，他要去灌酒，因为他舍不得把这个作品交出去。这种舍不得的心理并不是人人都能有的……"

席哈烈夫的狂饮症永远在星期六发作。这也许不是嗜酒的师傅们的那种常见的病。这种症候是这样开始的：早晨他写好一封信，打发巴威尔拿着它送到一个什么地方去；午饭之前，他对拉利奥内奇说：

"今天我要到澡堂里去！"

"去得久吗？"

"哦，天主啊……"

"请你至迟不过星期二就回来吧！"

席哈烈夫同意地点一下他的秃顶，他的眉毛颤抖了。

他从澡堂里回来后，穿得很讲究，戴上胸衬，脖子上扎着一个蝶形领结，他的缎子坎肩上挂一根很长的银表链。他沉默地坐上马车走了，临走吩咐我和巴威尔说：

"今天傍晚以前把这个作坊收拾得干净一点，把那个大桌子洗一洗，刮一刮干净！"

大家的心里生出了一种过节的情绪。人人都振作起来，换上干净的衣服，跑到澡堂里去洗个澡，赶紧吃晚饭。吃完晚饭以后，席哈烈夫就来了，带着些装着冷荤菜的纸包，还有啤酒和葡萄酒。他身后跟着一个女人，她的身体的各部分都大得几乎出了格。她的身量有两俄尺十二俄寸①高，我们的一切椅子和凳子在她的面前就都变成了玩具，连高身量的西塔诺夫站在她的身旁也成了一个半大的孩子。她的身材很匀称，可是她的胸脯像一座小山似的一直顶到她的下巴上，她的动作缓慢而笨拙。她的年纪已经四十开外，可是她那张呆板的圆脸和她那对巨大的马眼睛却细嫩滋润。她的小嘴像是画出来的，就跟一个便宜的玩偶的嘴一样。她做出一副笑脸，对一切人都伸出她那热乎乎的大手掌去，说些不必要的话：

---

① 约合两米。

"您好。今天冷得很。你们这儿的气味多么难闻啊。这是颜料的气味。您好。"

她平静，强大，好比一条水位很高的大河，瞧着她是愉快的。可是她的话却有点淡而无味，所有的话都不必要，使人听了厌倦。她讲话以前先要鼓起她的脸颊，这就弄得她那张红得几乎发紫的脸越发圆了。

青年人笑哈哈，交头接耳地说：

"好一个火车头！"

"简直是一座钟楼！"

她噘起小嘴，把她的两只手放在她的胸脯底下，在摆好吃食的饭桌旁边挨着茶炊坐下来。她轮流瞧着所有的人，她那对马眼睛射出善良的目光来。

大家都对她很恭敬。青年人甚至有点怕她。一个青年先是用贪婪的眼睛瞧着这个庞大的身体，可是临到他的目光遇到她那紧紧缠住人的目光，这个青年就心慌地低下了他的眼睛。席哈烈夫对待他的客人也恭恭敬敬，跟她讲话用"您"相称，叫她"大嫂"，给她敬菜的时候总要深深地一鞠躬。

"您别费心了，"她娇滴滴地拖着长音说，"您多么费心啊，真是的！"

她自己的举止是从容不迫的。她的胳膊只有从胳膊肘到手的那一段在活动，她的胳膊肘一直紧贴住腰身。她身上冒出刚烤熟的热面包的酒香气。

老头子戈果列夫兴奋得说话也不利落了，不住地称赞这个女人的美丽，就跟教堂的下级职员念赞美诗一样。她听着，好心地微笑。临到他说不下去了，她就来自己讲自己：

"我做姑娘的时候一点也不漂亮，我是在出嫁做了女人以后才漂亮起来的。将近三十岁的时候我出落得那么俊俏，就连贵族们都瞧上眼了。我们县里的一个首席贵族就答应过送给我一辆四轮马车和一对马……"

卡片久兴有一点酒意了，头发散乱，用憎恶的眼光瞧着她，粗暴地问道：

"他干什么答应送这些东西？"

"当然是为我的爱情呗。"那位客人解释说。

"爱情，"卡片久兴嘟哝说，心慌了，"什么爱情？"

“您这么一个漂亮的青年人完全懂得什么叫爱情嘛。”那个女人朴实地说。

作坊里的人哄堂大笑。可是西塔诺夫对卡片久兴抱怨说：

“她如果不是个糟糕的女人的话，至少也是个蠢货！大家都知道，只有感到十分烦闷无聊的人才会爱上这样的女人……”

他喝了葡萄酒而脸色发白，他的鬓角上冒出一颗颗像珍珠一样的汗水，他的聪明的眼睛不安地放光。可是老头子戈果列夫摇晃着他那难看的鼻子，用手指头擦掉他眼睛里的泪水，问道：

“你生过几个孩子？”

“我只生过一个孩子……”

这个桌子的上边吊着一盏灯，炉子那边的角落里也点着一盏灯。这两盏灯的光线都弱，这个作坊的各个角落里聚集着浓重的阴影。那些没有画完而缺着眼睛的身体从暗处往外看。它们那应该有手和有头的地方却留下些灰色的、平坦的空白，使人看了毛骨悚然，因此那些圣徒的肉体比平时更加显得像是从彩色的衣服里，从这地下室里神秘地溜走了。那些玻璃的圆球升高到天花板上，挂在那儿的一些钩子上，笼罩在烟雾当中，射出淡青色的微光。

席哈烈夫在这张桌子的周围不安地走来走去，给大家敬菜，他的秃顶时而凑到这个人跟前，时而凑到那个人跟前，他的细手指头不住地活动。他瘦了，他的鹰钩鼻子变得更尖了。每逢他侧着身子对着灯光，他的鼻子的黑影就落在他的脸上。

“喝吧，吃吧，朋友们。”他用清脆的男高音说。

于是那个女人就跟主人一样用唱歌的调子说：

“您何必操心啊，大哥？各人有各人的手，各人的胃口。人只能想吃多少就吃多少，硬要多吃，那可不行啊！”

“大家都松一口气吧！”席哈烈夫激动地叫道，“我的朋友们，我们大家都是上帝的奴隶，我们来唱一回‘赞美天主的名字’吧……”

这个歌没有唱成。大家吃得酒足饭饱，昏昏沉沉，没有力气了。卡片久兴两只手拿着一个双排键的手风琴。年轻的维克托尔·萨拉乌青穿一身黑衣服，神情严肃，像是一只小乌鸦；他拿起一个铃鼓，用手指头拍着绷紧的鼓面，鼓皮就发出低沉的响声，那些小铃铛就活泼地丁零丁零响。

“来一个俄罗斯舞曲！”席哈烈夫下了一个命令，“大嫂，请！”

“唉，”那个女人叹口气，站起来，“您太操心了！”

她走出来，在一个空地方站住，就此不动了，活像一座小教堂。她下身穿一条肥大的褐色裙子，上身穿一件黄色麻纱短上衣，头上戴一块鲜红的头巾。

那个手风琴逞强地呼号着，它的小铃响起来。铃鼓的铃铛丁零丁零地响，铃鼓的鼓皮发出深沉重浊的叹息声。这声音听着很不愉快，倒好像一个人发了疯，唉声叹气，呜呜地哭，用脑门子撞墙似的。

席哈烈夫不会跳舞，他光是踩着碎步，踩他那双擦亮的皮靴的后跟，像一头山羊那样蹦蹦跳跳，老是合不上热烈的音乐的拍子。他的腿仿佛是别人的，他的身体难看地扭动。他不住挣扎，仿佛一只黄蜂落进蛛网，或者一条鱼落进渔网似的，这叫人看了闷闷不乐。可是所有的人，甚至那些喝醉的人，都专心地瞧着他的痉挛的动作，都沉默地盯住他的脸和手。席哈烈夫的脸惊人地起着变化，时而变得又亲切又腼腆，时而忽然骄傲起来，随后又严厉地皱起眉头，后来他不知为了什么事感到惊讶，叫了一声"哎呀"，闭了一会儿眼睛，等到他再睁开眼睛，他那张脸却变得悲悲切切了。他捏紧了拳头，偷偷溜到那个女人身边去，可是忽然间，他踩一下脚，在她的面前跪下去，大大地伸开胳膊，扬起眉毛，热诚地微笑。她呢，带着宽厚的笑容居高临下地瞧着他，平静地警告说：

"您会累着的，大哥！"

她打算深情地闭上眼睛，可是她的眼睛有那些三戈比的硬币那么大，闭不上，她的脸上反而起了皱纹，现出一副难看的表情了。

她也不会跳舞，光是慢腾腾地摆动她的庞大的身体，不出声地把她的身体从一个地方移到另一个地方。她左手拿着一块手绢，懒洋洋地摇动它；她把右手插在她的腰上，这就使得她像是一个带把的大水罐。

于是席哈烈夫绕着这个石头般的女人走来走去，同时他脸上的表情变换不定，自相矛盾，倒好像跳舞的不是一个人，而是十个完全不同的人：一个安静而温顺，另一个气愤而狰狞，第三个却在害怕什么，轻声叹息，想悄悄地躲开这个庞大而不招人喜欢的女人。后来又出现一个人，龇出牙来，颤颤巍巍地弯下身去，像是一条受伤的狗。这种乏味而难看的舞蹈在我的心里引起沉重的郁闷心情，使我不愉快地想起那些兵士、洗衣女工、厨娘，想起那种狗一般的婚礼。

在我的记忆里浮起了西多罗夫的那些平静的话：

"干这种事是人人都做假的；这是一种大家都害臊的事，谁都不爱谁，无非是找个乐子罢了……"

我不愿意相信"大家干这种事情都是做假的"，因为，如果是那样的话，对玛尔果皇后又该怎么说呢？而且席哈烈夫当然也没有做假。我知道西塔诺夫爱上过一个"街头的"姑娘，然而她把一种丢脸的病传染给他了。可是他没有按照他的同事们的劝告为此打她一顿，反而为她租下一个房间，给这个姑娘治病。他一讲起她，总是显得特别亲切，腼腆。

那个庞大的女人不住地摇晃她的身子，死板板地微笑，挥动她的手绢。席哈烈夫在她的四周不住扭动。我冷眼旁观，心里暗想：难道欺骗过上帝的夏娃会跟这匹马一样吗？我的心里就生出了憎恶她的感情。

那些没有脸的圣像从阴暗的墙边往外看。乌黑的夜晚贴紧窗上的玻璃。那些灯在不通风的作坊里昏暗地发光。人只要仔细地倾听，就可以在沉重的踩脚声中，在嘈杂的说话声中听见那个铜脸盆里的水正在匆匆忙忙，一滴一滴地落进一个泔水桶里去。

这一切同我在书上读到的那种生活多么不一样！简直是天壤之别啊。最后大家都感到乏味了。卡片久兴就把那个手风琴塞在萨拉乌青的手里，嚷道：

"来跳舞啊！跳得地板冒烟吧！"

他跳得像万卡·茨冈①一样，仿佛在空中飞来飞去。后来巴威尔·奥津佐夫、索罗金活泼熟练地跳起舞来。害肺痨病的达维多夫也在地板上移动他的两只脚。他不住咳嗽，因为屋子里满是灰尘、烟子、浓重的酒气，那些熏腊肠老是发散出鞣熟的皮子的气味。

他们跳舞，唱歌，嚷叫，然而每个人都记住这是在寻欢作乐。大家仿佛在互相考试，看准跳得灵活，看谁不怕累。

西塔诺夫带点酒意了，时而问这一个人，时而问那一个人说：

"难道人能爱上这样的女人吗？啊？"

似乎他马上就要哭出来了。

拉利奥内奇耸起他的尖瘦的肩膀，回答他说：

"女人就是女人嘛。你还要怎么样呢？"

他们所讲的那两个人却悄悄地不见了。席哈烈夫要过两三天才能

---

① 即伊凡·茨冈，高尔基的外祖父的染坊里的一个工人。

回到作坊里来。他回来以后，先到澡堂里去一趟，然后就在他那个角落里坐下，沉默地一连工作两个星期，神情尊严，对所有的人都不理不睬。

"他们走啦？"西塔诺夫自言自语地问道，用他那对悲哀的蓝灰色眼睛打量这个作坊。他的脸不好看，有点苍老，然而他的眼睛却明亮，善良。

西塔诺夫对我挺和气，这得归功于我那个抄着不少诗的厚笔记本。他不信上帝。可是在这个作坊里，除了拉利奥内奇以外，究竟还有谁爱上帝，相信上帝，那是很难理解的。大家说到上帝总是随随便便，带点讥诮的口气，就像谈起老板娘的时候所爱用的口吻一样。不过，大家坐下来吃午饭和吃晚饭的时候，又都在胸前画十字，临睡以前都祷告上帝，遇到假日就到教堂里去。

这些事西塔诺夫却一样也不做，大家就认为他是个不信神的人。

"上帝是没有的。"他说。

"那么人间万物是从哪儿来的？"

"我不知道……"

有一次我问他：怎么会没有上帝呢？他就解释说：

"你要明白，上帝高高在上！"

他就举起他的长胳膊，直指着他的头顶上面，然后他又把胳膊放下来，指着离地只有一俄尺高的地方，说：

"人却是低下的！对吗？然而你知道，经书上说：人是按上帝的形象和模样创造出来的①！那么戈果列夫像谁呢？"

这一下把我问住了。我想起了维亚特省的那个兵、叶尔莫兴、我的外祖母的妹妹，他们有哪点儿像上帝呢？

"谁都知道，人就是猪。"西塔诺夫说。随后他又马上开始安慰我说：

"没什么，玛克辛梅奇②，好人也有，也有的！"

跟他相处倒是轻松而随便的。每逢他不知道什么事，他就老老实实地说：

---

① 基督教的迷信传说，见《旧约·创世记》："神说，我们要照着我们的形象：按着我们的样式造人。"

② 高尔基的全名是阿历克塞·玛克辛莫维奇·彼什柯夫。用父名相称，含有尊敬的意思。"玛克辛梅奇"是"玛克辛莫维奇"的简称。

"我不知道，这件事我没想过！"

这个特点也是不平常的：我同他相逢以前所见过的人，净是些无所不知而且对一切事都要大发议论的人。

有一件事使我感到奇怪，我在他的笔记本上看到一些打动人心的好诗，可是跟这些好诗并列的却有许许多多只能使人感到羞耻的色情诗。有一次我对他讲起普希金，他就指一指他抄在笔记本上的《加甫利里阿达》……

"普希金算得了什么？他只不过是个说说笑话的人罢了。可是你瞧瞧这个别涅吉克托夫，这个诗人才值得注意呢，玛克辛梅奇！"

他就闭上眼睛，轻声念道：

> 你看啊：
> 这就是那个美丽的女人
> 她那诱人的胸脯……

不知什么缘故他特别欣赏下面这三行，总是带着骄傲的快乐口气朗诵它们：

> 可是就连鹰的眼睛
> 也穿不透这些热烘烘的闸门，
> 一直看到她的内心……

"你明白吗？"

我不明白他为什么这样快乐，不过这话我又很不好意思说出口。

十四

我在作坊里的职务并不繁重。每天早晨，趁大家还在睡觉的时候，我得给师傅们烧好茶炊。等到他们到厨房里去喝茶，我就跟巴威尔一块儿打扫作坊，为了调颜料而挖出鸡蛋黄来。然后我就动身到那个铺子里去了。每到傍晚，他们就叫我磨碎颜料，然后"观摩"师傅们的手艺。起初我倒带着很大的兴趣"观摩"，可是不久我就领会到干这些分得七零八碎的手艺的人几乎都不喜欢这种手艺，都感到十分烦闷无聊。

每天傍晚我都是空闲的，我就对那些人讲轮船上的生活，讲书上的各种故事。于是，连我自己也没觉得，我就在这个作坊里占据了一种特殊的地位，变成一个说书和朗诵的人了。

我不久就了解到这些人所见到和所知道的东西都比我少。他们几乎每个人都是从小就关进这行手艺的狭小的笼子里，从此以后一直守在里面没有动过。整个作坊里只有席哈烈夫一个人去过莫斯科，他庄严而又阴沉地讲起莫斯科说：

"莫斯科的人是不相信眼泪的。你在那儿得睁大了眼睛，多加小心才成！"

其余的人都只到过舒雅和弗拉基米尔。他们谈到喀山城①，就问我说：

"那儿的俄罗斯人多吗？也有教堂吗？"

他们认为彼尔姆②是在西伯利亚。他们不相信西伯利亚是在乌拉尔的另一边。

"乌拉尔的鲈鱼和鲟鱼不是从那儿，从黑海运来的吗？那么乌拉尔是在海上了！"

有的时候我都不由得暗想他们是在耍笑我了，因为他们硬说英国是在大洋的对岸，波拿巴出身于卡卢加的贵族。我对他们讲起我亲眼见过的种种事情，他们却不大相信我的话。然而所有这些人都爱听可怕的神话和情节曲折的故事；就连上了年纪的人也分明乐于听虚构的情节而不乐意听真实的事情。我看得很清楚：故事的情节越是荒唐，臆造的东西越是多，大家反而越是专心地听我讲。大体说来，现实生活并不吸引他们。大家不愿意看到当前生活的贫乏丑恶，都抱着幻想瞻望未来。

这一点特别使我感到惊讶，因为我已经相当尖锐地体会到书本和生活之间的矛盾了。比如说，我的面前有这么些活生生的人，书本里却没有写过：书本里没有斯穆雷依，没有司炉工人亚科甫，没有遁世派亚历山大·瓦西里耶夫，没有席哈烈夫，没有洗衣女工娜达丽雅……

他们在达维多夫的箱子里找到一本戈里青斯基的破旧的小说集、布尔加陵的《伊凡·维席京》、勃拉木别乌斯男爵的一本作品。我把这

---

① 喀山在他们所在的尼日尼城的东边，相离不远，也在俄罗斯境内。
② 彼尔姆城在尼日尼的东北，在俄罗斯而不在西伯利亚。

些书统统朗诵一遍，大家都喜欢听。拉利奥内奇说：

"一读书，大家就不吵架，也不胡闹了。这真好！"

我就热心地找书，而且常常找到，几乎每天傍晚朗诵。那是些很好的傍晚。作坊里像夜间那样安静，桌子上面吊着些玻璃圆球，好比一些白色的寒星，它们的光芒照亮了那些对着桌面低下去的、头发蓬松的和光秃的脑袋。我看见许多人的平静而沉思的脸。偶尔有人叫起来，赞叹这本书的作者或者书中的主人公。这些人又专心又温和，跟平时大不相同了。在这种时候我很喜欢他们，他们也对我好。我觉得我找到一个合适的地位了。

"有了这些书，我们这儿就像是到了春天。冬天的窗框①都已经卸掉，窗子头一次敞开了。"有一回西塔诺夫说。

找书是困难的。谁也没有想起过到图书馆里去借书。可是我仍旧想方设法把书找来，到处去央求，像讨饭一样。有一次消防队的队长给我一本莱蒙托夫的作品。我立刻就感觉到了诗歌的力量以及诗歌对人们的强大影响。

我记得，我刚朗诵这本《恶魔》的头几行，西塔诺夫就看一眼这本书，再看一眼我的脸，于是把他的画笔放在桌子上，把他的两条长胳膊塞在两个膝盖中间，摇晃着身子，微微地笑。他的椅子在他的身子底下吱吱嘎嘎地响。

"别出声，伙伴们。"拉利奥内奇说。随后他也放下工作，走到西塔诺夫的桌子跟前来，我正坐在这张桌子旁边朗诵。这首诗使我激动得心里又是痛苦又是舒畅，我的声调断断续续，我的眼睛看不清那些诗行，泪水涌上了我的眼眶。然而更加使我激动的，却是这个作坊里的那种轻微谨慎的活动，整个作坊似乎在沉甸甸地翻腾，仿佛有一块磁石把人们吸引到我的身边来。等到我念完第一部，几乎所有的人都站到这张桌子四周来了，他们互相挨紧，抱住彼此的肩膀，皱着眉头，微微地笑。

"念啊，念啊。"席哈烈夫说，硬把我的头按到书本上去。

我念完了这本书。他就把书拿过去，瞧一下书名，然后把它塞在他的胳肢窝底下，声明说：

"这本书还得再念一遍！明天你再念一回。现在我把它收起来。"

---

① 指俄国的双层窗，外边的一层到冬天就装上以避寒，到春天则卸掉。

他走开，把莱蒙托夫的这本书锁在他那张桌子的抽屉里，然后开始工作。这个作坊里静悄悄的，人们小心地走散，回到各自的桌子那边去了。西塔诺夫走到一个窗子跟前，把他的额头抵住窗子的玻璃，站住不动。席哈烈夫又放下画笔，用严厉的声音说：

"这才叫作生活啊，上帝的奴隶们……是啊！"

他微微耸起他的肩膀，埋下头，接着说：

"我甚至能把这个恶魔画出来。他浑身是黑的，长满了毛。他的翅膀是火红色，要涂上赤铅才成。他的脸、手、脚都白得发青，比方说，像月夜的白雪一样。"

他一直到吃晚饭以前老是心神不定，一反常态地在他的凳子上转来转去，活动着他的手指头，时而讲恶魔，时而讲女人和夏娃，时而讲天堂，时而讲圣徒们怎样干造孽的事，可是他那些话却都使人难于理解。

"这都是真的！"他肯定说，"既然圣徒们跟犯罪的女人干造孽的事，那么恶魔当然也就巴不得跟纯洁的女人干造孽的事了……"

大家沉默地听他讲话。大家多半也跟我一样不愿意开口。他们工作得不起劲，老是看钟。等到钟敲九下，大家就一齐放下了工作。

西塔诺夫和席哈烈夫走到院子里去了，我就跟着他们走去。在院子里，西塔诺夫瞧着繁星，念道：

> 在被抛弃的天体中
> 一个个商队在流动……

"这样的句子可不容易想出来！"

"那些诗句我是一点也记不得了，"席哈烈夫说，在刺骨的寒冷里不住打哆嗦，"我什么也没记住，不过他，那个恶魔，我却看得清清楚楚！人家硬要你怜惜魔鬼，这不是怪事吗？话说回来，你又真的怜惜他，不是吗？"

"我的确怜惜他。"西塔诺夫同意说。

"人就是这样的！"席哈烈夫叫道，他这句话使人牢记不忘。

他回到门道里的时候，警告我说：

"你，玛克辛梅奇，在铺子里不要说起这本书。当然，这是一本禁书！"

我暗暗高兴：原来当初行忏悔礼的时候司祭问我的，就是这样的书啊！

大家无精打采地吃晚饭，没有平时的嘈杂声和谈话声，仿佛大家遇到了一件很要紧的事，应当仔细地考虑一下似的。晚饭后大家铺床睡觉的时候，席哈烈夫取出那本书来，对我说：

"好，你再念一遍吧！念得清楚一点，别太快……"

有几个人默默地下了床，没穿好衣服，走到桌子这边来，纷纷在这张桌子四周坐下，盘起腿。

等到我念完，席哈烈夫就用手指头敲着桌面，又说：

"这才叫作生活啊！唉，恶魔呀，恶魔呀，……原来事情闹到了这样的地步，老兄，不是吗？"

西塔诺夫倚着我的肩膀从我后面探过头来，念了几句，笑起来，说：

"我要把它抄在我的笔记本上……"

席哈烈夫站起来，把这本书拿到他的桌子那边去，可是他走到半路上站住了，忽然用颤抖的声音愤懑地说：

"我们像一些瞎眼的狗崽子似的活着，世界上的事我们什么也不懂。神也罢，鬼也罢，都不需要我们！我们算是什么上帝的奴隶？约伯①是奴隶，可是上帝亲自跟他谈过话！上帝跟摩西也谈过话！上帝甚至给他起了一个名字叫摩西，那意思就是'上帝的人'。可我们算是谁的人呢？……"

他把那本书锁在抽屉里，开始穿衣服，问西塔诺夫说：

"你上小饭铺里去喝一盅吗？"

"我要去看我的女人。"西塔诺夫轻声回答说。

他们走后，我就在房门旁边的地板上躺下，紧挨着巴威尔·奥津佐夫。他翻腾了很久，呼呼地喘气，后来忽然轻声哭起来。

"你怎么了？"

"我对所有这些人简直怜惜得要命，"他说，"要知道我跟他们一块儿生活有四年了，我了解所有这些人……"

我也怜惜这些人。我们很久没有睡觉，小声议论他们，发觉他们每个人都有善良和优美的特点，发觉所有这些人都有些东西加深我们的孩子气的怜悯。

———————————

① 见《旧约·约伯记》。

我同巴威尔·奥津佐夫很要好。后来他成为一位优秀的师傅，可是没有照这样工作很久。将近三十岁的时候，他开始发疯般地喝酒。后来我在莫斯科的希特罗夫市场上遇见过他，当时他已经是流浪汉。不久以前我听说他得伤寒病死了。回想我这一生当中见过那么多的好人毫无道理地灭亡了，实在吓人！所有的人都会精力衰退，然后死掉，这是自然而然的。可是人们在任何地方都不像在我们这儿，在俄国这儿衰退得那么迅速可怕，那么毫无意义……

那时候他还是个圆脑袋的男孩，比我大两岁。他活泼、聪明、正直，而且有天分，善于画鸟、猫、狗。他非常巧妙地把师傅们画成漫画，老是把他们画成飞禽。西塔诺夫成了一只悲惨的、独腿的鹬。席哈烈夫成了一只冠子破碎的公鸡，头顶上没有毛。害病的达维多夫成了一只吓人的凤头麦鸡。不过他画得最成功的却是苍老的雕镂工人戈果列夫，他变成了一只蝙蝠，生着大耳朵、怪鼻子、细腿，每条腿上有六个爪子。它那又圆又黑的脸上有两个白白的圆眼睛往外看，瞳仁像是两粒小扁豆，横在眼睛里，这就给那张脸添了一种生动的而又极其卑鄙的神情。

巴威尔把那些漫画拿给师傅们看，师傅们倒并不生气。然而那张戈果列夫的漫画却给大家留下了不愉快的印象，他们就严厉地劝告这个画家说：

"你最好把它撕掉，要不然老头子看见了，准会打死你！"

那个老头又脏又臭，老是喝得醉醺醺的，可是信教又信到惹人讨厌的地步。他的恶毒心思用不完，私下里把整个作坊的情况告到那个店员那儿去。当时老板娘正准备把她的侄女嫁给那个店员，因此店员已经觉得自己是整个商号和所有的人的老板了。这个作坊里的人都痛恨那个店员，可是又怕他，所以也就怕戈果列夫。

巴威尔千方百计死命跟那个雕镂工人作对，仿佛抱定宗旨决不让戈果列夫有片刻的安宁似的。在这方面，我也竭力帮他的忙。作坊里的人见到我们那些总是粗暴无情的花招，都很开心，可是警告我们说：

"你们会倒霉，孩子！那个吃谷子的小甲虫会把你们赶走！"

"吃谷子的小甲虫"是作坊里的人给店员起的绰号。

这个警告并没有吓倒我们。我们常常趁那个雕镂工人睡熟了，就在他的脸上涂上各种颜料。有一次他喝醉酒，睡熟了，我们就把他的鼻子涂成金色，他一连三天没法把他那海绵样的鼻子旁边的鼻窝里的金色擦掉。可是，每一次我们得了手而惹得老头子大发脾气，我就会想起那条轮船，想起那个维亚特省的矮小的兵，我的心里就不舒服。戈果列夫虽然年纪大，可是仍旧很有力气，常常趁我们不防备而抓住我们，毒打一顿。他打完了，还要告到老板娘那儿去。

老板娘也是天天喝得带着醉意，因此老是和善而快活。她极力吓唬我们，伸出她那两只胖手来拍着桌子，喊道：

"你们这两个小鬼又调皮啦？他老了，应该尊敬他才是！是谁把煤油冒充酒，倒进他的杯子里去的？"

"是我们……"

老板娘大吃一惊说：

"哎呀，圣徒啊，他们居然承认了！哼，该死的……要尊敬老人啊！"

她把我们赶出来了。到傍晚她对那个店员讲了这件事。那一个就生气地对我说：

"你这是怎么搞的：你读书，甚至读圣经，可还是这么调皮，啊？你当心点，小子！"

老板娘孤身一个人，可怜得很。有时候她喝足了甜酒，就坐在窗前唱道：

> 没有人心疼我，
> 也没有人可怜我。
> 我苦恼，
> 谁也不知道。
> 我伤心，
> 说给谁听。

她就哭了，用苍老颤抖的嗓音发出拖长的哭声：

"呜——呜呜……"

有一次，我看见她手里拿着一罐煮过的牛奶，走到楼梯那儿。可是忽然她的腿发软，她就坐下来，索性坐着下楼梯，笨重地一级一级往下移动，咚咚地响，她的手里却没有放开那个奶罐子。牛奶溅出来了，洒在她的衣服上。她就伸直了胳膊，对那个罐子生气地叫道：

"你怎么了，妖精？你要到哪儿去？"

她不算胖，然而皮肉松弛得软绵绵的，好比一只老猫，它已经没有力量捉老鼠了，再加上吃得饱而身体笨重，就只能咪咪地叫，神往地回想它以前的战绩和快活事了。

"你瞧，"西塔诺夫说，沉思地皱起眉头，"从前这是个很大的生意，上等的作坊，经营这个生意的是一个聪明人。现在呢，全完了，一切东西都落到那个吃谷子的小甲虫的爪子底下去了！大家辛辛苦苦干活，结果全给一个不相干的外人受用了！人一想到这儿，脑袋里就有一根弦忽然断了，心灰意懒，恨不能朝着这种工作啐一口唾沫，爬上房去，躺在房顶上瞧着天空，瞧它一个夏天才好……"

巴威尔·奥津佐夫也沾染上西塔诺夫的这些思想了。他学大人的样子吸着纸烟，高谈阔论，讲上帝，讲酗酒，讲女人。他还讲到任什么工作都是白搭，有的人总在干活，有的人既不重视创造出来的东西，也不理解它，却把它毁掉。

在这种时候，他那张可爱的尖脸就皱起来，显老了。他坐在地板上铺着的褥子上，抱住他的膝头，久久地瞧着蔚蓝色的方窗子，瞧着积雪很厚的板棚房顶，瞧着冬季天空中的繁星。

师傅们打鼾了，在睡梦中发出哼哼哈哈的声音。不知一个什么人在说梦话，吐字不清。达维多夫在一张高板床上不住咳嗽，正在了结他的残生。墙角上，"上帝的奴隶们"卡片久兴、索罗金、彼尔兴被睡眠和醉意送进了梦乡，身子挨着身子躺在那儿。那些缺脸、缺手、缺脚的圣像从墙跟前往外看。空中弥漫着干性油、臭鸡蛋、地板缝里的臭泥的浓重气味，闷得人透不出气来。

"我多么怜惜这些人啊！"巴威尔小声说，"天主啊！"

这种对人们的怜悯，也越来越抓住我的心。依我们两个人看来，如同我已经说过的那样，所有的师傅都是好人，然而他们的生活却恶劣，跟他们不相称，而且乏味得受不了。在冬天那些暴风雪的日子里，地面上的一切，例如房屋和树木，都在摇抖，哀叫，痛哭，大斋的钟声凄凉地响着。这时候，烦闷就涌进这个作坊里来，犹如铅一般重的波浪，压垮人们，扑灭他们身上的一切生机，把他们推到小酒店里去，推到女人身边去，女人就同白酒一样，成为一种使他们忘掉自己的工具了。

在这样的傍晚，书本已经无济于事。于是我和巴威尔极力想出种种办法来给这些人解闷。我们用煤烟和颜料涂在自己的脸上，装上用大麻做的胡子，表演我们自己编的各种喜剧。我们英勇地同烦闷做斗争，极力引大家发笑。我想起了《一个兵救活彼得一世的传说》，就把这本小书编成对话的体裁。我们爬到达维多夫的高板床上去，在那儿表演起来，快活地砍掉想象中的瑞典人的头。观众看了哈哈大笑。

观众特别喜欢中国的鬼陈友东的故事。巴希卡扮演那个存心要做好事而又不顺心的鬼。我扮演其他的一切：又扮男又扮女，还扮演物件，扮演一个善心的精灵，甚至扮演一块石头，那个中国鬼每次做了好事失败以后就是在这块石头上垂头丧气地坐着休息的。

观众哈哈大笑。我看到这样容易就能引他们发笑，就暗暗吃惊。他们这样容易发笑，反而使得我心里难过。

"嘿，这些丑角！"观众对我们嚷叫，"嘿，这两个孩子倒正好是一对！"

可是我们越演下去，我就越是坚定地认为悲哀比欢乐更容易接近这些人的灵魂。

在我们这儿，喜悦从来也不能长久存在，它本身也不受重视。人们只是特意把它从暗处拉出来，把它当作一种扑灭俄国的昏天黑地的烦闷的工具罢了。这种喜悦不是自然而然地生存着，不是因为它自己要生存，而仅仅是在悲哀的日子里硬把它拉出来抵制悲哀的，因此这种喜悦的内在力量就可疑了。

再者，俄国的喜悦常常在无形之中出人意外地变成了残酷的悲剧。一个人在跳舞，仿佛解开了捆在他身上的绳索，可是突然间，把他身上的最残忍的野兽也顺带解放出来了，于是他为了发泄兽性的苦闷而扑到一切人身上去，撕碎一切，咬坏一切，毁灭一切……

这种喜悦是勉强形成的，是由外力激发出来的，因而惹得我心里焦躁。我就兴奋得忘了一切，开始把我的幻想临时创造出来的东西都讲出来或者演出来，我非常想在这些人的心里激起真正的、自由的、轻松的欢乐！我多少算是有了一点收获，我受到了称赞，我引起了大家的惊叹，可是原来的那种苦闷虽然似乎已经被我摇动了根基，后来却又慢慢地浓重，稳定下来，压得人透不出气来了。

灰色的拉利奥内奇亲切地说：

"嗯，你真是一个会逗笑的人，求上帝保佑你！"

"他是个会解闷的人，"席哈烈夫附和他的话说，"你，玛克辛梅奇，去参加一个杂技团或者剧团吧，日后你一定会成为一个出色的丑角！"

整个作坊里的人，去过剧院的只有两个，那就是卡片久兴和西塔诺夫，他们逢圣诞节和谢肉节才去。老一辈的师傅们严肃地劝告他们洗净他们的这种罪恶，那就是在主显节①举行水祓净仪式的时候钻到冰窟窿里去洗个澡。西塔诺夫尤其常常劝我说：

"丢开一切，去学着当演员吧！"

他激动起来，讲了讲《演员亚科甫列夫的一生》的可悲情节。

"瞧，真会有这样的事！"

他喜欢讲玛丽雅·斯图阿特皇后，叫她"坏蛋"。他特别欣赏《西班牙贵族》这本书。

"唐·谢萨尔·德·巴赞是个极高尚的人，玛克辛梅奇！了不起！"

他自己就有点"西班牙贵族"的气概。有一次，三个消防队员在广场上一个瞭望台前面殴打一个农民取乐。一大群人，大约有四十个，围着看这场殴打，为那些兵喝彩。西塔诺夫冲进打架的地方，抡起有劲的长胳膊，不消几拳就把那些消防队员打倒了。他扶起那个农民，把他交给那群人，喊道：

"把他带走！"

然后他自己留下来，一个人对付他们三个。消防队的大院就在十步开外，那些兵可以跑去求救，西塔诺夫就会挨一顿打。可是多亏他走运，那几个消防队员吓坏了，逃进院子里去，就此没有再出来。

"狗东西！"他对着他们的背影叫道。

每到星期日，青年人常到彼得罗巴甫洛夫斯基墓园后面的一片林场上去比拳。这些青年聚到那儿去同清洁工人们和城郊乡村的农民们厮打。清洁队推出一个著名的打手来对付城里人，这是一个莫尔多瓦人，彪形大汉，脑袋却小，眼睛有病而老是流泪。他站在他那一伙人的前面，把他的两条腿劈得大大的，不住用他那件短外衣的脏袖口擦眼泪，好意地叫阵说：

"你们走出一个来吧，要不然我可就冻坏了！"

我们这边总是由卡片久兴出来跟他对阵，而那个莫尔多瓦人老是把他打败。哥萨克卡片久兴虽然血流满面，气喘吁吁，却说：

"我宁肯不要命也要打败这个莫尔多瓦人！"

这终于成了他的生活目标。他甚至把酒戒掉，每天临睡以前用雪擦身体，吃许多的肉，每天傍晚为了锻炼筋骨而把两个普特重的哑铃多次举到胸口，像画十字一样。可是这对他仍旧没有什么帮助。于是

---

① 基督教节日，在一月七日。当时天气很冷。

他在他那副手套里缝上几块铅，对西塔诺夫夸口说：

"这一下子那个莫尔多瓦人可就要完蛋了！"

西塔诺夫严厉地警告他说：

"你丢开这些东西，要不然我就在比武以前揭穿你！"

卡片久兴不相信他的话。可是到了比武场上，西塔诺夫忽然对那个莫尔多瓦人说：

"您躲开，瓦西里·伊凡内奇。让我先来跟卡片久兴干一仗！"

那个哥萨克涨红了脸，嚷起来：

"我不跟你打，你走开！"

"我偏要打。"西塔诺夫说着，往他跟前走过去，用逼人的眼光瞧着那个哥萨克的脸。卡片久兴站在那儿游移起来，终于扯掉他手上的那副手套，把它们塞在怀里，很快地从比武场上走掉了。

我们这一边和敌对的那一边都为这事感到不愉快和惊讶。有一个很体面的人对西塔诺夫生气地说：

"把家务事拿到公共比武场上来解决，这是根本不合章法的，老兄！"

双方的人都怪西塔诺夫，骂他。他沉默了很久，不过最后他对那个体面的人说：

"可要是我防止了一场人命案呢？"

那个体面的人顿时领悟了。他甚至脱掉他的帽子，说：

"那我们这一边向你道谢！"

"不过你，大爷，别张扬出去！"

"我哪里会张扬出去？卡片久兴是一个少有的武士，而打了败仗是会冒火的，这我们明白！从今以后我们在比武以前要先看一看他的手套！"

"那是你们的事！"

等到那个体面的人走开，我们这一边就开始骂西塔诺夫说：

"你让鬼迷住了，蠢货！要不然哥萨克就会打他一顿。现在呢，我们可就成了打败的一方了……"

大家骂了他很久，不依不饶，骂得津津有味。

西塔诺夫叹口气说：

"唉，你们这些没出息的人啊……"

随后，出乎大家的意外，他要求同那个莫尔多瓦人对阵了。那一个就摆开了架势，快活地抡着拳头，说了句俏皮话：

"咱们来打一阵，暖和暖和……"

有几个人就手挽着手，用他们的背脊把后边的人挡开，形成一个宽大的空圆圈。

那两个比武的人尖起眼睛互相盯紧，调动各自的脚替换站着，都把各自的右胳膊向前伸出去，把左胳膊放在胸口。有经验的人立刻看出来西塔诺夫的胳膊比那个莫尔多瓦人的胳膊长。大家静下来，只有白雪在比武的人的脚底下嘎吱嘎吱地响。有的人受不住这种紧张，又抱怨又贪婪地嘟哝说：

"他们也该动手了……"

西塔诺夫抡起他的右胳膊，莫尔多瓦人就举起他的左胳膊来招架。不料西塔诺夫伸出他的左胳膊，一拳打在对方的心窝上。那个莫尔多瓦人叫了一声哎呀，往后倒退，愉快地说：

"你是新手，可是倒不笨呀！"

他们开始互相扑打，抡起沉重的拳头打在彼此的胸脯上。过了几分钟，不论我们这一边还是对面那一边的人都兴奋地叫道：

"快，画神的！给他涂一个花脸，塑上金！"

那个莫尔多瓦人比西塔诺夫的力气大得多，可是远比他呆笨。莫尔多瓦人出手不能那么快，对方打了两三拳，他只来得及回敬一拳。可是，看来，莫尔多瓦人挨了打，他的身体却不觉得很痛，他老是"咳呀，咳呀"地叫唤，笑呵呵的。突然间，他抡起胳膊，从西塔诺夫的腋下往上很重地打了一拳，把西塔诺夫的右胳膊打脱臼了。

"把他们拉开！不分胜败，平局！"好几个声音立刻叫道。人们把那个圆圈拆散，把比武的人拉开了。

那个莫尔多瓦人好心地说：

"他力气不很大，可是手脚灵活，这个画神的！他会成为一个好武士，这我敢对所有的人担保！"

半大的孩子们开始混战。我就把西塔诺夫送到一个接骨的医士那儿去了。他这种行动越发提高了他在我心目中的地位，加强了我对他的同情和尊敬。

总地说来，他很正直诚实，而且似乎认为这是他的责任。可是性情豪放的卡片久兴巧妙地讪笑他说：

"哼，任尼亚①，你专门摆样子给人看！你把你的灵魂擦得像节日前的茶炊那么干净，而且到处夸耀：瞧，我亮得像一颗星！其实你的灵魂是一块铜，跟你在一起是很乏味的……"

西塔诺夫总是平静地沉默着，起劲地工作，或者把莱蒙托夫的诗抄在笔记本上。他把空闲的时间统统用在这种抄写上。我对他建议说："横竖您有钱，您把原书买来就是了！"他却回答说：

"不，还是亲自抄的好！"

他写一手漂亮的小字，带花笔道。他抄完一页，等墨水干的时候，轻声念道：

> 你会毫不惋惜，毫不动心地
> 瞧着这个人世，
> 在这个地方既没有真正的幸福，
> 也没有常存的美丽……

他眯细了眼睛说：

"这是真话！嘿，他对真理了解得很清楚啊！"

西塔诺夫对卡片久兴的态度却使我感到极其惊讶。那个哥萨克喝醉了酒，老是找茬跟他的这个同伴打架，西塔诺夫总要劝他很久：

"你躲开！别磨我……"

可是后来他就动手狠狠地打这个醉汉，打得狠极了，惹得那些师傅不得不出头来干涉这场厮打，把这两个朋友拆开，而平时师傅们看自家人打架是如同看戏一样的。

"要是不赶紧拦住叶甫根尼，他就会不管三七二十一，把人活活打死。"他们说。

卡片久兴没喝酒的时候，也还是死皮赖脸地嘲弄西塔诺夫，讥笑他对诗歌的爱好，讥笑他的不顺利的恋爱。他用肮脏的话挑动他的嫉妒心，结果却没有什么成效。西塔诺夫默默地听着这个哥萨克的嘲弄，毫不生气，有的时候甚至跟卡片久兴一块儿笑起来。

他们并排睡在一起，每天夜间小声交谈，谈得很久。

这类谈话搅得我心神不定，我很想知道这两个大不相同的人能对

---

① 西塔诺夫的名字叶甫根尼的爱称。

什么事谈得那么投机。可是我一走到他们跟前去，那个哥萨克就咆哮道：

"你来干什么？"

西塔诺夫仿佛没看见我。

可是有一次他们招呼我走过去，那个哥萨克问道：

"玛克辛梅奇，要是你发了财，那你会干什么事？"

"那我就买书。"

"还有呢？"

"我不知道了。"

"唉。"卡片久兴说，烦恼地从我面前扭过脸去了。西塔诺夫就平静地说：

"你看，不管老的也罢，少的也罢，谁都不知道！我跟你说：光有钱是没什么道理的！一切事情都要求在自身之外还得有些别的什么条件……"

我问道：

"你们在说什么呀？"

"我们不愿意睡觉，就聊起天来了。"哥萨克回答说。

后来我听到他们的谈话了，才知道他们夜间所谈的也就是别人白天所喜欢谈的那些话。他们谈上帝、真理、幸福，谈女人的愚蠢和狡猾，谈有钱的人怎样贪财，谈整个生活是多么复杂，难以理解。

我老是如饥似渴地听这些谈话，这些谈话使我激动。我高兴的是几乎一切人都异口同声地说：当前的生活不好，应当生活得好一点！可是同时我又看见这种要求生活好一点的愿望并没有使任何人承担什么责任，这个作坊里的生活和师傅们的相互关系一点也没有发生什么变化。所有那些话固然照亮了我面前的生活，却又揭开了这种生活背后的一种惨淡的空虚，人们就在这种空虚当中烦躁地乱冲乱撞，好比起风以后池塘水面上的废物和碎屑一样。可是这些乱冲乱撞的人，恰好就是那些口口声声说这样的乱冲乱撞毫无意义，并且愤恨这种乱冲乱撞的人。

他们讲的话很多，讲得兴致勃勃，老是批评别人，或者懊悔自己做过的事，再不然就夸耀自己。他们常为一点小事吵得不可开交，相互之间大伤和气。他们极力推测他们死后会是什么样子，可是眼前，这个作坊的门槛里边，靠近放泔水桶的地方，却有一块地板完全烂掉了，地板下面的泥土冒出酸臭的凉气，从这个潮湿腐烂的窟窿里灌进来，吹得人们的腿脚受冻。我和巴威尔常用干草和破布堵这个窟窿。他们也屡次说到应当换一块地板，可是那个窟窿越来越大，遇到暴风雪的日子那个窟窿就像烟囱似的一个劲儿往里灌风，人们纷纷感冒，咳嗽。这个作坊里的通风小窗的铁枢纽吱吱嘎嘎地尖叫得很难听，大家都用下流话骂它，可是临到我给它涂上油，席哈烈夫听了一听，却说：

"通风小窗不吱吱地叫唤了，这倒反而闷得慌了！"

他们从澡堂里回来，就在扑满尘土的肮脏被褥里躺下。一般说来，肮脏和臭气并不惹得任何人愤恨。那种妨碍人们生活的无聊的小事在这儿是有许许多多的，要消除它们很容易，可是谁也不来干这种事。

他们常常说：

"谁也不来怜惜人，上帝不怜惜你，你自己也不怜惜自己……"

可是等到我们，我和巴威尔，把受尽污秽和虫咬的痛苦的、一息奄奄的达维多夫洗干净的时候，他们却把我们当作笑柄，纷纷脱下他们身上的衬衫，交给我们拿去捉虱子，还管我们叫"搓澡的"，总之他们不住地嘲弄我们，倒好像我们做了一件丢脸的而且很可笑的事似的。

从圣诞节起到大斋止，达维多夫一直躺在高板床上，不断地咳嗽，对地下唾出一块块腥臭的血痰，那些血痰没有掉在泔水桶里，都掉在地板上了。每到夜间他常在梦中喊叫，把别人吵醒。

几乎每一天大家都说：

"应当把他送到医院里去才对！"

可是起初，大家发现达维多夫的身份证过期了。后来，他的病又好了一点。最后，大家却断定说：

"反正他不久就要死了！"

他自己也预告道：

"我快了！"

他是个沉静的幽默人，他也老是极力说些笑话来排解这个作坊里的恶毒的烦闷。他往往把他那张发黑的瘦脸对着床下，嗓子里发出呼噜呼噜的响声，高声说：

"诸位，听一听高板床上这个高高在上的声音吧……"

他就清楚地念出一首忧郁的打油诗：

> 我在高板床上生活，
> 我醒得早。

> 不管我是睡着还是醒着，
> 蟑螂在我的身上一股劲儿地咬……

"他倒不灰心丧气！"人们赞叹道。

有的时候我和巴威尔一块儿爬到他的床上去，他就勉强开玩笑说：

"我拿什么来款待你们呢，高贵的客人们？这儿有一个新鲜的小蜘蛛，你们愿意尝一尝吗？"

他死得慢，这惹得他很厌烦。他用真诚的烦恼口气说：

"我总也死不了，真是倒霉！"

他对死亡毫不畏惧，这却使得巴威尔很害怕。夜间巴威尔常常叫醒我，小声说：

"玛克辛梅奇，他好像死了。……他会在夜间死掉，可是咱们正好躺在他的底下。唉，天主呀！我害怕死人……"

要不然他就说：

"哎，他干什么活这一辈子，为了什么目的活的呢？他二十岁还没到，就要死了……"

有一次，那是在一个月夜，他叫醒我，害怕得睁圆了眼睛，瞧着我说：

"你听！"

在那个高板床上，达维多夫喉咙里发出嘶嘶响的声音，匆忙而又清楚地说：

"给我，给……"

随后他开始打嗝。

"他就要死了，真的，你瞧着吧！"巴威尔激动地说。

那一天，我把院子里的雪搬运到野地里去，忙了一整天，很疲劳，想睡觉，可是巴威尔央求我说：

"你别睡着，劳驾。看在基督份上，你可别睡着啊！"

后来，他突然爬起来，跪在床上，发疯般地嚷道：

"你们起来吧，达维多夫死啦！"

有些人醒了。有几个人影从床上起来了。气愤的问话声响起来。

卡片久兴爬上那个高板床，惊讶地说：

"他真的好像死了……其实他身上还有点热气……"

大家安静下来。席哈烈夫在胸前画个十字，把被子裹在身上，说：

"哎，有什么办法呢，祝他升天堂吧！"

有人提议说：

"把他抬到外头门道里去才好……"

卡片久兴从高板床上爬下来，瞧了瞧窗外。

"就让他躺到天亮吧，他连活着的时候也没妨碍过什么人……"

巴威尔把他的头钻到枕头底下去，放声大哭。

而西塔诺夫竟然没有醒过来。

十五

白雪正在旷野上融化。冬天的云也在天空中融化，变成湿雪和雨点，洒到地面上来。太阳越来越慢地走完它一天的路程，空中变得暖和起来，仿佛春天的欢乐已经来临，然而它故意开玩笑，躲在城外旷野上一个什么地方，不久就要一下子冲进城里来了似的。街上满是棕红色的烂泥，人行道旁边有污水在奔流，阿烈斯唐特斯卡亚广场上积雪融化的地方有些麻雀在快活地蹦跳。就连在人们身上也可以看出麻雀的活跃劲头。大斋的钟声在春天的嘈杂声中流动，从早到晚几乎不停，像轻微的震颤那样摇撼人们的心。这种钟声就跟老人的话语那样含着一种委屈的音调，听起来犹如那些钟在用冷淡凄凉的口气讲着一切：

"从前，从前啊，从前……"

在我的命名日那天，这个作坊里的人送给我一个小小的、画得很美的阿历克塞圣徒像。席哈烈夫庄严地发表了一个使我终生难忘的长篇演讲。

"你是个什么样的人？"他说，活动着他的手指头，扬起他的眉毛。"你只不过是一个小孩子，孤儿罢了，论年纪也才十三岁，而我的年纪几乎比你大四倍，可是我称赞你，鼓励你，因为你不是侧着身子看待一切，而是面对面地正视一切！要永远这样才对，这才好！"

他讲到上帝的奴隶和上帝的人，然而人和奴隶之间的区别我始终没有听懂，再者他自己恐怕也没弄清楚。他讲得枯燥无味，作坊里的人都嘲笑他。我呢，站在那儿，两只手里捧着那个圣像，很感动，又发窘，不知道该怎么办才好。最后卡片久兴懊恼地对演讲人嚷道：

"你别给他念送丧经了，你瞧，连他的耳朵都发青了。"

后来，他拍一下我的肩膀，也称赞说：

"你有一个好处，那就是你对所有的人都亲，这才真好！就算你有了什么错处，可是别说打你，就是骂你也很难出口！"

大家都用好意的眼光瞧着我，亲热地讥诮我的窘态，再过一会儿我一定会大哭起来，因为我喜出望外地体会到我成了一个为这些人所需要的人。可是恰巧就在这天早晨，在我们的铺子里，那个店员向我这边点一下头，对彼得·瓦西里伊奇说：

"这是个不招人喜欢的孩子，什么事也不会干！"

像往常一样，这天早晨我到铺子里去了。可是过了中午，店员对我说：

"你回家去，把堆房的房顶上的雪铲下来，填在地窖里……"

他不知道这天是我的命名日。我本来相信别人也都不知道。等到庆贺仪式在作坊里结束，我就换上衣服，跑到院子里去，爬上板棚的房顶，把又紧又重的雪铲下来，这年冬天下了很多的雪。可是我在兴奋当中忘了推开地窖的门，雪就把门封住了。我从房上跳下地，才发现这个错误，就立刻动手铲掉房门前边的雪。雪是湿的，结成硬块了。我那把木头铲子很难铲起雪来，而铁铲子又没有。我把铲子弄断了，正巧这时候那个店员从旁门走进来了。这倒应了俄国的谚语："快乐之后，紧跟着悲愁。"

"好哇，"那个店员走到我跟前来，讥诮地说，"哼，你这个工人，叫鬼抓了你去才好！我要照准你的笨脑袋瓜给你一下子……"

他抡起木铲的柄要打我，我闪到一旁，生气地说：

"可是要知道，我到你们这儿来不是做扫院子的工人的……"

他把那根木棍扔到我的腿上，我就抓起一团雪来，对准他的脸回敬了一下。他跑掉了，鼻子里呼呼地响。我丢下工作，走进作坊里去。过了几分钟，那个店员的未婚妻，一个脸容俗气、满面粉刺、举动轻佻的姑娘，从楼上跑下来。

"叫玛克辛梅奇上楼去！"

"我不去。"我说。

拉利奥内奇惊讶地轻声问道：

"这是怎么回事：你不去？"

我把事情的经过对他讲了一遍。他忧虑地皱起眉头，走上楼去了，临走的时候对我低声说：

"你也太莽撞了，老弟……"

这个作坊里，人声鼎沸，大家纷纷骂那个店员。卡片久兴说：

"得，这一下子他们可就要把你赶走了！"

这我倒不怕。我跟那个店员的关系早就维持不下去了。他死命地恨我，而且恨得越来越厉害。我也受不了他。不过我倒想弄明白他为什么那样荒唐地对付我。

他常在铺子里的地板上丢下几个钱币。我扫地的时候发现那些钱，就拾起来，放在柜台上的一个小碗里，那个小碗里放着些准备给乞丐的小钱。后来我猜出来为什么会常常拾到钱，就对那个店员说：

"您把钱扔给我，是白费事！"

他涨红了脸，一不小心嚷道：

"不准你来教训我。我干的事我明白！"

然而他立刻改口说：

"这是什么话，我怎么白扔给你钱？那钱是自己掉在地上的……"

他不准我在铺子里看书，说：

"你的头脑不配看这种书！你要怎么样，寄生虫，你想当经学家吗？"

他仍旧不住用那些二十戈比的硬币陷害我。我明白，要是我扫地的时候，一个钱币滚进地板的缝里去了，他就会相信是我偷去的。于是我再一次向他建议别玩这种把戏了。可是就在当天，我从小饭铺里提着开水走回来的时候，听见他怂恿隔壁铺子里一个新雇来的店员说：

"你撺掇他偷赞美诗吧。我们不久就要收到赞美诗了，有三箱子呢……"

我明白这说的是我。等到我走进铺子里去，他们俩就都窘住了。不过，就是没有这件事，我也还是有理由怀疑他们暗中在对我策划愚蠢的阴谋。

隔壁铺子里的那个店员已经不是第一次在那个铺子里工作了。人们认为他是一个精明强干的生意人，可是他害着狂饮病。每逢他的狂饮病发作，老板就把他赶走，事后又把这个体质很差、力气很小、生着一对狡猾的眼睛的人雇来。他外表温顺，依着老板的每一个手势办事，然而他那把稀疏的胡子里老是隐藏着聪明的笑意，他喜欢讲尖刻的话。他嘴里冒出一种只有牙齿蛀烂的人才有的难闻气味，其实他的牙齿倒是又白又结实的。

有一次他使我大吃一惊。他走到我的跟前来，亲热地微笑着，可是忽然间，他打掉我的帽子，揪住了我的头发。我们就打起来。他把我从走廊上推进我们的铺子里去，极力弄得我摔跤，好让我倒在地板上放着的大神龛上。要是这一点他真做到了，我就会砸碎玻璃，压坏雕刻的花纹，多半还会撞毁贵重的圣像。幸而他力气很小，我把他打败了，可是使我觉得十分奇怪的是这个生着一把胡子的男人打输以后，坐在地板上，揉着他那打破的鼻子，伤心地哭起来了。

第二天早晨，我俩的东家都出外去了，只剩下我们两个人在家，他就用手指头揉着他的鼻梁上和眼睛底下的肿块，好意地对我说：

"你当是我本心要打你，我心甘情愿要打你吗？我又不是傻瓜，我明明知道我打不过你，我是个没有力气的醉汉。这是我的老板吩咐我干的，他说：'你揪住他的头发揍他一顿，要让他在打架的时候极力把他的铺子里的货色多毁掉一点，反正是他们赔本！'要是由我自己做主，我才不会动手打架呢。瞧你把我这张脸打得红一块绿一块的……"

我听信他的话，不由得可怜他了。我知道他跟一个女人半饥半饱地生活在一起，那个女人常打他。不过，我仍旧问了他一句：

"要是人家叫你去毒死一个人，那你真去毒死他吗？"

"他会叫我去毒死人的，"店员轻声说，一脸的苦笑，"他很可能这么办……"

这以后不久，他央求我说：

"你听我说，我身上一个小钱也没有，家里没有东西吃了，我那娘们儿在骂街。朋友，你到你们的堆房里去偷出一个圣像来，我拿去卖掉，怎么样？你肯去偷吗？要不然，偷一本赞美诗怎么样？"

我想起了那家鞋店，想起了那个教堂看守人，我不由得暗想：这个人会出卖我！然而要拒绝他却很难，我就给了他一个圣像。至于赞美诗，那要值几个卢布一本，我不敢偷，我觉得那是一桩大罪。这有什么办法呢？道德是永远包含着算术的。《刑法典》的神圣纯朴就很清楚地暴露了这个小小的秘密，在这个秘密的背后隐藏着私有财产的巨大的虚伪。

当我听到我们铺子里的店员教唆这个可怜的人指使我偷赞美诗的时候，我吓了一跳。事情很清楚，我们的店员已经知道我在拿他的东西做人情，隔壁的店员已经把圣像的事告诉他了。

我拿别人的东西做人情是卑鄙的，他们对我布下的圈套是恶劣的，这两件事合在一起，就在我的心里激起我愤恨和憎恶我自己以至一切人的心情。一连好几天我心里难过得要命，等着那几箱书送来。最后，那些书来了。我正在堆房里整理那些书，隔壁的店员走到我这儿来。他要求我给他一本赞美诗。

于是我问他：

"圣像的事你对我们的店员说了吗？"

"说了，"他用闷闷不乐的声调回答说，"老弟，我什么也瞒不住……"

这话弄得我张口结舌。我往地板上一坐，瞪大了眼睛瞧着他。他呢，心慌意乱，露出十分狼狈的样子，匆匆地嘟哝说：

"你要知道，你们那个店员自己猜出来了，也就是说我们的老板猜出来，告诉你们的店员了……"

我觉得我完蛋了。这些人背地里暗算我，现在我注定要发送到少年罪犯的移民区去了！既是这样，那也就豁出去了！真要是已经淹没在水里，那就索性沉到水深的地方去吧。我拿起一本赞美诗来，塞在那个店员的手里，他把这本书掩藏在他的大衣里面，走掉了。可是他立时又走回来，把那本赞美诗丢在我的脚跟前，随后这个人就扬长而去，嘴里说着：

"我不要！我会跟你一块儿遭殃的……"

我不懂这句话：为什么他会跟我一块儿遭殃呢？不过，他不要那本书，我倒很满意。从此以后，我们铺子里的那个矮小的店员却越发气愤而且怀疑地瞧着我了。

当拉利奥内奇走上楼去的时候，我想起了这一切。他在楼上没有待多久就回来了，他的神情比平时更加抑郁，更加沉静。在晚饭前，他单独找着我，对我说：

"我去说情来着，我想让你不要再到那个铺子里去工作，就留在这个作坊里。结果没有说成！那个吃谷子的小甲虫不愿意。他对你很不满意啊……"

在这所房子里，我另外还有一个仇人，就是那个店员的未婚妻。她是一个非常喜欢打情骂俏的姑娘，这个作坊里所有的青年人都跟她打情骂俏，常常在门道里等着她，对她搂搂抱抱的。她对这种举动并不生气，光是轻轻地尖叫一声，像一只小狗似的。她一天到晚嘴里嚼个不停，她的衣袋里老是装满蜜糖饼干和烧饼，她的下巴无休无止地活动着。她那张俗气的脸和她那对不安宁的灰色小眼睛很不中看。她常叫我和巴威尔猜谜语，那些谜语老是暗藏着某种粗鄙的无耻含义。她还给我们念绕口令，这种绕口令念到头来也总是变成一些下流话。

有一次，一位上了年纪的师傅对她说：

"你简直没羞没臊，姑娘！"

她就满不在乎地唱起一首不要脸的歌来回答他：

要是姑娘家羞羞答答，

她就没法生娃娃……

我还是头一次见到这样的姑娘。她惹我讨厌，又弄得我害怕，因为她粗野地打打闹闹。她看出这不合我的口味，反而闹得越发起劲了。

有一次，我和巴威尔在地窖里帮着她蒸洗一些装过格瓦斯和黄瓜的木桶，她对我们提议说：

"小伙子，要不要让我来教你们亲嘴？"

"这号事我比你懂得多。"巴威尔笑着回答她说。我对她说，让她去找她的未婚夫亲嘴好了，而且我说得不大客气。她冒火了。

"哼，简直是个大老粗！一个小姐要跟他亲近，他倒不理不睬的。哼，倒像是个大人物似的！"

然后，她摇着手指头，补充说：

"好，你等着就是，我记住你这句话！"

巴威尔也帮着我说她：

"要是你的未婚夫知道你胡闹，他准定会给你点苦头吃！"

她鄙夷地皱起她那张带粉刺的脸。

"我才不怕他呢！有了我这份陪嫁钱，比他好得多的我都能找到十个八个的。姑娘家只有在出嫁以前才能玩玩乐乐。"

于是她开始跟巴威尔调笑。可是我，从此以后却添了她这样一个不依不饶的告密者。

我在那个铺子里的生活变得越来越困难。所有的宗教书我都已经读完，那些旧教派经学家的争论和谈话已经不能吸引我，他们讲的老是那一套。唯独彼得·瓦西里伊奇还像以前那样使我发生兴趣，因为他熟悉人们的黑暗生活，又善于讲得有趣而热烈。有的时候我不由得暗想，孤独的、报复心很强的先知以利亚①一定就是这样走遍人间的。

不过，每一次我直爽地对这个老人谈到人们，谈到我的想法，他总是好心地听完我讲的话，然后把我讲过的话统统转告那个店员。那个店员要么盛气凌人地嘲笑我，要么生气地骂我。

有一次我对这个老人说，我有的时候把他的话抄在一个笔记本上了，我平时是在那个笔记本上抄下书本上的各式各样的诗句和警句的。

---

① 基督教迷信传说中的人物，见《旧约·列王记》。

这却把那个经学家吓坏了，他赶快摇摇摆摆地走到我跟前来，开始焦虑地问我：

"你抄下来干什么？孩子，这可不行啊！这是为了记住吗？不，你别干这种事了！真是的，你这个人怎么搞的！你把你抄下来的东西交给我，好吗？"

他劝我很久，纠缠不休，非要我把笔记本交给他或者烧掉不可。后来他又气愤地跟店员交头接耳地嘀嘀咕咕。

我同那个店员走回家去的时候，他严厉地对我说：

"你在抄写一些东西，这种事以后不准再干！听见没有？只有暗探才干这种事。"

我一不小心问了一句：

"那西塔诺夫怎么样呢？他也抄抄写写啊。"

"他也干这种事？这个高身量的蠢货……"

他沉默了很久，然后用一种平日所不用的温和口气提议说：

"你听我说，把你的笔记本，还有西塔诺夫的笔记本，统统拿给我，我给你半个卢布！不过要做得让西塔诺夫不知道，悄悄的……"

大概他相信我会照着他的愿望去做，于是他一句话也没再说就迈开他那两条短腿，跑到我的前头去了。

到了家里，我就把那个店员的建议告诉西塔诺夫。叶甫根尼皱起了眉头。

"你不该说走了嘴……从今以后他就要指使一个什么人来偷你和我的笔记本了。你把你那一本拿给我，我把它藏起来。……不过，他不久就会把你撵走，你瞧着就是！"

我相信这句话，决定等我的外祖母一回到城里，我就走。她这一冬住在巴拉赫纳城，她是被一个什么人聘请到那儿去教姑娘们织花边的。我的外祖父又搬到库纳维诺去住了，我没有去找过他。再者他进城来的时候，也没有来看过我。有一回我们在街上碰见了。他穿一件很重的貂绒大衣，走得很慢，神气十足，像是一个教士。我同他打招呼，他用一只手遮住太阳，瞧了瞧我，沉思地说：

"哦，是你啊……你现在做了画圣像的了，是啊，是啊……好，你走吧，走吧！"

他就把我从路上推开，仍旧那么神气十足地慢慢向前走去。

我难得见到我的外祖母。她不停地工作，养活我那害着老年痴呆症的外祖父，照应我那两个舅舅的孩子。米哈依尔的儿子萨沙给她添的麻烦特别多，他是个漂亮的小伙子，又是个空想家，爱读书。他在染坊里工作，常常改换工作地点，遇到没有工作的时候就拖累我的外祖母，靠她养活，心安理得地等着她再给他找新的工作。萨沙的姐姐也拖累我的外祖母；她不幸嫁给一个酗酒的作坊工人，他常常打她，把她从家里赶出去。

每逢我遇见我的外祖母，我总是更加深切地钦佩她的灵魂。不过，我已经体会到她的美丽的灵魂被神话迷瞎了眼睛，使得她看不见，也不能了解辛酸的现实生活的种种现象，于是我的焦虑，我的激动，在她就都成了不可理解的东西了。

"应当忍耐，阿辽沙！"

对于我讲的丑恶的生活现象、人们的痛苦、悲伤，对于凡是惹得我愤慨的事情，她所能对我说的就只有这样的一句话。

我却不善于忍耐。如果有的时候我表现了这种牲畜、树木、石头的美德，那也只是为了自己考验自己，为了知道我的力量究竟有多么大，我在地上站得有多么稳罢了。有的时候，少年们出于愚蠢的好胜心，出于对大人的力气的羡慕，打算举起而且也真的举起了大大超过他们的肌肉和筋骨所能承担的重东西。他们为了炫耀自己而像成年的大力士那样极力把两普特重的铁块提起来，在胸前交叉活动。

我也在直接的和假借的意义上，肉体上和精神上常做这类事，只是因为侥幸才没有受到很重的内伤而死掉，也没有留下一辈子的残疾。因为世界上再也没有一种东西能够像忍耐，像对外界力量的顺从那样厉害地使人变为残废的了。

如果我最后仍旧成为一个残废人而躺进坟地，那我也会在临终的时刻颇为自豪地说：四十年来①那些好心的人认真地要把我的灵魂弄成残废，然而他们的顽强的努力却不是十分有成效的。

我越来越常常生出强烈的愿望，想胡闹一阵，想给人们解闷，想引他们发笑。我做到了这一点。我善于讲尼日尼市场的商人的事，边讲边模仿他们面部的神情。我表演那些农民和农妇怎样买圣像和卖圣像，店员怎样巧妙地欺骗他们，那些旧教派经学家怎样争吵。

作坊里的人就哈哈大笑。那些师傅屡次丢下工作，瞧着我表演。可是事后拉利奥内奇老是劝我说：

---

① 高尔基在四十六岁那年（一九一四年）写成这本书。

"你最好还是在吃完晚饭以后再表演，要不然就妨碍工作了……"

我"表演"完结以后，感到浑身舒畅，仿佛卸掉了一种压在我身上的重负一样。有半个钟头乃至一个钟头，我的头脑里空空洞洞，颇为愉快，可是过后我的头脑里似乎又装满了尖头的小钉子，那些钉子在那儿不住地蠕动，刺得人热辣辣的。

一种像肮脏的稀粥般的东西在我的四周沸腾，我感到我泡在这种粥里，渐渐地煮化了。

我不由得暗想：

"难道整个生活就是这样的吗？我也要像这些人那样过下去吗？我找不到，也看不见好一点的生活了吗？"

"你变得爱发脾气了，玛克辛梅奇。"席哈烈夫对我说，注意地瞧着我。

西塔诺夫常常问我说：

"你怎么了？"

我答不上来。

生活固执而粗鲁地擦掉它在我的灵魂里写下的最好的文字，阴险地用一些不必要的废话来替换它。我气愤而顽强地抵制生活的这种暴力。我跟所有的人一块儿在同一条河里漂游，然而对我来说河水太冷，它也不像托住别人那样容易地托住我，我不时感到我往一个水深的地方沉下去。

人们对待我越来越好。他们对我不像对巴威尔那样吆喝，也不任意支使我。他们用我的父名称呼我，为的是着重表示他们对我的尊敬态度。这都很好，然而使我痛苦的是我眼巴巴地看着许多人不住地灌酒，他们喝醉了酒多么惹人讨厌，他们对待女人的态度多么不正常，其实我也明白酒和女人已经成了他们在这种生活里仅有的两种乐子了。

我常常带着忧郁的心情想起，就连聪明而泼辣的娜达丽雅·柯兹洛甫斯卡雅也把女人说成取乐的对象。

可是，那样一来，对我的外祖母该怎么说呢？还有玛尔果皇后呢？

我一想起玛尔果皇后，心里就生出一种近似敬畏的心情。她跟一切人都那么不同，我仿佛在梦中看见她似的。

我已经在过多地想到女人，而且在解决一个问题：我到下一个假日要不要也到大家都去的那个地方去？这不是出于生理的要求，我身体健康，厌恶肮脏的事。然而有的时候我着了魔一般地渴望拥抱一个温柔聪明的女人，对她像对母亲那样坦率地谈一谈我的灵魂的不安，没完没了地长谈下去。

我羡慕巴威尔，因为夜里他向我讲起他正在同对门那家人的使女恋爱。

"事情是这样，兄弟。本来，一个月以前我还拿起雪块往她身上扔呢，我不喜欢她。可是现在我们并排坐在一条长凳上，我紧挨着她。再也没有一个人比她更亲的了！"

"你们谈些什么呢？"

"当然，什么都谈。她对我谈她自己，我也对她谈我自己。喏，我们还亲嘴……不过她是个正派人……她呀，兄弟，别提多么好了！……唉，你抽起烟来简直像一个老兵！"

我抽很多的烟。烟草使我沉醉，冲淡我那些不安宁的思想和惶惶不安的心情。多亏我走运，白酒的气味和味道都惹得我讨厌。可是巴威尔爱喝酒，他喝多了酒就悲凉地哭着说：

"我要回家，回家呀！你们放我回家去吧……"

我记得他是个孤儿。他的父母早已死了，他没有兄弟姊妹，他大约从八岁起就在外人家里生活。

我的心情本来就忧伤而不满，再加上春天的召唤激动着我的心，我就决定再到轮船上去工作，等轮船开到阿斯特拉罕，我就跑到波斯去。

我不记得为什么我单单要到波斯去。也许，这只是因为我很喜欢尼日尼市集上的那些波斯商人。他们坐在那儿像是一尊尊石像，让阳光晒着他们的染过色的胡子。他们心平气和地抽着他们的水烟袋。他们的眼睛又大又黑，露出什么全懂的样子。

我差点真的远走高飞了，可是这时候到了复活节的那一周，一部分师傅下乡回家去了，留下的师傅们不住灌酒，有一天天气晴和，我正在奥卡河旁的旷野上散步，却遇到了我旧日的东家，也就是我的外祖母的外甥。

他穿一件灰色的薄大衣，把两只手插在他的裤袋里，两排牙齿中间叼着一根纸烟。他的帽子推到后脑壳上。他那张招人喜欢的脸对我露出和善的笑容。他带着自由而快乐的人的潇洒动人的气概。旷野上除了我们两个人以外，再也没有别的人了。

"啊，彼什柯夫，基督复活了①！"

我们互相吻了三次②。他问我生活得怎么样，我就老实地对他讲起这个作坊、这个城市和一切的一切，都惹得我腻烦，我已经决定要到波斯去了。

"你丢开这个想法吧，"他严肃地说，"见鬼，波斯有什么意思呢？这我明白，孩子。我在你这年纪也想跑到各式各样的鬼地方去！……"

他这样满不在乎地骂鬼，我倒高兴。他一举一动有一种美好的、春天的味道，他周身上下有一种逍遥自在的气派。

"吸烟吗？"他问，把一个装满粗纸烟的银烟盒送到我跟前来。

得，这一下子就把我彻底征服了！

"你听我说，彼什柯夫，你还是再到我这儿来工作吧！"他提议说，"孩子，我今年在市场上承包了将近四万卢布的工程，明白吗？我要把你派到市场上去。你在我手下当个类似监工的角色，专管收下各式各样的材料，再把样样东西按时送到该送的地点去，注意别让工人偷掉。你肯当吗？工钱是每月五个卢布，外加每天五个戈比的饭钱！那些娘们儿管不着你，你早晨出门，傍晚回来。那些娘们儿跟你两不相干！不过你别告诉她们说我们见过面，你只要在福玛周③的星期日到我家里来就成了！"

我们像朋友似的告别了。他临别握一下我的手，甚至走远了还殷勤地挥动他的帽子。

临到我在作坊里说我要走了，这消息起初在大多数人的心中引起一种使我感到光彩的惋惜。巴威尔特别激动。

"哎，这可真想不到，"他责备地说，"你在我们这儿过得好好的，跟那些杂七杂八的庄稼汉怎么处得下去呢？那都是些什么细木工啦，油漆工啦……哎，你呀！这真叫作'放着助祭不当，偏要去当圣堂工友'了……"

席哈烈夫埋怨说：

"鱼找水深的地方游，好小伙子却往坏的地方溜。"

作坊里的人们为我安排的送别会是凄凉而乏味的。

"当然了，这样那样的工作都得试一下，"席哈烈夫说，醉得脸色

---

① 俄国的东正教徒在复活节相见的时候的贺词。

② 俄国的东正教徒在复活节相见的时候的礼节。

③ 基督教节日，复活节后的第一周。

发黄，"不过呢，最好还是一下子就抓紧一种工作不放手……"

"而且从此干一辈子。"拉利奥内奇轻声补充说。

然而我觉得他们这些话是勉强说出口的，仿佛在尽一种义务似的。那根把我和他们联结在一起的线，似乎一下子烂掉，断了。

醉醺醺的戈果列夫在他的高板床上不住翻身，声音沙哑地说：

"要是按我的意思，你们所有的人都得关进监牢里去！我知道一个秘密！试问我们这儿有谁信仰上帝啊？哼哼……"

如同往常一样，一些没画完的、缺脸的圣像靠墙立着。那些玻璃圆球紧贴着天花板。大家早已不在灯下工作，那些圆球就没有人用，如今蒙着一层灰白的烟子和尘土了。四周的一切都牢牢地记在我的心里，如今我一闭上眼睛，就能看见那整个昏暗的地下室、所有那些桌子、窗台上的那些颜料罐、一束束带笔插的面笔、那些圣像、墙角上的那个泔水桶、泔水桶上边的一个类似消防队员头盔的铜脸盆，另外还有戈果列夫从高板床上耷拉下来的一条光腿，颜色发青，像是一条淹死的人的腿。

我想快点走掉，然而在俄国，人们却喜欢拖长悲伤的时光。人们互相告别的时候，仿佛在做丧礼的安灵弥撒。

席哈烈夫皱起眉头，对我说：

"那本《恶魔》我不能还给你了。你愿意拿二十个戈比去，算是那本书的代价吗？"

那本书已经归我所有，老消防队长把它送给我了。我舍不得把这本莱蒙托夫的作品送人。可是等到我有点委屈地拒绝了那笔钱，席哈烈夫却心平气和地把那个银币放回他的钱包里去，毫不动摇地声明说：

"那也随你，反正这本书我不还给你了！这样的书你看不得，这是那种用不了多久就会给你惹来麻烦的书……"

"可是商店里卖这本书，我看见过！"

然而他十分有道理地对我说：

"这话什么也不能说明，商店里还卖手枪呢……"

那本莱蒙托夫的作品就此没有还给我。

我上楼去向老板娘告别，在前堂里碰见她的侄女。她问道：

"听说你要走了？"

"我是要走了。"

"要是你不走，人家也要把你赶走。"她告诉我，她这话说得不大客气，然而倒是十分真诚的。

带着酒意的老板娘说：

"我们分手了，求基督跟你同在！你这个孩子不好，脾气犟！虽然我一点也没看出你有什么坏的地方，可是大家都说你不好！"

忽然她哭起来，含着泪说：

"要是那个去世的人，我那好丈夫，那可爱的心上人，还活在世上，那他就会揪着你的头发揍你，打你的后脑壳，不过他倒会留下你，不把你赶走！可是如今办事是按另一种章法了，刚有点什么不对头的事，就赶出去，滚蛋！哎呀，孩子，你到哪儿去安身？你靠什么活下去呀？"

十六

我跟我的东家合坐一条小船，沿着市场的街道，在砖砌的铺子之间航行，这时候由于春汛，大水已经高高地漫到二楼上去了。我划桨，我的东家坐在船尾上，笨拙地掌舵，把船尾橹深深地插进水里去。这条小船呆笨地从这条街转到那条街上，在平静而浑浊的死水里浮游。

"呵，今年这水可真大呀，见鬼！它把工程都耽误了。"我的东家抱怨说，不时抽几口雪茄烟。那雪茄的烟子冒出烧焦的呢料子的气味。

"慢一点！"他惊恐地叫道，"我们要撞到路灯的柱子上去了！"

他把小船拨正，骂道：

"哼，给我们这么一条船，那些混蛋！……"

他指给我看在水退以后要动工修缮店铺的工地。他的脸刮得发青，唇髭剪得短短的，嘴上叼着一支雪茄烟，他那模样不像是一个承包商。他上身穿一件皮夹克，脚上穿一双高到膝头的皮靴，肩膀后边挂着一个猎袋，他的脚旁边放着一支贵重的"列别尔"牌双筒枪。他不时心神不定地拉一下他的皮帽子，把它压到他的眼睛上，努出他的嘴唇，忧虑地瞧着他的四周。后来他又把帽子推到他的后脑壳上去，他就显得年轻了，唇髭里带着笑意，心里不知在想什么愉快的事，在这种时候谁也不会相信他承担了许多的工程，而大水迟迟不退正在惹得他心烦。看来，他的头脑里有一些同工程无关的思想正在起伏。

可是我的心头却压着一种轻微的惊讶情绪。这个死气沉沉的城市，这些排成直行而且关紧窗子的店铺，看上去显得那么古怪，倒好像这个灌满了水的城市正在从我们的小船旁边飘走似的。

天色阴霾。太阳迷失在云层当中，偶尔才穿透密云，在云端显出一个巨大的银白色圆斑，像是冬天一样。

大水也颜色灰白，冷冰冰的。水的流动用眼睛看不出来，似乎它停住不动，跟那些空房子、那一排排刷成暗黄色的店铺一块儿睡着了。等到惨白的太阳从云层里钻出来，我们四周的一切东西微微亮了一点，水面上映着灰布般的天空的时候，我们这条小船就夹在两个天空之间，悬在半空中了。那些砖砌的房屋也浮起来，不露形迹地往伏尔加河、奥卡河飘去。这条小船的四周有些破木桶、箱子、筐子、木片、干草在漂动，偶尔有一条木杆或者一根木头像一条死蛇似的游过去。

有的地方窗子开着。商场长廊的房顶上晾着内衣，放着毡靴。有一个女人在窗口那儿瞧着灰色的水。有一条小木船靠在长廊的一根小铁柱子的顶上，它郡红色的船身像一大块肥肉似的映在水面上。

我的东家对这些生命的痕迹点了一下头，对我解释说：

"这是这个市场的看守人所住的地方。他常从窗子里爬到房顶上，坐上小船，到各处走一走，看有贼没有。不过，要是没有贼，他自己就偷起来……"

他讲得懒洋洋，心平气和，正在想一件别的什么事。四下里寂静，荒凉，离奇，好比在梦中一样。伏尔加河和奥卡河汇合起来，形成了一个大湖。远处，在树木苍郁的山坡上，便是市区，那里花花绿绿。到处都是花园，花园里还是黑沉沉的，可是树木已经发芽，这就给旁边的房舍和教堂披上一层嫩绿色，好像给它们穿上了一件厚的皮大衣似的。水面上回荡着复活节的低沉的钟声，远处传来市区的嘈杂声，然而我们这边，却好比一个荒废的墓园。

我们的小船正在两排黑树中间转悠，沿着大街往老教堂那边航行。那支雪茄烟跟我的东家捣乱，辛辣的烟子老是迷住他的眼睛。这条小船的船头或者船身不时撞着树干，我的东家又气愤又惊讶地说：

"这条糟糕的船！"

"您别摇橹了。"

"那怎么行呢？"他嘟哝说，"要是一条船上有两个人，就总是一个人划桨，一个人摇橹。好，你瞧，那就是中国商店区……"

我早就十分熟悉这个市场。我也熟悉这些可笑的商店和它们的滑稽的房顶。有些中国人石膏像盘着腿，坐在房顶的四角上。从前我同我的伙伴们往那些人像上扔过石头，有几个中国人像就被我打掉过脑袋和胳膊。然而现在我不再为这种事感到得意了……

"这简直乱七八糟，"我的东家指着那些商店说，"要是让我来造这个商业区就好了……"

他打了一个唿哨，把他的帽子推到后脑壳上。

可是不知什么缘故我却暗想，他会同样在这个每年被两条河灌满水的低洼地点造出一个同样乏味的、砖砌的市区来。连这样的中国商店区他也同样会搞出一个来……

他把那支雪茄烟丢到船外去，对它厌恶地啐了一口唾沫，说：

"乏味得很呀，彼什柯夫！乏味得很。受过教育的人一个也没有，要谈天都找不到人。有的时候人想夸耀自己，可是跟谁去说呢？没有人。老是那么一些细木工，砌砖工，庄稼汉，骗子手……"

他往右边看，瞧着一个白色清真寺，它从水里美丽地耸立起来，坐落在一个高岗上。他仿佛想起了他忘记的话似的，接着讲下去：

"我开始喝啤酒，吸雪茄烟，学德国人的样子生活了。小伙子，德国人是会办事的人，这些母鸡畜生！喝啤酒倒是一件快活事，可是雪茄烟我还是没抽惯！我抽多了这种烟，我的老婆就抱怨说：'你有一股子什么气味？倒好像你是个做马具的工人似的！'是啊，小伙子，我们在生活，想出各种办法来生活……好，由你来掌舵吧……"

他在船边上放下他那个橹，拿起他的枪来，对房顶上的一个中国人像放了一枪，结果那个人像没有遭殃，散弹撒在房顶上和墙上了，在空中扬起一股尘土的烟雾。

"没有打中。"这个射击手并不懊丧地承认道，重新往那管枪里装弹药。

"你跟姑娘家搞得怎么样？你开过荤了吗？还没有？可是我十三岁就搞恋爱了……"

他像说一个梦似的对我讲起他的初恋，当初他在一个建筑师家里做学徒的时候，他爱上过建筑师家里的一个使女。灰色的水正在轻声地哗哗响，冲刷着房屋的墙角。大教堂后面是一片荒凉的水乡，朦胧发亮。有些地方有柳丛的黑枝条挺立在水面上。

圣像作坊里的人常常唱一首宗教学校学生所唱的歌：

> 蓝色的海洋，
> 澎湃的海洋……

这个蓝色的海洋一定乏味得要命……

"我晚上睡不着觉，"我的东家说，"我往往从床上起来，在她的房门外站着，发抖，像是一只小狗。那所房子里冷得很！我的东家夜里常去找她，很可能碰见我，可是我不怕，对了……"

他沉思地讲着，仿佛在翻看一件从前的、穿旧了的衣服：是不是还能再穿一次呢？

"她注意到我了。她可怜我，就开了房门，招呼我说：'来吧，小傻瓜。'……"

这样的故事我听过许多，已经听腻了。不过这类故事倒也有一个使人感到愉快的特点：所有的人讲起自己的"初恋"，几乎都不带夸耀的口气，也不讲得肮脏，却常常说得那么亲切而悲伤，因此我领会到这在说话人的一生当中是一件最好的事。在许多人的一生当中这似乎是唯一的一件好事。

我的东家笑了，摇着头，惊讶地叫道：

"可是这样的事对自己的老婆却说不得，一个字也不能提！其实，这种事算得了什么呢？可就是不能讲！真是怪事……"

他不是在对我讲话，而是在对他自己讲话。要是他沉默了，我就会讲起来。在这样的寂静和空虚当中，人是非讲话，唱歌，拉手风琴不可的，否则在这个被灰白冰凉的水淹没的死城里，人就会昏昏睡去，长眠不醒了。

"第一要紧的是不要早结婚！"他教导我说，"小伙子，结婚是一件头一号的大事！不结婚，你爱在哪儿生活就可以在哪儿生活，想怎么生活就怎么生活，随你的便！你只管到波斯去做一个伊斯兰教徒，到莫斯科去做一名警察，再不然就去过苦日子，去偷东西。反正这些事要改就能改！可是，老婆好比天气，小伙子，那可改不了……没法办！小伙子，这可比不得一双靴子，可以脱下来丢掉……"

他的脸变了样子。他瞧着灰色的水，皱起眉头，伸出一根手指头揉着他的鹰钩鼻子，嘟哝说：

"嗯，对了，小伙子……要睁大两只眼睛，特别当心！就算你有本事，身子压弯了也还是能挺直，……可是话说回来，各人都有各人过不去的难关啊……"

我们的船开进了美谢尔斯科耶湖当中的灌木林里，这湖跟伏尔加河连成一片了。

"慢一点划船。"我的东家小声说，举起枪来对准灌木林。

他打死几只精瘦的鹬鸟以后，吩咐我说：

"把船开到库纳维诺①去吧！我在那儿待到晚上再回去。你对我家里的人说，我在包工头那儿耽搁住了……"

郊区的街道也被春汛淹没了，在那儿我把他送下了船。然后我把船划回去，经过市场，来到斯特烈尔卡，把船系在一个地方，停下来。我在船上坐着，眺望那两条河合流的地方，眺望城市、轮船、天空。天空像是一只大鸟的丰满的翅膀，全是白色羽毛般的浮云。白云之间有些蓝色的深渊，金黄的太阳从那里出来了，它刚对大地看了一眼，就改变了大地上的万物。我四周的一切东西都活动起来，生气勃勃，欣欣向荣。河水的急流轻松地送走数不清的一串串木筏。有些大胡子的庄稼汉立在木筏上，屹然不动，摇着长长的木桨。他们互相叫嚷，而且对一条迎面开来的轮船叫嚷。那条小轮船拖着一只空驳船逆流而上，河水就冲击它，缠住它，它却像梭鱼似的摇着头，呼呼地喷气，用轮子顽强地顶住向它迎面涌来的湍急的河水。那条驳船上有四个农民并排坐着，把他们的腿耷拉在船身外边，其中有一个穿着红衬衫。他们在唱歌。歌词听不清楚，可是我知道那首歌。

我觉得在这儿，在这生气勃勃的河上，我熟悉一切，一切在我都是亲近的，我能了解这一切。至于我背后那座淹在水里的城，却不亚于一场噩梦，像是我的东家胡搞出来的工程，而且像我的东家本人那样难于理解。

等我看够了这一切，我就回家去了，感到自己成了一个大人，任什么工作都能做了。在回去的路上，我从内城的山头眺望伏尔加河。在山上远远地看过去，大地显得广大无边，你要什么，它就能够给你什么似的。

我家里有书。以前玛尔果皇后住过的那个宅子里，如今住着一大家子人。其中有五个少女，一个比一个漂亮。另外还有两个中学生。这些人都给我书看。我如饥似渴地读着屠格涅夫的作品，暗暗感到惊奇：他笔下的一切都明白晓畅，朴素无华，像秋天的空气那么清澈，他的人物都那么纯洁，他温和地述说着的一切都是那么优美。

我读了波米雅洛夫斯基的《神学校随笔》②，也感到惊奇。说来奇怪，这本书的内容近似那个圣像作坊里的生活。那种使人绝望的烦闷

① 尼日尼城的郊区，那里有很多的妓院。

② 波米雅洛夫斯基（1835—1863），俄国作家。他的长篇小说《神学校随笔》描绘了宗教学校的畸形生活。

在我是十分熟悉的，它往往会转变成为残酷的恶作剧。

读俄国的书是很好的。那些书老是使人感到含有某种熟悉的和悲伤的东西，仿佛那些书里暗藏着大斋的钟声，你刚一打开书，它就轻轻地响起来了。

《死魂灵》我读得不起劲。《死屋札记》也是这样。《死魂灵》啦、《死屋》啦、《死亡》啦、《三死》啦、《活尸》啦，这种千篇一律的书名无意之中败坏人的兴致，使人对这类书发生隐隐约约的反感。《时代的表征》《稳步前进》《怎么办?》《斯穆利诺村纪事》以及这一类的作品，我也不喜欢。

可是我很喜欢狄更斯①和瓦尔特·史格得。我带着极大的乐趣读这些作家的作品，同一本书我往往要读两三次。瓦·史格得的书使人联想到富丽堂皇的教堂里的节日弥撒，显得有点冗长乏味，然而总是庄严动人。对我来说，狄更斯至今仍旧是一个使我佩服得五体投地的作家，这个人出奇地掌握了极其困难的、热爱人类的艺术。

每到傍晚总有一大群人聚集在这所房子的门廊上：有那两个弟兄，有他们的姊妹，有一些少年，还有一个翻鼻孔的中学生维亚切斯拉甫·谢玛希科。偶尔还有一个大官的女儿普契曾娜小姐也到这儿来。大家谈论书，谈论诗，那些话在我也是亲切易懂的。我读过的书比他们所有的人都多。不过他们相互之间更常谈到的还是中学校，他们抱怨他们的教师。我听着他们讲话，感到我自己比这些同伴自由，我对他们的忍耐的力量感到很惊讶。不过我仍旧羡慕他们，他们毕竟是在上学读书啊！

我的同伴们都比我年纪大，可是我倒觉得我比他们年长些，成熟些，有经验些。这使得我有点惶惶不安，因为我希望感觉到我自己同他们接近些。傍晚我很迟才回来，周身满是尘土和污泥，脑子里装满各种同他们的印象大不相同的印象，而他们的印象实际上是很单调的。他们常谈起那些姑娘，时而爱上这一个姑娘，时而爱上那一个，于是打算写诗。在这方面他们屡次要求我帮忙，我是乐于练习写诗的，很容易就把韵脚找到了，可是不知什么缘故我写出来的诗老是有幽默的味道。普契曾娜小姐最常常成为这种诗的对象，我却总要把她比作蔬菜，比作葱头。

---

① 狄更斯（1812—1870），英国作家。

谢玛希科对我说：

"这算是什么诗？这简直是靴底上的一排排钉子。"

我不愿意在任何方面比他们落后，就也爱上了普契曾娜小姐。我记不得我的钟情是怎样表现出来的，不过那结局却不妙。兹威兹津池的腐臭的绿色水面上漂着一块木板，我就建议由我来划动这块木板，让它载着那个小姐在水上游览一番。她同意了。我就把那块木板拨到岸边来，我站到木板上去。单是我一个人，木板倒还承受得起，可是等到那个周身是花边和丝绦、打扮得花枝招展的小姐优雅地站在木板的另一头上，我扬扬得意地拿起一根木杆，把那块木板撑开地面的时候，那块该死的木板就在我们的脚底下摇晃起来，结果那个小姐摔到池子里去了。我带着骑士的风度往她那边扑过去，很快地把她救到岸上来。惊恐和池子里的绿色淤泥却已经糟蹋了我的女伴的美丽！

她对我摇着她那水淋淋的小拳头，叫道：

"你这是故意要淹死我！"

她不相信我的诚恳的辩白，从此就跟我闹翻了。

一般说来，在城里我生活得不大有趣味。那个年老的女主人跟从前一样对我没有好感。年轻的女主人怀疑地瞅着我。维克多鲁希卡满脸雀斑，面色变得越发黑红。他对一切人都不满意，不知为了什么事抱着一肚皮的委屈。

我的东家的制图工作很多。他同他的弟弟两个人干不完这些工作，他就把我的继父请来做他的助手。

有一天我从市场里回来得早，不过五点钟光景。我走进饭厅里去，却看见我已经忘记的那个人在茶桌那儿同我的东家并排坐着。他对我伸过一只手来。

"您好……"

我出乎意外，愣住了。过去的事一下子像火似的燃起来，烧着我的心①。

"他简直吓了一跳。"我的东家嚷道。

我的继父瞧着我，他那瘦得可怕的脸上带着笑容。他那对黑眼睛变得更大了，他周身上下现出一种萎靡不振的味道。我伸出一只手去，

---

① 高尔基同他的继父关系恶劣。他的继父常虐打他的母亲，有一次高尔基在气愤之下用刀子刺过他。

他那些又细又烫的手指头就把我的手握住了。

"是啊，我们又相逢了。"他说，咳嗽起来。

我走出去了，浑身发软，像是挨了一顿打似的。

我们之间形成一种谨慎的、不明朗的关系。他用我的本名和父名称呼我，跟我说话如同跟平辈的人说话一样。

"您到小铺里去的时候，劳驾给我买四分之一磅的拉菲尔木牌烟草、一百张维克托尔逊牌卷烟纸、一磅煮熟的腊肠……"

他给我的钱老是被他那只滚烫的手捏得发热，叫人拿着不舒服。事情很清楚：他害着肺痨病，活不长了。他自己也知道这一点；他捻着又尖又黑的小胡子，用平静的男低音说：

"我的病几乎治不好了。不过呢，要是多吃点肉，也可能复原。说不定我还能够复原呢。"

他的食量大得叫人没法相信。他吃饱了就吸纸烟，只有在吃东西的时候才拿掉他嘴上的纸烟。我每天给他买腊肠、火腿、沙丁鱼。可是我的外祖母的妹妹用一种不知什么缘故在幸灾乐祸的口气，很有把握地说：

"想用菜去喂饱死亡，那是不行的。你要骗也骗不了它。这没用处！"

我的东家一家人用一种使人难堪的关心态度对待我的继父，一股劲儿地劝他试一试这样那样的药，可是在他的背后又嘲笑他。

"好一个贵族！他说什么要勤着扫干净桌子上的面包渣，他说苍蝇就是从面包渣里繁殖出来的。"年轻的女主人说。老太婆就给她帮腔说：

"可不是，人家是个贵族！他那件上衣都穿旧了，发亮了，可他还是拿一把刷子沙沙响地刷它。这个人可真讲究，一点灰尘也不沾！"

我的东家仿佛要给她们凑趣似的，说：

"你们等着就是，母鸡畜生，他不久就会死掉的！……"

这种小市民对待贵族的毫无意义的敌视态度，无意中反而使得我和我的继父接近了。毒蝇蕈固然是一种不能吃的蘑菇，不过它至少还好看嘛！

我的继父在这群人当中闷得透不出气来，好比一条鱼偶然落进鸡棚里来了。这个比喻是荒唐的，犹如这整个生活就是荒唐的一样。

我在他的身上渐渐发现了"好事情"这个我永远不会忘记的人所具备的一些特点。我总是用书本给我的种种最优美的东西来装点这个

"好事情"和那个皇后；我总是把我的最纯洁的东西，由读书而产生的全部幻想献给他们。我的继父像"好事情"那样，也是一个跟人合不来而且不招人喜欢的人。他对这一家人同等看待，自己从来也不先开口讲话，回答别人的问话也显得特别客气和简短。遇到他教导我的东家的时候，我看了总是很畅快。他站在桌子旁边，深深地弯下腰，同时用他的干枯的手指甲敲着一张厚纸，平心静气地开导说：

"这儿得用一个楔子来把人字梁卡紧才行。这样就可以消除对墙壁的压力，要不然这个人字梁就会把墙壁压坏了。"

"这话说的对，见鬼！"我的东家嘟哝道。可是我的继父走后，年轻的女主人就对我的东家说：

"我简直心里纳闷：你怎么能容许他来教训你呢！"

不知什么缘故，有一件事惹得她特别不痛快，那就是我的继父吃过晚饭以后一定要刷牙和漱口，鼓起他的尖尖的喉核。

"依我看来，"她用一种不以为然的口气说，"您那样仰着头，对您是有害的，叶甫根尼·瓦西里奇！"

他客气地微笑着，问道：

"那是为什么呢？"

"哦……我也不过是随便说说罢了……"

他开始用一根骨头针剔他那些颜色发青的指甲盖。

"可了不得，他还剔指甲盖呢！"女主人激动地说，"人都要死了，可是还来这一套……"

"唉唉！"我的东家叹道，"你们的脑瓜子里怎么会有这么多的蠢想法，母鸡畜生……"

"你说的这是什么话？"他的妻子愤慨地说。

老太婆到了晚上就激烈地对上帝诉苦说：

"天主啊，他们把这个讨厌的家伙硬压到我的脖子上来了。维克多鲁希卡又靠边站了……"

维克多鲁希卡开始模仿我的继父的风度、他的慢腾腾的步态、他那双贵族的手的沉稳的动作、他把领结打得特别漂亮的本领、他吃东西很快却又不吧哒嘴唇的样子。他不时粗鲁地问道：

"玛克辛莫夫，在法国话里'膝盖'怎么说？"

"我叫叶甫根尼·瓦西里耶维奇①。"我的继父平静地提醒他说。

"哦,是了!那么'胸膛'呢?"

吃晚饭的时候,维克多鲁希卡命令他的母亲道:

"Ma mère, dounez-moi encoredu② 腌牛肉!"

"嘿,你这个法国人啊。"老太婆疼爱地说。

我的继父仿佛耳朵聋了似的,不动声色地嚼着牛肉,眼睛没有看任何人。

有一次,哥哥对弟弟说:

"现在,维克多,既然你学会了说法国话,那你就该搞一个情妇了……"

这时候我的继父沉默地微微一笑,据我记得他只笑过这么一次。

可是女主人生气地把汤匙往桌子上一扔,对她的丈夫嚷起来:

"你当着我的面说这种下流话,怎么就不害臊!"

有的时候我的继父到后门的门道里来找我。在那儿,我在一道通到阁楼上去的楼梯的底下睡觉。我常坐在这道楼梯上对着窗子看书。

"您在看书吗?"他吐着烟子问道,他的胸膛里像是有一块烧焦的木头,正在发出嘶嘶的响声。"这是什么书?"

我把我手里的书拿给他看。

"哦,"他看一下书名,说,"这本书我仿佛看过!您想抽烟吗?"

我们抽着烟,瞧着窗外的泥泞的院子。他说:

"您不能上学念书,这很可惜。您似乎有学习方面的能力……"

"我现在就是在学习,我在看书……"

"这不够,应当进学校,系统地学才成……"

我有心对他说:

"您,我的先生,既进过学校,又系统地学过,可是这又有什么好处呢?"

可是他仿佛意料到我会有这种想法似的,补充说:

"在一个人具备坚强性格的条件下,学校会给他很好的训练。只有读过很多书的人才能够推动生活前进……"

他不止一次地劝我说:

---

① 在俄国,直呼人的姓是不礼貌的,用本名和父名相称才合乎礼貌。

② 不正确的法语:我的妈妈,再给我一点。

"您还是离开这儿的好，我看不出这儿对您有什么意义和益处……"

"我喜欢那些工人。"

"哦……您在哪方面喜欢他们呢?"

"跟他们相处挺有趣味。"

"也许是这样……"

不过，有一次他说:

"说实在的，我们的东家一家人都是些多么无聊的家伙，多么无聊的家伙啊……"

我想起我的母亲在什么时候而且在什么情形下说过这样的话，就不由自主地避开他的话，没有回答。他就含笑问道:

"您不这样想吗?"

"我也这样想。"

"嗯，是啊……这我看出来了。"

"不过，东家本人我倒还喜欢……"

"对，他也许是个好心的人。不过呢，他很可笑。"

我有意跟他谈一谈书，可是看起来他并不喜欢书。他不止一次劝我说:

"您不要对书本入迷。书本上的东西都太夸张，而且在这方面或者那方面进行了歪曲。大多数写书的人都跟我们的东家差不多，都是些小人物。"

这类见解依我看来是大胆的，因而博得了我的好感。

有一次他问我说:

"您读过冈察洛夫的作品吗?"

"我读过他的《巡洋舰巴拉达号》。"

"《巴拉达号》这本书是很乏味的。不过大体说来，冈察洛夫是俄国最聪明的作家。我劝您把他的长篇小说《奥勃洛摩夫》读一遍。这是他的一本最真实、最大胆的书。大体说来，这也是俄国文学中最好的一本书……"

关于狄更斯，他说:

"他的作品是废话连篇，我敢向您担保……不过眼下《新时报》副刊上发表了一个非常有趣的作品，叫《圣安东尼的诱惑》①，您把这个作品读一遍吧！您大概喜欢教会和一切宗教方面的书吧？这本《诱惑》会对您有益……"

他亲自给我送来一捆副刊。我把福楼拜的这个睿智的作品读了一遍。它使我联想到不计其数的圣徒传记和那些旧教派经学家所讲的某些历史事实，然而它没有给我留下特别深刻的印象。倒是跟它同时发表的一个作品《驯兽师乌皮里奥·法依玛里回忆录》反而使我满意得多。

我把这话对我的继父老实地说了，他平静地说：

"那是说，您读这样的作品还嫌太早！不过您别忘了这本书……"

有的时候，他跟我一块儿坐上很久，一句话也不说，光是不停地喷吐烟雾，不时咳嗽几声。他那对美丽的眼睛可怕地放光。我悄悄地瞧着他，忘了这个极其诚实单纯地走向死亡而不发怨言的人从前跟我的母亲亲近过，侮辱过她。我知道目前他跟一个女缝工同居。我一想到这个女缝工就感到纳闷和怜悯：她怎么能不厌恶他，反而去拥抱这一身骨头的高个子，吻他的冒出浓重的腐臭气味的嘴呢？

如同"好事情"一样，我的继父往往出人意外地说出一些很有独到见解的话：

"我喜欢猎狗。它们愚蠢，可是我喜欢它们。它们很漂亮。漂亮的女人就常常是愚蠢的……"

我有点得意地暗想：

"要是你认得玛尔果皇后就好了！"

"许多人长期同住在一所房子里，他们的脸就变得一模一样了。"有一次他说。我就把这句话抄在我的笔记本上。

我等着这些警句像等候恩赐一样。这儿的一家人都讲缺乏光彩的话，他们的话已经僵化成为陈腐单调的形式，因此听到不同寻常的句子是愉快的。

我的继父从来也不跟我谈起我的母亲，甚至好像从来也没提起过她的名字。这使我很满意，在我的心里引起一种近似尊敬他的感情。

有一次，我对他提出关于上帝的问题，我记不得我是怎样问的了。他看了我一眼，很平静地说：

---

① 法国作家福楼拜（1821—1880）的作品。

"我不知道。我不相信上帝。"

我想起西塔诺夫,就讲起他的想法。我的继父注意地听完我的话,仍旧那么平静地说:

"他发议论,而发议论的人毕竟还是有所信仰的……我呢,干脆没有信仰!"

"难道这可能吗?"

"为什么不可能呢?您看得明白,我就没有信仰……"

我只看到一点:他就要死了。我倒不见得在怜悯他,不过这是我第一次对一个将死的人,对死亡的秘密,感到强烈而自然的关切。

这儿坐着一个人,他的膝盖贴着我的身子。他浑身滚烫,正在思考。根据他对人们的态度,他深信不疑地把人们分成若干类。他无所不谈,就像他有审判和批准的权力似的。他的身上有某些在我是必要的东西,或者有某些显得在我是不必要的东西。他是一个复杂得不可思议的生物,他的头脑里装着思想的无穷无尽的旋风。不管我怎样对待他,他总是我自身的一部分,在我身上某一个地方生存着。我常常想到他,他的灵魂的影子落在我的灵魂上。明天他会全部消灭,全部,包括他的头脑里和心灵里暗藏着的一切,包括我从他的美丽的眼睛里似乎能够读到的一切。等到他一消灭,在那些活生生的、把我同世界连接起来的线之中就有一根线断了,剩下来的只有回忆。然而这回忆会完整地保存在我的心里,永远出不去,永远也不会改变。可是那个活着的和常起变化的人却不在了……

不过这些都是思想。在这些思想的背后,潜藏着一种用话语不能表达的东西,它产生和哺育这些思想,它威严地强迫着人注视生活的种种现象,要求人对其中的每一个现象都做出回答:这是为什么?

"您知道,我大概不久就要躺在床上起不来了,"有一次在阴雨天我的继父说,"我简直衰弱得不像样子!任什么愿望都没有了……"

第二天喝晚茶的时候,他特别仔细地拂掉桌子上和他的膝盖上的面包渣,伸手推开一个谁也看不见的什么东西。老女主人皱起眉头瞧着他,小声对她的儿媳妇说:

"你瞧,他在拔光他身上的毛,把自己弄干净呢……"

过了两天光景,他就不再来工作了。后来,老女主人把一个大白信封塞给我,说:

"拿去吧,这还是昨天由一个小娘们儿送来的,那是将近中午的时候,可是我忘记交给你了。那是个招人疼的小娘们儿。她为什么要来找你，那我就不知道了，说真的！"

信封里装着一张医院的表格纸，纸上用大字写着：

"如有闲暇，请来一晤。我在玛尔狄诺甫斯卡亚医院。叶·玛。"

第二天早晨我到医院里去，在我继父的病床的边上坐下。他的身子比那张病床长，他的脚伸到病床栏杆外面去了，脚上穿着灰色的袜子，滑落下来。他的美丽的眼睛迷迷糊糊地对着黄色的墙瞧过来瞧过去，然后停在我的脸上，停住一个青年女人的小手上，那个女人正坐在他床头旁边的一个凳子上。她把她的手放在他的枕头上，我的继父就把他的脸挨着她的手，张开了嘴。那个青年女人生得丰满，穿一件深色的、没花的连衣裙。泪水在她的鹅蛋脸上慢慢地淌下来。她那对天蓝色的、泪汪汪的眼睛一刻也不停地瞧着我的继父的脸，瞧着他的尖尖的骨头，瞧着他的又大又尖的鼻子和乌黑的嘴。

"应该请个教士来才对，"她小声说，"可是他不许……他的脑子完全糊涂了……"

她从枕头上收回她的手，把这两只手按在她的胸脯上，仿佛在祷告似的。

我的继父清醒了一会儿，瞧着天花板，严肃地皱着眉头，好像在回想一件什么事，然后抬起他的一只瘦手，送到我跟前来。

"是您吗？谢谢。喏，您看……我觉得我衰弱得很不像样……"

他说话很累，就闭上了眼睛。我抚摸他那些冰凉的、指甲发青的长手指头。那个青年女人轻声要求说：

"叶甫根尼·瓦西里耶维奇，您务必答应请个教士来吧！"

"好，您跟她认识一下吧，"他说，用眼睛指一指她，"她是个可爱的人……"

他没再说下去，把嘴张得更大，忽然叫了一声，像乌鸦那样声音沙哑。他在病床上扭动起来，推开他的被子，伸出他的裸露的胳膊在他四周摸索。那个青年女人也叫了一声，把她的头埋到他那揉皱的枕头里去。

我的继父很快就死了。他一死，他的脸容顿时好看了。

我挽着那个青年女人的胳膊走出了医院。她摇摇晃晃像有病一样，哭个不停。她的手绢在她的手里捏成一小团，她把这一小团手绢轮流送到她的两只眼睛上去。她把那手绢越捏越紧，不住地瞧着它，仿佛这是她的最宝贵的东西，也是她剩下的最后一点点东西了。

忽然她站住，挨近我，用责备的口气说：

"他连冬天也没有活到……唉，天主，天主啊，这是怎么回事啊？"

随后，她把她那只被泪水沾湿的手向我伸过来。

"再见。他很称赞您。他明天下葬。"

"要送您回家去吗？"

她往四下里看一眼。

"何必送呢？现在是白天，又不是在夜里。"

我站在这条巷子的拐角上，瞧着她的背影。她慢腾腾地走着，就像一个不急于要到什么地方去的人似的。

这时候是八月间，树木在掉叶子了。

我没有工夫去送我的继父到墓园里去。从此以后我也没有再见到过那个青年女人……

十七

每天早晨六点钟，我动身到市场的工地上去。在那儿我遇见许多有趣的人，其中有细木工奥西普，头发花白，相貌近似圣徒尼古拉，是个熟练的工人，喜欢说俏皮话；还有驼背的房顶工叶菲穆希卡；还有笃信宗教的砌砖工彼得，是个常常沉思默想的人，生得也像圣徒；还有抹灰工格利果利·希细林，是个生着淡黄色胡子和天蓝色眼睛的美男子，老是现出一副安详的善良神情。

先前，我第二次在绘图员家里工作的时候，我就认识这些人。他们每个星期日总要到厨房里来，都那么稳重，尊严，讲出话来招人喜欢，我觉得他们的话又新奇又有味道。当时我认为所有这些老成持重的庄稼汉①都是十足的好人，各人有各人的有趣的地方，他们都跟库纳维诺郊区那些心肠恶毒的、偷鸡摸狗的、酗酒的小市民迥然不同。

当时我最喜欢的是抹灰工希细林。我甚至要求过当他的伙计，可是他用他的白手指头搔一搔他的金黄色眉毛，委婉地拒绝我说：

"这在你还嫌太早，我们这个活可不轻，你就再等一两年吧……"

随后，他仰起他那漂亮的脑袋，问道：

"莫非你的日子过得不自在吗？哦，没什么，你忍一下，把你自己抓得紧一点，那你也就熬过去了！"

---

① 他们原是农民，不少人仍在农村里有家有地，到城里来做工是为了挣外快。

　　我不知道这个好心的劝告会给我什么好处，不过我感激地记住了他的话。

　　就连现在，他们也是每逢星期日早晨就到我东家的家里来，在厨房里那张桌子四周的长凳上坐下，一边等我的东家，一边有趣地闲谈。东家来了，就热闹而快活地同他们打招呼，握他们的结实的手，然后他在桌子的上首坐下来。算盘和一沓钞票出现了，那些庄稼汉就把各自的账单和揉皱的小本子摊在桌子上，于是这一个星期的结账工作就开始了。

　　我的东家一面开玩笑，说俏皮话，一面极力少给他们钱，他们也极力多要他的钱。有的时候他们吵得很厉害，不过比较常见的还是和气的欢笑。

　　"喂，亲爱的人，你天生来就是个滑头啊！"那些庄稼汉对我的东家说。

　　他忸怩地笑笑，回答说：

　　"哼，你们啊，母鸡畜生，也滑头得很哟！"

　　"可是话说回来，不这样怎么能行呢，朋友？"叶菲穆希卡承认道。随后，神态严肃的彼得说：

　　"人只能靠着偷点摸点活着，至于做活挣来的钱，全归了上帝和沙皇了……"

　　"连我也有心打你们的主意呢！"我的东家笑着说。

　　他们好意地接过他的话来说：

　　"那么，你要诓我们？"

　　"你要叫我们上圈套？"

　　格利果利·希细林伸出两只手来把他的大胡子按在胸脯上，用唱歌般的声调要求说：

　　"弟兄们，干脆咱们老老实实地办事，不骗人，成不成？真要是大家规规矩矩地活着，那有多么好，多么太平，啊？我的亲人呀，对不对？"

　　他那对天蓝色的眼睛暗下来，湿润了。在这种时候他总是好看得出奇。他的恳求似乎弄得大家有点发窘，大家都不好意思地在他面前扭过脸去。

　　"庄稼汉骗不了很多的钱。"仪表堂堂的奥西普嘟哝道，叹口气，仿佛替庄稼汉惋惜似的。

　　那个阴郁的砌砖工把他的佝偻的背弯到桌子上，用低沉的声调说：

"罪孽好比沼泽：你越走得远，就越陷得深！"

我的东家也学着他们的腔调喃喃地说：

"我有什么办法呢？这只不过是人家怎么算计我，我就也怎么算计人罢了。……"

他们高谈阔论一阵以后，就又极力互相蒙骗。等到他们算完账，他们已经紧张得一身大汗，筋疲力尽了，就一块儿到小饭铺里去喝茶，临走把我的东家也约去。

在市场的工地上，我得小心在意，不让这些人偷钉子、砖头、木板。他们每一个人除了为我的东家工作以外，自己也都承包着工程，因此每个人都极力从我的鼻子底下捞走点什么东西，用到他自己的工程上去。

他们亲切地迎接我。希细林说：

"你记得你要求过做我的伙计吗？可是现在呢，你瞧，你一步登天，当了我的上司了，对不对？"

"好哇，好哇，"奥西普取笑道，"你看得严严的，保得牢牢的，求上帝保佑你好好的！"

彼得却不大和气地说：

"他们派了个小仙鹤来管这些老耗子……"

我的职务使我窘得要命。我在这些人面前觉得难为情，因为他们大家似乎都了解一些特别的、很好的、除他们以外谁也不知道的事情，而我却要把他们当作贼和骗子来加以监视。开头的那几天我觉得难于跟他们相处。不久奥西普看出这一点来了，有一次他就单独和我在一起，对我说：

"你听我说，小伙子，你别拉长了脸，这没什么用。明白吗？"

我当然什么也不明白，可是我感觉到这个老人了解我的处境尴尬，我很快就同他建立了一种开诚相见的关系。

他在一个角落里教导我说：

"要是你想知道的话，那么在我们中间，砌砖工彼得鲁哈①是个大贼。他家里人口多，性子又贪。你要睁大两只眼睛盯住他。他什么东西都不嫌弃，样样都要，一磅钉子啦，十块砖头啦，一口袋石灰啦，全都拿起就走！他是个好人，喜欢祷告，思想端正，又认识字，可就

---

① 彼得的爱称。

是喜欢偷偷摸摸！叶菲穆希卡呢，专爱跟娘们家混，这个人脾气随和，倒不会给你添麻烦。他也聪明，反正驼子全不傻！还有格利果利·希细林，这个人有点呆头呆脑，慢说拿别人的东西，就连他自己的东西他还拿给人家呢！他干活完全不行。人人都能蒙他，他可蒙不了别人！这个人干什么事都不动脑筋……"

"他心好吧？"

奥西普仿佛从远处瞧着我，说出了几句使我牢牢记住的话：

"一点也不错，他心好！一个懒汉要做个老好人是再简单也没有了。小伙子，做老好人是用不着动脑筋的……"

"哦，那么你自己呢？"我问奥西普。他微微一笑，回答说：

"我好比一个姑娘。等我做了老太婆，我再谈我自己。眼下你就等着吧！要不然你就动脑筋捉摸我是个什么路数吧。你只管捉摸好了！"

他推翻了我原先关于他和他的朋友们的一切概念。我很难怀疑他的评价不实在，因为我看见叶菲穆希卡、彼得、格利果利都认为这个仪表堂堂的老人比他们自己聪明，通晓一切人情世故。他们不管遇到什么事都要找他商量，注意地听取他的意见，对他做出各种各样的尊敬表示。

"劳驾，你给我们出个主意。"他们常这样请求他。可是有一次，在这样的请求以后，等到奥西普走了，砌砖工就悄悄地对格利果利说：

"这个邪教徒。"

格利果利冷冷地一笑，补充说：

"这个小丑。"

这个抹灰工还好意地警告我说：

"你要小心，玛克辛梅奇，跟那个老头子相处要留神，他一转眼的工夫就能弄得你上当！这是那种害人的老头子，不得了，危险得很啊！"

我听了简直摸不着头脑。

我觉得最正直、最虔诚信教的人是砌砖工彼得。他不论讲起什么事，都讲得又短又庄严。他最常想到的问题是上帝、地狱、死亡。

"唉，我的兄弟伙伴们，任凭你怎么想方设法，任凭你仗恃什么，谁也逃不过棺材和坟地去！"

他经常肚子痛。有些天他一点东西也不能下咽，哪怕只吃下很小很小的一块面包，他也会痛得浑身抽筋，呕吐得死去活来。

驼背的叶菲穆希卡也显得很善良，很正直，然而老是那么可笑，有时候带点傻气，甚至古里古怪，像个安分的傻子。他经常爱上各式各样的女人，讲起所有的女人都是那么一套话：

"我干脆说吧：她简直不能算是一个娘们儿，而是裹着酸奶油的一朵鲜花，真的！"

每逢库纳维诺郊区那些小市民家庭里的活泼的女人来到此地的各家店铺里洗地板，叶菲穆希卡就从房顶上爬下来，在一个墙角旁边站住，眯细他那对灵活的灰色眼睛，把他那张大嘴咧到耳朵边上，嘴里叽叽咕咕说话。

"天主把这么一个壮实的小娘们儿给我送来了，这可是天上掉下来的一件大喜事。是啊，这简直是裹着酸奶油的一朵鲜花呀。命运给我送来这么一个礼物，我该怎么感激命运才好哟？有了这么一个美人儿，我就要活活地烧死了！"

起初那些女人讪笑他，互相嚷着说：

"你们快瞧啊，这个驼子连骨头也酥了。啊，圣徒呀！"

这些讪笑一点也没有刺痛这个房顶工的心。他那张高颧骨的脸变得睡意蒙眬，他讲话就像在说梦呓，他那些甜蜜的字眼像一道醉人的泉水那样滔滔不绝，分明使得那些女人陶醉了。最后，有一个年纪大一点的女人对她的同伴们惊讶地说：

"你们听，这个庄稼汉害了相思病，简直成了一个年轻小伙子了！"

"他像鸟似的唱个没完……"

"再不然就像教堂门口的叫花子。"那个固执的女人不肯让步。

可是叶菲穆希卡不像一个叫花子。他稳稳地站在那儿，好比一个矮粗的树墩。他的声调越来越带着召唤的味道，他的话越来越诱惑人，那些女人都默默地听着。他本人真像是酥了，变成亲热迷人的话语了。

这种事情往往这样结束：到了吃夜宵的时候，或者过了星期日以后，他就摇着他那沉重的和有棱角的脑袋，用惊叹的口气对他的同伴们说：

"嘿，多么千娇百媚的小娘们儿啊，我达一辈子还是头一回碰到！"

叶菲穆希卡讲到他的胜利的时候，倒不像别人照例会做的那样夸耀自己，讥诮被征服的女人。他光是又高兴又感激地神魂颠倒，他那对灰色的眼睛惊讶地张大了。

奥西普摇着头，叫道：

"哼，你这个狗改不了吃屎的汉子！你多大年纪了？"

"我差不多四十四岁了。可是这没关系！我今天就年轻了五岁，我仿佛在一条河里，在活水里洗了个澡似的，身体强壮多了，心里也踏实了！是啊，居然会有这样的女人，这不是奇怪吗？"

砌砖工严厉地对他说：

"等你过了五十岁，你瞧着吧，你这种下流习气就会叫你大吃苦头！"

"你这个不要脸的人啊，叶菲穆希卡。"格利果利·希细林叹道。

可是我觉得这个美男子在嫉妒那个驼子的胜利。

奥西普从他那整齐地往上卷起的银白色眉毛底下瞧着大家，取笑道：

"虽说都叫玛希卡，可是各人有各人的性子，这一个喜欢杯子和匙子，那一个喜欢扣子和坠子，不过所有的玛希卡都要变成老婆子……"

希细林已经成家了，可是他的妻子住在农村里。他也打量那些洗地板的女工。她们那些人都是容易弄上手的，她们每个人都在"挣外快"。在饥饿的郊区，人们对这种挣钱的方式看得很随便，就像对待别的任何工作一样。然而那个相貌漂亮的庄稼汉却不沾这些女人的边。他光是站得远远的，用一种特别的眼光瞧她们，仿佛在替一个什么人，替他自己或者替她们惋惜似的。可是临到她们自己开始跟他调笑，挑逗他，他却忸怩地笑笑，走开了……

"去你们的……"

"你怎么了，怪人？"叶菲穆希卡惊讶地说，"怎么能放过机会呢？"

"我结过婚了。"格利果利提醒他说。

"难道你的老婆会知道你的事吗？"

"要是我生活得不正派，我的老婆就总会知道。老兄，这骗不了她！"

"可是她怎么会知道呢？"

"讲到她怎么会知道，我就不晓得了。不过，要是她自己生活得正派，她就一定会知道。假定我生活得正派，而她干了造孽的事，那我也会知道的……"

"可是怎么会知道呢？"叶菲穆希卡叫道。然而格利果利平静地说一遍：

"那我就不晓得了。"

那个房顶工就气愤地摊开两只手。

"嘿，了不得！什么'正派'啦，什么'不晓得'啦……哼，你这个脑袋瓜啊！"

希细林手下的工人有七个。他们都对他随随便便，不觉得他是个头头，背地里都叫他"小牛"。他来到工地上，看见他们在偷懒，就亲自拿起托灰板、铲子，像表演似的干起活来，亲热地招呼道：

"加把劲啊，小伙子，加把劲啊!"

有一回，我执行我的东家气愤地交给我的任务，对格利果利说：

"你的工人干得很差……"

他似乎吃一惊：

"真的吗?"

"这个活原应当在昨天中午以前就完工，可是他们到今天也做不完……"

"这是实在的，他们做不完。"他同意道。然后他沉默了一会儿，慎重地说：

"当然，我明白，可是我又不好意思催他们干得快点。要知道，他们都是自己人，都是跟我一块儿从同一个村子里来的。另外还有一层，你也要想一想：上帝叮嘱人要工作到脸上出汗来挣面包吃，那么这话是对所有的人叮嘱的，你和我也在内。可是你和我都比他们干得少，那么要催他们快点干，就好像不好意思说出口了……"

他喜欢沉思默想。他在市场上那些空荡荡的街道上走来走去，随后，忽然在奥勃沃德尼运河的一座桥上站住，靠着栏杆待上很久，眺望河水，眺望天空，眺望奥卡河对面的远方。有人走到他的跟前，问他：

"你在干什么?"

"啊?"他说，清醒过来了，忸怩地微笑。"我随便看看，……我在这儿停一会儿，略微看一看……"

"老弟，天下万物上帝安排得可真好，"他屡次对我说，"天啦，地啦。河水哗哗地流，轮船跑来跑去。一坐上轮船，爱到哪儿去就能到哪儿去：到梁赞去，或者到雷宾斯克去，到彼尔姆去，到阿斯特拉罕去都成！梁赞我就去过，那个小城还不错，可就是乏味得很，比不上尼日尼。咱们这个尼日尼城可真棒，热热闹闹！就连阿斯特拉罕也乏味。主要的是阿斯特拉罕有很多的加尔梅克人，这我可不喜欢。我不喜欢什么莫尔多瓦人，什么加尔梅克人，什么波斯人，什么德国人，还有各式各样的民族……"

他讲得慢腾腾。他的话在谨慎地寻找一个有同样想法的人，而且总是在砌砖工彼得身上找到了这样一个气味相投的人。

"他们不叫民族，而叫化外之民，"彼得坚定而又生气地说，"他们不要基督就生出来了，他们过日子也不要基督……"

格利果利就活跃起来，眉开眼笑。

"是这样也罢，不是这样也罢，反正，弟兄们，我喜欢纯正的民族，俄罗斯民族，他们生着老老实实的眼睛！犹太人我也不喜欢。我简直不懂：上帝干什么要那些民族呢？这件事办得真难懂……"

那个砌砖工阴沉地补充道：

"这也实在难懂。有好些东西仿佛都是多余的！……"

奥西普听完他们的话，就来插嘴，声调讥诮而尖刻：

"多余的东西倒确实有，比方你们刚说的这些话就根本多余！哼，你们这些邪门歪道的教派分子！该拿鞭子把你们这班人抽一顿才成。"

奥西普自己有自己的看法。可是究竟他同意什么，反对什么，那却没法理解。有的时候他似乎漠不关心地同意所有的人，同意他们的一切想法。不过我比较常见的却是他厌恶一切，把人们看成傻头傻脑。他常对彼得、格利果利、叶菲穆希卡说：

"哼，你们这些猪崽子……"

他们笑笑，笑得不很快活，也不很乐意，不过总还是笑了。

我的东家给我一天五个戈比的饭钱。这钱不够用，我的肚子有点饿。工人们看出来了，就约我跟他们一块儿去吃早饭和夜宵，有的时候那些包工头也约我到小饭铺里去喝茶。我总是欣然同意，我喜欢坐在他们中间，听他们的慢条斯理的谈话和古怪的故事。我读过许多的宗教书籍，这使得他们很高兴。

"你看了一大堆的书，把脑瓜子装得满满腾腾的。"奥西普说，用他那对浅蓝色的眼睛注意地看着我。他的眼神是难于理解的，他的瞳仁总像是在融化，变成水了。

"你要看重这些学问，把它积攒起来，日后总会有用。等你长大，你就去做修士，讲出种种话来安慰人家，要不然你就去做拳教师也成……"

"去做'传教士'。"那个砌砖工不知什么缘故用怄气的口吻纠正说。

"什么？"奥西普问。

"应该说'传教士'，其实你知道！你的耳朵又不聋……"

"哦，对，去做传教士，去跟邪教徒吵嘴。要不然，你干脆就去做邪教徒也成，那倒也是个有油水的行业！只要有脑筋，靠邪门歪道也能过上好日子……"

格利果利发窘地笑起来。彼得叽里咕噜地说：

"这样说来，那些魔法师、各式各样不信神的人，也过得不坏呢……"

可是奥西普立刻反驳说：

"魔法师没有学问，魔法师根本用不着学问……"

然后他对我说：

"好，你注意点，听着点：以前我们乡里有一个孤身的穷农民，叫土希卡，是个破落户，成天价鬼混。他活得像一片羽毛，随风吹，这儿住一住，那儿待一待，既不是个干活的人，又不是个闲人！后来，有一回，他没事干，就出去朝山拜圣，逛荡了两年。后来，他忽然回来，模样大变了：头发披到肩膀上，脑袋上戴个法冠，身上穿一件棕红色的粗棉布道袍。他瞪起鲈鱼般的眼睛瞧着大家，一股劲儿地叫唤：忏悔吧，三次遭诅咒的人！那还有不忏悔的，尤其是那些娘们儿！这样一来，万事大吉：土希卡吃得饱饱的，土希卡喝得醉醺醺的，土希卡搞的娘们儿不知有多少……"

那个砌砖工气愤地打断他的话：

"难道问题在于吃饱喝足吗？"

"那么问题在哪儿呢？"

"问题在于他说了些什么话！"

"哦，他的话我倒没有注意过，我自己的话就已经多得说不完了。"

"你说的那个土希尼科夫·德米特利·瓦西里伊奇，我们是知道得很清楚的。"彼得用怄气的声调说。格利果利沉默地低下头，瞧着自己的杯子。

"我不是要吵架，"奥西普用讲和的口气说，"我这是跟我们的玛克辛梅奇讲一讲各种混饭吃的路子……"

"有的路子可是要弄得人去坐监牢的……"

"这种事还少吗！"奥西普同意说，"并不是随便顺着哪条路就当得成教士的，人得知道走到什么地方该转弯才行……"

他对信教的人，对那个抹灰工和砌砖工，老是有点冷嘲热讽。也许他不喜欢他们，可是巧妙地掩盖了这一点。一般说来，他对人的态度是不容易叫人看清楚的。

他对待叶菲穆希卡倒好像温和一点，心软一点。那个房顶工听到他的朋友们谈上帝，谈真理，谈教派，谈人生的苦恼，谈他们所爱谈的这种种问题，他是不插嘴的。他总是把他的椅子侧着放在桌子旁边，免得椅背碰他的驼峰。他平心静气地喝他的茶，一杯连着一杯，可是忽然，他警觉起来了，在这个烟雾腾腾的房间里往四下里看，仔细地听那些不连贯的说话声，一下子跳起来，很快地溜掉了。这意思是说，有一个叶菲穆希卡的债主到这个小饭铺里来了，而他的债主足有十个之多。有几个债主打过他，因此他常常逃跑避祸。

"他们火气大得很，这些怪人，"他纳闷地说，"话说回来，真要是我有钱，难道我会不还给他们吗？"

"唉，这棵苦命的枯树呀……"奥西普对着他的背影说。

有的时候叶菲穆希卡坐上很久，呆呆地出神，什么也没看到，什么也没听见。他那张高颧骨的脸变得温和，他那对善良的眼睛越发善良了。

"你在想什么，伙计？"人们问他。

"我在想，要是我有了钱，嘿，那我就要娶一个十足地道的小姐，娶一个女贵族，真的。比方说，我要娶一个上校的女儿，我要爱她，天主呀！在她的身旁，我就要活活地烧死了……弟兄们，这是因为有一回我在一个上校的别墅里铺过房顶……"

"而且他有个守寡的女儿。这件事我们早就听说过了！"彼得不客气地打断他的话。

可是叶菲穆希卡伸出两个手掌揉着他的膝头，摇动他的身子，弄得他的驼峰在空中忽上忽下。他继续讲下去：

"她常走出来，到花园里去，又白净又漂亮。我呢，从房顶上瞧着她，心想：太阳哪儿比得上她呀？白昼的亮光有什么用？我恨不能像一只鸽子似的飞到她的脚跟前去！简直是裹着酸奶油的一朵天蓝色鲜花！跟这么一个太太在一起，哪怕过一辈子的黑夜都成！"

"可你们总得吃东西吧？"彼得严厉地问道。不过这话却没有使得叶菲穆希卡心慌。

"天主啊！"他叫道，"我们吃得了多少呢？再者她又有钱……"

奥西普笑了：

"叶菲穆希卡，你这个浪子，你什么时候会在这种事情上浪荡得送掉命？"

叶菲穆希卡除了女人以外别的一概不谈。他是个不稳定的工人，时而干得又出色又麻利，时而干得不行，他那个木头锤子懒洋洋，马马虎虎地铆紧房脊，结果留下许多破洞。他的身上老是带着油脂和鱼油的气味，其实他本人倒有一股健康而好闻的气味，使人联想到一棵新砍下来的树。

同那个细木工谈论各种事情，那是有趣味的。这虽然有趣味，却又不大愉快。他的话老是搅扰你的心，而且你很难弄明白什么时候他是在认真说话，什么时候他是在开玩笑。

要是同格利果利在一起，那就最好谈上帝。他热爱上帝，坚定地信仰上帝。

"格利沙①，"我问，"你知道有些人不相信上帝吗？"

他沉静地笑一笑：

"那是怎么回事呢？"

"他们说：没有上帝！"

"哦！原来是这样！这我知道。"

他就摆一下手，赶掉一只谁也看不见的苍蝇，说：

"你一定记得，大卫王早就说过：'愚顽人心里说：没有神②。'你瞧，还在那个时候，糊涂人就已经说这种话了！缺了上帝，那可是无论如何也过不了日子的……"

奥西普仿佛同意他的话似的，说：

"要是你把彼得鲁哈的上帝抢走，那他可要跟你大闹一场！"

希细林的漂亮的脸变得严峻了。他用他那些指甲上带着干了的石灰浆的手指头理着他的胡子，神秘地说：

"每个人的肉体里都有上帝。良心和一切内心的东西，都是上帝给的！"

"那么罪孽呢？"

"罪孽是肉体干出来的，是撒旦干出来的！罪孽是从外边来的，像天花一样，就是这么的！凡是多想罪孽的人，犯罪也最厉害。你不去想罪孽，你也就不会犯罪！犯罪的想法都是肉体的主人撒旦挑拨出来的……"

砌砖工表示怀疑。

"这话好像有点不对头……"

"对头！上帝是不犯罪的，而人就是上帝的形象和同类③。犯罪的

---

① 希细林的名字格利果利的爱称。

② 见《旧约·诗篇》。

③ 见《旧约·创世记》。

是'形象'，是肉体。'同类'不会犯罪，同类指的是精神相同……"

他得意地微笑，可是彼得叽咕说：

"这话好像不对头……"

"那么照你的想法，"奥西普问这个砌砖工说，"人不犯罪就不会悔改，不悔改就不能得救吗？"

"这么说好像妥当些！老人们常说：你忘了魔鬼，也就不爱上帝了……"

希细林不会喝酒，他喝下两杯酒就醉了。这时候他的脸就变得绯红，他的眼睛显得稚气，他说话的声调像是在唱歌了。

"我的弟兄们，这一切都是多么好啊！瞧，咱们都活着，都多少干一点活，谢天谢地，咱们都吃饱了肚子。嘿，多么好啊！"

他哭了，眼泪淌到他的胡子上，挂在丝线般的胡子上发亮，好比一颗颗玻璃珠。

他常常赞美生活，流下玻璃珠般的眼泪，可是这使得我不愉快。我的外祖母也赞美生活，然而她讲得动人得多，也简单得多，不这样絮絮叨叨。

所有这些谈话都使得我经常心情紧张，在我的心里引起模糊的惶恐。我已经读过许多关于农民的小说，看出书本上的农民多么明显地不同于这些活的农民。在书本上，所有的农民都是不幸的人。他们不论是善良还是恶毒，在语言和思想方面都比活的农民贫乏。书本上的农民不大谈上帝，不大谈教派和教会；他们谈得比较多的是当官的、土地、真理和生活的艰苦。关于女人他们也谈得比较少，而且谈得不那么粗鲁，和气多了。按活的农民的看法，女人无非是一种乐子，然而是危险的乐子；对付女人永远得耍手段，否则女人就会制服你，把全部生活都打乱。书本上的农民要么坏，要么好，反正他这个人统统写在这儿，写在书本上了。然而活的农民既说不上好，也说不上坏，他们有趣得出奇。一个活的农民不管在你面前怎样倾吐他心里的话，可是你老是感到他的心里还留着一些话没说出来，那些话只让他自己知道，而且说不定恰恰是这些没说出来的、瞒住外人的话才是最要紧的东西。

在所有的书本上的农民当中，我最喜欢的莫过于《一伙细木工》里的彼得。我有心把这篇小说念给我的朋友们听，就把这本书带到市场的工地上去了。我常常有机会同这一伙或者那一伙工人在一起过夜，有的时候是因为我不愿意冒着雨回到城里去，不过更加常见的却是因为我白天太劳累，没有力气再走回家里去了。

我一说出我的手里有一本描写细木工的书，这就使得大家，尤其是奥西普，发生了强烈的兴趣。他从我的手里拿过那本书去，翻来翻去，不相信地摇着他那圣像般的头。

"这好像真写的是我们呢！你瞧瞧，这些坏包！这是谁写的，是一个老爷吧？嗯，我本来就在这么想嘛。老爷们和当官的样样事都会干！凡是上帝没想到的，那些官儿倒想出来了。他们就为干这种事才活着嘛……"

"你所讲的那句关于上帝的话，奥西普，太不成体统了。"彼得说。

"没关系！对上帝来说我的活算不了什么，还不如掉在我的秃顶上的一片雪花或者一滴雨水呢。你别担心，我和你是碰不着上帝的一根毫毛的……"

他忽然心神不定地活跃起来，讲出种种尖刻的话，犹如火石上迸出的一颗颗火星。他用那种话像锋利的剪刀那样剪断一切引起他反感的话。这一天当中他好几次问道：

"玛克辛梅奇，你给我们念吗？嗯，好得很，好得很！这个主意想得妙。"

干完活后，我和他就到他那一伙工人那儿去吃晚饭。吃过晚饭以后，彼得带着他的工人阿尔达里昂，希细林带着一个年轻小伙子福玛，都来了。在工人们睡觉的板棚里，点起了一盏灯，我就开始朗诵。大家默默地听着，一动也不动，可是不久阿尔达里昂就生气地说：

"哎，我听够了！"

他就走了。头一个睡着的是格利果利，他带着惊讶的神情嘻开了嘴巴。随后，那些细木工也都睡着了。可是彼得、奥西普、福玛坐到我跟前来，紧张地听着。

等到我念完，奥西普就立刻吹熄了灯。根据天上的星星来判断，这时候已经是午夜光景了。

彼得在黑地里问道：

"写这么一篇东西为的是什么呢？这是要反对谁呢？"

"现在该睡觉了！"奥西普脱下靴子，说。

福玛沉默地走到一旁去了。

彼得追根究底地又问一遍：

"我说：写这么一篇东西究竟为的是反对谁呢？"

"这只有他们才知道！"奥西普一边在一块跳板上铺床睡觉，一边说。

"假定这是为了反对后妈，那就是白费事，那些后妈不会因为这本书就变好了，"那个砌砖工抓住这个问题不放，说道，"如果是为了反对彼得，那也是白搭：他犯了罪，他就得承当！犯了杀人罪，就得流放到西伯利亚去，没什么可说的！为这样的罪过写一本书，是多余的……我看是多余的，不是吗？"

奥西普不吭声。于是那个砌砖工又补充说：

"他们没什么事可干，就去管别人的闲事！这好比娘们家坐在一块儿就要闲磕牙。那就再见吧，该睡了……"

他推开房门，在门口那个深蓝色的方框里站住，停了一会儿，问道：

"奥西普，你怎么想呢？"

"啊？"那个细木工带着睡意应了一声。

"好，算了，你睡吧……"

希细林就在他坐着的地方倒下去睡了。福玛在一堆揉乱的干草上挨着我躺下来。这个郊区沉入了睡乡，远处传来一个火车头的汽笛声、铁铸的车轮的沉重的轰隆声和缓冲器的响声。板棚里响起了各种声调的鼾声。我心里觉得不自在，我本来料着会有一番议论的，结果却是一场空……

可是，突然间，奥西普发话了，声音很低，却很清楚：

"小伙子，你们别相信这一套。你们年轻，还要活很久，要积攒你们自己的聪明才智！你自己一个人的头脑抵得过两个外人的头脑！福玛，你睡着了吗？"

"没睡着。"福玛痛快地回答说。

"就是这样！你们俩都识字，那你们自管看书，可就是什么都不要轻易相信。他们各种书都能印出来，这种事由他们把持着嘛！"

他把他的腿从跳板上夺拉下来，把两只手撑在这块木板的边上，弯下腰来凑近我们，接着说：

"对书本这种东西，咱们该有个什么看法呢？书本就是揭人的底！它的意思是说：你们瞧一瞧人是什么样子吧，这一个是细木工，或者另外一个什么人；那一个是老爷，那可是另外一种人了！书本不是无缘无故写出来的，它总要给一些什么人撑腰……"

福玛声音低沉地说：

"彼得把包工头打死是对的！"

"得了，不该说这种话，打死人总是不对的。我知道你不喜欢格利果利，可是这种想法你得丢开。我们大家都不是阔人，今天我做头头，明天就又做工人了……"

"我说的不是你，奥西普大叔……"

"那也还是一样……"

"你是公道的……"

"你等一下，我要给你讲一讲这篇东西是为了什么缘故才写出来的，"奥西普打断福玛的气愤的话说，"这是一篇很狡猾的东西：你瞧，这儿是一个没有农民的地主，那儿是一个没有地主的农民！那你再瞧：地主固然不妙，农民可也没有变好。地主身子衰弱了，脑筋糊涂了。农民呢，也变得乱吹牛皮，喝得大醉，得了病，心里抱着委屈。书上就是这么写的！它的意思是说；从前，给地主当奴隶要好得多：农民身后有地主，地主身后有农民，这两种人转来转去，吃得饱饱的，天下太平……我不打算抬杠。不错，在地主手下过日子是要太平一点。要是农民穷了，这对地主不利。要是农民富，又没脑筋，地主才舒服，这样对地主才合算。这我明白。要知道以前我自己就在地主手下做过近乎四十年的农奴，我这一身皮肉挨过不少打，这就叫我长了不少的见识。"

我想起来那个自刎身亡的马车夫彼得①谈起地主，也说过这一类的话。我心里很不愉快，因为奥西普的想法居然跟那个恶毒的老头子不谋而合了。

奥西普伸出手来拍一下我的腿，接着说下去：

"对书本和任什么文章都得捉摸！谁也不会无缘无故干一件什么事。这只不过是表面装得那样，好像无缘无故罢了。书本也不是白白写出来的，它是要把人的脑筋搅乱。样样东西都是动了脑筋才造出来的。不动脑筋，就连用斧子砍出一件什么东西来也砍不成，编一双草鞋也编不成……"

他讲了很久，躺下去，又爬起来，在黑暗和寂静中轻声地撒下他那些有条有理的俏皮话。

"常言道：地主和农民是两样的人。这话不对头。咱们和地主一样是人，只不过咱们落到了下层罢了。当然，老爷们念过书，有学问，

---

① 彼得是高尔基的外祖父的一个房客。

可我挨够了打，也打出学问来了。不过老爷们屁股白，这倒是跟咱们不一样。是啊，小伙子，如今这个世道应该换个新样子才对，那些书本得扔掉，丢在一边！要让每一个人都问一问自己：我是什么？是人。地主又是什么？也是人呗。那么这是怎么回事呢，莫非上帝多跟他要了两个戈比吗？不对，我和他交给上帝的都是一般多嘛……"

最后，清晨就要来临，曙光扑灭了繁星。奥西普对我说：

"你瞧见吗？我多么能胡聊啊！我唠唠叨叨说了这么多，说的净是些我从没想到过的话！你们，小伙子，别相信我的话，这大半是因为睡不着觉，顺口胡诌，不是认真说的。人躺啊躺的，就会想出点花样来消遣：'从前有一只乌鸦，从旷野飞到山上，从这个田界飞到那个田界，过完了一辈子，天主就下命令，这只乌鸦就死掉，干瘪了！'这有什么意思呢？什么意思也没有……行了，咱们睡吧，一会儿就该起床了……"

十八

奥西普好比当初的司炉工人亚科甫，在我的眼睛里膨胀得越来越大，遮住所有的人，弄得我别的什么也看不见了。他也确实有些地方极其近似那个司炉工人，然而同时他又使我想起我的外祖父、旧教派经学家彼得·瓦西里伊奇、厨师斯穆雷依。他一方面使我想起一切在我的记忆里牢牢地扎下根的人，一方面又在我的记忆里留下他自己的图案，这个图案在我的记忆里刻得很深，就像铜锈附在一口铜钟上似的。看得出来，他有两套思想。白天，工作的时候，当着大家的面，他那些活泼单纯的思想是切合实际的，比较容易理解。另一种比较难于理解的思想，却发生在他休息的时候，在傍晚他同我一路进城，去找他相好的一个女人，一个卖油炸饼的女小贩的时候，以及夜间他睡不着觉的时候。他有些特殊的、精确的思想，这种思想涉及各个方面，犹如路灯的火苗照着四方一样。这些思想照得很亮，可是究竟它们的真正面貌在哪儿呢？在这个或者那个思想当中，使得奥西普感到亲切和宝贵的，究竟是哪一方面呢？

我觉得他似乎比我以前遇到过的一切人都聪明得多。我在他的身边走来走去，抱着一种跟我当初在司炉工人亚科甫身边走来走去的时候同样的心情：我想认清这个人，了解这个人。可是他飘忽不定，躲躲闪闪，叫人抓也抓不住。他的真相藏在哪儿呢？他的哪一方面才是我可以相信的呢？

我想起他对我说过：

"你就动脑筋捉摸我是个什么路数吧，你只管捉摸好了！"

这句话伤了我的自尊心。不过，还不止是我的自尊心受到了创伤。对我来说，了解这个老人是要紧而又迫不及待的。

尽管他叫人捉摸不透，他却是个稳定的人。看起来，仿佛他即使再活一百年，也仍旧会是这么一副样子，在那些极不稳定的人们当中毫不动摇地保持住他的本色。那个旧教派经学家也在我的心里留下坚定不移的印象，然而那个印象使我感到不大愉快。奥西普的坚定不移却是另外一种样子，令人愉快多了。

人们的动摇性往往过于明显地扑进人的眼帘里来。他们像变戏法那样从一个立场跳到另一个立场，弄得我张口结舌。我对这类没法解释的跳跃已经见惯不惊，它们渐渐扑灭我对人们的强烈兴趣，干扰我对人们的热爱了。

有一天，那是在七月初，有一辆晃晃悠悠的四轮马车飞快地奔驰到我们工作的地点来了。一个醉醺醺的马车夫坐在赶车座位上，生着一把大胡子，没戴帽子，正住阴沉地打嗝，他的嘴唇破了。喝醉了酒的格利果利·希细林躺在马车上，由一个脸颊绯红的胖姑娘挽着他的胳膊，这个姑娘戴着一顶草帽，帽子上系着大红的丝绦，坠着樱桃样的玻璃球，手里拿着一把阳伞，光着脚穿一双橡胶的雨鞋。她挥动那把阳伞，身子摇来晃去，哈哈大笑，叫道：

"嘿，见鬼！这个市场还没有开张，投本没有做生意，他们却把我送到这个市场上来了！"

格利果利精神萎靡，衣冠不整，从那辆马车上下来，在地上坐下，眼泪汪汪地对我们这些观众声明说：

"我跪下了，我犯的罪太大了！我想了一阵，结果就犯了罪，就是这么的！叶菲穆希卡说：格利沙！他说：格利沙……他的话说得对。你们就饶了我吧！我能请你们大家吃一顿。他的话说得对：咱们只能活这一辈子……不能另外再活一辈子了……"

那个姑娘扬声大笑，不住跺脚，把雨鞋也弄丢了。马车夫郁闷地叫道：

"咱们快点走吧！哈尔拉梅，走吧。这匹马不肯再等了！"

那匹马是一匹又老又乏的劣马，一身的汗沫，站在那儿不动，像是钉在地上了。这一切合在一起，简直滑稽得不得了。格利果利手下的那些工人瞧着他们的工头、他那盛装的女人和那个呆头呆脑的马车夫，笑个没完。

只有福玛不笑。他在一个小铺门口跟我并排站着，嘟哝说：

"他像猪似的撒野了……可是他家里有老婆，是一个挺漂亮的娘们儿！"

马车夫老是催着走。那个姑娘就从马车上下来，把格利果利扶上车去，把他放在她的脚旁边，挥一下她的阳伞，叫了一声：

"走啦！"

那些工人好意地嘲笑这个工头，羡慕他。后来福玛喊了一声，大家才动手干活。看来，福玛瞧见格利果利这样可笑，心里很不痛快。

"这还叫工头呢！"他叽叽咕咕说，"这个活不到一个月就完工，我们就要回到乡下去了……他却等不到那个时候了……"

我为格利果利懊恼。他跟那个坠着樱桃样的玻璃珠的姑娘混在一起，简直荒唐得气人。

我屡次暗想：为什么格利果利·希细林当工头，而福玛·土奇科夫倒做工人呢？

福玛是个身子结实、肤色白净的小伙子，头发鬈曲，他那张圆脸上生着一个鹰钩鼻子和一对聪明的灰色眼睛，论相貌不像一个农民。要是他穿得讲究点，人家就会把他看作一个商人的儿子，出身子上流家庭了。他是个阴沉的人，说话少，而且说得正经。他认识字，给工头管账，造预算。他善于督促同伴们起劲地工作，可是他自己干活却不热心。

"工作多得很，一辈子也作不完，"他心平气和地说。他对书本看不起，发表意见说："样样事情都能够写出来印成书。你要什么样的书，我就能编出什么样的书来。这算不了一回事……"

可是他对人家所说的一切话都注意地听。要是有一件什么事引起了他的兴趣，他就仔细地问清楚，追根究底。他老是一个人想心思，他遇事都用他自己的尺度衡量。

有一次，我对福玛说他应当做工头，可是他懒洋洋地答道：

"要是我手头一下子有几千个卢布周转，那倒还值得一干……如今为了几个小钱去管理一大群人，那就是空忙一场了。不，眼下我先等一等，瞧一瞧，往后我要到奥兰卡去进修道院。我生得漂亮，身子又结实，说不定会有个守寡的商人老婆看中我！这样的事是有的。谢尔加茨城就有一个小伙子，不出两年就交了运，而且他娶的是当地的城里的一个姑娘。他抬着圣像挨门挨户走，那个姑娘就看上他了……"

他这个主意是反复考虑过的。他知道许多这样的故事：人们先是到修道院里去做见习修道士，后来怎样走上了轻松的路子。福玛的那些故事我不喜欢，他的思路我也不喜欢，可是我相信他会进修道院里去。

后来，这个市场开张了。福玛却出乎大家的意外，到一个小饭铺里去做服务员了。我不能说这件事使得他的同伴们大吃一惊，不过从此以后他们都用嘲笑的态度对待这个小伙子。遇到假日，他们打算去喝茶的时候，就互相笑嘻嘻地说：

"走，去找咱们的跑堂的！"

他们走到那家小饭铺里，就摆出老爷的派头吆喝道：

"喂，跑堂的！那个头发鬈曲的，到这儿来！"

福玛就走过来，略微扬起一点头，问道：

"您吃什么？"

"熟人都不认得了吗？"

"我没有工夫认熟人……"

他感觉到他的同伴们看不起他，有意要笑他，就用他那对烦闷地等着倒霉的眼睛瞧着他们。他的脸容变得呆板了，不过那张脸又仿佛在说话：

"好，快点吧，你们要笑就笑吧。……"

"要给你一点小费吗？"他们问他。然后，他们故意在钱夹里找很久，结果一个小钱也没给他。

我问福玛：他本来是打算进修道院里去的，可是怎么会当了仆役呢？

"我没有打算去做修道士呀，"他回答说，"不过仆役我也不会做很久……"

大约四年以后，我在察里津遇见他，他仍旧在一个小饭铺里做服务员。不过后来我在报上读到一条消息，说福玛·土奇科夫由于犯撬锁窃盗未遂罪而被捕。

使我特别震动的是砌砖工阿尔达里昂的经历。他是彼得手下年纪最大而且手艺最好的一个工人。这个四十岁的庄稼汉生着一把黑胡子，总是兴高采烈。这也不由得引起一个问题：为什么当工头的不是他而是彼得呢？他很少喝酒，而且喝起来几乎从来也没有醉过。他对他的工作很精通，带着热爱的心情干他的活，那些砖头在他的两只手上飞来飞去，像是一只只红鸽子。彼得身体有病，愁眉不展，站在他的身旁就显得像是这伙工人当中的一个完全多余的人。彼得讲起工作，常说：

"我给人家造砖房，临了自己睡一口木头棺材……"

阿尔达里昂却带着快活的干劲砌上一块块砖头，不时叫道：

"喂，小伙子们，为了上帝的荣耀，干啊！"

他告诉大家说，来年春天他要动身到托木斯克①去。他的姐夫在那儿承包了一个大工程，要造一所教堂，叫他到那儿去做监工。

"这件事在我已经是定局了。造教堂这个活，我爱干！"他说。他还对我提议说："跟我一块儿走吧！在西伯利亚，老弟，念过书的人过得才舒服呢。在那儿，能读能写就成了王牌！"

我同意了。阿尔达里昂就得意扬扬地叫道：

"好，就这么办了！这谈的是正事，可不是开玩笑啊……"

他对彼得和格利果利抱着好意的讥讽态度，就跟大人对待孩子一样。他对奥西普说：

"他们都是些喜欢夸耀自己的家伙。他们老是把自己的聪明才智亮给对方看，仿佛在打牌似的。这个说：我的手里有一副多么好的牌；那个说：可是，我这儿，你瞧，有王牌呢！"

奥西普含糊其辞地说：

"可是这有什么法子呢？夸耀自己是人人都难免的事。所有的姑娘，都是把两只奶生在前边嘛……"

"他们老是'哎呀'啦，'哦哟'啦，老是上帝来上帝去的，其实，他们私下里在攒钱！"阿尔达里昂不肯罢休，说。

"哦，格利果利倒没有攒钱……"

"我说的是我的那个头头。他该到树林里去，到荒野地去，跟上帝守在一块儿才对……唉，我腻味这儿了，到春天我就上西伯利亚去了。……"

那些羡慕阿尔达里昂的工人说：

"要是我们有你姐夫那样的靠山，我们也不会害怕西伯利亚，也会去的……"

后来，突然间，阿尔达里昂不见了。他是在星期日离开他那一伙工人的，一连三天谁也不知道他到哪儿去了。

---

① 俄国城名，在西伯利亚中部鄂毕河旁。

大家担忧地揣测说：

"说不定他让谁打死了吧?"

"要不然，他是下河洗澡，活活淹死了吗?"

可是叶菲穆希卡来了，他难为情地申明说：

"阿尔达里昂找乐子去了!"

"你胡说什么?"彼得不相信地叫道。

"他找乐子去了，喝起酒来了。简直好比谷物干燥房从里边着起火来了。仿佛他那可爱的老婆死了。……"

"他的老婆早就死了!他在哪儿?"

彼得气冲冲地动身去挽救阿尔达里昂。可是阿尔达里昂把他痛打了一顿。

这时候奥西普抿紧了嘴唇，把他的两只手深深地插进衣袋里，宣布说：

"我去看一看究竟是怎么回事。他是个挺好的人嘛……"

我跟着他去了。

"你瞧瞧他这个人啊，"在路上奥西普说，"他本来过得太太平平，一切都仿佛挺好，可是忽然间，他翘起尾巴，到荒野地上乱跑起来了。要注意啊，玛克辛梅奇，要记住这个教训……"

我们来到了"快活世界库纳维诺村"，走进一家廉价的妓院里，迎接我们的是一个贼头贼脑的老太婆。奥西普跟她交头接耳地讲话，她就把我们领到一个小小的空房间里，那儿又暗又脏像个马厩一样。有一个高大粗壮的女人躺在一张小床上，摊开胳膊劈开腿。那个老太婆伸出拳头去捅一下她的腰，说：

"出去!喂，癞蛤蟆，出去!"

那个女人惊恐地爬起来，用她的手心擦着脸，问道：

"上帝啊!是谁来了?什么事?"

"暗探来了。"奥西普厉声说道。那个女人叫一声"哎呀"，就溜掉了。他对她的后影啐一口唾沫，对我解释说：

"她们怕暗探比怕魔鬼还厉害……"

那个老太婆从墙上取下一面小镜子，掀起一小块糊墙纸。

"你们瞧一瞧：是这个人吗?"

奥西普就从这道隔墙的一个缝里望过去。

"就是他!你把那个姑娘赶出去……"

我也从那个缝里望过去。那个陋室也跟我们所在的这个房间一样狭小。那儿有一个窗子，被一块窗板盖得严严实实。窗台上点着一盏铁皮灯，灯旁边站着一个斜眼的鞑靼女人，赤身露体，正在缝一件衬衫。她身后有一张床，阿尔达里昂的浮肿的脸高高地枕在两个枕头上，他那纠结的黑胡子莲蓬松松。那个鞑靼女人打了个哆嗦，披上那件衬衫，走过那张床，随后突然在我们这个房间里出现了。

奥西普看她一眼，又啐一口唾沫：

"哼，不要脸的东西！"

"你是个老混蛋。"她笑着回答说。

奥西普也笑起来，举起一个手指头对她威胁地摇一下。

我们就走到那个鞑靼女人的房间里去。老头子在床上阿尔达里昂的脚旁边坐下，叫了阿尔达里昂很久，却没有把他叫醒。那一个叽叽咕咕说：

"嗯，好吧，……等一等，我们就走……"

最后他总算醒过来了，茫茫然地瞧一瞧奥西普，瞧一瞧我，然后闭上他那对发红的眼睛，哼哼哈哈地说：

"哦，哦……"

"你这是怎么了？"奥西普平静地说，不带责备的口气，然而他的声调不高兴。

"我昏了头了。"阿尔达里昂解释说，他声调沙哑，不住咳嗽。

"怎么会这样呢？……"

"还不是这么回事……"

"这事好像不妙……"

"也许吧……"

阿尔达里昂从桌子上拿过来一瓶已经打开的白酒，就着瓶嘴喝起来，然后向奥西普提议说：

"你要喝点吗？这儿大概还有点下酒的东西……"

那个老头子就往嘴里灌了一口酒，咽下去，皱起眉头，开始专心地嚼一小块面包。昏昏沉沉的阿尔达里昂有气无力地说：

"喏，我跟这个鞑靼娘们儿搞上了。这都是叶菲穆希卡干出来的。他说有一个年轻的鞑靼女人，是个孤儿，从卡西莫夫城来的，打算到市场上去。"

隔壁传来一个快活的说话声，讲的是半通不通的俄国话：

"鞑靼女人，顶好！像一个小母鸡子。把他赶出去，他又不是你爸。"

"这就是她。"阿尔达里昂嘟哝说,呆瞪瞪地瞅着墙。

"我见过了。"奥西普说。

阿尔达里昂转过脸来对我说:

"你瞧,老弟,我弄成这样了……"

我本来料着奥西普会开口责备阿尔达里昂,教训他,于是那一个就难为情地忏悔。可是,根本没有发生这样的事。他们并排坐着,肩膀挨着肩膀,平心静气地聊天,他们谈的话都很短。我看见他们在这样一个又暗又脏的陋室里坐着,觉得很难受。那个鞑靼女人对着墙缝说些滑稽的话,可是那些话没有搅扰他们。奥西普从桌子上拿过一条干鳕鱼来,在他的靴子上拍拍打打,然后他开始仔细地撕掉鱼皮,同时问了一句:

"你的钱都花光了吧?"

"彼得鲁哈还欠着我的钱……"

"你要注意,你还能恢复原来的老样子吗?你马上就该到托木斯克去了……"

"好吧,到托木斯克去也行……"

"莫非你变卦了?"

"要是外人约我去就好了。"

"这话怎么讲?"

"可现在是我的姐姐和姐夫约我去……"

"那怎么样呢?"

"到自家人做头头的地方去做工,不是很快活的事。"

"不管谁当头头,都一样。"

"可总还是不同……"

他们谈得那么和气而严肃,就连那个鞑靼女人也不再讥诮他们了。她走进房间里来,一句话也没说,从墙上取下她的连衣裙,出去了。

"她年轻,"奥西普说。

阿尔达里昂看他一眼,毫不恼恨地说:

"这都是叶菲穆希卡闹出来的,这个好惹事的家伙。他除了娘们儿以外什么也不在心上……这个鞑靼娘们儿倒是挺快活的,老是打打闹闹……"

"要注意,你会陷进去拔不出脚来的。"奥西普警告他。然后他把那条鳕鱼嚼完,告辞了。

在回去的路上,我问奥西普说:

"你到这儿来一趟是干什么的?"

"我是来瞧一瞧。他是个熟人嘛。这样的事我见过很多很多了: 一个人本来过得好好的, 可是忽然间跑掉了, 仿佛逃出了监狱似的," 他把先前说过的话又说了一遍, "白酒万万喝不得呀!"

可是, 过了一会儿他却说:

"不过缺了它又乏味得很!"

"缺了酒吗?"

"嗯, 对了! 喝了酒, 就好比到了另外一个世界……"

阿尔达里昂果然没有拔出脚来。过了好几天, 他回来干活了, 可是不久又不见了。到了春天, 我遇见他夹在一伙流浪汉当中, 正在一个船坞里凿碎一条木船四周的冰。我们见了面很痛快, 就到一个小饭铺里去喝茶。他在喝茶的时候夸口说:

"你记得我当初是个什么样的工人吧, 啊? 我要干脆地说: 我在我那个行当里是个能手! 我能挣好几百个卢布……"

"可是你没挣着。"

"我不挣!" 他骄傲地说, "我不想干活了!"

他态度狂气, 小饭铺里的人都注意地听他那些好胜的话。

"你记得那个不出声的贼彼得鲁哈对工作说过什么话吗? 给人家造砖房, 临了自己睡木头棺材。这就叫工作!"

我说:

"彼得鲁哈有病, 他怕死。"

可是阿尔达里昂嚷起来:

"我也有病, 说不定我的灵魂就出了毛病!"

每到假日我常常出城, 到流浪汉聚居的 "百万街" 去。我看见阿尔达里昂很快就同那些 "闯荡江湖的好汉" 成了一家人。一年以前阿尔达里昂还快乐而严肃, 如今却变得有点吵吵闹闹, 走起路来显出一种大摇大摆的特别架势, 看人的时候眼光咄咄逼人, 仿佛要跟一切人吵嘴和打架似的。他老是夸口说:

"你瞧大家怎样看待我, 我在这儿成了一个头目般的人物了!"

他挣来了钱, 毫不吝惜, 请那些流浪汉吃喝, 遇到打架就站在弱者一边, 常常大声打招呼说:

"哥儿们, 这事不正当! 办事应该正当嘛!"

他就此得了一个 "正当" 的绰号。他很喜欢这个绰号。

我热心地观察这些人, 他们在那条街上一些又旧又脏、像口袋似的砖房里挤得满满当当的。他们都是些从生活里甩出去的人，不过他们似乎给自己创造了一种用不着主人的快乐生活。他们毫无牵挂，敢作敢当，使我联想到我的外祖父的故事里那些拉船的纤夫，那些纤夫往往很容易地变成了强盗和苦行僧。每逢没有活儿可干，这些流浪汉就干脆到驳船和轮船上去干点小偷小摸的勾当，然而这没有惹得我气愤。我已经看出来整个生活就是由盗窃缝成的，就跟一件旧长衫用灰色的线缝起来一样。同时我还看见这些人有的时候干活十分起劲，不怕花费力气，例如在紧急装船的时候，在救火的时候，在解冻季节凿开冰层的时候就是这样。大体说来，他们生活得比其他一切人都快活。

可是，奥西普发觉我同阿尔达里昂交成朋友，就用父辈的口气警告我说：

"你听我说，我亲爱的，苦命的枯树，你为什么跟百万街上那班人打得那么热火，拆也拆不开？小心，你别受害啊……"

我尽我的能力对他说明我喜欢这些人，说他们不做工，生活快乐。

"就像天上的鸟儿一样，"他打断我的话，冷笑，"那只不过是因为他们是懒汉，是没出息的人，干活在他们是苦事！"

"可是话说回来，什么叫工作呢？常言说得好：光靠本分的劳动，挣不出一所砖房来！"

说这一类的话，在我是很容易的。这类口头禅我听得太多了，我感觉到其中包含着真理。可是奥西普对我勃然大怒，嚷起来了：

"这话是谁说的？是傻瓜和懒汉。你这狗崽子不该听这种话！瞧瞧你！这些糊涂话是那些看见人家有钱就眼热的人和落魄的人常说的。你应该先长好翅膀，然后再往高处飞！你交这种朋友，我就要去告诉你的东家，你可别见怪！"

他果然告诉我的东家了。东家就当着他的面对我说：

"你，彼什柯夫，别到百万街去了！那儿都是些贼和妓女，那儿的路是通到监牢，通到医院里去的！你躲开那儿吧！"

我从此瞒住别人私自到百万街去。可是不久，我却不得不放弃这种访问了。

有一次，在一家夜店的院子里，我跟阿尔达里昂以及他的伙伴罗别诺克一块儿坐在一个板棚的房顶上。罗别诺克正在对我们逗趣地讲起他从前怎样从顿河罗斯托夫城步行到莫斯科去。他原是一名工兵，得过一枚乔治十字勋章，瘸着腿，因为在俄土战争中他的膝盖被打坏了。他个子矮小，身体结实，两条胳膊力大无穷，然而这种力气对他毫无用处，他腿瘸而不能工作。他生过一种什么病，结果他脑袋上的头发和脸上的胡子都脱光，他的头也确实像是一个刚生出来的孩子①的头了。

他闪着他那对棕红色的眼睛，说：

"是啊，这时候，我到了谢尔普霍夫城。有一个教士在一个小花园里坐着。我就说：神甫啊，赏给一个土耳其英雄几个钱吧……"

阿尔达里昂摇着头说：

"哼，你胡说，你胡说……"

"我干什么胡说呢？"罗别诺克问，并没有生气。可是我的朋友用教训的口气懒洋洋地嘟哝说：

"你这个人不正当！你该谋一个守夜人的工作，瘸子总是当守夜人过日子的。可是你到处闲逛，胡说八道……"

"可是要知道，我胡说八道是为了逗大家笑一笑，让大家高兴一下……"

"你应该笑你自己才对……"

虽然天气晴和，阳光灿烂，可是院子里又暗又脏。这时候有一个女人走进院子里来，抖露着一件衣服之类的东西，喊了一声：

"谁买裙子呀？喂，女伴们……"

女人们就从这所房子的各个角落里钻出来，把那个女卖主团团围住。我一眼就认出了她，她就是洗衣女工娜达丽雅！我从房顶上下去，可是她把裙子交给头一个出价钱的人，已经悄悄地走出院子去了。

"你好！"我在大门外追上她，高兴地打了个招呼。

"你还有什么要说的？"她问，斜起眼睛来瞟了我一下。随后她忽然站住，生气地叫起来：

"求上帝怜恤！你在这儿干什么呀？……"

她的惊恐的喊叫声使得我又感动又心慌。我明白她在替我害怕：她那张聪明的脸上那么清楚地露出恐惧和惊讶的神情。我就赶紧对她解释说我不是住在这条街上，只是偶尔来瞧一瞧罢了。

"瞧一瞧?!"她用讥诮和生气的口吻叫道，"你要瞧什么？你要往哪儿瞧？你是要瞧过路人的口袋和娘们家的胸口？"

她脸色憔悴，眼睛底下有浓黑的阴影，嘴唇松弛地耷拉下来。

---

① 在俄语里"罗别诺克"这个外号和"孩子"的语音相近。

她在一家小饭铺的门口站住，说：

"咱们进去喝点茶吧！你穿得倒是干干净净的，不像这儿的人的样子，可是不知怎的，我不相信你的话……"

然而在小饭铺里坐下来以后，她好像相信我了。她一面斟茶，一面枯燥无味地讲到一个钟头以前她刚醒来，至今还没喝水，也没吃过东西，

"昨天我喝得醉醺醺地上床睡了。我已经记不得我是在哪儿喝的酒，跟谁一块儿喝的了。"

我可怜她，在她面前觉得很别扭。我想问一声她的女儿在哪儿。她又是喝白酒，又是喝热茶，而且讲起话来像往常那么活泼，也像这条街上的一切女人那么粗野。可是临到我问起她的女儿，她就顿时清醒过来，叫道：

"你干什么要打听这个？不行啊，亲爱的，你没法把我的女儿弄上手，没法！"

她又喝一点酒，讲道：

"我的女儿不管我了。我是什么人？是个洗衣女工。我怎么配做她的母亲呢？她受了教育，有学问了。就是这样，小伙子！她就离开我，去找她的一个阔绰的女朋友，好像是做教员去了……"

她沉默一会儿，声音不大地问道：

"事情就是这样！做洗衣女工，您不满意吗？那么做街头的娘们儿，您该满意了吧？"

讲到她是"街头的女人"，当然，这我是头一眼就已经看出来了，因为在这条街上别样的女人是没有的。然而等到她自己说出这一点，我却又是害臊，又是怜悯她，我都流出眼泪来了，仿佛她这句直言不讳的话把我烫伤了似的。她不久以前还是个敢作敢当的、独立不羁的、聪明的女人啊！

"唉，你呀，"她看我一眼，叹口气说，"你快躲开这儿吧！我求求你，我劝你：你别到这儿来了，你会完蛋的！"

然后她对着桌子低下头，伸出一个手指头在茶盘上画来画去，讲起话来，声音很低，断断续续，仿佛在自言自语：

"不过我的请求和劝告对你有什么用呢？我的亲生女儿都不听我的话。我对她嚷道：'你不能丢开你的亲娘不要。你怎么啦？'可是她说：'那我就去上吊。'这是她说的。她到喀山去了，她打算学做助产士。嗯，挺好……挺好……那我怎么办呢？好，我就成了这个样子……叫

我去依靠谁呢？……那……就依靠过路的人吧……"

她沉默下来，久久地想她的心思，不出声地努动她的嘴唇，看来她忘了我在她的跟前了。她的嘴角挂下来，她的嘴弯成一把镰刀的样子。瞧着她那样子，谁都会难过。她的嘴唇颤抖，那些颤抖的细纹在无言地述说一件什么事。她的脸显得孩子气，委委屈屈。她的头巾里滑下一绺头发，披到她的脸颊上，弯到她的小耳朵后面。她的眼泪滴在盛着凉茶的杯子里。这个女人发现了这一点，就把那个茶杯推开，使劲闭上眼睛，又挤出了两滴眼泪，随后她就用手绢擦她的脸。

我没有那种忍受的力量再跟她一块儿坐下去了。我就慢慢地站起来。

"再见！"

"啊？你走吧，走吧，见你的鬼！"她挥着手说，眼睛没有瞧着我，多半忘了跟她坐在一块儿的是谁了。

我走回那个院子里去找阿尔达里昂。他原想跟我一块儿去捉虾，现在我却打算跟他谈一谈这个女人。可是这时候他和罗别诺克不在房顶上了。我正在这个乱糟糟的院子里找他们，街上却响起了闹事的喧哗声，像那样的喧哗声在那条街上是司空见惯的。

我走出大门口，立刻碰上了娜达丽雅。她哭哭啼啼，用她的头巾擦着她那张被打伤的脸，伸出另一只手理着她的蓬乱的头发，在人行道上盲目地向前走去。阿尔达里昂和罗别诺克跟在她的后面。罗别诺克说：

"再给她一下！再给她一下！"

阿尔达里昂就追上那个女人，抡起拳头。她却扭转身来，挺起胸脯对着他。她的脸容吓人，她的眼睛里燃着仇恨的光。

"来，你打吧！"她叫道。

我一把抓住阿尔达里昂的胳膊，他惊讶地瞧了我一眼。

"你要干什么？"

"不准你碰她。"我好不容易才对他说出口。

他大笑起来。

"她是你的情人？好一个娜达希卡，你把一个小修道士勾上手啦！"

罗别诺克也哈哈大笑，拍着他的胯骨。他们说些下流不堪的话把我糟蹋了很久，真叫人难受！不过，娜达丽雅倒趁他们辱骂我的时候走掉了。我终于忍无可忍，就一头撞在罗别诺克的胸脯上，把他撞翻在地下，我就跑掉了。

从那天起我很久没有到百万街去看一看。不过后来我跟阿尔达里昂又见过一面，我是在一条渡船上遇见他的。

"你怎么老没来啊？"他高兴地问我。

我就对他说，那一次他毒打娜达丽雅，又下流地欺侮我，我回想起来就觉得恶心。阿尔达里昂好意地笑起来。

"难道那是认真干的吗？我们逗你只不过是开一开玩笑罢了！她呢，既然是个街头的娘们儿，怎么不能打呢？人家连老婆都要打，这样的娘们儿就更值不得可怜了！不过，这都是闹着玩的！当然，我也明白：拳头是不能教人学好的！"

"可是你能教她什么呢？你哪点儿比她好？……"

他搂住我的肩膀，摇撼一下，带着嘲笑的口气说：

"我们糟就糟在谁也不比谁好……老弟，我全明白，里里外外全明白！我又不是乡巴佬……"

他带着几分酒意，高高兴兴。他瞧着我，露出一个好心的教师对一个糊涂的学生往往会表现出来的那种亲切的怜悯神情……

……有的时候我遇见巴威尔·奥津佐夫。他变得越发活泼了。他穿得讲究，跟我讲话的口气有点看不起我的意思。他老是责备说：

"你干的是什么活呀！你没起色了！那些庄稼汉啊……"

然后他就愁闷地讲起那个圣像作坊里的生活的新闻。

"席哈烈夫仍旧跟那条母牛混在一起。西塔诺夫呢，看样子忧愁得很，现在他喝酒常常过量。至于戈果列夫，狼把他吃了。圣诞节他回家乡去，喝醉了酒，在那儿让狼吃掉了。"

巴威尔发出一连串快活的笑声，逗笑地胡诌起来：

"那些狼吃完了，也都醉了！它们高兴起来，就用后腿走路，扬起前腿，满树林里溜来溜去就像一群受过训练的狗一样。它们呜呜地嗥着，过了一天就全死了！……"

我听着，也笑了。可是我感到那个作坊以及我在那边经历过的一切，都离我很远了。这却使得我有点悲伤。

十九

到了冬天，市场上几乎没有活干了。我就像从前那样在我东家的家里担任那许许多多琐碎的职务。这类职务占去了整个白天，不过傍晚总是空闲的。我就又给东家一家人朗诵，念的是《田地》杂志和《莫斯科小报》上那些我不喜欢的长篇小说。每到夜里我就专心阅读那些好书，而且开笔作诗。

有一次，那些女人出外去做彻夜祈祷，我的东家因为身体不舒服而留在家里，他就问我说：

"维克多在讪笑你，彼什柯夫，说你好像在作诗。这话是真的吗？好，那你就念给我听一听。"

拒绝是不好意思的，我就念了几首诗。看来，他不喜欢这些诗，不过他还是说：

"写吧，写吧！说不定你会成为普希金呢。你读过普希金的诗吗？

> 会不会给家神下葬？
> 会不会叫女巫嫁人？

在他那个时代大家都还相信家神。不过他自己倒未必相信，无非是说着玩罢了！是啊，小伙子，"他沉思地拖长了声调说，"你应该上学念书才是，可是你耽误下来了！鬼才知道将来你会怎样生活……你那个笔记本，你要收藏得严实一点，要不然那些娘儿们就会缠住你不放，讪笑你……小伙子，娘们家就专爱干这种伤人心的事……"

最近这一段时期我的东家变得安静、沉思，老是提心吊胆地回头看，听见门铃声就吓一跳。有的时候他为一点小事突然反常地大发脾气，把大家骂一顿，从家里跑出去了，直到夜深了才醉醺醺地回来……这就使人感到他的生活里出了一件除他以外谁也不知道的事，而这件事撕碎了他的心。于是从此以后他生活得不大有信心，也不大有兴致，有点像是出于习惯，活一天算一天似的。

每到假日，从午饭后到九点钟为止，我总是出外散步，到了傍晚就在亚木斯卡亚街上的一个小饭铺里坐着。饭铺老板是一个身体很胖而老是出汗的人，他非常喜爱歌曲。几乎一切教堂唱诗班的歌手都知道这一点，他们就在他这儿聚会。他们唱歌，他请他们喝白酒，喝啤酒，喝茶。那些歌手都是些爱喝酒的、枯燥无味的人。他们唱得不带劲，光是为了捞酒喝，而且他们所唱的差不多老是宗教歌。可是小饭铺里那些笃信宗教的酒徒们认为在小饭铺里唱宗教歌不成体统，老板就把那些歌手邀到他自己的房间里去，我只能隔着房门听他们歌唱。不过小饭铺里也不时有乡村的农民和工匠唱歌。饭铺老板亲自走遍全城，寻访歌手，遇到集市的日子就向赶集的农民们打听，打听到了就把这种歌手邀到他的小饭铺里来。

这种歌手总是在卖酒的柜台旁边的一张椅子上坐下，附近有一个装白酒的木桶。他的脑袋后面恰好就是那个酒桶的桶底，他的头就像套在一个圆框框里似的。

唱得比一切人都好的，是又矮又瘦的马具工人克列肖夫，而且他唱的歌也总是特别好。这个人精神不振，衣冠不整，脑袋上生着一圈圈的棕红色头发。他的小鼻子像死人那样发亮，他那对睡意蒙眬的小眼睛呆呆地不动。

往往，他闭上这对眼睛，把他的后脑壳靠在滔桶的桶底上，挺起他的胸脯，用他那所向无敌的男高音轻声唱起一首绕嘴的歌来：

> 哎，旷野光秃，降下了茫茫白雾，
> 那雾遮住了前面的道路……

唱到这儿，他站起来，把他的腰部靠着柜台，身子往后仰，扬起脸来对着天花板，感情真挚地唱道：

> 哎，我走向何处啊，何处？
> 我到哪儿去找一条宽广的道路？

他嗓音小，可是有劲。他仿佛用一根银白的丝弦把小饭铺里那种低沉含混的嘈杂声缝起来了。他的悲凉的歌词、呻吟、呼号征服了一切人，就连喝醉的顾客也变得惊愕而严肃，沉默地瞧着面前的桌子出神。这时候我的心就装满强有力的感情，快要涨破了；每逢好音乐美妙地触动我的灵魂的深处，总会激起这种强有力的感情。

小饭铺里变得一片寂静，像在教堂里一样，那个歌手就像是一个善良的司祭。他并没有讲道传教，然而实际上他在用整个灵魂真诚地为全人类祈祷，对人们的贫乏的生活的种种苦处真诚地道出了他的想法。那些满脸胡子的人从四面八方瞧着他，一对对孩子气的眼睛在他们的野兽般的脸上沉思地眨巴。偶尔有人叹一口气，这就很好地显出了这首歌的战胜一切的力量。每到这样的时候，我老是觉得所有的人似乎本来过着一种虚假的、不自然的生活，而目前所过的才是真正的人的生活！

大脸庞的女小贩雷苏哈在一个墙角上坐着，她是一个放荡无耻的街头女人。这时候她把她的脑袋缩在肥胖的肩膀当中，哭了，她的眼泪悄悄地冲洗她那对不害羞的眼睛。离她不远，有一个阴沉的男低音歌手米特罗波尔斯基趴在桌子上。这是一个身材很高的人，须发很密，像是一个革去教衔的助祭。他那醉醺醺的脸上瞪着两个极大的眼睛。他瞅着他面前的一杯白酒，然后端起来，往他的嘴边送去，随后又小心在意，不出声地把它放在桌子上了，不知什么缘故他没法把那杯酒喝下去。

小饭铺里所有的人也都肃静无声，仿佛在听一些早已忘掉而在他们又是亲切宝贵的话。

等到克列肖夫唱完歌，谦逊地在他的椅子上坐下，饭铺老板就递给他一大杯酒，带着愉快的笑容说：

"嗯，当然，你唱得好！虽然你与其说是在唱歌，不如说是在讲故事，可是不消说，你真是一个能手！这一点是谁也不能否认的……"

克列肖夫不慌不忙地喝他的酒，小心地嗽一嗽喉咙，安详地说：

"歌是人人都会唱的，只要有嗓子就成。可是要唱出一首歌的灵魂来，那就只有我才办得到！"

"得了，你别吹牛皮！"

"没有什么可吹的人，才不吹。"这个歌手仍旧那么安详，然而越发固执地说。

"你高傲起来了，克列肖夫！"饭铺老板不高兴地叫道。

"我再高也高不过我的灵魂去……"

在墙角上，那个阴沉的男低音歌手咆哮起来：

"你们哪里懂得这个丑天使唱的歌，你们这些蛆，你们这些晦气鬼！"

他永远不同意一切人的意见，跟一切人吵架，痛骂一切人。几乎每到假日他都会因此挨一顿毒打，打他的就是那些歌手和一切能打他、想打他的人。

饭铺老板喜爱克列肖夫的歌唱，可是看不惯歌手这个人。他对所有的人说他的坏话，分明在想办法要侮辱这个马具工人，嘲弄他，这是这个小饭铺里的常客和克列肖夫本人都知道的。

"这个歌手唱得倒是不错，可就是自高自大。这得给他点苦头吃吃才成。"他说。有些顾客同意他的话。

"这话说得对，这小子就是高傲！"

"有什么可高傲的呢？嗓子是上帝给的，又不是他自己挣来的！再者他的嗓子有什么了不起的呢？"饭铺老板固执地唠叨说。

赞同他的看法的顾客就附和他的话说：

"对，要紧的不是嗓子，而是要有本事嘛。"

有一次这个歌手唱完歌，走了，饭铺老板就撺掇雷苏哈说：

"你啊，玛丽雅·叶甫多基莫芙娜，应该逗上克列肖夫的心火来，弄得他有点晕头转向才是，啊？这费得了你多少事呢？"

"要是我年轻一点就行了。"那个女小贩笑着说。

饭铺老板激昂地大声嚷起来：

"年轻的管什么用？你自管干！真该瞧一瞧他怎么围着你转才是！想法弄得他害相思病，那他就要唱个没完了，不是吗？你干吧，叶甫多基莫芙娜，我自会有个谢礼，怎么样？"

可是她不肯应承。这个又大又胖的女人低下眼睛，用手指头摸她胸前一块披巾的穗子，单调而懒散地说：

"这得找个年轻的来干。要是我年轻一点，那我就不会犹豫了……"

饭铺老板几乎老是极力要灌醉克列肖夫，可是那个歌手只唱两三首歌，每唱完一首就喝一大杯酒，然后他用一块针织的围巾仔细地包好他的喉咙，把他的帽子紧紧地扣在他那头发蓬松的脑袋上，走掉了。

饭铺老板常常给克列肖夫找一个对手。那个马具工人唱完一首歌以后，饭铺老板就称赞他几句，随后激动地说：

"顺便说一句，今天来了另外一个唱歌的！好，请吧，您来露一手吧！"

这类唱歌的有的时候倒有很好的嗓子，可是我一次也没有见到过克列肖夫的任何一个对手能够唱得像这个矮小而不起眼的马具工人那样朴素，感情真挚……

"嗯，是啊，"饭铺老板有点惋惜地说，"当然，唱得挺好！主要的是嗓子好，可是讲到灵魂啊……"

顾客们就笑起来，说：

"不行啊，这个马具工人看样子是打不倒的！"

克列肖夫从他那两道乱蓬蓬的棕红色眉毛底下瞧一眼所有的人，镇静而客气地对饭铺老板说：

"您只管去找。您要找到一个歌手敌得过我，也有上帝给我的这种天赋，那是办不到的……"

"我们样样都是上帝给的！"

"哪怕您把您的家当全花在买酒请客上，您也还是找不到的……"

饭铺老板涨得满脸通红，喃喃地说：

"那可说不定，那可说不定……"

可是克列肖夫仍旧不放松，对他论证说：

"我再跟您说一句吧，唱歌这种事可比不得斗鸡啊……"

"我知道！你干什么唠叨个没完？"

"我倒不是唠叨个没完，我只是要证明：要是把唱歌看作找乐子，那就是入了邪道！"

"别说啦！你还是唱一首歌的好……"

"歌我总是能唱的，就连在梦里我都唱。"克列肖夫答应说。他小心地嗽一嗽喉咙，唱起来。

于是一切琐碎的小事，一切无聊的话语和意图，一切庸俗的、饭铺里常见的把戏，统统美妙地像烟子那样消散了。另一种梦幻的、纯洁的、充满热爱和悲伤的生活，就像一道清泉似的向大家流过来。

我羡慕这个人，我强烈地羡慕他的才能以及他那种支配人们的威力。他那么美妙地发挥这种威力！我有心跟这个马具工人相识，跟他长谈一下，可是我不敢走到他跟前去。克列肖夫总是用他那对灰白的眼睛古里古怪地看大家，好像根本没有看见眼前的任何人似的。再者他有一种使我感到不愉快的气派，弄得我没法喜欢他，其实我倒一心想不光是在这个人唱歌的时候喜欢他。他跟老头子那样把帽子套在他的头上，然后他为了向大家炫耀一下而把一条针织的红色围巾围在他的脖子上，他这种样子叫人看起来很不愉快。关于那条围巾，他说：

"这是我的心上人给我织的，她是个小妞儿……"

如果他不唱歌，他就一本正经地拉长了脸子，用他的手指头揉他那死人般的、冻青的鼻子。别人问话，他就用一两个字回答，很不热心。有一次我在他的身旁坐下，问了他一句什么话，可是他正眼也没有看我一眼，说：

"走开，小子！"

倒是那个男低舌歌手米特罗波尔斯基使我喜欢得多。他一来到这个小饭铺里，就用一种扛着极重的东西的人的步伐往墙角那边走去，到了那儿伸出他的脚，把一张椅子拨开，坐下来。他把他的两个胳膊肘撑在桌子上，他的两个手掌托住他那个头发蓬松的大脑袋。他默默地喝下两三杯酒，然后声音很响地嗽了嗽喉咙。大家吓得打了个冷战，一齐回过身来瞧他。他就用他的手掌托住他的下巴，气势汹汹地瞧着人们。他那没梳过的长头发像是马鬃，胡乱地披到他那臃肿的紫黑色脸膛上来。

"你们瞧什么？你们看见了什么？"他忽然哇啦哇啦地问道。

有的时候人家回答他说：

"我们看见了一个树精！"

有些天的傍晚，他沉默地喝他的酒，然后又沉默地走掉，他那两只脚沉重地擦着地面。可是有几次，我听见他模仿先知的口吻痛斥人们说：

"我是我的上帝的忠心耿耿的仆人，现在我要像以赛亚①那样痛斥你们！让亚利尔城受祸吧，那儿的下流人、骗子和各种丑恶的败类安然居住在他们的卑鄙的情欲的泥坑当中！让人世的大船受祸吧，因为它载着极其下贱的人航行在宇宙之中！这些人我指的就是你们这些酒徒，馋鬼，尘世的渣滓！你们这些人不计其数，罪该万死，人世之中断断不容你们存身！"

他的声音如同雷鸣，连窗上的玻璃都震得哗啦啦地响。这使得顾客们很满意，他们称赞这个先知说：

"他叫得真响，这条毛蓬蓬的狗！"

跟他结交倒是容易的，只要请他喝酒就成。他要一瓶白酒和一客牛肝拌辣椒，那是他爱吃的下酒菜。这个菜把他的嘴和内脏辣得够呛。我要求他告诉我应该读些什么书，他气冲冲地干脆回答我说：

"读书干什么？"

可是他看见我发窘，就软下来，哇哇响地说：

"你读过《传道书》②吗？"

"读过。"

"那你就读《传道书》！别的书都不用读。全世界的聪明才智全在那本书里面，只有那班脑袋四方的绵羊才看不懂……其实，谁也看不懂……你是干什么的：是唱歌的吗？"

"我不唱。"

"为什么？应当唱嘛。这是一种最荒谬的工作。"

邻座有人问他说：

"那么你自己呢？你唱歌吗？"

"是啊，我是个二流子！怎么样？"

---

① 基督教迷信传说中的古代先知，见《旧约·以赛亚书》。

② 基督教《旧约》中的一部。

"没什么。"

"这不稀奇。人人都知道你的脑瓜子里什么也没有。而且以后也永远是什么都不会有。阿门①!"

他就是用这种腔调跟所有的人说话的,当然跟我讲话也是这样。不过,我请他喝过两三次酒以后,他对我的态度就变得温和一点了。有一次他甚至带着点惊讶的口气说:

"我瞧着你,不明白你是个什么人,你是干什么的,你安着什么心。不过呢,见你的鬼去吧!"

他对克列肖夫的态度是难于理解的。他听克列肖夫唱歌,分明感到很愉快,有的时候甚至露出亲切的笑容。可是他不跟克列肖夫结交,带着粗暴和轻蔑的态度议论他:

"他是个笨蛋!他会换气,他懂得他唱的东西,不过他仍旧是一条蠢驴!"

"为什么?"

"他天生来就是这样呗。"

我打算在他不喝酒的时候跟他谈一谈。可是他清醒的时候光是哼哼哈哈,用他那对昏花愁闷的眼睛看着一切。我从别人那儿听说,这个一辈子酗酒的人在喀山的神学院里读过书,本来是能够做主教之类的高级僧正的,然而我不相信这些话。不过有一次,我对他讲到我自己的时候,提起赫里山甫主教②的名字,这个男低音歌手就把头一摇,说:

"赫里山甫吗?我认识。他原是我的老师,很爱护我。那是当初在喀山,在神学院里,我记得!'赫里山甫'的意思是'金黄色',这一点在巴木瓦·白林达③的书里写得很正确。是啊,他,赫里山甫,真是金黄金黄的!"

"那个巴木瓦·白林达是什么人?"我问。可是米特罗波尔斯基简短地回答说:

"这不关你的事。"

我回到家里,就在我的笔记本上写道:"务必要读巴木瓦·白林达的著作"。我觉得,就连那许多使我心神不定的问题,我也可以在这个

---

① 基督教祈祷词的结尾语,在此借喻"完了"。
② 高尔基在小学校里读书的时候见过这个主教,同他谈过话。
③ 应是"白林达·巴木瓦"。他是十七世纪乌克兰的辞书编纂者。

白林达的著作里找到答案。

这个歌手很喜欢引用某些我不知道的人名和古怪的句子。这惹得我很气愤。

"生活可不是阿尼霞呀！"他说。

我就问：

"这个阿尼霞是谁？"

"一个有用的人呗。"他回答说，我的困惑引得他很开心。

他常说这样的话，再加上他在神学院里读过书，这就使得我认为他知道的东西一定很多。我心里很委屈，因为他什么也不肯谈，即使谈了也叫人听不懂。或许，我问的不得当吧？

不过他毕竟在我的灵魂里留下一点东西。我喜欢他喝酒以后按照先知以赛亚的格调大胆地斥骂的那种气派。

"啊，尘世的污秽和恶臭！"他像牛一般地吼起来，"在你们这里，坏人得势，好人受气。那威严的一天①总会来临，你们就会懊悔，可是那时候就迟了，就迟了！"

听着这种怒吼，我就想起了"好事情"，想起了那么可惜地轻易断送自己的洗衣女工娜达丽雅，想起了被下流的诽谤的乌云包围着的玛尔果皇后。我已经有可以回想的事情了……

我同这个人的短暂的结交是很离奇地结束的。

春天，我在一个兵营附近的野地上遇见他。他孤身一个人，正在像一头骆驼似的走着，摇着头，脸庞浮肿。

"你在散步吗？"他声音沙哑地问，"我们来一块儿溜达吧。我也在散步。我病了，老弟，是啊……"

我们沉默地走了几步，忽然在一个为搭帐篷用的深坑里看见一个人：他坐在那个坑的底下，歪着身子，他的一个肩膀靠在那深沟的墙上。他的大衣有一边高耸到他的耳朵上边，仿佛他要脱掉这件大衣而又办不到似的。

"他喝醉了。"那个歌手站住，做出了这样的判断。

然而这个人的手旁边有一支大手枪，放在一块嫩绿的草地上。离那支手枪不远的地方有一顶帽子。帽子旁边放着一瓶刚刚打开而几乎没喝的白酒，瓶颈里的酒没有了，这个瓶颈掩埋在绿色的草丛里。这

---

① 指基督教迷信传说中的世界末日的审判。

个人的脸羞答答地藏在他的大衣里。

我们沉默地站了一会儿。然后米特罗波尔斯基叉开了两条腿，说："他开枪自杀了。"

我顿时领悟过来：这个人不是醉了，而是死了。然而这件事那么出人意外，我简直不肯相信。我记得，当时我既没感到害怕，也没生出怜悯的心情，光是瞧着从大衣里露出来的他那又大又光的头颅，瞧着他的一只发青的耳朵，不相信在这样一个春光明媚的日子里一个人能够自杀。

那个男低音歌手用一个手掌使劲揉着他那没刮胡子的脸，仿佛觉得天冷似的。他声音沙哑地说：

"他上了年纪了。必是他的老婆逃跑了，要不然就是他亏空了人家的钱……"

他打发我到城里去找警察，他自己在这个深坑的边上坐下，把他的两条腿耷拉在坑里，由于怕冷而把他身上的那件旧大衣裹一裹紧。我把这个自杀案报告一个警察以后，很快地跑回来，然而在那段时间里那个男低音歌手已经把死人的白酒喝光，挥舞着那个空酒瓶迎接我。

"就是这个东西把那个人断送了！"他吼道，把那个瓶子往地上狠命一摔，砸得粉碎。

一个警察跟着我跑来了。他看一眼坑里，脱掉他的帽子，迟疑不决地在胸前画一个十字，然后问那个歌手说：

"你是什么人？"

"这不关你的事……"

那个警察想一想，就比较客气地问：

"您是怎么回事？这儿死了一个人，您却喝得醉醺醺的！"

"我醉了二十年啦！"歌手用手掌拍着自己的胸口，骄傲地说。

我相信他会因为喝掉了那点酒而被捕。这时候有些人从城里跑来。一个很凶的警察分局长坐着一辆轻便马车来了，他下到坑里去，撩开那个自杀的人的大衣，看一眼他的脸。

"是谁头一个看见他的？"

"是我。"米特罗波尔斯基说。

警察分局长瞧了他一眼，阴险地拖着长音说：

"啊，你好，我的先生！"

看客们聚拢来，有十五六个人。他们透不过气，兴奋得很，瞧着那个深坑里，在它周围走来走去。有一个人叫道：

"这人是我们那条街上的一个文官，我认识他！"

那个男低音歌手摇摇晃晃地站在警察分局长面前，脱掉帽子，跟他争吵起来，响亮地嚷着，吐字不清。后来那个警察分局长推一下他的胸口，他身子一晃，就一屁股坐在地上了。这时候那个警察从他的衣袋里不慌不忙地取出一根绳子来，歌手就习惯地而且温顺地把自己的两只手放到身后去，那个警察便把他的手捆起来。警察分局长开始气冲冲地吆喝那些看客说：

"走开！混蛋……"

另一个年老的警察跑来了，他的眼睛湿润而发红，他疲乏得张开了嘴巴。他伸出一只手去，把那根捆住男低音歌手的绳子的尽头接过来，慢腾腾地把他押进城里去。

我也从那块野地上走开了，心头沉重。在我的记忆里，那些声讨的话语像洪亮的回音那样响着：

"让亚利尔城受祸吧！……"

可是我的眼睛前面却出现一幅使人痛心的画面：那个警察从他的军大衣的口袋里不慌不忙地取出一根绳子，那个威风凛凛的先知却乖乖地把他那两只生满毫毛的红手放到他的背后去，而且把两个手腕交叉起来，显得那么习惯，那么熟练……

不久我就听说这个先知从城里被押解出境了。他走后，克列肖夫也不见了，原来他娶了一个有钱的妻子，搬到一个县城里去住，在那儿开了一家马具作坊。

……在这以前，我对我的东家极其热心地称赞过这个马具工人的歌唱，结果有一天他说：

"应当到那儿去一趟，听一听才对……"

后来有一天，他就跟我一块儿在一张桌子旁边面对面地坐下了。他惊讶地拧起他的眉毛，睁大了他的眼睛。

在到小饭铺来的路上，他不住讪笑我。到了小饭铺里，最初的几分钟他也还是嘲笑我，嘲笑那些顾客，嘲笑那种使人透不过气来的气味。临到那个马具工人唱起歌来，他仍旧讥诮地微笑，开始往一个杯子里斟啤酒，可是斟了一半就停住手，说道：

"嘿……这个魔鬼！"

他的那只手颤抖起来。他轻轻地放下酒瓶，紧张地听着。

"是啊，小伙子，"他听到克列肖夫唱完，就叹口气说，"他果然会唱歌……见他的鬼！我简直浑身发烧了……"

马具工人仰起头，眼睛瞧着天花板，又唱起来：

> 一个年轻的姑娘
> 离开富足的村庄，
> 沿着一条道路
> 在荒凉的平原上向前迈步……

"他会唱。"我的东家喃喃地说，摇着头，微微地笑。可是克列肖夫唱得声调抑扬，好比一支笛子：

> 这个姑娘红着脸回答他道：
> "我这个孤儿谁也不肯要……"

"唱得好，"我的东家小声说，眨巴着他那对红起来的眼睛，"哎呀，这个魔鬼……唱得真好啊！"

我瞧着他，暗暗高兴。那悲哭般的歌词战胜了这个小饭铺里的喧哗，歌声越来越有力，越来越美丽，越来越感情真挚：

> 我们村里的人不和气，
> 开晚会也不叫我这个姑娘去。
> 唉，我家里穷，
> 我穿得不漂亮，
> 大概不合乎小伙子爱体面的心肠……
> 有人要我去做填房，
> 给他去做管家的婆娘，
> 这样的命运我不愿意承当！……

我的东家不害臊地哭起来。他坐在那儿，低着头，他的钩鼻子吸溜着，眼泪不住地滴在他的膝盖上。

第三首歌唱完以后，我的东家又兴奋又仿佛疲乏地说：

"我在这儿再也坐不下去了。我透不过气来，这儿的气味不好闻，见鬼！……咱们回家去吧！……"

可是，到了街上，他提议说：

"咱们到一家饭店里去，彼什柯夫，吃点东西什么的……我不想回家去！……"

他见到一辆出租的雪橇，也没讲价钱就坐上去了。他一路上闷声不响，可是到了一家饭店里，在墙角上一张小桌子旁边坐下以后，就立刻开口讲话，声音很低，往四下里看，心里又是气愤又是苦恼：

"那头羊碰痛了我的疮疤……闹得我心里难受极了……是啊，你读书，讲道理，可是你说说看：这是一种多么乱七八糟的局面啊！一个人活啊活的，活了四十年，老婆孩子一大堆，可是要谈天都找不到一个人谈。有的时候人很想把心里的话拿出来谈一谈，很想谈一谈各种事情，可就是找不着一个谈天的人！至于跟她谈，跟老婆谈，她却听不进去……这些话跟她有什么关系呢？她有孩子……喏，还有家务，有她自己的事！对我的灵魂来说，她是个不相干的人。照例，老婆只有在生头一个孩子以前还能算是一个朋友……再者，我那老婆，一般说来……是啊，你自己也看得出来……吹弹歌舞都不会……无非是一堆没有灵魂的肉，见鬼！我心里苦恼呀，小伙子……"

他急急忙忙喝下苦味的凉啤酒，沉默下来，不住揪他的长头发，随后又讲起来：

"小伙子，一般说来，人都是坏蛋！比方说，你常跟那些庄稼汉谈天，这个那个的……我明白，天下有很多不正当的、卑鄙的事情，这是实在的，小伙子……大家都是贼！不过，你当是你的话打动他们的心了吗？没那宗事！是啊。他们，彼得啦，奥西普啦，都是些骗子！他们都对我讲了：你是怎么说我的，等等……怎么样，小伙子？"

我吃了一惊，没说话。

"就是这样！"我的东家笑着说，"你本来打算到波斯去，那倒是对的。在那边，你至少什么也听不懂：那都是外国话嘛！讲到我们的本国话，那全是下流话！"

"奥西普讲过我吗？"我问。

"嗯，是啊！那你怎么想呢？他比谁都讲的多，这个话篓子。小伙子，他是个狡猾的家伙……对了，彼什柯夫，话是不起作用的。真理吗？可是真理有什么用呢？它好比秋天下的雪，落在污泥里，融化了。污泥反倒更厚了。你还是少说话为妙……"

他一杯连一杯地喝啤酒，可是他没有喝醉，他的话讲得越发快，越发气愤：

"常言道得好：话比不得凿子，沉默倒比得上金子。唉，小伙子，我心里苦恼，苦恼啊……他唱得对：'我们村里的人不和气。'人都是孤单单的……"

他回过头去看一眼，压低了喉咙说：

"哦，不久以前我倒找着一个……知心的朋友。我在此地遇见一个女人，她是个寡妇，她的丈夫犯了伪造钱币罪，判了刑，要发配到西伯利亚去，当时他正关在此地的监牢里。我跟她认识了……她一个钱也没有，所以，你知道，她就干了那种事……那是由一个拉皮条的介绍我跟她认识的……我仔细一看，她是个多么可爱的人啊！你知道，她是个美人儿，年纪又轻……简直是千娇百媚！我去了一次，两次……后来我就对她说了：'这是怎么回事呢？'我说，'你丈夫是个骗子，你自己又不规矩，那么你又何必跟着他到西伯利亚去呢？'你要知道，她打算跟着他一块儿去，永世在那边安家落户了，真的……她当时对我说：'不管他是个什么样的人，'她说，'反正我爱他，我觉得他好！也许他就是因为我才犯了罪吧？我跟你干这种造孽的事就为的是他，'她说，'他要钱用，他是个贵族，过惯好日子了。要是只有我一个人，'她说，'那我就会规规矩矩地过日子。'她说，'您也是个好人，很招我喜欢，不过只求您往后别再跟我提这件事了……'见鬼！……我把我身上带的钱都送给她了，一共有八十多个卢布……我说：'对不起……以后我不能再到您这儿来了，不能再来了！'我说完就走了。事情就是这样……"

他停住口，忽然醉了，泄了气。然后他喃喃地说：

"我到她那儿去过六次……你不可能明白那是什么样的光景！也许，后来我到她的住处又去过六次……可就是不敢走进门去……没法走进门去！现在，她已经走了……"

他把他的两只手放在桌子上，活动着他的手指头，小声说：

"求上帝保佑，别让我再遇见她才好……求上帝保佑吧！要是我再遇见她，那可就什么全完了！咱们回家去吧……走吧！"

我们就走了。他脚步踉跄，嘴里嘟哝说：

"就是这么一回事，小伙子……"

他告诉我的这件事并不使我吃惊，我早就觉得他遇到一件不平常的事了。

可是，他讲起生活而说的那些话，特别是关于奥西普的那些话，却使我很气闷。

二十

我在这个死气沉沉的城市里，在那些空荡荡的房屋当中，做了三年"监工"，瞧着那些店铺的拙劣的砖房一到秋天就由工人们拆毁，春天又照样造起来。

我的东家要我好好地挣他那五个卢布，他对这一点是极其关心的。如果一家店铺里要重铺地板，我就得在全部地板底下挖出去一俄尺深的泥土。让流浪汉来做这个工作，就要给他一个卢布，而让我来做，就一个钱也不必给了。不过，我只顾做这个工作，就没有工夫去注意那些细木工，他们就从房门上撬下门锁和门柄，偷走各式各样的小东西。

工人也罢，包工头也罢，都千方百计地极力要欺骗我，偷这样摸那样，几乎是公开干，仿佛在尽一种乏味的义务似的。每逢我揭穿他们，他们却一点也不生气。他们非但不生气，反而惊讶地说：

"你这么卖力气，不像是挣五个卢布，倒像是挣二十个卢布似的。瞧你这样子，可真有点滑稽！"

我对我的东家指出：他由我的劳动省下了一个卢布，却总要损失十倍之多。可是他对我挤一下眼睛，说：

"行了，别装佯了！"

我明白，他疑心我跟他们串通一气偷东西。这倒没有惹得我生气，却在我的心里引起了对他的厌恶。世道就是这样：大家都偷，就连我的东家也喜欢拿人家的东西。

市集结束以后，我的东家就去检查那些由他承包修缮的店铺，往往看见一些被人忘记拿走的茶炊、食具、地毯、剪子，有的时候还有一口箱子，或者一宗货品，我的东家就笑嘻嘻地说：

"你把这些东西开一个清单，统统送到堆房里去！"

可是事后，他却从堆房里把一些东西运回家里去，同时硬叫我一再修改物品的清单。

我不喜欢东西，什么东西我都不想要，连书本我都觉得累赘。我自己除了一本贝朗瑞的小书和一本海涅的诗集以外，什么也没有。我打算得到一本普希金的作品，可是城里只有一个旧书商，而他是一个恶毒的老头子，对普希金的书要价太高。我不喜欢我的东家的住宅里堆满的那些家具、地毯、镜子等，这些东西沉重笨拙，冒出颜料和油漆的气味，惹得人生气。一般说来，我不喜欢我的东家的那些房间，它们类似一口口箱子，塞满了不必要的废物。我的东家常常从堆房里把人家的东西拉回来，不住地增添他四周的废物，这种情形惹人讨厌。玛尔果皇后的房间里固然也堆得很挤，可是总还好看嘛。

大体说来，我觉得生活是杂乱而荒谬的，其中有过多的、显然愚蠢的东西。比方说，我们在修缮这些店铺，可是到了春天，春汛却把它们淹没，地板就翘起，外边的房门就泡坏。大水退后，房屋的梁木就朽烂。几十年来，大水年年淹没这个市场，毁坏房屋和街道。这种每年一次的水灾给人们带来巨大的损失，所有的人都知道这类水灾是不会自动消灭的。

每年春天，浮冰总要冲毁一些驳船和几十条小船。人们唉声叹气，然后又造出新船来，可是浮冰又把它们捣毁。老是在一个地方团团转，这是多么荒唐！

我对奥西普提到这一点，问他，他却感到惊讶，哈哈大笑。

"嘿，你这个老杆，东钻西看！这些事跟你有什么相干？你管它干什么，啊？"

可是紧跟着，他就讲得严肃一点了，同时他没有扑灭他那对天蓝色眼睛里的讥诮的火星，而那对眼睛明亮得不像一个老头子：

"这件事你注意得有道理！就算这件事跟你毫不相干吧，不过说不定还是会有用的！还有一件事你也该注意……"

于是他用干巴巴的字眼讲起来，中间夹杂许多俏皮话、意想不到的比喻和各式各样的插科打诨。

"比方，人们抱怨说：地太少了。可是伏尔加河到了春天就冲刷两岸，卷走泥沙，在河床上积成了浅滩！于是又有些人抱怨说：伏尔加河水浅了！春天的洪水和夏天的雨水掏挖高岸上的泥沙，土地就又跑到河里去啦！"

他讲得不带惋惜，不带怨恨，倒好像他由于知道这种种对生活的怨言而觉得高兴似的。虽然他的话刚好符合我的想法，我听着却觉得不入耳。

"还有一件事你也要注意，那就是火灾……"

我想起伏尔加河对岸的树林似乎没有一个夏天不起火的。每年七月间，污黄色的烟雾就遮蔽天空。紫红的太阳失去了光芒，如同一只有病的眼睛那样瞧着大地。

"树林倒没什么要紧，"奥西普说，"反正那是地主们的产业，官家的产业，农民是没有树林的。城市起火也没什么了不起，反正城里住的都是阔佬，用不着怜惜他们！可是你拿大大小小的乡村来说吧，每年夏天要烧掉多少啊！也许不下于一百个吧，这才是真正的损失呀！"

他轻声地笑了。

"那些人有了产业，可又不会经营！结果呢，你和我就觉得人似乎不是在为自己工作，也不是在为土地工作，倒成了为水和火工作了！"

"那你笑什么？"

"笑一笑又有什么关系呢？眼泪又浇不灭火灾。春汛再加上眼泪，水势就可就更大了。"

我知道这个仪表堂堂的老人在我所见过的一切人当中是最聪明的一个。然而，他究竟喜欢什么，痛恨什么呢？

我正在这么想，他却继续把他那些干柴般的字眼添进我的火里来。

"你瞧，人们多么不爱惜力量！既不爱惜自己的力量，也不爱惜别人的力量，不是吗？你的东家多么浪费你的精力？还有，白酒给世界造成了多大的损失？这是没法算的，不管有多大的学问也算不出来……一所农民的小木房烧掉了，那倒可以另外造新的，可是一个好农民白白地完蛋了，那却没法补救！比方说阿尔达里昂，或者格利沙吧，你瞧瞧，这样的农民一烧就光了！那个格利沙虽说有点傻气，可总是个热心肠的人嘛！可是他好比一捆干草，冒了一股烟就没了。那些娘们儿纷纷糟蹋他，就像树林里的蛆纷纷吃一个死人身上的肉一样。"

我问他，然而不是带着生气的口吻，而是带着好奇的口吻问道：

"你为什么把我的想法告诉我的东家？"

他平心静气，甚至带着亲热的口气解释说："那是要他知道你有些什么样的危险思想，要他开导你。除了你的东家以外，还有谁来开导你呢？我对他讲那些话不是给你使坏，而是因为我心疼你。你不是一个糊涂的小伙子，可是魔鬼在你的脑瓜子里捣乱。要是你偷偷摸摸，我倒不会讲了。你去找小妞儿鬼混，我也不来多嘴。你灌酒，我也不会说什么！可要是你的思想太放肆，那我一定会告诉你的东家，你记住就是……"

"那我往后不跟你说话了！"

他沉默了一会儿，用他的手指甲抠掉他手心上的一点树脂。然后他用他那对亲切的眼睛瞧了我一眼，说：

"这话你白说了。你会找我说话的！你另外还能找谁去说呢？找不着人了……"

这个整齐干净的奥西普，在我的心目中忽然显得像是那个对一切都漠不关心的司炉工人亚科甫。

有的时候他又近似旧教派经学家彼得·瓦西里伊奇，有的时候又近似赶马车的彼得，往往他又有些方面同我的外祖父相近。总之，他同我所见过的一切老人都有这样那样的相似之处。他们都是有趣得出奇的老人，可是我觉得跟他们一块儿生活却不行，那会沉闷而讨厌。他们仿佛在腐蚀人的灵魂，他们那些聪明的话给人的心蒙上一层棕红色的铁锈。奥西普心好吗？不。他心坏吗？也不。他聪明，这一点在我是清清楚楚的。这种智慧由于丰富多彩而使我惊叹，不过另一方面却又使我心如死灰，最后我竟然感到这种智慧在各方面都是同我敌对的了。

有一些阴暗的思想在我的灵魂里沸腾：

"所有的人，尽管说出亲切的话，做出亲切的笑容，其实是互不相干的。再者世界上的一切人都是互相隔膜的。似乎没有一个人用坚强的爱心把他自己同这个世界联系在一起。只有我的外祖母才爱生活，爱一切人。除了我的外祖母以外，还有出色的玛尔果皇后。"

有的时候这些思想和类似的思想像黑暗的乌云那样越来越浓重，生活就变得气闷而沉重。可是，怎样才能换一种方式来生活呢？应该到哪儿去才对呢？除了奥西普以外，简直连谈话也找不到人。我就越来越常常找他谈话。

他带着明显的兴趣听我的激昂的谈话，反复地问我，把我的意思弄清楚以后，就沉着地说：

"啄木鸟是固执的，然而并不可怕，谁也不怕它！我要真心诚意地劝你几句：你索性到修道院里去，在那儿活到成年吧。你用好话去安慰那些朝山拜圣的人吧，这样一来，不但你自己心平气和了，那些修道士也添了收入！我真心诚意地劝你这样做。看样子这个世道你还应付不了……"

我不愿意进修道院，可是我感到我已经困在不可理解的事物的迷宫里，转来转去，出不来了。这是苦恼的。生活变得像是秋天的树林，那里已经没有蘑菇可采，在那种空树林里已经没有什么事可做，而且对那个树林的里里外外已经熟悉透了。

我不喝酒，也不跟姑娘们鬼混，我用书本来代替这两种使灵魂陶醉的工具。我越是读书，就越是难于这样空虚而不必要地生活下去，而一般人依我看来却正是在这样生活的。

我刚满十五岁，然而有的时候却觉得我自己像是一个上了年纪的人了。我经历过各种事情，我阅读过各种书籍，我心神不安地考虑过各种问题，因此我的内心似乎膨胀起来，变得沉重了。我看一眼我的内心，发现我的保存印象的容器近似一个阴暗的小贮藏室，密密麻麻而又乱七八糟地堆满各式各样的物件。要把这些东西理出一个头绪来，我既没有那种力量，也没有那种本领。

我的种种印象形成了一种重负，尽管它们的内容丰富，却放得不稳，摇摇晃晃，弄得我摇摆不定，好像一个立得不稳的杯子里装满了水一样。

我深切地厌恶灾难、病态、抱怨。每逢我见到残忍的事，例如流血、打架乃至口头上对人的嘲弄，这总会在我的心里激起本能的憎恶。这种憎恶往往很快地转变成为某种冷酷的疯魔，于是我自己也像野兽似的打起架来，事后我总是感到羞愧难当。

有的时候我那么热切地想把折磨人的人痛打一顿，就盲目地打起架来。就连现在我回想我那种由无能为力而产生的绝望心情，也仍旧会感到羞耻和苦恼。

我的身上生活着两个人。其中的一个，对卑鄙龌龊的事见识得太多，对这类事有点胆寒了。这个人知道日常生活中的种种可怕的事，这类事压得他透不过气来，因此他对待生活，对待人，开始抱着不信任的怀疑态度，他软弱无能地怜悯一切人，也怜悯他自己。这个人巴望过一种安静而孤独的生活，独自读书，不跟人们来往。他巴望住到修道院里去，住到树林当中的看守小屋里去，住到铁路线上的护路工人室里去。他巴望到波斯去，巴望谋到城郊一个什么地方的守夜人的职位。人越少越好，离人们越远越好……

另一个人读过真实的和充满智慧的书，受过那些书的神圣精神的洗礼，看出日常生活中那些可怕的事的所向无敌的力量，感觉到这种力量能够多么容易地砸掉他的头，用肮脏的脚底踩碎他的心。他就紧张地保护自己，咬紧牙关，捏住拳头，永远准备对付任何争吵和搏斗。这个人的热爱和怜悯见之于行动，而且按法国长篇小说里那种勇敢的英雄的气概，一遇挑衅就拔出鞘里的长剑，摆出战斗的架势。

那时候我有一个恶毒的敌人，他是小波克罗斯卡亚街上一家妓院的一个扫院子的人。我是有一天早晨到市场去，在路上跟他认识的。他正在那家妓院的大门外面，从一辆出租的四轮马车上拉下一个醉得不省人事的姑娘。他拉住她那袜子已经脱落的两条腿，弄得她的身体裸露到腰部，不害臊地拽她，又是吆喝又是笑，往她的身上啐唾沫。她就一颠一颠地从马车上滑下来，披头散发，眼睛什么也看不见，嘴巴张开，两条软得仿佛脱了臼的胳膊抛到脑袋的上边，她的背脊、后脑壳和发青的脸不住地磕碰马车上的座位、踏板，最后落在马路上，她的脑袋就碰在石头上。

马车夫扬鞭打马，把那辆马车赶走了。那个扫院子的人揪住姑娘的两条腿，不住往后倒退，把她当作死人似的拉到人行道上去。我气得发疯，一口气跑过去。多亏我走运，我跑的时候把一个有一俄丈长的水准仪丢掉了，或者是无意中掉在地上了，这才使得扫院子的人和我避开了一场大祸。我紧跑几步，把那个扫院子的人打翻在地。我就跳到门廊上，死命拉门铃的柄。有些样子野蛮的人跑出来。我没法对他们说明事情的经过，索性拾起那个水准仪，走掉了。

在下坡的地方，我追上了那辆出租的马车。马车夫在赶车座位上居高临下地看着我，赞许地说：

"你打得真棒！"

我生气地问他说，他怎么能容许那个扫院子的人耍弄那个姑娘。他沉静而厌恶地说：

"我才管不着呢！那些老爷把她送上马车来，给了我车钱。至于谁打了谁，那关我什么事呢？"

"可是万一人家把她弄死了呢？"

"嗯，是啊，这号娘们儿就那么容易弄死呀。"马车夫说，听他那口气倒好像他不止一次试验过打死喝醉的姑娘似的。

从这天起，我几乎每天早晨都看见那个扫院子的人。我在街上走，他在扫街，或者坐在门廊上，仿佛在等我。我走到他旁边，他就站起来，卷起他的袖子，用警告的口气通知说：

"嗯，现在我要把你揍一个稀巴烂！"

他的年纪已经四十开外了。他身材矮小，生着罗圈腿，他的肚子像怀孕的女人那么大。他笑呵呵的，用他那对炯炯有光的眼睛瞧着我。说来奇怪得吓人，他那对眼睛竟然又善良又快活。他不会打架，再者他的胳膊比我的短，打过两三个回合以后他就败下阵去，背靠着大门，惊讶地说：

"喂，你等一等，你这个棒小伙子！……"

这类厮打惹得我厌烦了。有一次，我对他说：

"你听我讲，蠢货，你别缠住我没完，行不行？"

"那你为什么打人呢?"他用责备的口气问道。

我也问他说,为什么他那么卑鄙地欺侮那个姑娘。

"可是这关你什么事?你可怜她吗?"

"当然可怜了。"

他沉默一会儿,擦一擦他的嘴唇,问道:

"那么你也可怜猫吗?"

"嗯,我也可怜猫……"

于是他对我说:

"你又是傻瓜又是骗子!等着吧,我要叫你受一受……"

我不能不走这条街,这是一条最抄近的路。可是我开始提前起床,免得再遇见这个人。不料过了几天,我又看见他了。他坐在门廊上,他的膝头上躺着一只烟色的猫,他正在摩挲它。可是等我走到他的身边,离他只有三步远的时候,他猛地跳起来,抓住猫的一条腿,使劲一抢,把猫的头砸在路旁的一个小石柱上,弄得一块什么热乎乎的东西溅到我的身上来。他砸完,就把那只猫扔在我的脚跟前,自己站在一个便门的门口,问道:

"怎么样?"

哼,这有什么办法?我们就满院子滚来滚去,像是两条狗。事后,我坐在岸坡上的杂草丛里,心里说不出的痛苦,昏头昏脑,咬住嘴唇,免得放声痛哭,免得大嚷大叫。就连现在我想起这件事,也会生出痛苦的憎恶心情,浑身发颤。我不由得暗暗吃惊:当时我怎么会没有发疯?没有打死人呢?

为什么我要讲这种卑劣的事?这是为了要你们,诸位先生,知道这种事并没有过去,并没有过去!你们喜欢那种臆造的恐怖,喜欢渲染得很美的恐怖,那种荒诞无稽的吓人的事使你们感到愉快的激动。然而我知道现实生活中的可怕的事,日常生活中的可怕的事,而且我有不可否定的权利把这类事讲出来,使你们感到不愉快的激动,为的是让你们记住你们在怎样生活,在什么样的环境下生活。

我们大家都在过卑鄙龌龊的生活,问题就在这儿!

我极爱人们,不愿意折磨什么人。可是抱着婆婆妈妈的态度却不行,用花言巧语来掩盖严酷的真相也不行。要正视生活,正视生活!凡是我们心灵里和头脑里的优美的和人所固有的东西,都应该溶解到生活里去。

……人们对待妇女的态度特别气得我发疯。我读过许多长篇小说以后，把妇女看作生活里最好、最出色的人。我的外祖母、她所讲的有关圣母和美丽的瓦西里萨的故事、遭遇不幸的洗衣女工娜达丽雅，以及我亲眼见过的妇女们，生命的母亲们，用来装点这种缺乏欢乐和缺乏爱情的生活的千百次目光和笑容，统统肯定了我的这种看法。

屠格涅夫的书唱着妇女的赞歌。我用我所知道的妇女们的种种优美的特点来装点我牢记不忘的玛尔果皇后的形象。海涅和屠格涅夫在这方面所提供的宝贵的东西是特别多的。

我傍晚从市场上回来，往往在山上，在内城的墙边停住，观看太阳落到伏尔加河的对岸去，观看天空中那些火焰般的长河流动不息，观看地上那条我所喜爱的长河先是现出一片通红的颜色，过后又变成一片深蓝色。在这样的时候，偶尔，整个大地依我看来像是一条装着囚犯的大驳船。它又好比一头猪，正在由一条肉眼看不见的轮船懒洋洋地拖到不知什么地方去。

不过，我比较常常想到的还是世界的广大，是我从书本上知道的那些城市，是那些生活方式大不相同的外国。在外国作家的书本上，那边的生活描绘得比我四周缓慢单调地沸腾着的这种生活要干净些，可爱些，也少艰难些。这就舒解了我的愁闷，激起了我的顽强的渴望，觉得换一种方式生活是可能的了。

我老是觉得好像我总有一天会遇到一个朴实而聪明的人，他会领着我走到一条光明大道上去。

有一次，我正坐在内城的墙边的一条长凳上，我的舅舅亚科甫忽然在我的身旁出现了。我没有注意到他走过来，而且第一眼也没有认出他来。虽然近几年当中我们同住在一个城里，可是我们很少见面，偶尔遇到也不及细谈就走散了。

"嘿，你的个子倒蹿了不少。"他推我一下，开玩笑地说。我们就像两个认识了很久的、不沾亲带故的人那样谈起来。

根据我的外祖母的说法，我知道这些年里我的舅舅亚科甫已经彻底破产，所有的钱都花光，买酒用掉了。他原在一个罪犯的拘留地做过副狱长，不过这个工作的结局很糟。狱长病了，我的舅舅亚科甫就开始在他的住处给犯人们举办快活的宴会。这件事张扬出去了，于是他的职位被革掉，他自己被送到法院去受审，罪名是他夜间把罪犯们放进城去"玩乐"。那些罪犯借此逃跑的倒一个也没有，可是有一个罪犯恰巧在起劲地掐死一个助祭的时候，当场被捕了。这个案子的侦讯工作拖得很长，不过这个案子始终没有开庭审讯。罪犯们和狱吏们设法包庇我的好心的舅舅，把他开脱了。目前他没有工作，靠他的儿子养活，这个儿子在当时颇为闻名的鲁卡维希尼科夫教堂唱诗班里歌唱。他讲到他的儿子，却说了些奇怪的话：

"他现在变得一本正经，很了不起的样子！他担任独唱。要是我没有按时给他烧好茶炊，或者刷干净他的衣服，他就发脾气了！他是个要求很严的小伙子。他爱干净……"

我的舅舅本人却老得多了，周身肮脏，头发脱落，精神不振。他那些蓬松的鬓发稀得多了，他的耳朵鼓起来，他的眼白上和他那刮光了胡子、皮肤光滑的脸上出现了红血管的密网。他说话带着开玩笑的口气，然而他的嘴里似乎含着一个什么东西，妨碍他的舌头活动，其实他的牙齿并没有脱落。

我有机会跟一个善于快乐地生活、见过很多世面、知识一定很广的人谈话，心里很高兴。我清楚地记得他那些活泼可笑的歌，我的记忆里响起我的外祖父说他的话：

"唱起歌来，他倒是个大卫王，可是讲到做事，他就成了毒辣的押沙龙①！"

在我们面前的人行道上，穿得干干净净的人们，例如盛装的太太、文官、军官等，来来往往。我的舅舅身上却穿一件旧的秋大衣，头上戴一顶揉皱的便帽，脚上穿一双褪色的皮靴，他别别扭扭，看来在为他的装束难为情。我们走进波恰英斯基峡谷的一家小饭铺里，在一个靠窗的桌子那儿坐下，那个窗子开着，面对一个商场。

"您总记得您唱过这样的一首歌吧。"

> 一个叫花子挂出一块包脚布来准备晾干，
> 另一个叫花子却把这块包脚布偷走……

临到我念这些歌词，我才突然间第一次领会到歌词的讥诮的含义。我觉得我这个快活的舅舅又恶毒又聪明。

可是他一面把白酒倒进杯子里，一面沉思地说：

"是啊，我生活过，玩乐过，可就是太少了！这首歌不是我编的，

---

① 基督教迷信传说中的人物，大卫王所宠爱的逆子，见《旧约·撒母耳后书》。

是一个宗教学校的教师编的，这个人已经去世了。他叫什么名字来着？我忘了。我跟他原是朋友。他是个单身汉。他拼命灌酒，后来就死了，活活冻死的。在我的记忆里有多少人喝酒丧命啊，数都数不清！你不喝酒吗？那就别喝，过几年再说。你常看见外公吗？他是个不快活的小老头子。他的神经似乎不正常了。"

他喝了酒，精神焕发，挺直身子，显得年轻了。他说话也活泼多了。

我问他关于罪犯的那件事。

"你听说了吗？"他问，往四下里看一眼，然后压低喉咙，讲起来：

"罪犯又怎么样呢？反正我不配做他们的审判官。我看出来这些人跟别人是一样的。我就说：弟兄们，咱们来和睦地生活，快活地生活吧。我说，有这样的一首歌：

命运即使要把我们折磨，
也不能阻挡我们寻欢作乐！
我们活着就是为了欢笑，
傻瓜才不这样生活！……

他笑起来，看一眼窗外的渐渐黑下来的峡谷，峡谷底下尽是货摊。他捻了捻唇髭，继续说：

"当然，他们很高兴，监狱里本来就枯燥无味。好，晚上点完名，他们马上就到我这儿来了，于是喝酒啊，吃菜啊，有的时候是我花钱，有的时候是他们花钱。嘿，俄罗斯母亲啊，地动山摇，好不热闹！我喜欢唱歌和跳舞，他们当中有些第一流的歌唱家和舞蹈家，出色极了！有的人戴着铐镣，可是戴着铐镣是没法跳舞的，我就准许他们把铐镣摘下来，这是实在的。其实，他们自己就会摘，用不着铁匠，这班人真有能耐。至于说我把他们放到城里去打劫，那可是胡扯，至今也没有找着证据嘛……"

他沉默了，瞧着窗外的峡谷。那儿的旧货商人正在锁上他们的货摊，铣闩铿锵地响，生锈的铁圈吱吱地叫，有几块木板倒下地，低沉地响了几声。然后他对我快活地眨巴一下眼睛，声音不大地接着说：

"要是说实话，那么确实有一个犯人每到夜里就进城去，然而他不是一个戴铐镣的犯人，只不过是尼日尼城本地的一个贼罢了。他有个情妇，住得不远，就在彼巧尔卡河边。再者助祭的那件事也是因为看错了人：他把那个助祭当成商人了。那是在冬天，晚上，又起了暴风雪，所有的人都穿着皮大衣，匆忙之中谁分得清哪个是商人，哪个是助祭呢？"

我觉得这很可笑。他也笑起来，说：

"皇天在上，真是这样的！鬼才分得清呢……"

说到这儿，我的舅舅出人意外，奇怪地微微生气了。他推开那个盛着菜的碟子，厌弃地皱起脸，点上一支纸烟，低沉地嘟哝说：

"他们互相偷东西，过后呢，又互相捉起来，关进监牢里，发配到西伯利亚去做苦工。可是这跟我有什么相干呢？我才管不着这些呢……我只管我自己的灵魂！"

我的眼前升起了毛发蓬松的司炉工人的面影，他也常常说"管它呢"。他的名字也是亚科甫。

"你在想什么？"我的舅舅轻声问道。

"您怜惜那些犯人吗？"

"谁都很容易怜惜他们，那样的小伙子，好得出奇啊！有的时候我瞧着他们，心里就想：我虽然是他们的上司，可是话说回来，我连做他们的鞋底都不配！这些小鬼真聪明，真有能耐……"

酒和回忆又使得他舒畅地兴奋起来。他把他的胳膊肘倚在窗台上，挥动他的一只黄手，手指头中间夹着一个烟头。他活泼地讲起来：

"有一个犯人，瞎了一只眼睛，本来做雕板师，又是个修理钟表的能手，后来因为造假钱而受审，总想逃出监狱去。你真该听一听他说的那些话！像一把火一样！他简直像独唱家似的在唱歌。他说：'您来解释一下吧：为什么官家能印钞票，我就不能呢？您来解释一下！'谁也没法给他解释这个问题。谁都解释不了，我也解释不了。可我还是他的上司呢！另一个犯人是莫斯科的一个有名的贼。他斯文得很，穿得挺讲究，爱干净。他有礼貌地说：'人家都干活累得头昏眼花，可是我不愿意那样。这种事我也试过，'他说，'我干啊干的，累得我傻头傻脑，临了花一个小钱喝点酒，打打牌输掉两个小钱，拿五个小钱给一个娘们儿买个亲热，随后就又挨饿，受穷。不行，'他说，'我可不玩这套把戏了……'"

我的舅舅对着桌子低下头去，脸一直红到头顶上，非常激动，连他的小耳朵都在颤动。他接着说：

"小伙子，他们可不是傻瓜，他们说得有理！哎，叫这些伤脑筋的事都见鬼去吧！比方说，我这一辈子是怎么过的呢？回想起来都丢脸。

痛快事都是零零碎碎，偷偷干的。伤心是我的本分，快活却是偷来的！一会儿我的父亲嚷着说不准这样，不准那样；一会儿我的老婆又嚷着说这个不行，那个不行；一会儿我自己也为一个卢布缩手缩脚。生活就这么白白地放过去了，临到老了却给自己的儿子当了听差。这种事何必瞒着呢？小伙子，我就是在百依百顺地伺候他。他呢，还拿出老爷的派头来对我嚷。他嘴里叫的是'爸爸'，可我听着却是'听差'！我这是怎么回事啊，难道我生下来就是为了伺候儿子的吗？我忙碌一辈子就为这个吗？再说，就算没有这件事，可我到底是为了什么活着的呢？莫非我有过许多快活的事吗？"

我不大在意地听他讲话。虽然我不乐意开口，也不指望回答，不过我还是说话了：

"我也是不知道我该怎么活着……"

他冷冷一笑。

"哼……谁知道呢？我就没有见过一个知道的人！大家就是这么活着，各人按各人的习惯活着……"

他又带着委屈和生气的口吻讲起来：

"我那儿有一个奥勒尔城的人，犯的是强奸罪。他是个贵族，跳起舞来高明极了。他常常逗大家笑，唱一首关于万卡的歌：

> 万卡在一个墓园里溜达，
> 这很简单嘛！
> 唉，你啊，万卡，
> 找个离坟地远点的地方溜达吧……

我可是这么想：这种事根本不可笑，这是真情实理！不管你怎么转悠，你总逃不脱坟地。到那时候，我是个犯人也罢，是个管犯人的也罢，在我就全一样了……"

他讲得累了，喝点酒，然后像鸟那样用一只眼睛往空酒瓶里瞧一眼，又默默地点上一支纸烟，他吐出来的烟子在他的唇髭里缭绕不散。

"不管你怎么想方设法，也不管你仗恃什么，谁也逃不过棺材和坟地去。"砌砖工彼得屡次这么说，而他跟亚科甫舅舅却是两个完全不同的人。我知道多少这一类的口头禅啊！

此外我也没有什么话想问我的舅舅了。跟他待在一起，我心里很不好受。我可怜他。我总是不由得想起他那些活泼的歌，想起他那个吉他往往从柔和的忧郁里透露出欢欣的乐声。我也没有忘记快活的伊凡·茨冈，我没忘记。我瞧着亚科甫舅舅的猥琐的身材，不由自主地暗想：

"他还记得怎样用那个十字架压死茨冈吗？"

我不想问这件事了。

我瞧着那个峡谷。八月间的潮湿的幽暗填满了那个峡谷，溢到边沿上来了。从峡谷里腾起苹果和甜瓜的气味。在那条通到城里去的窄路上，路灯亮了。一切都熟悉极了。马上就要有一条轮船拉响汽笛，开到雷宾斯克去；另一条开到彼尔姆去……

"不过我该走了。"我的舅舅说。

在小饭铺的门口，他握一握我的手，打趣地劝我说：

"你别发愁。你好像有点发愁，啊？没啥了不起的！你还年轻。要紧的是你得记住：'命运也不能阻挡欢乐！'，好，再见吧，我要去做圣母升天节①的礼拜了！"

我的快活的舅舅走了。他的话弄得我的脑子里越发乱糟糟的。

我爬上一道通到城里去的高坡，在旷野上走着。那天月亮滚圆，沉重的云朵在天空中浮游，云朵的黑影抹掉了地面上我的阴影。我在旷野上绕着那个城走去，来到伏尔加河边的奥特科斯，在那儿的扑满灰尘的草地上躺下来，久久地眺望河对面的草场，眺望静止的大地。浮云的阴影慢腾腾地爬过了伏尔加河。等到这些阴影落到对岸的草场上，阴影的颜色就变得淡了一点，倒好像被河水洗干净了似的。四周的万物睡意蒙眬，所有的声音归于沉寂，一切东西似乎不大情愿地活动着，仿佛这是出于迫不得已，而不是因为它们像烈火般地热爱活动，热爱生活。

我恨不得使劲推一下整个大地和我自己，为的是使得一切，连我也在内，旋转起来，就像卷起了一股欢乐的旋风，就像互相热爱而又热爱生活的人们正在快乐地翩翩起舞，同时生活正在变成另外一种样子：美丽，活跃，真诚……

我暗自想道：

"我得有所作为才成，要不然我就完了……"

在秋天那些阴霾的日子里，在非但见不到太阳，甚至也感觉不到

———————

① 基督教节日，在八月十五日。

太阳，忘了太阳的时候，在秋天的这样的日子里，我不止一次在树林里迷过路。我已经离开了大路，却又找不着所有的小路。最后，我找得累了，就咬紧牙关，索性照直穿过密林，踩着朽烂的枯树，走过沼泽的高低不平的土墩。到头来总还是走到了大路上！

我就照这样做了决定。

这一年的秋天我动身到喀山去了，私心指望我在那儿也许能找到个地方上学念书。

我的大学

Part Three

郭家申 译

就这样，不管怎么说，我到喀山大学①学习去了，如此而已。

上大学的念头，是从一个叫尼古拉·叶夫列伊诺夫②的中学生那里来的；他是一个很可爱的小伙子，人长得很帅，有一双女人般亲切温柔的眼睛。他和我同住在一幢房子的阁楼上，因常见我手里拿本书，觉得很好奇，于是我们便认识了。不久，叶夫列伊诺夫就开始劝我，说我有"非凡的科学才能"。

"你生来就是为科学服务的。"他说，一面很潇洒地甩动着他那马鬃似的长发。

当时我还不知道兔子也能为科学服务，而叶夫列伊诺夫却信誓旦旦地向我证明说：像我这样的小伙子，大学里正好非常需要。不用说，我们也谈到了米哈伊尔·罗蒙诺索夫③的事例。叶夫列伊诺夫说，到喀山后，我可以先住在他那里，利用秋冬两季，把中学的课程修完，"几门"考试一通过——他就是这样说的："几门"考试——大学就会给我发放政府助学金；五年后，我就会成为一名"学者"。一切都非常简单，因为叶夫列伊诺夫当时才十九岁，为人纯朴善良，古道热肠。

考完试后，他就走了。两个礼拜后，我也跟着他去了。

外婆送我走的时候，劝我说：

"你呀，别老对别人发脾气，总是气鼓鼓的，成天板着个脸，对谁都不服气。你这都是从外公那里学来的，可是他——你外公——又怎么样呢？活了大半辈子，临了变成了一个傻瓜，苦命的老头子。你呀，有一点，你一定要记住：上帝从不对人们严加惩处，只有魔鬼才喜欢伤害无辜！再见了，喏……"

这时，她从肌肉松弛、颜色灰暗的脸上擦掉仅有的几滴泪水，对

---

① 喀山大学是一所历史悠久的综合性大学，建立于1804年；高尔基是1884年到喀山的。列夫·托尔斯泰1844年，列宁1887年，都曾在该校的法律系学习过。据《高尔基及其时代》一书介绍，高尔基大概是在1884年夏末或秋初到喀山大学去学习的。

② H. B. 叶夫列伊诺夫（1864—1934），是一位小公务员的儿子，在喀山第三中学上学；1885年起喀山大学数学物理系学习，曾积极参加喀山各种秘密小组的活动。

③ 罗蒙诺索夫（1711—1765），出身渔民家庭，19岁离家外出，先后在莫斯科、彼得堡、德国求学，是俄国第一个世界驰名的科学家、诗人、现代俄语标准语奠基人、画家和历史学家。

我说：

"以后我们再也见不着面了，你这一走，行踪无定，距离又远，而我——又是个快要死的人了……"

最近一个时期，我不在亲爱的外婆身边，甚至很少见到她，可是现在，此时此刻，我突然痛切地感到，以后我再也看不到这个和我休戚与共、至亲至爱的人了。

我站在轮船的尾部，看着她站在码头上；她一只手在胸前画着十字，另一只手——用旧头巾的一角——在擦拭自己的脸，在擦她那双对人们充满挚爱光辉的乌黑的眼睛。

就这样，我来到了这有一半鞑靼人居住的城市，住在一座平房的一个狭小的房间里①。这座房子不大，孤零零地坐落在一个小山坡上。在一条狭窄而贫穷的街道的尽头，房子有一面墙冲着一片火灾的废墟。废墟上杂草丛生，密密麻麻，有苦艾、牛蒡和团酸模；接骨木树丛里有一大堆坍塌的瓦砾，下面有一个很大的地窖，里面有许多无家可归的野狗，它们生在这里，也死在这里。这个地窖给我的印象很深，它是我所上过的大学中的一个。

叶夫列伊诺夫一家人——母亲和两个儿子——靠微薄的抚恤金生活。开头几天，我常看见这个愁眉苦脸、头发花白的瘦小寡妇从市场回来后，把买来的东西往厨房的桌子上一放，便开始考虑解决这样一个难题：怎样用这几小块劣质肉做成一顿饭，让三个身体健壮的小伙子——不算她自己——吃饱喝足呢？

她很少说话；她那双灰色的眼睛凝聚着一种绝望的、与人无忤的执着劲头儿，就像一匹精力耗尽了的马还在拼命地将车往山上拉——明知拉不上去，可是还在一个劲儿地往上拉！

我来到这里的第四天，一大早，两个孩子还在睡觉，我在厨房里帮她洗菜，她非常谨慎地小声问我：

"您为什么到这里来呢？"

"来学习，上大学。"

只见她的眉毛和额头的黄皮肤往上一皱，原来是刀子划破了她的一个手指。她赶紧用嘴吸吮流出的鲜血，一面在椅子上坐下来，但她

---

① 高尔基到喀山后，起初就住在市郊叶夫列伊诺夫家，他在这里住了大约两个星期的样子。

立刻又站了起来，说：

"噢，真是见鬼……"

她用手绢包好划破的手指，称赞我说：

"你挺会削土豆的。"

"唉，哪能不会呢!"于是我对她讲了我在轮船上干过帮厨的事儿。她问我：

"您以为——这样就可以上大学了吗?"

那时候我不懂得幽默。我把她的问话当真了，于是，我给她讲了我的行动计划，说科学殿堂的大门最后一定会对我敞开的。

她叹了口气，说：

"哎呀，尼古拉，尼古拉……"

正好这时候尼古拉到厨房洗脸来了，他刚刚睡醒，头发乱蓬蓬的，像往常一样，脸上乐呵呵的。

"妈妈，咱们包饺子吃吧!"

"那好吧。"母亲同意说。

为了显示自己对烹饪艺术的了解，我说："这肉包饺子不好，而且也太少。"

瓦尔瓦拉·伊万诺夫娜听后很不高兴，马上冲我说了些很难听的话，弄得我面红耳赤，很下不了台。她把几个胡萝卜往桌子上一扔，离开了厨房。尼古拉则冲我使了个眼色，对他妈的行为解释说：

"她心情不好……"

他坐在凳子上，对我说：一般来说，女人比男人更神经质一些，这是她们的天性。有一位很著名的学者，好像是瑞士人，对此做了无可争辩的论证。英国人约翰·斯图尔特·穆勒①对这个问题也曾有过论述。

尼古拉非常喜欢教我，因此，他抓住每一个机会向我脑子里灌输一些生活中必不可少、不可或缺的常识。我如饥似渴地听他给我讲，

---

① 穆勒（1806—1873），英国自由主义哲学家、经济学家和社会活动家，英国实证论的首创者、奠基人。著有《逻辑体系》等书。这里指的是他的《女人的从属性》一书。

后来，在我的脑子里竟然把富科①、拉罗什富科②、拉罗什查克林③全混为一谈了，我根本记不清是谁砍了谁的头——是拉瓦锡④砍了迪穆里耶⑤的头呢，抑或相反？小伙子一心希望我能够"出人头地"，他信心十足地说我一定能够做到，但是，要真正地坐下来教我、帮我，他既没有时间，也没有条件。他的自以为是和轻率作风，使他看不见他母亲操持这个家是多么的含辛茹苦，多么费尽心机。他的弟弟，一个沉默寡言、很难侍弄的中学生就更体会不到这一点了。可是，我对这些复杂的化学戏法和厨房经济的奥妙早已心知肚明，熟谙其详了。我清楚地看到这位主妇是多么心灵手巧，她每天不得不想方设法来填饱自己两个孩子的肚子，养活我这个其貌不扬、举止粗野的不速之客。不用说，分给我的每一片面包，像石块一样压在我的心头。我开始寻找工作，干什么都行。为了不在家里吃闲饭，我一大早就到外面去，遇到坏天气，我就躲在那片废墟中的地窖里避避风雨。在那里，我闻够了死猫癞狗的腥臭味儿，听够了狂风暴雨呼啸，我很快就明白了过来：上大学不过是一个梦想；也许去波斯要更明智一些。可是我已经在想象着自己变成了一个白胡子魔法师，找到了一种培育农作物的方法，

---

① 富科（1819—1868），法国物理学家，彼得堡科学院国外通讯院士（1860）；1850 年用以他的名字命名的方法测定空气和水中的光速；1851 年完成摆锤试验（所谓富科摆）；发现电涡流（富科电流）。

② 拉罗什富科（1613—1680），法国作家，早年因反对红衣主教黎塞留和马扎兰曾坐过牢，被流放过，参加过投石党的斗争，后因身受重伤，从此退出政治活动，出入文艺沙龙。代表作有《回忆录》（1662）和《箴言录》（1665）。作家以箴言的形式表达他对贵族社会道德风尚的看法，虽有些悲观厌世，但对宫廷与贵族的虚伪和欺诈给予了辛辣的嘲讽。马克思在给恩格斯的一封信中就引用过他的一条箴言："神态庄严是形体的一种奥妙，目的在于掩盖智力的缺陷。"

③ 拉罗什查克林（1772—1794），法国大革命时期保皇派头子。

④ 拉瓦锡（1743—1794），法国化学家，现代化学，特别是热化学的奠基人之一。1768—1791 年在政府征税机构任职；法国大革命中，他的身份引起当局的怀疑，1792 年，极右派马拉特对他提出莫须有的指控，1794 年根据革命法庭的审判，拉瓦锡等 27 人被送上了断头台。

⑤ 迪穆里耶（1739—1823），法国将军。他曾指挥革命的法国军队于1792 年打败了奥普干涉军。但 1793 年在纳温登附近战败，4 月，背叛革命，投奔了奥军。

可以使粮食的颗粒长得像苹果那样大，一个土豆有一普特①重。总之，为造福这片土地，我已经想出了不少办法，而在这块土地上艰难度日的可不只是我一个人。

我已经学会了幻想，净想些非同寻常的奇遇和种种丰功伟绩。在日子非常艰难的时候，这种幻想给了我很大的帮助，因为当时这样的日子很多——我幻想的本领也越来越大了。我对外来的帮助已经不抱希望，也不指望会交上好运，但我的意志却渐渐变得坚强起来。而且生活条件越是艰难，我感到自己就越坚强，甚至更聪明。我很早就懂得了：人是在与周围环境的抗争中成长壮大起来的。

为了不至于挨饿，我常去伏尔加河的码头上，在那儿很容易就能够挣上十五个至二十个戈比。在那里，置身于装卸工人、流浪汉和骗子小偷们中间，我感到自己是一块被投进炉火中冶炼的生铁——许多强烈、炽热的印象扑面而来，而且天天如是。人们在我面前像走马灯似的转来转去，他们贪得无厌，生性粗野。我喜欢他们对生活的仇恨心理，喜欢他们对世上的一切进行嘲弄、敌视，但对自身状态却漠不关心的态度。我亲身经历过的一切，使我对这些人有一种亲近感，我希望和他们打成一片，融入他们那个富有刺激性的圈子。勃莱特·哈特②的作品和我读过的大量"品位不高的"小说，使我对这个圈子里的人们更加有了好感。

惯偷巴什金，原来是师范学院的一名学生，如今穷困潦倒，还染上了痨病。他振振有词地对我说：

"你怎么像个姑娘一样，畏畏缩缩的，是不是怕坏了名声？对于一个姑娘来说，名声就是她的财富，可是对你来说，它只是一副枷锁。牛的名声不错，忠诚老实，但它们只配吃草！"

巴什金一头红发，脸刮得干干净净，很像个演员；矮小的身材，动作轻盈灵活，像一只小猫。他对我像老师一样，处处以保护人自居，我看得出，他真心实意地希望我成功和幸福。他非常聪明，读过不少

---

① 一普特相当于 16.38 公斤。

② 勃莱特·哈特（1836—1902），美国作家。曾在西部做过矿工，写了许多描写淘金者生活和黄金的腐蚀作用的小说，如《加利福尼亚故事》（1857—1871）和几部长篇。颂扬社会底层人们的勇敢精神，如《加布里埃尔·康罗伊》（1875—1876）等，他的作品乡土气息很浓。

好书，他最喜欢读的是《基督山伯爵》①。

"这部书里有目的，有良心。"他说。

他喜欢女人，讲起她们来，津津乐道，垂涎欲滴，兴奋得不得了，虚弱的身体像筛糠一样；这种哆里哆嗦的样子，完全是一种病态，看着直让我感到恶心。但他的话，我还是很仔细听的，我觉得它们非常美丽动人。

"女人啊，女人！"他坦诚地说，发黄的脸上顿时泛起了红晕，乌黑的眼睛里射出异常兴奋的目光，"为了女人，我什么都能豁出去。为了女人，就像着了魔似的，什么犯罪不犯罪的——我全然不顾！没有比恋爱更美好的了！"

他很会讲故事，轻而易举地就能为妓女们写些感人至深的关于不幸爱情的伤感歌曲，伏尔加河沿岸各个城市都在唱他的歌曲。其实，下面这首广为流传的歌曲也是他写的：

> 我又穷，又不漂亮，
> 又没有什么好衣裳，
> 有谁会娶我
> 这样的姑娘……②

特鲁索夫是个行动诡秘的人，对我的态度很好。他仪表堂堂，衣着考究，长有音乐家那样纤细的手指。他在船泊修造厂区域内开了个小铺子，招牌上写的是"修理钟表"，但干的却是销赃的勾当。

"你呀，彼什科夫，可别去干那偷鸡摸狗的事儿！"他对我说，眯起狡猾而果敢的眼睛，煞有介事地抚摸着自己已经斑白的胡子。"我看得出：你的前途不在这儿，你是个有精神追求的人。"

"什么叫有精神追求的人？"

"就是对什么东西都不羡慕，只是充满了好奇……"

这话用在我身上是不合适的，因为有许多事情我是很羡慕的。比如，巴什金说话时那种特殊的语气，诗一般的韵味儿，出入意料的比

---

① 法国作家大仲马（1802—1870）发表于1844—1845年的一部著名小说，描写的是法国波旁王朝和七月王朝时期一个冤冤相报的故事。

② 见俄国诗人 И.苏里科夫（1841—1880）的诗《我是一个孤儿》；文字与原诗略有出入。

喻和别出心裁的遣词造句——我对他的这种本领就非常羡慕。我想起了他讲过的一个爱情故事的开场白：

"一个朦胧的夜晚，我像树洞里的一只猫头鹰，坐在斯尼亚斯克这座贫穷城市的一家旅馆的房间里。当时是秋天，正值十月，绵绵细雨，下个不停，风一直在刮，时紧时慢，好像满腹委屈的鞑靼人慢条斯理地在唱歌，歌声没完没了的：'噢噢……啊啊……啊啊……噢噢……'

"说话间，她人来了，步履轻盈，面色红润，像太阳升起时的一朵祥云，一双眼睛——清澈透明，专门用来骗人。'亲爱的，'她诚恳地说，'我没有对不起你'。我知道，她在撒谎，可是我相信她说的是真心话！理智上我一清二楚，可是我内心里不相信她在骗我——怎么也不相信！"

他在讲话的时候，常常有节奏地摇晃着身子，眯缝起眼睛，不时用手轻轻地抚摩着胸口。

他的声音有些低沉，缺乏朝气，但他的语言却非常鲜明，像夜莺歌唱那样悦耳动听。

我非常羡慕特鲁索夫——他说起西伯利亚、希瓦①、布哈拉②这些地方的时候，滔滔不绝，非常有意思；对主教们的生活，则极尽讽刺挖苦之能事。有一次，他神秘兮兮地跟我谈起了沙皇亚历山大三世③的事：

"这位沙皇对自己的事情可是一把好手！"

我觉得，特鲁索夫是小说中常有的那样一种"坏人"——小说结尾时，出乎读者的意料，他们摇身一变，个个成了舍己为人的英雄。

有时候，在天气闷热的夜晚，这些人渡过喀山河④，来到对岸的草地上和灌木林中，在那里边吃边喝，议论各自的事情。但他们谈得最多的还是生活的复杂性和人际关系方面各种莫名其妙的纠葛，特别是有关女人的话题。他们谈起这些问题时，总有一种怨恨的情绪，满腹的忧伤，有时候感人至深，但几乎总是给人这样一种感觉，仿佛他们是在窥探一个黑暗的地方，那里有许多可怕的、出人意料的情况。我

---

① 俄国城市，位于花拉子模州。
② 俄国城市，布哈拉州行政中心。
③ 亚历山大三世（1845—1894），1881年起为俄国皇帝，在位期间，基本上把中亚细亚地区并入了俄国（1885）。
④ 喀山河从喀山市的西边流入伏尔加河。

和他们在一起度过了两三个夜晚——天空漆黑，星光暗淡，坐在闷热的洼地上，置身于密密麻麻的柳树丛中。由于这里距伏尔加河很近，空气非常潮湿。黑暗中，轮船上的一盏盏桅灯，像许多金色的蜘蛛，缓缓地向四面八方蠕动。它们爬向山石构筑的岸边，在一片黑暗中，像万家灯火，构成了一条火的长龙——它们是各家小饭馆和有钱的乌斯隆村各家窗户发出的灯光。轮船两边划水的叶片拍打着水面，发出低沉的响声；鱼贯而行的平底船上的水手们，在声嘶力竭地喊叫着，像鬼哭狼嚎一般；什么地方有人用斧子在敲打铁器；不知从哪里传来一阵凄楚哀婉的歌声，有人在抒发内心的感情——歌声沁人肺腑，在人的心头上平添一丝淡淡的忧愁。

听着人们在轻声细语，娓娓而谈，更让人感到愁肠百结，忧心如焚——他们都是在思考人生，每个人都在谈论自己的事情，几乎没有人在听对方讲些什么。他们在小树林里，或坐，或卧，抽着香烟，偶尔——绝不贪杯——喝一点伏特加酒、啤酒，然后，抚今追昔，回首往事。

"我曾遇到过这样一件事。"黑夜中，不知是谁躺在地上说。

大家听完他的故事后，都表示赞同，说：

"这是常有的事，什么事情都可能发生……"

我老听见他们说"常有的事""都可能发生""司空见惯"这些词儿，所以，我觉得，这些人好像今夜已经走到了生命的尽头——他们一切都已经经历过了，以后再也不会发生别的什么事了！

这使我跟巴什金和特鲁索夫之间拉开了距离，但毕竟我还是非常喜欢他们，而且，按照我的经历的全部逻辑，如果我今后与他们为伍，那是很自然的事。我追求上进、希望学习的愿望受到了伤害——这一点也在把我推向他们。当食不果腹、满肚子怨恨和苦恼烦闷的时候，我觉得自己完全有可能去违法乱纪，作奸犯科，而且不单单是针对"神圣的私有制度"。然而，青年人的浪漫情怀使我不能够半途而废，放弃我注定要走的道路。当时，除了富于人道精神的勃莱特·哈特的作品和一些格调不高的小说外，我已经读过不少正儿八经的好书。这些书在激励着我追求某种尚不甚明确，但比我的所见所闻要更重要、更有意义的东西。

与此同时，我结识了一些新的朋友，有了新的体验。有许多中学生常到叶夫列伊诺夫家附近的空地上玩击木游戏，其中有一个叫古里·普列特尼奥夫的学生①，我特别喜欢。他皮肤黑黑的，头发也很黑，像个日本人；一脸的小黑点，像沾了火药似的。他总是乐呵呵的，玩起游戏来得心应手，讲起话来非常风趣，是一个多才多艺的好苗子。但是，他几乎像所有俄国有才能的人一样，只靠大自然赋予他的才能吃饭，不想进一步去提高和发展自己的能力。他听觉敏锐，乐感好，喜欢音乐，能够熟练地演奏古斯里琴②、三弦琴和手风琴，但他不愿意去掌握更高级的、难度更大的乐器。他生活贫困，穿得很差，但他身上的破衣烂衫、满是补丁的裤子和脚上的破皮靴，与他的剽悍的性格、强健的体魄和豪放的作风，倒是非常相称。

他像是一个久病初愈的病人，刚刚才能够起来行走，又像是一名昨天才从狱里释放出来的因犯，——生活中的一切，对他来说都是新鲜的，令人愉快的；他感到兴高采烈，心花怒放，兴冲冲地又蹦又跳，跟遍地开花的烟花爆竹一样。

他知道我生活困难、处境险恶后，便让我搬到他那里住，去当一名农村教师。于是我就住进了这个奇特、欢乐的贫民窟——"马鲁索夫卡"③了；可能不止一代的喀山大学生都知道这个地方。它就是鱼市街那幢很大的破烂不堪的房屋，它好像是由许多食不果腹的大学生、妓女和一些幽灵似的无用之辈从房主手里夺过来的。普列特尼奥夫就住在走廊楼梯下的一个阁子间里；那里放着他的一张床，走廊的尽头紧靠着窗子，有一张桌子和一把椅子，这就是他的全部家当。有三个房间的门冲着走廊，其中两间由妓女们住着，第三间住的是教会学校一个患肺结核的学数学的学生。这个人长得又高又瘦，样子看上去有点吓人：棕红色的头发，一脸胡子拉碴，身上穿得破破烂烂，勉强遮盖着身子。透过衣服破烂的地方，可以清楚地看见他那发青的皮肤和一根根瘦骨嶙峋的肋骨。

他好像就靠吃自己的指甲过日子，把手指头都快啃得出血了。他没日没夜地在画什么东西，计算来，计算去，吭吭喀喀，不停地咳嗽。

---

① 古里·普列特尼奥夫（1864—1922），一个银行职员的儿子，喀山大学医学系的学生，1888年1月因参加学潮被校方开除，1889年9月前一直被关在喀山和彼得堡的监狱内。

② 俄国一种多弦拨弦乐器，有翼形（5—12根弦）、钟形（11—36根弦）和直角形（35—66根弦）三种琴型。

③ 高尔基从1884年10月到1885年5月在这里住过。

妓女们都害怕他，认为他是个疯子，但是出于怜悯，她们常常在他的门口放些面包、茶叶和砂糖。他从地上捡起这一包包的东西，拿回房间，像一匹精疲力竭的马似的，呼哧呼哧地直喘粗气。要是她们忘记放了，或者由于什么原因没有给他送这些东西，他就会打开门，冲着走廊，哑着嗓子喊道：

"面包呢？"

从他那深陷的两个黑眼窝里，流露出躁狂症患者常有的那种踌躇满志、不可一世的傲慢神色。偶尔有一个其貌不扬、矮小驼背的人到他那里去找他。这个人是个八字脚，酒糟鼻，戴一副深度眼镜，头发花白，面色蜡黄，一脸奸笑——整个一个阉割派教徒。他们把房门关得严严实实，能一连几个小时默默地坐着，莫名其妙地一声不吭。不过，有一次夜里已经很晚了，那个学数学的学生声嘶力竭地把我叫醒说：

"我告诉你，这是一座监狱！几何学，是个笼子，没错儿！是个捕鼠器，没错儿！是一座监狱！"

那个驼背的丑老头尖声尖气地嘻嘻笑着，翻来覆去地说着一个莫名其妙的词儿，而那个学数学的学生，这时突然大吼一声：

"滚！见你的鬼去吧！"

他的客人被狼狈地赶到了走廊，嘴里骂骂咧咧，身上披一件宽大的斗篷。那位学数学的学生则站在门口，高高的个子，凶神恶煞似的，把手指头插进乱蓬蓬的头发里，哑着嗓子叫道：

"欧几里得①是个傻瓜！傻——瓜……我能够证明上帝比这个希腊人要聪明！"

然后，他使劲在门上踹了一脚，只听见屋里有什么东西被震落了下来。

后来我很快了解到，他是想通过数学来证明上帝是存在的，但是他死得太早了，没有来得及证明这一点。

普列特尼奥夫在一家印刷厂给报纸②当夜班校对员，一夜挣十一个戈比。因此，要是我没有找到挣钱的工作，我们一天就只能靠四俄磅

---

① 欧几里得（Euclid），古希腊数学家，公元前3世纪在亚历山大任职，是古希腊三大数学家之一，著有《几何原本》（15卷），总结了古希腊数学300年来的发展，为数学的进一步研究奠定了坚实的基础。

② 指《伏尔加信使报》。

的面包、两戈比的茶叶和三戈比的砂糖过日子了。而我又没有多少时间去工作，因为我必须得学习。我非常吃力地在攻克科学的难关，特别是格式死板、内容烦琐的语法课，让我伤透了脑筋；我根本无法把生动、难学、变化多端的俄罗斯语言纳入语法的条条框框里去。但所幸事情很快就弄清楚了，原来我学这些东西"为时尚早"，即使通过了乡村教师的资格考试，由于年龄的关系，我也得不到这个职位。

普列特尼奥夫和我同用一张床，我——晚上睡，他——白天睡。他因为夜里没睡觉，早上下班回来时，无精打采，脸色发黑，眼睛发红；我赶紧去小饭馆里打开水，因为——不用说——我们没有茶炊。然后，我们坐在窗前，喝着茶，就着面包。古里·普列特尼奥夫给我讲述报上的新闻，朗读嗜酒如命的杂文作家"红色多米诺"的打油诗。他那种游戏人生的态度让我感到非常吃惊，我觉得，他对生活的态度，就跟对待那个倒卖女人旧衣服兼做皮条客的黄脸婆加尔金娜一样。

他向这个女人租了楼梯下的一个角落，但是他付不起"房租"，因此，作为报酬，他只好给她经常讲些笑话，逗她开心，给她拉手风琴，唱些动人的歌曲给她听。他是个男高音，每当他唱歌的时候，眼睛里总是流露出一丝讥讽与嘲弄的神色。加尔金娜年轻时当过歌剧合唱演员，在唱歌方面是个内行。因此，她唱起来往往非常投入，有时眼泪会从她那恬不知耻的眼睛里夺眶而出，顺着她这个贪吃贪喝的黄脸婆的浮肿的面颊流下来。这时，她会用胖乎乎的手指头抹去脸上的泪水，然后再用一块脏兮兮的小手绢细心地擦一擦手指。

"啊，古罗奇卡①，"她叹了气说，"您简直就是一个演员！您的长相，只要稍微再帅气一点，我就能够让您火起来！我给女人们推荐的年轻小伙子多了，她们孤身一人，心里寂寞得很呐！"

有一个这样的"小伙子"就住在我们的楼上。他是一名大学生，是毛皮匠的儿子。小伙子中等身材，宽肩膀，胸肌发达，胯骨特窄，整个人看上去像一个倒置的三角形，只是这个三角形下面的角被截掉了一些。大学生的脚长得特别小，跟女人的脚差不多，而且，他的脑袋也不大，深深缩进在两个肩胛之中，一头红发向上支棱着；毫无血色的苍白的脸上，神情忧郁地瞪着两只有点发绿的金鱼眼。

他违背父亲的意愿，像一条无家可归的野狗，忍饥挨饿，想尽办

① 古里的爱称。

法想把中学念完，然后再上大学。但他发现自己有一副很好的男低音嗓子——深沉、柔和，所以他又很想去学声乐。

加尔金娜正是抓住他的这一特点，把他介绍给一位富商的妻子。这位富婆四十岁上下，儿子已经是大学三年级的学生，女儿很快也要中学毕业了。这女人长得很瘦，平胸，腰杆儿挺直，像个当兵的。她脸上毫无表情，像一名惩忿窒欲的修女；一双灰色的大眼睛深藏在两个黑眼窝里。她穿一件黑色的连衣裙，头上系一条老式的丝织头巾，耳朵下一对镶着绿宝石的耳环在不停地颤动。

有时候——晚上，或者一大早，她会来看看自己的这位大学生。而且，我不止一次地看见，这女人风风火火地一迈进大门，便穿过院子，径直向里面大步走去。她的脸色吓人，双唇紧闭——几乎看不见嘴唇；两只瞪大的眼睛，直视前方，一副忧心忡忡、万般无奈的样子。但是她好像什么都看不见。不能说她这个人有多么反常，但她身上确实有些使人明显感到不太正常的紧张情绪。这种紧张情绪，使她显得有些怪怪的，她的整个身心都得不到放松，总是绷着个脸。

"瞧，"普列特尼奥夫说，"跟疯子一样！"

大学生很讨厌这个富婆，常常躲着她，可是她紧追不舍，好像是一个不讲情面的讨债人，或者一个密探。

"我是个登不了大雅之堂的人，"他喝了口酒后，懊恼地说，"我为什么要唱歌呢？我这副嘴脸，这样的身材，人家是不会让我登台的，肯定不会让我登台！"

"这种烦心的事也该结束了！"普列特尼奥夫劝他说。

"是的，是该结束了。但我有点可怜她。我一方面感到受不了，可是——我又很可怜她。要是你们知道她多么，唉……"

我们完全知道，因为我们曾经听见这个女人夜里站在楼梯上，用颤抖的声音，轻声苦苦哀求地说：

"看在上帝的份上……我的心肝宝贝，喏，为了上帝，我求求你了！"

她是一家大工厂的老板，有房产，有车马，为妇产科培训班捐的钱数以千计，可是她却像乞丐一样，低声下气地恳求男人的怜爱。

喝完茶，古里·普列特尼奥夫躺下睡觉了。我出去寻找工作，晚上回来时已经很晚，古里又该去印刷厂上班了。如果我带回了面包、香肠或煮熟的"下水"，我们就把这些东西一分为二，他把自己的那一份随身带走。

剩下我一人时，我就在"马鲁索夫卡"这个贫民窟的走廊各处转转，看看新来的人是怎样生活的。房间里住满了人，拥挤不堪，像个蚂蚁窝。屋内有一股难闻的气味，到处都黑乎乎的，好像充满了敌意。从早到晚，屋里的响声不断。缝纫机响个不停，合唱演员们在练嗓子，大学生在低声练习音阶的发音，喝醉酒的、疯疯癫癫的演员在高声地背诵台词，醉醺醺的妓女们在歇斯底里地狂呼乱叫。这时，我脑子里产生一个自然、但无法解答的问题：

"这一切到底是为什么呢？"

有一个红头发的男人，总在一些饥肠辘辘的青年中间转悠，一副莫名其妙的样子。此人谢顶头，高颧骨，大腹便便，两条小细腿，一张大嘴巴，一口大马牙——因为这口牙，人们就管他叫"大红马"。他跟几个在辛比尔斯克①做生意的亲戚打官司已经打了两年多了，因此他逢人便说：

"拼了命，我也要把他们搞得倾家荡产！让他们满世界去行乞，过两三年讨饭的日子，然后我再把判给我的东西还给他们，统统返还给他们，并且要问上一句：'怎么样，死鬼们？知道厉害了吧！'"

"大红马，这就是你生活的目的吗？"有人问他。

"我一心就扑在这件事情上了，别的什么我都没法干啦！"

他整天整天地待在地区法院、高等法院和自己所委托律师的身边；经常晚上坐着马车，带着大包小包、各种酒类和饮料回来，在自己那间天花板业已脱落、地板已经翘起的脏屋子里，邀请大学生、缝纫女工及一切想饱饱口福和喝上几杯的人举行热闹的酒会。大红马只喝罗姆酒和别的软饮料，结果，桌布、衣服，甚至地板上，都被这些饮料弄上许多洗不掉的棕红色污点。几杯酒下肚后，他大声吼叫道：

"你们都是我的可爱的小鸟！我爱你们，你们都是老老实实的好人！而我却是个卑鄙小人，是一条鳄鱼，我要整垮我的亲戚，而且，一定能将他们整垮！真的！拼了命我也要……"

大红马眨巴着眼睛，整个一副可怜相。他那颧骨突出的愚蠢的脸上，泪如泉涌，一脸酒气。他用手擦去脸上的眼泪，随即顺手就抹到了膝盖上——他那肥大的裤腿上从来都是油迹斑斑。

———————

① 俄国伏尔加河流域城市，1924年改名为乌里扬诺夫斯克市，是乌里扬诺夫州的行政中心，古比雪夫水库的港口。1870年4月22日弗·伊·乌里扬诺夫（列宁）诞生于此。

"你们生活得怎么样？"他大声喊道，"饥饿、寒冷、破衣烂衫——难道这就是法律吗？这样的日子，能叫人从中学到什么？唉，要是皇上知道你们是怎样生活的就好了……"

这时他从口袋里掏出一沓五颜六色的钞票，对大家说：

"谁需要钱？拿去吧，弟兄们！"

合唱团的歌手和缝纫女工们，争先恐后地把钱从他那长满汗毛的手中抢了过去。这时候，他哈哈大笑地说：

"可这些钱——不是给你们的！是给大学生们的。"

但是大学生们没有要这些钱。

"让这些钱见鬼去吧！"毛皮匠的儿子愤愤地喊道。

有一次，他喝得醉醺醺的，给古里·普列特尼奥夫带回来一沓揉成一团的十卢布的票子。他把钞票往桌子上一扔，说：

"这些钱——谁需要？我——用不着……"

他倒在我们的床上，大喊大叫，失声痛哭，因此，我们只好给他水喝，用水浇他。等他睡着后，古里·普列特尼奥夫想把这些钱摩挲平，但他发现这是不可能的——这些票子被压得非常瓷实，必须先用水把它们弄湿，然后才能一张张地分开。

房间里乌烟瘴气，肮脏不堪。房子的窗户正对着邻居家的一堵砖墙，屋里又挤又闷，吵吵嚷嚷，简直没法待，大红马的嗓门比谁都大。我问他：

"为什么您要住在这里，干吗不住旅馆呢？"

"亲爱的，住这儿图的是个心里痛快！跟你们在一起，心里特别舒服……"

毛皮匠的儿子证实说：

"没错儿，大红马！我也是这样。换个地方我可能就受不了……"

大红马向古里·普列特尼奥夫请求道：

"弹一段吧！唱一个……"

于是古里把古斯里琴往膝盖上一放，唱道：

快快升起来，快快升起来，
你这红色的太阳……①

——————————

① 一首古老的俄罗斯民歌。

他的嗓音委婉动听，沁人肺腑。

屋子里非常安静，大家若有所思地倾听着他那如泣如诉的歌声和古斯里琴轻盈舒缓的玎玎琴声。

"太好了，真见鬼！"那个给富婆消愁解闷的倒霉蛋儿嘴里嘟哝着。

在这座老房子里的形形色色的住户中，古里·普列特尼奥夫算是最聪明的了。他的名字就意味着欢乐①，他充当着神话故事中善良精灵的角色。他的内心充满了生动活泼的青春朝气，他通过有趣的笑话、动听的歌曲和对世人陈规陋习的辛辣讽刺，照亮了生活，给生活增了辉。他刚满二十岁，看上去还是个半大孩子，但住在这里的人遇到困难时，都把他看成是一个能够为他们出主意、想办法的人，而且他总是能够给他们以帮助。好人——喜欢他，坏人——害怕他，甚至老巡警尼基福雷奇见到古里·普列特尼奥夫时也要打个招呼，脸上露出狡猾的微笑。

"马鲁索夫卡"这个贫民大院，是上山去的一个"通道"；它联结着两条街：一条是鱼市街，另一条是老陶器街。紧靠老陶器街尽头，离我们院大门不远处，有一个很舒适的角落，巡警尼基福雷奇的岗亭就在那个地方。

他是我们这个街区的老警长，高高的个子，人又干又瘦，胸前挂满了奖章；长着一张聪明的脸，笑起来和蔼可亲，眼睛里透出几分狡黠。

他对这个人来人往、闹闹哄哄的大杂院非常关注，每日必来巡查几次，每次都警容严整，整齐划一。他不慌不忙地挨家挨户察看一下他们的窗户，就像动物园的巡视员察看笼子里的动物一样。冬天，他在一个房间里逮捕了一个一只手的军官斯米尔诺夫和一名士兵穆拉托夫。② 这两个人都是圣乔治十字勋章的获得者，参加过斯科别列夫③率领的阿哈尔捷金远征军。被抓起来的还有佐布宁、奥夫相金、格里戈里耶夫和克雷洛夫等人——据说他们试图要建立一个秘密印刷所。穆

---

① 指他的名字古里与古斯里琴有些相近。

② 事情发生在 1886 年的 1—2 月间，当时被捕的人有退伍陆军中尉、民意党人 Г. П. 斯米尔诺夫、士官 В. 穆拉托夫和佐布宁等喀山大学的几名学生。

③ 米·季·斯科别列夫（1843—1882），俄国陆军上将（1881），1873 年曾远征中亚；1880—1881 年又指挥了阿哈尔捷金的远征；1873—1876 年镇压过浩罕起义；1877—1878 年参加过俄土战争。

拉托夫和斯米尔诺夫礼拜日大白天跑到市里闹市区克留奇尼科夫的印刷所想偷铅字，因此才被抓了。可是有一天夜里，宪兵从"马鲁索夫卡"还抓走了一个居民——一个个子高高、整天愁眉苦脸、我给他起个外号叫"活动钟楼"的人。早上，古里·普列特尼奥夫听说这事后，情绪非常激动，他把自己的一头黑发弄得乱七八糟，对我说：

"听我说，马克西梅奇，没王法了，全乱套了，老弟，赶紧，快跑……"

他向我说应该往哪儿跑后，又补充了一句：

"一定要当心，不可大意！那里也许有密探……"

这种神秘的嘱托令我感到异常兴奋，于是我像雨燕似的，飞快地向船舶修造厂那里跑去，到了那里，在铜匠师傅昏暗的作坊里，我看见一个满头鬈发、眼睛湛蓝的年轻人，他正在往一只平底锅上镀锡，不过——看上去他不像个工人。而在屋角处，在一台虎钳的旁边，一个小老头儿正在打磨一个阀门。他用一条细小的皮带子把自己的白头发向上拢了起来。

我问铜匠师傅：

"你们这里有活儿干吗？"

老头儿气呼呼地回答说：

"活儿我们倒是有，可是对你来说——没有！"

那年轻人瞥了我一眼，又埋头镀他的平底锅了。我用脚轻轻踢了踢他的脚，他惊讶地瞪大一双蓝色的眼睛，愤怒地盯住我，同时紧紧握住平底锅的把手，好像要冲我砸过来似的。但他发现我在向他递眼色后，便心平气和地对我说：

"走吧，你先走吧……"

我又向他使了个眼色，走到门外，站在大街上。那一头鬈发的年轻人伸了个懒腰，也跟了出来，他抽着烟，一声不响地直盯住我看。

"您就是吉洪吗？"

"嗯，没错。"

"彼得被捕了。"

他紧皱眉头，一脸的不高兴，一再用眼睛打量我。

"是哪个彼得？"

"高个子，像教堂助祭的那个。"

"是吗？"

"别的没什么了。"

"什么彼得、助祭等，跟我有什么关系？"铜匠师傅问道。他问这个问题的神情语气使我确信：他不是个工人。我跑回家去，为我完成了一项嘱托而深感自豪。这是我生平第一次参加"地下工作"。

古里·普列特尼奥夫和他们的关系非常密切，但他在回答我想加入他们圈子的要求时却说：

"你呀，小老弟，对你来说还早着呢！你应该学习……"

叶夫列伊诺夫介绍我认识一位神秘人物①。见面的过程很复杂，有种种预防措施，这使我预感到这件事情非同小可。叶夫列伊诺夫将我领到城外，来到阿尔斯克旷野；路上他一再叮嘱我对这次见面要格外小心，严加保密。然后，他环顾四周，向我指着一个远远在旷野漫步的很小的灰色人影，小声说：

"瞧，就是他！过去吧，等他站住后，你就走过去，对他说：'我是从外地来的……'"

神秘的活动总是令人高兴的，但这次会面却让我觉得有些好笑：大热天，烈日当空，一个孤零零的灰色人影，像一根草似的在旷野里晃来晃去——这就是全部的内容。在一座墓地的门口，我赶上了他。站在我面前的原来是一位翩翩少年，长着一张毫无表情的小脸，两只像鸟儿似的圆眼睛，目光锐利，咄咄逼人。他穿一件中学生常穿的灰大衣，但是浅颜色的纽扣已经没有了，换上了深色的骨质纽扣，旧帽子上还看得见帽徽的痕迹。总之，他给人的印象是：羽翼未丰，他却想让人觉得他已经是个长大成熟的人了。

我们坐在墓旁的树阴下。他说起话来枯燥得很，但非常务实，我压根儿不喜欢他。他严厉地盘问我读过什么书，建议我参加一个他组织的小组，然后我们便分手了。他第一个先走，走前还小心翼翼地向荒野四周打量了一番。

参加小组活动的还有三四个青年，其中数我最年轻，而且，对于由车尔尼雪夫斯基点评的约翰·斯图尔特·穆勒②的著作的研究，我完

① 指 M. E. 别列津(1864—?)，积极参加喀山地下小组活动，1907 年任第二届国家杜马副主席，十月革命后在合作保险领域工作。

② 约翰·斯图尔特·穆勒（1806—1873），英国自由主义哲学家和社会学家，他的著作《政治经济学基础》由俄国革命民主主义者、哲学家、作家和文艺评论家车尔尼雪夫斯基（1828—1889）作了批注，发表在 1861 年的《现代人》杂志上。

全没有准备。我们常常在师范学院的学生米洛夫斯基的家里聚会①，后来他曾用叶列翁斯基的笔名写过一些短篇小说，还写了五本书，最后，竟然自寻短见了。我遇见的随便结束自己生命的人真是太多了！

他这个人不爱说话，思想不开朗，说话谨小慎微。他住在一幢很脏的楼房的地下室里，为了保持"身心平衡"，经常干点木工活。跟他在一起十分枯燥。读穆勒的书，我不感兴趣，因为很快我就发现，经济学的基本原理，我非常熟悉；我是通过自己的亲身体验直接掌握的，它们就书写在我的皮肤上，简直是刻骨铭心。再说了，我觉得也不值得用那么艰涩难懂的语言，写那么大厚本的书，讲些凡是为"他人"幸福与安逸出卖劳力的人一听就完全明白的道理。我要花很大的毅力才能在这个充满胶水气味的地下室里待上两三个小时，一面观察一个个潮虫是如何在肮脏的墙壁上爬来爬去。

有一次，辅导学习的老师比平时来晚了，我们以为，他可能不会来了，于是便买了一瓶伏特加酒，还有面包和黄瓜，举行一个小小的宴会。可是，突然，我们看见辅导老师的灰色裤腿从地下室的窗口外一闪而过，我们就赶紧把酒往桌子底下藏，可这时他已经进来了，而且马上就开始讲解车尔尼雪夫斯基的种种高论。我们大家坐在那里，一动不动，跟木偶似的，直担心我们有人会不小心踢倒酒瓶子。然而，碰倒酒瓶子的恰恰是我们的辅导老师。他把酒瓶碰倒后，往桌子底下看了看，一句话没说。唉，他还不如痛骂我们一顿呢！

他一言不发，紧绷着脸，眯缝着眼睛，显得很不高兴；这使我感到非常尴尬。我偷偷看一眼同伴们羞得满面通红的脸，深感自己在辅导老师面前犯了罪，从内心深处感到对不起他，尽管这次买酒的主意并不是我出的。

小组朗读非常枯燥，我很想到鞑靼人的镇子上去。那里的人，民风淳朴，待人热情，是一方特有的净土。他们讲的俄语，南腔北调，十分可笑。一到傍晚，阿訇们从清真寺的塔楼上怪声怪气地招呼大家到清真寺去做礼拜。我想，鞑靼人过的完全是我所不了解的另外一种生活，与我所知道和不喜欢的那种生活完全不同。

伏尔加河上劳动生活的音乐深深地吸引着我。这种音乐，至今仍

---

① C. H. 米洛夫斯基(1861—1911)，神学院的学生，喀山地下活动小组领导人之一，后来成了一名作家（见《高尔基文集》第25卷，第330—336页）。

使我乐而忘返，怦然心动，我清楚地记得我第一次感受到英雄劳动诗篇的那一天。

一艘满载波斯货物的大驳船在喀山附近触礁搁浅了，船底被撞了个大窟窿，装卸工人劳动合作组织叫我们从船上往下卸东西。当时是九月天，从上游过来的风一个劲儿地刮着，灰色的河面上波浪滚滚，怒涛汹涌，狂风冷雨，迎面袭来。劳动合作组织派来的装卸工约有五十人，他们身披编织袋和雨衣，一个个愁眉苦脸地待在空驳船的甲板上。一艘小拖轮气喘吁吁地拖着大驳船向前航行，将一团团红色的火花洒向雨中。

夜幕降临，灰暗、潮湿的天空黑了下来，笼罩在河面上。装卸工人们牢骚满腹，骂骂咧咧，一个劲儿地在骂雨、骂风、骂生活。他们无精打采地在甲板上转来转去，想避开风雨和寒冷。我觉得这些睡眼惺忪的人们干不了什么活，他们也挽救不了将要沉没的满船货物。

快到半夜的时候，拖轮才开到大驳船触礁搁浅的地方，他们把空驳船和搁浅的大驳船的船舷拴在一起。劳动合作组织的领班是个对人很凶的小老头儿，一脸麻子，诡计多端，满嘴脏话，长有一双鹰的眼睛和鹰一样的鼻子。他从谢了顶的脑袋上摘下被雨水打湿的帽子，像女人一样尖着嗓子喊道：

"伙计们，快祈祷吧！"

驳船的甲板上黑灯瞎火，装卸工人们黑压压地挤作一团，像狗熊似的，嘴里哼哼哧哧。领班的最先祈祷完，尖着嗓子喊道：

"把灯拿过来！喏，伙计们，干出个样子来！真的，孩子们！上帝保佑你们——大家开始干吧！"

于是，这些行动笨拙、有气无力、浑身湿透的人们开始要"干出个样子来"了。他们像冲锋打仗一样，一下子跳到将要沉没的驳船的甲板上，钻进船舱。他们吆喝着，喊叫着，互相逗闹打趣，有说有笑。成袋的大米、一包包葡萄干、皮革、卡拉库尔羊羔皮，像鸭绒枕头似的，从我身边一闪而过。一个个粗壮的身影，你来我往，川流不息。他们彼此吆喝着，吹着口哨，嬉笑怒骂，互相鼓气。很难相信，这帮笨手笨脚、愁眉苦脸的人，刚才还在牢骚满腹，骂骂咧咧，诅咒生活，诅咒下雨，诅咒寒冷，一旦干起活儿来，却是那么轻松愉快，生龙活虎。雨越下越大，天气也越来越冷，狂风一个劲儿地猛吹，把他们的衬衣下摆纷纷掀起，倒扣在他们的头上，肚子全裸露在外面。在六盏照明灯的微弱的灯光下，在湿淋淋的黑暗中，一个个黑乎乎的身影，踏着驳船的甲板，脚下发出扑通扑通的响声，没完没了地一趟一趟地搬运着。他们工作得非常起劲儿，好像早就渴望着能够大干一场，好好享受一下装卸四普特重的大米袋也不过是举手之劳的乐趣，过一过扛着大货包健步如飞的瘾。他们干得是那样的开心，像孩子似的欣喜若狂，跟喝醉了酒一样——只有搂住女人的时候才会有这样甜蜜的感觉。

一个身材高大、留着大胡子的人，穿一件紧身大衣，浑身都湿透了，上下光溜溜的——兴许他就是货主，或者是货主的代理人，他突然兴奋地大声喊道：

"小伙子们，我拿出一桶酒来！哥们儿——两桶也行啊！大家加油干呀！"

马上有几个粗嗓门儿从黑暗处喊道：

"三桶吧！"

"三桶就三桶！干吧，可得好好干！"

于是，大家干得更欢了。

我也抓起袋子，扛上就走，然后撂下，再扛上走，再撂下。我觉得，自己和周围的一切都在疯狂地跳舞，这些人能够如此拼命地干活儿，乐此不疲，不知疲劳，从不怜惜自己。他们可以成年累月地干，可以托起城里的钟楼和高塔，想把它们搬到哪里，就搬到哪里。

这一夜，我体验到了从未体验过的快乐，我的心变得亮堂了，我希望今生今世永远生活在这种半疯狂的劳动兴奋之中。船外，浪花在起舞，雨点儿拍打着甲板，狂风在河上呼啸。茫茫晨曦中，一个个像落汤鸡似的，他们衣不遮体地在迅速地、没完没了地前后奔跑；他们喊叫着，说笑着，欣赏着自己的力量和劳动。而这时，狂风已经驱散了浓厚的乌云，粉红色的阳光，照射着天空一块湛蓝明亮的彩云。这群像野兽一样兴高采烈的人们，甩动着头上的乱发，异口同声地对着太阳大声地吼叫着。我真想过去好好地拥抱和亲吻一下这些两条腿的野兽们——他们干起活来是那样的足智多谋，那样的干脆利落，全力以赴，全然忘记了自己。

给人的感觉是，这种高昂的劳动热情和冲天的干劲，是什么力量也阻挡不住的。它能够创造人间的奇迹，能够像预言未来的童话故事所说的那样，一夜之间，让一座座美丽的宫殿和城池在各处拔地而起。太阳鸟瞰人们的劳动，一两分钟便被浓浓的乌云挡住，像婴儿沉入大海似的完全被淹没了，而雨则由小变大，继而变成了倾盆大雨。

"就干到这儿,休息吧!"不知是谁喊了一声,但马上就有人愤怒地回了一句:

"胡说,我看你敢去休息!"

这些衣不遮体的人们一直干到下午两点钟,中间从没有休息。他们顶着狂风,冒着大雨,直到把全部货物卸完为止。他们使我真正明白了人类世界拥有何等强大的力量啊。

然后,他们回到轮船上,像喝醉了酒似的,倒头便睡。船到喀山,他们一个个灰头土脸儿地涌上岸去,直奔小酒店,喝他们那三桶伏特加酒去了。

在小酒店里,小偷巴什金走到我跟前,仔细看了看我,问道:

"你干什么去了?"

我兴高采烈地给他讲述了我干了些什么,他听后叹了口气,很不以为然地说:

"傻瓜。比傻瓜还傻——白痴!"

他吹着口哨,像一条鱼似的不停地扭动着身子,在拥挤的桌子中间转来转去。装卸工们围着桌子边吃边喝,非常热闹。这时,屋角里不知是谁,用男高音唱起一支低俗下流的歌曲:

> 哎哟哟,
> 这事儿发生在一个晚上,
> 太太来到小花园闲逛,
> 哎哟哟!

有十来个人一面拍打着桌子,一面大声地跟着唱道:

> 一名更夫在城里巡查,
> 看见太太正躺在地上……

笑声,口哨声,各种污言秽语,不绝于耳,大概世界上再没有比这更不知羞耻的话了。

有人介绍我认识了安德烈·杰连科夫①，他开了一间小杂货铺，就在峡谷上边一条很不起眼的狭小街道的尽头，地点非常偏僻，附近堆放着许多垃圾。

杰连科夫因肌肉萎缩手臂不好使唤，他这个人长得很面善，留着花白胡子，有一双聪明的眼睛。他有一个全市最好的图书馆，里面收藏有许多禁书和稀世珍本，喀山许多高校的大学生②和各种富有革命精神的人都来他这里借书。

杰连科夫的杂货铺开设在一座矮小的房子里，紧挨着一个阉割派教徒——银钱兑换商——的家。铺子的一扇门通往一个大房间，里面的光线很暗。因为只有一扇窗户对着院子，大房间连过去是一间小厨房。厨房后面，在杂货铺和银钱兑换商家房子间的昏暗过道里，有一间小小的贮藏室，那个不可告人的图书馆就隐藏在这里。它的一部分藏书是很厚的手抄本，如拉夫罗夫③的《历史信札》，车尔尼雪夫斯基的《怎么办?》，皮萨列夫④的一些文章，《饥饿王》⑤《巧妙的圈套》⑥等——所有这些手抄本，经过人们反复借阅，已经破旧不堪了。

---

① 大部分高尔基传记的作者都认为"高尔基到喀山不久"就成了 A. 杰连科夫（1855—1953）家小杂货铺的常客（见《高尔基及其时代》，第586页）。

② 除喀山大学外，喀山当时还有神学院、教师学院、兽医学院及三所女子中学、三所男子中学。

③ 彼·拉·拉夫罗夫（1823—1900），俄国哲学家，社会学家，政治家，革命民粹派思想家之一。1868—1869年发表《历史信札》一书，对革命青年很有影响。

④ 德·伊·皮萨列夫（1840—1868），俄国革命民主主义者，政论家，文艺批评家，唯物主义哲学家，空想社会主义者。19世纪60年代因宣传革命被捕入狱。主张通过发展工业达到社会主义，认为自然科学是教育手段和生产力。主要著作有《劳动史纲要》《现实主义者》《美学之毁灭》等；

⑤ 《饥饿王》，俄国民意党人 A. H. 巴赫（1857—1946）当年写的一本地下小册子，旨在通俗地讲述马克思的经济学理论；巴赫早年参加革命运动，后侨居瑞士，1917年回国，是苏联生物化学学派的创始人，苏联科学院院士（1929）。《饥饿王》开始以油印的方式散发，后来在民意党人办的地下印刷厂里印刷成册。高尔基当年转抄的部分内容至今还保留在喀山的高尔基博物馆内。

⑥ 《巧妙的圈套》是俄国统计学家和经济学家瓦·叶·瓦尔扎尔（1851—1940）写的一本书。作者是俄国工业统计学的奠基人，曾对1900年、1908年的俄国工业作过统计调查，列宁曾引用过他的调查材料。

当我第一次来到杂货铺时，杰连科夫正在接待顾客，他冲我点点头，让我自己往里走。我进去一看：黑乎乎的角落里有一个小老头儿正跪在地上虔诚地向上帝做祈祷，老头儿的样子很像谢拉菲姆·萨罗夫斯基①的画像。我看着这个老头儿，就感到什么地方有点不对劲儿，觉得非常别扭。

关于杰连科夫，有人告诉我，说他是"民粹派"②。在我的印象里，民粹派就是革命者，而革命者是不应该信上帝的，这老头儿在这里向上帝祈祷，我认为是多此一举。

他祈祷完毕，仔细理了理头上的白发和胡子，认真地看了看我，说：

"我是杰连科夫的父亲。可您是谁呀？是吗？我还以为您是一位化了装的大学生呢。"

"为什么大学生要化装呢？"我问道。

"可不是吗，"老头儿小声说，"因为无论怎样化装——总是瞒不过上帝的！"

他去了厨房，而我则独自坐在窗前想事儿。这时，我突然听见有人说：

"这就是他呀！"

厨房门口站着一位姑娘③，一身素白，浅黄色的头发剪得很短。她的脸色苍白，而且有些浮肿，微笑的时候一双蓝眼睛闪闪发亮。她看上去很像一些廉价彩色画上的天使。

"您怕什么呢？难道我就那么可怕吗？"她说，说话的声音很尖，有些颤抖，同时手扶着墙，小心翼翼地慢慢向我走来，那样子仿佛不是走在坚实的地板上，而是走在悬空的、摇曳不定的绳索上。她这种

---

① 谢拉菲姆·萨罗夫斯基（1760—1833），坦波夫省萨罗夫修道院的修士，20世纪初被东正教会奉为圣徒。

② 即民粹主义者。民粹主义是1861—1895年俄国资产阶级民主解放斗争时期平民知识分子的思想体系和社会活动，代表农民的利益，反对封建农奴制和资本主义在俄国的发展，主张通过农民革命推翻沙皇封建专制制度，认为俄国可以通过"村社"这种形式过渡到社会主义。否定无产阶级的革命领导作用。他们自认为是人民的精粹，故有"民粹派"之称。

③ 即安德烈·杰连科夫的妹妹 M.C.杰连科娃（1866—1930），中学毕业后，1886—1888年在大学学的妇产科专业。

不会走路的样子，更使人觉得她仿佛是另外一个世界的人。她整个身子都在颤抖，好像脚上扎了针似的，而墙壁也好像烫着了她稚嫩的浮肿的双手。她两只手的手指头不知为什么都不会转动。

我一声不吭地站在她面前，有一种很奇怪的不知如何是好的感觉，只觉得她实在是太可怜了。这间昏暗的屋子里真是无奇不有啊！

姑娘小心翼翼地在椅子上坐了下来，好像担心椅子会从她身下飞走似的。她很坦诚地告诉我——任何人都不会这样，说她能够下地走路只不过才四五天的时间，此前差不多有三个月时间，她只能躺在床上——她的手和脚都不听使唤了。

"这是一种神经性疾病。"她微笑道。

记得我当时很希望有人能对她的这种状况有个别的什么解释；神经性疾病——对于这样一个姑娘，在这样一个奇怪的房间里，未免太过于简单了。房间所有的东西，都规规矩矩地紧贴墙壁靠着，屋角圣像前有一盏长明灯，灯光照耀得非常明亮，长明灯上铜吊链的阴影，在大餐桌的白台布上莫名其妙地晃来晃去。

"我听说过您的很多事，所以我很想看看您到底是个什么样子。"我听见一个稚气的尖细的声音说。

这位姑娘仔细地打量着我，使我感到非常难受，浑身不自在；我从她那双蓝眼睛中看到一种能洞察一切的东西。跟这样的姑娘我没法——也不善于——进行交谈。于是，我一言不发，只是望着赫尔岑①、达尔文②和加里波第③的画像。

这时，从杂货铺里突然蹿出一个和我年龄相仿的小伙子，浅颜色的头发，一副目中无人的样子。他结结巴巴地喊了一嗓子："你怎么爬下来啦，玛丽娅？"然后便消失在厨房里了。

"他是我弟弟，阿列克谢。"姑娘说，"我是学妇产科的，这不，眼

---

① 亚·伊·赫尔岑（1812—1870），俄国革命家，作家，哲学家；哲学著作有《科学上一知半解》《自然研究通信》等，长篇小说《谁之罪?》、回忆录《往事与随想》等。

② 达尔文（1809—1882），英国博物学家，达尔文主义的创始人；主要著作《物种起源》（1859）揭示了生物界进化的基本因素，1871年在《人类起源及性的选择中》提出了人起源于类人猿的假说。

③ 加里波第（1807—1882），意大利人民英雄，民主革命之翼复兴运动领袖之一。

下病倒了。您怎么不说话呀？是不好意思吗？"

这时，安德烈·杰连科夫来了，他把自己有残障的那只手插进怀里，另一只手默默地抚摩着妹妹柔软的头发，把它们弄得乱七八糟，然后问我，想找什么样的工作？

后来又来了一个长着红色鬈发、身材匀称、眼睛有点发绿的姑娘，她很严厉地看了看我，拉着一身素白衣服的姑娘的手，把她领了出去，并且说：

"够了，玛丽娅！"

用正式名字叫这个姑娘有点不大合适，对一个姑娘来说，显得太过生硬了。①

随后我也离开了，但不知为什么，心里很有点不平静。过了一天，晚上，我又坐在这间屋子里，想弄明白他们在这里是怎样生活的，都做些什么？他们的生活是有点奇怪。

那个和蔼可亲的老头儿斯捷潘·伊万诺维奇皮肤很白，整个人好像透明似的。他坐在一个角落里，蠕动着黑乎乎的嘴唇，从那里朝这边望着，露出一丝微笑，仿佛在恳求说：

"请不要打扰我。"

他的胆子特别小，像兔子似的，总担心要大祸临头——这一点我看得很清楚。

一只手不听使唤的安德烈穿了件灰色的夹克；夹克胸口处沾的净是油污和硬邦邦的面粉嘎巴儿。他在屋子里走起来总是溜边，抱歉似的满脸赔笑，好像一个刚刚因淘气被原谅了的孩子。他的弟弟阿列克谢在帮他做生意，可是阿列克谢这个小伙子，人又懒，性格又粗鲁。他的三弟伊万在师范学院学习，平时住校，只有逢年过节的时候才回家，他个子矮小，穿得干干净净，头梳得油光锃亮，很像一个旧时的官吏。病魔缠身的玛丽娅住在阁楼上，很少下来，她一到来我就感到很不自在，好像有一根看不见的绳子把我和她拴在一起似的。

杰连科夫家的家务全由房东——一个阉割派教徒——的妻子来照料。这女人是个瘦高个儿，面孔跟木头人似的，正颜厉色，像个凶狠的修女。刚才来这儿的那个红头发姑娘娜斯佳，就是她的女儿，当她

---

① 玛丽娅是正式名字，一般对女孩子叫小名和爱称要显得更亲切一些，如叫玛尼娅、玛莎、玛申卡、玛鲁霞、玛鲁先卡、玛涅奇卡等。

用两只绿眼睛打量男人时，她那翘鼻子的两个鼻孔总是一动一动的。

但是，杰连科夫家的真正主人，则是喀山大学、神学院和兽医学院的大学生们。这是一帮不甘寂寞的人，他们非常关心俄罗斯人民，无时不在为俄国的未来忧心忡忡，殚精竭虑。他们总是为报上发表的文章，为刚刚读过的书中的结论和城市与大学生活中发生的种种事情而激动万分，晚上从喀山的四面八方跑到杰连科夫的小杂货铺来，进行激烈的争论，要么就躲在一边，窃窃私语。他们往往带来大本大本的书，用手在书上指指点点，互相大声地争吵着，阐明自己所赞赏的道理。

不用说，我对这些争论一点儿都听不懂。对于我来说，真理在这些夸夸其谈中渐渐看不见了，就跟穷人家菜汤里的油星儿一样。有些大学生让我想起了伏尔加河地区某些教派的满腹经纶的老头儿，但是我明白，我看到的这些人，他们是打算将生活变得好一些的。虽然他们的满腔真诚在滔滔不绝的言谈中显得有些含混不清，但是还没有完全被这种言谈所淹没。他们想要解决的问题我是清楚的，而且我个人也希望这些问题能够顺利解决。我好像觉得，大学生们的话跟我心里所想的往往不谋而合。因此，我对这些人的态度就像一个俘虏将要得到自由时的心情那样，既心存感激，又兴奋异常。

他们看我的时候，就跟木匠看一块木料似的，觉得这块木料可以做一个非同寻常的物件。

"是一块好材料！"他们彼此向对方介绍我时说。那种得意的神情，就跟街上孩子在路上捡到一枚五戈比的硬币互相显摆时一模一样。我不喜欢他们称我"是一块好材料"和"人民的儿子"。我感到自己是生活中的不幸者，而且有时候我明显感到有一种沉重的压力，它制约着我的智力的发展。比如，我看见书店橱窗里有一本书，书名我从未看见过，叫《警句与格言》①。我非常想读一读这本书，于是我请求神学院的一位大学生给我借来一读。

"得了吧，您！"这位未来的高级神职人员讽刺挖苦地说了一句，他的脑袋长得有点像黑人——卷头发，厚嘴唇，牙齿整齐。"老弟，你

---

① 作者叔本华（1788—1860），德国理性主义哲学家，唯意志论的代表人物，其主要著作《世界即意志和观念》将世界的本质解释为非理性的意志，是对生活的盲目的追求，只有在近似"涅槃"的状态下才能"脱离"世界的目的，其悲观主义哲学19世纪后半期在欧洲颇为流行。

这是在胡闹。给你什么你就读什么得了，对你不适合的领域，你就别往那里瞎掺和了！"

老师粗暴的语调深深刺痛了我的心。书，我当然买来了，一部分钱是我在码头上干活挣的，另一部分钱是我向安德烈·杰连科夫借的。这是我买的第一本正经八百的书，它至今它还保存在我的身边。

一般来说，人们对我的态度还是相当严厉的：当我读完了《社会科学入门》① 后，我觉得，游牧部落民族在组织文化生活方面的作用，被作者夸大了，他低估了精明能干的流浪汉和狩猎者的作用。我把我的质疑告诉了一个学语文的大学生，而他却尽量让自己的那张娘娘脸装出一副煞有介事的表情，就"批评权"的问题，给我讲了整整一个小时。

"为了拥有批评权，必须要相信一种真理，您相信什么呢？"他问我。

他甚至在大街上还看书——走在人行道上，边走边看，所以老是撞着人。他因患斑疹伤寒在阁楼上躺着时还大声地喊着：

"道德应该是集自由与强制因素于一体的和谐的结合——和谐的，和谐——和谐——和谐的……"

一个温文尔雅的人，由于经常挨饿而变得弱不禁风，还要执意去寻找永恒的真理，结果弄得身心疲惫，劳累不堪。除了读书，他压根儿不懂得其他任何乐趣。当他觉得他化解了两位大思想家的矛盾时，他那双可爱的黑眼睛便会像孩子似的露出幸福的微笑。离开喀山十多年后，在哈尔科夫②我又见到了他，他在凯姆③被流放五年，后来重又回到大学里读书。我觉得，他一直生活在错综复杂的思想矛盾之中。他因患肺结核都快不行的时候，还一心想要把尼采④和马克思调和起

---

① 该书作者是俄国社会学家、政论家和经济学家瓦·瓦·别尔维-弗列罗夫斯基（1829—1918）。1862—1887 年曾经被流放。著有《俄国工人阶级的状况》（1869）、《社会科学入门》（1871）和回忆录《革命幻想家札记》（1929）等。

② 乌克兰哈尔科夫州行政中心。

③ 俄国城市，位于卡累利阿自治共和国境内，凯姆河河口，有铁路，可通航。

④ 尼采（1844—1900），德国哲学家，诗人，非理性主义者，唯意志论者，"生命哲学"的创始人之一。

来。他一面咯着血，一面用冰冷的手紧紧抓住我的手，声音嘶哑地说："没有综合，就无法生活！"

他在去大学的路上，死在电车车厢里了。

我见过不少为追求真理而以身殉职的伟大圣徒，他们在我的心目中永远都是神圣的。

经常在杰连科夫家聚会的这类人，大约有二十来个。其中甚至有一个日本人，是神学院的学生，叫佐藤。有时候还有一个身体非常魁梧的大个子，一脸络腮胡子，光头，跟鞑靼人似的①。他穿一件后身打褶的灰色立领上衣，扣子一直扣到下巴底下。通常他总爱坐在一个角落里，抽着一支短烟斗，用他那灰色的眼睛，冷静观察着每一个人。他的目光常常盯在我的脸上。我觉得这个非常严肃的人在暗暗地揣摩我，于是，不知为什么，我就存了个戒心。他一直都不说话，这使我感到非常奇怪。周围的人都在高谈阔论，口若悬河，斩钉截铁，态度坚决。不用说，他们的话说得越激烈，我就越爱听。很长时间我才琢磨过味儿来，在这些激烈的言辞后面，常常掩盖着一些无足轻重、似是而非的思想。这个满脸胡子的大高个儿为什么一言不发呢？

人们叫他霍霍尔②，看来，除了安德烈·杰连科夫，谁都不知道他的名字。没过多久，我就听说，这个人不久前才从流放地回来，在雅库特省待了十年。这就更增加了我对他的兴趣，但这还不足以鼓起我要和他认识的勇气，虽然我这个人既不害羞，也不怯场，相反，我有一种强烈的好奇心，对一切事情都喜欢刨根问底，而且越快越好。这种性格，使我一辈子都无法认认真真地去研究一样东西。

当谈到人民的时候，使我感到非常吃惊和难以置信的是，对于这个话题，我和这些人的想法是那样的不同。对于他们来说，人民是智慧、美德和善良的化身，几乎是和上帝浑然一体的，是包容一切美好、公正、伟大精神的载体。我没有见过这样的人民。我见过工匠、装卸工、石匠，知道雅科夫、奥西普、格里戈里这些人。他们在这里讲的只是总体上的人民，而且把自己置于人民之下很低很低的位置，完全

①　指 M. A. 罗马斯（1859—1920），革命民粹派人，1879 年因在工人中间进行革命宣传而被捕，后被流放到东西伯利亚，1884 年回到基辅，次年又被发配到喀山。

②　原意是冠毛、额发，是乌克兰人的一种习惯发型，后来变成了对乌克兰人的蔑称。

听命于人民的意志。可是我觉得，恰恰是他们这些具体的人在体现着美和思想的力量，在他们身上凝聚着、燃烧着对生活，对按照某种新的博爱原则，去建设自由生活的善良意志。

到目前为止，我从和我一起生活过的人们身上从未看到过的，恰恰就是这种博爱。可是这里的人们，言必称博爱，他们的每一个眼神里，都闪现着博爱。

那些对人民顶礼膜拜的人所说的话，像清新的雨露，沁润着我的心田，而那些真实描写农村黑暗生活和苦难农民境况的文学作品，对我也大有助益。我感到，只有强烈地、满怀热情地去关爱人，才有可能从这种关爱中汲取必要的力量，寻找和领悟生活的意义。从此，我不再考虑自己，而开始专心致志地关注别人了。

安德烈·杰连科夫真心诚意地告诉我，他开杂货铺所赚的那点钱，都用来赞助那些相信"人民福祉高于一切"①的人们了。他跟这些爱读书的人经常交往，就像一个虔诚的教堂助祭侍奉主教那样，对于他们的聪明才智，从不掩饰自己的欣喜之情；他心满意足地微笑着，把有残障的那只手揣进怀里，用另一只手来回捋着自己柔软的胡子，问我道：

"这样好吗？本来就是嘛！"

可是，当兽医拉夫罗夫扯着跟鹅叫似的怪里怪气的嗓子，像异教徒似的站出来反对民粹派的观点时，杰连科夫被吓得紧闭双眼，轻声嘟哝着：

"净瞎捣乱！"

杰连科夫对民粹派的态度和我对民粹派的态度非常相似，但是大学生们对他的态度，我觉得，就像老爷对待仆人和侍从那样粗暴无礼，根本没拿他当成一回事儿。他自己还没有意识到这一点。他常常将客人们送走后，留下我在他那儿过夜。我们先把房间收拾干净，然后躺在铺了毡垫的地板上，在昏暗的灯光下，非常友好地低声进行长时间的交谈。他怀着一个有信仰的人偷着乐的心情对我说：

"等聚集起成千上万这样的好人，就能够把俄国所有的重要部门一举拿下来，到时候，整个生活一下子就能发生改变！"

---

① 引自俄国诗人涅克拉索夫（1821—1877）的长诗《谁在俄罗斯能过好日子》（1866—1876）的第4章。

　　到目前为止，我从和我一起生活过的人们身上从未看到过的，恰恰就是这种博爱。可是这里的人们，言必称博爱，他们的每一个眼神里，都闪现着博爱。

　　　　　　　　　　　　　　　　　　——《我的大学》

他比我年长大约十岁，而且我看得出，他很喜欢那个红头发的娜斯佳。他尽量不去看她那双充满激情的眼睛，当着人们的面，他跟她说话时显得干巴巴的，是主人下命令的口气，但当她转身走开时，他却用忧郁的眼神看着她。而跟她单独在一起的时候，他则显得很不好意思，脸上露出腼腆的微笑，一个劲儿地摆弄着自己的胡子。

他最小的妹妹也往往在一旁听大家打嘴仗，稚气的脸上表现出很专注、很紧张的样子，眼睛瞪得大大的，十分好玩儿。当大家争论得非常激烈，彼此唇枪舌剑、各不相让的时候，她往往大声地倒吸一口凉气，好像有人向她泼了一盆冷水似的。有一个棕红色头发的学医的大学生①，像一只神气活现的大公鸡，在她身边转来转去，神秘兮兮地跟她小声嘀咕着什么，而且不时煞有介事地皱一皱眉头。当时这一切都非常有意思。

但是，秋天到了；对于我来说，老是没有工作是不行的。由于我对身边发生的一切事情都感兴趣，所以我工作的时间便越来越少，只能靠别人养活，可是吃人家的东西总是很难咽下去的。我必须找个"地方"过冬，于是我就到了瓦西里·谢苗诺夫的面包作坊②。

这段生活，我在短篇小说《老板》《柯诺瓦洛夫》和《二十六个和一个》③中均有描写。这是一段很苦的日子！然而——对我却很有教益。

肉体上的痛苦不必说了，更痛苦的是精神上的。

我到地下室的作坊干活后，在我和那些我必须与之经常见面和交谈的人们之间，硬是筑起了一道"忘却之墙"。他们谁也不愿意到面包作坊里来看我，而我呢，一天工作十四个小时，平日根本不可能到安德烈·杰连科夫那里去。遇上节假日，不是睡大觉，就是跟同事们待在一起。他们有些人从最初几天起就把我当成一个会逗乐的滑稽小丑，另外一些人则怀着孩子般的天真爱好，把我看作一个会讲有趣童话故事的人。天晓得我给这些人都讲了些什么，但是不言而喻，都是一些能够唤起他们的希望，促使他们去争取过另外一种轻松的、更有意义的生活的话。有时候我做到了这一点，我看见他们浮肿的脸上流露出

---

① 指 П.Ф.库德里亚夫采夫，环卫医生，在杰连科夫的小店里从事秘密工作。

② 高尔基是1885年底在瓦西里·谢苗诺夫的面包作坊里干活的。

③ 这三个短篇分别发表于1913年、1897年和1899年。

人们常有的十分悲伤的情绪，眼睛里充满了怨恨和愤怒。这时候我就感到非常高兴，并且很自豪地想，"我在做群众的工作"，对他们在进行"启蒙教育"。

但是，不言而喻，更经常的是，我感到自己力不从心，知识贫乏，甚至一些最起码的日常生活问题我都回答不了。这时我感到自己好像被抛进了一个黑暗的深渊，人们像蛆虫一样，在里面盲目地乱爬，只求忘掉眼前的现实。于是，他们来到小酒店，甚至从妓女们冷漠的拥抱中寻求解脱。

每个月发工资的那一天，逛妓院是绝对少不了的。他们在一个礼拜之前就已经公开在盼望这游蜂戏蝶的美妙时刻了，而事情过后，很长时间内他们还要互相交流那一刻所体验到的种种快感。在交谈中，他们恬不知耻地吹嘘自己的性功能有多强，如何肆无忌惮地玩弄那些妓女们。他们一边讲，一边厌恶地吐着吐沫。

不过——事情也怪了！从所有这些交谈中，话里话外的，我也能够听出几分伤心和愧疚的意思。我发现，在"慰安屋"里，一个卢布可以跟一个女人睡上一夜。我的同事们觉得有些拉不下面子，感到这样做不合适，我觉得这是很自然的。可是他们当中有些人太放纵自己了，简直是肆无忌惮。我觉得他们这样是故意做给人看的，是装出来的。我对两性关系特别感兴趣，所以我对这方面的事情极其敏感。我自己还没有体验过女人的爱抚，这个情况使我的处境非常尴尬：我遭到过女人和同事们的恶意嘲笑。很快，他们便不再邀我去"慰安屋"了，并且公然对我说：

"你呀，老弟，就别跟我们去了。"

"为什么？"

"不为什么！这对你不合适。"

我牢牢记住了这句话，觉得这句话对我有很重要的含义，但我一直也没有得到更明白的解释。

"你这个人呀！跟你说过了——别去！和你在一块儿，特没劲……"

这时，只有阿尔乔姆嘿嘿一笑，对我说：

"和你在一块儿，就跟和牧师与神甫在一块儿差不多。"

起初，那些妓女们老笑我太腼腆，缩手缩脚，后来就很不高兴地问我：

"你是嫌弃我们吧？"

有个四十岁模样的"姑娘"，叫捷列扎·博鲁塔，是个波兰人，人长得很漂亮，打扮得花枝招展，是这里的"老鸨"。她看着我的时候，眼神非常聪明，跟纯种狗似的，她说：

"姑娘们，饶了他吧，他肯定有未婚妻了，是不是？这样身强力壮的小伙子，肯定有未婚妻，绝对没错儿！"

她嗜酒如命，经常纵酒狂饮，喝醉后那丑态百出的样子就别提了，可是清醒的时候，她在待人接物和分析人们所作所为的含义时，则显得深思熟虑，四平八稳。这让我感到非常惊讶。

"最不可理解的人，要数神学院的那些大学生们了，没错儿。"她对我的同事们说，"他们太作践那些姑娘们了：让她们在地板上打上肥皂，让姑娘们赤身裸体地趴在地板上，手脚下面各放一个碟子，然后他们在姑娘的屁股上用力往前一推，看她们在地板上究竟能够滑行多远。就这样：他们推完一个，再推另一个。他们这是要干什么呀？"

"你胡说！"我说。

"噢，不！我没有胡说。"捷列扎·博鲁塔叫道。她并没有生气，态度显得非常平静，但在这种平静中让人感觉出她内心的某种压抑。

"这是你瞎编出来的！"

"一个姑娘家怎么能瞎编这种事情呢？难道我疯了不成？"她瞪大了眼睛问我。

大家聚精会神地在倾听我们的争论，而捷列扎·博鲁塔一直在用一种无动于衷的语调讲述着嫖客们的这种游戏。她只想弄明白一点：他们为什么要这样？

听的人对这些大学生们深恶痛绝，破口大骂。我发现，捷列扎是在煽动大家对我所喜爱的人们的仇恨心理。于是我便说，大学生们是爱人民的，他们希望人民生活幸福。

"是的，但你说的是沃斯克列先斯卡娅大街的那些普通大学生们，而我说的是神学院的那些大学生，从阿尔斯克波尔来的那些！而他们——那些神学院的学生，原来全都是孤儿出身，从小就养成了偷盗扒窃、调皮捣蛋的恶习，后来则越变越坏。在这些孤儿的心目中，没有任何值得他们珍惜、留恋的东西！"

"老鸨"平静的叙述和妓女们对大学生、官员，总而言之，对各种"干净的嫖客"的怨恨情绪，在我的同事们的心中所引起的不光是厌恶和仇视，还有一种差不多是幸灾乐祸的心情。他们说：

"就是说，这些所谓有知识、有教养的人比我们更坏！"

听到这样的话我心里非常难受。眼看着这些乌七八糟的城市垃圾，都汇集到这些像火坑一样的昏暗狭小的房屋中，在浓烟滚滚的烈火中燃烧、沸腾，继而怀着满腔的仇恨与怒火，重新又回流到了城市。我眼睁睁地看着人的本能与生活的苦闷将人们驱赶到这些昏暗狭小的房屋里来，他们在这些洞穴般的斗室里用荒唐可笑的语言编出一些动人心扉的歌曲，倾诉爱情的烦恼与痛苦；讲述一些关于"有教养的人"的生活丑闻与种种传言。对一些无法理解的事物则抱着嘲弄与敌视的态度。因此，我认为，这种"慰安屋"也是一种大学，我的同事们从这里获得了不少极其有害的知识。

我眼看着那些"卖笑的姑娘们"在肮脏的地板上懒洋洋地荡来荡去，脚下发出沙沙的响声。她们在手风琴烦人的尖叫声中，或者在破钢琴的刺耳的伴奏下，令人恶心地扭动着自己那皮肤松弛的身体。看着这一切，我不禁产生一种模糊却惴惴不安的思想。周围的一切让人感到非常苦闷；想离开这里到别的地方去，但自己又无能为力，这使我的心情感到十分沮丧。

在面包作坊里，当我说有些人正在无私地探索通往自由和人民幸福的道路时，有人还不同意我的看法，他们说：

"关于这些人，那些姑娘们可不是这样说的！"

大家毫不留情地嘲笑我，语言下流，而且极其恶毒。而我则像一条好斗的小狗，觉得自己并不比那些成年的大狗们愚蠢，或者比它们还勇敢，我也当仁不让，大发雷霆。我开始懂得，对生活的思考并不比生活本身来得轻松。有时候，对于那些只知道忍耐的同事们，我从内心深处突然感到一种强烈的怨恨。使我感到特别愤怒的是，当他们受到喝醉酒的老板的疯狂嘲弄时，他们还要一忍再忍，饮恨吞声，逆来顺受。

可是，就在我感到万般苦恼的时候——好像是有意安排似的！我接触到了一种全新的思想；这种思想虽然在本质上和我格格不入，水火不容，但它毕竟使我的思想大大乱了方寸。

在一个暴风雪的夜晚，肆虐的狂风仿佛把灰色的天空撕成了碎片，然后撒向地面。大地被一堆堆冰雪覆盖得严严实实，好像地上的生命完全终止了，太阳已经消失，从此再也不会升起了。就是在这样一个夜晚，时值谢肉节期间，我从杰连科夫家走回面包作坊的路上。我顶着狂风，闭上眼睛，冒着灰蒙蒙、乱纷纷的飞雪，一步步地向前走去。突然，我脚下绊着一个躺在人行道上的人，一下子，摔倒在地上。我们两个同时破口大骂；我——用俄语，他——用法语：

"噢，真是见鬼……"

这激起了我的好奇心，我扶他站了起来。他个子很小，没多大分量。他一面推我，一面愤怒地喊道：

"我的帽子，见您的鬼去吧！把帽子给我！我都快冻僵了！"

我在雪地里找到了他的帽子，抖掉上面的雪，把帽子戴在他那一头乱发的头上，但是他一把摘下帽子，在手里挥舞着，用两种语言骂着，要我走开：

"滚一边去！"

他猛地向前跑去，消失在茫茫的暴风雪里。我继续往前走，又看见了他——他站在熄灭了的路灯下，双手抱着路灯的木柱子，嘴里一个劲儿地唠叨：

"列娜，我要死了……啊，列娜……"

看来，他是喝醉了。要是我把他丢在大街上不管，他可能会被冻死的。于是我问他住在什么地方。

"这儿是什么街？"他流着眼泪叫道，"我也不知道该往哪里走。"

我搂住他的腰，领着他往前走去，并一再问他住在什么地方。

"住在布拉克大街①，"他一边哆嗦，一边嘟哝着，"住在布拉克大街……那里有澡堂……有一幢房子……"

他走起来跌跌撞撞，东倒西歪的，这使我没法好好地往前走，我听见他牙齿冻得直打战：

"西——久——萨弗埃②"他一边推我，一边嘟哝着。

"您说的什么？"

他停下来，举起一只手，带着自豪的神情，清清楚楚地说道：

"西——久——萨弗埃——乌热——特——曼③……"

这时，他把手指头塞到自己嘴里，摇摇晃晃，几乎要摔倒在地上。我蹲下身子，将他背在背上，继续往前走。他的下巴颏儿紧顶着我的后脑勺儿，嘴里一个劲儿地嘟囔着：

"西——久——萨弗埃……但是，我要被冻僵了，天哪……"

在布拉克大街，我好不容易才问出来他到底住在哪幢房子里。最

---

① 这是一条连接喀山河和卡班湖的河道。

② 法语"Si tu savais"音译，意思是："要是你知道。"——原编者注

③ 法语"Si tu savais où je te mè ne……"的音译，意思是："要是你知道我将你带到哪里……"——原编者注

后，我们钻入一间小厢房的过道——这间房子坐落在院子的深处，藏身在漫天大雪的旋涡之中。他摸着房门，小心翼翼地敲了几下，对我嘘了一声：

"嘘！小声点儿……"

一个穿着红色宽松连衣裙的女人给我们开了门。她手里举着一支点燃的蜡烛，把我们让进屋后，便一声不响地退到了一边，然后，不知从哪儿取出一个带柄的单目眼镜，仔细打量起我来。

我对她说，看来，这个人的两只手都冻僵了，必须扶他到床上，给他脱去衣服，盖上被子好好躺下。

"是吗？"她问道，声音显得既清脆，又年轻。

"应该把他的两只手放进冷水里……"

她没有说什么，只是用带柄的单目眼镜向屋角指了指——那里的画架上摆放着一幅画，上面画着一条河和几棵树。我惊奇地看了一眼这女人那张怪怪的、毫无表情的脸。这时她退到屋角，走到桌边，桌子上方有一盏灯，上面有一个粉红色的灯罩。她在桌旁坐了下来，从桌上取过一张红桃 J，仔细观察起来。

"您这里有伏特加酒吗？"我大声问道。她没有回答我，只顾在桌子上摊牌来看。这时，我背回来的那个人坐在椅子上，低着脑袋，两只冻得通红的手耷拉在身子两边。我把他扶到长沙发上，开始给他脱衣服。我也不明白这是怎么回事，像在做梦一样。我对面长沙发上面的墙上，挂了许多照片，其中隐隐约约可以看见一个由白丝绦蝴蝶结围绕着的金色花环，丝绦的末端印着一行金色大字：

　　　　献给无可比拟的吉尔达①。

"见鬼，轻一点儿！"当我开始按摩他的双手时，他呻吟道。

那女人在默默地在摊她的纸牌，一副忧心忡忡的样子。她的鼻子很尖，像鸟的嘴似的，两只一动不动的大眼睛给她的容貌增添了不少光彩。她用少女般的两只手拢起自己那像假发似的蓬松的白发，然后小声但清晰地问道：

---

① 意大利作家、现实主义歌剧大师威尔第（1813—1901）的著名歌剧《弄臣》（1851）中的女主人公。

"乔治，你看见了米沙没有？"

乔治推开我，迅速坐了起来，连忙说：

"他不是去基辅了吗？"

"没错儿，是去基辅了。"那女人重复着说，眼睛并未离开纸牌，而且我注意到，她说话的声音非常单调，不带任何感情。

"他很快就会回来……"

"是吗？"

"啊，是的！很快。"

"是吗？"那女人又问一遍。

脱了一半衣服的乔治一下子跳到地上，连蹦带跳地来到那女人跟前，扑通一声跪了下来，跟她用法语讲了些什么。

"我是很放心的。"那女人用俄语回答说。

"我——迷了路，知道吗？大雪纷飞，狂风怒吼。我想，我肯定是要被冻僵了。"乔治抚摸着她放在膝盖上的一只手，心急火燎地讲着。乔治，四十岁左右，红脸膛，厚嘴唇，留着黑色的小胡子，看上去好像有些惶惑不安，一副忧心忡忡的样子。他一个劲儿地在胡噜自己圆脑袋上硬撅撅的白头发，而且，说话时头脑也越来越清醒了。

"我们明天去基辅。"那女人说，不知她是在发问，还是在做出决断。

"好，就明天吧！现在你也应该休息了。你为什么不躺下呢？时间已经很晚了……"

"米沙他今天不会回来吗？"

"噢，不会！这样大的风雪……走吧，该去睡了……"

他端起桌上的灯，把她领进书橱后面的一扇小门里。我一个人坐在那里，待了很长时间，什么也不想，只听见他那有点嘶哑的细语声。风雪像毛茸茸的爪子在玻璃窗上划出沙沙的响声。蜡烛的火苗映照在融雪的水洼里，闪烁不定，忽明忽暗。屋里放满了东西，有一种奇怪的暖洋洋的气味，让人思想松懈，直想犯困。

正在这个时候，乔治摇摇晃晃地来了，他手里端着一盏灯，灯罩不停地碰着灯上的玻璃。

"她已经躺下了。"

他将灯放在桌子上，若有所思地站在屋子中间，也不看我，就说：

"喵，怎么说呢？要不是你，可能我已经被冻死了……谢谢！你是干什么的？"

他歪着脑袋，仔细倾听隔壁房间里窸窸窣窣的声音，浑身哆里哆嗦，一副战战兢兢的样子。

"她是您的妻子？"我小声问道。

"是我的妻子，我的一切，我的全部生命！"他眼睛看着地板，声音不高，一字一板地说道。这时他又开始用手掌使劲胡噜自己的头发。

"要喝茶吗，啊？"

他心不在焉地向门口走去，但是又站了下来，因为他忽然想起女仆由于鱼吃得太多，被送到医院里去了。

我提议把茶炊生起来，他点头表示同意。不过他显然忘记了自己的衣服还没有穿好，便光着脚，吧哒吧哒地在湿地板上走着，把我领到狭小的厨房。在厨房里，他背靠着炉灶，又重复一遍地说：

"要不是你，我可能就被冻僵了，谢谢！"

这时，他突然打了个激灵，瞪着一双大眼睛，惊恐不安地盯住我。

"要是那样的话，她该怎么办呢？噢，我的上帝……"

他望着黑乎乎的狭窄的门口，急切地小声说：

"你都看见了——她有病。她的儿子是个音乐家，在莫斯科自杀了，可她一直还在等待他，这不，已经差不多等了两年了……"

后来，我们在一起喝茶的时候，他前言不搭后语，东一榔头、西一棒槌地跟我说，这女人是个地主，而他则是一位历史教师，是她儿子的辅导老师，结果爱上了她。她离开了丈夫——一个德国男爵——去演唱歌剧。他们生活得很美满，尽管她的第一个丈夫千方百计地想破坏她的生活。

他讲话的时候眯缝着眼睛，一门心思地紧盯着厨房的一个什么东西；厨房很脏，光线又很暗，炉灶旁边的地板都已经腐烂了。他喝了口茶，嘴被烫了一下，脸马上一皱，两只眼睛瞪得滚圆，吓得他直眨巴眼睛。

"你——究竟是干什么的？"他再一次问我，"对了，是做小甜面包的，工人。真是怪了。不像。这到底是怎么回事儿？"

他的话听起来有些惴惴不安；他用一种怀疑的、受骗上当者的目光看着我。

我简要地谈了自己的情况。

"原来是这样呀？"他轻声叫道，"啊，原来是这样……"

这时他忽然活跃起来，问道：

"你知道《丑小鸭》① 的故事吗？读过吗？"

他的脸忽然变得非常难看，他开始愤怒地用高得令我吃惊的、很不自然的尖细、嘶哑的声音讲了起来。

"这篇童话故事——非常吸引人！在你这个年纪，我也曾经想过——我是不是一只天鹅？可是——你瞧……我本应该去神学院，可是却上了大学。我父亲是一位神甫，和我断绝了关系。我在巴黎钻研人类不幸的历史——人类进步史。我写过东西，没错儿。噢，这一切又能怎样……"

他跳到椅子上，仔细听了听，然后对我说：

"进步，这是人们为安慰自己而杜撰出来的说辞！生活是非理性的，毫无意义。没有奴役便没有进步；没有多数人服从少数人——人类在自己发展的道路上便会停滞不前。我们希望减轻我们的生活负担，减轻我们的劳动，结果只能使我们的生活变得更加复杂，使我们的劳动更加繁重。工厂和机器为的是要不断生产出更多的机器，这是非常愚蠢的！工人越来越多，可是社会需要的只是农民——生产粮食的人。粮食就是一切，它是需要用劳动向大自然索取的。一个人需要的东西越少，他就越幸福；他的愿望越多，他的自由就越少。"

也许，问题不在于这些言辞，但恰恰是这些振聋发聩的思想，是我生平头一次所听到的，而且是通过这种尖锐的、赤裸裸的方式听到的。由于兴奋，他尖叫一声，诚惶诚恐地把目光盯住通向内室的门口，屏息静听了片刻，见没什么声音，才又小声说起来——几乎是咬牙切齿：

"要知道，每个男人需要的东西并不多：一块面包，一个女人……"

他讲起女人的时候，轻声细语，显得很神秘；用的词儿——我从未听说过，援引的诗，我也从未读过。他突然变得很像小偷巴什金了。

---

① 丹麦作家安徒生（1805—1875）的一篇童话，讲一只丑小鸭变成一只美丽天鹅的故事。

"贝雅特里齐①、菲娅美达②、劳拉③、妮农④。"他一口气小声地给我叫出一些我不知道的人名,并且讲了一些坠入爱河的国王和诗人们的故事,朗读了一些法国人写的诗歌,同时用他那一直光到肘腕子的纤细的胳膊打着节拍。

"爱情和饥饿主宰着世界。"⑤ 我听见这热切的低语声,想起了这句话曾经作为一本革命小册子《饥饿王》的标题,因此它在我的心目中便有了特别重要的意义。⑥

"人们寻求的是遗忘和安慰,而不是知识!"

这种想法使我感到万分惊讶。

我是一大早就离开厨房的,墙上的钟刚指到六点零几分。我踏着积雪,在茫茫的晨雾中向前走去,耳边是暴风雪的吼叫声。这时,我想起了那个备受煎熬者的愤怒的尖叫声,觉得他的话语好像就卡在我

---

① 贝雅特里齐:意大利大诗人但丁(1265—1321)的情人,但丁一生的大部分诗歌几乎都是献给她的。1290年贝雅特里齐死后,但丁在《新生》(1293)中详细描绘了他们爱情发展的历史、她的美丽与善良,以及他自己的种种精神感受等,后来在《神曲》里也多有描写。

② 菲娅美达:意大利文艺复兴时期人文主义的先驱者、作家薄伽丘(1313—1375)所钟爱的女人;薄伽丘对菲娅美达的爱情几乎完全支配了他在《十日谈》(1348—1353)以前的文学创作活动,写下了诸如《菲娅美达的哀歌》(1343—1344)这样具有强烈心灵洞察力的散文、小说和许多脍炙人口的爱情抒情诗。

③ 劳拉:意大利文艺复兴时期人文主义的先驱者、诗人彼特拉克(1304—1374)年轻时所倾心的少女,其抒情诗集《歌集》收集了诗人几乎一生的300多首十四行诗,详细抒发了诗人对劳拉的爱情和对幸福生活的向往,对中世纪的禁欲主义和神权思想,对封建君主的种种劣迹和教会的黑暗腐败提出了挑战。

④ 妮农·德·兰克洛(1620—1705):巴黎一女贵族,与法国一些著名作家,如伏尔泰(1694—1778)、莫里哀(1622—1675)、方特内尔(1657—1757)交往甚密。

⑤ 是德国诗人和戏剧家席勒(1759—1805)的一首诗《世界的智慧》中的诗句。1795年被称为"叙事诗年",席勒的诗是对德行,如信义、勇敢等的赞颂,格调优美,语言生动,是席勒除戏剧外取得的巨大成就。

⑥ 这里是指俄国诗人涅克拉索夫(1821—1877)1864年写的一首诗《铁路》中的诗句,诗中说:"世上有个沙皇/他冷酷无情/名叫饥饿王。"

的喉咙，憋得我透不过气来。我不想回到面包作坊去，不愿见任何人，于是，我身上披着厚厚的积雪，沿着鞑靼镇的街道，向前走去，一直走到天空放亮，在大雪飞舞中开始看到市民的身影为止。

后来我再也没有遇见过那位历史教师，我也不想再见到他了。但我却不止一次地听到人们说生活没有意义、劳动没有用处的话。说这种话的人，有大字不识一个的云游派教徒①，有无家可归的流浪汉，有"托尔斯泰主义者"② 和文化素质很高的人；此外，还有东正教的修士司祭、神学硕士、制造炸药的化学家、新活力论③生物学家等许多人。但是，这些思想对于我已经不像第一次接触到时那样吃惊了。

只是在大约两年以前——从头一次谈论这个话题起，已经过去了三十多年——我突然从一个工人老朋友嘴里听到了几乎是同样的话，同样的思想。

有一次，我跟这个工人老朋友"谈心"，他苦笑着称自己是个"政治油子"；他用那种好像只有俄国人才有的襟怀坦白的态度对我说：

"阿列克谢·马克西梅奇，亲爱的，我什么都不需要，什么学院、科学、飞机，统统都没用，——完全多余！我只需要一个安静的角落，还有一个娘儿们，想亲的时候就亲她一下，而她对于我，应该忠贞不渝，全身心地回报我，——这就可以了！您——按照知识分子的方式考虑问题，和我们毕竟不一样，您是中了毒的人，对于您来说，思想比人更重要，您考虑问题时是不是跟犹太人一样，即人是为安息日④而

---

① 18世纪后半期俄国正教旧礼仪派反教堂派中的一个小教派。他们云游各地，行无定所，或逃往荒凉之地，躲藏起来，以逃避官方要求他们应完成的义务和赋税。

② "托尔斯泰主义者"，即托尔斯泰作为伟大作家的"最弱的一面"，鼓吹"不用暴力抵抗邪恶"和"道德自我修养"的消极思想。列宁在托尔斯泰八十诞辰时写的《列夫·托尔斯泰是俄国革命的镜子》（1908）一文中精辟地分析了托尔斯泰创作与世界观矛盾的原因。

③ "新活力论"是19世纪末生物学中出现的相对于古代活力论的一种新的唯心主义观点，新活力论者试图用某些特殊的超自然因素，如"隐德莱希""生命勃发""原源"等来解释各种原始生命发展的现象，实际上它与古代活力论，如亚里士多德等人的活力论，并没有本质上的差别。

④ 安息日，即周六休息日，犹太教中规定礼拜的日子。

设立的呢?"①

"犹太人可不这么想……"

"鬼晓得他们是如何想的,一个愚昧的族群。"他回答说,一面把烟头扔向河里,看着它往下落。

我们坐在涅瓦河岸边的石头凳子上。这是一个秋天的夜晚,明月当空。白天我们俩净瞎忙活了,千方百计想做点好事,但是事与愿违,最后弄得自己非常疲惫。

"您和我们总在一块儿,但您不是我们的人,这就是我要说的话,"他若有所思地轻声说,"知识分子爱动,不那么安分,自古以来他们就常常聚众造反,就像耶稣基督那样,作为空想家,为了形而上的目标,便起来造反,所有知识分子也是这样,为了乌托邦②理想而聚众造反。一个空想家起来造反,而各种废物、流氓无赖、社会渣滓也跟着来了,都是出于一种愤恨的情绪,因为他们发现生活中根本没有他们的位置。工人们起义是为了革命,他们必须争取劳动工具和劳动产品合理分配的权利。一旦他们最后夺取了政权,您以为他们会去管理国家吗?绝对不会!大家将一哄而散,各奔东西,每个人都只为自己着想,营造自己的安乐窝……"

"您是说机器设备吗?它只会把我们脖子上的套索拉得更紧,把我们勒得更狠。不行,必须摆脱不必要的劳动。人需要安宁。工厂和科学都不能给人以安宁。一个人所需要的东西并不多。当我只需要一间小房子的时候,我为什么要建造一座城市呢?人们聚居的地方,——那里自来水、下水道、电气设备,一应俱全。可是,请设想一下,要

---

① 此话源于《新约全书·马可福音》第2章,第23—26节,耶稣的门徒安息日从麦地经过,掐了麦穗,法利赛人认为他们在安息日不应该做事。耶稣说,据经上记载,大卫和跟从他的人饥饿时就做过事,还说:"安息日是为人设立的,人不是为安息日设立的。"

② 缺乏科学论证描绘出来的理想社会制度,也指不现实的改造社会的计划。"乌托邦"一词源自空想人文主义者托马斯·莫尔(1478—1535)的著作《乌托邦》(1516)一书,他在书中描写了一个不切实际的理想社会——乌托邦岛,那里没有私有财产,生产、生活社会化,劳动是每个人的义务,实行按需分配等。莫尔1529—1532年出任英国的大臣。作为天主教徒,他拒绝向国王——英国教会的"最高首脑"宣誓,结果被控叛国,而且被处死。但天主教会仍尊他为"圣者"。

是没有这些东西，生活将是多么的轻松！不，我们有许多东西都是完全多余的，而且这一切东西，都是知识分子们搞出来的。因此，我要说：知识分子是个有害的阶层。"

我说过，谁也不会像我们俄国人那样，把生活搞得完全没有意义，彻头彻尾地没有意义。

"俄国人是精神最自由的人，"我的交谈者嘿嘿一笑，"不过，您千万别生气，我敢说，我们成千上万的人都是这样想的，只是不会表达罢了……生活，应该过得简单一些，那样人们就会感到更惬意一些……"

此人从来都不是"托尔斯泰主义者"，也没有无政府主义的思想倾向——他的思想的发展，我是知根知底的。

跟他谈过后，我不禁想：怎么，千百万俄国人，为革命历尽千辛万苦，难道心灵深处真的只是为了摆脱劳动吗？最少的劳动——最大的享受，这是很有诱惑力的，它像一切难以实现的乌托邦幻想一样，非常吸引人。

这时，我想起了亨利·易卜生①的诗句：

我是保守者吗？噢，不！
我一如既往，依然故我，——
我不喜欢调换棋子，
我要把整个棋局推翻。

我只记得一次革命，——
它比后来的都要英明，
它本可以摧毁一切——
自然，我是指世界洪水大泛滥。

---

① 易卜生（1828—1906），挪威剧作家，创作有许多以斯堪的纳维亚史诗和民间传说为题材的剧作，有明显的反资产阶级的倾向；他的以现实生活为题材的社会批判性剧作在我国也深有影响。这里的引诗出自易卜生的《致我的朋友——革命的演讲人》（1869）一诗。

须知，挪亚成了主宰。①
但那次魔王还是受到了愚弄！

啊，如果此事能办得诚实一些，
我自当助上一臂之力，——
您来呼风唤雨，大发洪水，
我呢，在方舟下放置一枚鱼雷——

何乐而不为！

安德烈·杰连科夫的小杂货店收入微薄，可是需要物质帮助的人和"事儿"却越来越多。

"必须得想个办法。"安德烈愁眉苦脸地摸了摸胡子，心里有些内疚地微笑道，然后，他深深地叹了一口气。

我觉得，他这个人总是认为应该一辈子帮助他人，这是他命中注定的一件苦差事，虽然他自认为应该受这份累，但有时候仍不免为此感到苦恼万分。

我不止一次变着法儿地问他：

"您为什么要这样做呢？"

他好像没听懂我问话的意思，回答我"为什么要这样做"时，话说得文绉绉的，用一种含糊不清的语言谈到人民生活的疾苦和让人民受教育、增长知识的必要。

"可是人们愿意吗？他们渴望得到知识吗？"

"咳，怎么不愿意呢！当然愿意啦！您不是也愿意吗？"

是的，我是愿意。但我想起了历史老师说的话：

"人们寻求的是遗忘和安慰，而不是知识。"

与刚满十七岁的人谈论这样尖锐的思想问题是非常有害的；这种谈论会使人们的思想变得麻木迟钝，大家也得不到什么好处。

---

① 据《旧约全书·创世记》第六至九章记载，耶和华创造亚当和夏娃后，人类繁衍生息，行恶于世，于是他决定发洪水毁灭人类，他让义人挪亚造一方舟，洪水来时可让全家及各种活物进方舟内躲避。洪水泛滥150天后，水势渐落，方舟搁浅在亚拉腊山上，挪亚多次放鸟出去探视陆地的情况，终于有一只鸽子街一枚橄榄叶回来，说明大水早已消退。这时上帝对挪亚说，你们可以离开方舟，主宰地上的万物了。这样挪亚又活了350岁，死时享年950岁。

我觉得，我看到的总是同一种现象：人们喜欢听有趣的故事，那只是因为，这些故事能够帮助他们暂时忘掉痛苦的，但已经习以为常的生活。故事中"杜撰的成分"越多，他们就越爱听。他们觉得最有意思的是那种有许多美丽"谎言"的书。简单说吧，我好像是坠入了五里云雾之中了。

安德烈·杰连科夫想开一间面包店。① 记得我们曾经详细地算过一笔账，估计开业后每投入一个卢布，就可以赚取不少于百分之三十五的利润。作为"自己人"，我当然是面包师的"助手"，负责监督，不许他暗中偷盗面粉、鸡蛋、黄油和烤好的面包。

这样我便从又脏又大的地下室搬进一间比较干净些的小一点的地下室——这里的卫生工作由我负责。和四十个人的作坊不同，这里我面对的只有面包师一个人。他两鬓斑白，留一撮山羊胡，面孔干巴消瘦，一双黑眼睛总是若有所思的样子，嘴巴的样子怪怪的：像鲈鱼的嘴那样小，嘴唇肥肥厚厚的，嘬得好像要跟人接吻似的。眼睛深处透出某种嘲讽的意味。

当然，他会偷东西——工作的头一天夜晚，他就把十来个鸡蛋、三俄磅面粉和一大块黄油搁到一边去了。

"这些东西——是打算做什么用的？"

"给一个女孩子，"他和颜悦色地说，然后皱皱鼻子，补充说，"一个很好的姑娘！"

我试图说服他，说偷东西是一种犯罪行为。但不知是我缺乏口才，还是我自己也不大相信我说的话，反正，我的话没有起什么作用。

面包师躺在放面团的柜台上，望着窗外的星星，惊讶地嘟哝着：

"他竟教训起我来了！头一次见面——就一本正经地教训起人来了！自己的年龄比我小两三倍！这也太可笑了……"

他看完星星，问道：

"我好像在哪儿见过你，你在谁那儿干过活儿？在谢苗诺夫那儿？发生暴动的那个地方②？是这样啊。喏，就是说，我在梦里见到过你……"

---

① 杰连科夫是1886年夏天开的这个小店，目的是为秘密活动作掩护，小店收入用来帮助贫困学生和开展秘密小组活动。

② 关于1886年春天谢苗诺夫面包店工人和老板发生冲突和高尔基在这场冲突中所起的组织作用，高尔基的中篇小说《老板》中有所描写。

几天后，我发现这个人特别能睡，不管什么姿势，想睡就睡，甚至站在那里，扶着铁锹把也能睡着。睡的时候，两道眉毛微微抬起，脸的模样有点变形，怪里怪气，露出一种惊讶、讥讽的表情。他最喜欢讲述有关宝藏和梦的故事。他深信不疑地说：

"我能看到地下的东西，整个大地就像一个大馅饼，下面净是宝藏：一罐罐、一箱箱的钱币，到处埋藏的都是生铁。常常有这样的事：我梦见一个我熟悉的地方，比如说，浴室，浴室的墙角下埋藏有银器。醒来后，我连夜就去挖，往下挖一俄尺深，打眼一看，是一些煤渣和一副狗的头盖骨。这就是我所找到的东西！……突然间——哗啦一声，窗子被打得粉碎，一个女人拼命地在喊叫：'来人啊，有贼啦！'当然，我赶紧逃跑了，不然我会被打一顿的。这太可笑了！"

我常常听到"这太可笑了"这句话。不过伊万·科兹米奇·卢托宁并不笑，他只是喜滋滋地眯缝起眼睛，皱着鼻子，张大两个鼻孔。

他做的梦没有多大意思，跟现实生活一样，枯燥乏味，无聊透顶。我真不明白：为什么他谈起自己的梦来竟然那么津津乐道，而谈起周围人的生活时却很不情愿？[①]

一个有钱茶商的女儿被迫出嫁，婚礼结束后回家便开枪自杀了。消息轰动了全城。[②] 数以千计的青年人为她送葬，大学生们在她的墓前发表演说，警察一再地驱赶他们。在邻近面包作坊的一家小店里，人们都在谈论这场悲剧，店铺后面的一个房间里挤满了大学生。他们激昂慷慨的声音和犀利的言辞，一直传到了我们的地下室。

"这个姑娘呀，平时管教得太少了。"卢托宁说，然后他又对我说：

"我好像是在池塘里摸鲫鱼，突然，一个警察喊道：'住手，你怎么竟敢在这里摸鱼？'逃是无处可逃了，我便一头扎进了水里，于是便醒了过来……"

尽管旨卢托宁对现实生活不太留意，但他很快还是感觉到面包店的情况有点非同寻常：卖面包的两个姑娘，不熟悉业务，老在看书；她们一个是老板的妹妹，一个是她妹妹的女友——高高的个子，红红

---

① 20世纪90年代末，我在一本考古杂志上看到卢托宁-科罗维亚科夫在奇斯托波尔县的一个什么地方发现了一处宝藏，是一罐阿拉伯钱币。——作者原注

② 指Д. А. 拉特舍娃自杀的事。1885年1月23日有五千人为她送葬，认为她是家庭专横和封建专制主义的牺牲品。

的脸蛋，长着一双和蔼可亲的眼睛①。大学生们常到这里来，他们在面包店旁边那间屋子里一坐就是很久，不知为什么事，要么大声争吵，要么窃窃私语。店老板很少到店里来，而我这个当"帮手"的，倒好像是这个小店的掌柜。

"你跟老板是亲戚吗？"卢托宁问我，"兴许他想让你做他的妹夫吧，是不是？这太可笑了。大学生们为什么老在这儿窜来窜去？是为了这些姑娘……没错儿。喏，很有可能……虽然这两个姑娘的长相并不怎么样，没有那么大的魅力……这些大学生与其说是来看这两位小姐，还不如说是为面包而来……"

几乎每天早上五六点钟的时候，总有一个短腿姑娘出现在面包作坊窗外的街上。她好像是用大小不等的半球组成的，整个身子就像是一个装满西瓜的口袋。她的两条腿伸到地下室窗外的洼坑里，一面打着哈欠，一面喊道：

"瓦尼亚！"②

她头上包一块花头巾，头巾下露出浅色的鬈发，打旋儿的鬈发垂落在她那红扑扑、圆鼓鼓的脸上和低低的额头上，蹭得两只惺忪的睡眼直有些痒痒。她伸出两只小手，懒洋洋地将头发从脸上撩开。她的手指像新生婴儿的那样，一个个都分开伸着，非常好玩儿。有意思的是——跟这样一个姑娘能谈些什么呢？我叫醒面包师。他问她：

"你来啦？"

"你不都看见了。"

"睡得好吗？"

"喏，还能怎么样？"

"你梦见什么了？"

"不记得了……"

城里一片寂静。其实已经能够听见有的地方有扫街的沙沙声了；刚睡醒的小麻雀，已经开始在叽叽喳喳地叫了。冉冉升起的太阳将温暖的阳光照射在玻璃窗上。我非常喜欢这发人深思的早晨的时光。面包师把一只毛茸茸的手伸出窗外，抚摸着姑娘一双光腿，姑娘满不在

---

① 指 H. A. 谢尔巴托娃（1870—1942），是 M. C. 杰连科娃的中学同学，1886—1888 年在杰连科夫的小铺里干过活，后来当了老师，1889 年因马克思主义者费多谢耶夫被捕一度受到过牵连。

② 伊万的爱称。

乎地任其抚摸，眼睛像绵羊似的眨巴着，没有任何笑意。

"彼什科夫，到时候了，奶油鸡蛋面包该出炉啦！"

我把铁烤盘从炉子里取出来，面包师伸手从里面抓了十来个奶油小面包、酥皮点心和菱形面包，扔到姑娘张开的裙子下摆里。烫手的面包在姑娘的手掌里来回倒腾扔来扔去，一面用她那绵羊般发黄的牙齿不时地啃咬着，烫疼了便像牛似的气得哼哼直叫。

面包师颇为欣赏地望着她，说：

"把裙子放下来，真不知道害臊……"

她走的时候，面包师在我面前夸耀说：

"看见了吗？像只小羊羔，一头卷毛。我这个人呀，老弟，生来爱干净，从不跟婆娘们厮混，只找年轻姑娘玩。她是我的第十三个相好！是尼基福雷奇的教女。"

看着他那得意扬扬的样子，我想：

"我也要过这样的生活吗？"

我把按重量销售的白面包从炉子里取出来，把十个白面包和十二个大圆面包放在一块长木板上，急忙送到安德烈·杰连科夫的店里去。回来后，又满满装了一篮子小白面包和鸡蛋奶油面包——足有两普特重——一路小跑地送到神学院，以便赶上大学生们吃早餐。在那里，我站在大饭厅门口，将面包递给大学生们，有的是"记账"，有的是收"现钱"。我站在那里，一边听着他们关于列夫·托尔斯泰的争论；神学院有个叫古谢夫的教授，是列夫·托尔斯泰的死对头①。有时候我在面包篮子底下放几本小册子，不声不响地塞给这个或那个大学生；有时候大学生们把一些小册子和字条藏在我的篮子里。

每周有那么一次，我跑去的地方更远——到"疯人院"去。精神病学家别赫捷列夫②在那里拿患者做病例，给学生们上课。有一次，他

---

① A.古谢夫（1842—1904），喀山神学院教授，在报刊上发表文章坚决反对列夫·托尔斯泰的《忏悔录》（1879—1880）；《忏悔录》1882年被教会查禁，但它的手抄本和油印件在俄国已广为流传。

② 弗·米·别赫捷列夫（1857—1927），俄国精神病学家和心理学家，学派奠基人；在解剖学、生理学和神经系统病理学方面有重要的著作；在解释心理过程中对人的大脑进行了深入的综合研究，创立了心理学的一个新的科学流派——反射学派。1885—1893年别赫捷列夫曾在距喀山3俄里远的一所精神病医院里工作。

让大学生们观察一个患妄想狂症的病人：这位患者的个子很高，穿一身白衣服，戴一顶和长筒袜差不多一样的圆形软帽。当他在教室门口出现时，我不由地笑了，不过他在我身边只是停了一下，朝我看了一眼，我赶紧闪到了一边——仿佛他那阴沉、灼热的锐利的目光刺疼了我的心。当别赫捷列夫捋着胡子郑重其事地和病人谈话的时候，我一直在悄悄地用手抚摸着我的脸，好像我自己的脸被灼热的灰尘烫伤了似的。

那患者说话的声音非常低沉，他提出了一个什么要求，很威严地将一只长手臂从病号服的袖口里伸了出来，长长的手指头，看上去怪吓人的。我觉得他的整个身躯长得有些反常，一个劲儿地直往上长，即使站在那里不动，他那只黑黢黢的手就能够抓到我，掐住我的喉咙。他的一双黑眼睛眼窝深陷，目光锐利，在瘦骨嶙峋的脸上闪闪发光，看上去威风凛凛，很有些咄咄逼人的样子。二十来个大学生看着这个戴一顶怪里怪气的尖顶帽的人，有的人露出了微笑，但大多数人都在凝神静思，黯然神伤。他们的眼神和这位患者那火辣辣的目光相比，显得极为平常。他的样子很是吓人，身上有一种恢宏大度的东西——没错儿，是有一种庄严肃穆的气势！

大学生们一片寂静，鸦雀无声，只听见别赫捷列夫教授铿锵有力的声音；他的每一个问题都引起一个低沉声音的严厉的回应。这声音仿佛是来自地下，来自死一般寂静的白色墙壁的后面，患者身体的动作俨然像一位高僧似的舒缓迟延，稳健庄重。

夜里，我写了一首关于狂躁症患者的诗，称他是"大权在握，独占鳌头，是上帝的幕僚与挚友"；他的形象长时间地萦绕在我的心头，影响着我的生活。

我从下午六点钟开始工作，差不多一直要干到第二天中午。白天我要睡觉，所以只有在揉完一个面团，等待另一个面团完全发起来，或者把面包送进炉子烘烤的时候，我才能够抓紧时间看点书。当我逐渐掌握了做面包的窍门后，面包师要干的活儿就越来越少了，他感到有点惊讶，亲切地"教导"我说：

"你工作很能干，再过一两年，你就能成为一个面包师了。这太可笑了。你还年轻，人们不会听你的话，也不会尊重你……"

他对我喜欢读书这件事很不以为然：

"有读书那工夫，还不如去睡会儿觉。"他关心地劝我说，但他从来不问：我读的都是些什么书。

他满脑子想的就是他的那些梦，那些关于宝藏的幻想和那个圆滚滚的矮个子姑娘。那姑娘往往夜里来，因此，他要么把她领到过道里堆放面粉袋的地方，要么——如果天气冷的话——他就皱着鼻子跟我说：

"你出去一会儿吧！"

我走开的时候心里想："这种爱情跟书里写的一点儿也不像……"

老板的妹妹住在店铺后面的一间小屋内，我一直给她的茶炊生火，但我尽量避免跟她见面，因为我看到她时会感到很不自在。她那双孩子般的眼睛看我时的目光，仍然像头几次见面时那样，令人无法忍受。我总怀疑她眼睛深处蕴含着一种微笑，觉得她在嘲笑我。

我身强力壮，但行动笨拙，面包师看我能搬运五普特重的面袋子，不无惋惜地对我说：

"你的力量——能顶三个人，可是缺乏灵活性！尽管你个头很大，可依然是一头笨牛……"

虽然我读了不少书，又喜欢朗诵诗，自己还学着写诗，但我说话仍然用"自己的词汇"。我知道，这些词汇非常粗俗难懂，而且语义尖刻，但我觉得，只有它们才能够表现我思想深处混乱的状态。有时候我故意用些粗鲁的词句，以抗议那些让我感到格格不入、使我非常恼恨的东西。

我的一位学数学的大学生老师责备我说：

"鬼晓得您是怎么说话的。您不是用词汇在表达，而是用一个个秤砣在砸！……"

一般地说——我也不喜欢我自己，就像半大孩子们常有的那样，认为自己非常可笑，很粗野。我的脸型像卡尔梅克人①，颧骨突出，嗓子也不听我使唤。

可是老板的妹妹行动敏捷，步履轻盈，像凌空的燕子；我觉得，她轻盈的动作与她那圆鼓鼓的柔软的身段不大协调。她的动作和走路的姿势，总是有点不对劲儿，像是故意做出来给人看的。她说话的声音乐呵呵的，常常发笑。听着她快乐的笑声，我在想：她是希望我能够忘记我头一次看见她时的样子。可是我却不愿意忘记这件事，我很

---

① 俄少数民族，主要居住在俄联邦卡尔梅克自治共和国境内，约十万人，讲卡尔梅克语，首府埃利斯塔市。

珍惜这一非同寻常的际遇，我很想知道那些可能发生的和正在发生的事情。

有时候她问我：

"您在读些什么书？"

我的回答很简短，而且我想反问她：

"您为什么要打听这个？"

有一次，面包师想和他那个短腿姑娘亲热一番，用喝醉了酒的腔调跟我说：

"请你出去一会儿。哎，你可以到老板的妹妹那里去，有什么好犹豫的？要知道，大学生们……"

我说，要是再说这种话，我可要用秤砣砸他的脑袋了。然后我就向过道里堆放面粉袋的地方走去。透过关得不怎么严实的门缝，我听到了鲁托宁的说话声：

"为什么我要生他的气？他成天埋头读书，像个疯子……"

过道里，老鼠横行，吱吱乱叫；面包坊里，那姑娘哼哼唧唧，呻吟声不断。我来到院子里，外面细雨蒙蒙，几乎听不到一点声音，但还是令人有些透不过气来。空气里充满了一股烟熏味儿——森林着火了。已经是后半夜了。面包店对面的房子窗户大开，灯光昏暗，屋子里有人唱道：

> 圣徒瓦尔拉米①本人，
> 头戴金色的光环，
> 笑容满面地……
> 俯看着她们。

我想象着让玛丽娅・杰连科娃躺在我的膝盖上——就像面包师的那个姑娘躺在他的膝盖上那样——可我打骨子里感到这是不可能的，简直太可怕了。

> 他通宵达旦，从未间断，

---

① 基督教圣徒。这首歌在喀山神学院大学生们中间颇为流行，歌名《从早到晚》，带有明显的反宗教色彩。

　　一边喝酒，一边唱歌，
　　还干着那——哎哟！
　　不言自明的勾当……

　　合唱中一个男低音的"哎哟"二字，显得特别突出。我弯着腰，两手撑着膝盖，向窗子里张望着。透过窗帘的花边，我看到一间方方正正的地下室，浅蓝色的灯罩下，一盏小灯照耀着四周灰色的墙壁。一个姑娘坐在灯下，面对窗户在写着什么。现在——她抬起了头，用红色的笔杆把耷拉在鬓角上的一绺头发撩了上去。她眯缝起眼睛，脸上现出了微笑。她慢慢地把信纸折叠起来，装进信封，用舌头在信封口上舔了舔，然后把信扔到桌子上，用比我的小手指还要小的手指头，恶狠狠地指了指它。但是她马上又拿起了信，眉头紧皱，打开信封，读了一遍，装入另外一个信封，写好地址，躬着腰，把信举得像一面白旗，在桌子上空摇晃着。她旋转着身子，拍着双手，向放着她床铺的屋角走去，然后又回转过来，脱去短上衣，露出那圆鼓鼓、肉乎乎的双肩。她从桌上端起了灯，消失在屋角里了。当你观察一个人孤身独处的时候，他的举止就像是一个疯子。我在院子里走动的时候，心里一直在想：这姑娘孤身一人，独居斗室，她的生活有多怪呀。

　　可是，当一个长着浅红色头发的大学生前来找她，压低嗓门儿，差不多像说悄悄话似的跟她说什么的时候，她被吓得全身缩作一团，样子变得更娇小了。她怯生生地看着他，双手放在背后，或藏在桌子下面。我不喜欢这个红头发大学生，非常不喜欢。

　　那个矮墩墩的姑娘身上裹着一块方头巾，趔趔趄趄地走过来，嘴里嘟囔着：

　　"回面包坊去吧……"

　　面包师一面把面团从柜子里往外掏，一面跟我说，他这个小情人如何令人销魂，如何不知疲倦，而我却在想：

　　"以后我会怎么样呢？"

　　这时，我觉得，就在不远处的某个地方，一个什么犄角旮旯儿，倒霉的事情正在等待着我呢。

　　面包店的生意非常红火，以致安德烈·杰连科夫打算另外再开一间更大的面包作坊，而且决定再雇一名帮手。这事太好了，我一个人工作太忙，累得我简直晕头转向。

　　"在新开的面包作坊里，你就是大帮厨了，"面包师答应我说，"我会跟老板说，让他们把你的工资提到每月十个卢布。没错儿。"

我知道，把我提升为大帮厨，这对他非常有利。他这个人不喜欢干活，而我则很乐意干活，累一点儿对我有好处，劳累可以消愁解闷，抑制强烈的性冲动。不过这却使我没法读书了。

"好哇，你终于读不成书啦，让老鼠去啃它们吧！"面包师说，"可是你难道就没做过梦吗？恐怕做过，只是不愿意说而已！这太可笑了。要知道，说梦——最安全了，用不着担惊受怕……"

他对我的态度十分亲切，甚至好像非常尊敬。也许是因为我是老板的眼线，他有点怕我，尽管这丝毫不妨碍他盗窃货物，一切照偷不误。

外婆去世了①。我是在她安葬七周后，才得知她去世的消息的，是我一个表兄弟写信告诉我的。他在那封简短的信里——没有标点符号——说，我外婆在教堂门口讨饭时跌了一跤，摔断了一条腿；第八天时"转成了坏疽病"②。后来我听说，我的两个表兄弟和一个表姐，还有他们的孩子们——都是身强力壮的年轻人——一直全靠我外婆用乞讨来的东西养活他们。他们根本没想到要请个医生来给她瞧瞧。

信里说：

"她被安葬在彼得罗巴甫洛夫斯基墓地我们大家给她在那里送的葬那些以乞讨为生的人他们都很爱她而且都哭了爷爷也哭了他把我们撵走后自己一个人留在墓地我们从旁边的灌木丛里看着他在哭他也活不了多久啦。"

我没有哭，只记得当时冷风飕飕，直向我袭来。夜晚，我坐在院子里的劈柴堆上，我有一种强烈的、想对什么人讲讲我外婆的事的迫切愿望，讲讲她有多么的聪明、贤慧，她对所有的人都像母亲一样。但是我没有人可以诉说，就这样，长期压在心头，时间久了，便烟消云散，渐渐地淡忘了。

许多年后，我读了契诃夫③的一篇讲一个马车夫对一匹马诉说自己

---

① 她死于1887年2月16日，葬在下诺夫戈罗德的彼得罗巴甫洛夫斯基墓地。

② 一种肌肉坏死症；机体大块组织坏死，受细菌感染而腐烂，呈黄绿色或黑色。

③ 安东·契诃夫（1860—1904），俄国小说家、剧作家，这里指的是他于1886年发表的短篇小说《苦恼》，作品寄托了作者对穷苦劳动者的深切同情。

儿子死亡的极其真实的故事后，我回想起了那段日子。遗憾的是，在那极度悲伤的日子里，我身边连一匹马、一条狗也没有；我没有想到可以跟老鼠去分担痛苦——面包作坊里它们倒是不少，而且我和它们和平共处，相安无事。

城里的警察尼基弗雷奇像老鹰似的，开始在我的身边打转。他身材匀称，体格健壮，留一头银色的短发，经过精心修饰的胡子又宽又密。他一面津津有味地咂巴着嘴，一面瞅着我，仿佛在察看一只圣诞节前要宰杀的鹅一样。

"我听说，你很喜欢读书，是吗？"他问道，"说说看，你都看些什么书？比如——是《圣徒传》呢，还是《圣经》？"

"《圣经》我读，《月书》① 我也读。"这使尼基弗雷奇大为惊讶，看上去，这下可把他给搞糊涂了。

"是吗？读书可是件好事，没得说！那托尔斯泰伯爵的书，想必你也有所涉猎吧？"

托尔斯泰的书我也读过，不过，我读的那些书，并不是警察感兴趣的作品。

"这么说吧。它们都是些很一般的书，人人都在写，据说，他的有些书是反对神甫的，不妨找来读一读！"

"有些"② 胶版印刷的书我也读过，但我觉得它们写得都非常枯燥，而且，我知道不应该跟警察谈论这些书。

我们在街上边走边谈，谈过几次后，这老头儿决定邀请我到他那里去坐坐。

"请到我值班岗亭里来坐吧，喝杯茶。"

我当然知道他想从我这儿得到点什么，但我确实也想到他那里去看看。我跟一些脑子聪明的人商量过后，认为，我若谢绝这位巡警的盛情邀请，定会增加他对我们面包作坊的怀疑。

于是，我就到尼基弗雷奇那里做客去了。那是一个小小的岗亭，俄式壁炉占去了三分之一的空间；另外三分之一的地方摆放着一张挂着印花布帐子的双人床，床上有许多带红枕套的枕头。剩下的地方，

---

① 供教徒们全年阅读的基督教祈祷经文汇编，每月一本，或是根据教会纪念每位圣徒的日子，按月编写的圣徒传汇编。

② 指列夫·托尔斯泰的一些宗教哲学文章，教会当局虽已查禁，但私下流传还很广。

摆放着一个装厨具的柜子，一张桌子，两把椅子，靠窗放了一条长凳。尼基弗雷奇解开制服扣子，坐到长凳上，身子完全挡住了亭内唯一的一小扇窗子。他的妻子坐在我的旁边，是个面色红润、胸部丰满的二十来岁的小娘们儿，两只灰色的眼睛狡猾、凶狠，非常奇特；鲜红的嘴唇任性地向上噘着，说起话来气鼓鼓的，语气非常生硬。

“我知道，”这位巡警说，“我的教女谢克列捷娅常到你们面包作坊里去，她是个行为放荡的下贱姑娘。我看所有的娘们儿都是下贱货。”

“所有的？”他的妻子问道。

“无一例外！”尼基弗雷奇坚决地说，同时把胸前的奖章晃得叮当作响，就像马甩动马具似的。他端起茶杯喝了一口茶，兴致勃勃地重申道：

“从最下贱的街头妓女……一直到女王，全都是些放荡下流的东西！示巴女王①穿越荒漠，跋涉两千俄里，去找所罗门王，为的就是要过荒淫无耻的生活。同样，叶卡捷琳娜女皇②也是这样，尽管她号称大帝……”

尼基弗雷奇详细地讲述了一个锅炉工的故事。这个锅炉工跟女皇过了一夜，从此平步青云，从军士一直干到将军，什么官都当了。他妻子认真地听着，不时地舔着嘴唇，同时一只脚在桌子下老是碰我的脚。尼基弗雷奇讲起来滔滔不绝，妙语连珠，不知怎么搞的，不知不觉中，他便转变了话题：

“比如说：这里有个一年级大学生，叫普列特尼奥夫。”

他老婆叹了口气，插话道：

“人长得不怎么样，然而是个好人！”

“谁？”

“普列特尼奥夫先生。”

“第一，他现在还不是什么先生，等他学成之后，才能成为先生；眼下他只不过是个普通的大学生，这样的人我们这里数以千计。第二，什么叫作好人？”

“乐观，年轻。”

---

① 见《旧约全书·列王纪上》第10章。

② 指18世纪的俄国女皇叶卡捷琳娜二世（1729—1796），她原为德国公主索菲娅·奥古斯塔，1762年借近卫军之力推翻彼得三世上台称帝，大大加强了俄国的专制制度。

"第一，戏班子里的小丑也很乐观……"

"小丑是为了赚钱才逗人乐的。"

"嘘！第二，大狗都是从小狗过来的……"

"小丑就好比猴子……"

"嘘，这我已经说过了！你没听见吗？"

"喏，听见了。"

"这不就结了……"

尼基弗雷奇把妻子压下去后，对我说：

"好，请你和普列特尼奥夫认识一下，他是个很有意思的人。"

大概他不止一次在街上看见我和普列特尼奥夫待在一起，所以，我说：

"我们认识。"

"是吗？原来是这样……"

听得出，他的话中有些懊恼。他猛一转身，胸前的各种奖章发出叮当的响声。而我则提高了警惕，因为我知道，普列特尼奥夫正在用胶版印刷某种传单①。

那女人一面暗中用脚碰我，一面存心在逗老爷子，而老爷子则像孔雀开屏似的，一再炫耀自己口若悬河的语言才能。他老婆的瞎捣乱使我没法好好听下去。不经意间，我又发现尼基弗雷奇改变了语气，声音变低了，更富于感染力了。

"有一条看不见的线——你明白吗？"他瞪大眼睛看着我的脸说，好像被什么吓了一跳似的，"你可以把皇帝陛下当成是一只蜘蛛……"

"哎呀，你这是什么话！"那女人惊叫道。

"你给我闭嘴！蠢货，这样说是为了明白易懂，不是存心骂人。真是木头脑袋！把茶炊拿走……"

他把眉毛一皱，眯缝起眼睛，然后一本正经地说：

"有一条看不见的线——跟蜘蛛网一样——以皇帝陛下亚历山大三世②为中心，透过各部大臣、各省总督大人及各级官员，一直到我，甚

---

① Г.普列特尼奥夫和民粹派及马克思主义小组都有联系,曾给他们印刷过秘密材料（见《高尔基文集》第25卷，第343页）。

② 亚历山大三世（1845—1894），亚历山大二世的次子，1881年起成为俄国的皇帝，是最保守的贵族阶级利益的代表，专断独行，残酷镇压民主运动，1885年基本上将中亚地区全部并入了俄国。

至到最基层的士兵，联结在一起。这条线把一切都联系了起来，把一切都网络在一块儿，构筑成一座看不见的城堡，以确保皇帝的王国千秋万代，永世长存。而那些被狡猾的英国女王收买了的波兰佬、犹太佬和俄国人——他们千方百计地想扯断这条线，好像他们是在为人民着想似的！"

他隔着桌子向我探过身来，态度严厉地低声问我：

"明白了吗？对，对。为什么我要跟你说呢？因为你们的面包师总是夸你，说你是个好小伙子，既聪明，又老实，独自一人生活。可那些大学生们经常去你们面包店里闲逛，整夜整夜地待在安德烈·杰连科夫老婆那儿。要是只有一个人，这很容易理解。但若是许多人呢，啊？我绝不是反对大学生们——今天他是大学生，明天他可能就是位副检察长。大学生们都是好人，他们只不过是想急着发挥作用，而沙皇的敌人们却在教唆他们！懂吗？再说了……"

但他还没有来得及往下说——忽然门被打开了，一个红鼻子小老头，卷曲的头发上扎着一条细皮带，手里拿着一瓶伏特加酒，醉醺醺地走了进来。

"咱们下盘跳棋怎么样？"他兴冲冲地问道，接着就是一连串的俏皮话，显得十分活跃。

"这是我岳父，我妻子的父亲。"尼基弗雷奇愁眉苦脸地说。

过了一会儿，我便告辞而去。这时，那狡猾的女人在我身后随手关上岗亭门的时候，使劲捏了我一把，说：

"你看这云彩多么红呀——简直像一团火！"

天空里有一小块金灿灿的云彩正在慢慢地消失。

我并不想得罪我的那些老师们，但我毕竟得说，这位岗警在向我解释国家机器构成的时候讲得比他们要更透彻、更直观。一只大蜘蛛端坐在某个地方，从它那里开始，"有一条看不见的线"把全部生活都紧紧联结起来，严密控制起来。很快，我到处都感受到了由这条线编织起来的牢固的环节。

晚上，关了店门之后，女主人把我叫到她那里，开门见山地对我说，她是受委派来了解情况的：岗警跟我谈了些什么？

"哎呀，我的天哪！"听了我的详细报告后，她惴惴不安地惊叫一声，立刻像耗子似的在屋子里蹿来蹿去，一个劲儿地直摇晃脑袋，"怎么，面包师什么都没有问您吗？要知道，他那个情人可是尼基弗雷奇的亲戚呀，难道不是吗？必须得把他赶走。"

我站在那里，靠着门框，斜眼望着她。不知怎么搞的，她张口便说出"情人"这个词儿，这未免太随便了——我很不喜欢。我也不喜欢她要赶走面包师的主意。

"您要当心点儿。"她说，像往常一样，她直勾勾的眼神儿使我感到有些窘迫；它好像在探询什么我无法理解的东西。她就站在我的面前，背抄着双手。

"你为什么老是这样愁眉苦脸的?"

"我外婆刚去世不久。"

她觉得这很滑稽，便笑着问我说:

"您很爱她吗?"

"是的。您还需要了解什么吗?"

"不需要了。"

我走了。当夜，我写了一首诗，记得诗中老出现这样一个句子:

　　　　您——装得并不像。

于是决定，以后大学生们尽量少到面包店里来。见不到他们，我在书中遇到不懂的问题几乎就无人可以请教了，于是我把我感兴趣的问题都记在笔记本上①。可是，有一次，我实在是累了，趴在本子上就睡着了。面包师看了我的笔记本，叫醒了我，问道:

"你写的这是什么呀? 为什么说'加里波第②没有把国王赶走'? 加里波第是什么人? 再说了，难道国王是可以赶走的吗?"

---

① 高尔基在《谈技艺》一文中谈到过他在喀山记笔记的事，他说 1929 年他喀山的老朋友 B.鲁德尼奥夫曾把笔记本寄还给他，上面尽是些读书笔记和一些不成熟的诗文（见《高尔基文集》第 25 卷，第 350 页）。

② 加里波第（1807—1882），意大利民族解放运动革命民主派领袖，军事家。1834 年因起义失败被撒丁王国缺席判处死刑，被迫出走法国，后又流亡拉美。1848 年返回意大利，曾多次参加起义，均未如愿。1860 年率"千人义勇军"远征，解放南意大利，从波旁分子手里解救了皮埃蒙特国王，然后把统一意大利的领导责任拱手让给了皮蒙特国王，从而确保了意大利 1859—1860 年革命的胜利。1866 年对奥作战，收回威尼斯；1870 年普法战争中援助过法国共和政府；1871 年巴黎公社成立，他当选为国民自卫军中央委员。为祖国的解放与统一，他献出了毕生的精力。

他气呼呼地把笔记本往柜台上一扔，随即跳进炉前的浅坑里，嘴里嘟囔着：

"请说说看：他要赶走国王，有那个必要吗！这太可笑了。你还是丢掉这种想法吧。什么读者！五年前，在萨拉托夫①，宪兵队像逮老鼠似的抓捕过这样的读者，千真万确。现在没有这种事，可是尼基弗雷奇也已经盯上你了。你就别再去赶跑什么国王了，对于你来说，国王可不是鸽子啊！"

他说这话对我是一番好意，可我却不能怎么想就怎么说，以回报他的这番情意——因为人们不允许我跟面包师谈这种"危险的话题"。

城里正流传着一本炙手可热的小册子，人们竞相阅读，争论不休。我请求兽医拉夫罗夫把这本书给我搞来看看，可他却无奈地说：

"唉呀，不行，老弟，很难指望！不过——好像最近有人要在一个地方朗读这本书，不然，到时候我带你去……"

圣母升天节②那天夜里，我沿着阿尔斯基田野，跟在拉夫罗夫身后，黑灯瞎火地一路向前走去，他走在前面约五十俄丈远③的地方。田野里空无一人，可我还是根据拉夫罗夫的建议，采取了"预防措施"——边走边吹着口哨，哼着小曲，"装作是喝醉酒的工人师傅"。我头上的一块块乌云在慢慢地移动，月亮在乌云间像一个金色的皮球缓缓地滚动，云层的阴影覆盖着大地，一汪汪水洼，银光闪闪，泛出一片片铁青色。背后，是城市愤怒的喧闹声。

我的引路人走到神学院后面一个园子的围墙边站了下来，我急忙赶了过去。我们悄悄地翻过围墙，穿过杂草丛生的园子，一碰到树枝，就有大滴大滴的水珠洒落到我们的身上。我们站在一幢房子的墙边，轻轻敲了敲紧闭着的窗户的护板——一个留着大胡子的人打开窗子，我看见他的背后是一片漆黑，听不见任何声音。

"谁呀？"

"从雅科夫那儿来的。"

"翻进来吧。"

黑咕隆咚的屋子里好像有许多人，听得见衣服和脚步的沙沙声！人们轻轻地咳嗽着，小声地交谈着。有人划着了一根火柴，照亮了我

---

① 俄国萨拉托夫州中心，伏尔加河港口城市。
② 1887 年的 8 月 15 日（旧历）。
③ 一俄丈大约等于 2.134 米。

的面孔；我看见墙边地板上有几个黑的人影。

"来齐了吗？"

"来齐了。"

"把窗帘拉上，别让人看见护窗板缝隙里透出去的光线。"

一个怒气冲冲的声音拉大嗓门说：

"是哪个聪明人想出的主意，把我们叫到这样一间人迹罕至的房子里来的？"

"小声点儿！"

有人点亮了屋角的一盏小灯。房间里空空荡荡，没有什么家具，只有两只箱子，箱子上放着一块木板，木板上——像寒鸦落在围墙上似的——坐着五个人。那盏小灯也在"竖着"的一只箱子上放着。墙边的地板上还有三个人，窗台上有一个人——是一个蓄着长头发的青年，人长得身单力薄，面色苍白。除了他和大胡子外，别的人我全都认识。大胡子瓮声瓮气地说，他要给大家朗读一本叫《我们的意见分歧》的小册子，作者是格奥尔吉·普列汉诺夫①，"原民意党人"②。

黑暗中，地板上有人吼了一嗓子：

"我们知道！"

周围的神秘气氛让我感到兴奋和激动，神秘的诗才是最崇高的诗。我感到自己像是一名在教堂里做早祷的信徒，不禁想起了古罗马最早的基督徒在地下避难所里的晨祷仪式。房间里一片瓮声瓮气的男低音，但言谈话语，清晰可辨。

"胡扯淡！"屋角又传来一声吼叫。

黑暗中有一件什么铜器在闪闪发光，显得很神秘，但又不太明亮，很像是一顶古罗马武士戴的头盔。我猜想可能是火炉的透气罩。

人们在屋子里低声交谈，一片嘈杂，其间夹杂着一些激烈的言辞，

---

① 格·普列汉诺夫（1856—1918），俄国国际社会民主运动活动家，哲学家，马克思主义理论宣传家。1875年加入民粹派。1880年侨居国外，宣传马克思主义，反对民粹主义，《我们的意见分歧》一书就是批判民粹派的。

② "民意党"是俄国最大最有势力的革命民粹派组织，1879年成立于彼得堡。其纲领是：推翻沙皇专制制度，召开立宪会议，要求民主自由，还土地予农民。该组织曾8次刺杀沙皇亚历山大二世，终于在1881年3月1日刺杀成功，后遭到沙皇政府的残酷镇压，从此一蹶不振。有人曾多次试图恢复活动，东山再起，但均未能如愿。

很难听明白谁在说什么。有人从窗台上越过我的头顶，用嘲笑的口气大声问道：

"咱们还读不读了呀?"

问话的是那个脸色苍白的长头发青年。这时大家都静了下来，只听见朗读者低沉的声音。有人划着了火柴，点着了烟卷，红色的火苗，映照出正在深思的人们。他们有的眯缝着眼睛，有的眼睛瞪得大大的。

朗读持续了很长时间，听得让人昏昏欲睡，十分疲惫，尽管我很喜欢那些唇枪舌剑的言辞和激昂慷慨的话语，它们很容易地就变成了令人信服的思想和道理。

不知为什么，突然间，朗读者的声音一下子停住了，屋子里马上响起了愤怒的喊叫声：

"叛徒!"

"花言巧语，口是心非! ……"①

"这是对英雄所洒鲜血的亵渎。"

"格涅拉洛夫②和乌里扬诺夫③被绞死后……"

这时，窗台上又传来那个青年的声音：

"先生们，咱们能不能不破口大骂，而就问题的实质，进行严肃认真的争论呢?"

我不喜欢争论，也听不出个所以然。我很难听明白别人变幻莫测而又自以为是的激进思想。争论双方那种赤裸裸的自我欣赏、死要面子的态度总让我感到十分反感。

那位青年从窗台上俯下身子问我道：

---

① 见《新约全书·哥林多前书》第13章，原文是："我若能说万人的方言，并天使的话语，却没有爱，我就成了鸣的锣，响的钹一般。"这里"鸣的锣，响的钹"，权且译为"花言巧语，口是心非"。

② 瓦西里·杰尼索维奇·格涅拉洛夫（1867—1887），俄国"民意党"恐怖组织的成员。曾参加1887年3月1日刺杀沙皇亚历山大三世的密谋，同年5月8日在彼得堡被绞死，年仅20岁。

③ 亚历山大·伊里奇·乌里扬诺夫（1866—1887），民意党恐怖组织的领导人之一。列宁的哥哥。参加了1887年3月1日刺杀沙皇亚历山大三世的准备活动。在施吕瑟尔堡要塞被处绞刑，年仅21岁。

"您是面包师彼什科夫吗？我叫费多谢耶夫①。咱们应该相互认识一下。老实说，这里没有什么事情可干，这样吵吵嚷嚷已经很久了，可是毫无用处。咱们出去走走，好不好？"

关于费多谢耶夫，我已经听说过很多。他组织了一个很严肃的青年学习小组，我很喜欢他那张有点神经质的苍白的面孔和一双深陷的眼睛。

我们在田野里走着，他问我工人中我有没有熟人，我在读些什么，空闲时间多不多，还说：

"我听说过你们这个面包店，奇怪的是，您竟然会干这种没意思的工作。干吗您要干这种工作呢？"

有时候我自己也觉得我没必要干这种工作，这个想法，我对他说了。我的话使他非常高兴，他紧紧握着我的手，脸上露出灿烂的笑容。他对我说，后天他要出一趟门，大约得两三个星期，回来后他再通知我，我们怎样再见面，在什么地方见面。

面包店的生意相当不错，可是我自己事情却每况愈下。搬到新的面包房后，我的工作量越来越大。我要在面包房里干活，还得挨家挨户地去送面包，去神学院和"贵族女子学校"②送面包。姑娘们从我的篮子里挑选奶油鸡蛋面包的时候，常常顺手塞给我一些便条。使我感到惊讶的是，我从这些漂亮的便条上往往能够看到一些笔迹稚嫩但恬不知羞耻的话语。我直感到纳闷：当一群穿得干干净净、眉清目秀、欢蹦乱跳的贵族小姐，围着我的篮子，做着鬼脸，伸出粉红色的小爪子，翻来覆去挑选面包的时候，我看着她们，尽量去猜想——到底是谁给我塞的那些没羞没臊的便条？难道她们不知道这些便条上写的话有伤风化吗？于是，我回想起了那些污浊不堪的"花街柳巷"，心里想：

"难道这种花街柳巷里也有一条'看不见的线'吗？"

有一个梳着大辫子、胸脯丰满、黑头发的姑娘，在走廊里把我叫住，她急匆匆地小声对我说：

"你把这个便条按上面的地址送去，我给你十个戈比。"

---

① 尼·叶·费多谢耶夫（1871—1898），俄国最早的马克思主义理论家之一。1888年在伏尔加河沿岸地区组织建立社会民主主义小组，宣传马克思主义，与列宁有书信往来，最后死于流放。

② 是19世纪初由喀山女地主罗季奥诺娃出资兴办的一所学校。

她望着我，紧咬着嘴唇，亲切温柔的黑眼睛含满了泪水，面颊和耳朵涨得通红。我谢绝了她的十个戈比，接过便条，把它送交给高等法院一位法官的儿子——一个面带红晕、患有肺结核的高个子大学生，他说要给我五十个戈比，然后默默地、一门心思地在数着零钱。当我说不用给我钱时，他便把这些零钱往自己的裤子口袋里装，但是没有装好，钱撒落了一地。

看着这些五戈比、七戈比的硬币满地乱滚，他一时没了主意，急得一个劲儿地直搓手，搓得指关节嘎嘎直响。他吃力地喘着气，嘴里嘟囔着：

"这该怎么办呢？喏，再见！我得想一想……"

我不知道他想了些什么，但我替那位小姐感到非常惋惜。她很快便从学校里消失了，十五年后我遇见了她，当时她在克里米亚一所中学里教书，患了肺结核，而且饱受世态炎凉之苦。所以一谈到人间世事，沧海桑田，她就恨得咬牙切齿，气不打一处来。

送完面包，我便躺下睡觉，晚上还要在面包作坊里干活，这样半夜以前我就能够将烤制好的奶油鸡蛋面包送到面包店里。面包店就坐落在市剧院的旁边，因此，演出一结束，观众就会到我们店里来享用热腾腾的酥皮面包。然后我再去按分量揉制大的面包和法式小面包，两只手要揉制十五到二十普特①的面粉——这可不是闹着玩儿的。

然后再睡上两三个小时，接着再去送面包。

就这样——天天如此。

可这时我有一种非常强烈的愿望——一心想传播某种"合理、善良、永恒的东西"②。我善于和人交往，很会讲故事；我的想象力来自我的亲身经历和我所读过的书。对于我来说，将一件寻常的事编成一个有趣的故事，不用费多大劲儿。故事绕来绕去，归根结底，总离不开那"一条看不见的线"。我认识克列斯托夫尼科夫的和阿拉富佐夫的工厂的工人们③，特别是跟老纺织工人尼基塔·鲁布佐夫的关系非常亲

---

① 俄国的重量单位。一普特等于 16.38 公斤。

② 出自俄国诗人、革命民主主义者尼·阿·涅克拉索夫（1821—1877）的《致传播者》（1876）中的诗句。

③ 克列斯托夫尼科夫的工厂生产肥皂与蜡烛，阿拉富佐夫的工厂生产亚麻制品，19世纪末这两家工厂算是喀山最大的工业企业了，各有工人近两千名。

密。他差不多在俄国所有的纺织厂里都干过，人非常活跃，而且聪明能干。

"列克谢，我的马克西梅奇①，你还年轻，我的流浪儿，新的机灵鬼！我在世上已经混了五十七个年头了！"他压低着声音说道，一双有疾患的灰色眼睛在墨镜后面露出了微笑。这副墨镜是他自己用铜丝制造的，因此，在他的鼻梁和耳后都染上了绿色铜锈的斑点。纺织工人们都叫他德国佬，因为他在刮掉大胡子时上嘴唇上留了浓密的唇髭，下嘴唇上蓄着一撮花白的山羊胡。他身材适中，宽胸膛，生性快乐，又有几分忧伤。

"我喜欢看马戏，"他说，同时将疙里疙瘩的秃脑袋歪到左肩上，"那些原本是牲口的马，是怎样训练出来的，啊？简直太奇妙了。看着这些个牲口，真让人佩服——我想：喏，这就是说，也可以教人们去用脑子思考。马戏团的人用白糖来驯化牲口，而我们，当然，可以到小店里购买这种糖。我们的心灵也需要糖，而这种糖，就是关爱！就是说，一个小伙子，为人处世，要学会关爱人，不能像我们现在这个样子，动不动就棍棒相加——是不是？"

他自己对人的态度并没有表现出多少关爱，说话带刺儿，瞧不起人，争论时，语言简单生硬，常常大喊大叫，显然是想激怒对方。我是在啤酒店里认识他的，当时有人就要打他，而且已经打过他两次，是我站出来劝阻，把他给拉走了。

"打疼您了吗？"我问他，一面和他在黑暗中走着，这时，头上正下着蒙蒙的秋雨。

"喏，哪有他们这种打法？"他满不在乎地说，"等一下——你为什么跟我称呼起'您'来了？"

从此，我们就算认识了。起初，他常常笑话我，说话风趣幽默，机智灵活，但当我告诉他那根"看不见的线"在我们的生活中发挥什么作用时，他若有所思地感叹道：

"你这个人——并不笨，一点儿也不笨！真行啊！你……"从此以后，他对我，就像父亲似的，关怀备至，甚至正儿八经地称呼起我的名字和父称来②。

---

① 这是俗称，正式应当叫阿列克谢·马克西莫维奇，即彼什科夫（高尔基的原名）。
② 称呼名字和父称是尊敬的表现。

"你的想法呀，我的列克谢·马克西梅奇，我亲爱的小锥子，都是对的，只不过是没有人相信你，划不来……"

"您相信吗？"

"我是一条秃尾巴的丧家犬，民众则是用链条锁着的一群狗，每条狗的尾巴上都带有许多牛蒡之类的累赘：老婆、孩子、手风琴、套鞋等。而且，每条狗都很留恋自己原来的那个窝。他们不会相信你的。我们那儿——莫罗佐夫的厂子里——就出过事①！谁牵头，走在前面，谁的脑门子上准会挨人揍，而脑门子可不是屁股，够你吃不了兜着走了。"

雅科夫·沙波什尼科夫是一名钳工，是克列斯托夫尼科夫厂的工人，患有肺结核，会弹吉他，精通《圣经》。自打和这位钳工认识后，鲁布佐夫说话就有点不一样了。雅科夫断然否定上帝存在的态度，使他大为惊讶。他一面随地吐着从肺里咳出来的血痰，一面坚定、动情地证明说：

"第一，我完全不是'照着上帝的形象和样式'②造出来的，我一无所知，什么也不会，而且，我不是一个善良的人，不，我不是一个善良的人！第二，上帝不知道我有多么困难，或许知道，但是他无能为力，再不就是他能够帮助，但是，他——不愿意。第三，上帝也不是无所不知、无所不能、慈悲为怀的，简单说吧——他根本就不存在！这都是臆造出来的，全都是凭空想象，整个生活也是假想出来的，然而，这骗不了我！"

鲁布佐夫惊讶得连话都说不出来了，然后他怒不可遏，破口大骂起来。但是雅科夫援引《圣经》中的一段话，用庄重严肃的语言，解除了他的武装，使他无言以对，待在一边儿仔细想事儿去了。

雅科夫·沙波什尼科夫说起话来几乎有些令人生畏。他的脸又黑又瘦，一头黑色鬈发，跟茨冈人似的，发青的嘴唇间露着狼一般的牙齿。他那双黑眼睛死死盯着对方的脸，这种令人难以忍受的、咄咄逼人的目光，实在让人承受不了——它使我想起了妄想狂患者的眼睛。

鲁布佐夫和我从雅科夫那儿出来后，路上他情绪低沉地对我说：

"还没有人当着我的面反对过上帝。这样的话我闻所未闻。什么样

---

① 指 1885 年莫罗佐夫纺织厂工人大罢工，这次罢工对工人运动的开展起了很重要的作用。

② 见《旧约全书·创世记》第 1 章第 26 节。

的话我都听到过，可这样的话——从未听说过。当然，这个人活不了多久了。唉，他也够可怜的了！人都快烧干了……真有意思，老弟，非常有意思。"

鲁布佐夫很快便和雅科夫变成了好朋友，而且整个人好像疯了似的，感情激动得不得了，时不时地总是用手指头擦拭两只有病的眼睛。

"是——这样，"他洋洋自得地说，"就是说，上帝也该退位了，是不是？哈哈！至于沙皇，我的好先生，我有自己的看法：沙皇碍不着我的事。关键不在于沙皇——而在于老板。随便哪一位沙皇我都不在乎，哪怕是伊凡雷帝①：好，当你的沙皇吧，就由你来统治好了，只要你乐意，只不过你要给我管住老板的权力——这就行了！你给我这个权力——我就用金锁链把老板锁在沙皇的宝座上，我会为你祈祷的……"

读完《饥饿王》后，他说：

"写的都是通常的事，完全正确！"

他头一次看到这种石印的小册子，问我道：

"这是什么人给你写的？写得很准确。你告诉他——谢谢了。②"

鲁布佐夫的求知欲永无止境。他以高度集中的注意力倾听雅科夫·沙波什尼科夫大骂上帝的话，常常一连几个小时听我讲书里的故事，听得他前俯后仰、哈哈大笑，昂着头，赞不绝口地说：

"人的脑瓜儿就是机灵，哎呀，实在是机灵！"

他自己看书很费劲——因为眼睛有病，影响视力，但他知道的事情也不少，常常令我感到非常吃惊：

"德国有一个绝顶聪明的细木匠——国王时常亲自请他去进行咨询。"

① 即伊凡四世（1530—1584），瓦西里三世之子；俄国历史上第一位沙皇（1547年起），号称"雷帝"。在位时实行司法行政改革，对中亚进行扩张，为夺取波罗的海出海口，不惜发动战争（1558—1583），并吞并西伯利亚（1581年）；为巩固自己的独裁统治，曾残酷地镇压和奴役广大农民。

② 谢谢了，阿列克谢·尼古拉耶维奇·巴赫。——作者原注

经我一再追问，原来他讲的就是倍倍尔①。

"这您是怎么知道的？"

"我就是知道。"他简短地回答说，一面用小手指搔了搔自己那疙里疙瘩的脑袋。

雅科夫·沙波什尼科夫对艰难繁重的乱糟糟的生活不感兴趣，他一心只想着消灭上帝，嘲笑教会里的神甫，对修士之类，尤其恨之入骨。

有一次，鲁布佐夫和颜悦色地问他：

"怎么啦，雅科夫，为什么你张口闭口地总是在反对上帝？"

这时他恶狠狠地喊叫得更凶了：

"除了上帝，还有谁在妨碍我呢，啊？我信奉他差不多有二十年了，在他面前，我一直在战战兢兢地过日子。我一忍再忍，争辩是不可以的，一切都由上面来定。生活被捆住了手脚。我对《圣经》进行了深入的研究——我发现一切都是臆造的！是杜撰出来的，尼基塔！"

他挥动着一只手，像要把那条"看不见的线"扯断似的，他几乎哭着说：

"瞧吧——为此我会过早死去的！"

我还有几个很要好的朋友。我常到谢苗诺夫的面包作坊去看望老同事，他们非常欢迎我，很愿意听我给他们讲故事。但是，鲁布佐夫住在船厂区，而沙波什尼科夫住在鞑鞑区，在卡班河对面很远的地方，彼此相距约五俄里，我很少能看见他们。可是他们到我这里来是不可能的，因为我没地方接待客人，何况新来的面包师是个退伍兵，常与宪兵们来往。宪兵队队部的后院就挨着我们的院子，因此，那些神气活现的"穿蓝制服的人"，经常翻过围墙，到我们这边来为汉加尔特上校②买小白面包，也为自己买些主食面包。再说了，已经有人劝我不要

———————————

① 奥古斯特·倍倍尔（1840—1913），德国和国际社会主义运动著名活动家，德国社会民主工党和第二国际的创建者和领导者之一。少年时学过车工，20岁后开始投身工人运动。1869年创建了德国社会民主工党。1871年坚决支持巴黎公社革命。曾两次入狱，出狱后坚持革命斗争。1913年因心脏病死于瑞士。鲁布佐夫说的"国王时常亲自请他去进行咨询"这句话，显然他指的就是倍倍尔，因为倍倍尔当时是德国的国会议员。

② 汉加尔特上校是喀山的宪兵队队长，后来（19世纪90年代）当了施吕瑟尔堡司令官。

太"抛头露面"，以免引起别人对面包店不必要的注意。

我认为，我的工作已经没有什么意思了。常常发生这样的事：有人不顾店里营业的情况，随便从柜上支取现款，弄得店里有时候连买面粉的钱都拿不出来。安德烈·杰连科夫常常捋着胡子垂头丧气地苦笑道：

"我们快要破产了。"

他的日子也很不好过：一头棕色鬈发的娜斯佳已经"身怀六甲"，还凶得像只恶猫，龇牙咧嘴的，嗷嗷直叫，气鼓鼓地瞪着一双绿眼睛，对一切人和一切事都瞧不顺眼。

她走起路来，旁若无人，直接往安德烈身上撞。安德烈像做错了事一样，赔着笑脸，给她让路，一面唉声叹气。

有时候，他向我诉苦说：

"一直都这样随便。大家想拿什么就拿什么——没一点章法。我给自己买了半打袜子——转眼间，全不翼而飞了！"

袜子的事是可笑的，但是我笑不出来，因为我眼看着这个默默无闻、无私奉献的人一心想把事情办好，而周围的人对这件事却不管不问，熟视无睹，甚至进行破坏。安德烈·杰连科夫并不指望得到他所照顾的这些人的感谢，但他有权得到这些人对他更多的关心和友谊，而不应该是现在的这种态度。他的家庭很快遭到了破坏。父亲由于宗教的原因得了忧郁症；弟弟开始酗酒，整天和姑娘们鬼混；妹妹表现得形同外人，看来她和那个红头发大学生的爱情进行得很不顺心，我常常看到她的眼睛哭得又红又肿，因此我对那个大学生也恨之入骨。

我觉得，我已经爱上了玛丽娅·杰连科娃。同样，我也爱上了我们店里的女售货员娜杰日达·谢尔巴托娃——一个人高马大、面色红润的姑娘，鲜红的嘴唇上总是挂着亲切的微笑。一般来说，我是个多情种子。年龄、个性和我没有规律的生活，都要求我要和女人交往，而且，这方面与其说我是过早的成熟，还不如说是为时已晚。我需要女人的爱抚，哪怕是女人的友好情谊也好；我需要坦率地剖析自己，厘清我那凌乱不堪的思想和乱作一团的感受。

我没有朋友。人们把我看作"一块有待加工的材料"；他们引不起我的好感，我无法和他们坦诚相待。当我跟他们谈起他们不感兴趣的话题时，他们就对我说：

"拉倒吧，你！"

古里·普列特尼奥夫被捕后①，被押送到彼得堡，关进了"十字架"监狱②。最初告诉我这个消息的是尼基弗雷奇，他是一大早在街上看见我时跟我说的。当时他正冲我迎面走过来，神态庄重，若有所思，身上佩戴着所有的勋章——好像刚刚接受过检阅似的。他把一只手举到帽檐边，一声不响，从我身边擦肩而过，但是他马上又停下来，气鼓鼓地冲着我的脑后说：

"古里·亚历山大罗维奇是昨夜被捕的……"

然后，他挥了挥手，朝四下看了看，小声补充说：

"小伙子完了！"

我好像看见他狡猾的眼睛里闪着泪花。

我知道，普列特尼奥夫早就料到自己会被捕的，这件事他事先曾亲自警告过我，并告诫我说，无论是我，还是鲁布佐夫，都不要和他见面；他和我一样，跟鲁布佐夫也很要好。

尼基弗雷奇眼睛望着脚下，神情忧郁地问道：

"你怎么不到我这里来了？……"

晚上，我去到了他那里。他刚刚睡醒，正坐在床上喝格瓦斯③，他妻子弯着腰在窗边给他缝补裤子。

"情况就是这样，"这位岗警开口说，一边抓挠他那长满像浣熊一样长毛的胸口，一边若有所思地看着我，"他被抓了。在他那里搜出一口锅，他用它来熬颜料，印制传单，反对皇上。"

然后，他朝地上吐了一口唾沫，怒气冲冲地对妻子说：

"把裤子拿过来！"

"马上就好了。"她回答说，头也没有抬。

"她觉得他怪可怜的，还哭来着，"老头儿瞥了妻子一眼，"其实我也觉得非常惋惜。可是一个大学生反对皇上，能搞出什么名堂呢？"

他开始穿衣服，一面对妻子说：

"我出去一会儿……你把茶炊生上。"

---

① 古里·亚历山大罗维奇·普列特尼奥夫因参加学生运动曾经两次被捕，第一次是1888年2月，第二次是同年9月。先是关押在喀山监狱，后来被押解到彼得堡。

② "十字架"监狱，1892—1917年期间对彼得堡监狱的俗称，因监狱建筑物的形状像多个十字架，故得名。

③ 一种用燕麦酿制的清凉酸甜饮料。

他妻子呆呆地望着窗外，但是，当他一走出岗亭的门，她便迅速转过身来，冲门口伸出紧握的拳头，满腔怒火，咬牙切齿地说：

"呸，老不死的东西！"

她的脸已经哭肿了，左眼上有一大块青伤，几乎遮住了眼睛。她迅速直起身，走到炉子跟前，俯身在茶炊上，压低声音恶狠狠地说：

"我要骗他，一定得骗他——让他连哭都来不及！像狼一样地嗥叫。你不要相信他的话，一个字也别信！他也会抓你的。他在撒谎，他对谁都不会觉得怜惜。整个一个捕鱼的。您的事儿——他全知道。他就是吃这碗饭的。抓捕人——是他的乐趣……"

她走到我跟前，把身子紧贴着我，用乞求的声音对我说：

"你能不能亲我一下，啊？"

我并不喜欢这个女人，但她瞧着我的那只眼睛是那样的凶恶，那样的怨气十足，于是我拥抱了她，并且抚摸了她那发硬、蓬乱而油腻的头发。

"眼下他正在盯谁的梢？"

"在跟踪雷布诺里亚德街一家旅馆的什么人。"

"你知道他的姓名吗？……"

她微笑着回答说：

"好哇，我这就告诉他你向我打听了些什么！他回来了……古罗奇卡①就是他跟踪发现的……"

她迅速跳到炉子边上。

尼基弗雷奇带回来一瓶伏特加酒，还有果酱和面包。我们坐下来喝茶。玛林娜坐在我的身边，对我表现得特别热情、殷勤，用那只没被打伤的好眼睛仔细端详着我的脸，而她丈夫则意味深长地跟我说：

"这条看不见的线——在人们的心里，深入骨髓，试试看——你能把它抽出来，消除掉吗？沙皇——对人民而言——就是上帝！"

这时，他冷不丁地问道：

"你读的书很多，《福音书》② 读过吗？哎，怎么样？依你看，那里面说的话都对吗？"

"不知道。"

---

① 古里·阿历山大罗维奇·普列特尼奥夫的昵称。
② 这里说的福音书指的是《新约全书》。

"依我看——有些话是废话。而且——还不少。比如说，关于穷人：那里面说穷人是幸福的①，怎么个幸福法？这不是瞎说嘛。而且，一般来说，关于穷人的话，许多都是说不清楚的。生来的穷人和后来变穷的穷人，应该区分开来。生来的穷人，就等于是坏人！而后来变穷的人——也许只是他的不幸。应该这样来看问题，这样比较妥当。"

"为什么呀？"

他没有吭声，只是用探询的目光朝我看了看，然后字斟句酌、意味深长地说了一段话。看来，这是他经过深思熟虑后的想法：

"《福音书》里有许多地方讲到怜悯，可怜悯这东西是有害的。我就是这样想的。怜悯需要在一些无用甚至有害的人身上花掉巨额的费用。要办养老院，修建监狱，设立疯人院。应该帮助那些健康的、身强力壮的人，使他们不至于白白地浪费精力。可是我们却在帮助弱者——难道你能将弱者变成为强者吗？这种想法，只能使强者变弱，而弱者——骑在强者的脖子上。这才是我们应该好好研究的课题！有许多东西需要重新思考。应该明白——生活距离《福音书》早已经很远了，生活有自己的轨迹。这不，看见了吧——为什么普列特尼奥夫完了？因为怜悯。我们怜悯穷人，可大学生们却一个个在完蛋。这里哪有什么道理可讲，啊？"

我第一次通过这样尖锐的方式听到了这些想法，虽然以前也曾经接触过。这些想法，比通常想象的要更具有生命力，流传得也更为广泛。七年后，当我读尼采②的著作时，我非常清楚地想起了这位喀山警察的人生哲学。顺便说一句：在书中我很少遇到以前我在生活中未曾听到过的思想。

而这个"抓捕人"③的老头儿一直在往下说，而且随着说话的节奏，他的手指在托盘边上不断地打着拍子。他那干瘪的面孔一脸严肃，皱巴巴的，但是他没有看我，而是在观看擦得像铜镜般油光锃亮的茶炊。

"你该走啦。"妻子第二次提醒他说，但是他不理不睬，仍然一个劲儿地按照自己的思路接着往下讲。这时候——突然，他话锋一转，

---

① 见《新约全书·马太福音》第5章，第1—11节。

② 尼采（1844—1900），德国哲学家，诗人，非理性主义者，唯意志论者，"生命哲学"的创始人之一。

③ 见《新约全书·马太福音》第4章第18—20节。

不知不觉已经跳到另一个话题上了。

"你——小伙子人并不傻，而且有文化，难道你就心甘情愿当个面包师吗？只要你换个工作，为沙皇帝国效劳，你挣的钱绝不会少……"

我听着他的话，心里想，怎么去通知雷布诺里亚德街上那些我素不相识的人，告诉他们尼基弗雷奇正在监视他们呢？那里住着一个不久前才从亚卢托罗夫斯克①流放回来的人，叫谢尔盖·索莫夫②，我听过关于他的许多有意思的事情。

"聪明的人应该过群居生活，就像蜂房里的蜜蜂或蜂窝里的胡蜂一样。沙皇帝国……"

"瞧——都已经九点钟了。"他妻子说。

"真是见鬼！"

尼基弗雷奇站起身来，一面扣着制服的扣子。

"哦，不碍事，我坐马车去。回头见，老弟！有空来玩儿，不必客气……"

离开岗亭，我坚决对自己说，以后永远也不再到尼基弗雷奇那里"做客"了——那个老警察太让我讨厌了，尽管他人还是满有意思的。他关于怜悯有害的那番话，使我很有些感慨，并且牢牢记在了心中。我觉得他的话有一定道理，但可悲的是，它们出自一个警察之口。

关于这个话题的争论，时常发生，其中有一次给我的印象特别深刻，令我激动不已。

城里来了一个"托尔斯泰主义者"③ ——这个人我是头一次见到——高高的个子，体格很健壮，面孔有点儿黑，留一撮黑山羊胡，长有两片黑人的厚嘴唇。他身子向前倾，两眼望着地面，但有时候蓦然仰起他那有点谢顶的脑袋，两只水灵灵的黑眼睛，显得炯炯有神，光芒照人——他锐利的目光中好像有某种仇恨的东西在燃烧。谈话是在一位教授家里进行的，有许多青年人参加。其中有一位神学硕士，瘦高个儿，举止文雅，是位小神甫，穿一身黑色的丝质长袍，这袍子很好地衬托出他那苍白漂亮的脸庞。而他那双冷漠的灰色眼睛露出的

① 沙皇俄国流放政治犯的一个古镇，现为秋明州一城市，位于托博尔河畔，有一座十二月党人纪念馆。

② 生于1842年，积极参加革命运动，和民粹派很接近。

③ 指 И. М. 克洛普斯基（1852—1898），19世纪80—90年代托尔斯泰主义宣传者之一，1892年曾经被捕，后来移民去了美国。

淡淡微笑，又给他那张脸平增了几分光彩。

关于《福音书》的永恒的、不可动摇的伟大真理，这位托尔斯泰主义者是大讲特讲，嗓子都讲哑了。他的话简短扼要，但言语犀利，信誓旦旦，富于感染力。他说话时总是机械地挥动着毛茸茸的左手，那架势就好像要把他的话截断似的，而右手则一直插在口袋里。

"演员。"我旁边一个角落里有人小声说。

"太像演戏了……"

而在这之前不久，我读了一本书——好像是德雷波尔①写的，内容是关于天主教反对科学的。我好像觉得，书里说，有一名狂热的信徒，为了用爱的力量去拯救世界，出于对世人的仁慈，准备将他们杀死，然后焚尸灭迹。

他穿一件白衬衫，袖子很宽，外面罩一件灰色的旧长衫——这也使他很有些与众不同。宣讲结束时，他高声喊道：

"这么说，你们是信耶稣呢，还是信达尔文②？"

他提出的这个问题，像一块石头，投向聚集了许多青年人的那个角落。那些青年男女们怀着惊恐和兴奋的心情，瞪大眼睛看着他。看来，他的话使大家感到非常吃惊，人们默默无言，若有所思地低着脑袋。他用火辣辣的目光扫了大家一眼，严厉地补充说：

"只有法利赛人③才会试图将这两种无法调和的精神结合起来，而且在结合的时候，会恬不知耻地用花言巧语，自欺欺人，用谎言蒙骗

---

① 约翰·威廉·德雷波尔（1811—1882），美国哲学家及史学家，著有《天主教与科学的关系史》。

② 查理·罗伯特·达尔文（1809—1882），英国博物学家，达尔文主义创始人。著有《物种起源》（1859）等书，揭示了生物界进化的基本因素，提出了人起源于类人猿的假说。

③ 法利赛人属犹太教的一个教派，盛行于公元前2世纪至公元2世纪之间，他们大都出身于城市的富人阶层，主张遵守口传律法，至今这种观点仍是犹太教神学思想的核心。法利赛派承袭哈西德派的传统，对一言一行都有明确的准则。因此，如《新约全书》所载，人们指责法利赛人拘泥于律法的条文而忽视其精神。法利赛人笃信教义，仇视异教，深得百姓拥护。他们鼓吹灵魂不死，肉体复活，犯罪受罚，与基督教教义颇为一致，但有悖于犹太教该教派的教义，不过其神学思想对后犹太教颇有影响。《福音书》中耶稣把法利赛人称为伪君子。

大家……"

小神甫站起身来，一本正经地挽起长衫的袖子，带着故意装出来的彬彬有礼的神态和宽洪大量的微笑，从容不迫地说：

"你们显然是赞成有关法利赛人的庸俗的观点，但这种观点不仅是粗暴的，而且是彻头彻尾是错误的……"

令我大为惊讶的是，他开始证明说，法利赛人是犹太人遗训的真正忠实维护者，并认为人民始终和他们站在一起，共同对敌。

"你们去读一读，比如说，优素福·弗拉维①的书吧……"

这位托尔斯泰主义者一跃而起，挥动手臂，好像要把优素福·弗拉维的书一劈两半似的，大声叫道：

"人民直到今天，还在跟自己的敌人站在一起，反对自己的朋友；他们不是在按照自己的意愿行事，他们是被迫的，是受人驱使的。我干吗要读您的弗拉维的书呢？"

小神甫等人把争论的主题扯得非常分散，弄得七零八落，结果也就完全淹没了争论的主题。

"真理——就是爱。"托尔斯泰主义者大声喊道，而他眼睛里流露出的却是憎恨与蔑视。

听着他的话，我感到如醉如痴。我捉摸不透这些话的意思，脚下的土地，在语言的旋风中一直在摇晃。我常常绝望地在想，世界上恐怕再也没有比我更蠢笨和更没有能耐的人了。

而托尔斯泰主义者一面从涨得通红的脸上擦去汗水，一面狂怒地大叫：

"为了不再撒谎骗人，快把《福音书》扔掉吧，忘了它吧！把耶稣再一次钉到十字架上，这样才比较公正！"

现在我面临一个巨大的问题：怎么办？如果说，生活就是为了人世间的幸福而不断进行斗争的话，那么，仁慈和关爱不是只能给这一斗争的胜利设置障碍了吗？

我打听出了这位托尔斯泰主义者的姓氏——克洛普斯基，知道他住在什么地方，于是，第二天晚上我去找了他。他住在两个未出嫁的女地主家里，我去时他正和她们坐在花园里的一张桌子旁边，在一棵

---

① 优素福·弗拉维（37—100），古代犹太历史学家。反抗罗马的犹太战争期间背叛了起义者，投降了罗马人。著有持亲罗马立场的《犹太战争》、为犹太人辩护的《犹太古代史》和为自己变节辩解的《一生经历》等。

高大的老椴树的树阴下。他穿一条白裤子，一件同样颜色的衬衫，衣领敞开着，袒露着黑乎乎、毛茸茸的胸口。他个子高高的，人又瘦又干瘪，和我印象中的云游僧或传播真理的教士非常相像。

他用银羹匙从汤盘中舀了些牛奶拌马林果酱，津津有味地品尝着，咂巴着厚厚的嘴唇。他每咂巴一下，白色的牛奶泡沫便从他那稀稀拉拉的猫胡子上被吹落下来。一位姑娘在桌旁侍候他，另一位则站在椴树旁，双手交叉在胸前，望着灰蒙蒙的炎热的天空，凝神静思，浮想联翩。两人都穿着薄薄的淡紫色的连衣裙，看上去样子几乎一模一样。

他跟我谈话时态度和蔼，十分亲切，非常乐意跟我谈论爱的创造性力量，说应该拓展自己内心里的这种感情，因为它是唯一能够将"人和世界精神"联系起来的感情，即与生活中到处洋溢着的爱息息相通的感情。

"只有这种感情才能够约束人！不懂得爱——便不可能理解生活。那些声称'生活的规律就是斗争'的人，他们在心灵上都是盲人，是注定要灭亡的。火是不能够用火来消灭的，同样，邪恶也不能够用邪恶力量来克服！"

当两个姑娘勾肩搭背地向花园深处房子那里走去时，这个人望着她们的背影，眯缝起眼睛，问我道：

"你是什么人？"

听了我的回答后，他用手指头敲着桌子说：人啊，不管在哪儿，都还是人，他要追求的不应该是改变生活中的地位，而是培养自己对人们的博爱精神。

"越是地位低下的人，他距离生活的真正实际便越近，距生活的真谛也越近……"

我对于他是否能够了解这种"真谛"心存疑虑，但是我一声不吭，没有说出来。我觉得他和我在一块儿会感到乏味的；他用一种令人讨厌的目光看我一眼，打了个哈欠，双手搂住后脖颈，两条腿向前伸着，半闭着眼睛，显得有些倦意，嘴里像说梦话似的嘟哝着：

"听命于爱的摆布……生活的规律……"

他忽然打了个激灵，两手一挥，好像在空中抓住了个什么，眼睛直勾勾地盯住我，惊恐不安地说：

"怎么啦？我累了，对不起！"

他又闭上了眼睛，好像是因为疼痛，龇牙咧嘴地紧紧咬着牙关。他的下嘴唇向下耷拉着，上嘴唇往上翻着，几根颜色发青的稀稀拉拉的胡髭向上噘着。

我走的时候对他没有一点儿好感，对他这个人的诚意也感到有些怀疑。

几天后，一大早我去给一位我认识的副教授送面包；他是个单身汉，嗜酒如命，在他那里，我又一次看到了克洛普斯基。他好像一夜没有睡觉，脸色很难看，眼睛发红，还有点浮肿——我觉得，他好像是喝醉了。这位身体有点发福的副教授，醉眼惺忪地坐在地板上，手里拿着一把吉他，只穿一条内裤，周围全是家具什物、啤酒瓶子、脱下的外衣，一片狼藉。他摇晃着身子，嘴里大声吼叫着：

"仁——慈……"

克洛普斯基气呼呼地厉声喊道：

"根本不存在仁慈！我们不是为爱而丧生，就是在为爱的斗争中被击毙——反正都一样：我们注定要一命呜呼……"

他抓住我的肩膀，把我拉到屋里，对副教授说：

"喏，你问问他：他到底想要什么？问问他：他需不需要对人的博爱？"

那人用泪汪汪的眼睛看了我一眼，然后笑了：

"他是卖面包的呀！我还欠着他钱呢。"

他身子摇晃了一下，一只手伸进口袋里，掏出钥匙，递给我说：

"拿去，全在这里了！"

但托尔斯泰主义者接过他手里的钥匙，朝我挥了挥手。

"你走吧！回头再给你钱。"

于是，他把我给他的小白面包扔到了屋角的沙发上。

他没有认出我来，这让我感到很高兴。我走的时候心里一直记着他关于因爱而死的那番话和我心里对他的厌恶感。

不久，有人跟我说，他向他房东家的一个姑娘表白了爱情，而且就在同一天，他又向另外一个姑娘也表达了爱意。姊妹俩皆大欢喜，后来两个人一说通，她们恨死了这个恋人，于是吩咐看院子的人告诉那个爱情骗子，让他马上滚出她们的院子。后来他便从这个城市里消失了。

爱情和仁慈在人们生活中的意义的问题，是个非常复杂而棘手的问题。它早就摆在了我的面前，最初，是以捉摸不定的形式出现的，但是我内心里强烈地感受到了二者之间存在着矛盾。后来才以非常明确的方式，清楚明白地把这个问题提了出来：

"爱的作用是什么呢?"

我读过的所有的东西,都充满着基督教的思想、人道主义的思想和要悲天悯人的呼吁。关于这一切,当时我所知道的一些优秀人物,早已经讲得天花乱坠、口干舌燥了。

我亲眼看见的种种情况,跟仁慈与对人们的关爱几乎毫无共同之处。展现在我面前的生活,像一条无尽的锁链,上面的仇恨、残忍比比皆是;又像一场为了区区小事而打不完的肮脏的斗争。我个人所需要的只有书籍,其他一切在我的心目中都没有意义。

只要走出家门,在门口待上一会儿,你就会明白:所有这些马车夫、看门人、工人、官员、商人——他们与我和我所喜欢的人,生活得全然不同,想法愿望各异,志趣道路也不同。那些我所敬仰和信赖的人,他们都异常孤僻,与人合不来,在大多数人中间,在蚂蚁般辛勤构筑自己生活巢穴的苟且生涯中,显得非常多余。这种生活在我看来绝对是愚蠢的,极其乏味的。而且,我常常发现人们只是在口头上讲仁慈,谈博爱,实际上却在不知不觉中完全听命于生活的总的秩序。

当时,我感到非常之难。

兽医拉夫罗夫由于浮肿,人变得又黄又胖。有一次,他气喘吁吁地跟我说:

"必须加大残忍的力度,一直加大到人人都感到精疲力竭、劳顿不堪,感到十分厌倦,就跟讨厌这该死的秋天一样!"

秋天来得很早,老是下雨,天气寒冷,生病和自杀的人很多。拉夫罗夫不愿眼看着浮肿病把自己折磨致死,所以也服氰化钾自杀了。

"他本来是给牲口治病的,结果却像牲口一样一命呜呼了!"拉夫罗夫的房东——裁缝梅德尼科夫——在给兽医送葬的时候说。这位房东人长得又瘦又小,笃信宗教,他能把颂扬圣母的赞美诗背得滚瓜烂熟。他经常打自己的孩子——七岁的女儿和上中学的十一岁的儿子,用三股皮条拧成的鞭子打。而他打老婆时用的是细竹条,专打她的小腿肚,还常常抱怨说:

"民事法官指责我,说我好像是从中国人那里学来的这一套,然而我这辈子从来都没见过中国人,只是在招贴画上和图片上看见过。"

他的一名工人——一个罗圈腿,整天无精打采,外号叫"冬妮娅老公"——谈到自己的老板时说:

"我很害怕这种笃信宗教、性格温和的人。脾气暴躁的人一眼就能够看出来,总能想办法躲开他,可是性格温和的人看不出来。他像草丛中阴险狡诈的毒蛇，悄悄地向你爬过来，冷不丁地突然在你袒露的胸口上咬上一口。我害怕性格温和的人……"

"冬妮娅老公"就是个性格温和的人，他生性狡猾，爱在背后说人坏话，很受梅德尼科夫赏识；他的这番话不无道理。

有时候我倒是觉得，性格温和的人很像是地上长的苔藓。它能够疏松地表，软化生活中铁石心肠的人，使其变得较为温和、于人有益一些。但更为经常的是，我看到很多性格温和的人——他们很善于看风使舵，跟一些卑鄙下流的人同流合污，朝三暮四，变化无常，像蚊子似的围着你嗡嗡乱叫。我感到自己像是一匹被绳索缠着了腿的马，陷入了牛虻的重重包围之中。

我从老岗警那里出来的时候，心里就是这样想的。

风呼呼地直吹，像大喘气似的，路灯在大风中摇曳不定，仿佛暗灰色的天空也在随风摇动，向大地上洒下尘埃般细润的十月秋雨。一名全身被打湿了的妓女，拖着一个醉汉，往街的上坡走去。她挽着他一只胳膊，一直往上推他，嘴里嘟嘟哝哝，还不时地小声抽泣。这女人疲惫不堪地低声说：

"你这是命该如此……"

"这不，"我想，"我不是也在被人拖着走吗？一直在把我往令人作呕的角落里推，把我领到一些龌龊不堪、让人伤心的地方，见一些莫名其妙、花里胡哨的人。这一切我看都看腻味了。"

也许我在思考的时候用的不是这些言语，但我脑子里闪现出来的却正是这样的想法。也正是在这个可悲的晚上，我第一次感受到了内心的疲惫和情绪的沮丧。从这一时刻起，我感到自己的心情越来越坏，我开始以旁观者的角度来审视自己，用冷静的、别人的和敌对的目光来审视自己。

我发现，几乎每个人的身上都错综复杂地存在着许多矛盾。这些矛盾，不仅言行方面有，感情方面也有。他们这种一意孤行的游戏使我感到特别难受。这种游戏，我在自己身上也有所发现，这就更加糟糕了。方方面面都在吸引着我——女人、书、工人、快乐的大学生等，但是哪个方面我都不成功，成天"东跑西颠"，转来转去，像一只陀螺，被一只无形但强有力的手，用看不见的鞭子，一个劲儿地在抽打我。

听说雅科夫·沙波什尼科夫躺进了医院，我便去看他。那里有一个嘴歪眼斜的胖女人——戴一副眼镜和一顶白色的护士帽，帽子下面垂着两个仿佛煮熟了的通红的耳朵——冷冰冰地说：

"死了。"

当时，她看我还不走，一声不吭地站在她面前，便忽然发起火了，吼叫道：

"怎么？你还想干什么？"

这时我也火了，对她说：

"您是个混蛋！"

"尼古拉，快把他赶走！"

尼古拉正在用抹布擦洗一些铜条，他清了清嗓子，用一根铜条在我背上抽了一下。这时我一把将他抱住，顺势拖到街上，把他按在医院门口的一个水坑里。他对此倒有些处变不惊，一声不响地在水坑里坐了一会儿，瞪大眼睛看着我，然后站起身来，说：

"你呀，这个狗东西！"

我去了杰尔查文①公园，坐在诗人纪念碑旁边的长凳上。我有一股强烈的愿望，想寻衅滋事，惹是生非，这样就会有许多人来干涉我，我也就有理由把他们痛打一顿了。但是，虽说是节日，公园里却空空荡荡，周围没什么人，只有秋风在驱赶着干枯的树叶，路灯柱子上的广告与海报，被吹得沙沙作响。

暮色降临，公园上空清澈湛蓝的傍晚景色，有些寒气袭人。一座巨大的青铜雕像，伫立在我的面前。我望着它，心里想：世上有过一个叫雅科夫的人，他孤身一人，生前曾全身心地反对过上帝，最后像普通人一样地死去了。一切都是那么普通。这事想来让人感到有些沉重，太冤了。

"然而，尼古拉是个白痴。他应该跟我打斗一番，或者叫警察来，把我送进分局……"

我去找鲁布佐夫，他正坐在他那间斗室里的桌子旁边，面对一盏小灯，在缝补上衣。

"雅科夫死了。"

老人抬起拿针线的那只手，看来是想画个十字，但是他只是挥了

---

① 加·杰尔查文（1743—1816），俄国诗人，俄国古典主义文学代表。他的庄严的颂诗，充满了强国的思想，嘲讽达官贵人，写景状物，抒发诗人的情思，对俄国诗歌有很大影响。他出生在喀山省，1754—1762 年生活在喀山，他的纪念碑就竖立在喀山大学的校园内。

一下手，线头被什么东西挂住了，他随口低声骂了一句。

然后，他嘴里嘟哝道：

"其实——我们大家都会死的，我们就是有这么个愚蠢的习惯——没错儿，老弟！这不，他已经死了，可这里还有一个铜匠，孤身一人，他也跑不了——肯定要被清除掉。上个礼拜天，宪兵把他抓走了。是古里介绍我认识他的。一个头脑非常聪明的铜匠！他跟大学生们有些往来。你听说大学生们要暴动的事了吗？——是真的吗？来，你帮我缝一下这件上衣，我什么都看不清……"

他递给我一些破布和针线，自己两手往背后一抄，在屋子里踱起步来，一边咳嗽，一边唠叨地说：

"一会儿——是这里，一会儿——是那里，不断地迸发出火花，可是魔鬼很快就把它熄灭了，于是，又是一片沉寂！这座城市真是倒霉。趁轮船还在开通，我一定要离开这里。"

他停下来，搔着脑袋，问道：

"可是——到哪儿去呢？哪儿都去过了。是的。到处都去过了。没有地方我没有去过。"

他吐了口唾沫，补充说：

"唉，这就是生活，他妈的！活来活去，也没活出个人样来，灵魂、肉体，一无所获……"

他顿了一下，站在门边的屋角，好像在倾听什么，然后，毅然决然地向我走过来，一屁股坐在桌子边上。

"跟你说吧，列克谢，我的好马克西梅奇，雅科夫把自己的心思全都花在上帝身上算是白费了。无论是上帝，还是沙皇，他们绝不会因为我不承认他们，因此就会变得更好一些。人们自己应该怪自己，应该抛弃自己非人的生活——这样做就对了！唉，我老了，赶不上趟了，很快我就什么都看不见了——可悲呀，老弟！缝好了吗？谢谢……咱们去小酒店里喝杯茶……"

去小酒店的路上，我们在黑暗中深一脚浅一脚地往前走着。他紧紧抓住我的肩膀，嘴里嘟囔着：

"记住我的话：人们不会永远忍耐下去的，到时候，他们会勃然变色，暴跳如雷的，他们会摧毁一切，把自己的盆盆罐罐打得稀巴烂！他们的忍耐是有限的……"

小酒店没有去成，因为我们恰巧遇上众多水手正在围攻一座妓院——阿拉富佐夫工厂的工人们在守卫着妓院的大门。

"每逢节假日这里就会聚众斗殴!"鲁布佐夫一面摘下眼镜,一面很赞赏地说。这时,他发现守卫妓院大门的人中有自己的同事,便立即冲上去,投入了战斗,并且煽风点火地指点大伙说:

"工厂一定要坚持住!打死这帮癞蛤蟆!把这群臭鱼烂虾打他个晕头转向!嗨——大家冲啊!"

这事看起来既可笑,又令人纳闷:这位聪明的老人行动起来是那么投入和麻利。他冲进一群水手中,挡开他们的拳头,用自己的肩膀撞击他们,把他们一个个撞得人仰马翻。他们这样打斗并无恶意,还觉得挺高兴的。他们的身体强壮剽悍,精力过剩。黑压压的一群人涌在大门门口,把工人们逼得身子紧靠着妓院的大门;大门被挤得咯吱咯吱响,人群里发出好斗的喊叫声:

"打那个领头的秃脑袋!"

这时,有两个人爬上妓院的屋顶,欢快地、有板有眼地唱道:

> 我们不是小偷,不是骗子,也不是绿林强盗,
> 我们是船上的小伙子,是一群专门打鱼的人!

警笛响了起来。在黑暗中,警察身上的铜纽扣闪闪发光,脚下的泥巴被踩得扑哧扑哧直响,而这时屋顶上又传来了歌声:

> 我们向岸上广为撒网,
> 专网那些巨商富豪、货栈粮仓……

"住手!倒下的人就不要再打了……"

"老爷子,要坚持住啊!"

后来,鲁布佐夫和我,还有四五个人,不分青红皂白,一律被带往警察分局。深秋寂静的夜晚,一片漆黑,欢快的歌声一直在为我们送行:

> 哎哟哟,
> 我们抓到了狗鱼四十条,

用来做皮大衣刚刚正好！①

"伏尔加河畔的老百姓是多么好啊！"鲁布佐夫赞叹地说。他不住地擤鼻涕，吐唾沫，还悄悄地对我说：

"你——逃跑吧！瞅准机会——一跑了之！何必要往局子里钻呢？"

于是，我，还有一个跟在我身后的高个子水手，撒腿便跑，钻进一条胡同，翻过一道围墙，又翻过一道围墙。而且——打从这天夜里起，我就再也没有看见过既可爱又聪明的尼基塔·鲁布佐夫了。

我的周围变得空荡荡。大学生们开始闹起了学潮——什么用意我不明白，原因也不清楚。只看见人来人往，非常热闹，感觉不到这里会有什么悲剧发生。因此，我想，为了有幸能到大学里学习，即使被严刑拷打一顿也在所不惜。如果有人建议我说："去大学里学习吧，不过，这样每逢星期日，在尼古拉广场，我们都会用棍棒揍你一顿的！"——我想，我大概会接受这个条件的。

走进谢苗诺夫的面包作坊，我听说，面包工人们正准备到大学里去殴打学生们呢。

"咱们用秤砣狠狠地砸他们！"工人们恶狠狠地打哈哈说。

我开始跟他们争辩，责骂他们，但是突然，我几乎吃惊地发现，我既没有意愿，也没有言辞来为大学生们辩解。

记得我离开地下室的时候，好像是被人打得五劳七伤似的，心里苦恼极了，简直没法形容。

夜里，我坐在卡斑河岸，往黑乎乎的河水里扔石头，心里就想着一句话，而且想过来，想过去，没完没了：

"我该怎么办呢？"

由于心里苦闷，我开始学习拉小提琴，每天夜里都在店里拉，吵得更夫和老鼠都不得安宁。我喜爱音乐，于是便以极大的热情投入了学习，但是，我的老师——剧院乐团的一位小提琴手——上课时趁我出去一会儿的工夫，打开了我没有上锁的钱匣子，等我回到课堂上时恰好看见他正在把里面的钱往自己的口袋里装。他见我就站在门口，于是，把脖子往前一伸，将自己那张刮得很干净的木呆呆的脸凑了过

---

① 《梁上君子歌》，参见索鲍列夫斯基出版的《大俄罗斯民歌》第6卷，圣彼得堡，1900年，第354—356页。

来，低声说：

"喏，你打吧！"

他的嘴唇瑟瑟发抖，两眼无光，浑浊的泪水夺眶而出，奇怪的是，泪珠子特别大。

我真想把这位小提琴手暴打一顿。为了不这样做，我坐在地板上，把紧握拳头的两只手压在身下，同时命令他把钱放回到我的钱匣子里去。他把装进兜里的钱掏出来后，向门口走去，但中间他突然又站住了，用高得出奇的、吓人的声音说：

"请给我十个卢布！"

钱，我是给他了，但学拉小提琴的事也就吹了。

十二月份，我决定结束自己的生命。① 事情的原因，我试图在短篇小说《马卡尔生平一事》② 中加以描述。但这件事我没有做好，小说写得很糟糕，看了令人很不愉快，缺乏内在的真实。我觉得，小说的长处恰恰就在于它完全没有这种真实。事情是真实的，但对事情的描述好像不是我做的，因而小说里讲的并不是我。如果不谈这篇小说的文学价值——对我来说，它有某种令人欣慰的东西，那就是我好像已经超越了我自己。

我从市场上买了一把鼓手用的左轮手枪，装了四发子弹，朝自己的胸部开了枪。心想它能够击中心脏，但谁知它只是伤及了肺部，因此，一个月后，我感到非常尴尬，觉得自己真是愚蠢透顶，重新又回到面包店里工作。③

然而——时间不长。三月底，一天晚上，我从面包作坊来到店里，看见霍霍尔在女售货员的房间里。他坐在窗边的椅子上，若有所思地抽着一支粗大的烟卷，聚精会神地看着自己吐出的烟雾。

"您有时间吗？"他问道，也不跟我打个招呼。

"有二十分钟。"

"坐下来，咱们谈谈。"

跟往常一样，他身上穿一件鬼晓得是什么皮做的紧身卡萨金外

---

① 1887 年 12 月 12 日，高尔基在喀山河岸边费奥多罗夫山冈上开枪自杀，后被人救起，送进了医院。

② 短篇小说《马卡尔生平一事》发表于 1912 年。

③ 高尔基是 1887 年 12 月 21 日出院的，在医院共住了 9 天。

套①，浅色的大胡子飘落在他宽阔的胸前，倔强的额头上伫立着剪得很短的硬发，脚上是一双农民穿的笨重的靴子，散发出一股浓重的焦油气味。

"您看，"他平心静气地说，声音不高，"您愿不愿意到我那儿去？我住在克拉斯诺维多夫村——在伏尔加河下游，约四十五俄里处。我在那里开了一间铺子②，您可以帮助我经营，这花不了您多少时间，我有很多好书，可以帮助您学习——您同意吗？"

"同意。"

"那请您星期五早上六点钟，到库尔巴托夫码头去，打听一下从克拉斯诺维多夫村来的一艘平底小木船在哪儿，船老板叫瓦西里·潘科夫。对了，到时候我就在那里，会看到您的。回头见！"

他站起身，向我伸出一只大手，另一只手则从怀里掏出一块沉甸甸的银壳怀表，并且说：

"我们用六分钟时间就谈妥了！对了，我的名字叫米哈伊洛·安东诺夫，姓罗马斯。就这样吧。"

他头也不回，扬长而去，坚定地迈开双脚，轻松地挪动着他那五大三粗、笨重结实的身躯。

两天后，我搭船去了克拉斯诺维多夫村。

伏尔加河刚刚解冻，一块块易碎的灰色浮冰，顺着浑浊的水面，摇摇晃晃，漂流而下。一艘平底小木船穿梭其中，与浮冰擦肩而过。一旦浮冰碰上船体，便被撞得四散开来，变成棱角分明的结晶体，同时发出咔嚓咔嚓的响声。从上游刮过来的河风，不断地将波浪推向岸边；太阳发出耀眼的光芒，照在像蓝色玻璃似的冰块上，反射出一束束明亮的光。小木船满载着木桶、麻袋和箱子，吃力地扬帆前进。掌舵的是一个叫潘科夫的年轻农民，他的衣着很是考究，上身穿一件羊皮短外套，胸口用彩线绣了许多花纹。

他脸部的表情很沉稳，眼神冷冷的，寡言少语，不太像个农民。潘科夫雇的船工库库什金，站在船头上，叉开双腿，两手握着船篙；他也是个农民，但是蓬头垢面，穿一件破旧的粗呢上衣，腰里扎一根绳子，头戴一顶皱了巴叽的神甫帽，脸上青一块紫一块的。他用长篙

---

① 俄国一种后身打褶的立领男上衣。

② 米·安·罗马斯用民粹派地下活动小组的钱，在喀山省斯维尼亚县克拉斯诺维多夫村开了一间铺子，以便在农民中开展宣传工作。

拨开浮冰，不以为然地骂道：

"一边待着去……往哪儿钻……"

我和罗马斯肩并肩地坐在船帆下面的木箱子上，他小声对我说：

"农民们不喜欢我，特别是有钱的农民！您也会尝到这不友好的滋味的。"

库库什金将船篙横放在船头，搁在自己脚边，把他那张伤痕累累的脸转向我们，赞叹地说：

"特别是你，安东内奇①，神甫不会喜欢……"

"这倒是真的。"潘科夫证实道。

"对于他这个麻脸狗杂种来说，你无异于眼中钉、喉中刺！"

"不过我也有自己的朋友，您也会有的。"我听见是霍霍尔的声音。

天气很冷。三月的阳光，乍暖还寒。河岸上，树叶掉光了的黑压压的枝头，在不住地摇晃。一堆堆天鹅绒般的积雪，还残留在岩石的夹缝和岸边的灌木丛里。河面上到处都是浮冰，像一群正在放牧的绵羊。我感到自己像是在做梦。

库库什金一面往烟斗里装烟丝，一面大发议论：

"打比方说，你并不是神甫的老婆。可是，按照他的身份，他必须得像书里写的那样，关爱各种各样的生灵。"

"是谁把你打成这个样子了？"罗马斯笑着问道。

"是这么回事，是一些不明身份的人，大概是几个流氓恶棍。"库库什金很不以为然地说。然后，他很自豪地说："没错，有好几个炮兵打我一个人，这事儿——千真万确！我简直弄不明白——我是怎么活过来的。"

"他们因为什么打你？"潘科夫问道。

"你是问昨天？还是那些炮兵们？"

"喏，昨天为什么要打你？"

"唉，难道说得清楚他们为什么要打我吗？我们这儿的人，就跟山羊一样，动不动就顶起来！他们认为打架是自己的天职！"

"我想，"罗马斯说，"是因为你这张嘴才打你的吧，你说话太不谨慎了……"

"兴许是这样。我这个人生性好奇，总喜欢问东问西。对于我来

---

① 安东诺维奇的俗称。

说，打听新鲜事是我的一大乐趣。"

小木船的船头重重地撞在了浮冰上，船舷发出一声巨响。库库什金身子一晃，赶紧抓起船篙，潘科夫有点责备地说：

"你要瞧着点船呀，斯捷潘！"

"你就别老跟我说话啦！"库库什金一面将浮冰撑开，嘴里边嘟囔着，"我总不能一方面恪尽职守，一方面陪你说话呀……"

他们争论着，双方都无恶意，而罗马斯则对我说：

"这里的土地比我们乌克兰的要差，可是人却比较好，非常能干！"

我仔细地听他讲，也相信他说的话。我喜欢他那种从容不迫的态度和舒缓平和的谈话，简单明了，掷地有声。看得出，这个人深明事理，待人接物也很有分寸。我特别高兴的是，他从不问我——为什么我要自杀？要是换成别人，处在他的位置上，早就会问了，而我特别讨厌别人问我这个问题。因为——很难回答。鬼知道我为什么要自杀。如果霍霍尔问我，我的回答可能会很长，而且很愚蠢。总之，我压根儿不想提这档子事儿——伏尔加河上是多么好啊，自由，舒畅！

小木船沿右岸航行，左边是宽阔的河面，河水一直延伸到长满水草的沙土岸边。眼瞅见水涨水落，浪花飞溅，冲击着沿岸的灌木丛；春汛已至，晶莹清澈的涓涓细流正从地下的沟壑与缝隙里潺潺流出，汇入河道。太阳露出了笑脸，黄嘴鸦乌黑贼亮的羽毛，在太阳的照射下闪闪发光。它们嘎嘎地叫个不停，正在忙着筑巢。鲜嫩的草丛，迎着阳光，从地表下破土而出，含青吐绿，令人感动。我身上感到阵阵寒意，可是我心里却怀着一种暗暗的喜悦，萌生出了美好希望的稚嫩幼芽。大地的春天真是令人感到非常舒服。

中午时分，我们的船到了克拉斯诺维多夫村。在一座高高的、陡峭的山冈上，有一座蓝色圆顶的教堂，从那里沿山坡往下去，是一间间结实漂亮的小木屋、黄色的木头屋顶和绸缎似的小草房。它们在阳光的照耀下闪闪发亮，看上去既简朴，又漂亮。

每当我乘船从这里经过时，总不免要好好欣赏一下这个村子的自然风光。

我和库库什金开始从小木船上往下卸东西时，罗马斯一面从船舷上将麻袋递给我，一面对我说：

"没想到你还挺有力气的！"

然后，他也不看我，问道：

"胸口——不疼吗？"

"一点儿都不疼。"

我对他这样委婉的问话很是感动——我特别不愿意让农民们知道我曾经想自杀的事。

"可以说，你是有把子力气的，比你应该有的力气还要大。"库库什金随口说，"小伙子，你是哪个省的？下诺夫戈罗德的吗？有人说你们是靠水吃水。可是还有一个说法：'要随时注意海鸥是从哪儿飞来的。'① ——这句话也是说你们的。"

一个农民从山坡上踏着松软的泥土走了下来，他高高的个子，削瘦的身材，一头浓密的褐发，留着卷曲的大胡子，下面打着赤脚，只穿一件衬衣和一条衬裤，在银光闪闪的小溪间，摇摇晃晃、跌跌撞撞，信马由缰地一路走来。

他走到岸边，声音洪亮而亲切地说道：

"欢迎你们到来。"

他环顾四周，捡起两根粗木头，把它们搭到船舷上，然后轻轻一跳，便跳上了木船，接着便指挥了起来：

"用脚踩紧木头的那一端，别让它们从船舷上滑下来，然后，接好木桶。小伙子，过来搭把手。"

他人长得很帅，像画出来似的，看上去也很强壮有力。红润的脸上长着一只端正方直的大鼻子，两只浅蓝色的眼睛，炯炯有神。

"你这样会感冒的，伊佐特。"罗马斯说。

"我吗？别担心。"

大伙推着煤油桶，把它滚到了岸上。伊佐特用眼睛打量我一下，问道：

"是店里的伙计吗？"

"跟他较量一下。"库库什金建议说。

"你的脸怎么又被打伤了？"

"对他们有什么办法呢？"

"是谁打的？"

"就那些人打的呗……"

"哎，我说你呀！"伊佐特说着，叹了口气，然后转身对罗马斯说："大车一会儿就过来。我打老远就看见你们了——看见你们的船在航

---

① 指伏尔加河沿岸的人们往往根据海鸥的飞行方向来判断天气的变化。

行，走得很平稳。安东内奇①，你去吧，这儿有我守着。"

看得出，这个人对罗马斯十分友好，也非常关心，甚至处处在呵护着他，虽说罗马斯比他年长差不多有十来岁。

过了半个小时，我已经坐在一座新木屋里一间干净而舒适的房间里了，房间墙壁上的松香和麻刀的气味儿还没有散掉。一个动作麻利、目光严厉的女人正在往桌子上端菜，准备吃午饭。霍霍尔从箱子里挑了几本书，把它们放到炉旁的书架上。

"您的房间在阁楼上。"他说。

从阁楼窗口可以看到部分村庄和木屋对面的峡谷；峡谷的灌木丛中露出一个个浴室的屋顶。峡谷的对面是一片果园和黑黝黝的田野；它们连绵不断，一直延伸到黑压压的森林边缘，消失在远方的地平线上。一个穿蓝衣服的农民坐在一个浴室的屋顶上，一手拿着一把斧子，另一只手手搭凉棚，正在朝下面的伏尔加河极目眺望。大车发出吱呀吱呀的响声，拉车的母牛累得哞哞直叫，溪水在哗哗地流淌。有一个身穿黑衣服的老太婆从小木屋的门里走了出来，但她马上又转过身去，冲着门内，恶狠狠地说：

"你们这些该死的家伙！"

两个小孩非常麻利地用石头和泥巴在拦截小溪的流水，一听见老太婆在骂他们，便赶快跑开了。她则从地上捡起一块木片，朝上面吐了口唾沫，扔进小溪里。她用一只穿着男式靴子的脚把孩子们的工程完全毁掉后，向下面的河边一路走去。

我该怎样在这儿生活呢？

有人喊我去吃午饭。伊佐特坐在楼下的桌子旁，腿伸得老长，两只脚红通通的，嘴里正在说什么，但一看见我下来便立马不说了。

"怎么啦，你？"罗马斯沉着脸说，"说呀。"

"其实也没什么，都说完了。就是说——事情就这么定了：我们自己能够对付。你出门时随身要带上手枪，要不带一根大木棍也行。当着巴里诺夫的面——可不能口无遮拦，什么话都讲；还有库库什金——他们那嘴，跟长舌妇的一样。小伙子，你喜欢钓鱼吗？"

"不。"

罗马斯说，必须把农民和小果园主们组织起来，让他们摆脱收购

---

① 罗马斯·安东诺维奇的俗称。

商们的控制。伊佐特认真地听他讲完后说：

"这帮吸血鬼绝不会让你的日子好过的。"

"咱们走着瞧吧。"

"肯定是这样！"

我看着伊佐特，心里想：

"大概卡罗宁①和兹拉托夫拉茨基②的短篇小说就是以这些农民为原型的……"

难道我真的够干一番大事，今后要和真正干事业的人一块儿工作了吗？

伊佐特吃过午饭后，说：

"你呀，米哈伊洛·安东诺夫，不用着急，好事多磨嘛。要耐着性子，慢慢来！"

他走后，米·罗马斯若有所思地说：

"伊佐特人很聪明，也很正直。可惜没有多少文化，勉强识几个字。不过他学习很努力。这——在这方面你可要帮助帮助他！"

一直到晚上，他都在向我介绍店里各种商品的价格，他说：

"我卖的东西比村里另外两家店主卖的都要便宜，不用说，他们对这一点很不高兴。他们故意跟我找碴儿，想揍我一顿。我之所以待在这里，并不是因为我在生意上很顺心，或者是有钱可赚，而是另有原因，这一点，跟你们面包店的情况差不多……"

我说，这一点我已经猜到了。

"是啊……应该教人们学会明辨是非，通情达理——你说是不是？"

店铺已经关门，我们手里拿着灯，在店里随便走了走；街上也有人在不时地走动，他们小心翼翼地踩着泥巴，脚下发出啪唧啪唧的响声。有时候，又听见他们脚步沉重地走到店铺的台阶上来。

"喏，听见了吗？——有人在走动！这是米贡，一个无业游民，一头凶恶的畜生，净喜欢干坏事，就像漂亮的娘们儿喜欢卖弄风骚一样。

---

① C.卡罗宁（1853—1892），俄国民粹派作家，作品有小说集《巴拉什金诺村人纪事》（1879—1880）以及反映改革后俄国农村情况和知识分子在思想上进行探索的中短篇小说。

② H.兹拉托夫拉茨基（1845—1911），俄国作家，彼得堡科学院名誉院士（1909），倾向于民粹派。著有中篇小说《农民陪审员》（1874—1875）等。其作品主要描写农民的悲惨生活和俄国农村阶级分化的现实情形。

跟他说话你可要当心点儿，跟其他人也一样……"

然后，他在屋里抽起了烟斗，将宽大的后背靠在炉壁上，眯缝着两眼，从嘴里喷出一团团的烟雾；同时慢慢掂量着词句，把话说得明白一些，他说他早已发现我是在虚度自己的青春年华。

"您是个很能干的人，生性执着，很有主见，而且看得出，您有远大的抱负。您应该学习，是的；只是不要让书蒙住了人们的眼睛。有一个教派的信徒——一位老人——说得非常好：'任何教育都来自于人。'人们的训教是很痛苦的——他们的教育方式很粗暴——但是他们所教的科学知识会记得更牢固。"

他给我讲了些我早已知道的道理，说首先应该唤起村民的思想觉悟。不过，从这些老生常谈中，我还是感受到了对我来说更深一层的新的含义。

"你们那里的大学生总爱侈谈对人民的爱，而我要对他们说的是：人民是不能够爱的。对人民的爱，只不过是说说而已……"

他嘿嘿一笑，用探寻的目光瞧着我，开始在房间踱着步子，继续铿锵有力、意味深长地说：

"爱，就意味着要赞同，要宽容，要视而不见，要大度包容，略迹原情。对女人就必须这样。可是，对人民的愚昧无知，难道可以视而不见吗？对他们思想上的误入歧途，难道可以默许赞同吗？对他们的种种劣迹和野蛮行为，难道可以原谅与宽容吗？不可以吧？"

"不可以。"

"这不就结了！在你们那儿，大家都在朗读涅克拉索夫①的诗，喏，要知道，光靠读涅克拉索夫的诗，可是远远不够的呀！应该对农民们说：'老兄，你这个人虽然本身不坏，但日子过得却很糟糕，想过得轻松一些、美好一些吧，可又想不出办法，一筹莫展。连野兽都比你更会照料自己，保护自己。而你们农民当中也产生过各种各样的人物——贵族、神甫、学者、沙皇，他们原来也都是农民。瞧见了吗？懂吗？喏，要学会生活，不能让别人老欺侮你……"

他走进厨房，吩咐厨娘把茶炊生起来，然后开始让我看他的书

———
① H.涅克拉索夫（1821—1878），俄国诗人，革命民主主义者。著有长诗《严寒，通红的鼻子》《俄罗斯妇女》《铁路》《谁在俄罗斯能过好日子》等，深刻描写了下层民众的生活和妇女的遭遇，表现了人民对幸福的向往与追求。

籍——几乎都是些学术性著作，有巴克尔①、莱伊尔②、哈特波尔·勒
启③、拉布克④、泰罗⑤、穆勒⑥、斯宾塞⑦、达尔文⑧的著作；俄国学
者中则有皮萨烈夫⑨、杜勃罗留波夫⑩、车尔尼雪夫斯基⑪、普希金⑫、
涅克拉索夫等人的作品和冈察洛夫⑬的旅行随笔《战舰巴拉达号》等。

----

① 亨利·托马斯·巴克尔（1821—1862），英国历史学家，实证主义社会
学家，社会学地理学派的代表人物。主要著作有《英国文明史》（1857—1861）
等。

② 莱伊尔（1797—1875），英国地质学家。

③ 哈特波尔·勒启（1838—1903），爱尔兰历史学家，政治评论家。

④ 拉布克（1834—1912），英国人种学家，自然科学家。

⑤ 泰罗（1832—1917），英国社会学家，人种学家。

⑥ 詹姆斯·穆勒（1773—1836），英国哲学家、历史学家、经济学家，休
谟哲学的追随者，否认天赋人权的理论。

⑦ 赫伯特·斯宾塞（1820—1903），英国哲学家和社会学家，实证主义创
始人之一，资产阶级自由主义思想家，伦理学方面功利主义的拥护者，主要著
作有《综合哲学纲要》（1862—1896）等。

⑧ 达尔文（1809—1882），英国博物学家，达尔文主义创始人，提出了人
类起源于类人猿的假说。

⑨ 皮萨烈夫（1840—1868），俄国政论家和文艺批评家，革命民主主义
者，空想社会主义者，主要著作有《劳动史纲要》《现实主义者》《美学之毁
灭》等，对俄国作家多有褒扬，却不当地否定普希金作品的现实意义。

⑩ 杜勃罗留波夫（1836—1861），俄国文艺批评家、政论家、革命民主主
义者，反对俄国专制的农奴制度，宣扬农民革命思想，并预言革命的一天终将
会到来。主要著作有《什么是奥勃洛莫夫性格？》《黑暗的王国》《黑暗王国的
一线光明》《真正的白天何时到来？》等。

⑪ 车尔尼雪夫斯基（1828—1889），俄国革命民主主义者，学者、作家、
文艺批评家，坚持人本主义唯物论的观点，对资本主义有深刻的批判；认为社
会主义是由人类发展历史决定的，但认为俄国可以通过村社的形式过渡到社会
主义。主要著作有《怎么办？》《序幕》和大量的文艺评论和美学著作。

⑫ 普希金（1799—1837），俄国作家，大诗人，俄罗斯近代文学的奠基
人。其作品早为我国读者所熟知。

⑬ 冈察洛夫（1812—1891），俄国作家，彼得堡科学院通讯院士
（1860），现实主义小说大师，主要著作有长篇小说《平凡的故事》《奥勃洛莫
夫》《悬崖》旅行随笔《战舰巴拉达号》等。

他用宽大的手掌，抚摸着这些书，爱护备至，像抚摸一群小猫似的，嘴里嘟嘟哝哝，充满了感情：

"多好的书啊！这一本，可是稀世珍品：书报检查机关把它给烧了。想知道国家是什么吗？——那就读读这一本吧！"

他递给我一本霍布斯①的《列维坦》。

"这本书也是谈论国家的，但读起来更轻松、更有趣一些！"

马基雅弗利②的《君主论》是一本非常有趣的书。

喝茶的时候，他简短地介绍了自己的情况：他本是切尔尼戈夫市③一个铁匠的儿子，在基辅火车站干过给火车加油的工作。在那里，他认识了一些革命者，组织工人成立一个自学小组，后来被捕，坐了两年牢，之后被流放到雅库特地区，一待就是十年。

"起初——我在那儿跟雅库特人待在一起，住在乌卢斯，我想——这下我算完了。那儿，冬天那个冷呀，真他妈的见鬼，简直没法说，人的脑子都冻僵了，哪有可能去想事情。后来我发现：时不时地有俄罗斯人来这里，人虽不多，可毕竟是——有哇！这不，为了不使他们感到寂寞，不断有新的人补充到这里来。他们都是些好人。有一个大学生，叫弗拉基米尔·柯罗连科④——他现在也已经回去了。我和他相处得很好，后来就分手了。我们在许多方面都很相像，但是相像并不一定能成为好朋友。他这个人严肃认真，性格执着，能胜任各种各样的工作，甚至会画圣像，这一点我不大喜欢。现在，据说他常在杂志

① 托马斯·霍布斯（1588—1679），英国哲学家，机械唯物主义第一个完整体系的创造者。他认为几何学和力学是科学思维的理想楷模，认为自然界是不同大小、不同形状、不同状态和位移（运动）的广延物体的总和；他把国家比拟为神话故事中的大怪物列维坦，认为国家是结束战争这一自然状态的民约的结果。

② 马基雅弗利（1469—1527），意大利政治家、思想家和作家，他认为灾难源于政治分裂，只有强有力的国家政权才能够克服这种灾难；为了巩固国家，他认为可以不择手段，因此便产生了"马基雅弗利主义"一说，即指无视道德准则的政策。主要著作有喜剧《曼陀罗花》《君主论》等。

③ 乌克兰城市，位于杰斯纳河流域，是当地的港口码头和铁路枢纽。

④ 柯罗连科（1853—1921），俄国作家，评论家。1879年因涉嫌与革命者有来往被捕，曾被流放到雅库特。主要作品有小说《马卡尔的梦》《盲音乐家》《我的同时代人的故事》等，作品洋溢着民主主义和人道主义思想。

上写东西，写得挺好。"

他讲了很长时间，一直讲到半夜，好像恨不得一下子把我变成和他一样的人。我头一次这样跟别人相处得如此之好。自从打算自杀那件事后，我就非常瞧不起我自己，感到自己非常渺小，觉得对不起别人，无颜再活在世上。罗马斯想必了解我的这种心情，于是，他坦诚地、与人为善地在我面前打开通向自己生活的大门，让我振作了起来。这是一个令人难忘的日子。

礼拜天，做完午祷，我们的小店一开门，农民们便立刻涌到我们门前的台阶上。站在最前面的就是马特维·巴里诺夫。他邋里邋遢，蓬头垢面，两条胳膊长得像猴子的双臂一样长，两只女人般的漂亮眼睛流露出漫不经心的目光。

"从城里听到什么了吗？"他打过招呼后，问道。不等对方回答，他便又朝迎面走过来的库库什金喊道：

"斯捷潘！你的那些猫又把一只公鸡给吃了！"

随后便马上接着说，省长从喀山到彼得堡去觐见沙皇，请求把所有的鞑靼人都迁到高加索和突厥斯坦去。沙皇夸奖省长说：

"你是个聪明人！知道自己的事情该怎么处理……"

"这都是你自己编出来的吧？"罗马斯不慌不忙地说。

"我自己编的？什么时候？"

"不知道……"

"瞧，你怎么这样不相信人呀，安东内奇，"巴里诺夫遗憾地摇摇头，有点责怪地说，"而我——只是同情那些鞑靼人。高加索这个地方是需要慢慢习惯的。"

这时，一个又瘦又小的人小心翼翼地走了过来。他穿一件别人的破旧外套，不时地抽搐，使他那张颜色发灰的脸变得十分难看。他咧着发黑的大嘴，露出一副病态的微笑；他那目光锐利的左眼眨巴个没完，被伤疤分为两截的灰白眉毛不停地在抖动。

"你好哇，米贡！"巴里诺夫冷嘲热讽地说，"夜里偷了什么啦？"

"偷了你的钱呗。"米贡用男高音的嗓子清脆地回答说，同时向罗马斯脱帽致意。

我们的房东潘科夫——他也是我们的邻居——从院子里走了出来；他穿一件西服外套，脖子上系一条红围巾，脚下穿一双胶皮套鞋，胸前挂一条像缰绳一样长的银链子。他气鼓鼓地用眼睛打量一下米贡，说：

"要是你这个老东西再往我园子里钻，我非打断你的腿不可！"

"你这套老生常谈又来了。"米贡不慌不忙地说，然后，他叹了口气，补充道，"要是不打人——你的日子怎么过呀？"

潘科夫开始对他破口大骂，而他则接着说：

"我怎么能算老呢？我只有四十六岁……"

"圣诞节的时候你已经五十三岁了，"巴里诺夫叫道，"是你自己说的——五十三岁！你为什么要撒谎？"

一个身材魁梧、留着大胡子的老人苏斯洛夫①和渔民伊佐特走了过来，这样，加在一起有十来个人。霍霍尔坐在店门口的台阶上，抽着烟斗，一声不吭地听农民们谈话；农民们则各自一边，分别坐在店铺前的台阶和长凳上。

当时气候很冷，天空光怪陆离，五色斑斓；云彩在寒冬的蓝天上迅速移动着，阳光和云影的斑点在小溪和洼地的水面上时隐时现，有时使人感到有些眼花缭乱，有时又让人感到像天鹅绒般的柔和与温暖。衣着华丽的姑娘们像一只只孔雀，沿着大街，飘然而下，向伏尔加河边一路奔去。她们撩起裙子的下摆，露出铁青色的皮靴，一个个从洼地上跨越而过。男孩子们肩上扛着长长的钓竿，一路狂跑。农民们从店铺前大摇大摆走过去的时候，斜着眼睛望着我们店里的这些人，默默地脱下便帽和毡帽，表示问候。

米贡和库库什金心平气和地在讨论一个搞不清楚的问题：到底是谁的心更狠一些——是商人，还是地主老爷？库库什金说是商人，米贡说是地主老爷；他那响亮的男高音压过了库库什金语无伦次的声音。

"芬格罗夫先生的爸爸，一把揪住了拿破仑·波拿巴的胡子。而芬格罗夫这时使劲揪住他们两人脑后的羊皮领子，先是双手往两边一拉，接着用力将他们的脑门儿往一块儿一撞——得！两个人躺在地上一动都不动了。"

"要是这样撞——你也得倒下！"库库什金赞同地说，他补充说，"不过，商人可比地主老爷能吃……"

坐在台阶最上边一阶的、堂堂一表的苏斯洛夫则抱怨说：

"现在农民种地可有些靠不住了，米哈伊洛·安东诺夫。以前在老

———————

① 我记不清农民们的姓名，因此，很可能将他们的名字搞混或者记错。——作者原注

爷手下干活的时候是不允许吃白饭的，各人都有各人的事情……"

"那你就呈文请求再恢复农奴制吧。"伊佐特回答他说。罗马斯默默地看了他一眼，开始在台阶的栏杆上磕自己的烟斗。

我等着：看他到底什么时候说话？于是，我一面仔细倾听农民们前言不搭后语的谈话，一面努力想象着霍霍尔究竟会说些什么。我觉得，他已经错过了加入农民谈话的许多大好机会。但是他无动于衷，一句话也不说，木呆呆地坐在那里，一动不动，眼睛一直盯住看风如何在水洼里掀起的层层涟漪，看大风怎样在追逐一块块的云彩，将它们聚拢成大团的乌云。河上传来了轮船的汽笛声，下面是姑娘们尖细的歌声，以及手风琴的伴奏声。一个醉鬼正沿着大街向下面走去，他一面打着饱嗝儿，一面不停地嚷嚷，同时挥动两只胳膊，步履蹒跚地一路歪斜，不时跌倒在水洼里。农民们谈话的语速越来越慢，他们言谈中流露出一种沮丧的情绪。这时我也感到有些忧伤，因为寒冷的天空眼看就要下雨，我想起了没完没了的城市喧闹声，想起了它那各种各样的杂音，街上川流不息的人们，以及他们的高谈阔论和发人深省的生动语言。

晚上喝茶的时候，我问霍霍尔：他打算什么时候跟农民们谈谈呢？

"谈什么呀？"

"啊，"他仔细听我讲完之后说，"喏，要知道，如果我跟他们谈这个内容，而且是在大庭广众之下，那我准会再次被发配到雅库特去……"

他往烟斗里装些烟丝，抽了起来，周围立刻一片烟雾缭绕；他不慌不忙、如数家珍似的讲了起来，他说：农民是那种谨小慎微的人，不轻易相信人。他们害怕自己，害怕邻居，特别是害怕一切外人。他们获得自由还不到三十年①，每一个四十岁的农民，生下来的时候还是奴隶，这一点他们都记忆犹新。什么叫自由——很难弄明白。他们的理解非常简单——自由，就是想怎么生活就怎么生活。但是——到处都是当官的，他们一直在妨碍人们生活。沙皇从地主那里抢走了农民，于是，沙皇如今就成了全体农民唯一的老爷。再说了：究竟什么叫自由？突然有一天，沙皇会解释什么叫自由的。农民非常信任沙皇——他是所有土地和财富的唯一的老爷。他把农民从地主手里夺了过来，

---

① 俄国沙皇 1861 年 2 月 19 日下令废除农奴制，到 1888 年还不到 30 年。

他也可以把轮船和店铺从商人手里夺过来。农民信任沙皇，他们明白：老爷多了——不好，一个——最好。他们期待着，有朝一日，沙皇会向他们解释自由的含义的。到那个时候——谁想要什么，就可以拿什么。大家都希望能有这么一天，可是每个人又非常害怕，人人心里都在打鼓：可不要错过这个谁想要什么就拿什么的关键日子。而且——他们自己对自己也感到担心：想要的东西很多，并且也有东西可拿，可是——怎么个拿法呢？大家摩拳擦掌，盯住同一件东西。何况，还有数不清的官员，他们显然是仇视农民的，对沙皇也不待见。但是没有当官的也不行，那样大家将你争我夺，彼此会打起来。

狂风在怒吼，它把滂沱的春雨，泼洒在窗户的玻璃上。街上是灰蒙蒙的一片；我的心情也有些灰暗，感到索然乏味，百无聊赖。一个嗓门不高、平心静气的声音若有所思地对我说：

"要告诉农民，他们应该逐渐学会把权力从沙皇手里夺过来；告诉他们，人民有权从自己中间推选各级官员——警察局长、省长和沙皇……"

"这事还得一百年！"

"您以为三圣节①之前就能做到这一切吗？"霍霍尔很严肃地问。

晚上不知他到什么地方去了。十一点钟的时候，我听到街上传来一声枪响，就在附近什么地方。我黑灯瞎火地冒雨跑了出去，看见米哈伊尔·安东诺维奇正朝大门口走来，他慢慢腾腾、小心翼翼地绕开地上的横流，看上去，人显得十分高大，黑乎乎的。

"您跑出来干吗？是我开的枪……"

"对谁开的枪？"

"有几个人，手持木棍，向我冲了过来。我说：'站住，不然我要开枪了！'可是他们不听。喏，于是我便朝天鸣放了一枪——反正天是打不坏的……"

他站在过道里，脱去外衣，一只手捋着湿漉漉的大胡子，同时像马一样，一个劲地打着响鼻。

"我这双靴子真是糟糕透了！该换一双了。您会擦手枪吗？帮我擦一擦，不然会生锈的。给抹点火油……"

① 三圣节，亦称三一主日或圣灵降临节，是东正教十二大节日之一，教徒们每年在复活节后第50天举行节日活动。

他坚定不移、沉着冷静，两只灰色眼睛透出平和、执着的目光。对此，我非常赞赏。他在屋内对着镜子梳理着自己的胡子，同时警告我说：

"您在村子里走动可要倍加小心，特别是在节假日和晚上，很可能有人也要打你。不过您随身不要带木棍，这样会刺激那些想寻衅滋事的人，还会让他们觉得您害怕他们。用不着害怕他们！他们自己才是胆小鬼呢……"

我生活得很愉快，每天都有新的、重要的收获。我如饥似渴地阅读自然科学方面的书籍，罗马斯开导我说：

"这一点，马克西梅奇，你首先，而且最好要了解清楚，人类最优秀的人才，都投身于一门科学。"

伊佐特每周有三个晚上到这里来，我教他读书识字。起初他对我不大信任，带有几分嘲笑的意味，但是上了几堂课后，他友好地对我说：

"你讲得很好！你呀，小伙子，应该当老师……"

这时，他突然提议说：

"你好像很有力气，噢，要不，咱们拿根棍子——拔一拔，比试一下？"

我们从厨房找来一根粗木棍，然后往地板上一坐，两人脚掌对着脚掌，相互用力，使劲往自己这边拉，僵持了好长时间，一心想把对方从地板上拉起来。霍霍尔则在一旁嘿嘿地笑着，给我们打气：

"噢，怎么？加油呀！"

伊佐特把我拉了起来；这件事好像使他进一步对我有了好感。

"行啊，你身体挺不错的！"他安慰我说，"可惜你不喜欢捕鱼，要不你跟我到伏尔加河捕鱼去。夜里的伏尔加河呀——天堂一般！"

他学习很努力，成绩也相当好，这连他自己都感到非常惊讶。有时候，正在上课，他突然站起来，从书架上拿起一本书，扬起眉毛，磕磕巴巴地念上两三行诗，然后红着脸，望着我，惊讶地说：

"我这不是会朗读了吗，真他妈的！"

于是他闭上眼睛，重新又朗读一遍：

鹬鸟在凄凉的原野上哀伤悲鸣，

宛若母亲在儿子的墓前泣不成声……①

"你看见过吗？"

有几次，他压低声音，小心地问我：

"你倒是给我解释一下，老弟，这到底是怎么回事儿？一个人，看着这一个个的鬼符号，它们怎么就连结成词汇了，而且我认识它们——那都是我们嘴边常说的话呀！我是怎么认识它们的？谁也没有悄悄地告诉我。如果它们是一些画，喏，那自然就非常明白。而这里印出来的好像是思想本身——这到底是怎么回事儿？"

我能怎么回答他呢？如果我说"不知道"，这会使他非常失望的。

"简直是魔术！"他叹道，一面对着亮光，翻看着书页。

他身上有一种人见人爱的稚气，天真纯洁，令人感动；他越来越让我想起书中描写的可爱的农民。他几乎和所有的渔民一样，具有诗人的气质；他爱伏尔加河，喜欢寂静的夜晚，对一人独处和静谧的生活，情有独钟。

他仰望着群星，问道：

"霍霍尔说，很可能有什么人生活在那里，跟我们差不多。你是怎么想的，是真的吗？要能给他们发个信息就好了，问问他们生活得怎么样？兴许——比我们过得要好，更快活……"

其实他对自己的生活也很满意；他是个孤儿，房无片瓦，地无一垅，全靠打鱼为生。他喜欢这种平静的生活，谁也不依赖。但是他很讨厌农民，他警告我说：

"你别看他们对人挺亲热的，他们可狡猾了，虚伪得很，可不能相信他们！现在他们对你是一个样子，明天就会是另一个样子。他们每个人只盯住自己鼻子尖下的那点利益，认为社会公共事业是一种苦役。"

一个心肠软得出奇的人，一谈到"土豪劣绅"，马上便恨得咬牙切齿：

"他们为什么比别人富有？因为他们更聪明。你小子要是聪明的话，那就请你记住：农民们应该联合起来，团结起来，这样才会有力

① 俄国诗人 H. 涅克拉索夫（1821—1877）的长诗《萨沙》（1855）的开篇句子。

量！可是他们却把村子搞得四分五裂，就像把一根木头劈成许多碎片似的，这就是问题的关键！他们自己在跟自己过不去。这样的人太可恶了。这不，为了他们，霍霍尔整天忙得焦头烂额……"

他长得一表人才，身体强壮，深得女人们的欢心，她们也确实降住了他。

"当然，在这方面我是被宠坏了，"他真诚地忏悔说，"对于做丈夫的人来说，这是一种奇耻大辱；换了我，我也会非常生气的。然而，又不能不同情这些女人；女人——就好比是你的第二生命。她们活在世上——没有节假日，没有爱情，成天像牛马一样地干活，别的什么都谈不上。当丈夫的没有时间去爱她们，可我是个单身男人。她们有许多人，婚后第一年就尝到了丈夫拳头的滋味。不错，在这方面，我是有罪的，我常和她们一块儿厮混，逢场作戏。我只有一点请求：希望你们——这些女人——不要相互抱怨，我可以满足你们大家的要求！你们彼此不要妒忌，对于我来说，你们全都一样，都值得同情……"

这时，他不好意思地嘿嘿一笑，接下去说：

"我差一点和一位太太搭上了关系——她是从城里到别墅来度假的。她长得很漂亮，皮肤洁白，像牛奶一样，头发是亚麻色的；一双浅蓝色的眼睛非常善良。我经常卖给她鱼，有时老盯住她看。

"'你有什么事吗?'她问我。

"您自己心里明白，我说。

"'那好，'她说，'我今夜去找你，等着我！'

"她还真是说到做到！她真的来了。只是蚊子给她带来了很大困扰，把她叮得够呛，得，结果我们什么事情也没搞成。

"'不行，'她说，'蚊子叮得太厉害了。'她差一点哭出声来。一天后，她丈夫——一个什么法官——来了。没错儿，这些夫人太太们就是这个德行。"他带着忧伤与责怪的口吻最后说："蚊子打扰了他们的生活……"

伊佐特非常欣赏库库什金，夸他说：

"喏，要是仔细观察一下这个农民，你就会发现他的心灵有多么的善良！大家不喜欢他，唉，真是不应该！当然，他有些多嘴多舌，可是，要知道，每一头牲口都有自己的花色啊！"

库库什金没有土地，娶了一个嗜酒如命的女仆为妻。这女人个子虽然矮小，但是身体强壮，动作麻利，而且非常凶狠。库库什金把自己的小屋租给了一个铁匠，自己则住在浴室里，在潘科夫那里干活。

他非常喜欢收集新闻，没有新闻时，他便自己编造各种各样的故事，而且总要把它们一个个串连起来。

"米哈伊洛·安东诺夫，你听说了吗？京科夫地区的一名警察辞职不干了，说要出家为僧去，他说：'我不愿再殴打农民了，够了！'"

霍霍尔神情严肃地说：

"如果这样，所有当官的都得从你们的身边跑开。"

库库什金一面把麦秸、干草和鸡毛从乱蓬蓬的褐色头发中拣出来，一面说：

"全都跑开是不会的，跑开的只是那些有良心的官员。当然，他们在自己的岗位上也很难办。你呀，安东内奇，我看你是不相信良心的。可是，要知道，不讲良心，就是有很高的聪明才智，日子也是很难过的！你现在听我来讲一件事……"

接着，他讲了一个"绝顶聪明的"女地主的故事。

"有这样一个非常厉害的女人，连省长这样位高权重的官员也必须到她那里登门拜访。省长说：'夫人，您应该小心谨慎，以防万一；关于您坏事做尽的流言蜚语甚至已经传到了彼得堡！'当然，她用果子露酒款待了他，然后说：'请回去吧，祝您一路顺风，我的性格是无法改变的！'三年零一个月过去了，她突然把农民们召集到一起，说：'现在我把我的全部土地都交还给你们；再见了，请原谅我，而我……'"

"她进了修道院。"霍霍尔提醒说。

"没错儿，当了修道院的院长！这么说，你也听说过她的故事？"

"我从没有听说过。"

"那你从哪儿知道的？"

"因为我了解你。"

这个喜欢幻想的人，一面摇着头，一面嘟嘟哝哝地说：

"你为什么总不相信别人……"

而且，经常是这样：他故事里的坏人、恶棍，一旦坏事做绝，便"逃之夭夭，销声匿迹"。但更多的情况是，库库什金像"处理垃圾"似的把他们都送进修道院。

他常常出人意料地忽发奇想，眉头突然一皱，宣称：

"我们打败鞑靼人，真是多此一举，鞑靼人比我们要优秀！"

可这时并没有人议论鞑靼人的事，大家正在谈论有关成立果农合作社的事。

罗马斯正在介绍西伯利亚的情况，讲西伯利亚的农民多么富裕，但是突然，库库什金若有所思地喃喃自语道：

"如果两三年内不去捕捞鲱鱼，这种鱼就会大量繁殖，海水就会漫过堤岸，淹没众人。鲱鱼是一种繁殖速度极快的鱼！"

村里人认为库库什金是个无足轻重的人，根本没把他当成回事儿。可是他的故事和种种奇怪的想法，却使农民们感到很受刺激，常常引起他们的斥骂和讥笑。但是听他讲起来却又感到津津有味，非常专注，很想从他的胡诌乱扯中发现一点真理。

"瞎话篓子"，正儿八经的人都这样叫他，只有那个喜欢打扮的潘科夫态度严肃地说：

"斯捷潘——一个难以琢磨的人……"

库库什金是个非常能干的人，他会箍木桶，修炉灶，懂得养蜂，教妇女们饲养家禽，木工活也非常在行，什么活都会干；尽管他干起活来慢腾腾、死样活气的。他喜欢猫，浴室里喂了十几只养得肥肥胖胖的大猫和小猫。他拿乌鸦和寒鸦喂它们，而且教这些猫捕食家禽，结果加大了人们对他的不满：他的猫经常咬死小鸡和母鸡，妇女们经常去追赶斯捷潘的猫，逮住了就是一通狠揍。在库库什金的浴室附近，时常能够听见愤怒女主人们的尖声叫骂，但这并没有让库库什金感到不安。

"臭娘们儿，猫本是一种会捕猎的动物，它们比狗要灵敏。我要教会它们捕捉飞禽，养上几百只，然后将这些猫出售，收入全都给你们这些臭娘们儿！"

他原先识字，但是后来都忘了，再捡起来——他又不愿意。他天资聪明，比谁都能更快地从霍霍尔的故事中抓住要害。

"啊，是这么回事儿，"他眉头一皱，像小孩子吃了苦药似的说，"就是说，对小老百姓而言，那伊凡雷帝是无害的了……"

他、伊佐特和潘科夫时常晚上到我们这里来，往往一坐就是半夜，听霍霍尔介绍世界的情况，讲外国的生活和各族人民风起云涌的革命故事。潘科夫很喜欢法国革命。

"这才是地道的生活大转折。"他称赞道。

潘科夫的父亲是个富裕的农民，因甲状腺肥大，长了个大粗脖子，两个眼珠子突出，看上去怪吓人的。两年前，他从父亲那里分了出来，"通过恋爱"，娶了伊佐特的侄女——一个孤儿——为妻。婚后他对她严加管束，却让她穿得像城里人似的。父亲大骂儿子固执任性，每当他从儿子的新房屋面前经过时，总要冲它忿忿地吐上一口唾沫。潘科夫不顾村里有钱人的反对，把房子租给了罗马斯，而且紧挨着这房子又开了一家小店，因此这里的人非常恨他。他呢，表面上对他们表现得无所谓，不感兴趣，可谈起他们时，一脸的不屑，跟他们打交道时——则态度粗暴，而且冷嘲热讽。农村的生活使他感到非常苦恼：

"要是我有手艺，我也会住在城里……"

他堂堂仪表，一向穿得又非常整洁，举止庄重典雅，有很强的自尊心；他为人小心谨慎，不轻易相信他人。

"这件事，你是感情用事，还是有所考虑？"他问罗马斯。

"那——你是怎么想的？"

"不，还是你来说吧。"

"依你看——哪样更好一些呢？"

"不知道！那——依你看呢？"

霍霍尔一个劲儿地追问，终于使这个农民说出了自己的想法。

"当然，最好是有所考虑。考虑，就少不了从利益方面着想，而哪儿有利益——那里的事情就比较牢靠。随心所欲可不是我们的好参谋。随心所欲，我就会鲁莽从事——闯下大祸！我肯定会把神甫活活烧死——免得他到处管闲事！"

神甫——这个长得贼眉鼠眼的可恶的小老头儿，净给潘科夫添堵，他老在潘科夫和父亲的争吵中插上一脚。

起初，潘科夫对我很不友好，几乎是抱着敌视的态度，简直像主子对下人似的，对我大喊大叫，但是很快他就不这样了；尽管我感到他内心里对我还是不信任。其实，我对潘科夫也没有好感。

最令我难忘的是有几天晚上所发生的事：在一间很干净的小房间内，房子的墙壁是用圆木搭建的，窗子的防护板关得严严实实，屋角的桌子上点着一盏灯，灯后坐着一个人：大奔儿头，脑袋剃得光光的，留着一把大胡子。他说：

"生活的本质在于人和动物的距离越来越远……"

三个农民认真地听着，他们一个个耳聪目明，一脸足智多谋的样子。伊佐特总是坐在那里，一动不动，好像在倾听只有他一个人能够听到的来自很远地方的声音。库库什金好像受到蚊虫的骚扰，一直抓耳挠腮，坐卧不宁，而潘科夫一边捻着浅褐色的唇髭，一边心里暗暗思忖：

"就是说，还是得把人分为不同的阶层。"

潘科夫跟自己的雇工库库什金说话时态度从来都不粗暴，而是非常认真地听取这位幻想家杜撰出来的可笑故事。这一点，我非常喜欢。

谈话快结束时，我回到自己的阁楼上，坐在打开的窗子前面，望着已经沉睡了的村庄和田野。那里是一片沉寂，悄无声息。漆黑的夜幕下，点点星光距离地面仿佛越来越近，而离我则越来越远了。夜阑人静，万籁俱寂，这使我的心情备受压抑。而我的思想，已经飞向那浩瀚无垠的空间，于是，我看到了千千万万个村落，它们默默无闻地匍匐在平坦的大地上，像我们这里的村庄一样，紧贴着地面，一动不动，悄无声息。

空旷的夜晚亲切地拥抱着我，它好像千万条看不见的蚂蟥在吸吮我的灵魂。我渐渐感到困倦无力，一种模糊不清的焦虑情绪使我深感不安。我感到自己在这片土地上是那么的渺小，那么的微不足道……

我面前的农村生活，毫无乐趣可言。我多次听说，而且在书中也看到，说农村人比城里人活得更健康，人也比较真诚。但是，我眼见农民们整天处于连续不断的苦役般的劳动之中，他们当中有很多人身体并不健康，工作累得五劳七伤，几乎从来看不到他们有个笑脸。城里的手艺人和工人，他们的工作并不轻松，但他们的日子过得比农村人要愉快一些，也没有那么单调乏味。不像村里的这些人，成天愁眉苦脸的，对生活一肚子牢骚。在我看来，农民的生活并不那么简单，它需要对土地进行精心的呵护；为人处世，方方面面都得机智灵活，随机应变。因此，这种缺乏理智的生活并不让人感到亲切。看得出，全村的人都像瞎子一样，在摸索中生活。大家都有所顾忌，互相不信任，只怕他们当中有狼心狗肺之人。

我很难理解，他们为什么这样一直不喜欢霍霍尔、潘科夫和一切"我们这样"希望理智生活的人。

我清楚地看到城市的优越性，看到城市渴望幸福，大胆开动脑筋，为自己提出各种各样的目标和任务。而且，每逢这样的夜晚，我总是想到下面两个城里人：

> 弗·卡卢金和兹·涅别伊
>
> 钟表匠，兼修各种仪表、外科手
> 术器械、缝纫机、各类八音盒等。

这块牌子就挂在小店狭窄的门上，门两边是两扇落满灰尘的窗子。

弗·卡卢金坐在一个窗口前面。他是个谢顶头，发黄的脑袋上长了个鼓包，一只眼睛上戴了个放大镜。他有一张圆圆的脸，人长得很结实。他用细小的镊子在摆弄钟表机件时，几乎总是不停地在微笑；要不就是张着隐藏在灰白唇髭下的圆嘴，在唱着什么。兹·涅别伊坐在另一个窗口前，他长了一头鬈发，皮肤很黑，有一只长歪了的大鼻子，两只像李子般大小的眼睛和一小撮山羊胡子。他的模样干瘪消瘦，活像个魔鬼。他也在拆修一些精密的零件，时不时地用他那男低音会突然喊一嗓子：

"特拉——塔——塔姆，塔姆，塔姆！"

他们的背后都是些箱子、器械、轮子、八音盒、地球仪，堆得乱七八糟，到处都是。货架上摆满了各式各样的金属构件，墙上挂了许多壁钟，钟摆不停地来回晃动。我打算拿出一整天的时间，看看这些人是如何工作的。可是，我高大的身躯挡住了他们的光线，他们向我做出一副可怕的鬼脸，冲我挥挥手——让我走开。我离开时满心羡慕地想：

"要什么都会做该有多么幸福啊！"

我崇敬这些人，相信他们深谙一切机器和工具的奥妙，世上所有的东西他们都会修。他们这才叫人啊！

可是我不喜欢农村，农民都是些莫名其妙的人。妇女们经常抱怨自己有病，她们总是说"心里乱扑腾""胸口堵得慌""肚子里绞着疼"。关于这些情况，每逢节假日，她们坐在自己的小屋前或伏尔加河的岸边，乐此不疲地讲个没完。这些人非常容易发火，骂起人来简直不要命。常常因为打碎一个价值十二个戈比的瓦罐，三家人能棍棒相加，大打出手；老太婆的胳膊被打断，小伙子的脑袋被打破。这种邻里打斗，几乎每个礼拜都发生。

小伙子对姑娘们表现得肆无忌惮，厚颜无耻。他们公然搞恶作剧，捉弄她们：他们在田野里逮住她们，把她们的裙子撩起来，然后用裙子下摆将她们的脑袋紧紧包住，用树皮扎紧。他们管这叫"姑娘开花"。下身裸露的姑娘们在尖声喊叫，破口大骂，但看来她们对这种游戏还是很乐意玩的。因为很明显，她们本来是可以迅速解开被扎住的裙子的，可是她们却尽可能地往后拖延时间。在教堂里通宵做祷告时，小伙子们经常会拧姑娘们的屁股。看来，她们好像专门是为让小伙子们拧一下才来教堂的。礼拜日，神甫站在讲经台上说：

"畜生！你们这种伤风败俗的行为，难道就不能换个别的地方吗？"

"在乌克兰，人们对待宗教的态度，好像更富有诗意一些，"罗马斯说，"可是在这里，在相信上帝的幌子下，我看到的只是恐惧和贪婪的最粗野的本能。要知道，那种对上帝的真诚的爱，对上帝的美德和威力的赞颂——在这里的人们的心目中压根儿就不存在。也许这是件好事，因为这样摆脱宗教的束缚会更容易一些，因为——我告诉你们吧——宗教是一种极其有害的偏见！"

村里的小伙子们都喜欢吹牛，但是他们胆小如鼠。他们已经有三次夜间把我堵在街上，想痛打我一顿，但是都没有得逞。只有一次，他们在我腿上打了一棍子。当然，这件事我没有告诉罗马斯，不过他发现我走路有点跛，也就猜到了是怎么回事儿。

"唉，你终归还是收到了他们的礼物，是不是？我不是跟您说过了嘛！"

尽管他劝我夜晚不要出去，但我有时候还是沿着菜园子来到伏尔加河岸，坐在河边的白柳树下，透过清澈晶莹的夜幕，向下面张望，向河对岸的草原眺望。伏尔加河的河水在缓缓地流动，庄严而肃穆，已经看不见的太阳余晖，在昏暗的月亮的映照下，在河面上反射出一道道金色的光芒。我不喜欢月亮，因为它有一种不祥之兆，而且，就像对于狗那样，它会引起我的悲伤，直想悲怆凄厉地吼叫上几声。当我得知月亮本身不会发光，它是死的，它上面没有也不可能有生命的时候，我感到非常高兴。在这以前，我想象着它上面住的都是些铜制的人；他们是由三角铁构成的，走动起来像圆规似的，丁零当啷，像斋戒日的洪钟，震耳欲聋。月亮上面的一切全都是铜质的；植物、动物——所有的东西都铿然有声，穿云裂石，沸天震地，与地球为敌，嫁祸于它。当我知道天上的月亮不过是空空如也时，我感到非常欣慰，但我仍然希望能有一颗大流星重重地坠落在月球上，由于撞击而使它大放光芒，这样月亮就可以用自身的光芒照亮地球了。

望着来自遥远什么地方的伏尔加河的流水——宛如一块闪闪发光的波动的丝绸，晃晃悠悠地消失在河岸山崖的阴影里——我感到自己的思想变得更加活跃与敏锐了。脑子里很容易涌现出一些难以言表的、不同于白天所感受的想法。伏尔加河的主河道几乎没有任何声音。像一只巨大怪鸟的轮船，身上披着火红的羽翼，在宽阔的黑乎乎的航道上缓缓行进，身后留下些许轻微的噗噗声，像是怪鸟在拍打自己沉重的翅膀。在绿草如茵的岸边，一盏盏灯火，游弋不定。它们在河面上映照出一片耀眼的红光——这是渔民们在灯光照耀下用鱼叉在叉鱼。

有人会想，这可能是天上一颗无家可归的星星坠落了下来，像一朵朵火花在河面上来回游动。

从书中读来的东西，现在都变成了莫名其妙的幻想，想象——正不知疲倦地绘制出一幅幅美丽无比的图画。此时此刻，你就好像紧跟在河流的后面，遨游在柔和的夜空里。

伊佐特找到了我，在夜色下，他好像显得更加高大，也更加可爱了。

"你怎么又到这儿来了？"他问道，同时在我身边坐了下来。他一句话也不说，沉默了很长时间。他看着河面，望着天空，一直抚摸着他那金黄的、细如蚕丝的胡须。

后来，他幻想道：

"等我学成了，书读够了——我就沿着所有的河流一路走下去，我会把一切都搞懂的！我要去教别人！没错儿。老弟，要和别人促膝谈心，那该有多好！即使是一些老娘们儿，只要能够和她们推心置腹地交谈，她们也会明白过来的。不久前，有一个妇女坐在我的小船上问我：'我们死后会怎么样？'她说，'我既不相信有地狱，也不相信有另一个世界。'瞧见了吗？老弟，她们同样……"

他一时找不到合适的词句，停了一会儿，最后补充说：

"都是些活生生的人……"

伊佐特是个夜猫子，喜欢晚间活动。他对美的感受非常敏锐，他能够像一个富于幻想的儿童那样，用朴素的语言谈论美的事物。他相信上帝，并不感到畏惧，虽然他也像在教堂里那样，把上帝想象成为一位高大、端庄的老者，一位聪明善良的世界主宰。他之所以未能战胜邪恶，那是因为"他实在顾不过来，繁衍生息的人太多了。不过，没关系，他一定会除恶务尽的，等着瞧吧！至于耶稣基督，那我就无法理解了——怎么也弄不明白！他和我一点儿关系都没有。有上帝也就行了。然而这里却又来了一个！据说是他的儿子。是儿子又怎么样？何况上帝并没有死……"

但伊佐特经常是不说话，坐在那里想着心事，只是偶尔叹口气说：

"是啊，原来是这样……"

"什么这样？"

"我只是自己随便一说……"

于是，又叹了口气，眼睛望着迷茫的远方。

"生活——可真好啊！"

我表示赞同，说：

"是啊，的确很好！"

像天鹅绒似的雄浑强劲的伏尔加河水，黑压压一片，奔流不息；一条弯弯的银河，横空出世，展现在河流的上空，硕大的星星，像一只只金色的云雀，闪烁其间，照得人们眼花缭乱，而我的心却在低声吟唱自己关于生活奥秘的荒唐想法。

远处，在草地的上空，阳光透过粉红色的云彩，露出了笑脸。这不，瞧呀，太阳终于像孔雀开屏似的，在天上大放光芒了。

"太阳真是奇妙极了！"伊佐特喃喃说道，脸上露出幸福的微笑。

苹果树正在开花，村里到处是粉红色的花朵和苦涩的芳香。这种香味儿无处不在，完全盖过了焦油和粪肥臭气。千百棵鲜花盛开的苹果树，披着用花瓣织成的绸缎似的粉红色的节日盛装，一排排，一行行，井然有序地从村里一直延伸到田野。每当夜晚，明月当空，微风习习，一朵朵像小蝴蝶似的苹果花摇晃不定，发出勉强能够听得见的轻微的簌簌声。这时，整个村庄仿佛都被金光闪闪的淡蓝色巨浪淹没了。夜莺在尽情地歌唱，从不知疲倦。而白天，椋鸟放开歌喉，一个劲儿地欢唱；看不见的云雀，把那委婉动听的歌声不断地撒向大地。

每逢节假日，傍晚时分，大姑娘、小媳妇们走上街头，她们像鸟儿似的，张大嘴巴，引吭高歌，脸上露出如醉如痴的甜蜜微笑。伊佐特像喝醉了酒似的，也满脸堆笑。他瘦了许多，两只眼睛深深陷进了发黑的眼窝里，他的面孔也显得更加严峻和漂亮了——更像是一位圣徒。他整天都在睡觉，只有傍晚时分才在街上露面，表现出一副心事重重、若有所思的样子。库库什金粗言粗语，但在挖苦嘲笑他时却显得非常亲切，而他总是尴尬地嘿嘿笑着，说：

"得了吧，你！有什么办法呢？"

接着，他赞叹地说：

"啊，生活是多么的美好！要知道，能过上这样甜蜜的生活，又有这样暖心的话儿，是多么好啊！有人说，这好日子到死都不会忘记，要是死后能再活过来——首先想到的就是这一点！"

"你可要当心，那些当丈夫的会揍你的。"霍霍尔笑着提醒他说，态度也非常亲切。

"这话——不无道理。"伊佐特表示赞同。

差不多每天夜晚，伴随着夜莺的歌唱，米贡那高昂而动人的歌声，在果园里、田野里和伏尔加河的岸边，四处飘扬。有许多优秀的歌曲，被他唱得出神入化，妙不可言，为此，农民们甚至在许多事情上都让他三分。

每到礼拜六的晚上，我们店铺旁聚集的人会越来越多，而且，其中肯定少不了老头子苏斯洛夫、巴里诺夫、铁匠克罗托夫和米贡。他们坐下来，相互交谈，一脸若有所思的样子。有些人走了，另外一些人又来了，如此来来往往——一直能持续到半夜。有时候，喝醉酒的人也发生口角，最常见到的要算是退伍兵科斯京了；他仅有一只眼睛，左手还缺了两个指头。他把袖子往上一卷，挥舞着拳头，像一只好斗的公鸡，大踏步地向店门前走来，一面扯着嗓子，声嘶力竭地喊道：

"霍霍尔，你这可恶的东西，土耳其异教徒！你说说看：为什么你不到教堂里去，啊？你这个异教徒！整个一个害群之马！你说：你究竟是什么人？"

有人逗他说："米什卡①，你为什么把自己的手指头断了两根？是被土耳其人吓的吧，啊？②"

他一听，扑上去就要开打，但是人们拦住了他，然后连说带笑地把他往峡谷那边猛推过去。于是，他一溜儿歪斜地沿着峡谷的斜坡滚了下去，嘴里死命地尖声喊叫着：

"救命呀！要摔死人啦……"

过后，他又爬了上来，滚了一身的尘土，然后向霍霍尔提出要一什卡利克③的酒喝。

"为什么呀？"

"因为我让你们开心了。"科斯京回答说。农民们听了哄堂大笑起来。

有一次，是个节日的早晨，厨娘将木柴在炉子里生着后，便到院子里去了，而我正在店里面待着。这时突然从厨房里传出一声巨响，店铺被震得直摇晃，装糖果的盒子从货架上纷纷掉下来，震碎的玻璃噼里啪啦落了一地。我急忙奔到厨房，厨房里烟雾腾腾，正在往别的房间里扩散。烟雾中有什么东西在发出咝咝和啪啪的响声，霍霍尔一把抓住我的肩膀，说：

"站住，别进去……"

---

① 米什卡是科斯京的大名米哈伊尔、小名米沙的爱称。

② 指 1877—1878 年的俄土战争。

③ 什卡利克，旧俄国的量酒单位，约合 0.06 升。

厨娘在过道里号啕大哭。

"唉,你这蠢婆娘……"

罗马斯冲进烟雾,咣当一声,被什么东西碰了一下,他狠狠地骂了一句,喊道:

"别嚷嚷了!拿水来!"

厨房地板上的劈柴正在冒烟,有的木条正在燃烧,地上堆放着一些砖头,黑乎乎的炉膛里,空空荡荡,好像被清扫过一样。透过烟雾,我摸到了一桶水,赶紧把地板上的火扑灭,然后又把地上的劈柴扔回到炉子里去。

"当心点儿!"霍霍尔说。他拉住厨娘的一只手,把她往一个房间里推去,并且命令说:

"把店门关上!要当心,马克西梅奇,说不定还会爆炸……"于是,他蹲在地上,开始仔细察看那些用云杉圆木劈的木柴,然后又把我扔进炉子里的木柴掏了出来。

"您这是干什么呀?"

"就干这个!"

他把一根被炸得七扭八歪的圆木头递给我看,我看见木头上有人用手钻钻了一个大洞,已经被火烧得不成样子了。

"明白了吗?是他们——这些可恶的家伙,他们在木头里装了炸药。一帮蠢货!唉,一俄磅的炸药能干什么呀?"

于是,他将那根木头放在一边,开始洗手,并且说:

"幸好阿克西尼娅离开了,不然会伤着她的……"

带点酸味儿的烟雾已经散去,只见碗架上的餐具被震破了,窗子玻璃都震碎了,炉灶口的砖头也被炸碎了。

我很不喜欢霍霍尔此时此刻那种满不在乎的态度——他表现得跟没事人似的,好像这个愚蠢的主意一点儿都没让他感到气愤。然而,男孩子们却满大街地在边跑边喊:

"霍霍尔家失火啦!烧起来啦!"

一个妇女一面不停地诉说,一面号啕大哭,而阿克西尼娅则从房间里发出一声惊叫:

"米哈伊洛·安东内奇,人们闯进店里了!"

"嗒,嗒,小声点儿!"他说,一面用毛巾擦着湿漉漉的大胡子。

一张张胡子拉碴的面孔,因为恐惧和愤怒,全都扭曲变形了。他们眯缝着被烟熏火燎的眼睛,朝敞开着的窗子里一再张望;这时有人尖着嗓子，情绪激动地喊道：

"一定要把他们从村子里赶出去！他们总是不断地惹是生非！天啊，这算怎么回事儿呢？"

一个红头发的矮个子农民，嘴唇哆嗦着在胸前画着十字，他想从窗口里爬进来，但是没有爬成。他右手握着一把斧头，左手哆哆嗦嗦地使劲扒着窗台，最终还是滑了下去。

罗马斯手里拿着一根木头，问他：

"你要往哪里爬呀？"

"我要去救火，老爷子……"

"可是哪儿也没着火呀……"

这个农民惊恐地张大嘴巴，转眼便消失了。这时罗马斯走到店铺外的台阶上，一面把手里的那根木头给大家看，一面对众人说：

"你们当中有人将炸药装进这根木头里，然后把它塞到我们的劈柴垛里。可是炸药的量少了点儿，所以没造成什么损害……"

我站在霍霍尔的背后，看着大家，只听见那个拿斧头的农民心惊肉跳地说：

"他干吗冲着我挥动那根木头呢……"

这时，已经喝得醉醺醺的退伍兵科斯京大声喊道：

"把肇事者揪出来！把他送交法庭……"

但大多数的人都沉默不语，盯住罗马斯看，心存疑虑地在听他说话：

"要想把这个小屋炸掉，需要很多炸药，大概得——一普特①！好啦，大家都散了吧……"

有人问：

"村长到哪儿去了？"

"应该去叫警察！"

人们很不情愿地慢慢散开了，好像很有点儿不甘心似的。

我们坐下来喝茶。这时阿克西尼娅分别给大家一一倒上，态度从来没有这样亲切友善过。她非常同情地看着罗马斯，说：

"请不要责怪他们，他们这是在搞恶作剧。"

"这事儿，您不生气吗？"我问她。

---

① 约合 16.38 公斤。

"哪有时间对每件蠢事都生气呀。"

我在想："如果大家都能安分守己地干自己的事，那该有多好啊！"

他已经对我说过，不久他要到喀山去，问我要带什么书回来。

有时候，我觉得，这个人心里装有一部机器，就像钟表的机芯那样，一旦上紧了弦，就能够走一辈子。我喜欢霍霍尔，也非常尊敬他，但我希望，有朝一日他能对我或者别的什么人发一通脾气，跺着脚臭骂一顿。然而，他不会或是压根儿不想动这个气。当有人出些馊主意，成心惹他生气时，他也只是轻蔑地眯起灰色的眼睛，冷冷地来上几句不咸不淡的话——却总是那么简洁明快，一针见血。

比如，他问苏斯洛夫：

"为什么呀，您，年纪都那么大了，何必还要昧良心呢，啊？"

老人发黄的脸色和额头渐渐变得通红，好像他的白胡子的须根也变红了。

"要知道，这对您并没有什么好处，而您却会失去别人对您的尊敬。"

苏斯洛夫低着头，同意道：

"是的，是没有什么好处。"

然后，他对伊佐特说：

"他真是个有知人之明的引路人。让这样的人去当领导……"

罗马斯言简意赅，头头是道。他语重心长地嘱咐我，当他不在的时候我应该做什么和怎么做，而且我觉得，他已经完全忘记了有人想用爆炸来恐吓他的事，就像把蚊蝇的叮咬置之脑后一样。

潘科夫来了，他看了看炉灶，阴沉着脸，问道：

"没吓着你们吗？"

"咳，有什么可怕的？"

"是场战争啊！"

"坐下喝茶吧。"

"老婆在等着呢。"

"你去哪儿了？"

"渔场。和伊佐特在一起。"

他走了，在厨房里他再一次若有所思地说：

"是场战争。"

他和霍霍尔说话从来都很简短，好像所有重要而复杂的事情早都已经讲过了。记得伊佐特听了罗马斯讲的关于伊凡雷帝当政的故事后说：

"这皇帝也太没有意思了！"

"他杀人如麻。"库库什金补充说，而潘科夫则坚决认为：

"看不出他的脑子有什么过人之处。他杀害了许多王公大臣，可是又有许多小的贵族①取代了他们的地位。他还招来了许多外国人。这事他做得可很不明智。小的贵族地主比大的贵族地主还要坏。苍蝇不是狼，猎枪打不着它，可是它让人讨厌，比狼还可恶。"

库库什金提来一桶和好了的泥巴，他一面给炉灶砌砖，一面说：

"这帮鬼东西，亏他们想得出来！自己身上的虱子还捉不干净，竟然捉弄起别人来了，好哇！你呀，安东内奇，不要一下子运来很多货物，最好一次少运点儿，多运几次。不然，瞧吧，他们还会给你放火烧掉。现在，你要干的这件事，等着吧，有你倒霉的时候！"

所谓"这件事"，指的就是果园主合作组织，村里有钱人都持反对态度。霍霍尔在潘科夫、苏斯洛夫和两三个明白事理的农民的帮助下，已经筹划得差不多了。大部分家庭的主事人对罗马斯已经开始产生好感，店里的顾客也明显多了起来，连那些"没什么用处的"农民——巴里诺夫和米贡——也都千方百计地为霍霍尔的事情助一臂之力。

我非常喜欢米贡，爱听他那美妙而忧伤的歌曲。他唱歌的时候老是闭着眼睛，这样他那张痛苦的脸便不再抽搐了。他喜欢在夜晚没有月亮或天空被厚厚的云层遮住的时候活动。有时候天刚刚黑他就悄悄地喊我：

"到伏尔加河上去吧。"

到了那里，他坐在自己小船的船尾上，将两条黑黢黢的罗圈腿伸进黑乎乎的河水里，一面拾掇禁止使用的捕捉鲟鱼的渔具，一面小声地对我说：

"地主老爷在我的头上拉屎撒尿，唉，我认啦，这狗东西，他是个人物，比我见多识广。可是，自己的兄弟，乡巴佬一个，也来挤兑我——我怎么能咽下这口气呢？我们之间有什么差别？他手里数的是卢布，我手里数的是戈比，不就这点儿不同嘛！"

米贡脸上的表情显得很痛苦，眉毛一动一动的，一直在不停地跳

---

① 伊凡四世（即伊凡雷帝）1547年加冕亲政，自称沙皇，是全俄的大独裁者。他利用诸侯间的矛盾，打击大贵族，扶植小贵族，对内实行中央集权，残酷镇压人民，对外一味扩张，宣称要建立称霸世界的"第三罗马帝国"。

动；他手指头的动作异常麻利，一面查看渔具，一面用锉刀在打磨鱼钩，只听见他在低声地倾诉着自己的心声：

"说我是小偷，没错儿，我是有罪！可是大家不都是在靠偷窃过日子吗？大家都在互相敲诈，你咬我，我咬你。是的。上帝不喜欢我们，可魔鬼对我们却宠爱有加呀！"

黑乎乎的河水从我们眼前流过，乌云在上空飘动。黑暗中，已经看不见岸上的草地了。

"日子总得过下去呀，是不是？"米贡叹了口气，问道。

岸上，一条狗在凄厉地狂叫着。我好像在做梦似的想：

"可为什么一定要按你这个样子活下去呢？"

河面异常安静，黑压压一片，看着让人瘆得慌。而且，这种温暖的黑夜是没有穷尽的。

"霍霍尔会被人打死的。瞧着吧，你也会被打死的。"米贡嘟哝道；然后，他出人意料地小声唱起来：

　　　　我妈妈对我，宠爱有加——
　　　　她曾经对我说：
　　　　哎呀，我的小心肝儿，
　　　　哎呀，我的宝贝疙瘩，
　　　　一定要踏踏实实地生活，
　　　　一片冰心，不求闻达……

他闭上眼睛，他的声音越来越强劲，听起来也更加忧伤；他的两只手在检查着渔具的绳索，手指头的动作越来越缓慢了。

　　　　我没有听妈妈的话，
　　　　哎呀呀，没有听妈妈的话……

我有一种奇怪的感觉：好像大地被汹涌澎湃而来的黑色洪流所涤荡，将它深深地卷入其中，而我则从地面上滑落下去，一直滑到一个伸手不见五指的黑暗去处，即太阳永远沉没的地方。

米贡忽然不唱了，就像他开始唱时一样出人意料。他一声不响地将小船推到河里，坐上去后，又几乎毫无声息地消失在茫茫黑暗之中。我看着他的背影，心里想：

"这些人活着究竟是为了什么?"

巴里诺夫①也是我的朋友,他这个人说话没什么条理,爱吹牛,非常懒惰,好搬弄是非,成天东游西荡,总也坐不住。他在莫斯科住过,一谈起这座城市,他便直吐唾沫:

"整个一座地狱!乱七八糟。教堂——一万四千零六座,可那里的人呀——清一色都是的骗子!而且,所有的人——像马一样,都长有一身的疥疮,千真万确!无论是商人、军人,还是市民,无一例外,都是边走路,边挠痒痒。确实,那里有一尊大炮王,那家伙个头大极了!是彼得大帝亲自铸造的,是用来对付暴乱分子的。有一个娘们儿,出身贵族,因为爱他,便起事反对他。他和她共同生活了整整七年,日子一天天地过去了,最后他抛弃了她,还有三个孩子。她一怒之下——就造了反!就这样,我的好老弟,彼得大帝就用这尊大炮,对准暴乱分子,轰的一声——九千三百零八人,一下子全被撂倒了!他自己甚至都被吓了一跳。于是,他对菲拉列特大主教②说:'不行,必须得把这家伙的嘴给封上,不能再放了!'后来炮口便给封上了……"

我对他说,你这全都是胡扯,他听了生气地说:

"我的天呀!瞧你的脾气有多么坏!这故事是一位很有学问的人仔细讲给我听的,可你却说……"

他常去基辅面见"圣徒",而且说:

"那个城市——很像我们的村庄,同样坐落在山上,还有一条河——不过我忘记它叫什么河了。跟伏尔加河比起来——它不过是一条水沟而已!老实说,这个城市很乱。所有的街道都曲里拐弯,通到山上。那里的老百姓叫'一撮毛'③,跟米哈伊洛·安东诺夫的血统不一样,而是一半波兰人、一半鞑靼人。他们净胡诌乱扯,不正经说话,平时蓬头垢面,邋里邋遢,而且还吃癞蛤蟆。他们那里的癞蛤蟆一只有十普特④重。他们把牛当作交通工具,甚至还用牛耕地。他们的牛非

① 马特维·巴里诺夫,下诺夫戈罗德当地农民,曾随高尔基在俄国到处游荡了好几个星期。

② 原名瓦·米·德罗兹诺夫(1782—1867),俄国著名宗教人士,自1826年起担任莫斯科大主教,参加过制定1861年俄国废除农奴制的宣言。

③ 旧时对乌克兰男人的一种不敬的称呼,因他们常在剃光头顶的脑门上留下一小撮头发而得名。

④ 约合163.8公斤。

常棒，最小的也比我们的牛大四倍，体重八十三普特。那里的修士有五万七千名，主教二百七十三人……喏，你这个人真怪！你怎么能跟我争论呢？我是目睹其实，亲眼所见，可你呢——你去过那里吗？没去过。喏，这不就结了！我呀，老弟，最讲究准确无误了，丁是丁，卯是卯……"

他喜欢数字，从我这儿学会了加法和乘法，但是他对除法非常头疼。他对多位数的乘法情有独钟，不怕算错，常常用木棍在沙地上写一连串的数字，瞪大孩子般的眼睛，惊讶地望着它们，赞叹道：

"这玩意儿谁都念不出来！"

他这个人邋邋遢遢，灰头土脸的，衣服破破烂烂，可是他那张脸，模样长得倒不错，留着一把卷曲的、很有意思的长胡子，一双浅蓝色的眼睛，笑起来像个孩子似的。他和库库什金身上有一些共同之处，也许正是由于这个缘故，他们总是相互回避，尽量少碰面。

巴里诺夫曾经两次去里海捕鱼，因此，他总爱说：

"大海这玩意儿，我的兄弟，可不像别的什么东西。在大海面前——你只不过是一只小蚊子！面对大海——你简直就感觉不到自己的存在！海上的生活是甜美的。各种各样的人都在往那儿跑，连东正教的修士大祭司也只身一人跑来了：他做得不错！有个女厨师也是孤身一人，作为情妇，她跟一个检查官住在一起，喏，她还能要求什么呢？然而——她还是忍受不了，说：'检查官，你待我很好，不过，咱们还是分手吧！'因为不管是谁，只要看见过大海，哪怕只是一次，他就会再被吸引过去。那里有广阔的天地。像在空中一样，天马行空，任人驰骋！我也要到那里去——永生永世。我不喜欢有很多人，这就是原因。我本想过隐居生活，藏身于荒郊野外，不过，我不知道哪儿有像样的荒野去处……"

他像一条无家可归的狗，在村子里东游西荡。人们都瞧不起他，可是听他讲故事倒是很乐意，就像愿意听米贡唱歌一样。

"真能胡诌，挺有意思的。"

他那异想天开的故事，有时候连潘科夫这样一本正经的人都听得稀里糊涂了。有一次，这个不轻易相信别人的农民对霍霍尔说：

"巴里诺夫说，关于伊凡雷帝的事，并没有都记载在书里，有许多东西被隐瞒起来了。他这个人——伊凡雷帝——变化多端，曾经变成过一只鹰，所以，从那个时候起，钱币上便压制出一只鹰，这是为了纪念他。"

我发现——不知有多少次了，所有那些稀奇古怪、荒诞不经的故事，有时甚至是编得很蹩脚的故事，比起那些描写生活真实的严肃故事来，人们往往更喜欢听他那些胡编乱造。

但当我把这个情况告诉霍霍尔时，他嘿嘿一笑说：

"这种情况会过去的！等人们学会思考就好了，而他们一定会认清真理的。至于这几个怪人——巴里诺夫、库库什金，您应该理解他们。要知道，他们是艺术家，是要笔杆子的。大概耶稣也曾经是这样一个怪人。请相信我的话，有些东西他编得还挺不错呢……"

令我感到惊讶的是，所有这些人，他们很少——而且不怎么愿意谈论上帝，只有苏斯洛夫老人经常而且充满自信地说：

"一切都是由上帝安排的！"

而且我从这句话里总能听出一种无奈的情绪。我和这些人在一块儿相处得很好，从每晚跟他们的交谈中学到了很多东西。我觉得，罗马斯提出的每一个问题，都像是一棵高大的树木，深深扎根于生活的土壤，而它的根系在土壤下面和别的、同样古老的大树的根系交织在一起。这样，它们的每一个枝头上都绽放着鲜艳的思想之花，生长出茂密的、掷地有声的语言之叶。我从书中汲取了催人向上的蜜汁，感到自己在不断地成长，说起话来也更加自信了，因此，霍霍尔曾不止一次地笑嘻嘻地夸奖我说：

"马克西梅奇，你干得不错啊！"

我非常感谢他对我说的这些话。

潘科夫有时候将自己的老婆带到我们这里来。她个子矮矮小小的，样子很温顺，长有两只聪明的蓝眼睛，一身"城里人打扮"。她不声不响地坐在一个角落，怯生生地抿着嘴唇，但是没过多久，她便惊讶得大张着嘴，眼睛也瞪得老大。有时候，她听到一个什么要害的词儿，便双手捂住脸，不好意思地笑起来，这时潘科夫直向罗马斯递眼色，说：

"她听懂了。"

常有一些非常谨慎的人来找霍霍尔，然后他和他们一块儿到阁楼上来找我，一坐就是几个小时。

阿克西尼娅给他们送吃的和喝的东西，他们就住在那里。这事除了我和女厨子，别的谁都不知道。女厨子对罗马斯就像狗一样忠心耿耿，几乎把他奉若神明。每天夜晚，伊佐特和潘科夫便把这些客人用小船送上过往的轮船，或者送到洛贝什基的码头。我从山上向下观望，只见一条小船上的透光镜在黑乎乎的，或在月光照耀下白花花的河面上闪闪发光。为引起轮船船长的注意，小船的上方还吊着一盏灯。我看着这一切，感到自己也参与了一项伟大而秘密的事业。

玛丽娅·杰连科娃经常从城里到这里来，但是，我从她的眼睛里已经看不到那种使我感到很不自在的目光了。我觉得她的眼睛很像是这样一个姑娘的眼睛：她因为意识到自己的美貌而备感幸福，也因为有一个很帅的大胡子男人在追求她而心花怒放。他跟她说话的时候就跟和大家说话时一样，态度非常平静，略微带几分嘲笑的意味，只不过是胡子捋得更勤了，目光也显得温存多了。而她那尖细的嗓音也充满了愉快的情绪；她穿一件浅蓝色的连衣裙，浅色的头发上系着一条浅蓝色的发带。她那孩子般的双手，不知为什么，总是闲不住，见什么摸什么，好像是在寻找什么东西。她一直在哼哼着什么歌曲，也不张嘴，几乎就没有停止过，同时用一块小手绢在自己稚嫩的红脸蛋儿前来回扇着。她身上有某种新的使我感到非常别扭的东西，令人非常反感和气愤。我尽量少跟她见面。

七月中旬，伊佐特不见了。有人说他被淹死了。两天后，事情得到了证实：在距离村子七俄里远的下游处，他的小船被冲到了岸边的草地上——船底破裂，船舷被撞碎。人们对这一不幸事件的解释是：大概伊佐特在河上睡着了，他的小船撞上停泊在距村子五俄里下游处的三艘驳船的船头了。

这件事发生的时候，罗马斯正在喀山。晚上，库库什金到店里来找我，垂头丧气地往麻袋上一坐，一声不吭，只看着自己的两只脚。后来，他吸了一口烟，问我：

"什么时候霍霍尔能回来？"

"不知道。"

于是，他用手开始使劲搓揉自己那张伤痕累累的脸，小声地直骂娘，喉咙里像卡了根骨头似的，一通吼叫。

"你怎么了？"

他紧咬着嘴唇，看了我一眼。他的眼睛发红，下颚直哆嗦。见他说不出话来，我十分着急，心想一定出了什么不幸的事儿。最后，他朝外面看了看，好不容易总算结结巴巴地说出话来：

"我和米贡一块去了。看见了伊佐特的船。船底是用斧头凿开的。你明白吗？就是说，伊佐特是被人害死的！不可能是别人……"

他不停地摇晃着脑袋，开始骂骂咧咧，一个劲儿地干嚎，嘴里脏话一直没断。后来，他闷声不响了，开始在胸前画着十字。这个农民想哭，但哭不出来，因为他不会哭，只是气得浑身颤抖，伤心难过得透不过气来，看着简直让人难受极了。他猛然站起身，拔腿便走，一个劲儿地直摇头。

第二天傍晚，几个在河里洗澡的男孩子，在一条被撞坏的驳船下面发现了伊佐特；驳船就在距村子不远的上游岸边，船体一半在岸边的石头上，另一半浸泡在水里。伊佐特的长长的尸体被钩在已经损坏了的尾舵上，脸朝下，四肢张开，脑壳已经空了。河水把脑浆已经冲走了。是有人从背后对这位渔民下的手，他后脑勺上的斧痕清清楚楚。河水把伊佐特冲得摇来晃去，把他的两条腿推向岸边，他的两只手也在随着水流晃动，好像伊佐特在拼命地想爬上岸来。

岸上有二十来个有钱的农民，黑丧着脸，聚精会神地站在那里；贫苦农民们还没有从田里回来。鬼头鬼脑、胆小怕事的村长挥舞着拐杖，前后一通忙活。他吸溜着鼻涕，不时用粉红色的衬衫袖子擦擦鼻子。身体健壮的小店老板库兹明叉开双腿，腆着个肚子，依次地看了看我，又看了看库库什金。他板着个脸，紧皱眉头，但他那毫无表情的眼睛里也饱含着泪水，而且，我觉得他那张麻脸也怪可怜的。

"哎呀，简直是胡闹！"村长哭诉着说，两条罗圈腿在地上直跺脚，"唉，这些个农民，太不应该啦！"

一个人高马大的年轻女人——村长的儿媳妇——坐在岩石上，呆呆地望着河面，一只手哆哆嗦嗦地在胸前画着十字，嘴唇一动一动的。她的下嘴唇又厚又红，不知怎么的，看着让人感到很不愉快，跟狗的嘴唇一模一样，向下耷拉着，露出像羊一样的大黄牙。姑娘和小伙子们像一个个的彩球，从山上飞奔而下，灰头土脑儿的农民们也急匆匆地赶来了。人们小心谨慎地悄悄嘀咕着：

"这个庄稼佬也真够缺德的。"

"怎么见得呢？"

"这不就是那刺儿头库库什金……"

"不该把人弄死……"

"伊佐特——只会老老实实地过日子……"

"老老实实地？"库库什金大吼一声，向农民们扑了过去，"那你们为什么要害死他，啊？混蛋！为什么？"

突然，一个女人歇斯底里地哈哈大笑起来。这女人的狂笑像一条鞭子，在人群中劈头盖脸地抽打起来。农民们大吼一声，互相开始推推搡搡，大呼小叫，破口大骂。这时，只见库库什金一个箭步，冲到店老板跟前，抡起胳膊，照准库兹明的麻脸，啪的就是一记耳光。

"这一巴掌是给你的，畜生！"

这时，他挥舞着两个拳头，立刻从混战的人群里跳了出来，几乎是满心高兴地冲我喊道：

"你赶紧走开，要打群架啦！"

他已经挨着了别人的揍，嘴被打破了，正往外吐着血，但是他脸上的表情却显得十分得意……

"看见我怎么给库兹明那一耳光了吗？"

巴里诺夫跑到我们跟前，心惊胆战地看了看驳船边上的人群。他们挤了一大堆，这时，只听见村长的尖嗓音从人群中传了出来：

"不，你说话要有证据：我放纵什么人了？你要拿出证据来！"

"我必须离开这儿。"巴里诺夫嘴里嘟哝着，一面往山上走去。晚上的天气很热，闷得让人透不过气来。血红的太阳躲在厚厚的蓝色云层的后面，它那红色的余晖把灌木丛的叶子照得闪闪发亮，什么地方传来了隆隆的雷声。

伊佐特的遗体在我的面前轻轻地晃动着，破裂的脑壳上的头发被河水冲得笔直，仿佛都竖起来了。我想起了他那低沉的声音和美好的话语：

"每一个人身上都有孩子气的东西，我们应该看到这一点，要正视它！就说霍霍尔吧：看上去，他好像是铁石心肠，其实，他的心呀——整个一个孩子！"

库库什金和我并肩而行，他气鼓鼓地说：

"我们大家被弄得这样惨……天哪，简直是荒唐！"

两天后，霍霍尔回来了——深更半夜的，好像有什么事情使他感到非常满意，而且对人的态度也显得异常亲切。我把他让进屋后，他拍了拍我的肩膀，说：

"你的睡眠太少了，马克西梅奇！"

"伊佐特被人害死了。"

"什——么？"

他鼓着腮帮子，颧骨突起，胡子哆嗦得像一股激流，直奔胸口。他没顾上脱下帽子，站在房子中间，眯缝起眼睛，一个劲儿地直摇头。

"这么说，不知道是谁干的？喏，是啊……"

他慢慢地走到窗前，坐下后，将两条腿向前伸着。

"我曾经对他说过……官方来过了吗?"

"昨天来过了。是区警察局长。"

"喏,说了什么?"他问道,然后又自己回答说,"不用说,毫无结果!"

我对他说,区警察局长像往常一样,在库兹明那里停了一下,他下令将库库什金关进了看守所,因为他打了店老板库兹明一记耳光。

"是啊,喏,这有什么可说的呢?"

我到厨房给茶炊生火去了。

罗马斯喝茶的时候说:

"这些人真是可悲,他们总是杀害自己中间的佼佼者!可以说——是他们害怕这些人。正像这里的人们所说,这些人'不对他们的脾胃'。当年我被押往西伯利亚的时候,有一个苦役犯对我说,他是个惯偷,专门从事盗窃活动,他们有一帮人,共五个。这时有一个人开口说:'弟兄们,咱们不要再盗窃啦,偷来偷去,反正都一样——没有多大意思,日子照样不好过!'为此,他们趁这个人喝醉的时候活活把他给掐死了。讲故事的人对死者大加赞扬,说:'后来我结果了那三个人的性命——毫不手软,可是对那一位伙伴,至今我还感到非常惋惜,他是个好人,聪明,开朗,心灵纯洁。'我问他:'那你们为什么要掐死他,是怕他出卖你们吗?'他甚至生气了,说:'不,他绝不会出卖我们的,给他多少钱他也不会出卖!只是因为觉得跟他合不来,想不到一块儿,我们大家都是有罪的人,好像就他一个人是正人君子,这样可不好。'"

霍霍尔站起身,把两只手往背后一抄,嘴里叼着烟斗,穿一件下摆拖到脚后跟的鞑靼式的白色衬衣,开始在屋子里踱来踱去。他光着脚,迈着沉重的步子,若有所思地低声说道:

"害怕正人君子,想把好人从生活中除掉,这种事我见得多了。对这种人有两种态度:要么先是对他们进行迫害,想方设法灭了他们;要么像狗一样盯住他们的眼睛,在他们面前俯首帖耳,唯命是从。这样做的人比较少。可是,向这样的人学习,以他们为榜样——他们一是做不到,二也不会去学。也许是他们不愿意学?"

他端起一杯已经放凉了的茶,说:

"可能是不愿意学!你们想嘛,大伙儿千辛万苦为自己建立起了一种生活方式,都已习惯了,可忽然有那么一个人——站出来进行反对,说不能这样生活!是不能够这样吗?可我们已经将我们最宝贵的精力都投入到这样的生活中了呀，见你妈的鬼去吧！于是，'啪'的一记耳光，打在了这位导师和正人君子的脸上。不要妨碍我们！可是现实生活的真理，毕竟是站在那些说'不能这样生活'的人一边。真理在他们一边。而且是他们在推动生活向更好的方向发展。"

他朝书架挥了挥手，补充说：

"尤其是这些书！唉，如果我会写书那该有多好啊！可是——我这方面不行，我的思想迟钝，没有条理。"

他坐到桌前，胳膊肘撑在桌子上，双手抱着脑袋，说：

"伊佐特多可惜呀……"

然后他沉默了很久。

"喏，我们睡觉去吧……"

我回到阁楼自己的住处，坐在窗户边。田野的上空，一道道闪电，照亮了半个天空；当清澈、火红的闪电划过天空时，月亮仿佛被吓得胆战心惊，瑟瑟发抖。狗撕心裂肺地号叫着，狂吠着；若不是这些狗的叫声，我很可能以为自己是生活在一座荒无人烟的孤岛上呢。远处雷声隆隆，一股烦人的闷热气流，从窗外扑面而来。

伊佐特的尸体就躺在我的面前，停放在岸边的柳树丛中。他那发青的脸仰面朝天，一双无神的眼睛深深地陷进眼窝里。金黄色的胡须被黏在一起，成了乱糟糟的一团，胡子下面是一张张着的嘴，显得很惊讶的样子。

"最主要的，马克西梅奇，就是善良与情谊！我喜欢过复活节①，就因为它是一个最讲情谊的节日！"

伊佐特那两条发黑的腿已经被伏尔加河的河水冲刷得干干净净，被炎热的太阳晒干了的蓝色裤子紧紧贴在他的腿上。苍蝇在这位渔民的脸上嗡嗡乱飞，他的尸体发出一股臭烘烘的难闻的气味儿。

楼梯上传来了沉重的脚步声。罗马斯弯腰走进门来，然后将胡子

---

① 复活节，犹太教为逾越节，犹太教和基督教春天的节日。犹太教是为了纪念犹太人"走出"埃及，庆祝此节意味着等待救世主的降临；基督教中的这一节日同基督耶稣被钉十字架受难后第三日复活的神话有关，亦称耶稣复活节、主复活节、耶稣复活瞻礼。开始一些教会在犹太教历的尼撒月14日举行纪念；325年尼西亚公会议规定每年春分月圆后的第一星期日为复活节，进行庆祝活动。俄历一般在3月22日至4月25日之间，届时人们互赠复活节彩蛋，象征生命与繁荣。

拢在一起，坐到了我的床上。他说：

"我呀，知道吗，要结婚了！真的。"

"对于一个女人来说，这里有很多难处……"

他仔细瞧着我，好像在等着：我对此能说些什么？但我不知道该说什么。一道闪电的余光照进了室内，把整个房间照得通亮。

"我要娶玛莎·杰连科娃……"

我不禁露出了微笑，因为此前我从未想到有人会称这个姑娘为玛莎①。这太有意思了。我不记得她的父亲或者兄弟以前是否这样称呼过她——玛莎。

"您笑什么呢？"

"没什么。"

"您以为，对她来说，我太老了吗？"

"噢，不！"

"她告诉过我，说您爱上过她。"

"好像——是的。"

"那么现在呢？事情过去了吗？"

"是的，我想是这样。"

他的手松开了手中的胡子，低声说道：

"在您这个年纪，这种事往往只是'好像'，可是到了我这个年纪，已经不是什么好像不好像了，而是干脆抓住一切不放，什么都不能再考虑了，没有精力了！"

这时，他嘿嘿一笑，露出了结实整齐的牙齿，继续说：

"安东尼②之所以在亚克兴战役③中败给了恺撒·渥大维④，那是

---

① 玛丽娅的小名。

② 安东尼（公元前82—前30），又译安敦尼，古罗马统帅，政治家，恺撒的部将，屡建战绩；后与埃及女王克娄巴特拉结婚，遭元老院反对，公元前31年与克娄巴特拉一起败于渥大维，逃回埃及，因绝望自杀于亚历山大里亚。

③ 亚克兴战役，古罗马渥大维（奥古斯都）与安东尼的一次大决战，发生于公元前希腊阿卡那尼西亚北隅的亚克兴海角，结果渥大维大败安东尼。

④ 恺撒·渥大维（公元前63—14），公元前27年在罗马称帝，元老院奉以"奥古斯都"（拉丁文有"神圣者""至尊者"之意）的尊号，后人即以此称之。亚克兴战役的胜利，使他成功结束了恺撒（约公元前100—前44）死后古罗马的内战局面。

因为他放弃了自己的舰队和指挥，乘坐自己的舰船，去追随克娄巴特拉①。而这位女王则被吓坏了，退出了战斗。瞧，竟有这样的事！"

罗马斯站起身，伸了个懒腰，好像很不情愿似的，重又说了一遍：

"就这么着——我要结婚啦！"

"很快吗？"

"秋天。等苹果摘了之后。"

他走了。出门时他根本用不着把脑袋弯得那么低，而我则躺下睡觉了，心想，如果秋天我离开这里，也许会更好一些。他为什么要提安东尼呢？这一点我很不高兴。

已经是采摘早熟品种苹果的时候了。今年的苹果是大丰收，树上硕果累累，树枝被果实压得都快垂到地上了。果园里花香四溢，孩子们吵吵嚷嚷，他们在地上捡拾那些被虫蛀和被风吹落的发黄与发红的苹果。

八月的头几天，罗马斯从喀山运回一船的货物和其他装得满满的箱子。那是一个普通的早上，八点钟的样子。霍霍尔刚穿好衣服，洗过脸，正准备喝茶，他高兴地说：

"夜间在河上行船可真不错……"

忽然，他用鼻子闻了闻，担心地问：

"是不是有一股煳味儿？"

刚好这时院里传来了阿克西尼娅的喊叫声：

"着火啦！"

我们赶紧跑到院子里——菜园那边的板棚墙壁起火了，板棚里我们存放了煤油、焦油和食用油。有几秒钟的时间，我们完全被惊呆了，眼睁睁地看着在阳光照耀下有些发黄的火舌，在迅速地吞噬着墙壁，直往棚顶上蹿。阿克西尼娅提来了一桶水，霍霍尔马上把水泼向正在熊熊燃烧的墙壁。他放下水桶，说：

"见鬼！马克西梅奇，赶紧把油桶滚出来！阿克西尼娅——快去店里叫人呀！"

---

① 克娄巴特拉（公元前69—前30），埃及末代女王（公元前51年起），属托勒密王朝。据传，她才智过人，还有绝代佳人之称，权势欲极强，称王之后，自恃权重，为所欲为，被罗马元老院宣布为"祖国之敌"。亚克兴战役失败后，为避免当俘虏的命运，最后自杀（据说是让毒蛇咬死的）。她的形象在莎士比亚、萧伯纳等艺术家的作品中都有所描绘。

　　我迅速将一桶焦油滚到院子里，再滚到街上，然后又去推煤油桶，但是当我刚把它调转过头来——原来桶盖是开着的——煤油一下子流到了地上。就在我急着找桶盖的时候，那火可不等人，一道道火苗已经穿过板棚的木板墙，烧到棚顶上去了。只听见噼噼啪啪一片声响，仿佛是嘲笑人的歌声。我把这已经不满的一桶煤油推出来后，只见有许多妇女、儿童从四面八方跑来，满大街地乱窜，而且边跑边喊，一通尖叫。霍霍尔和阿克西尼娅把货物从店里搬出来，放进峡谷里。这时，当街上站着一位老太婆，黑衣服，白头发，正在用拳头威吓人，尖声喊道：

　　"哎——呀——呀，你们这些魔鬼啊！……"

　　我再一次跑进板棚，发现那里已经是浓烟滚滚，烟雾中只听见噼噼啪啪地乱响，几条弯曲扭动的红色火舌沿着棚顶蜿蜒而下。这时，板棚的墙壁已经被烧成了一张火红的筛子。浓烟熏得我透不过气来，眼睛什么都看不见。我竭尽全力，把油桶推到板棚门边，可是油桶在门口被卡住了，往前推不动了，棚顶上的火星纷纷落下来，直烫着我的皮肤。我喊着要人来帮我一把，这时霍霍尔跑了过来，一把抓住我的手，把我拖到了院子里。

　　"快跑！要爆炸了……"

　　他向过道里跑去，我紧随其后，上了阁楼，那里放有我的许多书籍。我把书从窗口里扔了出去，还想再把一箱帽子也扔出去，但是窗口太小了，箱子过不去。于是，我开始用半普特重的一个哑铃使劲砸窗框。这时只听见轰隆一声，棚顶剧烈地震动了一下，我明白，这是煤油桶爆炸了。我头上的板棚顶烧了起来，噼噼啪啪地乱响，红色的火苗从窗户边蹿过去，直往里面探头，我被烤得实在难以忍受。我向楼梯跑去，滚滚浓烟，迎面扑来，红色的火舌正在沿着楼梯往上爬，而楼下过道里一片杂乱的响声，好像是谁的铁嘴钢牙在啃咬木头似的。我完全没了主意。我被熏得喘不过气来，眼睛也睁不开，有几秒钟的时间，我站在那里，呆若木鸡——真是无限漫长的几秒钟啊。这时，有一张黄面孔，红胡子，在楼梯上方的气窗口往里张了一眼，但他只是将嘴巴一撇，立刻又不见了。就在这个时候，血红的火苗子，像一根根长矛，把棚顶全都烧穿了。

　　只记得，当时我头上的头发，好像发出一种咝咝的响声，此外我就听不见别的什么声音了。我知道，我已经完了，我两腿直发沉，而且眼睛非常疼，尽管我一直在用手护着。

求生的本能让我急中生智，想出一条唯一的逃生之路：我立刻抱起裤子、枕头和一捆麻绳，把罗马斯的羊皮袄往头上一蒙，从窗口里跳了出去。

我醒来的时候是在峡谷边上，罗马斯蹲在我面前，冲我大声喊道："怎么样啦？"

我站起身，呆呆地眼看着我们的小木屋一点一点地化为灰烬，整个房子完全被大火吞没了，鲜红的火焰，像狗的舌头似的，舔着房前黑色的土地。各个窗口黑烟滚滚，屋顶上蹿出许多摇摆不定的黄色火苗。

"喏，怎么样？"霍霍尔喊道。他满头大汗，一脸的油，哭得泪人似的，惊魂未定地直眨巴眼睛，湿漉漉的胡子上粘了许多树皮屑。一种由衷的喜悦在我的心中油然而生——这是一种多么巨大而强烈的感情啊！后来，我感到左脚一阵剧烈的疼痛，我躺下来，对霍霍尔说：

"我一只脚脱臼了。"

他摸了摸我的脚，然后突然往外一拖。我感到一阵钻心的疼痛，可是几分钟后，我简直感到喜出望外，我可以稍微跛着点儿腿，把抢出来的东西慢慢往浴室里搬了。这时，罗马斯嘴里叼着烟斗，说：

"我相信，要是煤油桶一爆炸，油溅到房顶上，准会把您烧死。当时火势很猛，火光冲天，天空里笼罩着蘑菇云，整个房子立刻陷入一片火海。我想，唉，这下马克西梅奇算是完了！"

像往常一样，他已经平静了下来，把东西归拢得整整齐齐，码放成一堆，然后对蓬头垢面、一身脏兮兮的阿克西尼娅说：

"您坐在这儿，看着东西，别让人偷走了，我去救火……"

一些白色的纸片在峡谷上空的烟雾里随风飘扬。

"唉，"罗马斯说，"这些书，简直太可惜了！真叫人舍不得……"

已经烧毁了四座房子。这一天，风平浪静，火势烧得非常从容，不慌不忙地向左右蔓延，那灵敏的火舌，好像很不情愿似地攀上篱笆，直达房顶。大火像烧红了的火笼子，在梳理着棚顶的干草，一道道火苗，像弯曲的手指，在篱笆上不停地跳跃，好像在拨弄古斯里琴①的琴弦。烟雾中传出大火那恼人的幸灾乐祸的狂热歌声和木头被烧成灰烬前所发出的几乎很柔和、细微的噼啪声。金色的"火乌鸦"从浓浓的

---

① 俄国古代一种多弦的弦乐器，类似于中国的古筝。

烟雾中飞到大街上，落到院子里。农民和农妇们手忙脚乱地乱作一团，各人只关心自己的事，没完没了地大声喊叫着：

"拿水来！"

水离这里很远，在山下的伏尔加河里。罗马斯很快把农民们集合成一堆，然后又是拉、又是推，最后把他们分成两拨，让他们赶快去拆除篱笆和火场两边的房屋。人们老老实实地听从他的指挥，开始和那眼看就要吞噬"整排"房屋乃至整条大街的肆无忌惮的大火，展开了更加理智的斗争。不过这些人干起活来仍然是缩手缩脚，前怕狼、后怕虎，而且不知为什么，不抱任何希望，好像在为别人干事儿一样。

我心里非常高兴，觉得自己从没有像现在这样充满了劲头。在大街的一头，我看见村长和库兹明领着一帮有钱的人站在那里，他们像看热闹的观众一样，什么都不干，只是挥动手杖，指手画脚地瞎嚷嚷。农民们骑着马，从田野里飞奔而来，两只胳膊肘抡掣得齐耳朵高，妇女们迎着他们，号啕大哭，小孩子们则到处乱跑。

又有一家院子里的厢房烧起来了。必须赶快拆掉牲口棚那边的篱笆墙，因为它是用粗树条编成的，红彤彤的火苗已经蹿了过来。农民们赶紧去砍篱笆墙上的木桩，火星、火炭纷纷落在他们的身上，吓得他们迅速闪到一边，急忙用手去摩挲已经被烧焦了的衬衫。

"不用害怕！"霍霍尔喊道。

他的喊叫声不起作用。这时他从别人头上摘下一顶帽子，把它往我头上一扣，说：

"您从那头儿砍，我从这头儿砍！"

我砍倒一根，又砍倒一根，篱笆墙开始摇晃起来。这时，我爬上篱笆墙，扒住墙头，霍霍尔拽住我的腿，使劲往自己这边拉，于是，整堵篱笆墙便倒了下来，差一点儿没把我的脑袋埋住。农民们齐心协力地把篱笆墙拖到了街上。

"烧伤了吗？"罗马斯问道。

他的关心使我顿时感到力量倍增，干得就更欢了。我想在这个我很尊敬的人面前露上一手，于是，我像疯了似的拼命地干，只希望他能够多夸奖我几句。可是，在浓浓的烟雾中，我们那些书散落的书页，像鸽子一样，一直不断地在空中飞舞。

右边的火势已经被控制住，不再蔓延了，可是左边的仍然在继续蔓延，而且面积越来越大，已经波及到第十家了。罗马斯留下一部分农民，监视狡猾的火情，他自己则带领大部分人向左边跑去。当他从那帮有钱人身边经过时，我听见有人恶狠狠地喊着：

"就是他放的火！"

店老板则说：

"应该去他的浴室看一看！"

这些刺耳的话，我很难忘记。

众所周知，兴奋，尤其是高兴，能使人力量倍增；当时我非常兴奋，所以拼命地去干，完全忘掉了自己，最后一直干到"精疲力竭"。只记得当时我坐在地上，背靠着一个什么热烘烘的东西。罗马斯在用水桶往我身上浇水，农民们围住我，满怀敬意，啧啧称赞道：

"这孩子真了不起！"

"还真没看出来……"

我的头紧紧靠在罗马斯的一条腿上，不好意思地哭了起来，而他则抚摸着我湿淋淋的脑袋，说：

"好了，休息休息！"

库库什金和巴里诺夫——两个人被火熏得跟鬼一样；他们把我领到峡谷里，安慰说：

"没关系，老弟，一切都结束了。"

"吓坏了吧？"

我还没有来得及躺一会儿，缓过劲儿来，就看见那十来个"有钱人"朝峡谷我们浴室这边走来。为首的是村长，他身后是押着罗马斯的两名乡村警察。罗马斯没有戴帽子，打湿的衬衫袖子也被扯掉了；他嘴里叼着一支烟斗，沉着个脸，样子非常可怕。退伍兵科斯京挥动手里的木棍，怒不可遏地狂叫着：

"把他扔进火里去，这个异教徒！"

"把浴室门打开……"

"把锁砸了吧——钥匙弄丢了。"罗马斯大声说。

我一下子跳起来，就地捡起一根木棒，和罗马斯肩并肩地站在一起。两名村警察闪到了一边，这时，村长尖着嗓子惊慌失措地说：

"东正教徒，是不允许砸锁的！"

库兹明指着我，喊道：

"还有这个人……他是什么人？"

"放心吧，马克西梅奇，"罗马斯说，"他们以为是我把货物藏在浴室里了，因此，是我自己放火烧的店铺。"

"是你们两个！"

"砸！"

"东正教徒们……"

"由我们负责！"

"我们负责……"

罗马斯小声跟我说：

"您站在我身后，和我背靠背！以防他们从背后进行袭击……"

浴室的锁被砸开了，几个人蜂拥而入，但几乎立马便退了出来；我呢，趁这个机会，赶紧往罗马斯手里塞过去一根木棒，我自己则从地上又捡了一根。

"什么都没有……"

"什么都没有？"

"好哇，这帮魔鬼！"

有人胆怯地说：

"白看了，农民们……"

针对这句话，有几个人，像喝醉了酒似的，狂怒地质问道：

"什么？——白看了？"

"把他们扔到火里去！"

"捣乱分子……"

"竟然还想成立什么劳动合作组织①！"

"是一伙窃贼！而且是结成帮的窃贼！"

"别说了！"罗马斯大声喊道，"喏，你们都看见了，我浴室里并没有藏匿什么货物，——你们还要干什么？东西全都被烧了，剩下的全在这里了：都看见了吗？把自己的东西放火烧掉，这对我有什么好处？"

"要保险费呀！"

这时，十几个声音又狂怒地喊了起来：

"他们几个人有什么可看的？"

"够啦！我们受够了……"

我两腿发抖，眼睛发黑。透过浅红色的烟雾，我看见一副副凶狠狰狞的面孔，看见他们一张张胡子拉碴的大嘴。我强压怒火，才没有

---

① 一种为从事共同经济活动而自愿结合的合作组织，基本上是将同一行业组织起来，进行活动，如农业劳动合作组织、渔业劳动合作组织等。

　　我两腿发抖，眼睛发黑。透过浅红色的烟雾，我看见
一副副凶狠狰狞的面孔，看见他们一张张胡子拉碴的大嘴。
　　　　　　　　　　　　　　　　　　　——《我的大学》

去狠揍他们。可是他们围着我们，又是吼，又是跳。

"哈，还拿着木棒呢。"

"拿着木棒，是吗?!"

"他们要拢掉我的胡子了。"霍霍尔说。这时我觉得他在冷笑。"您呀，马克西梅奇，同样也跑不了——唉，这叫什么事儿呀！不过——要保持冷静——要稳重……"

"瞧呀，那个年轻人还带着斧子呢!"

我裤腰里确实别了一把木匠用的斧头，我把这茬儿给忘了。

"他们好像是胆怯了，"罗马斯说，"不过，如果要发生什么情况，您可不要抢斧头……"

一个不认识的矮个子、跛腿农民，走起路来连蹦带跳的，样子非常滑稽。他扯着尖嗓子，愤怒地喊道：

"从远处用砖头砸他们! 砸坏了——由我兜着!"

他还真的捡起了一块砖头，抡起胳膊，对准我的肚子扔了过来。我还没有来得及还手，库库什金从高处像饿鹰扑食似的，一下子就把他掀翻在地，于是他们两个人抱在一起，滚到了峡谷里。潘科夫、巴里诺夫、铁匠，还有十来个人，急忙跟了过去，这时，库兹明大模大样地说：

"你呀，米哈伊洛·安东诺夫，是个聪明人，你明明知道：大火会使农民发疯的……"

"咱们走，马克西梅奇，到岸上的小酒店去。"罗马斯说着，把烟斗从嘴里拿出来，迅速装进裤子口袋。他拄着一根木棒，疲惫不堪地从峡谷里爬上来，库兹明就在他身边。当时库兹明跟他说了句什么话，罗马斯连看都不看他一眼，回答说：

"滚开，蠢货!"

在我们店铺原来的地方，还有一堆燃烧殆尽的金黄色的炭灰，中间是个炉子，一缕灼热的淡淡的青烟，从依然完好的烟囱里冉冉升起。被烧得通红的床架子像蜘蛛腿似的伫立在那里。已经烧焦了的两个门框，就像两个穿黑衣服的士兵，守卫在火堆旁；其中一个门框上头还戴着一顶仍在燃烧的红通通的炭火帽，看上去很像一只大公鸡的鸡冠子。

"书都被烧掉了，"霍霍尔叹道，"这太令人伤心了!"

孩子们像赶小猪似的用木棍把燃烧殆尽的、大一点的木块拨弄到街上的脏水沟里。它们先是发出一阵咝咝的响声，接着便熄灭了，同时冒起一股刺鼻的、乳白色的烟雾。一个大概四五岁的小男孩——黄头发，蓝眼睛——正坐在一个暖洋洋的黑水洼里，用一根木棍敲打一只压扁了的小铁桶，而且专心致志地倾听着那小铁桶发出的声音。遭受火灾的人们走起路来，满面愁容，他们把抢救出来的家用物品，慢慢收拢在一起。妇女们又是哭，又是骂，为几块烧剩下的木头而争吵不休。火场后面的果园中，一棵棵树木伫立在那里，岿然不动，许多树木的叶子已经被烤黄，硕果累累的红苹果，显得更加醒目了。

我们来到河边，下去洗了个澡，然后在岸边的小饭馆里默默地喝着茶。

"土财主们在苹果这件事情上算是栽了。"罗马斯说。

潘科夫走了过来，一副若有所思的样子，他比平时变得温和了一些。

"老弟，怎么办呢？"霍霍尔问道。

潘科夫耸了耸肩膀，说：

"我的房子上了保险。"

奇怪的是，大家都不吭声，好像互相不认识似的，彼此看着，投以试探的目光。

"米哈伊尔·安东内奇，现在你打算怎么办呢？"

"我得考虑一下。"

"你应该离开这里。"

"看一看再说。"

"我倒有个主意，"潘科夫说，"走，我们出去谈谈。"

我们起身往外走。走到门口，潘科夫转过身来，对我说：

"你的胆子可不小啊！你在这里——可以生活下去，他们会怕你的……"

我也上到了岸上，躺在灌木丛中，眺望着河水。

虽然太阳已经落山，但天气还是很热。我在村里所经历的一切，宛如一幅宽大的画卷展现在我的面前，就像是在河面上绘制的一幅彩色画。我忧心忡忡，愁肠百结。但很快我就感到疲倦至极，于是便酣然入睡了。

"喂，"梦中只听见有人在喊叫，并感到有人在摇晃我，把我往什么地方拽，"你难道死了吗？醒醒呀！"

一轮明月悬挂在河对岸草地的上空，大大的，红红的，宛若一个大车轮。是巴里诺夫弯着腰在摇晃我。

"快走，霍霍尔在找你，正在着急呢！"

他跟在我身后，嘴里埋怨说：

"你也不能够逮哪儿睡哪儿呀！要是有人从山上路过，不小心踢着一块石头，掉下来砸着你呢！再说了，要是有人想成心砸你呢。在我们这里——人们可不闹着玩儿。我的好兄弟，这里的人可爱记仇了。除了记仇，别的他们没什么可记的。"

岸边灌木丛里有人在悄悄走动，因为有树枝在轻轻地摇晃。

"找着了吗？"米贡大声问道。

"领回来了。"巴里诺夫回答说。

走了十来步的样子，巴里诺夫叹了口气，说：

"打算偷着去捕鱼。米贡的日子过得也很不容易。"

罗马斯看到我时，气鼓鼓地责备说：

"您怎么能到处乱跑呢？想挨揍，是不是？"

当只剩下我们两个人时，他沉着脸，小声跟我说：

"潘科夫想让你留在他身边，他打算开个小铺。我不劝你留在这里。事情是这样：我已经把剩下的东西统统都盘给了他，我要到维亚特卡①去，过些时候，我会写信给你，请你到我那儿去。怎么样？"

"我得想一想。"

"那您就想想吧。"

他躺在地板上，辗转反侧一会儿后便不出声了。我坐在窗边，望着伏尔加河。月光映照在河面上，使我想起了火灾时的熊熊烈火。一艘拖轮沿着绿茵如画的岸边航行，拖轮的轮叶沉重地拍打着水面，发出啪哒哒哒的响声；船上的三盏桅灯，在黑夜中缓缓而动，时而与星星擦肩而过，时而又完全挡住了它们。

"您是不是生农民的气了？"罗马斯睡眼惺忪地问道，"用不着生他们的气。他们只不过是愚蠢而已。怨恨——就是愚蠢。"

他的话并没有使我得到安慰，也未能减轻我心中的愤恨情绪和强烈不满。那一张张胡子拉碴、野兽般的大口，就浮现在我的眼前，他们凶神恶煞般地狂叫着：

"从远处用砖头砸他们！"

这时候，我还没有学会把应该忘记的东西完全忘记掉。是的，我

① 维亚特卡河的港口城市，1934年起改为基洛夫市。

看得出，这些农民，就单个而言，他们每个人身上并没有那么多的怨恨，而且常常压根儿就没有什么怨恨。实际上，他们只是一些很善良的原始村民。要让他们任何一个人露出孩子般的笑容并不难，任何一个人都会像孩子一样信任地听你讲关于寻找智慧和幸福的故事，听你讲有关英雄人物的丰功伟绩。这些人有一种奇怪的心理，凡是能够激发人们去幻想——可以按照自己的意愿过上好日子——的一切故事，他们都会听得有滋有味，而且认为这种故事非常难能可贵。

但是，当这些人在村会上或者岸边小饭铺里一窝蜂似的凑在一块儿时，他们把自己身上一切好的东西不知藏到哪儿去了。就跟神甫披上虚假与伪善的长袍一样，对有钱有势的人，像狗一样地摇头摆尾，百般逢迎，那种样子看着都叫人恶心。有时候，他们突然又会变得像狼一样的凶狠，毛发倒立，龇牙咧嘴，野蛮地互相吼叫，甚至不惜大打出手——而且也真打，起因不过是一些鸡毛蒜皮的小事。在这种时刻，他们变得非常可怕，甚至会捣毁他们昨晚还像绵羊回到羊圈时那样老实出入的教堂。他们当中，有诗人和讲故事能手，可是没有人喜欢他们；他们成了村里嘲笑的对象，无依无靠，被人瞧不起。

我无法跟这些人在一起，也不可能生活在他们中间。在我和罗马斯分手的那天，我把自己这些痛苦的想法都对他说了。

"你的结论为时尚早。"他责备地说。

"但结论一旦下了，又能有什么办法呢？"

"这是一个错误的结论！缺乏根据。"

他费了好长时间，苦口婆心地规劝我，说我这样想是不对的，说我错了。

"别急着去谴责他人！谴责人是最简单不过的事，不要热衷于这一点。看待一切事物要平和冷静，要牢记住一点：一切都会过去的，一切都在向好的方面变化。嫌慢吗？但是非常牢靠！要到处去看看，对什么事都要亲自感受一下，要无所畏惧，但就是不要急于谴责别人。再见啦，好朋友！"

我们再次见面，已经是十五年以后的事了①，是在塞德列茨；当时

---

① 1902年9月24日高尔基在信里写道："我今天高兴极了！霍霍尔从雅库特回来了——就是那个我跟他卖过苹果的人。知道吗，这个人好极了，非常坚强！"（见《高尔基文集》第28卷，第270页）

罗马斯因"民权党人"① 一案,在雅库特地区已经又度过了十年的流放生活。

罗马斯离开克拉斯诺维多夫村后,我心里沉重极了,非常苦闷。我在村子里东游西荡,惶惶不可终日,像一条丧家犬。我和巴里诺夫一起,到各村去给有钱的农户干活,打小麦,刨土豆,收拾园子。我就住在他的浴室里。

"列克谢·马克西梅奇,你这样一个光杆司令,以后怎么办呀,啊?"一个雨夜里,巴里诺夫问我,"咱们明天出海去好不好?说真的,待在这儿有什么意思呢?这儿的人不喜欢咱们这样的哥们儿。再说了,说不定什么时候我们会栽在哪个醉鬼手里……"

这样的话,巴里诺夫已经不是头一次说了。不知为什么,他也感到非常苦闷;总是无精打采地耷拉着两只长臂猿似的胳膊,垂头丧气地东张张,西望望,好像在森林里迷失了方向似的。

雨不断地敲打着浴室的窗子,雨水沿着浴室的一角,哗哗地往下流,一直流向峡谷深处。这是今年的最后一场大雨,微弱的闪电不时发出惨淡的白光。巴里诺夫小声地问我:

"去吗,啊?明天?"

我们去了。②

秋天的夜晚,能够畅游伏尔加河,别提有多么美了。我坐在驳船的船尾,离船舱不远,掌舵的是一个一头乱发的大怪物,脑袋特别大。他一面掌舵,一面在甲板上跺着他那笨重的双脚,而且呼哧呼哧地喘着粗气,嘴里喊着:

"噢——喔!……噢——罗——喔!……"

船后,河水像丝绸般地缓缓流去,轻波细纹,泛起微微的涟漪,河水黑中有亮,一眼望不到边。河道上空是一团团秋天的乌云。周围的一切,只是黑暗在慢慢地移动。它使人看不清岸边在哪里,仿佛整个大地都融化在黑暗之中,变成了烟雾与河水,滔滔不绝地向下游流

---

① 民权党是俄国 19 世纪 80 年代的一个小资产阶级革命民主组织,1893 年 9 月在萨拉托夫举行成立大会,其宗旨是:联合革命力量和反动势力斗争,推翻沙皇封建专制制度。在许多地方建立了民权党小组,出版《斗争报》,进行宣传。1894 年 4 月大部分成员遭沙皇政府逮捕。

② 喀山宪兵司令部 1889 年 10 月 13 日的档案材料说:"1888 年 9 月高尔基从克拉斯诺维多夫村返回喀山,同月底,离开喀山,去向不明。"

去，流向荒无人烟的什么地方；那里既没有太阳，也没有月亮和星星。

在我们的前方，一艘看不见的拖船，在潮湿的黑暗中，正在吃力地向前挣扎着，艰难地喘着粗气，仿佛一心要摆脱把它往后拖的强大的拉力。船上有三盏灯——两盏靠近河面，一盏高悬在它们之上——它在为拖船指引着航向；离我不远处，还有四盏灯，像金鱼似的在乌云下面游来荡去，其中有一盏，是我们驳船上的桅灯。

我感到自己好像被装在一个冷冰冰的油瓶里了，它沿着一个斜面，在慢慢地往下滑，而我就像一个小虫子被困在了里面。我觉得，当滑动渐渐放慢，以致完全停止不动的时候，轮船便不再突突地响了，轮叶也不再拍击那浑浊的河水了；所有的声音都消失了，就像树叶从树上落下来，粉笔字被擦去一样。这时，我周围的一切，绝对是静止不动，悄无声息的。

那个在船舱旁走来走去，穿一件破羊皮袄，戴一顶毛茸茸的羊皮帽的大个子舵手，像着了魔似的，站在那里，一动不动，已经不再"噢——喔！噢——喔！……"地吆喝了。

这时我问他：

"你名字叫什么？"

"你管得着吗？"他声音低沉地回答说。

太阳快要落的时候，我们从喀山启航。我发现这个人像狗熊似的笨手笨脚，一脸胡子拉碴，毛茸茸的，眼睛都快看不见了。他站在船舵旁，把一瓶伏特加酒倒在一个大木勺里，像喝水一样，两口便喝完了，然后才开始吃苹果。当拖船一拉动驳船，这个人便紧抓住舵杆，朝火红的落日看了看，脑袋一晃，态度严厉地说：

"老天会保佑我们的！"

轮船拖着四艘驳船，从下诺夫戈罗德的市场启航，载着各种铁器、成桶的砂糖，还有一些很重的木箱子，向阿斯特拉罕一路进发。所有这些东西，都是要运往波斯①的。巴里诺夫踢了踢这些木箱子，用鼻子闻了闻，然后想了一下，说：

"没错儿——是枪支，是伊热夫斯基②的工厂生产的……"

可这时舵手用拳头在巴里诺夫的肚子上捅了一下，问道：

---

① 即现在的伊朗，1935 年以前叫波斯。

② 俄罗斯城市，1918 年设市，坐落在伊日河畔，工业重镇，国家兵工厂所在地，为乌德穆尔特自治共和国（1934）首府。

"这关你什么事儿？"

"我是想……"

"你是想挨揍，是不是？"

乘客轮，我们付不起钱，让我们上驳船，是因为"可怜"我们，尽管我们和别的水手一样，还得"值班"，但驳船上人人都把我们当叫花子看待。

"而你总是张口闭口的'人民'长、'人民'短，"巴里诺夫抱怨我说，"可这里的道理很简单：谁有钱，谁就可以骑在别人头上，作威作福……"

眼前一片漆黑，根本看不见驳船，只能看见烟雾中被桅灯照亮的尖尖的桅杆。烟雾里散发出一股石油的气味。

掌舵人一直板着个脸，一言不发，这使我感到非常厌烦。水手长派我到驾驶舱"值班"，目的是要帮助这头野兽。他紧盯住桅杆上灯光的动向，转弯的时候则低声对我说：

"喂，把稳舵！"

我从甲板上一跃而起，赶紧转动舵杆。

"可以了。"他嘟哝着。

我又坐回到甲板上。想跟这个人随便聊聊，根本不可能，他总是反问我：

"你问这干什么？"

他在想些什么呢？当驳船驶过卡马河的黄水，和伏尔加河的青灰色的洪流两相交汇的地方，他向北看了看，嘴里嘟哝着：

"王八蛋。"

"你骂谁呀？"

他没有回答。

从很远的地方，在无尽的黑暗中，传来了狗的狂叫声。它提醒人们，生命还没有完全被黑暗所窒息，还有一息尚存。它仿佛来自遥不可及的远方，而且完全是多此一举。

"这里的狗都很差。"掌舵人突然说。

"这里——是哪儿？"

"到处……我们那儿的狗——才是名副其实的猛兽……"

"你是从哪儿来的？"

"沃洛格达省。"

这时，像土豆从破口袋里漏出来似的，他的一些扯淡话才陆陆续续从他嘴里蹦了出来：

"他——跟你在一块儿的人是谁——是你叔叔吗？依我看，他整个是一个傻瓜。而我的叔叔可聪明了，人很厉害，十分有钱。在辛比尔斯克。他有一座码头和一家饭店，就在岸边。"

他这些话说得很慢，好像非常吃力；他用自己那双别人几乎看不见的眼睛，紧盯住轮船的桅灯，看它如何像一只金色的蜘蛛，在漆黑的网络中缓缓爬行。

"把稳舵，喏……识字吗？知不知道是谁制定的法律？"

没等我回答，他便接着说：

"各种说法都有：有人说是沙皇制定的；另外有人说是大主教、元老院制定的。如果我知道是谁制定的，我肯定会去找他的。我会对他说：你应该把法律制定得我想要打人都不行，更不用说真的去打人了！法律应该是铁面无情的。它像一把钥匙，把我的心牢牢给锁住，这样就好了！到那个时候——我就敢于负责！要是像现在这个样子——我不能负责，决不。"

他自言自语地嘟囔着，声音越来越低，话也越来越语无伦次，一面用拳头不断地捶打着木质的舵杆。

有人用话筒从轮船上向外喊话，那瓮声瓮气的声音，和消失在茫茫黑夜中的狗的狂叫声一样，同样显得十分多余。轮船两边是黑黢黢的河面，灯火的光照反映在河面上，像一块块黄色的油渍，光怪陆离，飘忽不定。它们在慢慢地融化，发出微弱的光芒，在照耀着什么。而我们的头顶上，彤云密布，冷雾缤纷，像河中的淤泥，又稠又黏。我们正在滑向黑暗无声的深渊。

掌舵人愁眉苦脸地埋怨说：

"为什么我到这儿来？我的心都不跳了……"

我觉得什么都无所谓，对一切都感到十分冷漠，心里十分苦闷，只想睡觉。

太阳还没有升起，黎明的曙光好不容易才小心翼翼地穿过乌云。它显得是那样的微弱与苍白；它把河水染成了铅灰色，显露出了岸边发黄的灌木丛，锈迹斑斑的铁松及其黑压压的树盖，成排的村舍，还有像石雕一样的人的身影。一只海鸥，煽动着它那双一对弯弯的翅膀，从驳船的上空，一掠而过。

我和掌舵人被替换下来后，我便钻到防水布下面睡大觉去了。但是没过多久——我这样觉得——一阵脚步声和喊叫声便把我吵醒了。

我从防水布下探头一看，只见三个水手把舵手按在"办公室"的墙壁上，七嘴八舌地喊道：

"别这样，彼得鲁哈！"

"上帝会保佑你的，没关系！"

"你呀，算了吧！"

他交叉着双手，扒着自己的肩膀，站在那里，镇定自若，一只脚踩着甲板上的一个什么包袱，来回地看着他们几个，声音嘶哑地劝他们说：

"别再造孽了！"

他光着脚，没戴帽子，只穿一件衬衫和一条短裤，一团乱蓬蓬的黑发在头上支棱着，耷拉下来的头发，盖住了他那倔强的大脑门儿，只能看见他那布满血丝的两只小眼睛。它们露出祈求的、惶恐不安的目光。

"你会被淹死的！"他们对他说。

"我？绝对不会。弟兄们，放了我吧！不放我，我也要杀死他！等我一游到辛比尔斯克，我就……"

"算了吧！"

"哎呀，弟兄们……"

他慢慢地张开双臂，跪了下来，双手贴着"办公室"的墙壁，好像被钉在十字架上一样，他一再重复说：

"别再造孽了！"

在他那异常深沉的声音中，有一种令人震撼的东西。他张开的双臂，像船桨一样长，他双手颤抖着，伸向众人。他那张像熊一样胡子拉碴的脸也在颤抖，一双像鼹鼠一样小而无神的眼睛，瞪得像两颗黑珠子似的；那样子就像有一只无形的手在卡住他的喉咙，使他透不过气来。

几个农民默默地向后退去。他笨手笨脚地从地下站起身，捡起包袱说：

"好啦，谢谢了！"

他走到船头，动作出人意料的敏捷，一个纵身，跳进了河里。我急忙跑到船头，只见彼得鲁哈一面晃动着脑袋，一面把自己的包袱——当帽子——顶在头上，斜着向对面的沙土岸边一路游去。岸边的灌木丛被风吹得向下弯曲着，像迎接他似的，把黄灿灿的叶子撒向水中。

农民们说：

"他毕竟是战胜了自己！"

我问道：

"他——疯了吗？"

"为什么疯了？不，他没有疯，他这是为了拯救自己的灵魂……"

彼得鲁哈已经游到了一个浅水滩，那儿的水只有齐胸深。他把包袱举过头顶，摇晃了几下。

水手们大声喊道：

"再——见——啦！"

有人问：

"可是他没有身份证怎么办？"

一个红头发、罗圈腿的水手自告奋勇地对我说：

"他在辛比尔斯克那里有一个叔叔，对他非常坏，把他搞得倾家荡产，所以他一心想杀死这个叔叔，但是他又下不了手，于是便作罢了。彼得鲁哈确实像一头野兽，但是他心地善良，是个好人……"

这个善良的农民正沿着一条狭窄的浅沙滩往前走着，逆流而上，转眼间，他便消失在一片灌木丛中了。

水手们都是些心地善良的小伙子，他们和我都是同乡，是在伏尔加河边土生土长的人。到了晚上，我和他们在一起就跟一家人似的。但是第二天我发现，他们看我的时候总是黑丧着个脸，一副不信任的样子。我马上就猜想到，准是巴里诺夫这个幻想家鬼迷心窍，乱嚼舌头，不知向水手们讲了些什么。

"你讲什么了？"我问巴里诺夫。

他不好意思地直挠耳朵，一双女人般的眼睛露出了笑容，他承认说：

"是讲了一些。"

"我不是跟你说过，让你不要讲吗？"

"我确实也没有讲，可架不住那故事太有意思啦。本来是打算玩牌的，可是那个舵手把牌随身带走了，烦闷极了！所以我就……"

问来问去，原来是巴里诺夫为了解闷儿，胡编了一个非常可笑的故事，故事的结尾是：霍霍尔和我，作为古代的海盗，抢起斧头，跟一帮农民一通厮杀。

跟他生气毫无用处，只有在现实生活之外他才能够看到真理。然而，当我和他在一块儿，在去找活儿干的路上，我们坐在野外峡谷的边上，他曾经振振有词地、亲切地对我说：

"寻找真理必须要符合自己的心意。你瞧，峡谷对面有一群羊在放牧，狗来回不停地奔跑，牧羊人也走来走去。喏，那又怎么样？你我从这件事情上在内心里能够得到什么呢？亲爱的，你只用随便看看：坏人都是实实在在的，可是好人——在哪儿呢？好人还没有生出来呢，没错儿！"

在辛比尔斯克，水手们很不客气地要我们离开驳船到岸上去。

"你们和我们在一起不合适。"他们说。

他们用小船把我们送上辛比尔斯克码头，于是我们在岸上晾干了衣服，那时我们兜里只有三十七个戈比。

我们到小饭馆里去喝茶。

"我们怎么办呢？"

巴里诺夫信心十足地说：

"什么'怎么办'？继续往前走呀。"

我们用"逃票"的方法乘船到了萨马拉。在萨马拉，我们在一艘驳船上打零工，七天后，我们差不多很顺利地抵达里海海岸。在这里，我们来到卡尔梅克人经营的一个肮脏的卡班库尔-巴伊渔场，在一个小小的渔业合作社里找到了一份工作①。

———————————

① 关于高尔基和巴里诺夫在里海渔场工作的情况，《高尔基全集》第14卷，第626—627页有记载。